VERITATEM INQUIRERE

7

PONTIFICIA UNIVERSITÀ
DELLA SANTA CROCE
Roma

UNIWERSYTET
MIKOŁAJA KOPERNIKA
Toruń

«VERITATEM INQUIRERE»
Liturgiae Fontes et Studia

Doctorum Collegium

- ALZATI Cesare (Italia)
- AROCENA Félix (Spagna)
- BAROFFIO Giacomo (Italia)
- BRZEZIŃSKI Daniel (Polonia)
- DAL COVOLO Enrico (Italia)
- GIRAUDO Cesare (Italia)
- GŁUSIUK Anna Aleksandra (Polonia)
- GUTIERREZ José Luis (Italia)
- IADANZA Mario (Italia)
- MEDEIROS Damásio (Brasile)
- NAVONI Marco (Italia)
- ROSZAK Piotr (Polonia)
- SALVARANI Renata (Italia)
- SEGUI I TROBAT Gabriel (Spagna)
- SODI Manlio (Italia - **direttore scientifico**: manliosodi@gmail.com)
- SUSKI Andrzej (Polonia)
- TONIOLO Alessandro (Italia)
- TRAPANI Valeria (Italia)
- TUREK Waldemar (Polonia)
- ZACCARIA Giovanni (Italia - **direttore editoriale**: g.zaccaria@pusc.it)
- ŻĄDŁO Andrzej (Polonia)

SACRAMENTARIO GREGORIANO

TESTO LATINO-ITALIANO E COMMENTO

A cura di
Manlio Sodi e Orazio Antonio Bologna

in collaborazione con
Remigio Presenti e Alessandro Toniolo

EDUSC 2021

A Sua Ecc. Rev.ma Mons. Andrzej Suski
Vescovo emerito della Diocesi di Toruń
appassionato ricercatore delle fonti liturgiche
fondatore delle collane
«Veritatem inquirere» e «Fontes scrutari»
gli amici vicini e lontani
augurano ogni bene
salutando il suo ottantesimo genetliaco.

Un particolare ringraziamento alla "Società di Studi Trentini di Scienze Storiche" (www.studitrentini.it), promotrice dell'edizione dei «Monumenta Liturgica Ecclesiae Tridentinae saeculo XIII antiquiora», per la gentile concessione del testo del *Sacramentarium* e per il contributo alla presente edizione. La "Società" pubblica fin dal 1920 la propria rivista, monografie, quaderni di approfondimento ed edizioni di fonti in varie collane.

© Copyright 2021 – Edizioni Santa Croce s.r.l.
Via Sabotino 2/A – 00195 Roma
Tel. + 39 06 45493637
info@edusc.it – www.edizionisantacroce.it

ISBN 978-88-8333-973-8

PRESENTAZIONE

L'attenzione ai Sacramentari del primo millennio e ai loro contenuti non è mai venuta meno, soprattutto da quando il card. Giuseppe M. Tommasi (1649-1713) pubblicò per la prima volta a stampa il prezioso testo: *Codices sacramentorum nongentis annis vetustiores* (1680). Da allora lo studio di queste e di altre preziose fonti liturgiche scoperte in seguito (si pensi al *Sacramentarium Veronense* ritrovato dopo secoli, nel 1713) ha realizzato sviluppi tali da mettere a disposizione dei ricercatori il patrimonio pressoché completo di ciò che la tradizione eucologica occidentale ha elaborato al tempo dei Padri e ancora dopo, fino all'apparizione del *Missale Romanae Curiae*. La pubblicazione del *Missale Romanum* con l'*editio typica* del 1570 segnerà la fine delle composizioni eucologiche, salvo poche eccezioni determinate dall'inserimento nel Calendario liturgico di nuove feste e memorie.

Il secolo XX ha stabilito una tappa importante nella conoscenza degli antichi testi, sia per la pubblicazione di numerose edizioni critiche, e sia per l'operosità di tanti eminenti studiosi che hanno fatto dell'accostamento alle fonti liturgiche il loro principale obiettivo di approfondimento.

Con il terzo millennio ha iniziato ad apparire un altro tipo di strumentazione, basato su un modo nuovo di elaborare *Concordanze*, tale da permettere un più diretto accostamento alla terminologia. In questa linea, la collana "Veterum et Coaevorum Sapientia" edita dalla Libreria Ateneo Salesiano (Roma), ha accolto le Concordanze del *Sacramentarium Gregorianum* (2012), *Veronense* (2013) e *Gelasianum* (2014). Quasi in contemporanea, altre due collane – "Veritatem inquirere" e "Fontes scrutari" predisposte dalle Università del Laterano (e dal 2021 della Santa Croce) e di Toruń – hanno rivolto l'attenzione a preziosi cataloghi di manoscritti di fonti liturgiche.

Per facilitare una conoscenza più diretta e approfondita dell'immenso patrimonio eucologico ereditato, rimaneva da realizzare un altro obiettivo, quello cioè di tradurre in lingua viva la ricchezza di espressioni oranti presenti almeno nei tre classici Sacramentari. In questa ottica si è attivato un percorso che – per la prima volta nella storia - vede ora la luce con la traduzione del Sacramentario Gregoriano.

Elaborare una traduzione dei testi liturgici non è impresa facile. Orazio Antonio Bologna (traduzione e commento letterario) e Remigio Presenti (revisione) hanno realizzato – in dialogo con colleghi liturgisti – questa fatica che tornerà di grande aiuto a tutti coloro che, sprovvisti di una discreta conoscenza della lingua latina, desidereranno avvicinarsi a queste ricchezze frutto della preghiera di tante comunità; una preghiera il cui esito le circostanze della storia e la vitalità ecclesiale hanno affidato a questi Sacramentari. Il collega Alessandro Toniolo ha curato la ricerca delle pericopi bibliche nei Lezionari e nei *comes* del primo millennio.

L'edizione bilingue presenta il testo latino come è apparso in occasione della pubblicazione delle *Concordanze*; accanto si colloca la traduzione in lingua italiana. In tal modo risulta facilitato il confronto con l'originale. A questo si aggiunga il ruolo dell'*Introduzione* che contestualizza l'insieme dei valori del Sacramentario, e soprattutto del *Commento* che offre una sintesi teologico-liturgica dei formulari, e rivolge spesso l'attenzione agli aspetti retorico-formali attraverso cui il messaggio teologico è stato trasmesso mediante le più squisite forme retoriche della lingua latina del tempo.

Nella consapevolezza che ogni traduzione costituisce sempre un limite di fronte al significato profondo dell'espressione originale, si è optato per un testo facilmente leggibile – nonostante alcuni passaggi talora oscuri dell'originale -, tale comunque da permettere un primo completo accostamento alla fonte. Per i testi presenti anche nell'attuale *Missale Romanum* (editio typica III, 2002) si è adottata quasi sempre la traduzione ufficiale presente nel *Messale Romano* per la Chiesa in Italia, approvata l'8 settembre 2019 e pubblicata nel 2020.

Il lettore avrà modo di scoprire una ricchezza terminologica e contenutistica tale da meravigliare per la densità dei concetti teologico-liturgici; e il confronto terminologico attraverso la relativa *Concordanza* permetterà di avere un quadro completo circa questa peculiare pagina di *latinitas liturgica*. Questo è il valore di un patrimonio eucologico ereditato dalla tradizione e in buona parte presente nei libri liturgici odierni, soprattutto a partire dal *Missale Romanum* edito secondo le indicazioni del Concilio Ecumenico Vaticano II.

MANLIO SODI
Praeses emeritus
Pontificii Instituti Altioris Latinitatis in Urbe

INTRODUZIONE

La conoscenza delle fonti, a qualunque disciplina appartengano, costituisce sempre il necessario punto di partenza e di costante confronto per sviluppare un percorso credibile sotto ogni aspetto. Per l'ambito liturgico questa dimensione ha un ruolo particolarmente importante per la sua tipica dimensione di *traditio*; è una *traditio fidei* che si realizza attraverso la *lex orandi* che, a sua volta, diventa punto di incontro tra *lex credendi* (fede) e *lex vivendi* (vita).

Nel contesto dei linguaggi del culto la conoscenza delle fonti per alcuni aspetti risulta facilitata, in quanto la trasmissione dei testi della *lex orandi* è avvenuta quasi automaticamente, da una generazione all'altra, nella trascrizione dei codici, fino all'avvento della stampa.

La complessità del *depositum euchologicum* – dell'insieme, cioè, di tutti i testi che esprimono la preghiera della comunità di fede – è stata affidata a documenti sui quali si sono modellate, successivamente, preghiere che, tra la fine del primo e gli inizi del secondo millennio, hanno dato vita all'articolarsi dei vari libri liturgici.

L'evento del Concilio di Trento (1545-1563) costituì un punto di arrivo importante, e insieme un punto di partenza. Un punto di arrivo in quanto risultava essenziale fornire libri liturgici senza errori e comunque tali che potessero diventare un elemento di fusione per la preghiera comune tra le varie Chiese. Ma con la pubblicazione dei sei libri liturgici,[1] le disposizioni conciliari tridentine divennero anche un punto di partenza per una uniformità che caratterizzerà la storia del culto della Chiesa di Occidente – soprattutto nel contesto del rito romano - fino alla riforma voluta dal Concilio Vaticano II.[2]

---

1) I libri liturgici della riforma tridentina sono apparsi nella collana "Monumenta Liturgica Concilii Tridentini" edita dalla Lev. Cf inoltre il fascicolo monografico di *Rivista Liturgica* 95/1 (2008) sotto il titolo: *Celebrare con il Messale di san Pio V.*

2) Per una presentazione globale di tutti i libri liturgici editi dopo il Vaticano II cf il numero monografico di *Rivista Liturgica* 95/5 (2008) sotto il titolo: *La liturgia di rito romano e i suoi libri.* Inoltre: *La tradizione liturgica della Chiesa di Roma*, ibid., 97/3 (2010); *Ermeneutica del libro liturgico*, ibid., 98/3 (2011).

È tra i due Concili che si snoda un lavoro di ricerca e di approfondimento delle fonti liturgiche quanto mai proficuo. A differenza, infatti, della Commissione istituita da Paolo V per la riforma del *Breviarium* e del *Missale*, che non aveva a disposizione tante fonti, le Commissioni della riforma promossa dal Vaticano II poterono usufruire di un'ampia conoscenza della *traditio*. Può esserne un segno eloquente il confronto tra i testi del *Missale Romanum* del 1970 (ed edizioni successive) e quelli dei tre antichi Sacramentari; è da un simile lavoro che si può dedurre quanto debitore della vera *traditio* risulti l'attuale *Missale Romanum*.[3]

Tutto questo è stato possibile in seguito alle numerose e accurate edizioni critiche che si sono sviluppate proprio a partire dalla fine del sec. XVII per trovare poi un orizzonte sempre più ampio soprattutto nel sec. XX. Altre edizioni hanno caratterizzato gli inizi del terzo millennio.[4]

Accostare però queste antiche fonti implica il superamento dell'ostacolo della lingua latina. È in questa linea che il progetto, che vede ora il primo risultato, è stato pensato per offrire una opportunità preziosa di conoscenza della *traditio* soprattutto *euchologica*. Impresa ardua che affidiamo al lettore, evidenziando in questo contesto alcuni ambiti tra i numerosi che potrebbero essere considerati: *a)* accostare la complessa pagina di teologia liturgica quale può emergere dall'insieme dei testi di un sacramentario; *b)* esaminare la tipologia di testi e di formulari; *c)* verificare l'elenco e il senso delle *Stationes* che caratterizzavano la vita cultuale della Chiesa di Roma e che ancora oggi costituiscono un riferimento celebrativo; *d)* approfondire la conoscenza della *latinitas liturgica* e in particolare di quella del presente *Sacramentario*.

Le *Appendici* permettono di individuare in tempi rapidi una qualunque formula eucologica (I) ad eccezione degli embolismi prefaziali indicizzati successivamente (II); l'elenco delle *Stationes* che caratterizzavano la vita pastorale della Chiesa di Roma (III) denotano ancora oggi svariati appuntamenti cultuali. L'elenco infine (IV) dei

---

3) *Missale Romanum*. Editio typica tertia, Typis Vaticanis MMII, pp. 1318 [= MR 2002]. Per la concordanza verbale cf M. Sodi - A. Toniolo, *Concordantia et Indices Missalis Romani* (Editio typica tertia) = MSIL 23, Lev, Città del Vaticano 2002, pp. XVI + 1965; Iid. (edd.), *Praenotanda Missalis Romani. Textus - Concordantia - Appendices* (Editio typica tertia) = MSIL 24, Lev, Città del Vaticano 2003, pp. XIV + 807.

4) Cf le varie edizioni pubblicate anche nelle numerose collane segnalate dopo l'Indice generale.

martiri e dei santi invita ad osservare il panorama agiografico entro cui si muovono i testi del *Sacramentario*, e rivolgere lo sguardo sul tempo delle persecuzioni.

1. Conoscere il testo per coglierne l'orizzonte teologico

Con il termine "conoscere" si apre questa pagina introduttiva. Ed effettivamente il primo obiettivo che ha originato l'impresa della traduzione è stato proprio questo. Siamo consapevoli che non molti sono coloro che hanno letto tutto un sacramentario, sia a motivo della lingua latina che per vari passaggi in cui la corruzione del testo non permetteva un accostamento oggettivo a tutte le formule eucologiche.

A partire dalla base del testo latino già predisposta nell'edizione della *Concordantia*,[5] si è potuto procedere ad una traduzione non per l'uso liturgico, ma per una conoscenza più diretta del contenuto racchiuso nella singola formula.

Dalla "conoscenza" scaturisce la pagina di teologia liturgica; di quella teologia, cioè, che si elabora a partire dall'accostamento dei testi liturgici, e che permette di esplicitare percorsi in cui l'ambito teologico si interseca con quello biblico, con quello vitale, e tutto ciò allo scopo di una spiritualità che trova nell'ambito della celebrazione il proprio *locus*.[6]

---

5) Cf M. SODI - G. BAROFFIO - A. TONIOLO (edd.), *Sacramentarium Gregorianum. Concordantia* = Veterum et Coaevorum Sapientia 7, Las, Roma 2012, pp. 609. Il testo proviene dall'edizione curata da F. DELL'ORO et ALII, *Fontes Liturgici Libri Sacramentorum. Studia et editionem* [...] = Monumenta Liturgica Ecclesiae Tridentinae saeculo XIII antiquiora, II/A, Società Studi Trentini di Scienze Storiche, Trento 1985, pp. XVI + 560, in particolare pp. 83-416. Nell'Introduzione alla *Concordantia* abbiamo segnalato il motivo della scelta del testo base; ricordiamo, comunque, le altre due essenziali edizioni: J. DESHUSSES, *Le Sacramentaire Grégorien. Ses principales formes d'après les plus anciens manuscrits. Edition comparative*, Vol. I: *Le Sacramentaire - Le Supplément d'Aniane*; Vol. II: *Textes complémentaires pour la Messe*; Vol. III: *Textes complémentaires divers* = Spicilegium Friburgense 16, 24, 28, Fribourg 1971, 1979, 1982. - A. CATELLA - F. DELL'ORO - A. MARTINI - F. CRIVELLO, *Liber Sacramentorum Paduensis* = Bibliotheca "Ephemerides Liturgicae" Subsidia 131 - Monumenta Italiae Liturgica III, CLV-Edizioni Liturgiche, Roma 2005.

6) Per un'adeguata introduzione alla teologia liturgica si vedano le due opere: M. SODI (ed.), *Il metodo teologico. Tradizione, innovazione, comunione in Cristo* = Itineraria 1, Lev, Città del Vaticano 2008: *Metodo teologico e lex orandi. La teologia liturgica fra tradizione e innovazione*, pp. 201-227; ID. et ALII, *La teologia liturgica tra itinerari e prospettive. L'economia sacramentale in dialogo vitale con la scienza della fede* = Sapientia ineffabilis 1, IF Press, Roma 2014, pp. 197.

Nella terza parte è presente un *Commento* che in molti formulari si apre con alcune linee di lettura teologica dei testi. È un accostamento che si muove dall'orizzonte offerto dalla tipologia del formulario per una specifica celebrazione, per osservarne le linee teologiche essenziali e quindi per cogliere il senso teologico dell'evento umano-divino quale si attua nella celebrazione.

La sintesi offerta nel commento costituisce un avvio per una riflessione che può prolungarsi in modo più elaborato qualora si approfondisca il senso che molti termini assumono nel passaggio dalla *latinitas* classica o cristiana a quella liturgica. Il percorso rivela una teologia del sacrificio, dell'assemblea, del mistero della salvezza, dei riflessi nella vita... i cui risvolti sono quanto mai ampi e variegati in ordine ai vari ambiti della teologia stessa. Si pensi alla dimensione trinitaria, cristologica, pneumatologica, mariologica; si pensi alla identità dell'assemblea celebrante; si pensi alle tante occasioni per le quali nel tempo la comunità si riunisce per celebrare il memoriale della Pasqua in vista di un'attualizzazione nella propria esistenza.

L'approfondimento delle composizioni eucologiche andrebbe completato anche con una riflessione di teologia biblica a partire dalle pericopi segnalate. Allo stato attuale risulta arduo declinare un rapporto teologico tra i temi dell'annuncio con quelli dei testi eucologici. Lungo la storia varie sono state le metodologie teologico-liturgiche che hanno orientato la scelta delle pericopi scritturistiche in ordine ad una determinata celebrazione o a uno specifico periodo liturgico.

Il *Sacramentario* solo raramente segnala le pericopi, rinviando secondo la prassi del tempo, alle indicazioni presenti in altri libri liturgici o nei *Comes*. Lo studio degli antichi Lezionari può rivelare - oggi più che in passato - pagine di lettura sapienziale della Scrittura a partire dall'uso che se ne è fatto nel contesto culturale. È una attenzione oggi meglio codificata anche a partire dall'affermazione del Concilio Vaticano II quando nella *Sacrosanctum Concilium* 56 afferma che le due parti della Messa sono così strettamente congiunte fra loro *ut unum actum cultus efficiant*.

Ed è a servizio di questa prospettiva di invito ad una lettura più ampia del dato liturgico dell'antichità che il commento offre riferimenti sia ai *Comes* del primo millennio, sia a quella codificazione qual è avvenuta con l'*editio princeps* del *Missale Romanum* nel 1474.[7]

_____

7) Cf R. Lippe (ed.), *Missale Romanum*. Mediolani, 1474, vol. I: *Text* = Henry Bradshaw Society 17, London 1899, pp. XXVII+502 [= MR 1474]. In ordine alla problematica dei Lezionari, oltre a quanto segnalato più avanti nel Com-

2. Tipologia dei formulari e dei testi

Il percorso attraverso i titoli dei formulari come pure di alcune singole formule rivela una varietà molto ampia di testi elaborati in tempi diversi e comunque raccolti e spesso ordinati in vista di appuntamenti celebrativi.[8]

La tipologia delle composizioni manifesta una notevole varietà; ed è da questa ampia raccolta che nella progressiva strutturazione dei messali plenari si potrà attingere – in vista di una linea contenutistica più organica nella successione delle celebrazioni – per rispondere ai ritmi dello scorrere del tempo e dei momenti e situazioni della vita.

Va rilevato ancora che varie orazioni sono simili tra loro, specialmente quando si tratta di testi per memorie di martiri, dove è sostituito solo il nome del santo da onorare e implorare.

2.1. Le collette: introduzione al mistero

I formulari si aprono sempre con l'orazione *collecta*: il termine non è mai presente nel *Sacramentario*, ad eccezione del testo n. 1178 dove nell'orazione conclusiva (*post communionem*) si nomina l'assemblea «in templo ... tibi collecta te timeat ...».

Obiettivo del contenuto della *collecta* è introdurre alla celebrazione del mistero secondo una struttura letteraria in genere molto semplice. Costituita da una *invocatio* e da una *petitio*, contiene l'invito alla lode e alla supplica; quest'ultima spesso sviluppata o arricchita con una motivazione – frequentissima la proposizione finale introdotta da *ut* - che sorregge la richiesta dell'assemblea.

In un contesto di lettura teologica, la *invocatio* permette di cogliere il modo con cui l'assemblea legge e onora l'azione di Dio; la *petitio*, in parallelo, evidenzia la situazione che sta attraversando il popolo orante e quindi la richiesta dell'intervento divino per poter raggiungere il traguardo proposto dall'itinerario di fede nello specifico momento determinato dal tempo liturgico, da una particolare festività, dalla memoria di un martire, dalla situazione specifica della persona o della comunità, oppure dal momento esequiale. Una lettura,

---

mento, si veda *Rivista Liturgica* 101/3 (2014) sotto il titolo: *Conoscere le fonti liturgiche per un'ermeneutica della continuità*; in particolare lo studio di N. VALLI, *I Lezionari al tempo dei Sacramentari Veronese, Gelasiano e Gregoriano*, pp. 501-521 (con preziosa e puntuale bibliografia).

8) Da notare che il Sacramentario inizia con *In nomine Domini* (n. 1a). La stessa dicitura si trova anche nel vero inizio della raccolta dei formulari: *In vigilia Domini*, n. 87 e seguenti.

pertanto, che può essere realizzata sia isolando il singolo testo, sia accostandolo nell'insieme del formulario in modo che dall'introduzione al mistero l'assemblea possa cogliere altri aspetti per potervisi immergere sempre più in pienezza.

2.2. Le orazioni sulle offerte: per una teologia del sacrificio

Secreta o *super oblata*: due titoli che denotano la stessa funzione dell'orazione che ha l'obiettivo di presentare a Dio i doni per l'offerta sacrificale. Una preghiera pronunciata sui doni che sono stati "separati" (*secreta*) o comunque pregata su quelli offerti (*super oblata*) per il sacrificio eucaristico. Nella traduzione abbiamo sempre uniformato la dicitura: *Sulle offerte*.

Alla semplice invocazione rivolta al Padre onorato con semplici appellativi, segue una o più richieste – talora implorando l'intercessione della Vergine o del martire – perché con la presentazione dei segni sacrificali sia accolta l'offerta della vita del fedele, quale passaggio obbligato per conseguire il premio eterno.

Il testo - in genere formulato in modo semplice e lineare - si muove su una *petitio* spesso accompagnata da una *ratio* introdotta dal pronome relativo o dall'*ut* finale. Una struttura letteraria, comunque, sempre a servizio di una esplicitazione della teologia del sacrificio.

2.3. I prefazi: motivi per lodare, implorare e ringraziare

Nel *Sacramentario* sono presenti 105 testi prefaziali. Di questi, come segnalato a suo luogo, solo sei vengono riproposti nel MR 2002. L'attuale Messale ne racchiude 94, tutti arricchiti da un titolo, come segnalato nell'*Index Praefationum* posto in appendice allo stesso.[9]

L'elevato numero di embolismi nel *Sacramentario* denota, unitamente ad altre fonti liturgiche del primo millennio, l'attenzione a questa parte della celebrazione in cui con il testo prefaziale si cerca di offrire una sintesi del mistero celebrato per invitare alla lode e alla supplica: atteggiamenti che troveranno poi nella *prex eucharistica* (*seu Canon Romanus*) il loro necessario sviluppo.

L'esame dei prefazi offre una pagina eloquente circa l'ampiezza di temi cui ricorrono i compositori per arricchire l'orizzonte orante dell'assemblea. L'accostamento di questi testi, globalmente considerati, costituisce un'opportunità per cogliere la variegata ampiezza

---

9) Per un elenco completo degli embolismi (anche secondo l'ordine alfabetico dei titoli) cf M. Sodi - A. Toniolo, *Praenotanda Missalis Romani. Textus, Concordantia, Appendices*. Editio typica tertia = MSIL 24, Lev, Città del Vaticano 2003, in particolare le pp. 801-806.

tematica che si denota a partire dalla sorgente costituita dalla sacra Scrittura, dal mistero celebrato, dalle figure della Vergine Maria, dei martiri, dei santi fino alle circostanze più diverse della vita.

La struttura letteraria di questa particolare composizione eucologica tiene presenti le cinque parti che racchiudono il nucleo costituito dall'embolismo prefaziale, introdotto dal dialogo e dal protocollo, e completato dall'escatocollo e dal *Sanctus*. La lettura teologica dell'embolismo contribuisce ad evidenziare innumerevoli motivi di lode e di rendimento di grazie.[10]

2.4. La preghiera eucaristica e i suoi embolismi

Nella tradizione del rito romano unica è sempre stata la *prex eucharistica* meglio conosciuta come *Canon Romanus* fino alla riforma liturgica promossa dal Concilio Vaticano II, quando sono state pubblicate tre nuove preghiere eucaristiche con l'*editio typica* del *Missale Romanum* nel 1970.[11]

Il *Sacramentario* contiene il testo del Canone nei nn. 67-78. L'adattamento del testo ad alcune particolari festività si coglie nell'uso di due particolari embolismi introdotti da *Communicantes* e da *Hanc igitur*.

Il MR 2002 introduce il *Communicantes* del Canone romano con il titolo *Infra Actionem*;[12] al testo ordinario seguono poi altri cinque *Communicantes propria*. Si tratta di embolismi che nell'introdurre il rapporto di comunione con gli apostoli, i martiri e tutti i santi ricordano il mistero del giorno con una semplice espressione introdotta da una relativa temporale (*quo* ...). Il *Sacramentario*, a cominciare dal n. 69, ha ben altri otto embolismi: n. 93 (Natale = n. 106), n. 149 (Epifania), n. 386 (*in Caena Domini*), n. 436 (Veglia pasquale), n. 442 (Pasqua), n. 546 (Ascensione), n. 569 (*in Sabbato Pentecostes*) e n. 575 (Pentecoste).

---

10) Per un esame dettagliato della struttura del prefazio cf lo studio di A.M. TRIACCA, *La strutturazione eucologica dei prefazi. Contributo metodologico per una loro retta esegesi (In margine al nuovo Missale Romanum)*, in *Ephemerides Liturgicae* 86 (1972) 233-279.

11) *Missale Romanum. Editio typica*, Typis Polyglottis Vaticanis MCMLXX, pp. 966; le nuove Preghiere eucaristiche sono collocate nelle pp. 456-471. Nell'*editio typica tertia* ne saranno aggiunte altre sei: cf MR 2002, pp. 674-685 (*de Reconciliatione I et II*) e pp. 686-706 (*pro variis necessitatibus I-IV*); infine nell'*Appendix* VI anche le tre *Preces Eucharisticae pro missis cum pueris* (pp. 1270-1288).

12) Cf MR 2002, p. 572, n. 86.

Il testo successivo del Canone ha come incipit l'*Hanc igitur*. Il *Sacramentario* contestualizza l'*oblatio servitutis* dell'assemblea con alcuni adattamenti relativi al mistero di cui si celebra il memoriale. Oltre al n. 70 del Canone abbiamo i seguenti embolismi: n. 387 (*in Caena Domini*), n. 437 (*in Sabbato sancto*), n. 443 (Pasqua), n. 570 (*in Sabbato Pentecostes*), n. 576 (Pentecoste), n. 973 (*benedictio episcoporum*), n. 989 (*in ordinatione presbyteri*), n. 1014 (*ad sponsas velandas*), n. 1044 (*super episcopum defunctum*), n. 1182 (*in die ordinationis episcopi*), n. 1186 (*pro alio sacerdote*), n. 1193 (*in monasterio*), n. 1347 (*pro peccatis*), n. 1352 (*pro salute vivorum*), n. 1393 (*in cimiteriis*), n. 1398 (*pro defuncto nuper baptizato*), n. 1403 (*pro defunctis desiderantibus poenitentiam et minime consecutis*), n. 1411 (*pro defuncto abbate sive sacerdote*), n. 1415 (*missa in unius defuncti*), e n. 1423 (*pro defunctis*), mentre nei nn. 448a, 453a, 459a, 465a, 472a e 477a la rubrica rinvia a *ut supra*.

Un ultimo elemento relativo al Canone è costituito dalla testimonianza di una particolare benedizione che prima del *Per ipsum* veniva impartita ad elementi - «haec omnia» - destinati alla vita ordinaria o alla carità. Il *Per quem haec omnia, Domine* del n. 674 è preceduto dalla *benedictio uvae* (già introdotta dal n. 673: *praefatio uvae*): il testo dell'embolismo sollecita il ringraziamento per la benedizione del Signore sul frutto della vite che per l'assembla è occasione di «cum gratiarum actione percipere».

2.5. Le orazioni dopo la comunione: dal mistero alla vita

Post communionem oppure *Ad complendum*: sono le due indicazioni dell'orazione con cui si completano i riti della comunione. I testi, generalmente molto brevi, si muovono dal fatto della partecipazione alla mensa eucaristica per implorare la grazia di portare nella vita quanto sperimentato nel mistero, in modo da realizzare in pienezza l'obiettivo dell'«immortalitatis alimonia».

Nel loro insieme, i testi evidenziano in contesto orante una duplice lettura dell'evento cui il fedele ha partecipato. Da una parte la consapevolezza di un'esperienza diretta del mistero attraverso la partecipazione ai «munera»; dall'altra la richiesta, sempre esplicita, di aiuto per la vita presente ma sempre in attesa di un compimento futuro. Due dimensioni, quindi, costantemente presenti nell'orizzonte orante del fedele che, nel ritorno alla vita quotidiana, non dimentica il senso ultimo dell'esistenza.

2.6. Le orazioni sul popolo:
una benedizione tra il mistero e la vita

La frequente orazione *super populum* è un'implorazione della benedizione divina per la liberazione dal male, fisico e soprattutto spirituale, dei fedeli.

Si tratta di una breve richiesta, spesso presentata con duplice obiettivo – immediato ed escatologico – che se da una parte completa quanto espresso nell'orazione *post communionem*, dall'altra intende prolungare nella vita il valore della celebrazione.

2.7. Altre orazioni particolari

Vari formulari racchiudono orazioni introdotte con *Ad vesperum*, *Ad fontes*, *Ad sanctum* (*Andream*), ecc. Poste al termine del formulario, venivano usate a conclusione del Vespro presieduto dal papa o da un suo delegato in san Giovanni in Laterano.

Si trattava di tre cerimonie successive proprie di alcuni giorni come san Giovanni evangelista (cf nn. 124-126), o nella settimana di Pasqua (cf nn. 445-447; 450-451; 455-457; 461-463; 467-469; 474-475; 479-480; 484-485).[13]

2.8. Formule più ampie

Il Sacramentario contiene anche testi eucologici molto sviluppati. Si tratta di preghiere di benedizione e di consacrazione per momenti particolari dell'anno liturgico (si pensi alla Veglia pasquale) o a celebrazioni sacramentali (si pensi ai sacramenti del matrimonio e dell'ordine).

L'esame teologico di tali composizioni rivela da una parte il fondamento biblico della preghiera dell'assemblea, arricchita dalla dimensione tipologica del linguaggio che affonda nelle figure dell'Antico e del Nuovo Testamento; dall'altra si coglie lo sviluppo e l'attualizzazione della richiesta dell'assemblea in ordine a quanto si sta celebrando.

2.9. Una sommaria ritualità affidata alle rubriche

Molto succinte sono le indicazioni rituali; del resto non dovevano essere racchiuse nel *Sacramentario*. L'insieme delle disposizioni van-

---

13) Attorno a questa problematica è doveroso partire da quanto scrive A. CHAVASSE, *Le Sacramentaire Gélasien* [...] = Bibliothèque de Théologie, série IV, Histoire de la Théologie I, Desclée, Paris-Rome 1958, pp. 453-454.

no desunte sia dai testi degli *Ordines Romani*,[14] e sia da quanto racchiuso nei *Libri Ordinari*.[15]

Sul finire del Medio Evo, soprattutto con il sopraggiungere della stampa, i libri liturgici saranno corredati da un insieme di indicazioni rubricali per rendere più uniforme e corretto lo svolgimento di un'azione liturgica. Con la riforma tridentina e l'istituzione della Congregazione dei Riti per opera di Sisto V nel 1588, questa specifica attenzione prenderà il sopravvento tanto da portare la visione teologica della celebrazione verso un ritualismo che ne farà oscurare il vigore di memoriale.

3. Le "stationes"[16]

Nell'*Appendice III* sono indicizzate le chiese stazionali che caratterizzano ritmi di preghiera della comunità cristiana di Roma, città nella quale la tradizione – diffusa anche in molte altre Chiese dell'Oriente e dell'Occidente – si consolidò lungo i secoli stabilendo una prassi con finalità eminentemente pastorale, che permane nel tempo.

Dall'originaria etimologia di *statio* che indicava "montare la guardia" scaturì, nel contesto cristiano, il significato spirituale di

---

14) Cf M. ANDRIEU, *Les Ordines Romani du Haut Moyen Âge* = Spicilegium Sacrum Lovaniense, Louvain, vol. I [11]: *Les manuscrits* (1931); vol. II [23]: *Les textes* (Ordines I-XIII) (1948); vol. III [24]: *Les textes* (Ordines XIV-XXXIV) (1951); vol. IV [28]: *Les textes* (Ordines XXXV-XLIX) (1956); vol. V [29]: *Les textes* (Ordo L) (1961).

15) La bibliografia sui *Libri Ordinarii* è molto vasta e costantemente in progress; in particolare si veda A. SUSKI, *Libri Ordinarii. Przewodnik po rękopisach* [Guida ai manoscritti] = Fontes scrutari V, A. Marsalek, Toruń 2019, pp. 565 dove sono indicizzati 858 manoscritti con relativa descrizione contenutistica; per la bibliografia cf. pp. 41-83.

16) Cf M. DYKMANS, *Les plus ancient manuscript du cérémonial de Grégoire X et sa valeur comparé à celle des autres témoins*, in *Archivum Historiae Pontificiae* 11 (1973) 85-112, in partic. 92-95 per un confronto con i tituli delle *stationes*. Inoltre: L. DE CAMILLIS, *La voce dei martiri. Riflessioni storico-liturgiche sulle chiese stazionali di Roma durante il tempo di Quaresima*, Collegium Cultorum Martyrum, Roma 1940, pp. 227; G. LÖW, *Stazione liturgica*, in *Enciclopedia Cattolica*, vol. XI, *s.v.*, coll. 1291-1297; PONTIFICIA ACCADEMIA "CULTORUM MARTYRUM", *Le Stazioni Quaresimali di Roma*, Città del Vaticano MMV; A.I. SCHUSTER, *Liber Sacramentorum*, Marietti, Torino 1963; M. RIGHETTI, *Manuale di storia liturgica*, vol. II: *L'anno liturgico nella storia, nella messa, nell'ufficio*, Ancora, Milano 1969 [anast. 1998], pp. 146-152 (con ampia documentazione bibliografica e con il prospetto delle *stationes*, con indicazioni di salmi e pericopi evangeliche secondo il *Comes* di Würzburg del sec. VI-VII); H. SUCHOCKA, *Le chiese stazionali di Roma. Un itinerario quaresimale*, Libreria Editrice Vaticana, Città del Vaticano 2013, pp. 375.

"montare la guardia" attraverso la celebrazione dei sacramenti e con atteggiamenti penitenziali, partecipando ad una riunione liturgica comunitaria presieduta, a Roma, dal papa o da un suo delegato.

Le modalità celebrative descritte negli *Ordines Romani* certificano il sistema stazionale stabilito da Gregorio Magno (590-604) e completato da Gregorio II (715-731) con l'aggiunta della *statio* nei giovedì di Quaresima, che per antica tradizione erano rimasti liberi;[17] in tal modo a partire dal sec. VIII tutti i giorni quaresimali avevano il loro evento liturgico; a questi si aggiunsero poi altre *stationes* nel tempo pasquale fino all'ottava di Pentecoste, nel tempo natalizio (in epoca successiva), in occasione delle *Tempora* e finalmente anche nelle grandi feste mariane (2 febbraio, 25 marzo, 15 agosto e 8 settembre) con la riunione – *collecta* sempre aperta dalla relativa *oratio* - a sant'Adriano sul Foro romano, seguita dalla processione fino a santa Maria Maggiore.

Al di là di tutto l'ampio percorso storico relativo alla prassi stazionale, la riflessione teologico-liturgica che si può elaborare a partire dai testi del *Sacramentario* permette di cogliere insieme alla dimensione penitenziale anche quella propriamente pastorale e spirituale. L'incontro con le singole comunità locali - caratterizzate principalmente dai *tituli* - costituisce occasione per diversificate esperienze spirituali quasi sempre illuminate dall'esemplare memoria dei martiri.

4. Il latino del *Sacramentario* e la problematica della traduzione

Il cristianesimo, fin dalle origini, nella predicazione e in modo particolare nella preghiera, usò la lingua greca tanto in Oriente quanto in Occidente.[18] I primi documenti di una certa importanza - in lingua latina - cominciarono a comparire solo verso la fine del II secolo; ma nel secolo successivo, con la progressiva latinizzazione della liturgia, il latino trova un impiego sempre più massiccio.

I Sacramentari sono raccolte di preghiere della comunità cristiana. Il termine eucologia,[19] cioè lo studio della preghiera, è passato ad

---

17) Cf A. Chavasse, *Le Sacramentaire Gélasien* [...], o.c., pp. 569-580: *Le Sacramentaire Gélasien et les messes grégoriennes des jeudis de Carême*.

18) Cf ad esempio la rubrica nel n. 414a. Per un orizzonte circa la problematica cf P.F. Bradshaw, *Alle origini del culto cristiano. Fonti e metodi per lo studio della liturgia dei primi secoli* = MSIL 46, Lev, Città del Vaticano 2007, pp. 268.

19) Cf M. Augé, *Eucologia*, in D. Sartore - A.M. Triacca - C. Cibien (edd.), *Dizionario di liturgia*, San Paolo, Cinisello B. (Mi) 2001, pp. 761-771 (con ampia bibliografia).

indicare queste composizioni; i termini *euchologia maior* e *minor* sono stati usati per indicare in generale i testi brevi (collette, sulle offerte, dopo la comunione, orazioni sul popolo) o lunghi (preghiere eucaristiche con i prefazi, benedizioni, esorcismi...). La loro composizione interpella la competenza del liturgista, del latinista, del letterato; di persone cioè che vogliono confrontarsi con un latino in genere finissimo, ma da accostare nello specifico del contesto in cui e per cui è nato e si è sviluppato. Ed è in questa linea che il latino liturgico assume tutta la sua dignità; una dignità, comunque, che richiede di essere accostata con un'adeguata metodologia.

4.1. Una peculiare terminologia

In vista di ulteriori approfondimenti, può risultare utile evidenziare il senso di alcuni termini nel contesto della *latinitas* liturgica.[20]

L'organico complesso dei testi eucologici invita a riflettere non solo sul significato e sull'essenza di *sacerdos* o di *episcopus orans*, ma anche e in quale modo o in che senso si possa tracciare il loro effettivo profilo sia sotto l'aspetto compositivo sia sotto quello puramente semantico, racchiuso e nel singolo lessema e nel complesso dell'apof-

---

20) Amplissima è la bibliografia al riguardo; in linea generale si tenga presente la "rassegna bibliografica" in M. Sodi, *Il contributo dei Sacramentari del primo millennio alla conoscenza della latinitas liturgica*, in *Latinitas* SN VI (MMXVIII) 69-83, in particolare 79-83. - Su singoli vocaboli o costellazioni semantiche cf B. Droste, *Celebrare in der römischen Liturgiesprache* = Münchener theologische Studien. II. Systematische Abt. 26, Max Hueber, München 1963; W. Dürig, *Disciplina. Eine Studie zum Bedeutungsumfang des Wortes in der Sprache der Liturgie und der Väter*, in *Sacris Erudiri* 4 (1952) 245-279: 266-274; M. Steinheimer, *Die doxa tou Theou in der römischen Liturgie* = Münchener theologische Studien II 4, Karl Zink, München 1951; W. Diezinger, *Effectus in der römischen Liturgie. Eine kultsprachliche Unteruschung* = Theophaneia 15, Hanstein, Bonn 1961; W. Dürig, *Imago. Ein Beitrag zur Terminologie und Theologie der römischen Liturgie* = Münchener theologische Studien II 5, Karl Zink, München 1952; J. Pascher, *Meritum in der Sprache der römischen Orationen* = Philosophisch-historische Klasse 2, Verlag der Bayerischen Akademie der Wissenschaften, München 1971; R. Berger, *Die Wendung offerre pro in der römischen Liturgie* = Liturgiewissenschaftliche Quellen und Forschungen 41, Aschendorff, Münster 1965; M. Herz, *Sacrum Commercium. Eine begriffsgeschichtliche Studie zur Theologie der römischen Liturgiesprache* = Münchener theologische Studien II 15, Karl Zink, München 1958; H. Büsse, *Salus in der römischen Liturgie. Ein Beitrag zur Sprache und Theologie liturgischer Gebetstexte*, Roma, Pont. Univ. Gregoriana 1959 (tesi, dattilo); A. Pernigotto-Cego, *Il significato del termine sollemnitas e dei suoi sinonimi nel latino precristiano e nel latino cristiano dei primi secoli*, estratto da *Eulogia. Miscellanea liturgica in onore di P. Burkhard Neunheuser* = Analecta Liturgica 1 = Studia Anselmiana 68, Ed. Anselmiana, Roma 1979, pp. 277-315.

tegma più o meno esteso. La preghiera, però, come si evince anche dalla semplice lettura del testo, non era finalizzata all'espressione orante del singolo individuo, ma concepita all'interno di una comunità, per esprimere le sue esigenze immediate proprie della vita terrena e, soprattutto, per il conseguimento dei beni futuri, nel regno ultraterreno.

L'*episcopus* o il *sacerdos orans* non si rivolge mai al *Dominus* in prima persona, ma sempre e solo al plurale, mediante *rogamus* oppure *quaesumus* per lo più dopo *da* o *concede*, seguito spesso da *nobis* oppure da una completiva oggettiva, il cui soggetto è sempre *nos*. Corale è ancora il grido di dolore misto a fiducia: *adiuva nos* oppure *adesto, domine*, seguito da *nobis* oppure *populo tuo*.

L'assemblea dei fedeli non è mai sola, perché è presieduta sempre dal *sacerdos* o dall'*episcopus*; ma insieme con il celebrante è inglobata nel *nobis*, così ricco nell'estensione, che non traccia nessun limite o confine tra il ministro del culto e i fedeli. I quali, raccolti in assemblea, chiedono innanzitutto il perdono dei peccati e, solo in un secondo tempo, cercano di impetrare la grazia necessaria per vivere tranquilli su questa terra in vista della futura. Tutti, davanti a Dio, sono coscienti di essere *supplices* e *peccatores*; e pregano Dio perché si sentono *famuli* o *servi*. La preghiera acquista, in tal modo, un carattere universale perché il *famulus Dei* prega anche per gli infedeli, come pure per i persecutori perché si ravvedano e tornino sulla retta via. È questo il percorso che Gesù Cristo e il *martyr*, con la propria testimonianza e abnegazione totale davanti alla morte, additano alla malvagità ispirata e fomentata dal demonio. L'assemblea, mai direttamente nominata, è riunita nel *templum Dei* davanti a Dio, perché ha accolto il messaggio salvifico e gioisce in Dio suo salvatore.

Ogni celebrazione segna l'inizio di una rinnovata alleanza, che si istituisce con la celebrazione del *sacrum mysterium*, del *sacrificium divinum*, istituito da Cristo durante l'Ultima Cena. Davanti a così grande ineffabilità il credente si china in segno di umiltà e riconosce i propri peccati perché comprende che anche Dio, nella sua infinita bontà, si china verso il figlio peccatore con continui atti di bontà. Perciò scompare l'*ego* e subentra il *nos*, che nella sua ampiezza evidenzia l'universalità del messaggio salvifico. La coralità del *nos* valica le pareti che racchiudono l'assemblea, e si diffonde in uno spazio infinito, senza limiti né di luogo né di tempo, diretta verso la clemenza infinita di Dio, sempre largo di amore e misericordia verso la sua Chiesa, nata sulla croce, mentre Cristo effondeva il suo sangue per la redenzione degli uomini, schiacciati sotto il peso dell'antica colpa.

Attraverso i numerosi testi del *Sacramentario* si conosce nei dettagli la storia dell'*Ecclesia orans*, il suo cammino quotidiano verso quella perfezione che trova piena concretizzazione nella salvezza eterna, come si constata nel testo n. 324. Oppure ripete con fiducia, nella preghiera sui fedeli raccolti in assemblea liturgica, alla fine del rito sacrificale, cui hanno partecipato: «Pateant aures misericordiae tuae, domine, precibus supplicantium, et ut petentibus desiderata concedas, fac eos, quae tibi sunt placita, postulare» (n. 328).

Mediante la lettura di quanto il testo trasmette, la comunità raccolta nell'*ecclesia*, nel *templum Dei*, costituisce il *populus* ossia l'*Ecclesia orans*, sotto la guida dell'*episcopus* o del *sacerdos*. L'*homo orans* è, in certo senso, opposto - per i fini spirituali ed eterni che intende raggiungere al termine dell'esistenza terrena - all'*homo publicus*, al *civis* o all'uomo che, mediante l'attività politica, costruisce l'ambiente in cui realizza la propria vita sociale.

Il popolo cristiano, il *populus orans* uscito dal luogo di raccolta e di preghiera, come testimonia Tertulliano, condivide tutte le attività quotidiane con i propri concittadini,[21] dai quali si differenzia solo perché crede nell'unico e vero Dio:

> *Itaque non sine foro, non sine macello, non sine balneis, tabernis, officinis, stabulis, nundinis vestris ceterisque commerciis cohabitamus hoc saeculum. Navigamus et nos vobiscum et militamus et rusticamur et mercatus proinde mescemus, artes operas nostras publicamus usui vestro.*[22]

I *cives*, che conducono una vita normale al pari degli altri, nutrono una speranza diversa, affrontano la vita con altro spirito, nonostante siano accusati di essere *latebrosa et lucifuga natio, in publicum muta, in angulis garrula*.[23] In seguito al battesimo e alla pratica degli insegnamenti ricevuti, si distinguono per la *pietas*, per la *caritas*, per l'*amor* verso Dio e il prossimo; disprezzano le attrattive del mondo e

---

21) Si pensi ad alcune espressioni presenti nella seconda parte del documento *A Diogneto* (sec. II-III) quando si evidenzia l'identità dei cristiani e il loro rapporto con il mondo (cc. 5-6).

22) TERTULLIANO, *Apologia* 42,2-5: «Pertanto noi abitiamo insieme con voi questo mondo e non ci teniamo lontani né dal foro, né dai mercati, né dai bagni, né dai negozi, né dai vostri magazzini, né dai vostri alberghi, né dalle vostre fiere e da tutte le altre attività, cui siete dediti; noi navighiamo insieme con voi e insieme con voi militiamo, coltiviamo la terra e commerciamo. Prendiamo parimenti parte alle vostre arti e poniamo a disposizione vostra il nostro lavoro».

23) GIUSTINO, *Octavius* 8,4: «Gente che ama nascondersi e fugge la luce, muta in pubblico e loquace solo quando è in disparte».

non esitano ad affrontare la morte per testimoniare la fede nel vero Dio. Questi stessi *cives*, raccolti in preghiera nella comunità ecclesiale, presieduta dall'*epicopus* oppure dal *sacerdos*, sono ad un tempo ἄνθρωποι πολιτικόι della comunità politica, cui appartengono, e della *nova civitas*, nata dalla crocifissione di Cristo, continuamente rinnovata mediante i *mysteria sacra* e fecondata dal suo sangue.

Con la diffusione del Cristianesimo in seno all'Impero Romano l'uomo non è più, e solo, *civis Romanus* o *civis* della città di appartenenza, ma diventa, in forza del *kerygma* ricevuto con il battesimo, *civis Christianus*, senza distinzione né di città né di popolo, perché è membro di un organismo più ampio, incarnato nell'*Ecclesia catholica*, e professa una *fides Christiana* e *catholica*. E, col passar del tempo, sarà proprio la *facies Christiana catholica* a conferire un nuovo aspetto e un differente assetto a tutto l'Impero Romano, nel quale il *civis Christianus* è il nuovo e autentico *civis terrarum* e la sua patria non è più una singola città, ma l'οἰκουμένη, l'*orbis terrarum*. La *civitas Christiana* nel rivolgere le preghiere al proprio Dio, ai santi e ai martiri che erano caduti durante le persecuzioni, adopera la lingua con cui espleta tutti i giorni le funzioni civili ed economiche.

Qui si richiama l'attenzione sul *Sacramentario* e sulla lingua adoperata dal clero, per rivolgersi al Signore e chiedere la sua protezione, per implorare la sua benedizione e la grazia per superare le difficoltà, vincere le tentazioni e ottenere la beatitudine eterna. Il *civis orans*, insieme con l'*episcopus* o il *sacerdos*, non chiede al Signore abbondanza di beni materiali, destinati a perire, felicità o prosperità economica, ma solo la certezza di poter godere, quando Dio vorrà, la serenità e la gioia del Paradiso. Da questo anelito, mai pienamente appagato o comunque offuscato da incertezze, sgorga la preghiera che, viva, umile e solenne, nelle diverse circostanze che scandiscono e caratterizzano l'anno liturgico, viene rivolta a Dio dal *populus orans*.

4.2. Il latino cristiano

Quando lo studioso di lingua latina, educato alla tradizione classica, incarnata negli scrittori vissuti nell'ultimo secolo della Repubblica e nel primo del periodo imperiale, viene a contatto con i Libri Sacri e, successivamente, con gli autori cristiani, prova disagio, disgusto e ripulsa, per il nuovo e inusitato modo con il quale questi si approcciavano alla lingua latina. Prova lo stesso disgusto, disagio e ripulsa avvertiti, secoli addietro, dalle persone dotate di cultura e sensibilità letteraria. Perciò Arnobio (255-327), il dotto retore di Sicca convertitosi al cristianesimo, consapevole della nuova realtà venutasi a creare, scrive:

Sed ab indoctis hominibus et rudibus scripta sunt et idcirco non sunt facili auditione credenda ... Trivialis et sordidus sermo est ... Barbarismis, soloecismis obsitae sunt ... res vestrae et vitiorum deformitate pollutae.[24]

Un giudizio non differente riporta Lattanzio (250 ca. – post 317) – retore e apologeta romano, originario dell'Africa –, il quale, sensibile alle critiche dei dotti e raffinati interlocutori del suo tempo, con molta acutezza e semplicità di pensiero, mentre mette in luce i pregi del messaggio biblico ed evangelico, condanna il vuoto di certe opere letterarie, tenute in grande considerazione, e osserva:

Nam haec imprimis causa est, cur apud sapientes et doctos et principes huius saeculi Scriptura Sancta fide careat, quod profetae communi ac simplici sermone, ut ad populum, sunt locuti. Contemnuntur itaque ab iis qui nihil audire vel legere nisi expolitum ac disertum volunt, nec quicquam inhaerere animis eorum potest, nisi quod aures blandiori sono permulcet.[25]

Un poco più avanti lo stesso autore indica i motivi secondo i quali gli scrittori cristiani e, in modo particolare, la Sacra Scrittura che contiene la parola rivelata ed è fonte di ispirazione per la preghiera e l'esortazione, non sono ben visti dai colti coevi, ancorati alla vecchia cultura. Pure la predicazione, che veniva rivolta all'assemblea anche da persone colte, era semplice e scarna per la presenza delle più disparate fasce culturali. Lo stesso rimprovero era sentito anche da Sant'Agostino (354-430), il quale ribadisce: *Melius est reprehendant nos grammatici quam non intellegant populi.*[26]

---

24) ARNOBIO, *Adversus Nationes* I, 58: «Ma furono scritte da persone incolte e rozze, e pertanto non vi si deve prestare facile orecchio» (1). «La lingua è volgare e spregevole» (2). I.59: «Le vostre scritture sono inzeppate di barbarismi, solecismi ... e inquinate da errori grossolani» (1), in ARNOBIO DI SICCA, *Difesa della vera religione contro i pagani. Testo latino-italiano*, a cura di B. AMATA = Veterum et Coaevorum Sapientia 5, Las, Roma 2012, pp. 222-223.

25) LATTANZIO, *Divinae Institutiones* V, 1,19-20: «Il motivo principale, che spinge le persone fornite di raffinata cultura e i principi della terra a non mostrare nessuna attenzione verso la Sacra Scrittura, è dato dal fatto che i profeti adoperano un linguaggio semplice e comune, come si parla davanti alle masse. Sono pertanto tenuti in dispregio da coloro i quali non vogliono né ascoltare né leggere se non ciò che è scritto in uno stile colto e raffinato; e nel loro animo non riesce ad abbarbicarsi niente se non quanto con il carezzevole suono delle parole blandisce le loro orecchie».

26) AGOSTINO, *Enarrationes in Psalmos* 138,20: «... è meglio che ci rimproverino i puristi della grammatica anziché non ci capisca la gente».

Per adeguarsi alla semplicità dei fedeli e, in modo particolare, per la chiarezza, l'oratoria risultava scarna, semplice, priva dei lenocini retorici, presenti invece nella grande eloquenza del passato e sulla bocca di coloro che se ne servivano per fini non sempre nobili. Per Lattanzio, come per il grande retore africano Agostino, il fine dell'eloquenza è la verità, l'insegnamento delle realtà umane e, soprattutto, celesti, verso le quali l'uomo deve tendere. In mano a persone senza scrupoli questo eccezionale dono diviene fonte di corruzione e di traviamento; e non esita a biasimarla:

> *Eloquentia enim saeculo servit, populo se iactare et in rebus malis placere gestit: si quidem veritatem saepius expugnare conatur, ut vim suam mostret; opes expetit, honores concupiscit, summum denique gradum dignitatis exposcit. Ergo haec quasi humilia despicit, arcana tamquam contraria sibi fugit.*[27]

San Girolamo (347-420) che, grande conoscitore dell'ebraico e raffinato scrittore, ha reso in latino la Sacra Scrittura, nota come *Vulgata*,[28] non esita ad annotare:

> *Nolo offenderis in Scripturis Sanctis simplicitate et quasi vilitate verborum, quae vel vitio interpretum vel de industria sic prolatae sunt, ut rusticam concione facilius instruerent et in una eademque sententia aliter doctus, aliter audiret indoctus.*[29]

---

27) Lattanzio, *Divinae Institutiones* V, 1,19-20: «L'eloquenza si è assoggettata ai gusti del popolino, cui si vanta di piacere anche nel male affare: troppo spesso cerca di rendere d'assalto persino la verità, per mostrare il proprio vigore, cerca ricchezze, brama onorificenze, desidera ad ogni modo di ottenere le più alte cariche politiche. Perciò disprezza i Sacri Scritti perché umili e tiene lontana da sé la verità suprema perché contraria al suo essere».

28) Per un confronto con l'edizione critica cf R. Weber et Alii (edd.), *Biblia Sacra iuxta Vulgatam editionem*. Tomus I: *Genesis - Psalmi*; Tomus II: *Proverbia - Apocalypsis - Appendix*, Stuttgart 1969, pp. 1980. Inoltre: A. Colunga - L. Turrado (edd.), *Biblia Sacra Vulgatae Editionis Sixti V pontificis maximi iussu recognita et Clementis VIII auctoritate edita*, San Paolo, Cinisello B. (Mi) 1995, pp. XXVII + 1255. Infine: *Nova Vulgata Bibliorum Sacrorum editio [...] iussu Pauli PP. VI recognita, auctoritate Ioannis Pauli PP. II promulgata*. Editio iuxta editionem typicam alteram, Lev, Città del Vaticano MCMXCVIII, pp. 1854.

29) Girolamo, *Epistula* 22, 30,2: «Non vorrei che tu, mentre leggi le Sacre Scritture, fossi offeso dalla semplicità e, oserei dire, dall'estrema umiltà dell'eloquio, il quale vuoi per incapacità degli interpreti vuoi di proposito è stato reso in modo tale da suscitare con eccesiva facilità goffe discussioni e di una medesima frase altro percepisce il colto altro l'ignorante».

Nel linguaggio adoperato dalla *Vulgata* e, nel corso del tempo, dagli autori cristiani, in confronto a quello che si riscontra negli autori classici, le differenze tanto stilistiche quanto linguistiche sono notevoli e talvolta sostanziali a motivo del diverso modo sia di percepire la realtà sia di approcciarsi alla comunicazione scritta, sostenuta fondamentalmente dal messaggio evangelico.[30] Qualora si mettano da parte i necessari riferimenti e i sintagmi derivati dal linguaggio biblico, per quanto riguarda la struttura sintattica se si prende in considerazione Cicerone (106-43 a.C.), Giustino (100-167 ca.), Lattanzio e lo stesso Girolamo, quasi nulla è fondamentalmente cambiato. È innegabile, però, che il linguaggio biblico e quello ad esso ancorato della tradizione letteraria cristiana, hanno notevolmente arricchito la lingua latina, hanno impreziosito di nuove accezioni innumerevoli vocaboli, hanno introdotto nuovi nessi semantici all'interno della lingua letteraria propri del *sermo vulgaris*; e hanno ancora adoperato nessi sintattici poco usuali nella lingua comune, ma presenti in gran numero nella tradizione biblica.

4.3. Il latino del *Sacramentario*

Dopo quanto accennato,[31] non vi è dubbio che il latino adoperato

---

30) Interessanti osservazioni, al riguardo, si possono leggere in A. MEILLET, *Esquisse d'une histoire de la langue latine*, Hachette, Paris 1928, pp. 280. Sulla stessa linea si tenga presente A. ERNOUT - A MEILLET, *Dictionnaire étymologique de la langue latine. Histoire des mots*, Klincksieck, Paris ⁴1967 (I ed. 1932), pp. XVIII+827.

31) Per ulteriori ragguagli sul latino cristiano, si possono consultare: J. SCHRIJNEN, *I caratteri del latino cristiano antico*, Patron, Bologna 2002, pp. 172; V. LOI, *Origini e caratteristiche della latinità cristiana*, suppl. al n. 1 del "Bollettino dei Classici", Accademia Nazionale dei Lincei, Roma 1978, pp. 58; G. CALIÒ, *Il latino cristiano*, Patron, Bologna 1965, pp. 177. Dalla scuola di Nimega: CH. MORMANN, *Die altchristliche Sondersprache in den Sermones des hl. Augustin*, Nijmegen 1932; J. SCHRIJNEN - CH. MORMANN, *Studien zur Syntax der Briefe des hl. Cyprian*, Nijmegen 1938; H. JASSEN, *Kultur und Sprache. Zur Geschichte der alten Kirche im Spiegel der Sprache*, Nijmegen 1938. - A parte la feconda scuola di Nijmegen (per avere un'idea si aggiungano: J. SCHRIJNEN, *Collectanea Schrijnen. Verspreide opstellen*, Dekker - van de Vegt, Nijmegen - Utrecht 1939, in particolare la sezione IV. *Oudchristleijke kulturgeschiedenis en oudchristlijk latijn*, pp. 240-372; M.P. ELLEBRACHT, *Remarks on the Vocabulary of Ancient Orations in the Missale Romanum* = Latinitas christianorum primæva 22, Dekker - van de Vegt, Noviomagi 1963, e i numerosi studi della Mohrmann, in parte raccolti in CH. MOHRMANN, *Études sur le latin des chrétiens*, I: *Le latin des chrétiens*; II: *Latin chrétien et médiéval*; III: *Latin chrétien et liturgique*; IV: *Latin chrétien et latin médiéval*, Edizioni di Storia e Letteratura 65, 87, 103, 143, Roma 1958-

nella formulazione delle eucologie appartenga alla *latinitas christiana* e ne costituisca una branca di particolare interesse non solo per i contenuti, particolarmente validi ancora oggi, ma anche e soprattutto per il diverso stile che si nota nel passare da un momento all'altro all'interno della medesima azione liturgica. Anche nel culto sono presenti differenziazioni, rispondenti a momenti e ad azioni diverse e distinte. Il latino liturgico del *Sacramentario* è molto complesso per i tanti ed eterogenei elementi che, cristiani e non, contribuiscono a strutturarlo. Per alcune eucologie l'espressione formale è in realtà un fattore di stile, pertinente più alla lingua che alle parole.

Parte integrante del latino cristiano è la *latinitas liturgica* che nella sua specie costituisce il latino sacrale della Chiesa di Occidente ed è tale che si può, a ragione, considerare una lingua speciale nell'ambito del latino cristiano. Questa, per il suo genere specifico e i suoi aspetti peculiari, che non si riscontrano in nessun'altra branca del latino cristiano, si può considerare un fenomeno a parte, che trova notevoli riscontri nelle espressioni cultuali del latino arcaico. Con i suoi procedimenti stilistici, sempre molto curati e raffinati nella formulazione delle eucologie, la *latinitas liturgica*, anche se non è una lingua speciale, si può considerare, a buon diritto, una branca indipendente della *latinitas christiana*.

Per quanto concerne la *latinitas liturgica* la stilizzazione si è imposta, con il passar del tempo, in maniera sempre più massiccia, come di solito avviene nelle lingue di culto, sì da cristallizzarla in formule fisse e ripetibili anche a notevole distanza di tempo. Questa antica lingua rivela molti e indiscutibili legami con la lingua sacrale antica e con la poesia epica, per il suo andamento circolare nella formulazio-

---

1977), cf B. Botte, *Le vocabulaire ancien de la confirmation*, in *La Maison-Dieu* 54 (1958) 5-22; W. Dürig, *Pietas liturgica. Studien zur Frömmigkeitsbegriff und zur Gottesvorstellung der abendländischen Liturgie*, Pustet, Regensburg 1958; H. Rheinfelder, *Philologische Schatzgräbereien. Gesammelte Aufsätze*. Mit einem Geleitwort von A. Noyer-Weidner, Max Hueber, München 1968; H. Rheinfelder, *Kultsprache und Profansprache in den romanischen Ländern. Sprachgeschichtliche Studien, besonders zum Wortschatz des Französischen und des Italienischen*. Mit einem Vorwort und einer Kurzbibliographie von H. Bihler = Bilbliothek des Archivum Romanicum II/18, Hildesheim, Olms 1982; M. Scherner, *Die sprachlichen Rollen im lateinischen Weihnachtslied des Mittelalters. Untersuchungen zur religiösen Rede und zum Epochenwandel im Mittelalter* = Beihefte zum Mittellateinischen Jahrbuch 3, A. Henn Verlag, Wuppertal 1970; R. Liver, *Die Nachwirkung der antiken Sakralsprache im christlichen Gebet des lateinischen und italienischen Mittelalters. Untersuchungen zu den syntaktischen und stilistischen Formen dichterisch gestalteter Gebete von den Anfängen der lateinischen Literatur bis zu Dante* = Romanica Helvetica 89, Francke Verlag, Bern 1979.

ne, sempre fissa, delle varie eucologie, nelle quali le clausole metrico-ritmiche rivestono un ruolo del tutto particolare.[32]

La clausola più frequente, riscontrata nella maggioranza delle eucologie, è costituita dal cretico e spondeo, perché conferisce maggiore solennità e ieraticità. La scelta delle clausole, comunque, non è casuale, ma frutto di una lunga esperienza e frequentazione della prosa ritmica del migliore periodo repubblicano.

È ancora da notare un'attenta e calcolata *concinnitas*, che conferisce alla breve composizione uno svolgimento ben articolato nelle parti costitutive, nelle quali, mediante un'accorta disposizione della paratassi e dell'ipotassi, viene posta in risalto la bontà di Dio e l'indegnità del peccatore, la concessione continua della grazia e la presenza del peccato che offusca il rapporto del figlio con il Padre.

Una cura particolare, infine, si riscontra nella scelta e nella disposizione sia delle parole sia degli incisi all'interno dell'eucologia per lo più formata da uno o, al massimo, due periodi ben strutturati e armonizzati. Più solenne, invece, è il *praefatio* che introduce il *Canon Romanus*.

Nei testi del *Sacramentario* sono riflesse tutte le vicissitudini storiche del tempo; non mancano, infatti, preghiere per allontanare le pestilenze che aggredivano uomini e animali; per scongiurare la guerra; per i regnanti, perché usino clemenza e moderazione verso tutti; per il Papa, perché seguendo la via tracciata da Pietro contribuisca all'unità del popolo di Dio; per i sacerdoti, perché con la loro opera siano a servizio dei fedeli; per le vedove, perché non si abbandonino al peccato. L'elenco potrebbe continuare.

Ancora vivi si avvertono gli echi delle violente lotte contro le diverse eresie che avevano lacerato o continuavano a lacerare la comunità cristiana. Echi delle eresie cristologiche e trinitarie, ad es., si riscontrano nel *praefatio* n. 1483. Talvolta però - come nell'eucologia n. 636 *ad praedicandum... fidem* o *inseparabilem adiutorium* nella n. 1016a - l'uso della concordanza è incerto; in questo caso non è da escludere l'errore dell'amanuense, trasmesso *ex auctoritate* negli apografi successivi. Sovente manca la preposizione *ad* del gerundivo, come nell'eucologia *quas... sacrandas* (n. 638); ma si trova *cum* là dove ci si aspetterebbe un ablativo senza preposizione, come *ut cum frequentatione mysterii crescat* (n. 1090). Degno di nota, in questa eucologia è il verbo intransitivo *cresco*, che è sentito come transitivo al pari di *nutrio*, ed è seguito dal complemento diretto: *crescat nostrae salutis augmentum*.

---

32) Le clausole più comuni riscontrate nel Sacramentario sono riportate nella Premessa al Commento.

Da notare il neologismo *octaba*, ottava, che ha avuto notevole fortuna. Attenzione particolare, invece, merita, il sintagma *in natale*, al posto di *in die natali*. È probabile, però, che *natale*, ormai considerato sostantivo, sia un accusativo nel quale il morfema nasale *m*, già poco avvertito in epoca classica, era ormai scomparso al tempo in cui l'eucologia, composta in precedenza, confluì nel *Sacramentario*.

Nell'insieme, ci troviamo di fronte ad un prezioso testimone che permette di scandagliare, mediante la sua diacronia, il modo in cui la preghiera, anima della Chiesa, ha preso corpo e ha unito, informato e uniformato il culto ufficiale nei secoli successivi.

5. Conclusione

I risultati del lungo e impegnativo percorso per realizzare la presente edizione permettono di cogliere più in profondità il valore letterario di ogni singolo testo eucologico; il valore liturgico di ogni formulario; il valore teologico di ogni periodo liturgico sia pur considerato nel tempo della sua progressiva strutturazione che si prolunga nei secoli dell'alto Medio Evo.

Le prospettive che scaturiscono permettono di cogliere numerosi valori che si svilupperanno e potranno permeare linee di teologia liturgica arricchendo in tal modo la *traditio Ecclesiae* unitamente al *sensus fidelium* che da essa viene sorretto e incrementato.

Di fronte a una simile impresa emerge quanto mai di attualità l'espressione presente nel *Liber Sacerdotalis* di Alberto Castellani (Venezia 1523). A conclusione del grande lavoro l'Autore scrive: *Si quis, decepta cura, surrepserit error, doctior emenda commiserando bonus* (Qualora si fosse insinuato qualche errore dovuto a un calo di accuratezza, tu che sei più dotto, apporta la correzione, mostrando benevola comprensione).

È l'auspicio che lasciamo a tutti coloro che si accosteranno a questo lavoro, con l'augurio di proseguire nell'approfondimento del grande tesoro liturgico trasmesso dai Sacramentari!

ABBREVIAZIONI

Per le abbreviazioni bibliche cf p. 284.

CEI   Conferenza Episcopale Italiana.

Las   Libreria Ateneo Salesiano, Roma.

Lev   Libreria Editrice Vaticana, Città del Vaticano.

Mart 1584   *Martyrologium Romanum. Editio princeps* (1584)
            = MLCT 6, Lev 2005.

Mart 2004   *Martyrologium Romanum. Editio altera* (2004).

MLCT   «Monumenta Liturgica Concilii Tridentini»,
            Lev, Città del Vaticano 1997-2012.

MR 1474   *Missale Romanum*, Milano 1474 (London 1899).

MR 1570   *Missale Romanum. Editio princeps* (1570)
            = MLCT 2, Lev ²2012.

MR 2002   *Missale Romanum. Editio typica tertia* (2002).

MR 2020   *Messale Romano*. Terza edizione, CEI (2020).

MSIL   «Monumenta Studia Instrumenta Liturgica»,
            Lev.

Pont 1485   *Il "Pontificalis liber"* [...] (1485)
            = MSIL 43, Lev 2006.

SACRAMENTARIUM

1. IN NOMINE DOMINI

HOC SACRAMENTARIUM DE CIRCULO ANNI EXPOSITUM

A SANCTO GREGORIO PAPA ROMANO EDITUM

EX AUTHENTICO LIBRO BIBLIOTHECAE CUBICULI SCRIPTUM

<I.>

QUALITER MISSA ROMANA CELEBRATUR

2 *Hoc est inprimis introitus, qualis fuerit statutis temporibus sive diebus festis seu cottidianis, Deinde* Kyrie eleison. *Item dicitur* Gloria in excelsis Deo, *si episcopus fuerit, tantummodo die dominico sive diebus festis, a presbyteris autem minime dicitur nisi solo in Pascha. Quando vero laetania agitur neque* Gloria in excelsis Deo *neque* Alleluia *canitur. postmodum dicitur oratio, una ex istis:*

ORATIONES COTTIDIANAE CUM CANONE

3 Deus, qui conspicis omni nos virtute destitui, interius exteriusque custodi, ut et ab omnibus adversitatibus muniamur in corpore, et a pravis cogitationibus mundemur in mente.

4 *Alia.* Gratiae tuae, quaesumus, Domine, supplicibus tuis tribue largitatem, ut mandata tua, te operante, sectantes consolationem praesentis vitae percipiant et futurae.

5 *Alia.* Adesto supplicationibus nostris, omnipotens Deus, et quibus fiduciam sperandae pietatis

SACRAMENTARIO

1. NEL NOME DEL SIGNORE

QUESTO SACRAMENTARIO ESPOSTO SECONDO LO SVOLGIMENTO DELL'ANNO LITURGICO

E PROMULGATO DA SAN GREGORIO PAPA ROMANO

È STATO TRASCRITTO DAL LIBRO UFFICIALE

CONSERVATO NELLA BIBLIOTECA DEL PALAZZO

<1>

COME È CELEBRATA LA MESSA SECONDO IL RITO ROMANO

2 *C'è innanzitutto l'introito come è stato stabilito per i tempi [liturgici] e per i giorni sia festivi che feriali; segue il* Kyrie eleison. *Successivamente si recita il* Gloria in excelsis Deo, *se la celebrazione è presieduta dal vescovo, e solo la domenica o nei giorni di festa; ma non viene recitato dai presbiteri se non il giorno di Pasqua. Quando, però, si recita la litania, non si canta né il* Gloria in excelsis Deo *né l'*Alleluia. *Quindi si recita una delle seguenti orazioni:*

ORAZIONI QUOTIDIANE E CANONE [ROMANO]

3 O Dio, che ci vedi privi di ogni virtù, custodiscici dai mali esterni e interni, perché nel corpo siamo fortificati contro ogni avversità e purificati da cattivi pensieri nello spirito.

4 *Un'altra.* Ti preghiamo, Signore, elargisci in abbondanza la tua grazia a coloro che ti invocano, perché, seguendo con il tuo aiuto i tuoi comandamenti, ricevano il conforto nella vita presente e in quella futura.

5 *Un'altra.* Ascolta, Dio onnipotente, le nostre suppliche, e a quelli cui doni di sperare nella tua pietà, concedi

indulges, consuetae misericordiae tribue benignus effectum.

6 *Alia.* Subveniat nobis, quaesumus, Domine, misericordia tua, ut ab imminentibus peccatorum nostrorum periculis te mereamur protegente salvari.

7 *Alia.* Vox clamantis ecclesiae ad aures, Domine, quaesumus, tuae pietatis ascendat, ut percepta venia peccatorum te fiat operante devota, te protegente secura.

8 *Alia.* Propitiare, Domine, supplicationibus nostris et animarum nostrarum medere languoribus, ut remissione percepta in tua semper benedictione laetemur.

9 *Alia.* Propitiare, Domine, iniquitatibus nostris et exorabilis tuis esto supplicibus, ut concessa venia quam precamur, perpetuo misericordiae tuae munere gloriemur.

10 *Alia.* Deus, innocentiae restitutor et amator, dirige ad te tuorum corda servorum, ut spiritus tui fervore concepto et in fide inveniantur stabiles, et in opere efficaces.

11 *Alia.* Ecclesiae tuae, Domine, voces placatus admitte, ut destructis adversantibus universis secura tibi serviat libertate.

12 *Alia.* Nostris, Domine, quaesumus, propitiare temporibus, ut tuo munere dirigatur et ecclesiae tuae securitas et devotio christiana.

13 *Alia.* Largire, quaesumus, Domine, fidelibus tuis indulgentiam placatus et pacem, ut pariter ab omnibus mundentur offensis, et secura tibi mente deserviant.

14 *Alia.* Praetende, Domine, fidelibus tuis dexteram caelestis auxilii, ut te toto corde perquirant, et quae digne postulant, consequi mereantur.

benigno gli effetti della tua misericordia.

6 *Un'altra.* Ti preghiamo, Signore, di soccorrerci con la tua misericordia, perché, mentre ci difendi dagli imminenti pericoli dei nostri peccati, con la tua protezione meritiamo la salvezza.

7 *Un'altra.* Ti preghiamo, Signore, perché la voce della Chiesa che ti invoca salga alle tue orecchie pietose, e con la certezza dei peccati rimessi, con il tuo aiuto diventi devota e sicura con la tua protezione.

8 *Un'altra.* Sii propizio, Signore, alle nostre suppliche e cura le debolezze del nostro spirito, perché certi della remissione dei nostri peccati, ci rallegriamo sempre nella tua benedizione.

9 *Un'altra.* Perdona, Signore, le nostre colpe e sii benigno con coloro che ti supplicano, perché, ottenuto il perdono che invochiamo, ci rallegriamo per sempre con il dono della tua misericordia.

10 *Un'altra.* O Dio, che ridoni l'innocenza che ami, dirigi verso di te il cuore dei tuoi servi, perché, ricevuto il fervore del tuo spirito, siano trovati saldi nella fede e attivi nelle opere.

11 *Un'altra.* Signore, ascolta con benevolenza la voce della tua Chiesa, perché, annientati tutti coloro che l'avversano, ti serva sicura nella libertà.

12 *Un'altra.* Sii benevolo, Signore, verso il nostro tempo, perché il tuo dono guidi la sicurezza della Chiesa e la devozione del popolo cristiano.

13 *Un'altra.* Ti preghiamo, Signore, di elargire benevolo ai tuoi fedeli indulgenza e pace, perché siano purificati da tutti i peccati e ti servano con cuore tranquillo.

14 *Un'altra.* Stendi la tua mano, o Signore, a difesa dei tuoi fedeli perché ti cerchino con tutto il cuore e vedano esauditi i loro giusti desideri.

15 *Alia.* Gaudeat, Domine, quaesumus, plebs tua beneficiis impetratis, et cui fiduciam sperandae pietatis indulges, optatae misericordiae praesta benignus effectum.

16 *Alia.* Da nobis, Domine, quaesumus, perseverantem in tua voluntate famulatum, ut in diebus nostris, et merito et numero populus tibi serviens augeatur.

17 *Alia.* Fideles tuos, Domine, quaesumus, corpore pariter et mente purifica, ut tua inspiratione conpuncti, noxias delectationes vitare praevaleant.

18 *Alia.* Dies nostros, quaesumus, Domine, placatus intende, pariterque nos, et a peccatis absolve propitius, et a cunctis eripe benignus adversis.

19 *Alia.* Familiae tuae, Domine, quaesumus, esto protector, et misericordiam tuam concede poscenti, qua tibi fiat oboediens, et tua dona percipiat.

20 *Alia.* Da, quaesumus, Domine, populo tuo salutem mentis et corporis, ut bonis operibus inhaerendo, tua semper mereatur virtute defendi.

21 *Alia.* Excita, Domine, quaesumus, tuorum fidelium voluntates, ut divini operis fructum propensius exsequentes, pietatis tuae remedia maiora percipiant.

22 *Alia.* Proficiat, Domine, quaesumus, plebs tibi dicata piae devotionis effectu, ut sacris actionibus erudita, quanto maiestati tuae fit gratior, tanto donis potioribus augeatur.

23 *Alia.* Protegat, Domine, quaesumus, tua dextera populum supplicantem, ut praesentem vitam sub tua gubernatione transcurrens, mereatur invenire perpetuam.

15 *Un'altra.* Ti preghiamo, Signore, perché i tuoi fedeli godano dei benefici ricevuti, e benigno mostra gli effetti della desiderata misericordia a coloro ai quali infondi sicurezza e speranza nella tua pietà.

16 *Un'altra.* Ti preghiamo, Signore: concedici di perseverare nel servizio della tua volontà, perché nei nostri giorni il popolo che ti serve cresca per meriti e per numero.

17 *Un'altra.* Purifica nel corpo e nella mente i tuoi fedeli, o Signore, perché, trasformati dall'azione del tuo Spirito, vincano le suggestioni del male.

18 *Un'altra.* Ti preghiamo, Signore: volgi con benevolenza il tuo sguardo sui nostri giorni; nello stesso tempo assolvici propizio dai peccati e benigno liberaci da tutte le avversità.

19 *Un'altra.* Ti preghiamo, Signore: poniti a difesa della tua famiglia e concedi la tua misericordia a colui che la chiede, perché ti sia obbediente e accolga i tuoi doni.

20 *Un'altra.* Dona al tuo popolo, o Signore, la salvezza dell'anima e del corpo, perché, perseverando nelle opere buone, sia sempre difeso dalla tua protezione.

21 *Un'altra.* Ridesta, o Signore, la volontà dei tuoi fedeli, perché, collaborando con impegno alla tua opera di salvezza, ottengano in misura sempre più abbondante i doni della tua misericordia.

22 *Un'altra.* Ti preghiamo, Signore: il popolo a te consacrato riceva i benefici della pietà e della devozione, perché, perfezionato dai sacri riti, quanto più diventa gradito alla tua maestà, tanto più sia arricchito da doni di maggior valore.

23 *Un'altra.* Ti preghiamo, Signore: la tua destra protegga il popolo che ti invoca, perché, mentre trascorre la vita presente sotto la tua protezione, possa conseguire la vita eterna.

24 *Alia*. Respice, Domine, propitius plebem tuam, et toto tibi corde subiectam praesidiis invictae pietatis attolle.

25 *Alia*. Adesto, Domine, supplicibus tuis, et spem suam in tua misericordia collocantes tuere propitius, ut a peccatorum labe mundati in sancta conversatione permaneant.

26 *Alia*. Libera, Domine, quaesumus, a peccatis et ab hostibus tibi populum supplicantem, ut in sancta conversatione viventes, nullis afficiantur adversis.

27 *Alia*. Excita, Domine, tuorum corda fidelium, ut sacris intenta doctrinis, et intellegant quod sequantur, et sequendo fideliter adprehendant.

28 *Alia*. Da salutem, Domine, quaesumus, populo tuo mentis et corporis, et perpetuis consolationibus tuorum reple corda fidelium, ut tua protectione relevati, et pia tibi devotione conplaceant, et tua semper beneficia consequantur.

29 *Alia*. Quaesumus, omnipotens Deus, ne nos tua misericordia derelinquat, quae et errores nostros semper amoveat, et noxia cuncta depellat.

30 *Alia*. Omnipotens sempiterne Deus, universa nobis adversa propitiatus exclude, ut mente et corpore pariter expediti, quae tua sunt liberis mentibus exsequamur.

31 *Alia*. Tuere, Domine, populum tuum, et salutaribus praesidiis semper adiutum, beneficiis attolle continuis et mentis et corporis.

32 *Alia*. Purifica, quaesumus, Domine, tuorum corda fidelium, ut a terrena cupiditate mundati, et praesentis vitae periculis exuantur, et perpetua donatione firmentur.

24 *Un'altra*. Ti preghiamo, Signore: guarda benigno e solleva con l'aiuto della tua invitta pietà il popolo che con tutto il cuore è a te soggetto.

25 *Un'altra*. Ascolta, o Padre, coloro che ti supplicano e custodisci con amore quanti ripongono ogni speranza nella tua misericordia, perché, purificati dalla corruzione del peccato, permangano in una vita santa.

26 *Un'altra*. Ti preghiamo, Signore: libera dai peccati e dai nemici il popolo che ti supplica, perché, vivendo nella tua santa amicizia, non sia afflitto da nessuna avversità.

27 *Un'altra*. Sprona, Signore, il cuore dei tuoi fedeli, perché intenti nelle sante dottrine, comprendano ciò che seguono e, seguendole fedelmente, l'apprendano.

28 *Un'altra*. Ti preghiamo, Signore: concedi al tuo popolo la salvezza della mente e del corpo e riempi il cuore dei tuoi fedeli di eterna consolazione, perché, liberati con la tua protezione, ti compiacciano con pietà e devozione, e ottengano sempre i tuoi benefici.

29 *Un'altra*. Ti preghiamo, Dio onnipotente, perché la tua misericordia non ci abbandoni, ma rimuova sempre i nostri errori e allontani tutti i mali.

30 *Un'altra*. Dio onnipotente ed eterno, allontana benevolo tutte le nostre avversità, perché, liberi nel corpo e nello spirito, con mente serena seguiamo tutti i tuoi precetti.

31 *Un'altra*. Veglia, Signore, sul tuo popolo, e dopo averlo sempre difeso con la tua salutare protezione, sostienilo con continui benefici nello spirito e nel corpo.

32 *Un'altra*. Ti preghiamo, Signore: purifica il cuore dei tuoi fedeli, perché, mondati dalle bramosie terrene, siano liberati dai pericoli della vita presente e fortificati dai tuoi perenni doni.

33 *Alia.* Protector in te sperantium, Deus, salva populum tuum, ut a peccatis liber et ab hoste securus, in tua semper gratia perseveret.

34 *Alia.* Conserva, quaesumus, Domine, populum tuum, et quem salutaribus praesidiis non desinis adiuvare, perpetuis tribue gaudere beneficiis et mentis et corporis.

35 *Alia.* Adsit, Domine, propitiatio tua populo supplicanti, ut quod te inspirante fideliter expetit, tua celeri largitate percipiat.

36 *Alia.* Adesto, Domine, populis tuis in tua protectione fidentibus, et tuae se dexterae suppliciter inclinantes, perpetua defensione conserva.

37 *Alia.* Respice propitius, Domine, ad debitam tibi populi servitutem, ut inter humanae fragilitatis incerta, nullis adversitatibus, opprimatur, qui de tua protectione confidit.

38 *Alia.* Praesta, quaesumus, omnipotens Deus, ut semper rationabilia meditantes, quae tibi sunt placita et dictis exsequamur et factis.

39 *Alia.* Auxiliare, Domine, populo tuo, ut sacrae devotionis proficiens incrementis et tuo semper munere gubernetur, et ad redemptionis aeternae pertineat, te ducente, consortium.

40 *Alia.* Benedictionem tuam, Domine, populus fidelis accipiat, quae corpore salvatus ac mente, et gratam tibi semper exhibeat servitutem, et propitiationis tuae beneficia semper inveniat.

41 *Alia.* Gaudeat, Domine, quaesumus, populus, tua semper benedictione confisus, ut temporalibus beneficiis adiuvetur et erudiatur aeternis.

33 *Un'altra.* O Dio, difensore di quelli che sperano in te, salva il tuo popolo, perché, libero dai peccati e sicuro dagli attacchi del nemico, perseveri sempre nella tua grazia.

34 *Un'altra.* Ti preghiamo, Signore: proteggi il tuo popolo che non smetti di assistere con il tuo salvifico aiuto, e concedigli di godere per sempre dei benefici dello spirito e del corpo.

35 *Un'altra.* O Dio, nostro Padre, assisti il tuo popolo, perché possa ottenere dalla tua generosità ciò che tu stesso ispiri a chiedere con fede.

36 *Un'altra.* Assisti, Signore, i fedeli che confidano nella tua protezione e conserva con la tua perenne difesa coloro che supplici si inchinano davanti alla tua potenza.

37 *Un'altra.* Rivolgi propizio lo sguardo, Signore, alla preghiera che il tuo popolo ti presenta, perché tra le incertezze delle umane debolezze non sia oppresso da nessuna avversità chi confida nella tua protezione.

38 *Un'altra.* Ti preghiamo, Dio onnipotente, perché noi che meditiamo sempre sulle realtà celesti, con parole e azioni compiamo quanto a te piace.

39 *Un'altra.* Soccorri il tuo popolo, Signore, perché mentre progredisce con l'incremento della tua protezione, sia sempre guidato dal tuo dono e, sotto la tua guida, giunga alla partecipazione della redenzione eterna.

40 *Un'altra.* Il popolo fedele, Signore, riceva la tua benedizione, perché, salvato nel corpo e nello spirito, ti manifesti sempre grato servizio e riscopra sempre i benefici della tua protezione.

41 *Un'altra.* Ti preghiamo, Signore: si rallegri il popolo sempre fiducioso nella tua benedizione, perché sia sostenuto con benefici temporali e istruito in quelli eterni.

42 *Alia.* Familiam tuam, Domine, dextera tua perpetuo circumdet auxilio, ut ab omni pravitate defensa donis caelestibus prosequatur.

42 *Un'altra.* La tua destra, Signore, circondi la tua famiglia con un continuo aiuto, perché, difesa da ogni malvagità, consegua i doni celesti.

43 *Alia.* Conserva, quaesumus, Domine, familiam tuam, et benedictionum tuarum propitius ubertate purifica, ut eruditionibus tuis semper multiplicetur et donis.

43 *Un'altra.* Ti preghiamo, Signore: conserva la tua famiglia e purificala con l'abbondanza delle tue benedizioni, perché cresca grazie ai doni dei tuoi insegnamenti.

44 *Alia.* Praesta, quaesumus, omnipotens Deus, ut inter innumeros vitae praesentis errores tuo semper moderamine dirigamur.

44 *Un'altra.* Ti preghiamo, Dio onnipotente, perché, tra gli innumerevoli errori della vita presente, possiamo sempre rimanere sotto la tua guida.

45 *Alia.* Porrige dexteram tuam, quaesumus, Domine, plebi tuam misericordiam postulanti, per quam et errores declinet humanos, et solacia vitae mortalis accipiat, et sempiterna gaudia conpraehendat.

45 *Un'altra.* Ti preghiamo, Signore: al popolo che ti implora dona la tua misericordia per allontanare gli errori umani, ricevere i conforti della vita mortale e accogliere le gioie eterne.

46 *Alia.* Concede, quaesumus, omnipotens Deus, ut viam tuam devota mente currentes, subripientium delictorum laqueos evadamus.

46 *Un'altra.* Ti preghiamo, Dio onnipotente: concedi a noi che mentre con spirito devoto percorriamo la tua via, scampiamo dai lacci dei peccati che cercano di sviarci.

47 *Alia.* Conserva, Domine, quaesumus, tuorum corda fidelium, et gratiae tuae virtute corrobora, ut et in tua sint supplicatione devoti, et mutua dilectione sinceri.

47 *Un'altra.* Ti preghiamo, Signore: conserva il cuore dei tuoi fedeli e fortificali con la forza della tua grazia, perché siano devoti mentre ti supplicano e sinceri nel reciproco amore.

48 *Alia.* Da populo tuo, quaesumus, Domine, spiritum veritatis et pacis, ut et te tota mente cognoscat, et quae tibi sunt placita, toto corde sectetur.

48 *Un'altra.* Ti preghiamo, Signore: concedi al tuo popolo lo spirito di verità e di pace, perché impari a conoscerti con tutta la mente, e segua con tutto il cuore quanto desideri.

49 *Alia.* Omnipotens sempiterne Deus, qui caelestia simul et terrena moderaris, supplicationes populi tui clementer exaudi, et pacem tuam nostris concede temporibus.

49 *Un'altra.* Dio onnipotente ed eterno, che governi il cielo e la terra, ascolta con bontà le preghiere del tuo popolo e dona ai nostri giorni la tua pace.

50 *Alia.* Adesto, quaesumus, Domine, supplicationibus nostris, et in tua misericordia confidentes ab omni nos adversitate custodi.

50 *Un'altra.* Ti preghiamo, Signore: accogli con bontà le nostre suppliche, e mentre confidiamo nella tua misericordia, difendici da ogni avversità.

51 *Alia.* Da, quaesumus, omnipotens Deus, ut qui infirmitatis nostrae conscii de tua virtute confidimus, sub tua semper pietate gaudeamus.

52 *Alia.* Familiam tuam, quaesumus, Domine, caelesti protectione circumda, ut te parcente sit libera, te custodiente a malis omnibus sit secura.

53 *Alia.* Preces populi tui, quaesumus, Domine, clementer exaudi, ut qui in sola spe gratiae caelestis innititur, caelesti etiam protectione muniatur.

54 *Alia.* Adesto, Domine, fidelibus tuis, et quibus supplicandi tribuis miseratus affectum, concede benignissime consolationis auxilium.

55 *Alia.* Da nobis, Domine, quaesumus, ut et mundi cursus pacifico nobis ordine dirigatur, et ecclesia tua tranquilla devotione laetetur.

56 *Alia.* Exaudi nos, Deus salutaris noster, et dies nostros in tua pace dispone, ut a cunctis perturbationibus liberati tranquilla tibi servitute famulemur.

57 *Alia.* Guberna, Domine, quaesumus, plebem tuam, et tuis beneficiis semper adcumula, ut et praesentis vitae subsidiis gaudeat et aeternae.

58 *Alia.* Percipiat, quaesumus, Domine, populus tuus misericordiam quam deposcit, et quam precatur humiliter indulgentiam consequatur et pacem.

59 *Alia.* Concede, quaesumus, Domine, populo tuo veniam peccatorum, ut quod meritis non praesumit, indulgentiae tuae celeri largitate percipiat.

60 *Alia.* Praetende nobis, Domine, misericordiam tuam, ut quae

51 *Un'altra.* Ti preghiamo, Dio onnipotente: concedi a noi, consapevoli della nostra infermità e fiduciosi del tuo potere, di rallegrarci sempre protetti dal tuo amore.

52 *Un'altra.* Ti preghiamo, Signore: con la tua celeste protezione circonda la tua famiglia, perché grazie al tuo perdono sia libera, e sicura da tutti i mali con la tua custodia.

53 *Un'altra.* Ti preghiamo, Signore: ascolta con clemenza le preghiere del tuo popolo; lui, che confida solo nella speranza della grazia celeste, sia fortificato anche dalla tua celeste protezione.

54 *Un'altra.* Soccorri, Signore, i tuoi fedeli, e coloro ai quali, mosso a compassione, accordi il potere di invocarti, concedi benigno l'aiuto del tuo conforto.

55 *Un'altra.* Ti preghiamo, Signore: mentre il corso della vita terrena per noi procede nell'ordine e nella pace, concedi che la tua Chiesa si rallegri nella serena devozione.

56 *Un'altra.* Ascoltaci, Dio nostro salvatore: disponi i nostri giorni nella tua pace, perché, liberati da tutti i turbamenti, ti possiamo servire in piena tranquillità.

57 *Un'altra.* Ti preghiamo, Signore: guida il tuo popolo e colmalo sempre dei tuoi benefici, perché goda del tuo aiuto nella vita presente e in quella eterna.

58 *Un'altra.* Ti preghiamo, Signore: il tuo popolo sperimenti la misericordia che ti chiede e ottenga con umiltà l'indulgenza e la pace che ti implora.

59 *Un'altra.* Ti preghiamo, Signore: concedi al tuo popolo il perdono dei peccati, perché con la pronta liberalità della tua indulgenza percepisca ciò che per i suoi meriti non presume.

60 *Un'altra.* Mostraci, Signore, la tua misericordia, perché, con il nostro com-

votis expetimus, conversatione tibi placita consequamur.

60a *Deinde sequitur apostolum. Item graduale. Deinde legitur evangelium. Item offertorium. Postea oratio super oblata, una ex istis:*

61 Haec hostia, Domine, quaesumus, emundet nostra delicta, et ad sacrificium celebrandum subditorum tibi corpora mentesque sanctificet.

62 *Alia.* Concede, quaesumus, omnipotens Deus, ut huius sacrificii munus oblatum fragilitatem nostram ab omni malo purget semper et muniat.

63 *Alia.* Oblata, Domine, munera sanctifica nosque a peccatorum nostrorum maculis emunda.

64 *Alia.* Oblatum tibi, Domine, sacrificium vivificet nos semper et muniat.

64a *Deinde dicit sacerdos excelsa voce:*

65 Per omnia saecula saeculorum. *Respondit populus:* Amen. Dominus vobiscum. *Respondit omnis populus:* Et cum spiritu tuo. Sursum corda. *Respondit omnis populus:* Habemus ad dominum. Gratias agamus Domino Deo nostro. Dignum et iustum est. Vere dignum et iustum est aequum et salutare, nos tibi semper et ubique gratias agere, Domine, sancte pater, omnipotens aeterne Deus, per Christum dominum nostrum. Per quem maiestatem tuam laudant angeli, adorant dominationes, tremunt potestates. Caeli caelorumque virtutes ac beata seraphim socia exultatione concelebrant. Cum quibus et nostras voces, ut admitti iubeas deprecamur, supplici confessione dicentes:

66 Sanctus, sanctus, sanctus Dominus Deus sabaoth. Pleni sunt caeli et terra gloria tua. Osanna in excelsis. Benedictus qui venit

portamento a te gradito, conseguiamo ciò che ti chiediamo con la preghiera.

60a *Segue poi la lettura dell'Apostolo. Successivamente il Graduale. Quindi si proclama il Vangelo. Segue l'Offertorio. Poi sulle offerte si recita una di queste preghiere:*

61 Questa offerta, Padre misericordioso, ci ottenga il perdono dei nostri peccati e santifichi nel corpo e nello spirito di quanti sono a te sottomessi.

62 *Un'altra.* Concedi, Dio onnipotente, che l'offerta di questo sacrificio sostenga la debolezza della nostra fede, ci purifichi dal peccato e ci renda forti nel bene.

63 *Un'altra.* Santifica, Signore, i doni che ti offriamo e purificaci dalle macchie dei nostri peccati.

64 *Un'altra.* Il sacrificio che ti offriamo, Signore, ci vivifichi sempre e ci fortifichi.

64a *Quindi il sacerdote proclama ad alta voce:*

65 Per tutti i secoli dei secoli. *Il popolo risponde:* Amen. Il Signore sia con voi. *Tutto il popolo risponde:* E con il tuo spirito. In alto i cuori. *Tutto il popolo risponde:* Li abbiamo davanti al Signore. Rendiamo grazie al Signore, Dio nostro. È degno ed è giusto. È davvero degno e giusto, per noi vantaggioso e fonte di salvezza renderti grazie sempre e dovunque, Signore, Padre santo, Dio onnipotente ed eterno, per mezzo di Cristo, nostro signore. Per mezzo di lui gli angeli lodano la tua maestà, le dominazioni ti adorano e le potestà ti temono. I cieli e le potenze celesti uniti con i cori beati dei Serafini ti celebrano esultanti. E noi supplici confidiamo in te e ti preghiamo perché insieme con questi si unisca anche la nostra voce:

66 Santo, santo, santo il Signore Dio delle schiere celesti. I cieli e la terra sono pieni della tua gloria. Osanna nell'alto dei cieli. Benedetto colui che

in nomine Domini. Osanna in excelsis.

67 Te igitur, clementissime Pater, per Iesum Christum Filium tuum Dominum nostrum supplices rogamus et petimus, uti accepta habeas et benedicas + haec dona, + haec munera, + haec sancta sacrificia inlibata. In primis quae tibi offerimus pro ecclesia tua sancta catholica, quam pacificare custodire adunare et regere digneris toto orbe terrarum, una cum famulo tuo papa nostro *illo*.

68 Memento, Domine, famulorum famularumque tuarum et omnium circumstantium, quorum tibi fides cognita est et nota devotio, qui tibi offerunt hoc sacrificium laudis pro se suisque omnibus, pro redemptione animarum suarum, pro spe salutis et incolumitatis suae tibi reddunt vota sua aeterno Deo, vivo et vero.

69 Communicantes et memoriam venerantes, in primis gloriosae semper virginis Mariae genetricis Dei et Domini nostri Iesu Christi. Sed et beatorum apostolorum ac martyrum tuorum Petri, Pauli, Andreae, Iacobi, Ioannis, Thomae, Iacobi, Philippi, Bartholomaei, Matthaei, Simonis et Thaddaei, Lini, Cleti, Clementis, Xysti, Cornelii, Cypriani, Laurentii, Chrysogoni, Ioannis et Pauli, Cosmae et Damiani, et omnium sanctorum tuorum, quorum meritis precibusque concedas, ut in omnibus protectionis tuae muniamur auxilio.

70 Hanc igitur oblationem servitutis nostrae, sed et cunctae familiae tuae, quaesumus, Domine, ut placatus accipias, diesque nostros in tua pace disponas, atque ab aeterna damnatione nos eripi, et in electorum tuorum iubeas grege numerari.

viene nel nome del Signore. Osanna nell'alto dei cieli.

67 Padre clementissimo, noi ti supplichiamo e ti chiediamo per Gesù Cristo, tuo Figlio e nostro Signore, di accettare e benedire questi doni, queste offerte, questo sacrificio puro e santo. Noi te l'offriamo anzitutto per la tua Chiesa santa e cattolica, perché tu le dia pace, la protegga, la raduni e la governi su tutta la terra in unione con il tuo servo il nostro papa N.

68 Ricordati, Signore, dei tuoi servi e delle tue serve e di tutti quelli che sono qui presenti, dei quali conosci la fede e la devozione: essi ti offrono questo sacrificio di lode, e innalzano la preghiera a te, Dio eterno, vivo e vero, per ottenere a sé e ai loro cari redenzione, sicurezza di vita e salute.

69 In comunione con tutta la Chiesa ricordiamo e veneriamo anzitutto la gloriosa e sempre Vergine Maria, Madre del nostro Dio e Signore Gesù Cristo. Ricordiamo ancora i tuoi santi apostoli e martiri: Pietro, Paolo, Andrea, Giacomo, Giovanni, Tommaso, Giacomo, Filippo, Bartolomeo, Matteo, Simone e Taddeo, Lino, Cleto, Clemente, Sisto, Cornelio, Cipriano, Lorenzo, Crisogono, Giovanni e Paolo, Cosma e Damiano e tutti i tuoi santi: per i loro meriti e le loro preghiere donaci sempre aiuto e protezione.

70 Accetta con benevolenza, o Signore, questa offerta che ti presentiamo noi tuoi ministri e tutta la tua famiglia: disponi nella tua pace i nostri giorni, salvaci dalla dannazione eterna, e accoglici nel gregge dei tuoi eletti.

71 Quam oblationem tu, Deus, in omnibus, quaesumus, + benedictam, + adscriptam, + ratam, rationabilem acceptabilemque facere digneris, + ut nobis corpus + et sanguis fiat dilectissimi Filii tui Domini Dei nostri Iesu Christi.

72 Qui, pridie quam pateretur, accepit panem in sanctas ac venerabiles manus suas, elevatis oculis in caelum ad te Deum Patrem suum omnipotentem, tibi gratias agens + benedixit, + fregit, dedit discipulis suis dicens: Accipite et manducate ex hoc omnes: hoc est enim corpus meum. Simili modo postquam cenatum est accipiens et hunc praeclarum calicem in sanctas ac venerabiles manus suas, item tibi gratias agens + benedixit, dedit discipulis suis dicens: Accipite et bibite ex eo omnes: hic est enim calix sanguinis mei novi et aeterni testamenti, mysterium fidei, qui pro vobis et pro multis effundetur in remissione peccatorum. Haec quotiescumque feceritis, in mei memoriam facietis.

73 Unde et memores sumus, Domine, nos tui servi, sed et plebs tua sancta Christi Filii tui Domini Dei nostri, tam beatae passionis, necnon et ab inferis resurrectionis, sed et in caelos gloriosae ascensionis offerimus praeclarae maiestati tuae, de tuis donis ac datis, + hostiam puram + hostiam sanctam + hostiam inmaculatam + panem sanctum vitae aeternae et calicem salutis perpetuae.

74 Supra quae propitio ac sereno vultu respicere digneris, et accepta habere, sicuti accepta habere dignatus es munera pueri tui iusti Abel, et sacrificium patriarchae nostri Abrahae, et

71 Santifica, o Dio, questa offerta con la potenza della tua benedizione, e degnati di accettarla a nostro favore, in sacrificio spirituale e perfetto, perché diventi per noi il Corpo e il Sangue del tuo amatissimo Figlio, il Signore nostro Gesù Cristo.

72 La vigilia della sua passione, egli prese il pane nelle sue mani sante e venerabili, e alzando gli occhi al cielo a te, Dio Padre suo onnipotente, rese grazie con la preghiera di benedizione, spezzò il pane, lo diede ai suoi discepoli e disse: Prendete e mangiatene tutti: questo è il mio Corpo offerto in sacrificio per voi. Allo stesso modo, dopo aver cenato, prese nelle sue mani sante e venerabili questo glorioso calice, ti rese grazie con la preghiera di benedizione, lo diede ai suoi discepoli e disse: Prendete, e bevetene tutti: questo è il calice del mio Sangue, per la nuova ed eterna alleanza, mistero della fede, versato per voi e per tutti in remissione dei peccati. Fate questo in memoria di me.

73 In questo sacrificio, o Padre, noi tuoi ministri e il tuo popolo santo celebriamo il memoriale della beata passione, della risurrezione dai morti e della gloriosa ascensione al cielo del Cristo tuo Figlio e nostro Signore; e offriamo alla tua maestà divina, tra i doni che ci hai dato, la vittima pura, santa e immacolata, pane santo della vita eterna, calice dell'eterna salvezza.

74 Volgi sulla nostra offerta il tuo sguardo sereno e benigno, come hai voluto accettare i doni di Abele, il giusto, il sacrificio di Abramo, nostro padre nella fede, e l'oblazione pura e santa di Mel-

quod tibi obtulit summus sacerdos tuus Melchisedech, sanctum sacrificium, inmaculatam hostiam.

75 Supplices te rogamus, omnipotens Deus, iube haec perferri per manus angeli tui in sublime altare tuum, in conspectu divinae maiestatis tuae, ut quotquot ex hac altaris participatione sacrosanctum filii tui + corpus et + sanguinem sumpserimus, omni benedictione caelesti et gratia repleamur.

76 Nobis quoque peccatoribus famulis tuis de multitudine miserationum tuarum sperantibus, partem aliquam et societatem donare digneris cum tuis sanctis apostolis et martyribus, cum Ioanne, Stephano, Mathia, Barnaba, Ignatio, Alexandro, Marcellino, Petro, Felicitate, Perpetua, Agatha, Lucia, Agne, Caecilia, Anastasia, et cum omnibus sanctis tuis, intra quorum nos consortium non aestimator meriti, sed veniae, quaesumus, largitor admitte.

77 Per quem haec omnia, Domine, semper bona creas + sanctificas, + vivificas, + benedicis, et praestas nobis.

78 Per ipsum, et cum ipso, et in ipso est tibi Deo Patri omnipotenti in unitate Spiritus Sancti omnis honor et gloria. Per omnia saecula saeculorum. Amen.

79 *Oremus.* Praeceptis salutaribus moniti, et divina institutione formati audemus dicere.

80 Pater noster, qui es in caelis, sanctificetur nomen tuum, adveniat regnum tuum, fiat voluntas tua sicut in caelo et in terra. Panem nostrum cotidianum da nobis hodie, et dimitte nobis debita nostra sicut et nos dimit-

chisedek, tuo sommo sacerdote.

75 Ti supplichiamo, Dio onnipotente: fa' che questa offerta, per le mani del tuo angelo santo, sia portata sull'altare del cielo davanti alla tua maestà divina, perché su tutti noi che partecipiamo di questo altare, comunicando al santo mistero del Corpo e Sangue del tuo Figlio, scenda la pienezza di ogni grazia e benedizione del cielo.

76 Anche a noi, tuoi ministri, peccatori, ma fiduciosi nella tua infinita misericordia, concedi, o Signore, di aver parte alla comunità dei tuoi santi apostoli e martiri: Giovanni, Stefano, Mattia, Barnaba, Ignazio, Alessandro, Marcellino, Pietro, Felicita, Perpetua, Agata, Lucia, Agnese, Cecilia, Anastasia e tutti i tuoi santi; ammettici a godere della loro sorte beata non per i nostri meriti ma per la ricchezza del tuo perdono.

77 Per Cristo Signore nostro, tu, o Dio, crei e santifichi sempre, fai vivere, benedici e doni al mondo ogni bene.

78 Per Cristo, con Cristo e in Cristo, a te, Dio Padre onnipotente, nell'unità dello Spirito Santo, ogni onore e gloria per tutti i secoli dei secoli. Amen.

79 *Preghiamo.* Obbedienti alla parola del Salvatore e formati al suo divino insegnamento, osiamo dire:

80 Padre nostro che sei nei cieli, sia santificato il tuo nome, venga il tuo regno, sia fatta la tua volontà, come in cielo così in terra. Dacci oggi il nostro pane quotidiano, e rimetti a noi i nostri debiti come anche noi li rimettiamo ai nostri

timus debitoribus nostris, et ne nos inducas in temptationem, sed libera nos a malo.

81 Libera nos, quaesumus, Domine, ab omnibus malis praeteritis, praesentibus, et futuris, intercedente beata et gloriosa semperque virgine Dei genetrice Maria, et beatis apostolis tuis Petro et Paulo atque Andrea, da propitius pacem in diebus nostris, ut ope misericordiae tuae adiuti, et a peccato simus semper liberi, et ab omni perturbatione securi.

82 Pax Domini sit semper vobiscum. *Respondit:* Et cum spiritu tuo.

83 *Ad complendum.* Quaesumus, omnipotens Deus, ut qui caelestia alimenta percepimus, per haec contra omnia adversa muniamur.

84 *Alia.* Refecti, Domine, pane caelesti ad vitam, quaesumus, nutriamur aeternam.

85 *Alia.* Haec nos communio, Domine, purget a crimine, et caelestis remedii faciat esse consortes.

86 *Alia.* Augeatur in nobis, Domine, quaesumus, tuae virtutis operatio, ut divinis vegetati sacramentis, ad eorum promissa capienda tuo munere praeparemur.

debitori, e non abbandonarci alla tentazione, ma liberaci dal male.

81 Liberaci, o Signore, da tutti i mali passati, presenti e futuri, e per intercessione della beata e gloriosa e sempre vergine Maria, madre di Dio, dei beati apostoli Pietro e Paolo e Andrea, concedi benigno la pace ai nostri giorni, perché aiutati dalla tua misericordia, siamo sempre liberi dal peccato e sicuri da ogni turbamento. Per il nostro Signore Gesù Cristo, tuo Figlio, che con te e con lo Spirito Santo vive e regna Dio nei secoli dei secoli. Amen.

82 La pace del Signore sia sempre con voi. *Si risponde:* E con il tuo spirito.

83 *Per finire.* Ti preghiamo, Dio onnipotente, perché noi che abbiamo ricevuto il nutrimento del cielo, siamo da questo fortificati contro tutte le avversità.

84 *Un'altra.* Ti preghiamo, Signore, perché ristorati dal pane del cielo, siamo alimentati per la vita eterna.

85 *Un'altra.* Ci purifichi da ogni colpa, o Signore, questa comunione al tuo sacramento e ci renda partecipi della gioia eterna.

86 *Un'altra.* Rafforza in noi, o Signore, la tua opera di salvezza, perché i sacramenti che ci nutrono in questa vita ci preparino a ricevere i beni che promettono.

<II.>

IN NOMINE DOMINI

VIIII KALENDAS IANUARII

ID EST DIE XXIIII MENSE DECEMBRI

IN VIGILIA DOMINI

87 Deus, qui nos redemptionis nostrae annua expectatione laetificas, praesta, ut unigenitum tuum, quem redemptorem laeti suscepimus, venientem quoque iudicem securi videamus, Dominum nostrum.

88 *Super oblata.* Da nobis, quaesumus, omnipotens Deus, ut sicut adoranda filii tui natalicia praevenimus, sic eius munera capiamus sempiterna gaudentes.

89 *Ad complendum.* Da nobis, Domine, quaesumus, unigeniti Filii tui recensita nativitate respirare, cuius caelesti mysterio pascimur et potamur.

<2>

NEL NOME DEL SIGNORE

24 DICEMBRE

VEGLIA DEL SIGNORE

87 O Padre, che ci allieti ogni anno con l'attesa della nostra redenzione, concedi che possiamo guardare senza timore, quando verrà come giudice, il tuo unigenito Figlio che accogliamo in festa come redentore.

88 *Sulle offerte.* Ti preghiamo, Dio onnipotente: concedi a noi che come anticipiamo con le nostre suppliche l'adorabile natale del tuo Figlio, così accogliamo i suoi eterni doni.

89 *Alla fine.* Ti preghiamo, Signore: concedi a noi che mentre festeggiamo la nascita del tuo Figlio, ci nutriamo e beviamo del suo celeste mistero.

III.

VIII KALENDAS IANUARII IN NATALE DOMINI

DIE XXV MENSIS DECEMBRIS AD SANCTAM MARIAM

90 Deus, qui hanc sacratissimam noctem veri luminis fecisti inlustratione clarescere, da, quaesumus, ut cuius lucis mysteria in terra cognovimus, eius quoque gaudiis in caelo perfruamur.

91 *Secreta.* Accepta tibi sit, Domine, quaesumus, hodiernae festivitatis oblatio, ut tua gratia largiente per haec sacrosancta commercia in illius inveniamur forma, in quo tecum est nostra substantia.

92 *Praefatio.* VD et iustum est aequum et salutare, nos tibi semper, et ubique gratias agere, Domine, sancte pater, omnipotens aeterne Deus. Quia per incarnati

3

25 DICEMBRE

NATALE DEL SIGNORE

[*statio*] NELLA CHIESA DI SANTA MARIA

90 O Dio, che hai illuminato questa santissima notte con lo splendore di Cristo, vera luce del mondo, concedi a noi, che sulla terra contempliamo i suoi misteri, di partecipare alla sua gloria nel cielo.

91 *Sulle offerte.* Ti preghiamo, Signore: ti sia gradito il sacrificio della festa odierna, perché con l'abbondanza della tua grazia e con questa sacra e santa celebrazione noi viviamo nelle sembianze di colui nel quale, insieme con te, ha origine la nostra esistenza.

92 *Prefazio.* È veramente cosa buona e giusta, nostro dovere e fonte di salvezza, rendere grazie sempre e in

verbi mysterium nova mentis nostrae oculis lux tuae claritatis infulsit, ut dum visibiliter Deum cognoscimus, per hunc invisibilium amore rapiamur. Et ideo cum angelis et archangelis, cum thronis et dominationibus cumque omni militia caelestis exercitus, hymnum gloriae tuae canimus sine fine dicentes, Sanctus.

93 Communicantes et noctem sacratissimam celebrantes, qua beatae Mariae intemerata virginitas huic mundo edidit salvatorem. Sed et memoriam venerantes eiusdem gloriosae semper Virginis Mariae Genetricis Dei et Domini nostri Iesu Christi.

94 *Ad complendum.* Da nobis, quaesumus, Domine Deus noster, ut qui nativitatem Domini nostri Iesu Christi nos frequentare gaudemus, dignis conversationibus ad eius mereamur pertinere consortium.

ogni luogo a te, Signore, Padre santo, Dio onnipotente ed eterno. Nel mistero del Verbo incarnato è apparsa agli occhi della nostra mente la luce nuova del tuo fulgore, perché conoscendo Dio visibilmente, per mezzo di lui siamo conquistati all'amore delle realtà invisibili. E noi, uniti agli Angeli e agli Arcangeli, ai Troni e alle Dominazioni e alla moltitudine dei cori celesti, cantiamo con voce incessante l'inno della tua gloria: Santo.

93 In comunione [con tutta la Chiesa], mentre celebriamo la notte santissima nella quale Maria, vergine illibata, diede al mondo il Salvatore, ricordiamo e veneriamo anzitutto lei, la gloriosa e sempre Vergine Maria, Madre del nostro Dio e Signore Gesù Cristo.

94 *Alla fine.* Ti preghiamo, Signore Dio nostro, perché noi che ci rallegriamo nel celebrare la natività del nostro Signore Gesù Cristo, meritiamo di partecipare in maniera degna alla comunione con lui.

DE NOCTE
AD SANCTAM ANASTASIAM

95 Da, quaesumus, omnipotens Deus, ut qui beatae Anastasiae martyris tuae solemnia colimus, eius apud te patrocinia sentiamus.

96 *Alia.* Da, quaesumus, omnipotens Deus, ut qui nova incarnati Verbi tui luce perfundimur, hoc in nostro resplendeat opere, quod per fidem fulget in mente.

97 *Secreta.* Accipe, quaesumus, Domine, munera dignanter oblata, et beatae Anastasiae suffragantibus meritis, ad nostrae salutis auxilium provenire concede.

98 *Alia.* Munera nostra, quaesumus, Domine, nativitatis ho-

NELLA NOTTE
[*statio a*] SANT'ANASTASIA

95 Ti preghiamo, Dio onnipotente: concedi a noi che celebriamo la solennità della tua martire, santa Anastasia, di sperimentare la sua protezione presso di te.

96 *Un'altra.* Ti preghiamo, Dio onnipotente: concedi a noi, inondati dalla nuova luce del tuo Verbo fatto carne, che nelle nostre azioni si manifesti ciò che per la fede brilla nel nostro spirito.

97 *Sulle offerte.* Ti preghiamo, Signore: accogli con bontà i doni che ti offriamo, e sostenuti dai meriti di santa Anastasia, permetti che vengano in aiuto della nostra salvezza.

98 *Un'altra.* Le nostre offerte, o Padre, siano degne dei misteri che oggi celebriamo: come il tuo Figlio, gene-

diernae mysteriis apta proveniant, ut sicut homo genitus idem refulsit Deus, sic nobis haec terrena substantia conferat quod divinum est.

99 *Praefatio*. VD et iustum est aequum et salutare, nos tibi semper et ubique gratias agere, Domine, sancte pater, omnipotens aeterne Deus. Qui ut de hoste generis humani maior victoria duceretur, non solum per viros virtute martyrii, sed de eo etiam per feminas triumphasti. Et ideo cum angelis.

100 *Item praefatio*. VD et iustum est aequum et salutare nos tibi semper et ubique gratias agere, Domine, sancte pater, omnipotens aeterne Deus. Quia nostri salvatoris hodie lux vera processit, quae clara nobis omnia et intellectu manifestavit et visu. Et ideo cum angelis.

101 *Ad complendum*. Satiasti, Domine, familiam tuam muneribus sacris, eius, quaesumus, semper interventione nos refove, cuius solemnia celebramus.

102 *Item alia ad complendum*. Huius nos, Domine, sacramenti semper novitas natalis instauret, cuius nativitas singularis humanam reppulit vetustatem.

IIII.
IN NATALE DOMINI AD SANCTUM PETRUM

103 Concede nobis, omnipotens Deus, ut salutare tuum nova caelorum luce mirabili, quod ad salutem mundi hodierna festivitate processit, nostris semper innovandis cordibus oriatur.

104 *Secreta*. Oblata, Domine, munera nova unigeniti tui nati-

rato nella carne, si manifestò Dio e uomo, così questi frutti della terra ci comunichino la vita divina.

99 *Prefazio*. È davvero degno e giusto, per noi vantaggioso e fonte di salvezza, renderti grazie sempre e dovunque, Signore, Padre santo, Dio onnipotente ed eterno. Perché si conseguisse una più grande vittoria sul nemico del genere umano, hai trionfato non solo con il martirio affrontato dagli uomini, ma anche con quello sostenuto dalle donne. Perciò insieme con gli Angeli.

100 *Un altro prefazio*. È davvero degno e giusto, per noi vantaggioso e fonte di salvezza renderti grazie sempre e dovunque, Signore, Padre santo, Dio onnipotente ed eterno. Oggi si è manifestata la vera luce del Salvatore nostro e con il suo splendore ci ha rivelato tutto con chiarezza perché potessimo vedere e comprendere tutto. Perciò insieme con gli Angeli.

101 *Per finire*. Con i tuoi santi doni ci hai saziato, o Signore. Ti preghiamo di ritemprarci sempre con l'intercessione di colui, del quale celebriamo la solennità.

102 *Un'altra per finire*. Ci rafforzi sempre, Signore, la novità di questo sacramento da parte di colui che con la sua nascita singolare ha allontanato l'umana debolezza.

4
NEL NATALE DEL SIGNORE [*statio*] A SAN PIETRO

103 Concedi a noi, Dio onnipotente: con la nuova e mirabile luce dei cieli, la tua salvezza che si è manifestata oggi per la conversione del mondo, sorga sempre per il rinnovamento dei nostri cuori.

104 *Sulle offerte*. Con la natività del tuo Unigenito santifica, Signore, i doni

vitate sanctifica, nosque a peccatorum nostrorum maculis emunda.

105 *Praefatio.* VD et iustum est aequum et salutare, nos tibi semper et ubique gratias agere, Domine, sancte pater, omnipotens aeterne Deus. Quia per incarnati verbi mysterium nova mentis nostrae oculis lux tuae claritatis infulsit, ut dum visibiliter Deum cognoscimus, per hunc invisibilium amore rapiamur. Et ideo cum angelis.

106 Communicantes et diem sacratissimum celebrantes, quo beatae Mariae intemerata virginitas huic mundo edidit salvatorem, sed et memoriam venerantes eiusdem gloriosae semper virginis Mariae genetricis Dei et domini nostri Iesu Christi, sed et beatorum apostolorum.

107 *Ad complendum.* Praesta, quaesumus, omnipotens Deus, ut natus hodie salvator mundi, sicut divinae nobis generationis est auctor, ita et inmortalitatis sit ipse largitor.

che ti offriamo e purificaci dalle macchie dei nostri peccati.

105 *Prefazio.* È veramente cosa buona e giusta, nostro dovere e fonte di salvezza, rendere grazie sempre e in ogni luogo a te, Signore, Padre santo, Dio onnipotente ed eterno. Nel mistero del Verbo incarnato è apparsa agli occhi della nostra mente la luce nuova del tuo fulgore, perché conoscendo Dio visibilmente, per mezzo di lui siamo conquistati all'amore delle realtà invisibili. E noi, uniti agli Angeli.

106 In comunione [con tutta la Chiesa], mentre celebriamo il giorno santissimo nel quale Maria, vergine illibata, diede al mondo il Salvatore, ricordiamo e veneriamo anzitutto lei, la gloriosa e sempre Vergine Maria, Madre del nostro Dio e Signore Gesù Cristo, e i beati apostoli.

107 *Per finire.* Ti preghiamo, Dio onnipotente: il Salvatore del mondo che oggi è nato, come ci garantisce la divina generazione, così ci elargisca l'immortalità.

ALIAE ORATIONES
DE NATALE DOMINI

ALTRE ORAZIONI
PER IL NATALE DEL SIGNORE

108 Respice nos, misericors Deus, et mentibus clementer humanis, nascente Christo, summae veritatis lumen ostende.

109 *Alia.* Largire, quaesumus, Domine, famulis tuis fidei et securitatis augmentum, ut qui in nativitate filii tui domini nostri gloriantur, et adversa mundi te gubernante non sentiant, et quae temporaliter celebrare desiderant, sine fine percipiant.

110 *Alia.* Deus, qui per beatae Virginis partum sine humana con-

108 Volgi, Dio misericordioso, il tuo sguardo su di noi e con la nascita di Cristo mostra clemente alla mente dell'uomo la luce della verità suprema.

109 *Un'altra.* Ti preghiamo, Signore: concedi ai tuoi servi di crescere sicuri nella fede, perché coloro che si rallegrano per la natività del tuo Figlio, il Signore nostro, da te protetti non avvertano le contrarietà di questo mondo e ricevano senza fine ciò che desiderano celebrare nel tempo.

110 *Un'altra.* O Dio, che per il parto della beata Vergine, procreato senza uma-

cupiscentia procreatum in Filii tui membra venientis paternis fecisti praeiudiciis non teneri, praesta, quaesumus, ut huius creaturae novitate suscepta, vetustatis antiquae contagiis exuamur.

111 *Alia.* Omnipotens sempiterne Deus, qui hunc diem per incarnationem verbi tui et partum beatae Mariae virginis consecrasti, da populis tuis in hac celebritate consortium, ut qui tua gratia sunt redempti, tua sint adoptione securi.

112 *Alia.* Concede, quaesumus, omnipotens Deus, ut quos sub peccati iugo vetusta servitus tenet, unigeniti tui nova per carnem nativitas liberet.

113 *Alia.* Deus, qui humanae substantiae dignitatem et mirabiliter condidisti, et mirabilius reformasti, da nobis, quaesumus, eius divinitatis esse consortes, qui humanitatis nostrae fieri dignatus est particeps.

114 *Alia.* Omnipotens sempiterne Deus, qui in filii tui domini nostri nativitate tribuisti totius religionis initium perfectionemque constare, da nobis, quaesumus, in eius portione censeri, in quo totius salutis humanae summa consistit.

115 *Alia.* Da, quaesumus, Domine, populo tuo inviolabilem fidei firmitatem, ut qui unigenitum tuum in tua tecum gloria sempiternum in veritate nostri corporis natum de matre virgine confitentur, et a praesentibus liberentur adversis, et mansuris gaudiis inserantur.

na concupiscenza, hai fatto sì che non ci fossero pregiudizi paterni verso le membra del Tuo Figlio che viene, concedici, ti preghiamo che, accolta la novità di questa creatura, ci liberiamo dagli influssi peccaminosi del tempo antico.

111 *Un'altra.* Dio onnipotente ed eterno, che hai consacrato questo giorno con l'incarnazione del tuo Verbo e con il parto della beata Vergine Maria, concedi ai tuoi fedeli, raccolti in questa solenne celebrazione, che siano sicuri dell'adozione quanti per tua grazia sono stati redenti.

112 *Un'altra.* Ti preghiamo, Dio onnipotente: concedi che la nuova nascita nella carne del tuo Unigenito liberi quanti l'antica schiavitù tiene sotto il giogo del peccato.

113 *Un'altra.* O Dio, che in modo mirabile ci hai creati a tua immagine e in modo più mirabile ci hai rinnovati e redenti, fa' che possiamo condividere la vita divina del tuo Figlio, che oggi ha voluto assumere la nostra natura umana.

114 *Un'altra.* Dio onnipotente ed eterno, che nella nascita del tuo Figlio hai stabilito l'inizio e la pienezza della vera fede, accogli anche noi come membra del Cristo, che compendia in sé la salvezza del mondo.

115 *Un'altra.* Dona, o Padre, al tuo popolo una fede salda, perché creda e proclami il tuo Figlio unigenito vero Dio, eterno con te nella gloria, e vero uomo, nato dalla Vergine Madre; in questa fede confermaci nelle prove della vita presente e guidaci alla gioia senza fine.

45

V.   5

VII KALENDAS IANUARII ID EST XXVI DIE MENSIS DECEMBRIS

NATALE SANCTI STEPHANI

116 Omnipotens sempiterne Deus, qui primitias martyrum in beati levitae Stephani sanguine dedicasti, tribue, quaesumus, ut pro nobis intercessor existat, qui pro suis etiam persecutoribus exoravit.

117 *Super oblata.* Suscipe, Domine, munera pro tuorum commemoratione sanctorum, ut quia illos passio gloriosos efficit, nos devotio reddat innocentes.

118 *Ad complendum.* Auxilientur nobis, Domine, sumpta mysteria, et intercedente beato Stephano martyre tuo sempiterna protectione confirment.

119 *Alia.* Praesta, quaesumus, omnipotens Deus, ut beatus Stephanus levita magnificus sicut ante alios imitator dominicae passionis et pietatis enituit, ita sit fragilitati nostrae promptus adiutor.

120 *Alia oratio.* Deus, qui nos unigeniti tui clementer incarnatione laetificas, da nobis patrocinia tuorum continuata sanctorum, quibus capere valeamus salutaris mysterii protectionem.

26 DICEMBRE

NATALE DI SANTO STEFANO

116 Dio onnipotente ed eterno, che hai riposto le primizie dei martiri nel sangue del beato levita Stefano, ti preghiamo, perché interceda per noi colui che ha pregato anche per i suoi persecutori.

117 *Sulle offerte.* Accetta, Signore, i doni che ti offriamo nel ricordo dei tuoi santi: come il martirio li ha resi meritevoli di gloria così la devozione ci renda immuni da colpa.

118 *Per finire.* I misteri, ai quali abbiamo partecipato, Signore, siano a noi di aiuto e per intercessione del tuo beato martire Stefano ci rafforzino nella tua protezione eterna.

119 *Un'altra.* Ti preghiamo, Dio onnipotente: concedici che il beato Stefano, nobile levita, come prima di altri ha imitato l'amore e la passione del Signore, così presti sollecito aiuto alla nostra fragilità.

120 *Un'altra preghiera.* O Dio, che nella tua clemenza ci rallegri con l'incarnazione del tuo Unigenito, concedi a noi l'aiuto continuo dei tuoi santi, perché con la loro intercessione possiamo ottenere la protezione del mistero della salvezza.

VI.

VI KALENDAS IANUARII
ID EST XXVII DIE MENSIS DECEMBRIS
NATALE SANCTI IOANNIS EVANGELISTAE

121 Ecclesiam tuam, Domine, benignus inlustra, ut beati Ioannis evangelistae inluminata doctrinis ad dona perveniat sempiterna.

122 *Super oblata.* Suscipe munera, Domine, quae in eius tibi solemnitate deferimus, cuius nos confidimus patrocinio liberari.

123 *Ad complendum.* Refecti cibo potuque caelesti, Deus noster, te supplices deprecamur, ut in cuius haec commemoratione percepimus, eius muniamur et precibus.

124 *Ad vesperum ubi supra.* Beati Ioannis evangelistae, quaesumus, Domine, supplicatione placatus, et veniam nobis tribue et remedia sempiterna concede.

125 *Ad fontes.* Beati evangelistae Ioannis, Domine, precibus adiuvemur, ut quod possibilitas nostra non obtinet, eius nobis intercessione donetur.

126 *Ad sanctum Andream.* Sit, Domine, quaesumus, beatus Ioannes evangelista nostrae fragilitatis adiutor, ut pro nobis tibi supplicans audiatur.

27 DICEMBRE

NATALE DI SAN GIOVANNI EVANGELISTA

121 Rischiara benigno la tua Chiesa, Signore, perché, illuminata dalla dottrina del beato Giovanni evangelista, raggiunga i beni eterni.

122 *Sulle offerte.* Accetta, Signore, i doni che ti offriamo nella solennità di colui, con il cui patrocinio speriamo di essere liberati.

123 *Per finire.* Rinvigoriti dal cibo e dalla bevanda celeste supplici ti preghiamo, Dio nostro, perché siamo fortificati anche con le preghiere di colui nella cui commemorazione li abbiamo ricevuti.

124 *A vespro come sopra.* Placato, Signore, dalle suppliche del beato Giovanni evangelista, accordaci il perdono e concedici i rimedi eterni.

125 *Alle fonti.* Ti preghiamo, Signore, di essere sostenuti dalle preghiere del beato Giovanni evangelista, perché con la sua intercessione ci sia donato ciò che non possiamo conseguire con le nostre possibilità.

126 *[Nella chiesa di] Sant'Andrea.* Ti preghiamo, Signore: venga in aiuto della nostra fragilità il beato Giovanni evangelista; ascoltalo mentre ti rivolge suppliche per noi.

VII.

V KALENDAS IANUARII ID EST XXVIII DIE MENSIS DECEMBRIS

NATALE INNOCENTIUM AD SANCTUM PAULVM

127 Deus, cuius hodierna die praeconium Innocentes martyres non loquendo, sed moriendo confessi sunt, omnia in nobis vitiorum mala mortifica, ut fidem tuam, quam lingua nostra loquitur, etiam moribus vita fateatur.

128 *Secreta*. Adesto, Domine, muneribus Innocentium martyrum tuorum festivitate sacrandis, et praesta, ut eorum sinceritatem possimus imitari, quorum tibi dicatam veneramur infantiam.

129 *Ad complendum*. Votiva, Domine, dona percepimus, quae sanctorum nobis precibus et praesentis, quaesumus, vitae pariter et aeternae tribue conferre subsidium.

130 *Aliae orationes*. Deus, qui licet sis magnus in magnis, mirabilia tamen gloriosius operaris in minimis, da nobis, quaesumus, in eorum celebritate gaudere, qui Filio tuo Domino nostro, etiam non loquentes, testimonium praebuerunt.

131 *Alia*. Ipsi nobis, Domine, quaesumus, postulent mentium puritatem, quorum innocentiam hodie solemniter celebramus.

132 *Alia*. Adiuva nos, Domine, quaesumus, eorum deprecatione sanctorum, qui filium tuum humana necdum voce profitentes, caelesti sunt pro eius nativitate gratia coronati.

7.

28 DICEMBRE

NATALE DEGLI INNOCENTI [*statio*] A SAN PAOLO

127 In questo giorno, o Dio, i martiri Innocenti senza parlare, ma con la morte hanno proclamato un inno di lode in tuo onore; estingui in noi i mali nati dai vizi, perché il nostro modo di vivere manifesti la fede che professiamo con la lingua.

128 *Sulle offerte*. Accogli, Signore, i doni che ti consacriamo nella festività dei santi Innocenti, e concedici di imitare la sincerità di coloro, dei quali veneriamo l'infanzia a te consacrata.

129 *Per finire*. Abbiamo ricevuto, Signore, i doni desiderati; con le preghiere dei tuoi santi, ti preghiamo che ci arrechino aiuto nella vita presente e in quella eterna.

130 *Altre preghiere*. O Dio, sebbene tu sia magnifico nelle grandi opere, manifesti tuttavia meraviglie e gloria maggiore anche nelle più piccole; ti preghiamo: concedici di godere nella festività di coloro i quali, pur non parlando, hanno offerto testimonianza al tuo Figlio, il Signore nostro.

131 *Un'altra*. Ti preghiamo, Signore: chiedano per noi purità di mente proprio coloro dei quali oggi celebriamo solennemente l'innocenza.

132 *Un'altra*. Aiutaci, Signore, ti preghiamo, per le preghiere di quei santi i quali, sebbene non proclamassero ancora con voce umana il Figlio tuo, per la sua natività hanno ricevuto il premio della grazia celeste.

VIII.

II KALENDAS IANUARII
ID EST XXXI DIE MENSIS DECEMBRIS
NATALE SANCTI SILVESTRI PAPAE

133 Da, quaesumus, omnipotens Deus, ut beati Silvestri confessoris tui atque pontificis veneranda solemnitas, et devotionem nobis augeat et salutem.

134 *Super oblata.* Sanctorum tuorum nobis, Domine, pia non desit oratio, quae et munera nostra conciliet, et tuam nobis indulgentiam semper obtineat.

135 *Ad complendum.* Praesta, quaesumus, omnipotens Deus, ut de perceptis muneribus gratias exhibentes beneficia potiora sumamus.

136 *Alia.* Sancti tui nos, quaesumus, Domine, ubique laetificent, ut dum eorum merita recolimus, patrocinia sentiamus.

8.

31 DICEMBRE

NATALE DI SAN SILVESTRO PAPA

133 Ti preghiamo, Signore: concedi che la veneranda solennità del beato Silvestro, tuo confessore e pontefice, accresca in noi la devozione e la salvezza.

134 *Sulle offerte.* Non ci venga meno, Signore, la devota preghiera dei tuoi santi, perché ti renda graditi i nostri doni e ci ottenga sempre la tua benevolenza.

135 *Per finire.* Ti preghiamo, Dio onnipotente: concedici che, mentre ti rendiamo grazie per i doni ricevuti, possiamo usufruire di maggiori benefici.

136 *Un'altra.* Ti preghiamo, Signore: i tuoi santi ci riempiano di gioia in ogni luogo perché, mentre celebriamo i loro meriti, percepiamo il loro patrocinio.

VIIII.

MENSE IANUARIO
IN OCTABAS DOMINI AD SANCTAM MARIAM AD MARTYRES

137 Omnipotens sempiterne Deus, qui in unigenito Filio tuo novam creaturam nos tibi esse fecisti, custodi opera misericordiae tuae et ab omnibus nos maculis vetustatis emunda, ut per auxilium gratiae tuae in illius inveniamur forma, in quo tecum est nostra substantia.

138 *Secreta.* Muneribus nostris, quaesumus, Domine, precibusque susceptis, et caelestibus nos munda mysteriis, et clementer exaudi.

9

MESE DI GENNAIO
NELL'OTTAVA DEL SIGNORE [*statio*] A SANTA MARIA *AD MARTYRES*

137 Dio onnipotente ed eterno, che nell'Unigenito tuo Figlio ci hai reso per te nuova creatura, custodisci l'opera della tua misericordia e purificaci da tutte le macchie del peccato, perché con l'aiuto della tua grazia siamo trovati nello stato di colui, nel quale insieme con te è riposta la nostra vita.

138 *Sulle offerte.* Ti preghiamo, Signore: accogli i nostri doni e le nostre preghiere, purificaci con i misteri celesti ed esaudiscici con la tua clemenza.

139 *Ad complendum.* Praesta, quaesumus, Domine, ut quod salvatoris Domini nostri Iesu Christi recensita solemnitate percepimus, perpetuae nobis redemptionis conferat medicinam.

139 *Per finire.* Ti preghiamo, Signore: concedi che quanto abbiamo ricevuto nella solennità celebrata in onore del Signore nostro Gesù Cristo, ci doni il rimedio della redenzione eterna.

X.
ORATIO IN ALIA DOMINICA

140 Omnipotens sempiterne Deus, dirige actus nostros in beneplacito tuo, ut in nomine dilecti filii tui mereamur bonis operibus abundare.

141 *Super oblata.* Concede, quaesumus, Domine, ut oculis tuae maiestatis munus oblatum et gratiam nobis devotionis obtineat, et effectum beatae perennitatis adquirat.

142 *Ad complendum.* Per huius, Domine, operationem mysterii et vitia purgentur, et iusta desideria compleantur.

10
PREGHIERA
PER UN'ALTRA DOMENICA

140 Dio onnipotente ed eterno, guida le nostre azioni secondo la tua volontà, perché nel nome del tuo diletto Figlio portiamo frutti generosi di opere buone.

141 *Sulle offerte.* L'offerta che ti presentiamo, o Signore, ci ottenga la grazia di servirti fedelmente e ci prepari il frutto di un'eternità beata.

142 *Per finire.* Mediante la celebrazione di questo mistero, Signore, siano eliminati i peccati e appagati i giusti desideri.

XI.
ITEM IN ALIA DOMINICA

143 Vota, quaesumus, Domine, supplicantis populi caelesti pietate prosequere, ut et quae agenda sunt videant, et adimplenda quae viderint convalescant.

144 *Super oblata.* Ut tibi grata sint, Domine, munera populi tui supplicantis, ab omni, quaesumus, eum contagione perversitatis emunda.

145 *Ad complendum.* Haec nos communio, Domine, purget a crimine, et caelestis remedii faciat esse consortes.

11
ALLO STESSO MODO
IN ALTRA DOMENICA

143 Ispira nella tua paterna bontà, o Signore, i pensieri e i propositi del tuo popolo in preghiera, perché veda ciò che deve fare e abbia la forza di compiere ciò che ha veduto.

144 *Sulle offerte.* Purificaci, o Signore, dal contagio del male, perché ti sia gradita l'offerta del popolo che ti invoca.

145 *Per finire.* Ci purifichi da ogni colpa, o Signore, questa comunione al tuo sacramento e ci renda partecipi della gioia eterna.

XII.

VIII IDUS IANUARII

ID EST VI DIE MENSIS IANUARII

EPIPHANIA

146 Deus, qui hodierna die unigenitum tuum gentibus stella duce revelasti, concede propitius, ut qui iam te ex fide cognovimus, usque ad contemplandam speciem tuae celsitudinis perducamur.

147 *Super oblata.* Ecclesiae tuae, quaesumus, Domine, dona propitius intuere, quibus non iam aurum thus et myrra profertur, sed quod eisdem muneribus declaratur immolatur et sumitur, Iesus Christus.

148 *Praefatio.* VD et iustum est aequum et salutarem, nos tibi semper et ubique gratias agere, Domine, sancte pater, omnipotens aeterne Deus. Quia cum unigenitus tuus in substantia nostrae mortalitatis apparuit, nova nos inmortalitatis suae luce reparavit. Et ideo cum angelis.

149 Communicantes et diem sacratissimum celebrantes, quo unigenitus tuus in tua tecum gloria coaeternus, in veritate carnis nostrae visibiliter corporalis apparuit. Sed et memoriam.

150 *Ad complendum.* Praesta, quaesumus, Domine Deus noster, ut quae solemni celebramus officio, purificatae mentis intellegentiam consequamur.

ALIAE ORATIONES

151 Deus, inluminator omnium gentium, da populis tuis perpetua pace gaudere, et illud lumen splendidum infunde cordibus nostris, quod trium magorum mentibus adspirasti.

12

6 GENNAIO

EPIFANIA

146 O Dio, che in questo giorno, con la guida della stella, hai rivelato alle genti il tuo Figlio unigenito, conduci benigno anche noi, che già ti abbiamo conosciuto per la fede, a contemplare la bellezza della tua gloria.

147 *Sulle offerte.* Guarda con bontà, o Signore, i doni della tua Chiesa, che ti offre non oro, incenso e mirra, ma colui che in questi stessi doni è significato, immolato e ricevuto.

148 *Prefazio.* È davvero degno e giusto, per noi vantaggioso e fonte di salvezza renderti grazie sempre e dovunque, Signore, Padre santo, Dio onnipotente ed eterno. Quando il tuo Unigenito è apparso nella nostra natura mortale, ci ha redenti con la nuova luce della sua immortalità.

149 In comunione con tutta la Chiesa, mentre celebriamo il giorno santissimo nel quale il tuo unigenito Figlio, eterno con te nella gloria, si è manifestato nella verità della nostra carne in un corpo visibile, ricordiamo anzitutto.

150 *Per finire.* Ti preghiamo, Signore Dio nostro: concedi a noi di comprendere con spirito puro ciò che celebriamo con questo rito solenne.

ALTRE PREGHIERE

151 O Dio, che illumini tutte le genti, concedi ai tuoi fedeli di godere della pace eterna e infondi nel nostro cuore quella luce, con la quale irradiasti la mente dei tre magi.

152 *Alia.* Deus, cuius unigenitus in substantia nostrae carnis apparuit, praesta, quaesumus, ut per eum, quem similem nobis foris agnovimus, intus reformari mereamur.

153 *Alia.* Omnipotens sempiterne Deus, fidelium splendor animarum, qui hanc solemnitatem electionis gentium primitiis consecrasti, imple mundum gloria tua, et subditis tibi populis per luminis tui appare claritatem.

154 *Alia.* Da nobis, quaesumus, Domine, digne celebrare mysterium, quod in nostri salvatoris infantia miraculis coruscantibus declaratur, et corporalibus incrementis manifesta designatur humanitas.

155 *Alia.* Praesta, quaesumus, omnipotens Deus, ut salvatoris mundi stella duce manifestata nativitas mentibus nostris reveletur semper et crescat.

156 *Alia.* Inlumina, quaesumus, Domine, populum tuum, et splendore gloriae tuae cor eius semper accende, ut salvatorem suum et incessanter agnoscat et veraciter adprehendat.

152 *Un'altra.* O Dio, il cui unico Figlio si è manifestato nella nostra carne mortale, concedi a noi, che lo abbiamo conosciuto come vero uomo, di essere interiormente rinnovati a sua immagine.

153 *Un'altra.* Dio onnipotente ed eterno, splendore delle anime dei fedeli, che hai consacrato questa solennità con la scelta dei primi fedeli, riempi il mondo della tua gloria e manifestati ai popoli a te soggetti con il fulgore della tua luce.

154 *Un'altra.* Ti preghiamo, Signore: concedi a noi di celebrare degnamente il mistero che nell'infanzia del nostro Salvatore è illuminato da splendidi miracoli, e con la crescita corporea viene mostrata apertamente la sua umanità.

155 *Un'altra.* Dio onnipotente, manifesta anche a noi il mistero della nascita del Salvatore del mondo, rivelato dalla luce della stella, e cresca sempre più nel nostro spirito.

156 *Un'altra.* Illumina il tuo popolo, Signore, con lo splendore della tua gloria, e infiamma sempre più il suo cuore perché riconosca il suo Salvatore ed entri in vera comunione con lui.

XIII.

13

XVIIII KALENDAS FEBRUARII
ID EST XIIII DIE MENSIS
IANUARII
NATALE
SANCTI FELICIS IN PINCIS

14 GENNAIO

NATALE
DI SAN FELICE AL PINCIO

157 Concede, quaesumus, omnipotens Deus, ut ad meliorem vitam sanctorum tuorum exempla nos provocent, quatenus quorum solemnia agimus, etiam actus imitemur.

158 *Secreta.* Hostias tibi, Domine,

157 Ti preghiamo, Dio onnipotente: fa' che l'esempio dei tuoi santi ci conduca a una vita migliore, e mentre ne celebriamo la solennità, ne imitiamo anche le azioni.

158 *Sulle offerte.* Accetta benigno, Signo-

beati Felicis confessoris tui dicatas meritis benignus adsume, et ad perpetuum nobis tribue provenire subsidium.

159 *Ad complendum.* Quaesumus, Domine, salutaribus repleti mysteriis, ut cuius solemnia celebramus, eius orationibus adiuvemur.

re, per i meriti del tuo confessore Felice le offerte che ti consacriamo e concedi che siano per noi di eterno aiuto.

159 *Per finire.* Colmati, Signore, dei misteri di salvezza, ti preghiamo di essere soccorsi dalle preghiere di colui, del quale celebriamo la solennità.

XIIII.
XVII KALENDAS FEBRUARII
ID EST XVI DIE MENSIS IANUARII
NATALE SANCTI MARCELLI PAPAE

14
16 GENNAIO
NATALE DI SAN MARCELLO PAPA

160 Preces populi tui, quaesumus, Domine, clementer exaudi, ut beati Marcelli martyris tui atque pontificis meritis adiuvemur, cuius passione laetamur.

161 *Super oblata.* Suscipe, quaesumus, Domine, munera dignanter oblata, et beati Marcelli suffragantibus meritis ad nostrae salutis auxilium provenire concede.

162 *Ad complendum.* Satiasti, Domine, familiam tuam muneribus sacris, eius, quaesumus, Domine, semper interventione nos refove, cuius solemnia celebramus.

160 Ti preghiamo, Signore: ascolta con clemenza le preghiere del tuo popolo, perché siamo soccorsi dai meriti del beato papa e confessore Marcello, per la cui passione noi ci rallegriamo.

161 *Sulle offerte.* Ti preghiamo, Signore: accetta con bontà i doni che ti offriamo, e concedi che con l'aiuto dei meriti del beato Marcello, vengano in aiuto della nostra salvezza.

162 *Per finire.* Hai saziato, Signore, la tua famiglia con i tuoi santi doni; ti preghiamo di rinnovarci sempre per l'intercessione di colui del quale celebriamo la festa.

XV.
XV KALENDAS FEBRVARII
ID EST XVIII DIE MENSIS IANUARII
NATALE SANCTAE PRISCAE

15
18 GENNAIO
NATALE DI SANTA PRISCA

163 Da, quaesumus, omnipotens Deus, ut qui beatae Priscae martyris tuae natalicia colimus, et annua solemnitate laetemur, et tantae fidei proficiamus exemplo.

163 Ti preghiamo, Dio onnipotente: fa' che noi, mentre celebriamo il natale della tua martire, la beata Prisca, ci rallegriamo dell'annuale solennità e progrediamo sorretti dall'esempio di una fede così grande.

164 *Super oblata.* Hostia, Domine, quaesumus, quam sanctorum tuorum natalicia recensentes offerimus, et vincula nostrae pravitatis absolvat, et tuae nobis misericordiae dona conciliet.

165 *Ad complendum.* Quaesumus, Domine, salutaribus repleti mysteriis, ut cuius solemnia celebramus, eius orationibus adiuvemur.

164 *Sulle offerte.* Ti preghiamo, Signore: il sacrificio che ti offriamo mentre ricordiamo il natale dei tuoi santi, sciolga i legacci della nostra malvagità e ci ottenga i doni della tua misericordia.

165 *Per finire.* Colmati, Signore, dei misteri di salvezza, ti chiediamo di essere aiutati dalle preghiere di colei, della quale celebriamo la festa.

XVI.
XIII KALENDAS FEBRUARII
ID EST XX DIE MENSIS IANUARII
NATALE SANCTI FABIANI

166 Infirmitatem nostram respice, omnipotens Deus, et quia nos pondus propriae actionis gravat, beati Fabiani martyris tui atque pontificis intercessio gloriosa nos protegat.

167 *Secreta.* Hostias tibi, Domine, beati Fabiani martyris tui dicatas meritis benignus adsume, et ad perpetuum nobis tribue provenire subsidium.

168 *Ad complendum.* Refecti participatione muneris sacri, quaesumus, Domine Deus noster, ut cuius exsequimur cultum, sentiamus effectum.

16
20 GENNAIO

NATALE DI SAN FABIANO

166 Guarda, Dio onnipotente, la nostra debolezza, e poiché il peso del nostro agire ci opprime, ci protegga la gloriosa intercessione del tuo pontefice e martire Fabiano.

167 *Sulle offerte.* Accetta benigno, Signore, per i meriti del tuo beato martire Fabiano le offerte che ti consacriamo e concedi che siano per noi di eterno aiuto.

168 *Per finire.* Ristorati dalla partecipazione ai sacri doni, ti preghiamo, Signore Dio nostro, di sperimentare l'aiuto di colui, del quale celebriamo la festa.

ITEM EODEM DIE
NATALE SANCTI SEBASTIANI

169 Deus, qui beatum Sebastianum martyrem tuum virtutem constantiae in passione roborasti, ex eius nobis imitatione tribue pro amore tuo prospera mundi despicere, et in tua semper voluntate proficere.

170 *Secreta.* Accepta sit in conspectu tuo, Domine, nostrae devotionis oblatio, et eius nobis fiat supplicatione salutaris, pro cuius solemnitate defertur.

EGUALMENTE
NELLO STESSO GIORNO
NATALE DI SAN SEBASTIANO

169 O Dio, che durante il martirio hai reso forte il tuo beato martire Sebastiano e la sua virtù della costanza, concedi a noi che, mentre lo imitiamo, disprezziamo per amore tuo i successi di questo mondo e progrediamo sempre nella tua volontà.

170 *Sulle offerte.* Sia gradita al tuo cospetto, Signore, l'offerta della nostra devozione e diventi per noi fonte di salvezza con le suppliche di colui nella cui festa viene presentata.

171 *Ad complendum.* Sacro munere satiati, supplices te, Domine, deprecamur, ut quod debitae servitutis celebramus officio, intercedente beato Sebastiano martyre tuo salvationis tuae sentiamus augmentum.

171 *Per finire.* Saziati dal sacro dono, supplici, Signore, ti preghiamo, perché per intercessione del tuo beato martire Sebastiano, sperimentiamo la salvezza per mezzo del sacrificio che celebriamo con devozione e pietà.

XVII.
XII KALENDAS FEBRUARII
ID EST XXI DIE MENSIS IANUARII
NATALE SANCTAE AGNAE

17
21 GENNAIO

NATALE DI SANT'AGNESE

172 Omnipotens sempiterne Deus, qui infirma mundi eligis, ut fortia quaeque confundas, concede, propitius, ut qui beatae Agnae martyris tuae solemnia colimus, eius apud te patrocinia sentiamus.

172 Dio onnipotente ed eterno, che scegli le creature miti e deboli per confondere quelle forti, concedi a noi che celebriamo la festa della tua beata martire Agnese, di sperimentare la sua intercessione presso di te.

173 *Alia.* Praesta, quaesumus, Domine, mentibus nostris cum exultatione profectum et beatae Agnae martyris tuae, cuius diem passionis annua devotione recolimus, etiam fidei constantiam subsequamur.

173 *Un'altra.* Ti preghiamo, Signore: concedi al nostro spirito di progredire con gioia e di conseguire anche la costanza nella fede della tua martire, la beata Agnese, della quale celebriamo con festa annuale il giorno del suo martirio.

174 *Super oblata.* Hostias, Domine, quas tibi offerimus propitius suscipe et, intercedente beata Agna martyre tua, vincula peccatorum nostrorum absolve.

174 *Sulle offerte.* Accetta benigno, Signore, l'offerta che ti presentiamo e con l'intercessione della tua martire, la beata Agnese, sciogli i legami dei nostri peccati.

175 *Ad complendum.* Refecti cibo potuque caelesti, Deus noster, te supplices exoramus, ut in cuius haec commemoratione percepimus, eius muniamur et precibus.

175 *Per finire.* Ristorati dal cibo e dalla bevanda celeste, Dio nostro, supplici ti preghiamo, perché siamo difesi dalle preghiere di colei, nella cui celebrazione abbiamo ricevuto questi doni.

XVIII.

XI KALENDAS FEBRUARII
ID EST XXII DIE MENSIS
IANUARII

NATALE SANCTI VINCENTII

176 Adesto, quaesumus, Domine, supplicationibus nostris, ut qui ex iniquitate nostra reos nos esse cognoscimus, beati Vincentii martyris tui intercessione liberemur.

177 *Super oblata.* Muneribus nostris, quaesumus, Domine, precibusque susceptis, et caelestibus nos munda mysteriis et clementer exaudi.

178 *Ad complendum.* Quaesumus, omnipotens Deus, ut qui caelestia alimenta percepimus, intercedente beato Vincentio martyre tuo, per haec contra omnia adversa muniamur.

18

22 GENNAIO

NATALE DI SAN VINCENZO

176 Accogli le nostre suppliche, Signore, perché noi che sappiamo di essere colpevoli per i nostri peccati, siamo liberati per l'intercessione del tuo beato martire Vincenzo.

177 *Sulle offerte.* Ti preghiamo, Signore: accogli le nostre offerte e preghiere, purificaci con i celesti misteri ed esaudiscici nella tua clemenza.

178 *Per finire.* Ti preghiamo, Dio onnipotente, perché noi che abbiamo ricevuto gli alimenti celesti, con il loro aiuto con l'intercessione del tuo beato martire Vincenzo siamo fortificati contro tutte le avversità.

XVIIII.

V KALENDAS FEBRUARII
ID EST XXVIII DIE
MENSIS IANUARII

NATALE SANCTAE AGNAE
SECUNDO

179 Deus, qui nos annua beatae Agnae martyris tuae solemnitate laetificas, da, quaesumus, ut quam veneramur officio, etiam piae conversationis sequamur exemplo.

180 *Secreta.* Super has, quaesumus, Domine, hostias benedictio copiosa descendat, quae et sanctificationem nobis clementer operetur, et de beatae Agnae martyris tuae solemnitate laetificet.

181 *Ad complendum.* Sumpsimus, Domine, celebritatis annuae votiva sacramenta, praesta,

19

28 GENNAIO

DI NUOVO NATALE
DI SANT'AGNESE

179 O Dio, che ci rallegri nel solenne anniversario della tua beata martire Agnese, concedici di seguire con l'esempio la pietà e la vita della santa che veneriamo con devozione.

180 *Sulle offerte.* Ti preghiamo, Signore: la tua benedizione discenda copiosa su queste offerte, perché nella tua clemenza operi in noi la santificazione e ci rallegri nella solennità della tua beata martire Agnese.

181 *Per finire.* Signore, abbiamo ricevuto i sacramenti offerti in questa celebrazione annuale; ti preghiamo perché

quaesumus, ut et temporalis nobis vitae remedia praebeant et aeternae.

ci offrano aiuto nella vita terrena e in quella eterna.

XX.
MENSE FEBRUARIO
IIII NONAS FEBRUARII
ID EST II DIE MENSIS FEBRUARII
YPAPANTI
AD SANCTAM MARIAM
ORATIO AD COLLECTAM
AD SANCTUM HADRIANUM

20.
MESE DI FEBBRAIO
2 FEBBRAIO
YPAPANTE
[*statio*] A SANTA MARIA
PREGHIERA PER L'ASSEMBLEA
RACCOLTA IN SANT'ADRIANO

182 Erudi, quaesumus, Domine, plebem tuam, et quae extrinsecus annua tribuis devotione venerari, interius adsequi gratiae tuae luce concede.

183 *Alia.* Inlumina, Domine, quaesumus, populum tuum, et splendore gloriae tuae cor eius semper accende, ut salvatorem suum et incessanter diligat et ad eum pervenire mereatur.

184 *Alia.* Da, quaesumus, Domine, populo tuo inviolabilem fidei firmitatem, ut qui unigenitum tuum in tua tecum gloria sempiternum in veritate nostri corporis natum de matre virgine confitentur, et a praesentibus liberentur adversis, et mansuris gaudiis inserantur.

182 Ti preghiamo, Signore: istruisci il tuo popolo e con la luce della tua grazia concedigli di conseguire interiormente quanto nell'annuale ricorrenza gli permetti di celebrare esternamente.

183 *Un'altra.* Ti preghiamo, Signore: illumina il tuo popolo e infiammagli sempre il cuore con lo splendore della tua gloria, perché ami incessantemente il suo Salvatore e meriti di giungere fino a lui.

184 *Un'altra.* Dona, o Padre, al tuo popolo una fede salda, perché creda e proclami il tuo Figlio unigenito vero Dio, eterno con te nella gloria, e vero uomo, nato dalla Vergine Madre; in questa fede confermaci nelle prove della vita presente e guidaci alla gioia senza fine.

ITEM AD MISSAS AD SANCTAM MARIAM MAIOREM

EGUALMENTE NELLE MESSE A SANTA MARIA MAGGIORE

185 Omnipotens sempiterne Deus, maiestatem tuam supplices exoramus, ut sicut unigenitus filius tuus hodierna die cum nostrae carnis substantia in templo est praesentatus, ita nos facias purificatis tibi mentibus praesentari.

186 *Super oblata.* Exaudi, Domine, preces nostras, et ut digna sint munera, quae oculis tuae ma-

185 Dio onnipotente ed eterno, guarda i tuoi fedeli riuniti nella festa della Presentazione al tempio del tuo unico Figlio fatto uomo, e concedi anche a noi di essere presentati a te purificati nello spirito.

186 *Sulle offerte.* Ascolta, Signore, le nostre preghiere e concedici l'aiuto del tuo amore, perché i doni che offria-

iestatis offerimus, subsidium nobis tuae pietatis inpende.

187 *Ad complendum.* Quaesumus, Domine Deus noster, ut sacrosancta mysteria, quae pro reparationis nostrae munimine contulisti, intercedente beata semper virgine Maria, et praesens nobis remedium esse facias et futurum.

mo siano degni davanti agli occhi della tua maestà.

187 *Per finire.* Signore nostro Dio, questi santi misteri, che hai affidato alla tua Chiesa come forza e vigore nel cammino della salvezza, con l'intercessione della beata e sempre Vergine Maria, ci siano di aiuto per la vita presente e per quella futura.

XXI.
NONIS FEBRUARIIS
ID EST V DIE MENSIS FEBRUARII
NATALE SANCTAE AGATHAE

21
5 FEBBRAIO

NATALE DI SANT'AGATA

188 Deus, qui inter cetera potentiae tuae miracula etiam in sexu fragili victoriam martyrii contulisti, concede propitius, ut cuius natalicia colimus, per eius ad te exempla gradiamur.

188 O Dio, che tra i tanti prodigi della tua potenza hai conferito la vittoria del martirio anche alla fragilità della donna, concedici benevolo di poter venire verso di te seguendo gli esempi di colei, della quale celebriamo la nascita.

189 *Secreta.* Suscipe munera, Domine, quae in beatae Agathae martyris tuae solemnitate deferimus, cuius nos confidimus patrocinio liberari.

189 *Sulle offerte.* Accetta, Signore, i doni che ti offriamo nella solennità della tua martire, la beata Agata, dal cui patrocinio confidiamo di essere liberati.

190 *Ad complendum.* Auxilientur nobis, Domine, sumpta mysteria, et intercedente beata Agatha martyre tua sempiterna protectione confirment.

190 *Per finire.* Ci siano di aiuto, Signore, i misteri che abbiamo ricevuto e per l'intercessione della beata martire Agata ci fortifichino con la tua eterna protezione.

191 *Alia.* Indulgentiam nobis, Domine, beata Agatha martyr imploret, quae tibi grata semper exstitit et merito castitatis et tuae professione virtutis.

191 *Un'altra.* O Signore, la beata martire Agata che sempre ti fu gradita per il dono della castità e per la professione della virtù, implori per noi la tua indulgenza.

192 *Alia.* Deus, qui nos annua beatae Agathae martyris tuae solemnitate laetificas, da, ut quam veneramur officio, etiam piae conversationis sequamur exemplo. [179]

192 *Un'altra.* O Dio, che ci rallegri nell'annuale solennità della tua beata martire Agata, concedici di seguire con l'esempio la pietà e la vita della santa che veneriamo con devozione.

XXII.
XVI KALENDAS MARTII
ID EST XIIII DIE MENSIS FEBRUARII
NATALE SANCTI VALENTINI

193 Praesta, quaesumus, omnipotens Deus, ut qui beati Valentini martyris tui natalicia colimus, a cunctis malis imminentibus eius intercessione liberemur.

194 *Super oblata*. Oblatis, quaesumus, Domine, placare muneribus, et intercedente beato Valentino martyre tuo a cunctis nos defende periculis.

195 *Ad complendum*. Sit nobis, Domine, reparatio mentis et corporis caeleste mysterium, ut cuius exsequimur actionem, sentiamus effectum.

22
14 FEBBRAIO

NATALE DI SAN VALENTINO

193 Ti preghiamo, Dio onnipotente, perché noi che celebriamo il natale del beato Valentino, siamo liberati per sua intercessione da tutti i mali che ci sovrastano.

194 *Sulle offerte*. Ti plachino, Signore, i doni offerti e per l'intercessione del tuo beato martire Valentino difendici da tutti i pericoli.

195 *Per finire*. Il celeste mistero, Signore, ci rinnovi nello spirito e nel corpo, perché avvertiamo i benèfici effetti di esso, del quale celebriamo la sacra azione.

XXIII.
VIII KALENDAS APRILIS
ID EST XXV DIE MENSIS MARTII
ADNUNTIATIO SANCTAE MARIAE

196 Deus, qui salutis aeternae beatae Mariae virginitate fecunda humano generi praemia praestitisti, tribue, quaesumus, ut ipsam pro nobis intercedere sentiamus, ex qua meruimus auctorem vitae suscipere dominum nostrum.

197 *Secreta*. Altari tuo, Domine, superposita munera spiritus sanctus benignus adsumat, qui hodie beatae Mariae viscera splendoribus suae virtutis replevit.

198 *Ad complendum*. Adesto, Domine, populo tuo, ut quae sumpsit fideliter, et mente sibi et corpore, beatae Mariae semper virginis intercessione, custodiat.

23
25 MARZO

ANNUNCIAZIONE DI SANTA MARIA

196 O Dio, che nella verginità feconda di Maria hai donato agli uomini i beni della salvezza eterna, fa' che sperimentiamo la sua intercessione, poiché per mezzo di lei abbiamo ricevuto l'autore della vita, Gesù Cristo, tuo Figlio.

197 *Sulle offerte*. Lo Spirito Santo, Signore, che oggi ha riempito con lo splendore della sua potenza il grembo della beata Maria, accolga benigno i doni deposti sul tuo altare.

198 *Per finire*. Sii propizio al tuo popolo, Signore, perché ciò che ha assunto per sé con lo spirito e con il corpo, lo custodisca per l'intercessione della beata sempre Vergine Maria.

199 *Alia.* Protege, Domine, famulos tuos subsidiis pacis, et beatae Mariae patrociniis confidentes a cunctis hostibus redde securos.

199 *Un'altra.* Proteggi, Signore, i tuoi servi con il sostegno della pace e, confidando nell'aiuto della beata Maria, rendili sicuri da tutti i nemici.

XXIIII.
ORATIO IN SEPTUAGESIMA AD SANCTUM LAURENTIUM FORIS MURVM

24
PREGHIERA PER LA SETTUAGESIMA [*statio*] A SAN LORENZO FUORI LE MURA

200 Preces populi tui, quaesumus, Domine, clementer exaudi, ut qui iuste pro peccatis nostris affligimur, pro tui nominis gloria misericorditer liberemur.

200 Ti preghiamo, Signore: ascolta con clemenza le preghiere del tuo popolo, perché noi che giustamente ci affliggiamo per i nostri peccati, siamo misericordiosamente liberati per la gloria del tuo nome.

201 *Secreta.* Muneribus nostris, quaesumus, Domine, precibusque susceptis, et caelestibus nos munda mysteriis, et clementer exaudi.

201 *Sulle offerte.* Ti preghiamo, Signore: accetta i nostri doni e preghiere, purificaci con i misteri celesti e nella tua clemenza esaudiscici.

202 *Ad complendum.* Fideles tui, Deus, per tua dona firmentur, ut eadem et percipiendo requirant, et quaerendo sine fine percipiant.

202 *Per finire.* I tuoi fedeli, Signore, siano corroborati dai tuoi doni, perché mentre li ricevono li cerchino, e mentre li cercano li ricevano in pienezza.

XXV.
IN SEXAGESIMA AD SANCTUM PAULUM

25
PER LA SESSAGESIMA [*statio*] A SAN PAOLO

203 Deus, qui conspicis quia ex nulla nostra actione confidimus, concede propitius, ut contra adversa omnia beati Pauli doctoris gentium protectione muniamur.

203 O Dio, tu vedi che noi non confidiamo in nessuna delle nostre azioni; nella tua benevolenza concedici d'essere fortificati contro ogni avversità con la protezione del beato Paolo, dottore delle genti.

204 *Secreta.* Oblatum tibi, Domine, sacrificium vivificet nos semper et muniat.

204 *Sulle offerte.* Il sacrificio a te offerto, Signore, ci vivifichi sempre e ci fortifichi.

205 *Ad complendum.* Supplices te rogamus, omnipotens Deus, ut quos tuis reficis sacramentis, tibi etiam placitis moribus dignanter deservire concedas.

205 *Per finire.* Dio onnipotente, che ci nutri con i tuoi sacramenti, donaci di servirti degnamente con una vita santa.

XXVI.

IN QUINQUAGESIMA
AD SANCTUM PETRUM

206 Preces nostras, quaesumus, Domine, clementer exaudi, atque a peccatorum vinculis absolutos, ab omni nos adversitate custodi.

207 *Super oblata.* Haec hostia, Domine, quaesumus, emundet nostra delicta, et ad sacrificium celebrandum subditorum tibi corpora mentesque sanctificet.

208 *Ad complendum.* Quaesumus, omnipotens Deus, ut qui caelestia alimenta percepimus, per haec contra omnia adversa muniamur.

26

NELLA QUINQUAGESIMA
[*statio*] A SAN PIETRO

206 Ti preghiamo, Signore: ascolta con clemenza le nostre preghiere e liberati dai legami del peccato, custodiscici da ogni avversità.

207 *Sulle offerte.* Questa offerta, Padre misericordioso, ci ottenga il perdono dei nostri peccati e santifichi nel corpo e nello spirito di quanti sono a te sottomessi.

208 *Per finire.* Ti preghiamo, Dio onnipotente, perché noi, che abbiamo ricevuto gli alimenti celesti, siamo da questi fortificati contro tutte le avversità.

XXVII.

FERIA IIII
COLLECTA AD SANCTAM
ANASTASIAM

209 Concede nobis, Domine, praesidia militiae christianae sanctis inchoare ieiuniis, ut contra spiritales nequitias pugnaturi continentiae muniamur auxiliis.

27

FERIA IV [*cinerum*]
SUL POPOLO RACCOLTO
A SANT'ANASTASIA

209 O Dio nostro Padre, concedi al popolo cristiano di iniziare con questo digiuno un cammino di vera conversione, per affrontare vittoriosamente con le armi della penitenza il combattimento contro lo spirito del male.

ITEM AD MISSAM
AD SANCTAM SABINAM

210 Praesta, Domine, fidelibus tuis, ut ieiuniorum veneranda solemnia et congrua pietate suscipiant, et secura devotione percurrant.

211 *Super oblata.* Fac nos, quaesumus, Domine, his muneribus offerendis convenienter aptari, quibus ipsius venerabilis sacramenti celebramus exordium.

212 *Ad complendum.* Percepta nobis, Domine, praebeant sacramenta subsidium, ut et tibi

EGUALMENTE PER LA MESSA
[*statio*] A SANTA SABINA

210 Vieni in aiuto dei tuoi fedeli, Signore, perché accolgano la veneranda solennità del digiuno con adeguata pietà e lo portino a termine con devozione sicura.

211 *Sulle offerte.* Ti preghiamo, Signore, perché ci disponiamo in modo conveniente all'offerta dei doni con i quali celebriamo l'inizio di questo venerabile sacramento [della Quaresima].

212 *Per finire.* Questo sacramento che abbiamo ricevuto, o Padre, ci sostenga nel cammino quaresimale, santifichi

grata sint nostra ieiunia, et nobis proficiant ad medelam.

213 *Super populum*. Inclinantes se, Domine, maiestati tuae propitiatus intende, ut qui divino munere sunt refecti, caelestibus semper nutriantur auxiliis.

XXVIII.
FERIA V AD SANCTUM GEORGIUM

214 Da, quaesumus, Domine, fidelibus tuis ieiuniis paschalibus convenienter aptari, ut suscepta solemniter castigatio corporalis, cunctis ad fructum proficiat animarum.

215 *Secreta*. Sacrificiis praesentibus, Domine, quaesumus, intende placatus, ut et devotioni nostrae proficiant et saluti.

216 *Ad complendum*. Caelestis doni benedictione percepta supplices te, Deus omnipotens, deprecamur, ut hoc idem nobis et sacramenti causa sit et salutis.

217 *Super populum*. Parce, Domine, parce populo tuo, ut dignis flagellationibus castigatus, in tua miseratione respiret.

XXVIIII.
FERIA VI AD SANCTOS IOANNEM ET PAULVM

218 Inchoata ieiunia, quaesumus, Domine, benigno favore prosequere, ut observantiam, quam corporaliter exhibemus, mentibus etiam sinceris exercere valeamus.

219 *Super oblata*. Sacrificium, Domine, observantiae paschalis offerimus, praesta, quaesumus, ut tibi et mentes nostras reddat acceptas, et continentiae promptioris nobis tribuat facultatem.

il nostro digiuno e lo renda efficace per la guarigione del nostro spirito.

213 *Sul popolo*. Guarda propizio, Signore, quanti si prostrano davanti alla tua maestà, perché coloro che sono stati corroborati dal dono divino, siano sempre sorretti dall'aiuto celeste.

28
FERIA V [*statio*] A SAN GIORGIO

214 Ti preghiamo, Signore: concedi ai tuoi fedeli di disporsi in modo conveniente al digiuno pasquale, perché la mortificazione del corpo accettata secondo il rito, a tutti giovi per il bene dello spirito.

215 *Sulle offerte*. Ti preghiamo, Signore: volgi benigno lo sguardo su queste offerte per il sacrificio, perché giovino alla nostra devozione e salvezza.

216 *Per finire*. Il pane del cielo che abbiamo ricevuto, Dio onnipotente, ci santifichi e sia per noi sorgente inesauribile di perdono e di salvezza.

217 *Sul popolo*. Perdona, Signore, perdona il tuo popolo, perché, punito da meritati castighi, ritorni alla vita per la tua misericordia.

29
FERIA VI [*statio*] AI SANTI GIOVANNI E PAOLO

218 Accompagna con la tua benevolenza, Padre misericordioso, i primi passi del nostro cammino penitenziale, perché all'osservanza esteriore corrisponda un profondo rinnovamento dello spirito.

219 *Sulle offerte*. Il sacrificio che ti offriamo, o Signore, in questo tempo di penitenza renda a te graditi i nostri cuori e ci dia la forza per più generose rinunce.

220 *Ad complendum.* Spiritum in nobis, Domine, tuae caritatis infunde, ut quos uno caelesti pane satiasti, tua facias pietate concordes.

221 *Super populum.* Tuere, Domine, populum tuum, et ab omnibus peccatis clementer emunda, et ut nulla nobis Dominetur iniquitas, caelesti nos protectione defende.

220 *Per finire.* Infondi in noi, o Padre, lo Spirito del tuo amore, perché saziati dall'unico pane del cielo, nell'unica fede siamo resi un solo corpo.

221 *Sul popolo.* Proteggi il tuo popolo, o Signore; nella tua clemenza purificalo da ogni peccato e difendici dal cielo con la tua protezione, perché nessuna malvagità prenda in noi il sopravvento.

XXX.
IN QUADRAGESIMA AD SANCTUM IOANNEM IN LATERANIS

30
NELLA [I domenica di] QUARESIMA [*statio*] A SAN GIOVANNI IN LATERANO

222 Deus, qui ecclesiam tuam annua quadragesimae observatione purificas, praesta familiae tuae, ut quod a te obtinere abstinendo nititur, hoc bonis operibus consequatur.

223 *Super oblata.* Sacrificium quadragesimalis initii solemniter immolamus, te, Domine, deprecantes, ut cum aepularum restrictione carnalium a noxiis quoque voluptatibus temperemur.

224 *Ad complendum.* Tui nos, Domine, sacramenti libatio sancta restauret, et a vetustate purgatos in mysterii salutaris faciat transire consortium.

225 *Ad vesperum.* Da nobis, quaesumus, omnipotens Deus, aeternae promissionis gaudia quaerere, et quaesita citius invenire.

226 *Ad fontes.* Adesto, quaesumus, Domine, supplicationibus nostris, et in tua misericordia confidentes ab omni nos adversitate custodi.

222 O Dio, che purifichi la tua Chiesa con l'annuale osservanza della quaresima, soccorri la tua famiglia, perché con le buone opere ottenga ciò che si sforza di conseguire con l'astinenza.

223 *Sulle offerte.* All'inizio della quaresima, o Signore, celebriamo solennemente il sacrificio, e ti preghiamo perché, con la restrizione delle vivande terrene ci teniamo lontani anche dai danni dei piaceri.

224 *Per finire.* Questi sacramenti che abbiamo ricevuto ci rinnovino profondamente, o Signore, perché liberi dalla corruzione del peccato entriamo in comunione con il tuo mistero di salvezza.

225 *Al vespro.* Ti preghiamo, Dio onnipotente: concedici di cercare le gioie della promessa eterna e, dopo averle cercate, di trovarle subito.

226 *Alle fonti.* Ti preghiamo, Signore: sii propizio alle nostre suppliche e mentre confidiamo nella tua misericordia, custodiscici da ogni avversità.

XXXI.

FERIA II AD SANCTUM PETRUM AD VINCULA

227 Converte nos, Deus salutaris noster, et ut nobis ieiunium quadragesimale proficiat, mentes nostras caelestibus instrue disciplinis.

228 *Super oblata.* Munera, Domine, oblata sanctifica, nosque a peccatorum nostrorum maculis emunda.

229 *Ad complendum.* Salutaris tui, Domine, munera satiati supplices exoramus, ut cuius laetamur gustu, renovemur effectu.

230 *Super populum.* Absolve, Domine, quaesumus, nostrorum vincula peccatorum, et quicquid pro eis meremur, propitiatus averte.

XXXII.

FERIA III AD SANCTAM ANASTASIAM

231 Respice, Domine, familiam tuam, et praesta, ut apud te mens nostra tuo desiderio fulgeat, quae se carnis maceratione castigat.

232 *Super oblata.* Oblatis, quaesumus, Domine, placare muneribus, et a cunctis nos defende periculis.

233 *Ad complendum.* Quaesumus, omnipotens Deus, ut illius salutarem capiamus effectum, cuius per haec mysteria pignus accepimus.

234 *Super populum.* Ascendant ad te, Domine, preces nostrae, et ab ecclesia tua cunctam repelle nequitiam.

31

FERIA II
[*statio*] A SAN PIETRO IN VINCOLI

227 Convertici a te, o Dio, nostra salvezza, e formaci alla scuola della tua sapienza, perché l'impegno quaresimale porti frutto nella nostra vita.

228 *Sulle offerte.* Santifica i doni che ti offriamo, Signore, e purificaci dalle macchie dei nostri peccati.

229 *Per finire.* Saziati dal dono della tua salvezza, Signore, supplici ti preghiamo, perché siamo rinnovati dagli effetti di colui del quale ci siamo cibati con gioia.

230 *Sul popolo.* Sciogli, Signore, i legami dei nostri peccati e allontana benigno da noi quanto per quelli meritiamo.

32

FERIA III
[*statio*] A SANT'ANASTASIA

231 Volgi il tuo sguardo, o Signore, a questa tua famiglia, e fa' che, superando con la penitenza ogni forma di egoismo, risplenda ai tuoi occhi per il desiderio di te.

232 *Sulle offerte.* Ti preghiamo, Signore: ti plachino i nostri doni e tu difendici da tutti i pericoli.

233 *Per finire.* Ti preghiamo, Dio onnipotente: concedici di ricevere gli effetti della salvezza, della quale abbiamo ricevuto il pegno mediante questi misteri.

234 *Sul popolo.* Salgano fino a te, Signore, le nostre preghiere e allontana ogni male dalla tua Chiesa.

XXXIII.
FERIA IIII AD SANCTAM MARIAM MAIOREM

235 Preces nostras, quaesumus, Domine, clementer exaudi, et contra cuncta nobis adversantia dexteram tuae maiestatis extende.

236 *Alia*. Devotionem populi tui, Domine, quaesumus, benignus intende, ut qui per abstinentiam macerantur in corpore, per fructum boni operis reficiantur in mente.

237 *Secreta*. Hostias tibi, Domine, placationis offerimus, ut et delicta nostra miseratus absolvas, et nutantia corda tu dirigas.

238 *Ad complendum*. Tui, Domine, quaesumus, perceptione sacramenti et a nostris mundemur occultis, et ab hostium liberemur insidiis.

239 *Super populum*. Mentes nostras, quaesumus, Domine, lumine tuae claritatis inlustra, ut videre possimus quae agenda sunt, et quae recta sunt agere valeamus.

XXXIIII.
FERIA V AD SANCTUM LAURENTIUM

240 Omnipotens sempiterne Deus, qui in observatione ieiunii et elymosinarum posuisti nostrorum remedia peccatorum, concede nos mente et corpore semper tibi esse devotos.

241 *Super oblata*. Concede, quaesumus, omnipotens Deus, ut huius sacrificii munus oblatum, fragilitatem nostram ab omni malo purget semper et muniat.

242 *Ad complendum*. Suscipientes, Domine, sacra mysteria suppliciter deprecamur, ut quo-

33
FERIA IV
[*statio*] A SANTA MARIA MAGGIORE

235 Ti preghiamo, Signore: ascolta benigno le nostre preghiere e stendi la destra della tua maestà contro tutto quanto ci è di ostacolo.

236 *Un'altra*. Guarda, o Signore, il popolo a te consacrato, e fa' che, mortificando il corpo con l'astinenza, si rinnovi con il frutto delle buone opere.

237 *Sulle offerte*. Ti offriamo, o Signore, questo sacrificio di riconciliazione perché le nostre colpe siano perdonate dalla tua misericordia e i nostri cuori incerti trovino in te guida sicura.

238 *Per finire*. La partecipazione al tuo sacramento, Signore, ci purifichi dai nostri peccati e ci liberi dalle insidie dei nemici.

239 *Sul popolo*. Illumina con il tuo splendore, o Signore, le menti dei tuoi fedeli, perché possano riconoscere ciò che tu comandi e sappiano attuarlo nella loro vita.

34
FERIA V
[*statio*] A SAN LORENZO

240 Dio onnipotente ed eterno, che nell'osservanza del digiuno e nelle elemosine hai posto il rimedio contro i nostri peccati, concedici di esserti sempre devoti con lo spirito e con il corpo.

241 *Sulle offerte*. Concedi, Dio onnipotente, che l'offerta di questo sacrificio sostenga la debolezza della nostra fede, ci purifichi dal peccato e ci renda forti nel bene.

242 *Per finire*. Signore, mentre accogliamo supplici i sacri misteri, ti preghiamo perché avvertiamo gli effetti di

rum exsequimur cultum, sentiamus effectum.

243 *Super populum*. Averte, quaesumus, Domine, iram tuam propitiatus a nobis, et facinora nostra, quibus indignationem tuam provocavimus, expelle.

coloro dei quali celebriamo la festa.

243 *Sul popolo*. Ti preghiamo, Signore: distogli benigno da noi la tua ira e allontana i nostri peccati, con i quali abbiamo provocato il tuo sdegno.

XXXV.
FERIA VI AD APOSTOLOS

244 Esto, Domine, propitius plebi tuae, et quam tibi facis esse devotam, benigno refove miseratus auxilio.

245 *Secreta*. Suscipe, Domine, quaesumus, nostris oblata servitiis, et tua propitius dona sanctifica.

246 *Ad complendum*. Per huius, Domine, operationem mysterii et vitia nostra purgentur, et iusta desideria impleantur.

247 *Super populum*. Exaudi nos, misericors Deus, et mentibus nostris gratiae tuae lumen ostende.

35
FERIA VI [*statio*] AGLI APOSTOLI

244 Sii propizio, Signore, verso il tuo popolo che nella tua misericordia rinfranchi con il tuo aiuto e rendi a te devoto.

245 *Sulle offerte*. Ti preghiamo, Signore: accogli benigno e santifica i doni, offerti col nostro servizio.

246 *Per finire*. Per la celebrazione di questo mistero, Signore, siano perdonati i nostri peccati e trovino compimento i giusti desideri.

247 *Sul popolo*. Ascoltaci, Dio misericordioso e mostra al nostro spirito la luce della tua grazia.

XXXVI.
SABBATO IN XII LECTIONES AD SANCTUM PETRUM

248 Populum tuum, quaesumus, Domine, propitius respice, atque ab eo flagella tuae iracundiae clementer averte.

249 *Alia*. Deus, qui nos in tantis periculis constitutos pro humana scis fragilitate non posse subsistere, da nobis salutem mentis et corporis, ut ea quae pro peccatis nostris patimur, te adiuvante vincamus.

250 *Alia*. Protector noster aspice, Deus, et qui malorum nostrorum pondere praemimur, percepta misericordia libera tibi mente famulemur.

36
SABATO NELLE XII LETTURE [*statio*] A SAN PIETRO

248 Ti preghiamo, Signore: guarda propizio il tuo popolo e nella tua clemenza allontana da lui il flagello della tua ira.

249 *Un'altra*. O Dio, che conosci i pericoli che ci circondano e l'umana fragilità che ci inclina a cadere, donaci la salute del corpo e dello spirito, perché con il tuo aiuto possiamo superare i mali che ci affliggono a causa dei nostri peccati.

250 *Un'altra*. O Dio, nostro protettore, volgi il tuo sguardo, perché noi che siamo schiacciati dal peso dei nostri peccati, ricevuta la tua misericordia ti serviamo con spirito libero.

251 *Alia.* Adesto, quaesumus, Domine, supplicationibus nostris, ut esse te largiente mereamur, et inter prospera humiles, et inter adversa securi.

252 *Alia.* Preces populi tui, Domine, quaesumus, clementer exaudi, ut qui iuste pro peccatis nostris affligimur, pro tui nominis gloria misericorditer liberemur.

253 *Alia.* Quaesumus, omnipotens Deus, vota humilium respice, atque ad defensionem nostram dexteram tuae maiestatis extende.

254 *Alia.* Actiones nostras, quaesumus, Domine, et aspirando praeveni, et adiuvando prosequere, ut cuncta nostra operatio et a te semper incipiat, et per te coepta finiatur.

255 *Alia.* Deus, qui tribus pueris mitigasti flammas ignium, concede propitius, ut nos famulos tuos non exurat flamma vitiorum, sed tui nos brachii protectio defendat.

256 *Secreta.* Praesentibus sacrificiis, Domine, ieiunia nostra sanctifica, ut quod observantia nostra profitetur extrinsecus, interius operetur.

257 *Ad complendum.* Sanctificationibus tuis, omnipotens Deus, et vitia nostra curentur, et remedia nobis aeterna proveniant.

251 *Un'altra.* Ti preghiamo, Signore: sii propizio alle nostre suppliche, perché con i tuoi doni meritiamo di essere umili nella buona e sicuri nell'avversa sorte.

252 *Un'altra.* Ti preghiamo, Signore: ascolta con clemenza le preghiere del tuo popolo, perché noi che siamo giustamente mortificati per i nostri peccati, siamo misericordiosamente liberati per la gloria del tuo nome.

253 *Un'altra.* Ti preghiamo, Dio onnipotente: volgi lo sguardo sulle preghiere degli umili e stendi in nostra difesa la destra della tua maestà.

254 *Un'altra.* Ispira le nostre azioni, o Signore, e accompagnale con il tuo aiuto, perché ogni nostra attività abbia sempre da te il suo inizio e in te il suo compimento.

255 *Un'altra.* O Dio, che mitigasti le fiamme ai tre fanciulli, concedici benevolo che la fiamma dei vizi non bruci noi, tuoi servi, ma ci difenda la protezione del tuo braccio.

256 *Sulle offerte.* Con il presente sacrificio santifica, Signore, il nostro digiuno, perché operi nel nostro intimo ciò che la nostra azione manifesta all'esterno.

257 *Per finire.* Con la tua santificazione, Dio onnipotente, siano curati i nostri peccati e ci arrechi la salvezza eterna.

XXXVII.
DIE DOMINICA VACAT

258 Deus, qui conspicis omni nos virtute destitui, interius exteriusque custodi, ut et ab omnibus adversitatibus muniamur in corpore, et a pravis cogitationibus mundemur in mente.

259 *Super oblata.* Sacrificiis prae-

37
DOMENICA LIBERA

258 O Dio, che ci vedi privi di tutte le virtù, custodiscici nello spirito e nel corpo, perché questo sia difeso da tutte le avversità e quello sia purificato dai cattivi pensieri.

259 *Sulle offerte.* Guarda con bontà, o

sentibus, Domine, quaesumus, intende placatus, ut et devotioni nostrae proficiant et saluti.

260 *Ad complendum.* Supplices te rogamus, omnipotens Deus, ut quos tuis reficis sacramentis, tibi etiam placitis moribus deservire concedas.

Signore, il sacrificio che ti presentiamo, perché giovi alla nostra devozione e salvezza.

260 *Per finire.* Dio onnipotente, che ci nutri con i tuoi sacramenti, donaci di servirti degnamente con una vita santa.

XXXVIII.
FERIA II
AD SANCTUM CLEMENTEM

261 Praesta, quaesumus, omnipotens Deus, ut familia tua, quae se affligendo carne ab alimentis abstinet, sectando iustitiam a culpa ieiunet.

262 *Super oblata.* Haec hostia, Domine, placationis et laudis tua nos propitiatione dignos efficiat.

263 *Ad complendum.* Haec nos communio, Domine, purget a crimine, et caelestis remedii faciat esse consortes.

264 *Super populum.* Adesto supplicationibus nostris, omnipotens Deus, et quibus fiduciam sperandae pietatis indulges, consuetae misericordiae tribue benignus effectum.

38
FERIA II
[*statio*] A SAN CLEMENTE

261 Ti preghiamo, Dio onnipotente: fa' che la tua famiglia, mentre si mortifica nella carne astenendosi dagli alimenti, ricerchi la giustizia astenendosi dal peccato.

262 *Sulle offerte.* Questo sacrificio di propiziazione e di lode, Signore, ci renda degni della tua misericordia.

263 *Per finire.* Ci purifichi da ogni colpa, o Signore, questa comunione al tuo sacramento e ci renda partecipi della gioia eterna.

264 *Sul popolo.* Guarda benevolo, Dio onnipotente, le nostre suppliche e concedi benigno gli effetti della consueta misericordia a quelli, ai quali doni la speranza di confidare nel tuo amore.

XXXVIIII.
FERIA III
AD SANCTAM BALBINAM

265 Perfice, quaesumus, Domine, benignus in nobis observantiae sanctae subsidium, ut quae te auctore facienda cognovimus, te operante impleamus.

266 *Super oblata.* Sanctificationem tuam nobis, Domine, his mysteriis placatus operare, quae nos et a terrenis purget vitiis, et ad caelestia dona perducat.

39
FERIA III
[*statio*] A SANTA BALBINA

265 Ti preghiamo, Signore: rendi perfetto in noi quanto il sussidio della santa osservanza [quaresimale] ci offre, perché con il tuo aiuto adempiamo ciò che per tua ispirazione sappiamo di dover compiere.

266 *Sulle offerte.* Per la potenza di questo mistero di riconciliazione compi in noi, o Signore, la tua opera di salvezza, perché ci guarisca dai mali di questo mondo e ci conduca ai beni del cielo.

267 *Ad complendum*. Ut sacris, Domine, reddamur digni muneribus, fac nos tuis, quaesumus, oboedire mandatis.

268 *Super populum*. Propitiare, Domine, supplicationibus nostris, et animarum nostrarum medere languoribus, ut remissione percepta in tua semper benedictione laetemur.

267 *Per finire*. Rendici obbedienti ai tuoi precetti, Signore, per essere degni dei tuoi sacri doni.

268 *Sul popolo*. Sii propizio, Signore, alle nostre suppliche e guarisci le debolezze del nostro spirito perché, ottenuto il perdono, possiamo godere sempre della tua benedizione.

XL.
FERIA IIII
AD SANCTAM CAECILIAM

269 Populum tuum, Domine, propitius respice, et quos ab escis carnalibus praecipis abstinere, a noxiis quoque vitiis cessare concede.

270 *Secreta*. Hostias, Domine, quas tibi offerimus, propitius respice, et per haec sancta commercia vincula peccatorum nostrorum absolve.

271 *Ad complendum*. Sumptis, Domine, sacramentis ad redemptionis aeternae, quaesumus, proficiamus augmentum.

272 *Super populum*. Deus, innocentiae restitutor et amator, dirige ad te tuorum corda servorum, ut Spiritus tui fervore concepto, et in fide inveniantur stabiles, et in opere efficaces.

40
FERIA IV
[*statio*] A SANTA CECILIA

269 Guarda benigno il tuo popolo, Signore, e quelli ai quali raccomandi di tenersi lontani dagli allettamenti della carne, concedi di recedere anche dalle colpe dei peccati.

270 *Sulle offerte*. Guarda benigno, Signore, il sacrificio che ti presentiamo e per queste sante offerte sciogli i legami dei nostri peccati.

271 *Per finire*. Ricevuti, Signore, i sacramenti, ti preghiamo di poter fruire di un progresso per la redenzione eterna.

272 *Sul popolo*. O Dio, che ami e ricostituisci l'innocenza, dirigi a te il cuore dei tuoi servi perché, accolto il fervore del tuo Spirito, siano trovati stabili nella fede e attivi nelle opere.

XLI.
FERIA V AD SANCTAM
MARIAM TRANS TIBERIM

273 Ecclesiam tuam, Domine, perpetua miseratione prosequere, ut salubribus expiata ieiuniis, et praesenti prosperitate laetetur et aeternam beatitudinem percipere mereatur.

274 *Super oblata*. Accepta tibi sint, Domine, quaesumus, nostri

41
FERIA V [*statio*] A SANTA MARIA
IN TRASTEVERE

273 Conforta la tua Chiesa, Signore, con la tua perpetua misericordia perché, purificata dal digiuno, fonte di salvezza, si rallegri della felicità presente e meriti di ricevere la beatitudine eterna.

274 *Sulle offerte*. Ti siano graditi, Signore, i doni del nostro digiuno perché con

dona ieiunii, quae et expiando nos tua gratia dignos efficiant, et ad sempiterna promissa perducant.

275 *Ad complendum*. Praebeant nobis, Domine, quaesumus, divinum tua sancta fervorem, quo eorum pariter et actu delectemur et fructu.

276 *Super populum*. Respice, Domine, propitius plebem tuam, et toto tibi corde subiectam praesidiis invictae pietatis attolle.

la penitenza ci rendano degni della tua grazia e ci conducano alle promesse eterne.

275 *Per finire*. I santi misteri sono efficaci e fruttuosi: ti preghiamo, Signore, perché ci procurino il fervore divino, per mezzo del quale troviamo in essi diletto.

276 *Sul popolo*. Guarda benigno, Signore, il tuo popolo: mentre con tutto il cuore è a te soggetto, rinfrancalo con l'aiuto del tuo amore invincibile.

XLII.
FERIA VI
AD SANCTUM VITALEM

277 Da, quaesumus, omnipotens Deus, ut sacro nos purificante ieiunio, sinceris mentibus ad sancta ventura facias pervenire.

278 *Super oblata*. Haec in nobis sacrificia, Deus, et actione permaneant, et operatione firmentur.

279 *Ad complendum*. Fac nos, quaesumus, Domine, accepto pignore salutis aeternae, sic tendere congruenter, ut ad eam pervenire possimus.

280 *Super populum*. Da, quaesumus, Domine, populo tuo salutem mentis et corporis, ut bonis operibus inhaerendo, tuae semper virtutis mereatur protectione defendi.

42
FERIA VI
[*statio*] A SAN VITALE

277 Dio onnipotente e misericordioso, donaci di essere intimamente purificati dall'impegno penitenziale della Quaresima per giungere alla Pasqua con spirito rinnovato.

278 *Sulle offerte*. Questo sacramento, o Dio, continui ad agire in noi e porti frutto nella nostra vita.

279 *Per finire*. Ti preghiamo, Signore: fa' che possiamo dirigerci e giungere in maniera conveniente verso il pegno della salvezza eterna che abbiamo ricevuto.

280 *Sul popolo*. Dona al tuo popolo, o Signore, la salvezza dell'anima e del corpo, perché, perseverando nelle opere buone, sia sempre difeso dalla tua protezione.

XLIII.
SABBATO AD SANCTOS
MARCELLINUM ET PETRUM

281 Da, quaesumus, Domine, nostris effectum ieiuniis salutarem, ut castigatio carnis adsumpta ad nostrarum vegetationem transeat animarum.

43
SABATO [*statio*] AI SANTI
MARCELLINO E PIETRO

281 Ti preghiamo, Signore: concedi un effetto salutare al nostro digiuno, perché la penitenza della carne che abbiamo assunto, si trasformi in nutrimento delle nostre anime.

282 *Super oblata*. His sacrificiis, Domine, concede placatus, ut delictis non gravemur externis, qui propriis oramus absolvi.

283 *Ad complendum*. Sacramenti tui, Domine, divina libatio penetrabilia nostri cordis infundat, et sui participes potenter efficiat.

284 *Super populum*. Familiam tuam, quaesumus, Domine, continua pietate custodi, ut quae in sola spe gratiae caelestis innititur, caelesti etiam protectione muniatur.

282 *Sulle offerte*. Placato da questo sacrificio, Signore, concedi a noi di essere assolti dai nostri peccati mentre ti preghiamo di non essere appesantiti da quelli degli altri.

283 *Per finire*. Il sacramento che abbiamo ricevuto, o Signore, agisca nelle profondità del nostro cuore, e ci renda partecipi della sua forza.

284 *Sul popolo*. Custodisci sempre con paterna bontà la tua famiglia, o Signore, e poiché unico fondamento della nostra speranza è la grazia che viene da te, aiutaci sempre con la tua protezione.

XLIIII.
DIE DOMINICO
AD SANCTUM LAURENTIUM FORIS MURVM

44
DOMENICA
[*statio*] A SAN LORENZO FUORI LE MURA

285 Quaesumus, omnipotens Deus, vota humilium respice, atque ad defensionem nostram dexteram tuae maiestatis extende.

286 *Super oblata*. Haec hostia, Domine, quaesumus, mundet nostra delicta, et ad sacrificium celebrandum subditorum tibi corpora mentesque sanctificet.

287 *Ad complendum*. A cunctis nos, Domine, reatibus et periculis propitiatus absolve, quos tanti mysterii tribuis esse participes.

285 Ti preghiamo, Dio onnipotente: guarda le suppliche degli umili e in nostra difesa stendi la destra della tua maestà.

286 *Sulle offerte*. Questa offerta, Padre misericordioso, ci ottenga il perdono dei nostri peccati e santifichi nel corpo e nello spirito di quanti sono a te sottomessi.

287 *Per finire*. Libera benevolmente, Signore, da tutti i peccati e pericoli noi, ai quali concedi di essere partecipi di un così grande mistero.

XLV.
FERIA II
AD SANCTUM MARCUM

45
FERIA II
[*statio*] A SAN MARCO

288 Cordibus nostris, quaesumus, Domine, gratiam tuam benignus infunde, ut sicut ab escis corporalibus abstinemus, ita sensus quoque nostros a noxiis retrahamus excessibus.

289 *Super oblata*. Munus quod tibi, Domine, nostrae servitutis offerimus, tu salutare nobis perfice sacramentum.

288 Ti preghiamo, Signore: infondi benigno la tua grazia nel nostro spirito, perché come ci asteniamo dagli allettamenti del corpo, così teniamo lontani anche i nostri sensi dagli eccessi dannosi.

289 *Sulle offerte*. Ti offriamo, Signore, in dono il nostro sacrificio di lode, e tu rendilo per noi sacramento di salvezza.

290 *Ad complendum.* Praesta, quaesumus, omnipotens et misericors Deus, ut quae ore contingimus, pura mente capiamus.

291 *Super populum.* Subveniat nobis, Domine, misericordia tua, ut ab imminentibus peccatorum nostrorum periculis te mereamur protegente salvari.

290 *Per finire.* Ti preghiamo, Dio onnipotente e misericordioso: concedi a noi di accogliere con spirito puro ciò che gustiamo con la bocca.

291 *Sul popolo.* Venga in nostro soccorso, Signore, la tua misericordia, perché con la tua protezione meritiamo d'essere salvati dal pericolo sempre in agguato dei nostri peccati.

XLVI.
FERIA III
AD SANCTAM PUDENTIANAM

292 Exaudi nos, omnipotens et misericors Deus, et continentiae salutaris propitius nobis dona concede.

293 *Super oblata.* Per haec veniat, quaesumus, Domine, sacramenta nostrae redemptionis effectus, qui nos et ab humanis retrahat semper excessibus, et ad salutaria cuncta perducat.

294 *Ad complendum.* Sacris, Domine, mysteriis expiati, et veniam consequamur et gratiam.

295 *Super populum.* Tua nos, Domine, protectione defende, et ab omni semper iniquitate custodi.

46
FERIA III
[*statio*] A SANTA PUDENZIANA

292 Ascoltaci, Dio onnipotente e misericordioso; concedi a noi benigno il dono di una salutare continenza.

293 *Sulle offerte.* Il sacrificio che ti offriamo, o Signore, infonda in noi una forza di redenzione che ci preservi dalle umane intemperanze e ci disponga a ricevere i doni della salvezza.

294 *Per finire.* Purificati, Signore, dai sacri misteri, concedici di ottenere perdono e grazia.

295 *Sul popolo.* Difendici, Signore, con la tua protezione e custodiscici da ogni peccato.

XLVII.
FERIA IIII
AD SANCTUM SYXTUM

296 Praesta nobis, quaesumus, Domine, ut salutaribus ieiuniis eruditi a noxiis quoque vitiis abstinentes propitiationem tuam facilius impetremus.

297 *Secreta.* Suscipe, quaesumus, Domine, preces populi tui cum oblationibus hostiarum, et tua mysteria celebrantes ab omnibus nos defende periculis.

298 *Ad complendum.* Sanctificet nos, Domine, qua pasti sumus mensa caelestis, et a cunctis er-

47
FERIA IV
[*statio*] A SAN SISTO

296 Ti preghiamo, Signore: istruiti dall'azione salutare del digiuno, mentre ci teniamo lontani anche dai nostri vizi, cerchiamo di ottenere la tua benevolenza con maggior facilità.

297 *Sulle offerte.* Accetta, o Signore, le offerte e le preghiere del tuo popolo e difendi da ogni pericolo i tuoi fedeli che celebrano i santi misteri.

298 *Per finire.* Il pane del cielo di cui ci siamo nutriti ci santifichi, o Signore, e, liberati da ogni colpa, ci renda de-

roribus expiatos, supernis promissionibus reddat acceptos.

299 *Super populum.* Concede, quaesumus, omnipotens Deus, ut qui protectionis tuae gratiam quaerimus, liberati a malis omnibus secura tibi mente serviamus.

gni delle tue promesse.

299 *Sul popolo.* Ti preghiamo, Dio onnipotente: concedi che noi, mentre cerchiamo la grazia della tua protezione, liberati da tutti i mali, ti serviamo con animo tranquillo.

XLVIII.
FERIA V AD SANCTOS COSMAM ET DAMIANUM

48
FERIA V [*statio*] AI SANTI COSMA E DAMIANO

300 Concede, quaesumus, omnipotens Deus, ut ieiuniorum nobis sancta devotio et purificationem tribuat, et maiestati tuae nos reddat acceptos.

300 Ti preghiamo, Dio onnipotente: permetti che la santa osservanza del digiuno ci ottenga la purificazione e ci renda accetti alla tua maestà.

301 *Super oblata.* Fac nos, Domine, quaesumus, ad sancta mysteria purificatis mentibus accedere, ut tibi semper conpetens deferamus obsequium.

301 *Sulle offerte.* Ti preghiamo, Signore: fa' che ci avviciniamo ai santi misteri purificati nello spirito per poterti offrire sempre un conveniente ossequio.

302 *Ad complendum.* Sacramenti tui, Domine, veneranda perceptio et mystico nos mundet effectu, et perpetua virtute defendat.

302 *Per finire.* La grata e devota ricezione del tuo sacramento, Signore, ci purifichi con la sua mistica efficacia e ci difenda con la sua eterna potenza.

303 *Super populum.* Purifica, quaesumus, Domine, tuorum corda fidelium, ut a terrena cupiditate mundati, et praesentis vitae periculis exuantur, et perpetuis donis firmentur.

303 *Sul popolo.* Ti preghiamo, Signore: purifica il cuore dei tuoi fedeli, perché, liberati dai desideri terreni, siamo liberati dai pericoli della vita presente e corroborati dai doni eterni.

XLVIIII.
FERIA VI AD SANCTUM LAURENTIUM IN LUCINAE

49
FERIA VI [*statio*] A SAN LORENZO IN LUCINA

304 Ieiunia nostra, quaesumus, Domine, benigno favore prosequere, ut sicut ab alimentis in corpore, ita a vitiis ieiunemus in mente.

304 Ti preghiamo, Signore: accompagna con la tua divina benevolenza il nostro digiuno, perché come nel corpo ci asteniamo dagli alimenti così nella spirito ci teniamo lontani dai peccati.

305 *Super oblata.* Respice, Domine, propitius ad munera quae sacramus, ut et tibi grata sint, et nobis salutaria semper existant.

305 *Sulle offerte.* Guarda benigno, Signore, i doni che consacriamo, perché siano a te graditi e a noi procurino la salvezza eterna.

306 *Ad complendum*. Huius nos, Domine, perceptio sacramenti mundet a crimine, et ad caelestia regna perducat.

307 *Super populum*. Praesta, quaesumus, omnipotens Deus, ut qui in tua protectione confidimus, cuncta nobis adversantia te adiuvante vincamus.

306 *Per finire*. La partecipazione a questo sacramento, Signore, ci purifichi dal peccato e ci conduca nel regno dei cieli.

307 *Sul popolo*. Ti preghiamo, Dio onnipotente: a noi, che confidiamo nella tua protezione, concedi che, con il tuo aiuto, vinciamo tutte le avversità.

L.
SABBATO
AD SANCTAM SUSANNAM

50
SABATO
[*statio*] A SANTA SUSANNA

308 Praesta, quaesumus, omnipotens Deus, ut qui se affligendo carnem ab alimentis abstinent, sectando iustitiam a culpa ieiunent.

308 Ti preghiamo, Dio onnipotente: fa' che coloro che affliggono la carne e si astengono dagli alimenti, seguano la giustizia e siano liberi da colpa.

309 *Super oblata*. Concede, quaesumus, omnipotens Deus, ut huius sacrificii munus oblatum fragilitatem nostram ab omni malo purget semper et muniat.

309 *Sulle offerte*. Concedi, Dio onnipotente, che l'offerta di questo sacrificio sostenga la debolezza della nostra fede, ci purifichi dal peccato e ci renda forti nel bene.

310 *Ad complendum*. Quaesumus, omnipotens Deus, ut inter eius membra numeremur, cuius corpori communicamus et sanguini.

310 *Per finire*. Ti preghiamo, Dio onnipotente, perché siamo annoverati tra le membra di colui, alla cui mensa abbiamo ricevuto il corpo e il sangue.

311 *Super populum*. Praetende, Domine, fidelibus tuis dexteram caelestis auxilii, ut et te toto corde perquirant, et quae digne postulant, consequi mereantur.

311 *Sul popolo*. Stendi la tua mano, o Signore, a difesa dei tuoi fedeli perché ti cerchino con tutto il cuore e vedano esauditi i loro giusti desideri.

LI.
DIE DOMINICO
AD HIERUSALEM

51
DOMENICA [*statio*] A [santa Croce in] GERUSALEMME

312 Concede, quaesumus, omnipotens Deus, ut qui ex merito nostrae actionis affligimur, tuae gratiae consolatione respiremus.

312 Ti preghiamo, Dio onnipotente, perché noi, che ci mortifichiamo per la colpa delle nostre azioni, risorgiamo con il conforto della tua grazia.

313 *Secreta*. Sacrificiis praesentibus, Domine, quaesumus, in-

313 *Sulle offerte*. Guarda benigno, Signore, il presente sacrificio, perché giovi alla nostra pietà e salvezza.

tende placatus, ut et devotioni nostrae proficiant et saluti.

314 *Ad complendum.* Da nobis, misericors Deus, ut sancta tua, quibus incessanter explemur, sinceris tractemus obsequiis, et fideli semper mente sumamus.

315 *Alia oratio ad missam.* Deus, qui in deserti regione multitudinem populi tua virtute satiasti, in huius quoque saeculi transeuntis excursu victum nobis spiritalem ne deficiamus inpende.

314 *Per finire.* Concedi a noi, Dio misericordioso, di assumere sempre con sincero ossequio e spirito puro i tuoi santi misteri, con i quali siamo costantemente saziati.

315 *Un'altra preghiera per la messa.* O Dio, che con la tua potenza nel deserto saziasti la moltitudine del tuo popolo, fa' che anche nel corso di questa vita non ci venga a mancare il nutrimento spirituale.

LII.
FERIA II AD SANCTOS IIII CORONATOS

316 Praesta, quaesumus, omnipotens Deus, ut observationes sacras annua devotione recolentes, et corpore tibi placeamus et mente.

317 *Secreta.* Oblatum tibi, Domine, sacrificium vivificet nos semper et muniat.

318 *Ad complendum.* Sumptis, Domine, salutaribus sacramentis ad redemptionis aeternae, quaesumus, proficiamus augmentum.

319 *Super populum.* Deprecationem nostram, quaesumus, Domine, benignus exaudi, et quibus supplicandi praestas affectum, tribue defensionis auxilium.

52
FERIA II [statio] AI SANTI QUATTRO CORONATI

316 Ti preghiamo, Dio onnipotente: fa' che noi, mentre ogni anno celebriamo con solennità la sacra ricorrenza, siamo a te accetti nel corpo e nello spirito.

317 *Sulle offerte.* Il sacrificio che ti abbiamo offerto, Signore, ci vivifichi sempre e ci fortifichi.

318 *Per finire.* Ti preghiamo, Signore: con la ricezione dei tuoi sacramenti, progrediamo nella crescita della redenzione eterna.

319 *Sul popolo.* Ti preghiamo, Signore: ascolta benigno la nostra preghiera e concedi l'aiuto della tua protezione a coloro ai quali offri la volontà di invocarti.

LIII.
FERIA III
AD SANCTUM LAURENTIUM IN DAMASUM

320 Sacrae nobis, quaesumus, Domine, observationis ieiunia et piae conversationis augmentum, et tuae propitiationis continuum praestent auxilium.

53
FERIA III
[statio] A SAN LORENZO IN DAMASO

320 Ti preghiamo, Signore: il tuo continuo aiuto ci accompagni nell'osservanza del digiuno, nella crescita di una devota conversione e della tua benevolenza.

321 *Secreta.* Haec hostia, Domine, quaesumus, emundet nostra delicta, et ad sacrificium celebrandum subditorum tibi corpora mentesque sanctificet.

322 *Ad complendum.* Huius nos, Domine, perceptio sacramenti mundet a crimine, et ad caelestia regna perducat.

323 *Super populum.* Miserere, Domine, populo tuo, et continuis tribulationibus laborantem propitius respirare concede.

LIIII.
FERIA IIII AD SANCTUM PAULUM

324 Deus, qui et iustis praemia meritorum, et peccatoribus per ieiunium veniam praebes, miserere supplicibus tuis, ut reatus nostri confessio indulgentiam valeat percipere delictorum.

325 *Alia.* Praesta, quaesumus, omnipotens Deus, ut quos ieiunia votiva castigant, ipsa quoque devotio sancta laetificet, ut terrenis affectibus mitigatis facilius caelestia capiamus.

326 *Secreta.* Supplices te, Domine, rogamus, ut his sacrificiis peccata nostra mundentur, quia tunc veram nobis tribuis et mentis et corporis sanitatem.

327 *Ad complendum.* Sacramenta quae sumpsimus, Domine Deus noster, et spiritalibus nos repleant alimentis, et corporalibus tueantur auxiliis.

328 *Super populum.* Pateant aures misericordiae tuae, Domine, precibus supplicantium, et ut petentibus desiderata concedas, fac eos, quae tibi sunt placita, postulare.

321 *Sulle offerte.* Questa offerta, Padre misericordioso, ci ottenga il perdono dei nostri peccati e santifichi nel corpo e nello spirito di quanti sono a te sottomessi.

322 *Per finire.* La partecipazione a questo sacramento, Signore, ci purifichi dal peccato e ci conduca nel regno dei cieli.

323 *Sul popolo.* Signore, abbi pietà del tuo popolo; mentre è afflitto da continue tribolazioni concedigli con la tua benevolenza di trovare pace.

54
FERIA IV
[*statio*] A SAN PAOLO

324 O Dio, che ai giusti concedi il premio per i meriti e ai peccatori il perdono mediante il digiuno, abbi pietà di coloro che ti supplicano, perché la confessione della nostra colpa possa ottenerci il perdono dei peccati.

325 *Un'altra.* Ti preghiamo, Dio onnipotente: concedi che anche il santo sacrificio rallegri noi che il desiderato digiuno purifica, perché, sedati gli affetti terreni, con maggior facilità otteniamo i beni celesti.

326 *Sui doni.* Supplici, Signore, ti preghiamo: i nostri peccati siano purificati da questo sacrificio, perché solo allora ci doni la salute dello spirito e del corpo.

327 *Per finire.* I sacramenti che abbiamo ricevuto, Signore nostro Dio, ci riempiano l'anima con il loro nutrimento spirituale e difendano il corpo con il loro aiuto.

328 *Sul popolo.* Nella tua misericordia, o Signore, porgi l'orecchio alla voce di coloro che ti supplicano, e perché tu possa esaudire i loro desideri, fa' che chiedano quanto ti è gradito.

LV.

FERIA V
AD SANCTUM SILVESTRUM

329 Praesta, quaesumus, Domine, ut salutaribus ieiuniis eruditi, a noxiis etiam vitiis abstinentes, propitiationem tuam facilius impetremus.

330 *Super oblata.* Efficiatur haec hostia, Domine, quaesumus, solemnibus grata ieiuniis, et ut tibi fiat acceptior, purificatis mentibus immoletur.

331 *Ad complendum.* Sancta tua nos, Domine, quaesumus, et vivificando renovent, et renovando vivificent.

332 *Super populum.* Populi tui Deus institutor et rector, peccata quibus inpugnatur expelle, ut semper tibi placatus, et tuo munimine sit securus.

55

FERIA V
[*statio*] A SAN SILVESTRO

329 Ti preghiamo, Signore: istruiti dal digiuno, fonte di salvezza, concedici di ottenere con più facilità il tuo perdono mentre ci teniamo lontani anche dai danni del peccato.

330 *Sulle offerte.* Ti preghiamo, Signore: questo sacrificio sia reso gradito dalla solennità del digiuno e perché ti sia ancora più gradito, sia offerto con spirito purificato.

331 *Per finire.* I tuoi santi doni, o Signore, trasformino la nostra vita e ci guidino ai beni eterni.

332 *Sul popolo.* O Dio, maestro e guida del tuo popolo, allontana da questi tuoi figli i peccati che li opprimono, perché vivano conformi alla tua volontà e sicuri della tua protezione.

LVI.
FERIA VI
AD SANCTUM EUSEBIUM

333 Deus, qui ineffabilibus mundum renovas sacramentis, praesta, quaesumus, ut ecclesia tua aeternis proficiat institutis, et temporalibus foveatur auxiliis.

334 *Super oblata.* Munera nos, quaesumus, Domine, oblata purificent, et te nobis iugiter faciant esse placatum.

335 *Ad complendum.* Huius nos, Domine, quaesumus, participatio sacramenti, et propriis reatibus indesinenter expediat, et ab omnibus tueatur adversis.

336 *Super populum.* Da, quaesumus, omnipotens Deus, ut qui infirmitatis nostrae conscii de tua virtute confidimus, sub tua semper pietate gaudeamus.

56
FERIA VI
[*statio*] A SANT'EUSEBIO

333 O Dio, che rinnovi il mondo con i tuoi ineffabili sacramenti, fa' che la Chiesa si edifichi con questi segni delle realtà del cielo e non resti priva del tuo aiuto per la vita terrena.

334 *Sulle offerte.* Ti preghiamo, Signore: i doni che ti abbiamo offerto ci purifichino e, nello stesso tempo, ci accordino la tua benevolenza.

335 *Per finire.* Ti preghiamo, Signore: la partecipazione a questo sacramento ci liberi continuamente dai nostri peccati e ci difenda da tutte le avversità.

336 *Sul popolo.* Ti preghiamo, Dio onnipotente: fa' che noi, consapevoli della nostra debolezza, confidiamo nella tua forza e siamo sempre rallegrati nel tuo amore.

LVII.

SABBATO
AD SANCTUM LAURENTIUM
FORIS MURVM

337 Fiat, Domine, quaesumus, per gratiam tuam fructuosus nostrae devotionis affectus, quia tunc nobis proderunt nostra ieiunia, si tuae sint placita pietati.

338 *Super oblata.* Oblationibus, quaesumus, Domine, placare susceptis, et ad te nostras etiam rebelles conpelle propitius voluntates.

339 *Ad complendum.* Tua nos, quaesumus, Domine, sancta purificent, et operatione sua nos tibi reddant acceptos.

340 *Super populum.* Deus, qui sperantibus in te misereri potius eligis quam irasci, da nobis digne flere mala quae fecimus, ut tuae consolationis gratiam invenire mereamur.

LVIII.

DIE DOMINICO DE PASSIONE
AD SANCTUM PETRUM

341 Quaesumus, omnipotens Deus, familiam tuam propitius respice, ut te largiente regatur in corpore, et te servante custodiatur in mente.

342 *Super oblata.* Haec munera, Domine, quaesumus, et vincula nostrae pravitatis absolvant, et tuae nobis misericordiae dona concilient.

343 *Ad complendum.* Adesto nobis, Domine Deus noster, et quos tuis mysteriis recreasti, perpetuis defende praesidiis.

57

SABATO
[*statio*] A SAN LORENZO
FUORI LE MURA

337 Con la tua grazia, ti preghiamo, Signore, diventi fruttuosa l'espressione del nostro sacrificio, perché il digiuno ci sarà di giovamento se è accetto al tuo amore.

338 *Sulle offerte.* Ti preghiamo, Signore: il sacrificio eucaristico che ti abbiamo offerto ti plachi e benigno converti a te la nostra ribelle volontà.

339 *Per finire.* Ti preghiamo, Signore: i tuoi santi misteri ci purifichino e con il loro potere ci rendano a te accetti.

340 *Sul popolo.* O Dio, lento all'ira e grande nella misericordia verso coloro che sperano in te, concedi ai tuoi fedeli di piangere i mali commessi, per ottenere la grazia della tua consolazione.

58

DOMENICA DI PASSIONE
[*statio*] A SAN PIETRO

341 Ti preghiamo, Dio onnipotente: guarda benevolo la tua famiglia, perché con il tuo aiuto sia sostenuta nel corpo e sotto la tua tutela sia custodita nello spirito.

342 *Sulle offerte.* Ti preghiamo, Signore: queste offerte ci liberino dai legami del peccato e ci accordino i doni della tua misericordia.

343 *Per finire.* Assistici, Signore nostro Dio, e difendi con il tuo continuo aiuto quelli che hai rinnovato con i tuoi misteri.

LVIIII.
FERIA II
AD SANCTUM CHRYSOGONUM

344 Sanctifica, quaesumus, Domine, nostra ieiunia, et cunctarum nobis propitius indulgentiam largire culparum.

345 *Super oblata.* Concede nobis, Domine Deus, ut haec hostia salutaris et nostrorum fiat purgatio delictorum et tuae propitiatio maiestatis.

346 *Ad complendum.* Sacramenti tui, quaesumus, Domine, participatio salutaris et purificationem nobis praebeat et medelam.

347 *Super populum.* Da, quaesumus, Domine, populo tuo salutem mentis et corporis, ut bonis operibus inhaerendo, tua semper mereatur protectione defendi.

59
FERIA II
[*statio*] A SAN CRISOGONO

344 Ti preghiamo, Signore: santifica il nostro digiuno e nella tua benevolenza concedi il perdono dei nostri peccati.

345 *Sulle offerte.* Signore Dio, concedici che questo sacrificio di salvezza sia di espiazione per i nostri peccati e di propiziazione della tua maestà.

346 *Per finire.* Ti preghiamo, Signore: la partecipazione al tuo sacramento sia per noi fonte di salvezza e ci conceda purificazione e guarigione.

347 *Sul popolo.* Dona al tuo popolo, o Signore, la salvezza dell'anima e del corpo, perché, perseverando nelle opere buone, sia sempre difeso dalla tua protezione.

LX.
FERIA III AD SANCTUM CYRIACUM

348 Nostra tibi, quaesumus, Domine, sint accepta ieiunia, quae nos et expiando gratia tua dignos efficiant, et ad remedia perducant aeterna.

349 *Super oblata.* Hostias tibi, Domine, deferimus immolandas, quae temporali consolatione nos laetificent, ut promissa certius speremus aeterna.

350 *Ad complendum.* Da, quaesumus, omnipotens Deus, ut quae divina sunt iugiter exsequentes, donis mereamur caelestibus propinquare.

351 *Super populum.* Da nobis, Domine, quaesumus, perseverantem in tua voluntate famulatum, ut in diebus nostris et merito et numero populus tibi serviens augeatur.

60
FERIA III [*statio*] A SAN CIRIACO

348 Ti preghiamo, Signore: ti sia gradito il nostro digiuno; con l'espiazione ci renda degni della tua grazia e ci conduca ai rimedi eterni.

349 *Sulle offerte.* Ti presentiamo, Signore, le vittime da immolare, perché ci rallegrino con il conforto temporale e con maggior certezza possiamo sperare nelle promesse eterne.

350 *Per finire.* Concedi, Dio onnipotente, che l'assidua partecipazione ai tuoi misteri ci avvicini sempre più ai beni eterni.

351 *Sul popolo.* Ti preghiamo, Signore: concedici di perseverare nel servizio della tua volontà, perché nei nostri giorni il popolo che ti serve cresca per meriti e per numero.

LXI.

FERIA IIII
AD SANCTUM MARCELLINUM

352 Sanctificato hoc ieiunio, Deus, tuorum corda fidelium miserator inlustra, et quibus devotionis praestas affectum, praebe supplicantibus pium benignus auditum.

353 *Super oblata*. Annue, misericors Deus, ut hostias placationis et laudis sincero tibi deferamus obsequio.

354 *Ad complendum*. Caelestis doni benedictione percepta, supplices te, Deus omnipotens, deprecamur, ut hoc idem nobis et sacramenti causa sit et salutis.

355 *Super populum*. Adesto supplicationibus nostris, omnipotens Deus, et quibus fiduciam sperandae pietatis indulges, consuetae misericordiae tribue benignus effectum.

LXII.

FERIA V
AD SANCTUM APOLLINAREM

356 Concede, misericors Deus, ut sicut nos tribuis solemne tibi deferre ieiunium, sic nobis indulgentiae tuae praebeas benignus auxilium.

357 *Super oblata*. Concede nobis, Domine, quaesumus, ut celebraturi sancta mysteria non solum abstinentiam corporalem sed, quod est potius, habeamus mentium puritatem.

358 *Ad complendum*. Vegetet nos, Domine, semper et innovet tuae mensae libatio, quae fragilitatem nostram gubernet et protegat, et in portum perpetuae salutis inducat.

359 *Super populum*. Succurre, quaesumus, Domine, populo sup-

61

FERIA IV
[*statio*] A SAN MARCELLINO

352 Con la santificazione di questo digiuno, nella tua misericordia, o Dio, illumina il cuore dei tuoi fedeli ai quali offri la manifestazione della pietà, e concedi benigno il tuo pietoso ascolto a quanti ti invocano.

353 *Sulle offerte*. Dio misericordioso, fa' che con affetto sincero ti offriamo sacrifici di espiazione e di lode.

354 *Per finire*. Il pane [dono] del cielo che abbiamo ricevuto, Dio onnipotente, ci santifichi e sia per noi sorgente inesauribile di perdono e di salvezza.

355 *Sul popolo*. Ascolta le nostre suppliche, Dio onnipotente, e nella tua bontà concedi l'effetto della consueta misericordia a coloro, ai quali doni la fiducia di sperare nel tuo amore.

62

FERIA V
[*statio*] A SANT'APOLLINARE

356 O Dio, come ci concedi nella tua misericordia di offrirti la solennità del digiuno, così nella tua bontà donaci l'aiuto del tuo perdono.

357 *Sulle offerte*. Ti preghiamo, o Signore: a noi che ci accingiamo a celebrare i santi misteri, concedi non solo l'astinenza dai beni che riguardano il corpo, ma, ciò che è più importante, la purità dello spirito.

358 *Per finire*. L'offerta della tua mensa, Signore, ci vivifichi sempre e ci rinnovi, perché guidi e protegga la nostra fragilità e ci conduca nel porto della salvezza eterna.

359 *Sul popolo*. Esaudisci, o Signore, le invocazioni del popolo a te fedele: tu,

plicanti, et opem tuam tribue benignus infirmis, ut sincera tibi mente devoti et praesentis vitae remediis gaudeant et futurae.

che sei benevolo verso l'umana fragilità, concedi il tuo aiuto, perché la tua famiglia, rendendoti culto con animo sincero, possa godere dei rimedi della vita presente e di quella futura.

LXIII.
FERIA VI
AD SANCTUM STEPHANUM

360 Cordibus nostris, Domine, benignus infunde, ut peccata nostra castigatione voluntaria cohibentes temporaliter maceremur, ut a suppliciis liberemur aeternis.

361 *Secreta*. Praesta nobis, misericors Deus, ut digne tuis servire semper altaribus mereamur, et eorum perpetua participatione salvari.

362 *Ad complendum*. Sumpti sacrificii, Domine, perpetua nos tuitio non relinquat, et noxia semper a nobis cuncta depellat.

363 *Super populum*. Concede, quaesumus, omnipotens Deus, ut qui protectionis tuae gratiam quaerimus, liberati a malis omnibus secura tibi mente serviamus.

63
FERIA VI
[*statio*] A SANTO STEFANO

360 Guarda benigno i nostri cuori, Signore, perché, mentre teniamo a freno i nostri peccati con volontaria penitenza, patiamo sofferenze in questa vita, ma siamo liberati dai supplizi eterni.

361 *Sui doni*. Donaci, Dio misericordioso, di servire degnamente al tuo altare e di ricevere salvezza dall'assidua partecipazione alla tua mensa.

362 *Per finire*. Non ci abbandoni, o Signore, la continua protezione del sacrificio che abbiamo ricevuto, e allontani sempre da noi ogni male.

363 *Sul popolo*. Ti preghiamo, Dio onnipotente: concedi a noi, che cerchiamo la grazia della tua protezione, liberati da tutti i mali, di servirti con spirito sincero.

LXIIII.
SABBATO
AD SANCTUM PETRUM
QUANDO ELYMOSINA DATUR

364 Da nobis, quaesumus, Domine, observantiam ieiuniorum devote peragere, ut cum abstinentia carnalis alimoniae sancta tibi conversatione placeamus.

365 *Secreta*. Praesta, quaesumus, omnipotens Deus, ut ieiuniorum placatus sacrificiis indulgentiae tuae nos munere prosequaris.

64
SABATO
[statio] A SAN PIETRO
QUANDO SI DÀ L'ELEMOSINA

364 Ti preghiamo, Signore: concedici di portare avanti con devozione l'osservanza del digiuno, perché con l'astinenza del cibo carnale siamo a te graditi per le nostre sante scelte di vita.

365 *Sulle offerte*. Ti preghiamo, Dio onnipotente, perché placato dal sacrificio del digiuno ci accompagni con il dono della remissione dei peccati.

366 *Ad complendum.* Adesto, Domine, fidelibus tuis, et quos caelestibus reficis sacramentis, a cunctis defende periculis.

367 *Super populum.* Tueatur, quaesumus, Domine, dextera tua populum tuum deprecantem, et purificatum dignanter erudiat, ut consolatione praesenti foveatur, et ad futura bona proficiat.

LXV.
DIE DOMINICO IN PALMAS AD SANCTUM IOANNEM IN LATERANIS

368 Omnipotens sempiterne Deus, qui humano generi ad imitandum humilitatis exemplum salvatorem nostrum et carnem sumere et crucem subire fecisti, concede propitius, ut patientiae ipsius habere documenta, et resurrectionis consortia mereamur.

369 *Super oblata.* Concede, quaesumus, Domine, ut oculis tuae maiestatis munus oblatum, et gratiam nobis devotionis obtineat, et effectum beatae perennitatis adquirat.

370 *Ad complendum.* Per huius, Domine, operationem mysterii et vitia nostra purgentur, et iusta desideria compleantur.

LXVI.
FERIA II AD SANCTAM PRAXEDEM

371 Da, quaesumus, omnipotens Deus, ut qui in tot adversis ex nostra infirmitate deficimus, intercedente unigeniti Filii tui passione respiremus.

372 *Secreta.* Haec sacrificia nos, omnipotens Deus, potenti virtute mundatos, ad suum

366 *Per finire.* Proteggi, Signore, i tuoi fedeli e difendi da tutti i pericoli quelli che rinnovi con i sacramenti celesti.

367 *Sul popolo.* La tua mano, o Signore, protegga questo popolo in preghiera, lo purifichi e lo guidi, perché sia sostenuto dalla consolazione nel presente e progredisca verso i beni futuri.

65
DOMENICA DELLE PALME [statio] A SAN GIOVANNI IN LATERANO

368 Dio onnipotente ed eterno, che hai dato come modello agli uomini il Cristo tuo Figlio, nostro Salvatore, fatto uomo e umiliato fino alla morte di croce, fa' che abbiamo sempre presente il grande insegnamento della sua passione, per partecipare alla gloria della risurrezione.

369 *Sulle offerte.* L'offerta che ti presentiamo, o Signore, ci ottenga la grazia di servirti fedelmente e ci prepari il frutto di un'eternità beata.

370 *Per finire.* Per la celebrazione di questo mistero, Signore, siano rimessi i nostri peccati e giungano a compimento i nostri desideri.

66
FERIA II [statio] A SANTA PRASSEDE

371 Ti preghiamo, Dio onnipotente: a noi che in tante avversità veniamo meno per la nostra debolezza concedi di risorgere per intercessione della passione del tuo Figlio unigenito.

372 *Sui doni.* Questo sacrificio, Dio onnipotente, ci purifichi con la sua forza e ci doni di giungere rinnovati alle

faciant puriores venire principium.

373 *Ad complendum.* Praebeant nobis, Domine, divinum tua sancta fervorem, quo eorum pariter et actu delectemur et fructu.

374 *Super populum.* Adiuva nos, Deus salutaris noster, et ad beneficia recolenda, quibus nos instaurare dignatus es, tribue venire gaudentes.

LXVII.
FERIA III
AD SANCTAM PRISCAM

375 Omnipotens sempiterne Deus, da nobis ita dominicae passionis sacramenta peragere, ut indulgentiam percipere mereamur.

376 *Secreta.* Sacrificia nos, quaesumus, Domine, propensius ista restaurent, quae medicinalibus sunt instituta ieiuniis.

377 *Ad complendum.* Sanctificationibus tuis, omnipotens Deus, et vitia nostra curentur, et remedia nobis sempiterna proveniant.

378 *Super populum.* Tua nos misericordia, Deus, et ab omni subreptione vetustatis expurget, et capaces sanctae novitatis efficiat.

LXVIII.
FERIA IIII AD SANCTAM
MARIAM MAIOREM

379 Praesta, quaesumus, omnipotens Deus, ut qui nostris excessibus incessanter adfligimur, per Unigeniti tui passionem liberemur.

feste pasquali, principio della nostra salvezza.

373 *Per finire.* I tuoi santi misteri, Signore, ci donino il divino fervore, perché possiamo egualmente allietarci sia per la loro azione che per il loro frutto.

374 *Sul popolo.* O Dio, fonte della nostra salvezza, vieni in nostro aiuto e concedici di venerare con gioia i tuoi benefici, con i quali ti sei degnato di rinnovarci.

67
FERIA III
[*statio*] A SANTA PRISCA

375 Concedi a questa tua famiglia, o Padre, di celebrare con fede i misteri della passione del tuo Figlio per gustare la dolcezza del tuo perdono.

376 *Sui doni.* Ti preghiamo, Signore, ci rinnovi più profondamente questo sacrificio, che è stato preparato con riparatori digiuni.

377 *Per finire.* Con i tuoi sacramenti di salvezza, Dio onnipotente, siano curati i nostri peccati e vengano a noi i rimedi eterni.

378 *Sul popolo.* La tua misericordia, o Dio, ci liberi da tutti i mali della vita passata e ci renda capaci di accogliere la santità della nuova vita.

68
FERIA IV
[*statio*] A SANTA MARIA MAGGIORE

379 Ti preghiamo, Dio onnipotente, perché noi che siamo continuamente afflitti dai nostri peccati, siamo liberati dalla passione del tuo Unigenito.

380 *Alia.* Deus, qui pro nobis filium tuum crucis patibulum subire voluisti, ut inimici a nobis expelleres potestatem, concede nobis famulis tuis, ut resurrectionis gratiam consequamur.

381 *Secreta.* Purifica nos, misericors Deus, ut ecclesiae tuae preces, quae tibi gratae sunt, pia munera deferentes, fiant expiatis mentibus gratiores.

382 *Ad complendum.* Largire sensibus nostris, omnipotens Deus, ut per temporalem filii tui mortem, quam mysteria veneranda testantur, vitam nobis dedisse perpetuam confidamus.

383 *Super populum.* Respice, Domine, quaesumus, super hanc familiam tuam, pro qua Dominus noster Iesus Christus non dubitavit manibus tradi nocentium, et crucis subire tormentum.

380 *Un'altra.* Padre misericordioso, tu hai voluto che il Cristo tuo Figlio subisse per noi il supplizio della croce per liberarci dal potere del nemico: donaci di giungere alla gloria della risurrezione.

381 *Sui doni.* Purificaci, Dio misericordioso, perché le preghiere della tua Chiesa, che ti sono gradite e arrecano i doni della pietà, diventino più gradite con la purificazione del nostro spirito.

382 *Per finire.* Dona ai tuoi fedeli, Dio onnipotente, la sicura speranza della vita eterna che ci hai dato con la morte del tuo Figlio, celebrata in questi santi misteri.

383 *Sul popolo.* Volgi lo sguardo, o Padre, su questa tua famiglia per la quale il Signore nostro Gesù Cristo non esitò a consegnarsi nelle mani dei malfattori e a subire il supplizio della croce.

LXVIIII.
ORATIO IN CENA DOMINI AD MISSAM

384 Deus, a quo et Iudas proditor reatus sui poenam et confessionis suae latro praemium sumpsit, concede nobis tuae propitiationis effectum, ut sicut in passione sua Iesus Christus Dominus noster diversa utrisque intulit dispendia meritorum, ita nobis ablato vetustatis errore resurrectionis suae gratiam largiatur.

385 *Super oblata.* Ipse tibi, quaesumus, Domine, sancte pater, omnipotens Deus, sacrificium nostrum reddat acceptum, qui discipulis suis in sui commemoratione hoc fieri hodierna traditione monstravit, Iesus Christus Dominus noster.

69
PREGHIERA ALLA MESSA *IN CENA DOMINI*

384 O Dio, dal quale Giuda il traditore ricevette la punizione del suo reato e il ladro il premio della sua confessione, concedi a noi i benefici del tuo perdono: come durante la sua passione il Signore nostro Gesù Cristo diede a ciascuno di essi diversa ricompensa, così, con la cancellazione del vecchio peccato, ci elargisca la grazia della sua resurrezione.

385 *Sulle offerte.* Ti preghiamo, Signore Padre santo, Dio onnipotente: ti renda gradito il nostro sacrificio Gesù Cristo Signore nostro che, secondo la tradizione odierna, insegnò ai suoi discepoli a fare ciò in sua memoria.

386 Communicantes et diem sacratissimum celebrantes, quo Dominus noster Iesus Christus pro nobis est traditus. Sed et memoriam venerantes.

387 Hanc igitur oblationem servitutis nostrae, sed et cunctae familiae tuae, quam tibi offerimus ob diem in qua Dominus noster Iesus Christus tradidit discipulis suis corporis et sanguinis sui mysteria celebranda, quaesumus, Domine, ut placatus accipias.

388 *Item.* Qui pridie quam pro nostra omnium salute pateretur, hoc est hodie, accepit panem in sanctas ac venerabiles manus.

389 *In hoc ipso die ita conficitur chrysma. In ultimo ad missam antequam dicatur* Per quem haec omnia Domine semper bona creas, *levantur de ampullis, quas offerunt populi, et benedicit tam dominus papa quam omnes presbyteri. Et dicit papa:*

390 Emitte, Domine, spiritum sanctum tuum paraclitum de caelis in hanc pinguedinem olei, quam de viridi ligno producere dignatus es ad refectionem corporis, ut tua sancta benedictio sit omni unguento, tangenti tutamento mentis et corporis ad evacuandos omnes dolores omnesque infirmitates, omnem aegritudinem corporis. Unde unxisti sacerdotes, reges, prophetas et martyres. Chrysma tuum perfectum, Domine, a te benedictum, in nomine domini nostri Iesu Christi. Per quem haec omnia.

386 In comunione con tutta la Chiesa, mentre celebriamo il santissimo giorno nel quale il Signore nostro Gesù Cristo fu consegnato per noi, ricordiamo anzitutto.

387 Accetta con benevolenza, o Signore, questa offerta che ti presentiamo noi tuoi ministri e tutta la tua famiglia nel giorno in cui il Signore nostro Gesù Cristo consegnò ai suoi discepoli il mistero del suo Corpo e del suo Sangue, perché lo celebrassero in sua memoria.

388 *Allo stesso modo.* In questo giorno, vigilia della sua passione, sofferta per la salvezza nostra e del mondo intero, egli prese il pane nelle sue mani sante e venerabili.

389 *In questo stesso giorno si prepara il crisma. Infine per la messa prima che si dica:* Per Cristo Signore nostro, tu, o Dio, crei, *si levano in alto le ampolle offerte dai fedeli e tanto il papa quanto i presbiteri impartiscono la benedizione. E il papa dice:*

390 Manda dal cielo, Signore, il tuo Spirito Santo, il Paraclito, sulla pinguedine di quest'olio che, per il nutrimento del corpo, hai voluto che sgorgasse dal legno verde; con la tua santa benedizione sia per ognuno che lo spalma, per ognuno che lo tocca difesa dello spirito e del corpo, e allontani tutti i dolori, tutte le infermità, tutte le sofferenze del corpo. Con esso ungesti sacerdoti, re, profeti e martiri. E questo è il crisma tuo perfetto da te benedetto, o Dio, nel nome di nostro Signore Gesù Cristo. Per mezzo di lui tutti questi beni.

INCIPIT BENEDICTIO
CHRYSMATIS PRINCIPALIS

391a Sursum corda. Gratias agamus Domino Deo nostro. VD et iustum est aequum et salutare, nos tibi semper et ubique gratias agere, Domine, sancte pater, omnipotens aeterne Deus. Qui in principio inter cetera bonitatis et pietatis tuae munera terram producere fructifera ligna iussisti, inter quae huius pinguissimi liquoris ministrae oleae nascerentur, quarum fructus sacro chrysmati deserviret. Nam et David prophetico spiritu gratiae tuae sacramenta praenoscens, vultus nostros in oleo exhilarandos esse cantavit, et cum mundi crimina diluvio quondam expiarentur effuso, similitudinem futuri muneris columba demonstrans per olivae ramum pacem terris redditam nuntiavit. Quod in novissimis temporibus manifestis est effectibus declaratum, cum baptismatis aquis omnium criminum commissa delentibus haec olei unctio vultus nostros iocundos effecit ac serenos. Inde etiam Moysi famulo tuo mandatum dedisti, ut Aaron fratrem suum prius aqua lotum per infusionem huius unguenti constitueret sacerdotem.

391b Accessit ad hoc amplior honor, cum filius tuus Iesus Christus Dominus noster lavari a Ioanne undis iordanicis exegisset, ut spiritu sancto in columbae similitudine desuper misso unigenitum tuum, in quo tibi optime conplacuisset, testimonio subsequentis vocis ostenderes, et hoc illud esse manifestissime conprobares, quod eum oleo

INCOMINCIA LA BENEDIZIONE
DEL CRISMA PRINCIPALE

391a In alto i cuori. Ringraziamo il Signore Dio nostro. È un atto veramente degno e giusto, nostro dovere e fonte di salvezza ringraziarti sempre e in ogni luogo, Signore, Padre santo, Dio onnipotente ed eterno. Tu fin dal principio tra gli altri doni della tua bontà e del tuo amore hai ordinato alla terra di produrre alberi fruttiferi fra i quali nascesse l'ulivo, e il cui frutto fornisse questa liquorosa pinguedine e servisse per il sacro crisma. Anche Davide, che con spirito profetico conosceva i sacramenti della tua grazia, cantò che il nostro volto si doveva ricreare con l'olio, e mentre una volta i peccati del mondo erano espiati con il castigo del diluvio, come similitudine del futuro dono la colomba con il ramo dell'olivo annunciò che la pace era stata ristabilita sulla terra. Questo con segni evidenti è stato proclamato anche in tempi recenti, quando con l'unzione il nostro volto è diventato sereno e sorridente, mentre l'acqua del battesimo cancellava tutti i peccati commessi. Perciò anche al tuo servo Mosè ordinasti di lavare prima con l'acqua suo fratello Aronne e di consacrarlo sacerdote mediante l'unzione con questo unguento.

391b A tutto ciò si aggiunge una testimonianza ancora più grande, quando tuo Figlio, il Signore nostro Gesù Cristo volle essere lavato da Giovanni nelle acque del Giordano. Dal cielo allora inviasti sotto forma di colomba lo Spirito Santo sul tuo Unigenito, nel quale avevi riposto tutta la tua compiacenza e lo presentasti con le parole che seguirono, confermando manifestamente che era pro-

laetitiae prae consortibus suis unguendum David propheta cecinisset. Te igitur deprecamur, Domine, sancte pater, omnipotens aeterne Deus, per eundem Iesum Christum filium tuum dominum nostrum, ut huius creaturae pinguedinem sanctificare tua benedictione digneris, et sancti spiritus ei ammiscere virtutem cooperante potentia Christi tui, a cuius sancto nomine chrysma nomen accepit. Unde unxisti sacerdotes, reges, prophetas, martyres, ut sit his, qui renati fuerint ex aqua et spiritu sancto, chrysma salutis eosque aeterne vitae participes et caelestis gloriae facias esse consortes.

prio ciò che il profeta David aveva cantato, che lui doveva essere unto con olio di letizia tra i suoi compagni. Perciò ti supplichiamo, Signore, Padre santo, Dio onnipotente ed eterno, per lo stesso Signore nostro Gesù Cristo, perché con la tua benedizione tu voglia santificare la pinguedine di questa creatura e infondervi la virtù dello Spirito Santo, con la potenza cooperante del tuo Cristo, dal cui santo nome il crisma deriva il nome. Perciò ungesti sacerdoti, re, profeti e martiri, perché questi, che sono rinati dall'acqua e dallo Spirito Santo, con il crisma di salvezza li rendessi partecipi della vita eterna e della gloria celeste.

EXORCISMUS OLEI

392 Deus, qui virtute sancti Spiritus tui inbecillarum mentium rudimenta confirmas, te oramus, Domine, ut venturis ad beatae regenerationis lavacrum tribuas per unctionem istius creaturae purgationem mentis et corporis, ut si quae illis adversantium spirituum inhaerere reliquiae, ad tactum sanctificati olei huius abscedant. Nullus spiritalibus nequitiis locus, nulla refugis virtutibus sit facultas, nulla insidiantibus malis latendi licentia relinquatur, sed venientibus ad fidem servis tuis et sancti spiritus tui operatione mundandis, sit unctionis huius praeparatio utilis ad salutem, quam etiam caelestis regenerationis nativitate in sacramento sunt baptismatis adepturi. Per Dominum nostrum Iesum Christum, qui venturus est iudicare vivos et mortuos et saeculum per ignem.

ESORCISMO SULL'OLIO

392 O Dio, che con la potenza del tuo Spirito Santo confermi quanto la nostra mente nella sua debolezza ha appreso, ti preghiamo, perché a coloro che si avvicineranno al lavacro della beata rigenerazione tu, Signore, mediante l'unzione di questa creatura doni la purezza dello spirito e del corpo; le impronte, che ancora rimangono, degli spiriti maligni scompaiano con l'unzione di quest'olio benedetto. Nessun luogo sia concesso ai mali dello spirito, nessuna possibilità sia data a chi viene meno alla virtù, nessuna libertà di nascondersi sia lasciata ai mali che stanno in agguato, ma ai tuoi servi che si avvicinano alla fede per purificarsi con questa opera del tuo Spirito la preparazione di questa unzione sia utile alla salvezza che si apprestano a ricevere nel sacramento del battesimo anche con la nascita della rigenerazione celeste. Per mezzo del Signore nostro Gesù Cristo, che verrà a giudicare i vivi e i morti e il mondo mediante il fuoco.

393 *Ad complendum.* Refecti vitalibus alimentis, quaesumus, Domine Deus noster, ut quod tempore nostrae mortalitatis exsequimur, immortalitatis tuae munere consequamur.

393 *Per finire.* Ristorati da questi alimenti che donano la vita, ti preghiamo, Dio onnipotente, perché ciò che compiamo nel tempo della nostra esistenza mortale, conseguiamo con il dono nella tua immortalità.

LXX.

ORATIONES
QUAE DICENDAE SUNT
VI FERIA MAIORE IN
HIERUSALEM

70

PREGHIERE DA RECITARSI
IL VENERDÌ SANTO
[nella chiesa di santa Croce]
IN GERUSALEMME

394 Oremus, dilectissimi nobis, pro Ecclesia sancta Dei, ut eam Deus et Dominus noster pacificare et custodire dignetur toto orbe terrarum, subiciens ei principatus et potestates, detque nobis quietam et tranquillam vitam degentibus glorificare Deum patrem omnipotentem.

394 Preghiamo, carissimi fedeli, per la santa Chiesa di Dio. Il Signore le conceda pace e unità in tutto il mondo, sottomettendole i principati e i potestà, e a noi di glorificare Dio Padre onnipotente in una vita quieta e tranquilla.

395 *Oremus.* Omnipotens sempiterne Deus, qui gloriam tuam in Christo omnibus gentibus revelasti, custodi opera misericordiae tuae, ut ecclesia toto orbe diffusa stabili fide in confessione tui nominis perseveret.

395 *Preghiamo.* Dio onnipotente ed eterno, che hai rivelato in Cristo la tua gloria a tutte le genti, custodisci l'opera della tua misericordia, perché la tua Chiesa, diffusa su tutta la terra, perseveri con fede salda nella confessione del tuo nome.

396 Oremus et pro beatissimo papa nostro *illo,* ut Deus et Dominus noster, qui elegit eum in ordinem episcopatus, salvum atque incolumem custodiat Ecclesiae suae sanctae ad regendum populum sanctum Dei.

396 Preghiamo per il nostro santo padre il papa N. Il Signore Dio nostro, che lo ha scelto nell'ordine episcopale, gli conceda vita e salute e lo conservi alla sua santa Chiesa per guidare il popolo santo di Dio.

397 *Oremus.* Omnipotens sempiterne Deus, cuius iudicio universa fundantur, respice propitius ad preces nostras, et electum nobis antistitem tua pietate conserva, ut christiana plebs, quae tali gubernatur auctore, sub tanto pontifice credulitatis suae meritis augeatur.

397 *Preghiamo.* Dio onnipotente ed eterno, sapienza che regge l'universo, ascolta la tua famiglia in preghiera, e custodisci con la tua bontà il papa che tu hai scelto per noi, perché il popolo cristiano, da te affidato alla sua guida pastorale, progredisca sempre nella fede.

398 Oremus et pro omnibus episcopis, presbyteris, diaconibus, subdiaconibus, acolythis, exorcistis, lectoribus, ostiariis, con-

398 Preghiamo anche per tutti i vescovi, i presbiteri, i diaconi, i suddiaconi, gli accoliti, gli esorcisti, i lettori, gli ostiari, i confessori, le vergini, le ve-

fessoribus, virginibus, viduis, et pro omni populo sancto Dei.

399 *Oremus.* Omnipotens sempiterne Deus, cuius Spiritu totum corpus ecclesiae sanctificatur et regitur, exaudi nos pro universis ordinibus supplicantes, ut gratiae tuae munere ab omnibus tibi gradibus fideliter serviatur.

400 Oremus et pro christianissimo imperatore nostro, ut Deus et Dominus noster subditas illi faciat omnes barbaras nationes ad nostram perpetuam pacem.

401 *Oremus.* Omnipotens sempiterne Deus, in cuius manu sunt omnium potestates et omnium iura regnorum, respice ad christianum benignus imperium, ut gentes quae in sua feritate confidunt, potentiae tuae dextera conprimantur.

402 Oremus et pro catecuminis nostris, ut Deus et Dominus noster adaperiat aures praecordiorum ipsorum ianuamque misericordiae, ut per lavacrum regenerationis accepta remissione omnium peccatorum et ipsi inveniantur in Christo Iesu Domino nostro.

403 *Oremus.* Omnipotens sempiterne Deus, qui ecclesiam tuam nova semper prole fecundas, auge fidem et intellectum catecuminis nostris, ut renati fonte baptismatis adoptionis tuae filiis adgregentur.

404 Oremus, dilectissimi nobis, Deum patrem omnipotentem, ut cunctis mundum purget erroribus, morbos auferat, famem depellat, aperiat carceres, vincula dissolvat, peregrinantibus reditum, firmantibus sanitatem, navigantibus portum salutis indulgeat.

dove e per tutto il popolo santo di Dio.

399 *Preghiamo.* Dio onnipotente ed eterno, che con il tuo Spirito santifichi e guidi tutto il corpo della Chiesa, esaudisci le preghiere che ti rivolgiamo per i tuoi ministri, perché con il dono della tua grazia tutti ti possano fedelmente servire.

400 Preghiamo anche per il nostro cristianissimo imperatore, perché il Signore e Dio nostro, per la nostra pace perpetua sottometta al suo potere tutti i popoli barbari.

401 *Preghiamo.* O Dio onnipotente ed eterno, nelle tue mani è il potere e il diritto di tutti i regni, volgi benigno lo sguardo sui luoghi dove sono i cristiani, perché i popoli che confidano nella propria ferocia siano repressi dalla potenza della tua destra.

402 Preghiamo per i nostri catecumeni. Il Signore Dio nostro apra i loro cuori all'ascolto e dischiuda la porta della misericordia, perché mediante il lavacro di rigenerazione ricevano il perdono di tutti i peccati e siano incorporati in Cristo Gesù, Signore nostro.

403 *Preghiamo.* Dio onnipotente ed eterno, che rendi la tua Chiesa sempre feconda di nuovi figli, aumenta nei nostri catecumeni l'intelligenza della fede, perché, nati a vita nuova nel fonte battesimale, siano accolti tra i tuoi figli di adozione.

404 Preghiamo, fratelli e sorelle, Dio Padre onnipotente, perché purifichi il mondo dagli errori, allontani le malattie, vinca la fame, renda la libertà ai prigionieri, spezzi le catene, conceda sicurezza a chi viaggia, il ritorno ai lontani da casa, la salute agli ammalati, ai naviganti il porto della salvezza.

405 *Oremus.* Omnipotens sempiterne Deus, maestorum consolatio, laborantium fortitudo, perveniant ad te preces de quacumque tribulatione clamantium, ut omnes sibi in necessitatibus suis misericordiam tuam gaudeant adfuisse.

406 Oremus et pro hereticis et scismaticis, ut Deus ac Dominus noster eruat eos ab erroribus universis, et ad sanctam matrem ecclesiam catholicam atque apostolicam revocare dignetur.

407 *Oremus.* Omnipotens sempiterne Deus, qui salvas omnes et neminem vis perire, respice ad animas diabolica fraude deceptas, ut omni haeretica pravitate deposita, errantium corda resipiscant, et ad veritatis tuae redeant unitatem.

408 Oremus et pro perfidis Iudaeis, ut Deus et Dominus noster auferat velamen de cordibus eorum, ut et ipsi agnoscant Christum Iesum dominum nostrum.

409 *Oremus.* Omnipotens sempiterne Deus, qui etiam iudaicam perfidiam a tua misericordia non repellis, exaudi preces nostras, quas pro illius populi obcaecatione deferimus, ut agnita veritatis tuae luce, quae Christus est, a suis tenebris eruantur.

410 Oremus et pro paganis, ut Deus omnipotens auferat iniquitatem a cordibus eorum, et relictis idolis suis convertantur ad Deum vivum et verum et unicum filium eius Iesum Christum Deum et dominum nostrum, cum quo vivit et regnat cum spiritu sancto Deus per omnia saecula saeculorum.

411 *Oremus.* Omnipotens sempiterne Deus, qui non mortem

405 *Preghiamo.* Dio onnipotente ed eterno, consolazione degli afflitti, sostegno dei sofferenti, ascolta il grido di coloro che sono nella prova, perché tutti nelle loro necessità sperimentino la gioia di aver trovato il soccorso della tua misericordia.

406 Preghiamo anche per gli eretici e gli scismatici, perché Dio, Signore nostro, li liberi da tutti gli errori e si degni di ricondurli nel grembo della santa madre Chiesa cattolica e apostolica.

407 *Preghiamo.* Dio onnipotente ed eterno, che salvi tutti e non vuoi che nessuno si perda, guarda alle anime ingannate dalle frodi del diavolo, perché, deposti tutti gli errori dell'eresia, i cuori dei peccatori si ravvedano e ritornino nell'unità della tua verità.

408 Preghiamo anche per i Giudei infedeli, perché Dio, nostro Signore, tolga il velo che avvolge il loro cuore e riconoscano anch'essi il nostro Signore Gesù Cristo.

409 *Preghiamo.* Dio onnipotente ed eterno, che non allontani dalla tua misericordia neppure la mancanza di fede dei Giudei, ascolta le nostre preghiere che ti rivolgiamo per la cecità di quel popolo, perché, conosciuta la luce della tua verità, che è Cristo, sia tratto fuori dalle sue tenebre.

410 Preghiamo anche per i pagani, perché Dio onnipotente cancelli l'iniquità dal loro cuore e, abbandonati i loro idoli, si convertano al Dio vivo e vero e credano nel suo Figlio Gesù Cristo, Dio e Signore nostro, con il quale vive e regna con lo Spirito Santo per tutti i secoli dei secoli.

411 *Preghiamo.* Dio onnipotente ed eterno, che cerchi sempre non la morte

peccatorum sed vitam semper inquiris, suscipe propitius orationem nostram et libera eos ab idolorum cultura, et adgrega ecclesiae tuae sanctae ad laudem et gloriam nominis tui.

ma la vita dei peccatori, accogli benigno la nostra preghiera: liberali dal culto degli idoli e uniscili alla tua santa Chiesa per la lode e la gloria del tuo nome.

LXXI.
BENEDICTIO SALIS

412 Benedic, omnipotens Deus, hanc creaturam salis tua benedictione caelesti, in nomine domini nostri Iesu Christi, et in virtute sancti spiritus tui, ad effugandum inimicum, quam sanctificando sanctifices, et benedicendo benedicas, fiatque omnibus accipientibus perfecta medicina permanens in visceribus sumentium, in nomine Domini nostri Iesu Christi.

71
BENEDIZIONE DEL SALE

412 Benedici, Dio onnipotente, questa creatura del sale con la tua celeste benedizione nel nome del Signore nostro Gesù Cristo e con la potenza del tuo Spirito Santo per allontanare il nemico. Santificala con la tua santità e benedicila con la tua benedizione, e per coloro che la ricevono diventi medicina perfetta che rimane nelle viscere di coloro che l'assumono, nel nome del nostro Signore Gesù Cristo.

LXXII.
ORATIO AD CATECUMINUM FACIENDUM

413 Omnipotens sempiterne Deus, respicere dignare super hunc famulum tuum, quem ad rudimenta fidei vocare dignatus es, caecitatem cordis ab eo expelle, disrumpe omnes laqueos satanae, quibus fuerat conligatus, aperi ei ianuam misericordiae tuae, et signo sapientiae indutus omnium cupiditatum faetoribus careat, atque ad suavem odorem praeceptorum tuorum laetus tibi in Ecclesia tua deserviat, et proficiat de die in diem, ut idoneus efficiatur promissae gratiae tuae.

72
PREGHIERA PER LA ISTITUZIONE DI UN CATECUMENO

413 Dio onnipotente ed eterno, degnati di volgere lo sguardo su questo tuo servo, che hai voluto chiamare ai rudimenti della fede; allontana la cecità dal suo cuore; spezza tutti i lacci di satana, dai quali era tenuto stretto; apri la porta della tua misericordia e, rivestito del segno della tua sapienza, sia privo di tutti i cattivi desideri; lieto nella tua Chiesa sia destinato al profumo soave dei tuoi precetti e vi trovi giovamento giorno dopo giorno, perché diventi idoneo a ricevere la grazia che gli hai promesso.

ORATIO SUPER INFANTES
IN QUADRAGESIMA
AD IIII°ʳ EVANGELIA

414 Aeternam ac iustissimam pietatem tuam deprecor, Domine, sancte Pater, omnipotens aeterne Deus luminis et veritatis, super hos famulos et famulas tuas, ut digneris eos inluminare lumine intellegentiae tuae, munda eos et sanctifica, da eis scientiam veram, ut digni efficiantur accedere ad gratiam baptismi tui. Teneant firmam spem, consilium rectum, doctrinam sanctam, apti sint ad percipiendam gratiam baptismi tui.

ORATIO IN SABBATO PASCHAE

414a *Ad reddentes, dicit dominus papa post* pisteugis. *Item ad catechizandos infantes:*

415 Nec te latet, satanas, inminere tibi poenas, inminere tibi tormenta, diem iudicii, diem supplicii sempiterni, diem qui venturus est velut clibanus ardens, in quo tibi atque angelis tuis praeparatus sempiternus erit interitus. Et ideo pro tua nequitia, damnate atque damnande, da honorem Deo vivo, da honorem Iesu Christo filio eius, da honorem spiritui sancto paraclito, et recede ab his famulis et famulabus Dei, quos hodie Deus et Dominus noster ad suam gratiam et benedictionem vocare dignatus est. In nomine domini nostri Iesu Christi, qui venturus est iudicare vivos et mortuos et saeculum per ignem.

416 *Post hoc tangit singulis nares et aures et dicit eis*: Effeta.

PREGHIERA *SUPER INFANTES*
IN QUARESIMA [alla consegna dei]
QUATTRO VANGELI

414 Signore, Padre santo, onnipotente ed eterno, Dio di luce e verità, ti prego di effondere la tua eterna e giusta pietà su questi tuoi servi e serve, perché tu li illumini con la luce della tua intelligenza; purificali, santificali, concedi loro il dono della vera conoscenza, perché siano resi degni di avvicinarsi alla grazia del tuo battesimo. Tengano salda la speranza, retta la mente, santa la dottrina e siano degni di ricevere la grazia del tuo battesimo.

PREGHIERA
NEL SABATO DI PASQUA

414a *Ai* reddentes *il papa dice dopo* pisteugis [professione di fede]. *Allo stesso modo per catechizzare gli* infantes:

415 Sai bene, Satana, che ti sovrastano le pene, ti sovrastano i tormenti, il giorno del giudizio, il giorno del supplizio eterno; il giorno che sta per venire è come forno ardente, nel quale sarà allestita la rovina eterna per te e per i tuoi angeli. Perciò per la tua malvagità, o condannato e da condannarsi, onora il Dio vivo, onora Gesù Cristo suo Figlio, onora lo Spirito Santo, il Paraclito, e allontanati da questi servi e serve di Dio, che oggi Dio, il Signore nostro, ha voluto chiamare alla sua grazia e alla sua benedizione. Nel nome del Signore nostro Gesù Cristo, che verrà per giudicare mediante il fuoco i vivi, i morti e il mondo.

416 *Dopo ciò tocca le narici e il petto di ciascuno e dice loro*: Effeta.

417 *Postea tangit de oleo sancto sca-pulas et pectus et dicit*: Abrenun-tias satanae. *Et respondit*: Abre-nuntio. Et omnibus operibus eius. *Respondit*: Abrenuntio. Et omnibus pompis eius. *Respon-dit*: Abrenuntio.

417 *Successivamente tocca con l'olio santo le spalle e il petto e chiede*: Rinunci a Satana? *Risponde*: Rinuncio. Rinunci a tutte le sue opere? *Risponde*: Rinun-cio. Rinunci a tutte le sue seduzioni? *Risponde*: Rinuncio.

LXXIII.
ORATIONES QUAE DICUNTUR AD LECTIONES IN ECCLESIA

418 *Lectio libri Genesis*. In principio fecit Deus caelum et terram.

419 Deus, qui mirabiliter creasti ho-minem, et mirabilius redemisti, da nobis, quaesumus, contra oblectamenta peccati mentis ratione persistere, ut mereamur ad gaudia aeterna pervenire.

420 *Lectio libri Exodi*. Factum est autem in vigilia matutina.

421 Deus, cuius antiqua miracula etiam nostris saeculis corus-care sentimus, dum quod uni populo a persecutione aegyp-tia liberando dexterae tuae po-tentia contulisti, id in salutem gentium per aquam regenera-tionis operaris, praesta, ut in Abrahae filios et in israeliti-cam dignitatem totius mundi transeat plenitudo.

422 *Lectio Esaiae prophetae*. Et adprehendent septem mulie-res unum hominem.

423 Deus, qui nos ad celebrandum paschale sacramentum utriu-sque testamenti paginis instruis, da nobis intellegere misericor-diam tuam, ut ex perceptione praesentium munerum firma sit expectatio futurorum.

424 *Lectio Esaiae prophetae*. Haec est hereditas credentibus in Do-mino.

425 Deus, qui ecclesiam tuam sem-per gentium vocatione multi-

73
PREGHIERE CHE SI RECITANO IN CHIESA ALLE LETTURE

418 *Lettura dal libro della Genesi*. In princi-pio Dio creò il cielo e la terra.

419 O Dio, che in modo mirabile ci hai creati a tua immagine e in modo più mirabile ci hai rinnovati e redenti, fa' che resistiamo con la forza dello Spirito alle seduzioni del peccato per giungere alla gioia eterna.

420 *Lettura dal libro dell'Esodo*. E avvenne che nella veglia del mattino.

421 O Dio, anche ai nostri giorni vedia-mo risplendere i tuoi antichi prodi-gi: ciò che hai fatto con la tua mano potente per liberare un solo popolo dall'oppressione del faraone, ora lo compi attraverso l'acqua del Battesi-mo per la salvezza di tutti i popoli; concedi che l'umanità intera sia ac-colta tra i figli di Abramo e partecipi alla dignità del popolo eletto.

422 *Lettura dal profeta Isaia*. E sette donne prenderanno un solo uomo.

423 O Dio, che nelle pagine dell'Anti-co e Nuovo Testamento ci insegni a celebrare il mistero pasquale, fa' che comprendiamo l'opera della tua misericordia, perché i doni che oggi riceviamo confermino in noi la spe-ranza dei beni futuri.

424 *Lettura dal profeta Isaia*. Questa è l'e-redità per chi crede nel Signore.

425 O Dio, che accresci sempre la tua Chiesa chiamando nuovi figli da

plicas, concede propitius, ut quos aqua baptismatis abluis, continua protectione tuearis.

426 *De psalmo XLI.* Sicut cervus desiderat.

427 Concede, quaesumus, omnipotens Deus, ut qui festa paschalia agimus, caelestibus desideriis accensi fontem vitae sitiamus.

428 *Alia oratio in eodem psalmo XLI.* Omnipotens sempiterne Deus, respice propitius ad devotionem populi renascentis, qui sicut cervus aquarum tuarum expectat fontem, et concede propitius, ut fidei ipsius sitis baptismatis mysterio animam corpusque sanctificet.

BENEDICTIO FONTIS

429 Omnipotens sempiterne Deus, adesto magnae pietatis tuae mysteriis, adesto sacramentis, et ad creandos novos populos, quos tibi fons baptismatis parturit, spiritum adoptionis emitte, ut quod nostrae humilitatis gerendum est ministerio, tuae virtutis impleatur effectu.

430a Deus, qui invisibili potentia sacramentorum tuorum mirabiliter operaris effectum, et licet nos tantis mysteriis exsequendis simus indigni, tu tamen gratiae tuae dona non deserens, etiam ad nostras preces aures tuae pietatis inclinas. Deus, cuius spiritus super aquas inter ipsa mundi primordia ferebatur, ut virtutem sanctificationis aquarum natura conciperet, Deus, qui nocentis mundi crimina super aquas abluens regenerationis speciem in ipsa diluvii effusione signasti, ut unius eiusdemque elementi mysterio et finis es-

tutte le genti, custodisci nella tua protezione coloro che fai rinascere dall'acqua del Battesimo.

426 *Dal salmo XLI.* Come il cervo desidera.

427 Ti preghiamo, Dio onnipotente: concedi che mentre celebriamo le solennità della Pasqua, infiammati da celesti propositi ci dissetiamo alla fonte della vita.

428 *Un'altra preghiera per lo stesso salmo XLI.* Dio onnipotente ed eterno, guarda benevolo la pietà del popolo che rinasce, il quale desidera come il cervo la fonte delle tue acque: nella tua bontà concedi che la sete della fede santifichi l'anima e il corpo con il mistero del battesimo.

BENEDIZIONE DEL FONTE

429 Dio onnipotente ed eterno, manifesta la tua presenza nei sacramenti del tuo grande amore e manda lo Spirito di adozione a creare nuovi figli dal fonte battesimale, perché l'azione del nostro umile ministero sia resa efficace dalla tua potenza.

430a O Dio, che con l'invisibile potenza dei tuoi sacramenti operi mirabili effetti, a noi, pur indegni di partecipare a misteri così grandi, non solo non fai mancare i doni della tua grazia, ma volgi alle nostre preghiere anche le tue orecchie pietose. O Dio, quando il mondo iniziava ad esistere, il tuo Spirito aleggiava sulle acque perché nella loro natura fosse insito il potere di santificare. O Dio, cancellando con le acque i peccati del mondo colpevole, con l'invio del diluvio indicasti il modo della rigenerazione perché nel mistero di un solo e medesimo elemento ci fosse la fine dei peccati e l'inizio delle virtù. Guarda, Signore, il volto della

set vitiis, et origo virtutibus. Respice, Domine, in faciem ecclesiae tuae, et multiplica in ea generationes tuas, qui gratiae tuae affluentis impetu laetificas civitatem tuam fontemque baptismatis aperis toto orbe terrarum gentibus innovandis, ut tuae maiestatis imperio sumat unigeniti tui gratiam de spiritu sancto.

430b Qui hanc aquam regenerandis hominibus praeparatam arcana sui luminis admixtione fecundet, ut sanctificatione concepta ab inmaculato divini fontis utero in novam renatam creaturam progenies caelestis emergat, et quos aut sexus in corpore aut aetas discernit in tempore, omnes in unam pariat gratia mater infantiam. Procul ergo hinc iubente te, Domine, omnis spiritus inmundus abscedat, procul tota nequitia diabolicae fraudis absistat. Nihil hic loci habeat contrariae virtutis admixtio, non insidiando circumvolet, non latendo subripiat, non inficiendo corrumpat. Sit haec sancta et innocens creatura, libera ab omni inpugnatoris incursu, et totius nequitiae purgata discessu, sit fons vivus, aqua regenerans, unda purificans, ut omnes hoc lavacro salutifero diluendi operante in eis Spiritu sancto perfectae purgationis indulgentiam consequantur.

430c Unde benedico te, + creatura aquae, per Deum vivum, per Deum sanctum, qui te in principio verbo separavit ab arida et in quattuor fluminibus totam terram rigare praecepit, qui te in deserto amaram suavitate indita fecit esse potabilem, et sitienti populo de petra

tua Chiesa e moltiplica in essa le tue generazioni; con l'abbondante flusso della tua grazia rallegra la tua città e apri il fonte battesimale per rinnovare le genti sulla terra, perché con il potere della tua maestà riceva la grazia del tuo Unigenito per mezzo dello Spirito Santo.

430b Fecondi lo Spirito Santo con la misteriosa mescolanza della sua luce quest'acqua di rigenerazione, preparata per la rigenerazione degli uomini, perché ricevuta la santificazione dall'utero immacolato del fonte divino, la progenie celeste emerga nella rigenerazione d'una nuova creatura; e la grazia, come madre, generi in una sola infanzia quelli che nel tempo distingue per sesso e per età. Per tuo ordine, Signore, vada lontano da qui ogni spirito immondo, si allontani tutta la nequizia dell'inganno perpetrato dal demonio. In questo luogo non si mescoli niente contrario alla virtù, niente voli intorno per tendere insidie, niente si nasconda per portar via di nascosto, niente che corrompa con pestifere infezioni. Questa tua santa e innocente creatura sia libera da ogni assalto del nemico e risanata con l'allontanamento di tutta la malvagità; sia fonte viva, acqua che rigenera, che purifica, perché tutti coloro che sono chiamati a purificarsi in questo lavacro, per opera dello Spirito Santo che agisce in essi, conseguano l'indulgenza della completa espiazione.

430c Perciò benedico te, acqua, come elemento del creato, nel nome del Dio vivo, nel nome del Dio santo che in principio con la sua parola ti separò dalla terra arida e ti ordinò di irrigare la terra mediante quattro fiumi. Egli nel deserto da amara quale eri ti rese dolce e fece sì che fossi pota-

produxit. Benedico te, et per Iesum Christum filium eius unicum dominum nostrum, qui te in Cana Galileae signo ammirabili sua potentia convertit in vinum, qui pedibus super te ambulavit et a Ioanne in Iordane in te baptizatus est, qui te una cum sanguine de latere suo produxit, et discipulis suis iussit, ut credentes baptizarentur in te dicens: Ite, docete omnes gentes, baptizantes eos + in nomine Patris et Filii et Spiritus sancti.

430d Haec nobis praecepta servantibus tu, Deus omnipotens, clemens adesto, tu benignus aspira, tu has simplices aquas tuo ore benedicito, ut praeter naturalem emundationem, quam lavandis possunt adhibere corporibus, sint etiam purificandis mentibus efficaces.

430e Descendat in hanc plenitudinem fontis virtus spiritus tui totam, quae huius aquae substantiam regenerandi fecundet effectu. Hic omnium peccatorum maculae deleantur, hic natura ad imaginem tuam condita et ad honorem sui reformata principii, cunctis vetustatis squaloribus emundetur, ut omnis homo hoc sacramentum regenerationis ingressus, in verae innocentiae novam infantiam renascatur. Per dominum nostrum Iesum Christum filium tuum, qui venturus est iudicare vivos et mortuos et saeculum per ignem.

431 *Baptizat et linit eum presbyter de chrysma in cerebro et dicit*: Deus omnipotens, pater domini nostri Iesu Christi, qui te regeneravit ex aqua et spiritu sancto, quique dedit tibi remissionem omnium peccatorum, ipse te

bile, e dalla roccia ti fece sgorgare per il popolo assetato. Benedico te per mezzo del Signore nostro Gesù Cristo, suo unico Figlio e Signore nostro che a Cana, in Galilea, con un segno ammirabile della sua potenza ti mutò in vino. Egli camminò a piedi su di te e per mezzo di te fu da Giovanni battezzato nel Giordano. Egli insieme col sangue fece uscire dal suo costato te e ordinò ai suoi discepoli di battezzare i credenti dicendo: "Andate, insegnate e battezzate tutti i popoli nel nome del Padre e del Figlio e dello Spirito Santo".

430d Dio onnipotente e clemente, sii vicino a noi che osserviamo questi precetti; tu spira benigno e benedici con l'alito queste semplici acque perché, oltre al loro potere naturale di purificare, che gli uomini possono usare per la pulizia del corpo, siano efficaci anche per la pulizia dello spirito.

430e La potenza del tuo Spirito discenda con tutta la sua pienezza in questo fonte e con l'effetto rigeneratore fecondi la sostanza di quest'acqua. Qui si cancellino le macchie di tutti i peccati, qui la natura creata a tua immagine e ricreata secondo i dettami del suo principio sia purificata da tutto il sudiciume provocato dall'antico peccato perché ogni uomo, venuto a contatto con questo sacramento di rigenerazione, rinasca nella nuova infanzia, nella vera innocenza. Per il nostro Signore Figlio tuo, che verrà per giudicare con il fuoco i vivi, i morti e il mondo.

431 *Il presbitero lo battezza e lo unge con il crisma sul capo e dice*: Dio onnipotente, Padre del Signore nostro Gesù Cristo, che ti ha rigenerato con l'acqua e lo Spirito Santo e ti ha concesso la remissione di tutti i peccati, ti unge con il crisma della salvezza per

linit chrysmate salutis in vitam aeternam.

la vita eterna.

ORATIO AD INFANTES CONSIGNANDOS

PREGHIERA PER SEGNARE CON IL SEGNO DELLA CROCE I BAMBINI

432 Omnipotens sempiterne Deus, qui regenerare dignatus es hos famulos et famulas tuas ex aqua et spiritu sancto, quique dedisti eis remissionem omnium peccatorum, emitte in eis septiformem spiritum tuum sanctum paraclitum de caelis, spiritum sapientiae et intellectus, spiritum consilii et fortitudinis, spiritum scientiae et pietatis, adimple eos spiritu timoris tui, et consigna eos signo crucis in vitam propitiatus aeternam.

432 O Dio onnipotente ed eterno, che hai voluto rigenerare questi tuoi servi e queste tue serve con l'acqua e lo Spirito Santo, e hai concesso loro il perdono di tutti i peccati, dal cielo riversa su di loro il tuo Spirito settiforme, il santo Paraclito, lo Spirito di saggezza e di intelletto, lo Spirito di consiglio e di fortezza, lo Spirito di sapienza e di pietà; colmali dello Spirito del tuo timore e mediante il segno della croce tu che sei incline al perdono, conducili alla vita eterna.

ORATIONES IN SABBATO SANCTO NOCTE AD MISSAM

PREGHIERE PER LA MESSA NELLA NOTTE DEL SABATO SANTO

433 Deus, qui hanc sacratissimam noctem gloria dominicae resurrectionis inlustras, conserva in nova familiae tuae progenie adoptionis spiritum quem dedisti, ut corpore et mente renovati puram tibi exhibeant servitutem.

433 O Dio, che con la gloria della risurrezione del Signore illumini questa notte santissima, conserva nella nuova progenie della tua famiglia lo Spirito di adozione che hai donato, perché tutti, rinnovati nel corpo e nello spirito, ti servano nella purezza del loro cuore.

434 *Super oblata.* Suscipe, Domine, quaesumus, preces populi tui cum oblationibus hostiarum, ut paschalibus initiata mysteriis ad aeternitatis nobis medelam te operante proficiant.

434 *Sulle offerte.* Ti preghiamo, Signore: insieme all'offerta del sacrificio accogli le preghiere del tuo popolo, perché l'iniziazione ai misteri pasquali con il tuo aiuto sia per noi guida verso l'eternità.

435 *Praefatio.* VD et iustum est aequum et salutare. Te quidem omni tempore, sed in hac potissimum nocte gloriosius praedicare, cum pascha nostrum immolatus est Christus. Ipse enim verus est agnus, qui abstulit peccata mundi, qui mortem nostram moriendo destruxit, et vitam resurgendo reparavit. Et ideo cum angelis.

435 *Prefazio.* È veramente cosa buona e giusta, nostro dovere e fonte di salvezza, proclamare sempre la tua gloria, o Signore, e soprattutto esaltarti in questa notte nella quale Cristo, nostra Pasqua, si è immolato. È lui il vero Agnello che ha tolto i peccati del mondo, è lui che morendo ha distrutto la morte e risorgendo ha ridato a noi la vita. Perciò insieme con gli angeli.

436 Communicantes et noctem sacratissimam celebrantes resurrectionis domini nostri Iesu Christi secundum carnem, sed et memoriam venerantes inprimis gloriosae semper virginis Mariae genetricis eiusdem Dei et domini nostri Iesu Christi. Sed et beatorum apostolorum.

437 Hanc igitur oblationem servitutis nostrae, sed et cunctae familiae tuae, quam tibi offerimus pro his quoque, quos regenerare dignatus es ex aqua et spiritu sancto, tribuens eis remissionem omnium peccatorum, quaesumus, Domine, ut placatus accipias.

438 *Ad complendum.* Spiritum nobis, Domine, tuae caritatis infunde, ut quos sacramentis paschalibus satiasti, tua facias pietate concordes.

436 In comunione con tutta la Chiesa, mentre celebriamo la notte santissima della risurrezione di nostro Signore Gesù Cristo nel suo vero corpo, ricordiamo e veneriamo anzitutto la gloriosa e sempre Vergine Maria, Madre del nostro Dio e Signore Gesù Cristo.

437 Accetta con benevolenza, o Signore, questa offerta che noi tuoi ministri e tutta la tua famiglia ti presentiamo anche per coloro che ti sei degnato di far rinascere dall'acqua e dallo Spirito Santo, accordando loro il perdono di tutti i peccati.

438 *Per finire.* Infondi in noi, o Signore, lo Spirito della tua carità, perché saziati dai sacramenti pasquali viviamo concordi nel tuo amore.

LXXIIII.
ORATIO IN DOMINICA SANCTA AD MISSAM

74
PREGHIERA PER LA MESSA NELLA DOMENICA SANTA [di Pasqua]

439 Deus, qui hodierna die per unigenitum tuum aeternitatis nobis aditum devicta morte reserasti, vota nostra quae praeveniendo adspiras, etiam adiuvando prosequere.

440 *Super oblata.* Suscipe, Domine, quaesumus, preces populi tui cum oblationibus hostiarum, ut paschalibus initiata mysteriis ad aeternitatis nobis medelam te operante proficiant.

441 *Praefatio.* VD et iustum est aequum et salutare. Te quidem omni tempore, sed in hac potissimum die gloriosius praedicare, cum pascha nostrum immolatus est Christus. Ipse enim verus est agnus, qui abstulit peccata mundi, qui mortem nostram moriendo destruxit, et vitam resurgendo

439 O Padre, che in questo giorno, per mezzo del tuo Figlio unigenito con la vittoria sulla morte hai dischiuso le porte per la vita eterna, con il tuo aiuto accompagna anche i nostri voti che tu prevenendo ispiri.

440 *Sulle offerte.* Ti preghiamo, Signore: insieme con l'offerta della vittima accetta le preghiere del tuo popolo perché, istruito nei misteri pasquali, con il tuo aiuto servano a noi di guarigione per la vita eterna.

441 *Prefazio.* È veramente cosa buona e giusta, nostro dovere e fonte di salvezza, proclamare sempre la tua gloria, o Signore, e soprattutto esaltarti in questo giorno nel quale Cristo, nostra Pasqua, si è immolato. È lui il vero Agnello che ha tolto i peccati del mondo, è lui che morendo ha distrutto la morte e risorgendo ha rida-

reparavit. Et ideo cum angelis.

442 Communicantes et diem sacratissimum celebrantes resurrectionis domini nostri Iesu Christi secundum carnem, sed et memoriam venerantes inprimis gloriosae semper virginis Mariae genetricis eiusdem Dei et domini nostri Iesu Christi. Sed et beatorum apostolorum tuorum.

443 Hanc igitur oblationem servitutis nostrae, sed et cunctae familiae tuae, quam tibi offerimus pro his quoque, quos regenerare dignatus es ex aqua et spiritu sancto, tribuens eis remissionem omnium peccatorum, quaesumus, Domine, ut placatus accipias.

444 *Ad complendum.* Spiritum nobis, Domine, tuae caritatis infunde, ut quos sacramentis paschalibus satiasti, tua facias pietate concordes.

445 *Ad sanctum Ioannem ad vesperum.* Concede, quaesumus, omnipotens Deus, ut qui resurrectionis dominicae solemnia colimus, innovatione tui spiritus a morte animae resurgamus.

446 *Ad fontes.* Praesta, quaesumus, omnipotens Deus, ut qui resurrectionis dominicae solemnia colimus, ereptionis nostrae suscipere laetitiam mereamur.

447 *Ad sanctum Andream.* Praesta, quaesumus, omnipotens Deus, ut qui gratiam dominicae resurrectionis agnovimus, ipsi per amorem Spiritus a morte animae resurgamus.

LXXV.

FERIA II IN ALBAS
AD SANCTUM PETRUM

448 Deus, qui solemnitate paschali mundo remedia contulisti, populum tuum, quaesumus,

---

to a noi la vita. Perciò insieme con gli angeli.

442 In comunione con tutta la Chiesa, mentre celebriamo il giorno santissimo della risurrezione di nostro Signore Gesù Cristo nel suo vero corpo, ricordiamo e veneriamo anzitutto la gloriosa e sempre Vergine Maria, Madre del nostro Dio e Signore Gesù Cristo.

443 Accetta con benevolenza, o Signore, questa offerta che noi tuoi ministri e tutta la tua famiglia ti presentiamo anche per coloro che ti sei degnato di far rinascere dall'acqua e dallo Spirito Santo, accordando loro il perdono di tutti i peccati.

444 *Per finire.* Infondi in noi, o Signore, lo Spirito della tua carità, perché saziati dai sacramenti pasquali viviamo concordi nel tuo amore.

445 *A San Giovanni, ai vespri.* Ti preghiamo, Dio onnipotente: concedi a noi che celebriamo la solennità della risurrezione del Signore, mediante il rinnovamento del tuo Spirito risorgiamo dalla morte dell'anima.

446 *Presso i fonti:* Ti preghiamo, Signore: concedi a noi che celebriamo la solennità del giorno della risurrezione, di ricevere la gioia della nostra salvezza.

447 *Presso Sant'Andrea.* Ti preghiamo, Dio onnipotente: concedi a noi che abbiamo conosciuto la grazia della risurrezione del Signore, di risorgere noi stessi per mezzo dell'amore amore dello spirito dalla morte dell'anima.

75

FERIA II *IN ALBIS*
[*statio*] A SAN PIETRO

448 O Dio, che con la solennità della Pasqua hai donato agli uomini tutti i tuoi aiuti, ti preghiamo di accom-

caelesti dono prosequere, ut et perfectam libertatem consequi mereatur, et ad vitam proficiat sempiternam.

448a Praefatio *et* Hanc igitur *ut supra*.

449 *Ad complendum.* Concede, quaesumus, omnipotens Deus, ut qui peccatorum nostrorum pondere praemimur, a cunctis malis imminentibus per haec paschalia festa liberemur.

450 *Ad fontem.* Concede, quaesumus, omnipotens Deus, ut festa paschalia, quae venerando colimus, etiam vivendo teneamus.

451 *Ad sanctum Andream.* Deus, qui populum tuum de hostis callidi servitute liberasti, preces eius misericorditer respice, et adversantes ei tua virtute prosterne.

pagnare il tuo popolo con i tuoi doni celesti, perché meriti di conseguire la perfetta libertà e giunga alla vita eterna.

448a Prefazio *e* Accetta con benevolenza *come sopra*.

449 *Per finire.* Ti preghiamo, Dio onnipotente: concedi a noi, schiacciati sotto il peso dei nostri peccati, di essere liberati dai mali che ci sovrastano mediante questa festa di Pasqua.

450 *Presso il fonte.* Ti preghiamo, Dio onnipotente: concedi a noi di conservare per tutta la vita la solennità di Pasqua che celebriamo con devozione.

451 *Presso Sant'Andrea.* Guarda con misericordia, o Dio, le preghiere del tuo popolo che hai liberato dalla schiavitù dell'astuto nemico e con la tua potenza abbatti chi gli si pone contro.

LXXVI.
FERIA III
AD SANCTUM PAULUM

452 Deus, qui ecclesiam tuam novo semper foetu multiplicas, concede famulis tuis, ut sacramentum vivendo teneant, quod fide perceperunt.

453 *Secreta.* Suscipe, Domine, fidelium preces cum oblationibus hostiarum, ut per haec piae devotionis officia ad caelestem gloriam transeamus.

453a Praefatio *et* Hanc igitur *ut supra*.

454 *Ad complendum.* Concede, quaesumus, omnipotens Deus, ut paschalis perceptio sacramenti continua in nostris mentibus perseveret.

455 *Ad vesperum.* Concede, quaesumus, omnipotens Deus, ut qui paschalis festivitatis solemnia colimus, in tua semper sanctificatione vivamus.

76
FERIA III
[*statio*] A SAN PAOLO

452 O Dio, che fai crescere la tua Chiesa donandole sempre nuovi figli, concedi ai tuoi fedeli di custodire nella vita il sacramento che hanno ricevuto nella fede.

453 *Sui doni.* Accogli, o Signore, le preghiere dei tuoi fedeli insieme all'offerta di questo sacrificio, perché mediante il nostro servizio sacerdotale possiamo giungere alla gloria del cielo.

453a Prefazio *e* Accetta con benevolenza *come sopra*.

454 *Per finire.* Dio onnipotente, la forza del sacramento pasquale che abbiamo ricevuto sia sempre operante nei nostri cuori.

455 *Ai vespri.* Ti preghiamo, Dio onnipotente: concedi a noi che celebriamo la solennità della Pasqua, di vivere sempre nella tua santità.

456 *Ad fontem.* Praesta, quaesumus, omnipotens Deus, ut per haec paschalia festa quae colimus, devoti semper in tua laude vivamus.

457 *Ad sanctum Andream.* Deus, qui conspicis familiam tuam omni humana virtute destitui, paschali interveniente festivitate tui eam brachii protectione custodi.

456 *Presso il fonte.* Ti preghiamo, Dio onnipotente: concedi a noi che celebriamo la solennità delle feste pasquali, di vivere sempre con devozione nella tua lode.

457 *Presso Sant'Andrea.* O Dio, che vedi la tua famiglia priva di ogni umana virtù, al giungere delle festività pasquali custodiscila con la protezione del tuo braccio.

LXXVII.
FERIA IIII AD SANCTUM LAURENTIUM FORIS MURUM

458 Deus, qui nos resurrectionis dominicae annua solemnitate laetificas, concede propitius, ut per temporalia festa quae agimus, pervenire ad gaudia aeterna mereamur.

459 *Secreta.* Sacrificia, Domine, paschalibus gaudiis immolamus, quibus ecclesia mirabiliter et nascitur et nutritur.

459a Praefatio *et* Hanc igitur *ut supra.*

460 *Ad complendum.* Ab omni nos, quaesumus, Domine, vetustate purgatos, sacramenti tui veneranda perceptio in novam transferat creaturam.

461 *Ad vesperum.* Praesta, quaesumus, omnipotens Deus, ut huius paschalis festivitatis mirabile sacramentum, et temporalem nobis tranquillitatem tribuat, et vitam conferat sempiternam.

77
FERIA IV [*statio*] A SAN LORENZO FUORI LE MURA

458 O Dio, che ci dai la gioia di rivivere ogni anno la risurrezione del Signore, fa' che mediante la liturgia pasquale che celebriamo nel tempo possiamo giungere alla gioia eterna.

459 *Sulle offerte.* Esultanti per la gioia pasquale ti offriamo, o Signore, questo sacrificio nel quale mirabilmente rinasce e si nutre la tua Chiesa.

459a Prefazio *e* Accetta con benevolenza *come sopra.*

460 *Per finire.* O Dio, nostro Padre, questa partecipazione al mistero pasquale del tuo Figlio ci liberi dai fermenti dell'antico peccato e ci trasformi in nuove creature.

461 *Ai vespri.* Ti preghiamo, Dio onnipotente: fa' che il mirabile sacramento di questa festa di Pasqua ci conceda la tranquillità in questa vita e in quella eterna.

462 *Ad fontem.* Deus, qui nos per paschalia festa laetificas, concede propitius, ut ea quae devote agimus, te adiuvante fideliter teneamus.

463 *Ad sanctum Andream.* Tribue, quaesumus, omnipotens Deus, ut illuc tendat christianae devotionis affectus, quo tecum est nostra substantia.

LXXVIII.
FERIA V
AD APOSTOLOS

464 Deus, qui diversitatem gentium in confessione tui nominis adunasti, da, ut renatis fonte baptismatis una sit fides mentium et pietas actionum.

465 *Secreta.* Suscipe, quaesumus, Domine, munera populorum tuorum propitius, ut confessione tui nominis et baptismate renovati sempiternam beatitudinem consequantur.

465a Praefatio *et* Hanc igitur *ut supra.*

466 *Ad complendum.* Exaudi, Domine, preces nostras, ut redemptionis nostrae sacrosancta commercia, et vitae nobis conferant praesentis auxilium, et gaudia sempiterna concilient.

467 *Ad vesperos.* Deus, qui nobis ad celebrandum paschale sacramentum liberiores animos praestitisti, doce nos et metuere quod irasceris, et amare quod praecipis.

468 *Ad fontes.* Da, quaesumus, omnipotens Deus, ut ecclesia tua et suorum firmitate membrorum, et nova semper fecunditate laetetur.

469 *Ad sanctum Andream.* Multiplica, quaesumus, Domine, fidem

462 *Presso il fonte.* O Dio, che ci rallegri con la festa di Pasqua, con il tuo aiuto fa' che viviamo nella fede i misteri che celebriamo con devozione.

463 *Presso Sant'Andrea.* Ti preghiamo, Dio onnipotente: concedi a noi che gli effetti della pietà cristiana ci conducano là dove insieme a te è la nostra esistenza.

78
FERIA V
[*statio*] AI [SANTI] APOSTOLI

464 O Padre, che da ogni parte della terra hai riunito i popoli nella confessione del tuo nome, concedi che tutti i tuoi figli, nati a nuova vita nelle acque del Battesimo e animati dall'unica fede, esprimano nelle opere l'unico amore.

465 *Sulle offerte.* Accogli con bontà, o Signore, i doni del tuo popolo: tu, che lo hai chiamato alla fede e rigenerato nel Battesimo, guidalo alla beatitudine eterna.

465a Prefazio *e* Accetta con benevolenza *come sopra.*

466 *Per finire.* Esaudisci, o Signore, le nostre preghiere, perché la partecipazione ai beni della redenzione sia per noi aiuto nella vita presente e ci ottenga la gioia eterna.

467 *Ai vespri.* O Dio, che ci hai donato un animo più libero per la celebrazione del sacramento pasquale, mostraci come temere ciò che ti adira e come amare ciò che comandi.

468 *Presso i fonti.* Ti preghiamo, Dio onnipotente: fa' che la tua Chiesa si rallegri per la fermezza dei suoi membri e per una sempre nuova fecondità.

469 *Presso Sant'Andrea.* Ti preghiamo, Signore: accresci la fede del tuo po-

populi tui, et cuius per te sumpsit initium, per te consequatur augmentum.

LXXVIIII.
FERIA VI AD SANCTAM MARIAM AD MARTYRES

470 Familiam tuam, quaesumus, Domine, dextera tua perpetuo circumdet auxilio, ut paschali interveniente solemnitate ab omni pravitate defensa, donis caelestibus prosequatur.

471 *Alia.* Omnipotens sempiterne Deus, qui paschale sacramentum in reconciliationis humanae foedere contulisti, da mentibus nostris, ut quod professione celebramus, imitemur affectu.

472 *Super oblata.* Hostias, quaesumus, Domine, placatus adsume, quas et pro renatorum expiatione peccati deferimus, et pro acceleratione caelestis auxilii.

472a Praefatio *et* Hanc igitur *ut supra.*

473 *Ad complendum.* Respice, Domine, quaesumus, populum tuum, et quem aeternis dignatus es renovare mysteriis, a temporalibus culpis dignanter absolve.

474 *Ad vesperum in Hierusalem.* Deus, per quem nobis et redemptio venit et praestatur adoptio, respice in opera misericordiae tuae, ut in Christo renatis et aeterna tribuatur hereditas et vera libertas.

475 *Ad fontem.* Adesto, quaesumus, Domine, familiae tuae et dignanter inpende, ut quibus fidei gratiam contulisti, et coronam largiaris aeternam.

79
FERIA VI [*statio*]
A SANTA MARIA *AD MARTYRES*

470 La tua mano, o Padre, protegga sempre questa famiglia, perché, liberata da ogni male per la risurrezione del tuo Figlio unigenito, con il tuo aiuto possa camminare sulle tue vie.

471 *Un'altra.* Dio onnipotente ed eterno, che nel mistero pasquale hai offerto all'umanità il patto della riconciliazione, donaci di testimoniare nelle opere il mistero che celebriamo nella fede.

472 *Sulle offerte.* Ti preghiamo, Signore: accetta benigno il sacrificio che ti offriamo per l'espiazione del peccato di quanti sono rinati e perché venga presto il tuo celeste aiuto.

472a Prefazio *e* Accetta con benevolenza *come sopra.*

473 *Per finire.* Ti preghiamo, Signore: guarda il tuo popolo e nella tua benevolenza libera dai peccati di questa vita quanti ti sei degnato di rinnovare mediante i misteri eterni.

474 *Ai vespri in [santa Croce in] Gerusalemme.* O Dio, per mezzo tuo è giunta a noi la redenzione e ci viene concessa l'adozione a figli; con l'opera della tua misericordia guarda coloro che sono nati in Cristo perché sia concessa l'eredità eterna e la vera libertà.

475 *Presso il fonte.* Ti preghiamo, Signore: proteggi la tua famiglia e custodiscila nella tua misericordia, perché tu possa elargire il premio eterno a quanti hai concesso la grazia della fede.

polo, perché con il tuo aiuto come prende parte al sacrificio così ne possa ottenere la pienezza.

LXXX.
SABBATO
AD SANCTUM IOHANNEM

476 Concede, quaesumus, omnipotens Deus, ut qui festa paschalia venerando peregimus, per haec contingere ad gaudia aeterna mereamur.

477 *Secreta.* Concede, quaesumus, Domine, semper nos per haec mysteria paschalia gratulari, ut continua nostrae reparationis operatio perpetuae nobis fiat causa laetitiae.

477a Praefatio *et* Hanc igitur *ut supra.*

478 *Ad complendum.* Redemptionis nostrae munere vegetati, quaesumus, Domine, ut hoc perpetuae salutis auxilium fides semper vera perficiat.

479 *Ad vesperum ad sanctam Mariam.* Deus, totius conditor creaturae, famulos tuos, quos fonte renovasti baptismatis quosque gratiae tuae plenitudine solidasti, in adoptionis sorte facias dignanter adscribi.

480 *Ad fontem.* Deus, qui multiplicas ecclesiam tuam in sobole renascentium, fac eam gaudere propitius de suorum profectibus filiorum.

80
SABBATO
[*statio*] A SAN GIOVANNI

476 Ti preghiamo, Dio onnipotente: concedi il merito di giungere alla gioia eterna a noi che abbiamo celebrato le feste pasquali.

477 *Sulle offerte.* O Dio, che in questi santi misteri compi l'opera della nostra redenzione, fa' che questa celebrazione pasquale sia per noi fonte di perenne letizia.

477a Prefazio *e* Accetta con benevolenza *come sopra.*

478 *Per finire.* O Signore, che ci hai nutriti con il dono della redenzione, fa' che per la forza di questo sacramento di eterna salvezza cresca sempre più la vera fede.

479 *Ai vespri a Santa Maria.* O Dio, che hai creato tutti gli esseri viventi, permetti che siano degnamente annoverati tra quanti tu hai adottato i tuoi servi, che hai rinnovato al fonte battesimale, e quanti hai rafforzato con la pienezza della tua grazia.

480 *Presso il fonte.* O Dio, che accresci la tua Chiesa con rinascite continue, nella tua bontà permettile di godere per i successi dei suoi figli.

LXXXI.
DIE DOMINICO POST ALBAS

481 Praesta, quaesumus, omnipotens Deus, ut qui paschalia festa peregimus, haec te largiente moribus et vita teneamus.

482 *Super oblata.* Suscipe munera, Domine, quaesumus, exultantis ecclesiae, et cui causam tanti gaudii praestitisti, perpetuum fructum concede laetitiae.

81
DOMENICA *IN ALBIS*

481 Ti preghiamo, Dio onnipotente: concedi a noi che mentre celebriamo la festa di Pasqua, per tuo dono conserviamo questi misteri con il retto comportamento della vita.

482 *Sulle offerte.* Ti preghiamo, Signore: accetta i doni della Chiesa che esulta, e concedi a colui al quale hai concesso il motivo d'una contentezza così grande, di godere il frutto della gioia senza fine.

483 *Ad complendum.* Quaesumus, Domine Deus noster, ut sacrosancta mysteria, quae pro reparationis nostrae munimine contulisti, et praesens nobis remedium esse facias et futurum.

484 *Ad vesperos ad sanctos Cosmam et Damianum.* Largire, quaesumus, Domine, fidelibus tuis indulgentiam placatus et pacem, ut pariter ab omnibus mundentur offensis, et secura tibi mente deserviant.

485 *Alia oratio.* Deus, qui nos exultantibus animis pascha tuum celebrare tribuisti, fac nos, quaesumus, et temporalibus gaudere subsidiis, et aeternitatis effectibus gratulari.

ALIAE ORATIONES PASCHALES

486 Deus, qui omnes in Christo renatos genus regium et sacerdotale fecisti, da nobis et velle et posse quae praecipis, ut populo ad aeternitatem vocato una sit fides cordium et pietas actionum.

487 *Alia.* Deus, qui credentes in te fonte baptismatis innovasti, hanc renatis in Christo concede custodiam, ut gratia tuae benedictionis quam dedisti, perpetuo in eis perseveret.

488 *Alia.* Deus, qui pro salute mundi sacrificium paschale fecisti, propitiare supplicationibus nostris, ut interpellans pro nobis pontifex summus, nos per id quod nostri est similis reconciliet, per id quod tibi aequalis absolvat, Iesus Christus filius tuus.

489 *Alia.* Deus, qui ad aeternam vitam Christi resurrectione nos reparas, erige nos ad consedentem in dextera tua nostrae

483 *Per finire.* Signore nostro Dio, questi santi misteri, che hai affidato alla tua Chiesa come forza e vigore nel cammino della salvezza, ci siano di aiuto per la vita presente e per quella futura.

484 *Ai vespri presso i Santi Cosma e Damiano.* Ti preghiamo, Signore: nella tua bontà elargisci ai tuoi fedeli la pace del perdono, perché siano, nello stesso tempo, purificati da tutti i peccati e ti servano con spirito puro e tranquillo.

485 *Altra preghiera.* O Dio, che ci hai concesso di celebrare con animo pieno di gioia la tua Pasqua, ti preghiamo di poter godere del tuo aiuto su questa terra e ringraziarti per sempre per i suoi effetti salvifici.

ALTRE PREGHIERE
PER [il tempo di] PASQUA

486 O Dio, che hai fatto di tutti i rinati in Cristo la stirpe eletta e il sacerdozio regale, donaci il desiderio e la forza di compiere ciò che comandi, perché il tuo popolo, chiamato alla vita eterna, sia concorde nella fede e nelle opere.

487 *Un'altra.* O Dio, che nel fonte battesimale hai rinnovato coloro che credono in te, concedi a quanti sono rinati in Cristo la garanzia di godere per sempre la grazia della benedizione che hai loro concesso.

488 *Un'altra.* O Dio, che hai compiuto il sacrificio della Pasqua per la salvezza del mondo, ascolta le preghiere del tuo popolo: Cristo, Sommo Sacerdote che intercede per noi, ci riconcili come vero uomo e come vero Dio ci perdoni.

489 *Un'altra.* O Dio, che nella risurrezione di Cristo ci rendi creature nuove per la vita eterna, innalzaci accanto al nostro Salvatore, che siede alla tua

salutis auctorem, ut qui propter nos iudicandus advenit, pro nobis iudicaturus adveniat, Iesus Christus filius tuus.

490 *Alia.* Deus, et reparator innocentiae et amator, dirige ad te tuorum corda servorum, ut de infidelitatis tenebris liberati in tuae semper virtutis luce permaneant.

491 *Alia.* Deus, qui credentes in te populos gratiae tuae largitate multiplicas, respice propitius ad electionem tuam, ut qui sacramento baptismatis sunt renati, regni caelestis mereantur introitum.

492 *Alia.* Omnipotens sempiterne Deus, qui humanam naturam supra primae originis reparas dignitatem, respice pietatis tuae ineffabile sacramentum, et quos regenerationis mysterio innovare dignatus es, in his dona tua perpetua gratiae protectione conserva.

493 *Alia.* Omnipotens sempiterne Deus, deduc nos ad societatem caelestium gaudiorum, ut spiritu sancto renatos regnum tuum facias introire, atque eo perveniat humilitas gregis, quo praecessit celsitudo pastoris.

494 *Alia.* Praesta nobis, omnipotens et misericors Deus, ut in resurrectione domini nostri Iesu Christi percipiamus veraciter portionem.

495 *Alia.* Concede, quaesumus, omnipotens Deus, ut veterem cum suis actibus hominem deponentes in illius conversatione vivamus, ad cuius nos substantiam paschalibus remediis transtulisti.

496 *Alia.* Depelle, Domine, conscriptum peccati lege chi-

destra, perché venga a giudicarci il tuo Figlio Gesù Cristo che viene a noi come giudice.

490 *Un'altra.* O Dio, che con il tuo amore concedi di nuovo l'innocenza, volgi verso di te il cuore dei tuoi servi, perché liberati dalle tenebre dell'infedeltà rimangano sempre nella luce del tuo amore.

491 *Un'altra.* O Padre, che nella tua immensa bontà estendi a tutti i popoli il dono della fede, guarda i tuoi figli di elezione, perché coloro che sono rinati nel del battesimo meritino di entrare nel regno celeste.

492 *Un'altra.* O Dio onnipotente ed eterno, che rinnovi la natura umana al di sopra dell'originaria dignità, volgi lo sguardo al sacramento ineffabile del tuo amore e con la protezione continua della tua grazia conserva i tuoi doni in questi fedeli che ti sei degnato di rinnovare con il mistero della rigenerazione.

493 *Un'altra.* Dio onnipotente e misericordioso, guidaci al possesso della gioia eterna, perché l'umile gregge dei tuoi fedeli rinati dallo Spirito Santo, giunga dove lo ha preceduto Cristo, suo pastore.

494 *Un'altra.* Dio onnipotente e misericordioso, donaci una partecipazione vera al mistero della risurrezione di Cristo tuo Figlio.

495 *Un'altra.* Dio onnipotente, a noi che, rinnovati dai sacramenti pasquali, abbiamo abbandonato la somiglianza con il primo uomo, concedi di essere conformati alla tua immagine di creatore.

496 *Un'altra.* O Signore, che nei misteri pasquali hai aperto ai tuoi fedeli la

rographum, quod in nobis paschali mysterio per resurrectionem filii tui evacuasti.

497 *Alia.* Deus, qui ad aeternam vitam in Christi resurrectione nos reparas, imple pietatis tuae ineffabile sacramentum, ut cum in maiestate sua salvator noster advenerit, quos fecisti baptismo regenerari, facias beata inmortalitate vestiri.

498 *Alia.* Deus, qui es humani generis conditor et redemptor, da, quaesumus, ut reparationis nostrae conlata subsidia te iugiter inspirante sectemur.

499 *Alia.* Gaudeat, Domine, plebs fidelis, et cum propriae recolit salvationis exordia, eius promoveatur augmentis.

500 *Alia.* Deus, qui renatis aqua et spiritu sancto caelestis regni pandis introitum, auge super famulos tuos gratiam quam dedisti, ut a nullis priventur promissis, qui ab omnibus sunt purgati peccatis.

501 *Alia.* Fac, omnipotens Deus, ut qui paschalibus remediis innovati similitudinem terreni parentis evasimus, ad formam caelestis transferamur auctoris.

502 *Alia.* Deus, qui nos fecisti hodierna die paschalia festa celebrare, fac nos, quaesumus, in caelesti regno gaudere.

503 *Alia.* Familiam tuam, quaesumus, Domine, dextera tua perpetuo circumdet auxilio, ut paschali interveniente solemnitate ab omni pravitate defensa, donis caelestibus prosequatur.

porta della misericordia, volgi il tuo sguardo su di noi e abbi pietà, perché, seguendo la via della tua volontà, per tua grazia non ci allontaniamo mai dal sentiero della vita.

497 *Un'altra.* O Dio, che con la resurrezione di Cristo ci prepari alla vita eterna, completa l'ineffabile sacramento del tuo amore, perché quando il nostro Salvatore verrà nella sua maestà, rivesta della beata immortalità noi che hai rigenerato con il battesimo.

498 *Un'altra.* O Dio, creatore e redentore del genere umano, ti preghiamo: con la tua continua ispirazione concedi a noi di seguire i misteri che ci hai offerto per il nostro riscatto.

499 *Un'altra.* Si rallegri, Signore, il tuo popolo fedele, e mentre celebra gli inizi della sua salvezza, progredisca verso il suo compimento.

500 *Un'altra.* O Dio, che apri la porta del regno dei cieli a coloro che sono rinati dall'acqua e dallo Spirito Santo, accresci nei tuoi fedeli la grazia del Battesimo, perché liberati da ogni peccato possano ereditare i beni da te promessi.

501 *Un'altra.* Dio onnipotente, fa' che noi, tratti fuori dalla somiglianza con il primo genitore perché rinnovati dai sacramenti della Pasqua, siamo trasferiti nell'immagine del creatore celeste.

502 *Un'altra.* O Dio, che ci permetti oggi di celebrare la festa di Pasqua, concedi a noi, ti preghiamo, di godere nel regno dei cieli.

503 *Un'altra.* La tua mano, o Signore, protegga sempre questa famiglia, perché, liberata da ogni male per la risurrezione del tuo Figlio unigenito, con il tuo aiuto possa camminare sulle tue vie.

LXXXII.

AD COMPLENDUM
DIEBUS FESTIS

504 Praesta, quaesumus, Domine Deus noster, ut quae solemni celebramus officio, purificatae mentis intellegentia consequamur.

505 *Alia.* Caelesti lumine, quaesumus, Domine, semper et ubique nos praeveni, ut mysterium cuius nos participes esse voluisti, et puro cernamus intuitu et digno percipiamus effectu.

LXXXIII.

MENSE APRILI

XVIII KALENDAS MAIAS
ID EST XIIII DIE MENSIS APRILIS
NATALE SANCTORUM
TIBURTII ET VALERIANI

506 Praesta, quaesumus, omnipotens Deus, ut qui sanctorum tuorum Tiburtii Valeriani et Maximi solemnia colimus, eorum etiam virtutes imitemur.

507 *Secreta.* Hostia haec, quaesumus, Domine, quam sanctorum tuorum natalicia recensentes offerimus, et vincula nostrae pravitatis absolvat, et tuae nobis misericordiae dona conciliet.

508 *Ad complendum.* Sacro munere satiati supplices te, Domine, deprecamur, ut quod debitae servitutis celebramus officio, salvationis tuae sentiamus augmentum.

82

A CONCLUSIONE
DEI GIORNI DI FESTA

504 Ti preghiamo, Signore Dio nostro: concedi a noi di comprendere con spirito purificato quanto celebriamo in questa solenne funzione.

505 *Un'altra.* La tua luce, o Signore, ci preceda sempre e in ogni luogo, perché contempliamo con purezza di fede e gustiamo con fervente amore il mistero di cui ci hai fatti partecipi.

83

MESE DI APRILE

14 APRILE

NATALE DEI SANTI
TIBURZIO E VALERIANO

506 Ti preghiamo, Dio onnipotente: concedi a noi di imitare le virtù dei tuoi santi Tiburzio, Valeriano e Massimo, dei quali celebriamo la festa.

507 *Sulle offerte.* Ti preghiamo, Signore: questo sacrificio che ti offriamo mentre ricordiamo il natale dei tuoi santi, ci liberi dai legami della nostra malvagità e ci faccia gustare i doni della tua misericordia.

508 *Per finire.* Alimentati dal tuo sacro dono, Signore, ti preghiamo, perché ciò che celebriamo con devota sottomissione, ci faccia avvertire gli effetti della tua redenzione.

LXXXIIII.
VIIII KALENDAS MAII
ID EST XXIII DIE
MENSIS APRILIS
NATALE SANCTI GEORGII

509 Deus, qui nos beati Georgii martyris tui meritis et intercessione laetificas, concede propitius, ut qui eius beneficia poscimus, dono tuae gratiae consequamur.

510 *Super oblata.* Munera, Domine, oblata sanctifica, et intercedente beato Georgio martyre tuo nos per haec a peccatorum nostrorum maculis emunda.

511 *Ad complendum.* Supplices te rogamus, omnipotens Deus, ut quos tuis reficis sacramentis, intercedente beato Georgio martyre tuo tibi etiam placitis moribus dignanter tribuas deservire.

LXXXV.
VII KALENDAS MAII
ID EST XXV DIE MENSIS APRILIS
LAETANIA MAIOR
AD SANCTUM
LAURENTIUM IN LUCINA

512 Mentem familiae tuae, quaesumus, Domine, intercedente beato Laurentio martyre tuo et munere conpunctionis aperi, et largitate pietatis exaudi.

513 *Ad sanctum Valentinum.* Deus, qui culpas delinquentium destricte feriendo percutis, fletus quoque lugentium non recuses, ut qui pondus tuae animadversionis cognovimus, etiam pietatis gratiam sentiamus.

514 *Ad crucem.* Deus, qui culpas nostras piis verberibus percutis, ut nos a nostris iniquitatibus emundes, da nobis et de verbere tuo proficere, et de tua

84
23 APRILE

NATALE DI SAN GIORGIO

509 O Dio, che ci rallegri con i meriti e l'intercessione del beato Giorgio, nella tua benevolenza concedi a noi di ottenere con il dono della tua grazia i benefici di colui al quale rivolgiamo le nostre preghiere.

510 *Sulle offerte.* Santifica, Signore, i doni che ti offriamo, e per intercessione del tuo beato martire Giorgio purificaci dalle macchie dei nostri peccati.

511 *Per finire.* Dio onnipotente, che ci nutri con i tuoi sacramenti, per l'intercessione del tuo beato martire Giorgio donaci di servirti degnamente con una vita santa.

85
25 APRILE
LITANIA MAGGIORE
[*statio*] A SAN LORENZO IN LUCINA

512 Ti preghiamo, Signore: con il dono della compunzione apri il nostro spirito, e per l'intercessione del tuo beato martire Lorenzo esaudiscici con l'abbondanza del tuo amore.

513 *A San Valentino.* O Dio, che percuoti punendo con rigore le colpe di chi sbaglia e non rifiuti le lacrime di chi piange, fa' che noi come avvertiamo il peso della tua punizione così percepiamo la grazia del tuo amore.

514 *Presso la Croce.* O Dio, che castighi le nostre colpe con pietose percosse per purificarci dalle nostre iniquità, concedici di trarre giovamento dalle tue percosse e godere presto del tuo conforto.

citius consolatione gaudere.

515 *Ad pontem Olbi.* Parce, Domine, quaesumus, parce populo tuo, et nullis iam patiaris adversitatibus fatigari, quos pretioso filii tui sanguine redemisti.

516 *In atrio.* Adesto, Domine, supplicationibus nostris, et sperantes in tua misericordia, intercedente beato Petro apostolo tuo, caelesti protege benignus auxilio.

517 *Alia oratio in atrio.* Praesta, quaesumus, omnipotens Deus, ut ad te toto corde clamantes, intercedente beato Petro apostolo, tuae pietatis indulgentiam consequamur.

AD MISSAM

518 Praesta, quaesumus, omnipotens Deus, ut qui in adflictione nostra de tua pietate confidimus, contra adversa omnia tua semper protectione muniamur.

519 *Secreta.* Haec munera, Domine, quaesumus, et vincula nostrae pravitatis absolvant, et tuae nobis misericordiae dona concilient.

520 *Ad complendum.* Vota nostra, quaesumus, Domine, pio favore prosequere, ut dum dona tua in tribulatione percepimus, de consolatione nostra in tuo amore crescamus.

521 *Item alia ad complendum.* Praetende nobis, Domine, misericordiam tuam, ut quae votis expetimus, conversatione tibi placita consequamur.

515 *Presso il ponte di Olbio.* Perdona, Signore, perdona il tuo popolo e non permettere che siano afflitti da avversità alcuna quelli che hai redento con il prezioso sangue del tuo Figlio.

516 *Nell'atrio.* Ascolta, Signore, le nostre suppliche e con il tuo celeste aiuto, per intercessione del tuo beato apostolo Pietro, proteggi benigno quanti sperano nella tua misericordia.

517 *Un'altra preghiera nell'atrio.* Ti preghiamo, Dio onnipotente: coloro che ti invocano con tutto il cuore, per intercessione del beato apostolo Pietro, fa' che ottengano il tuo perdono.

PER LA MESSA

518 Ti preghiamo, Dio onnipotente: nella nostra sofferenza noi confidiamo nel tuo amore; fa' che con il tuo aiuto siamo difesi contro tutte le avversità.

519 *Sulle offerte.* Ti preghiamo, Signore, perché queste offerte ci liberino dai vincoli della nostra malvagità e ci procurino i doni del tuo amore.

520 *Per finire.* Ti preghiamo, Signore: asseconda con pio favore i nostri voti, perché mentre riceviamo i tuoi doni nella sofferenza, possiamo crescere nella gioia del tuo amore.

521 *Allo stesso modo un'altra per finire.* Mostraci, Signore, la tua misericordia, perché nell'intimità con te otteniamo ciò che a te piace.

LXXXVI.

IIII KALENDAS MAII
ID EST XXVIII DIE
MENSIS APRILIS
NATALE SANCTI VITALIS

522 Praesta, quaesumus, omnipotens Deus, ut intercedente beato Vitale martyre tuo et a cunctis adversitatibus liberemur in corpore, et a pravis cogitationibus mundemur in mente.

523 *Secreta*. Accepta sit in conspectu tuo, Domine, nostra devotio, et eius nobis fiat supplicatione salutaris, pro cuius solemnitate defertur.

524 *Ad complendum*. Refecti participatione muneris sacri, quaesumus, Domine Deus noster, ut cuius exsequimur cultum, sentiamus effectum.

LXXXVII.

MENSE MAIO
KALENDIS MAIIS
NATALE APOSTOLORUM
PHILIPPI ET IACOBI

525 Deus, qui nos annua apostolorum tuorum Philippi et Iacobi solemnitate laetificas, praesta, quaesumus, ut quorum gaudemus meritis, instruamur exemplis.

526 *Super oblata*. Munera, Domine, quae pro apostolorum tuorum Philippi et Iacobi solemnitate deferimus, propitius suscipe, et mala omnia quae meremur averte.

527 *Ad complendum*. Quaesumus, Domine, salutaribus repleti mysteriis, ut quorum solemnia celebramus, eorum orationibus adiuvemur.

86

28 APRILE

NATALE DI SAN VITALE

522 Ti preghiamo, Dio onnipotente: fa' che per l'intercessione del tuo martire Vitale siamo liberati da tutte le avversità del corpo e purificati dai cattivi pensieri della mente.

523 *Sulle offerte*. La nostra pietà, Signore, sia accetta alla tua presenza, e con la preghiera di colui nella cui festa viene a te offerta, sia per noi fonte di salvezza.

524 *Per finire*. Ristorati dalla partecipazione al sacro dono, ti preghiamo, Signore Dio nostro, di farci avvertire i benèfici effetti di colui del quale celebriamo la festa.

87

MESE DI MAGGIO
1° MAGGIO
NATALE DEGLI APOSTOLI
FILIPPO E GIACOMO

525 O Dio, che ci rallegri con l'annale solennità dei tuoi apostoli Filippo e Giacomo, ti preghiamo di essere istruiti nell'esempio di coloro dei quali ci rallegriamo per i meriti.

526 *Sulle offerte*. O Signore, accogli benigno i doni che ti offriamo nella solennità dei tuoi santi apostoli Filippo e Giacomo, e allontana da noi tutte le punizioni che meritiamo.

527 *Per finire*. Ti preghiamo, Signore, perché, colmati dei misteri di salvezza, siamo aiutati dalle preghiere di coloro dei quali celebriamo la solennità.

LXXXVIII.

V NONAS MAII
ID EST III DIE MENSIS MAII
NATALE ALEXANDRI
EVENTII ET THEODULI

528 Praesta, quaesumus, omnipotens Deus, ut qui sanctorum tuorum Alexandri, Eventii et Theoduli natalicia colimus, a cunctis malis imminentibus eorum intercessionibus liberemur.

529 *Super oblata.* Super has, quaesumus, hostias, Domine, benedictio copiosa descendat, quae et sanctificationem nobis clementer operetur, et de martyrum nos solemnitate laetificet.

530 *Ad complendum.* Refecti participatione muneris sacri, quaesumus, Domine Deus noster, ut cuius exsequimur cultum, sentiamus effectum.

88

3 MAGGIO
NATALE DI ALESSANDRO
EVENZIO E TEODULO

528 Ti preghiamo, Dio onnipotente: fa' che noi, che celebriamo il natale dei tuoi santi Alessandro, Evenzio e Teodulo, mediante la loro intercessione siamo liberati da tutti i mali che ci sovrastano.

529 *Sulle offerte.* Ti preghiamo, Signore: su queste offerte discenda copiosa la tua benedizione, perché con la tua clemenza ci ottenga la santificazione e ci rallegri con la festività dei martiri.

530 *Per finire.* Rinfrancati dalla partecipazione al sacro dono, ti preghiamo, Signore Dio nostro, perché avvertiamo gli effetti di [coloro dei quali] celebriamo la festa.

LXXXVIIII.

II NONAS MAII
ID EST VI DIE MENSIS MAII
NATALE SANCTI IOANNIS
ANTE PORTAM LATINAM

531 Deus, qui conspicis quia nos undique mala nostra perturbant, praesta, quaesumus, ut beati Ioannis apostoli tui intercessio gloriosa nos protegat.

532 *Super oblata.* Muneribus nostris, quaesumus, Domine, precibusque susceptis, et caelestibus nos munda mysteriis, et clementer exaudi.

533 *Ad complendum.* Refecti, Domine, pane caelesti ad vitam, quaesumus, nutriamur aeternam.

89

6 MAGGIO
NATALE DI SAN GIOVANNI
A PORTA LATINA

531 O Dio, tu vedi che i nostri peccati ci turbano da ogni parte: ti preghiamo perché ci protegga la gloriosa intercessione del tuo beato apostolo Giovanni.

532 *Sulle offerte.* Ti preghiamo, Signore: accetta i nostri doni e preghiere, purificaci con i misteri celesti ed esaudiscici nella tua clemenza.

533 *Per finire.* Rifocillati, Signore, dal pane celeste, ti preghiamo di essere nutriti per la vita eterna.

XC.

VI IDUS MAII
ID EST X DIE MENSIS MAII
NATALE SANCTORUM
GORDIANI ET EPIMACHI

534 Da, quaesumus, omnipotens Deus, ut qui beatorum martyrum Gordiani atque Epimachi solemnia colimus, eorum apud te intercessionibus adiuvemur.

535 *Super oblata.* Hostias tibi, Domine, beatorum martyrum Gordiani atque Epimachi dicatas meritis benignus adsume, et ad perpetuum nobis tribue provenire subsidium.

536 *Ad complendum.* Quaesumus, omnipotens Deus, ut qui caelestia alimenta percepimus, intercedentibus sanctis tuis Gordiano atque Epimacho, per haec contra omnia adversa muniamur.

XCI.

IIII IDUS MAII
ID EST XII DIE MENSIS MAII
NATALE SANCTI PANCRATII

537 Praesta, quaesumus, omnipotens Deus, ut qui beati Pancratii martyris tui natalicia colimus, a cunctis malis imminentibus eius intercessionibus liberemur.

538 *Super oblata.* Munera, quaesumus, Domine, tibi dicata sanctifica, et intercedente beato Pancratio martyre tuo per eadem nos placatus intende.

539 *Ad complendum.* Beati Pancratii martyris tui, Domine, intercessione placatus, praesta, quaesumus, ut quae temporali celebramus actione, perpetua salvatione capiamus.

90

10 MAGGIO
NATALE DEI SANTI
GORDIANO ED EPIMACO

534 Ti preghiamo, Dio onnipotente: mentre celebriamo la festa dei beati martiri Gordiano ed Epimaco, fa' che per la loro intercessione troviamo grazia davanti a te.

535 *Sulle offerte.* Accogli benigno, Signore, il sacrificio a te offerto, e per i meriti dei beati martiri Gordiano ed Epimaco concedici di giungere nella tua dimora eterna.

536 *Per finire.* Ti preghiamo, Dio onnipotente, perché noi che riceviamo il nutrimento celeste, per intercessione dei tuoi santi Gordiano ed Epimaco, siamo da questo fortificati contro tutte le avversità.

91

12 MAGGIO
NATALE DI SAN PANCRAZIO

537 Ti preghiamo, Dio onnipotente: fa' che noi, che celebriamo la festa del tuo beato martire Pancrazio, mediante la sua intercessione siamo liberati da tutti i mali che ci sovrastano.

538 *Sulle offerte.* Ti preghiamo, Signore: santifica i doni che ti offriamo, e placato dall'intercessione del tuo beato martire Pancrazio, ascoltaci con benevolenza.

539 *Per finire.* Placato dall'intercessione del tuo beato martire Pancrazio ti preghiamo, Signore, perché ciò che celebriamo su questa terra lo riceviamo come pegno di salvezza eterna.

XCII.

III IDUS MAII
ID EST XIII DIE MENSIS MAII
NATALE SANCTAE MARIAE
AD MARTYRES

540 Concede, quaesumus, omnipotens Deus, ad eorum nos gaudia aeterna pertingere, de quorum nos virtute tribuis annua solemnitate gaudere.

541 *Super oblata.* Super has, quaesumus, hostias, Domine, benedictio copiosa descendat, quae et sanctificationem nobis clementer operetur, et de martyrum nos solemnitate laetificet.

542 *Ad complendum.* Supplices te rogamus, omnipotens Deus, ut quos tuis reficis sacramentis, tibi etiam placitis moribus dignanter deservire concedas.

XCIII.

IN ASCENSA DOMINI

543 Concede, quaesumus, omnipotens Deus, ut qui hodierna die unigenitum tuum redemptorem nostrum ad caelos ascendisse credimus, ipsi quoque mente in caelestibus habitemus.

544 *Secreta.* Suscipe, Domine, munera quae pro filii tui gloriosa ascensione deferimus, et concede propitius, ut a praesentibus periculis liberemur, et ad vitam perveniamus aeternam.

545 *Praefatio.* VD. Qui post resurrectionem suam omnibus discipulis suis manifestus apparuit, et ipsis cernentibus est elevatus in caelum, ut nos divinitatis suae tribueret esse participes.

546 Communicantes et diem sacratissimum celebrantes, quo Dominus noster unigenitus filius

92

13 MAGGIO
NATALE DI SANTA MARIA
AD MARTYRES

540 Ti preghiamo, Dio onnipotente: concedi a noi di giungere alla gioia eterna di coloro della cui virtù ogni anno ci concedi di godere nella loro festa.

541 *Sulle offerte.* Ti preghiamo, Signore: la tua benedizione discenda copiosa su questi doni, perché nella tua clemenza operi in noi la santificazione e ci conforti nella solennità dei martiri.

542 *Per finire.* Dio onnipotente, che ci nutri con i tuoi sacramenti, donaci di servirti degnamente con una vita santa.

93

NELL'ASCENSIONE DEL SIGNORE

543 Dio onnipotente, concedi che i nostri cuori dimorino nei cieli, dove noi crediamo che oggi è asceso il tuo Unigenito, nostro redentore.

544 *Sulle offerte.* Accogli, Signore, le offerte che ti doniamo in occasione della gloriosa ascensione del tuo Figlio; nella tua bontà concedi a noi di essere liberati dai pericoli attuali e di giungere alla vita eterna.

545 *Prefazio.* È veramente degno. Dopo la sua risurrezione apparve in modo evidente ai suoi discepoli e sotto i loro occhi ascese al cielo per renderci partecipi della sua divinità.

546 In comunione con tutta la Chiesa, mentre celebriamo il giorno santissimo nel quale il tuo unigenito Figlio,

tuus unitam sibi fragilitatis nostrae substantiam in gloriae tuae dextera collocavit.

547 *Ad complendum*. Praesta nobis, quaesumus, omnipotens et misericors Deus, ut quae visibilibus mysteriis sumenda percepimus, invisibili consequamur effectu.

nostro Signore, ha portato alla tua destra nella gloria la fragile nostra natura, che egli aveva unito a sé, ricordiamo e veneriamo.

547 *Per finire*. Ti preghiamo, Dio onnipotente e misericordioso: mentre percepiamo gli effetti visibili dei misteri che assumiamo, concedi a noi di ottenerne i benefici invisibili.

ALIAE ORATIONES

548 Adesto, Domine, supplicationibus nostris, ut sicut humani generis salvatorem consedere tecum in tua maiestate confidimus, ita usque ad consummationem saeculi manere nobiscum, quemadmodum est pollicitus sentiamus eundem Dominum nostrum.

549 *Alia*. Deus, cuius filius in alta caelorum potenter ascendens captivitatem nostram sua duxit virtute captivam, tribue, quaesumus, ut dona quae suis participibus contulit, largiatur et nobis.

ALTRE PREGHIERE

548 Ascolta, Signore, le nostre suppliche: come crediamo che il Salvatore del genere umano insieme con te siede nella tua maestà, così percepiamo che lo stesso Signore nostro, come ha promesso, rimanga con noi fino alla fine del mondo.

549 *Un'altra*. O Dio, il tuo Figlio nella sua ascesa al cielo condusse con la sua divinità la nostra natura schiava del peccato; ti preghiamo che elargisca anche a noi quei doni che ha concesso a quanti prendono parte alla sua gloria.

XCIIII.

VIII KALENDAS IUNII
ID EST XXV DIE MENSIS MAII
NATALE SANCTI URBANI
PAPAE

550 Da, quaesumus, omnipotens Deus, ut qui beati Urbani martyris tui atque pontificis solemnia colimus, eius apud te intercessionibus adiuvemur.

551 *Secreta*. Haec hostia, Domine, quaesumus, emundet nostra delicta, et ad sacrificium celebrandum subditorum tibi corpora mentesque sanctificet.

552 *Ad complendum*. Refecti participatione muneris sacri, quaesumus, Domine Deus noster, ut cuius exsequimur cultum, sentiamus effectum.

94

25 MAGGIO
NATALE DI SANT'URBANO
PAPA

550 Ti preghiamo, Dio onnipotente: mentre celebriamo la festa del tuo beato martire e papa Urbano, fa' che siamo aiutati davanti a te dalla sua intercessione.

551 *Sulle offerte*. Questa offerta, Padre misericordioso, ci ottenga il perdono dei nostri peccati e santifichi nel corpo e nello spirito di quanti sono a te sottomessi.

552 *Per finire*. Rinfrancati dalla partecipazione al dono divino, Signore Dio nostro, ti preghiamo perché avvertiamo la benefica presenza del beato di cui celebriamo la festa.

XCV.

INCIPIUNT ORATIONES
DE PENTECOSTEN
DIE SABBATO ANTE
DESCENSUM FONTIS

553 *Lectio libri Genesis.* Temptavit
Deus Abraham.

554 Deus, qui in Abrahae famuli
tui opere humano generi oboedientiae exempla praebuisti,
concede nobis et nostrae voluntatis pravitatem frangere, et
tuorum praeceptorum rectitudinem in omnibus adimplere.

555 *Lectio libri Deuteronomii.* Et
scripsit Moyses canticum hoc.

556 Deus, qui nobis per prophetarum ora praecepisti temporalia relinquere atque ad aeterna
festinare, da famulis tuis, ut
quae a te iussa cognovimus,
implere caelesti inspiratione
valeamus.

557 *Lectio Esaiae prophetae.* Et
adpraehendent septem mulie-
res.

558 Deus, qui nos ad celebrandam praesentem festivitatem
utriusque testamenti paginis
instruis, da nobis intellegere misericordiam tuam, ut ex
perceptione praesentium munerum firma sit expectatio futurorum.

559 *Lectio Hieremiae prophetae.* Audi
Israhel mandata vitae.

560 Deus, incommutabilis virtus
et lumen aeternum, respice
propitius ad totius ecclesiae
mirabile sacramentum, et da
famulis tuis, ut hoc quod devote agimus, etiam rectitudinem vitae teneamus.

561 *De psalmo XLI.* Sicut cervus.

561* Omnipotens sempiterne Deus,
qui hanc solemnitatem adventu sancti spiritus consecrasti,

95

INCOMINCIANO LE PREGHIERE
PER LA PENTECOSTE
SABATO PRIMA
DELLA DISCESA AL FONTE

553 *Lettura del libro del Genesi.* Dio mise
alla prova Abramo.

554 O Dio, che nel comportamento del
tuo servo Abramo hai offerto al
genere umano un esempio di obbedienza, concedi anche a noi di poter
spezzare la cattiveria della nostra
volontà e comprendere in ogni circostanza la rettitudine dei tuoi precetti.

555 *Lettura dal libro del Deuteronomio.*
Mosè scrisse questo cantico.

556 O Dio, che per bocca dei tuoi profeti
ci hai ordinato di trascurare i beni
terreni e di tendere verso quelli eterni, concedi a noi tuoi servi di poter
adempiere mediante la celeste ispirazione ciò che per tua disposizione
conosciamo.

557 *Lettura dal libro del profeta Isaia.* E
prenderanno sette donne.

558 O Dio, che con le parole dell'uno e
dell'altro Testamento ci disponi a
celebrare questa festività, facci conoscere la tua misericordia, perché
ricevuti i doni presenti, sia in noi fer-
ma l'attesa di quelli futuri.

559 *Lettura dal libro del profeta Geremia.*
Ascolta, Israele, i comandamenti
della vita.

560 O Dio, luce eterna e vita immutabile,
guarda benevolo al mirabile sacramento di tutta la Chiesa e concedi a
noi tuoi servi di tenere come guida
della vita quanto ora compiamo con
devozione.

561 *Dal salmo XLI.* Come il cervo.

561* O Dio onnipotente ed eterno, che
hai consacrato questa solennità con
la discesa dello Spirito Santo, ti pre-

da nobis, quaesumus, ut caelestibus desideriis accensi fontem vitae sitiamus.

ghiamo, perché, infiammati da celesti desideri, ci dissetiamo alla fonte della vita.

ALIAE ORATIONES

562 Omnipotens sempiterne Deus, qui paschale sacramentum quinquaginta dierum voluisti mysterio contineri, praesta, ut gentium facta dispersio divisione linguarum, ad unam confessionem tui nominis caelesti munere congregetur.

563 *Alia.* Deus, qui sacramento festivitatis hodiernae universam ecclesiam tuam in omni gente et natione sanctificas, in totam mundi latitudinem spiritus tui dona diffunde.

564 *Alia.* Annue, misericors Deus, ut qui divina praecepta violando a paradisi felicitate decidimus, ad aeternae beatitudinis redeamus accessum per tuorum custodiam mandatorum.

565 *Alia.* Da nobis, quaesumus, Domine, per gratiam spiritus sancti tui paracliti novam spiritalis observantiae disciplinam, ut mentes nostras, sacro purificante ieiunio, cunctis reddamur eius muneribus aptiores.

ALTRE PREGHIERE

562 Dio onnipotente ed eterno, che hai racchiuso la celebrazione della Pasqua nel tempo dei cinquanta giorni, fa' che i popoli, dispersi per la diversità delle lingue, per tuo celeste dono si riuniscano nella sola confessione del tuo nome.

563 *Un'altra.* O Dio, che con il sacramento dell'odierna festività santifichi la tua Chiesa diffusa in tutte le nazioni della terra, diffondi in tutto il mondo i doni del tuo Spirito.

564 *Un'altra.* Dio misericordioso, fa' che noi, come siamo stati cacciati dalla felicità del paradiso per aver violato i tuoi divini precetti, così con l'osservanza di quanto ci ordini possiamo di nuovo varcare la soglia della beatitudine eterna.

565 *Un'altra.* Ti preghiamo, Signore: mediante la grazia del tuo Spirito Santo, il Paraclito, concedi a noi un nuovo modo per osservare quanto ci ordina lo Spirito, perché con l'aiuto del sacro digiuno, ci rendiamo più degni di ricevere tutti i suoi doni.

ORATIO AD MISSAM IN SABBATO PENTECOSTES POST ASCENSUM FONTIS

566 Praesta, quaesumus, omnipotens Deus, ut claritatis tuae super nos splendor effulgeat, et lux tuae lucis corda eorum, qui per gratiam tuam renati sunt, sancti spiritus inlustratione confirmet.

567 *Super oblata.* Munera, Domine, quaesumus, oblata sanctifica, et corda nostra sancti spiritus inlustratione emunda.

PREGHIERA PER LA MESSA NEL SABATO DI PENTECOSTE DOPO LA RISALITA DAL FONTE

566 Rifulga su di noi, Dio onnipotente, lo splendore della tua gloria, Gesù Cristo, luce della tua luce, e confermi con il dono dello Spirito Santo i cuori di coloro che per tua grazia sono rinati a vita nuova.

567 *Sulle offerte.* Ti preghiamo, Signore: santifica i doni che ti offriamo e purifica il nostro cuore con la luce dello Spirito Santo.

568 *Praefatio.* VD Qui ascendens super omnes caelos, sedensque ad dexteram tuam promissum spiritum sanctum hodierna die in filios adoptionis effudit. Quapropter profusis gaudiis totus in orbe terrarum mundus exultat, sed et supernae virtutes atque angelicae potestates hymnum gloriae tuae concinunt sine fine dicentes.

569 Communicantes et diem sacratissimum pentecostes praevenientes, quo spiritus sanctus apostolis innumeris linguis apparuit.

570 Hanc igitur oblationem servitutis nostrae, sed et cunctae familiae tuae, quam tibi offerimus pro his quoque, quos regenerare dignatus es ex aqua et spiritu sancto, tribuens eis remissionem omnium peccatorum, quaesumus, Domine, ut placatus.

571 *Ad complendum.* Sancti spiritus, Domine, corda nostra mundet infusio, et sui roris intima aspersione fecundet.

568 *Prefazio.* È veramente degno. Egli [il Cristo], salendo nel più alto dei cieli e sedendo alla tua destra, oggi effonde sui figli di adozione lo Spirito Santo da te promesso. Perciò tutti su questa terra esultano per la profusione della tua gioia, ma anche le virtù superne e le angeliche potestà cantano senza fine l'inno della tua gloria, dicendo.

569 In comunione con tutta la Chiesa, mentre celebriamo il giorno santissimo della Pentecoste, nel quale lo Spirito Santo si manifestò agli apostoli in molteplici lingue di fuoco, ricordiamo e veneriamo.

570 Ti preghiamo, Signore, perché nella tua benevolenza accolga questa offerta non solo del nostro servizio verso di te, ma di tutta la tua famiglia. Noi te la offriamo anche per coloro che hai voluto rigenerare dall'acqua e dallo Spirito Santo, concedendo loro la remissione di tutti i peccati.

571 *Per finire.* L'effusione dello Spirito Santo, o Signore, purifichi i nostri cuori e li renda fecondi con la rugiada della sua grazia.

XCVI.
DIE DOMINICA
AD SANCTUM PETRUM

572 Deus, qui hodierna die corda fidelium sancti spiritus inlustratione docuisti, da nobis in eodem spiritu recta sapere, et de eius semper consolatione gaudere.

573 *Secreta.* Munera, Domine, quaesumus, oblata sanctifica, et corda nostra sancti spiritus inlustratione emunda.

574 *Praefatio.* VD Qui ascendens super omnes caelos sedensque ad dexteram tuam promissum Spiritum sanctum hodierna

96
DOMENICA
[*statio*] A SAN PIETRO

572 O Dio, che oggi con l'illuminazione dello Spirito Santo hai istruito il cuore dei tuoi fedeli, concedici in forza dello stesso Spirito di essere saggi e di trarre sempre godimento dalla sua consolazione.

573 *Sulle offerte.* Ti preghiamo, Signore: santifica i doni che ti offriamo, e con l'illuminazione dello Spirito Santo purifica i nostri cuori.

574 *Prefazio.* È veramente degno. Elevato al di sopra dei cieli e assiso alla tua destra, egli secondo la sua promessa ha effuso sui figli d'adozione lo Spi-

die in filios adoptionis effudit. Quapropter profusis gaudiis totus in orbe terrarum mundus exultat, sed et supernae virtutes atque angelicae potestates hymnum gloriae tuae concinunt sine fine dicentes, Sanctus.

575 Communicantes et diem sacratissimum pentecostes celebrantes, quo spiritus sanctus apostolis innumeris linguis apparuit.

576 Hanc igitur oblationem servitutis nostrae, sed et cunctae familiae tuae, quam tibi offerimus pro his quoque, quos regenerare dignatus es ex aqua et spiritu sancto, tribuens eis remissionem omnium peccatorum, quaesumus, Domine, ut placatus.

577 *Ad complendum.* Sancti spiritus, Domine, corda nostra mundet infusio et sui roris intima aspersione fecundet.

rito Santo. Perciò tutti su questa terra esultano con grande gioia, come pure le virtù superne e le angeliche potestà cantano senza fine l'inno della tua gloria dicendo, Santo.

575 In comunione con tutta la Chiesa, mentre celebriamo il giorno santissimo della Pentecoste, nel quale lo Spirito Santo si manifestò agli apostoli in molteplici lingue di fuoco, ricordiamo e veneriamo.

576 Accetta con benevolenza, o Signore, questa offerta che noi tuoi ministri e tutta la tua famiglia ti presentiamo per coloro che ti sei degnato di far rinascere dall'acqua e dallo Spirito Santo, accordando loro il perdono di tutti i peccati.

577 *Per finire.* L'effusione dello Spirito Santo, o Signore, purifichi i nostri cuori e li renda fecondi con la rugiada della sua grazia.

XCVII.
FERIA II
AD VINCULA

578 Deus, qui apostolis tuis sanctum dedisti spiritum, concede plebi tuae piae petitionis effectum, ut quibus dedisti fidem, largiaris et pacem.

579 *Secreta.* Propitius, Domine, quaesumus, haec dona sanctifica et, hostiae spiritalis oblatione suscepta, nosmetipsos tibi perfice munus aeternum.

580 *Ad complendum.* Adesto, Domine, quaesumus, populo tuo, et quem mysteriis caelestibus inbuisti, ab hostium furore defende.

97
FERIA II
[*statio*] A SAN PIETRO IN VINCOLI

578 O Dio, che hai dato ai tuoi apostoli lo Spirito Santo, concedi al tuo popolo quanto richiede con devozione, perché a quelli, ai quali hai dato la fede, elargisca anche la pace.

579 *Sulle offerte.* Santifica, o Signore, i doni che ti presentiamo e accogliendo questo sacrificio spirituale, trasforma anche noi in offerta perenne a te gradita.

580 *Per finire.* Ti preghiamo, Signore: assisti il tuo popolo, e difendi dall'assalto furibondo del nemico colui che hai arricchito con i misteri celesti.

XCVIII.
FERIA III
AD SANCTAM ANASTASIAM

581 Adsit nobis, Domine, quaesumus, virtus spiritus sancti, quae et corda nostra clementer expurget, et ab omnibus tueatur adversis.

582 *Secreta.* Purificet nos, Domine, quaesumus, muneris praesentis oblatio, et dignos sacra participatione perficiat.

583 *Ad complendum.* Mentes nostras, quaesumus, Domine, spiritus sanctus divinis reparet sacramentis, quia ipse est remissio omnium peccatorum.

XCVIIII.
FERIA IIII AD SANCTAM MARIAM MAIOREM

584 Mentes nostras, quaesumus, Domine, paraclitus qui a te procedit inluminet, et inducat in omnem sicut tuus promisit filius veritatem.

585 *Alia.* Praesta, quaesumus, omnipotens et misericors Deus, ut spiritus sanctus adveniens templum nos gloriae suae dignanter habitando perficiat.

586 *Secreta.* Accipe, quaesumus, Domine, munus oblatum et dignanter operare, ut quod mysteriis agimus, piis affectibus celebremus.

587 *Ad complendum.* Sumentes, Domine, caelestia sacramenta, quaesumus, clementiam tuam, ut quod temporaliter gerimus, aeternis gaudiis consequamur.

CI.
FERIA VI AD APOSTOLOS

588 Da, quaesumus, ecclesiae tuae, misericors Deus, ut spiritu

98
FERIA III
[*statio*] A SANT'ANASTASIA

581 Ti preghiamo, Signore: la potenza dello Spirito Santo ci assista; nella sua clemenza purifichi il nostro cuore, e ci difenda da tutte le avversità.

582 *Sulle offerte.* Ti preghiamo, Signore: l'offerta del presente dono ci purifichi e ci renda degni di partecipare a questi sacri misteri.

583 *Per finire.* Ti preghiamo, Signore: lo Spirito Santo che rimette tutti i peccati purifichi la nostra mente con i sacramenti divini.

99
FERIA IV
[*statio*] A SANTA MARIA MAGGIORE

584 Lo Spirito Paraclito che procede da te, o Signore, illumini le nostre menti e, secondo la promessa del tuo Figlio, ci guidi a tutta la verità.

585 *Un'altra.* Ti preghiamo, Dio onnipotente e misericordioso: fa' che lo Spirito Santo con la sua venuta e con la sua permanenza ci renda tempio della tua gloria.

586 *Sulle offerte.* Ti preghiamo, Signore: accetta il dono che ti offriamo e agisci nella tua bontà, perché con gli effetti della pietà conseguiamo ciò che celebriamo nei misteri.

587 *Per finire.* Mentre riceviamo, Signore, i sacramenti celesti, preghiamo la tua clemenza, perché possiamo godere in eterno ciò che sperimentiamo nel tempo.

101
FERIA VI [*statio*] AGLI APOSTOLI

588 Ti preghiamo, Dio misericordioso: fa' che la tua Chiesa, unita nello Spi-

sancto congregata secura tibi devotione servire mereatur.

589 *Secreta*. Sacrificia, Domine, tuis oblata conspectibus ignis ille divinus adsumat, qui discipulorum Christi tui per spiritum sanctum corda succendit.

590 *Ad complendum*. Sumpsimus, Domine, sacri dona mysterii humiliter deprecantes, ut quae in tui commemoratione nos facere praecepisti, in nostrae proficiant infirmitatis auxilium.

rito Santo, possa servirti sicura nella pietà e nella devozione.

589 *Sulle offerte*. Il sacrificio offerto al tuo cospetto lo accolga, Signore, quel fuoco divino che mediante lo Spirito Santo infiammò il cuore dei discepoli di Cristo.

590 *Per finire*. O Dio, che ci hai nutriti con questo sacramento, ascolta la nostra umile preghiera: il memoriale della Pasqua, che Cristo tuo Figlio ci ha comandato di celebrare, sia di aiuto alla nostra infermità.

CII.
SABBATO IN XII LECTIONES MENSIS IIII

102
SABATO NELLE XII LETTURE DEL IV MESE

591 Mentibus nostris, Domine, spiritum sanctum benignus infunde, cuius et sapientia conditi sumus, et providentia gubernamur.

592 *Alia*. Illo nos igne, quaesumus, Domine, spiritus sanctus inflammet, quem Dominus misit in terram, et voluit vehementer accendi, Iesus Christus Filius tuus, qui tecum vivit et regnat, Deus, in unitate eiusdem Spiritus Sancti.

593 *Alia*. Deus, qui ad animarum medelam ieiunii devotione castigari corpora praecepisti, concede nobis propitius, et mente et corpore semper tibi esse devotos.

594 *Alia*. Praesta, quaesumus, omnipotens Deus, ut salutaribus ieiuniis eruditi, ab omnibus etiam vitiis abstinentes, propitiationem tuam facilius impetremus.

595 *Alia*. Praesta, quaesumus, omnipotens Deus, sic nos ab epulis carnalibus abstinere, ut a vitiis inruentibus pariter ieiunemus.

591 Infondi benigno, Signore, i doni dello Spirito Santo nella nostra mente, perché noi, nati dalla sua sapienza, siamo diretti dalla sua provvidenza.

592 *Un'altra*. Ti preghiamo, Signore: lo Spirito Santo ci infiammi con il fuoco che Gesù Cristo, Figlio tuo, che vive e come Dio regna con te nell'unità dello stesso Spirito Santo, ha inviato sulla terra e voluto che si accendesse con vigore.

593 *Un'altra*. O Dio, che per curare l'anima hai ordinato di castigare il corpo con la pratica del digiuno, nella tua bontà concedici di esserti devoti nella mente e nel corpo.

594 *Un'altra*. Ti preghiamo, Dio onnipotente ed eterno: ammaestrati dagli effetti salutari del digiuno e astenendoci da ogni specie di vizi, fa' che possiamo ottenere con maggior facilità la tua misericordia.

595 *Un'altra*. Ti preghiamo, Dio onnipotente: fa' che come ci teniamo lontani dai peccati che ci assalgono, così ci asteniamo dai nutrimenti carnali.

596 *Alia*. Deus, qui tribus pueris mitigasti flammas ignium, concede propitius, ut nos famulos tuos non exurat flamma vitiorum, sed tui nos brachii protectio defendat.

597 *Secreta*. Ut accepta tibi sint, Domine, nostra ieiunia, praesta nobis, quaesumus, huius munere sacramenti purificatum tibi pectus offerre.

598 *Ad complendum*. Praebeant nobis, Domine, divinum tua sancta fervorem, quo eorum pariter et actu delectemur et fructu.

596 *Un'altra*. O Dio, che ai tre fanciulli alleviasti i tormenti del fuoco e delle sue fiamme, nella tua bontà concedi a noi, tuoi servi, di non essere trascinati via dal fomite del peccato, ma ci difenda la potenza del tuo braccio.

597 *Sulle offerte*. Perché ti sia gradito, Signore, il nostro digiuno concedici, ti preghiamo, di offrirti il nostro cuore purificato dal dono di questo sacramento.

598 *Per finire*. I tuoi santi misteri, Signore, ci offrano il divino favore, del quale a un tempo possiamo godere sia gli effetti che i frutti.

CIII.
DIE DOMINICO VACAT

599 Deprecationem nostram, quaesumus, Domine, benignus exaudi, et quibus supplicandi praestas affectum, tribue defensionis auxilium.

600 *Super oblata*. Munera, Domine, oblata sanctifica, ut tui nobis unigeniti corpus et sanguis fiat.

601 *Ad complendum*. Haec nos communio, Domine, purget a crimine, et caelestis remedii faciat esse consortes.

103
DOMENICA LIBERA

599 Ti preghiamo, Signore: ascolta benigno la nostra preghiera e concedi il soccorso del tuo aiuto a coloro ai quali doni la possibilità di pregarti.

600 *Sulle offerte*. Santifica, Signore, i doni che ti offriamo, perché diventino per noi il corpo e il sangue del tuo Unigenito.

601 *Per finire*. Ci purifichi da ogni colpa, o Signore, questa comunione al tuo sacramento e ci renda partecipi della gioia eterna.

CIIII.
MENSE IUNIO
KALENDIS IUNIIS DEDICATIO SANCTI NICOMEDIS

602 Deus, qui nos beati Nicomedis martyris tui meritis et intercessione laetificas, concede propitius, ut qui eius beneficia poscimus, dona tuae gratiae consequamur.

603 *Secreta*. Munera, Domine, oblata sanctifica, et intercedente beato Nicomede martyre tuo, nos per haec a peccatorum nostrorum maculis emunda.

104
MESE DI GIUGNO
1° GIUGNO DEDICAZIONE
[della chiesa] DI SAN NICOMEDE

602 O Dio, che ci rallegri con i meriti e l'intercessione del tuo beato martire Nicomede, a noi che imploriamo i suoi benefici, nella tua bontà concedi di ottenere i doni della tua grazia.

603 *Sulle offerte*. Santifica, Signore, i doni che ti offriamo, e con l'intercessione del tuo beato martire Nicomede, per loro mezzo purificaci dalle macchie dei nostri peccati.

604 *Ad complendum.* Supplices te rogamus, omnipotens Deus, ut quos tuis reficis sacramentis, intercedente beato Nicomede martyre tuo, tibi etiam placitis moribus dignanter tribuas deservire.

604 *Per finire.* Dio onnipotente, che ci nutri con i tuoi sacramenti, per l'intercessione del tuo beato martire Nicomede donaci di servirti degnamente con una vita santa.

CV.
IIII NONAS IUNII ID EST II DIE MENSIS IUNII NATALE SANCTORUM MARCELLINI ET PETRI

105
2 GIUGNO NATALE DEI SANTI MARCELLINO E PIETRO

605 Deus, qui nos annua beatorum Marcellini et Petri martyrum tuorum solemnitate laetificas, praesta quaesumus, ut quorum gaudemus meritis, provocemur exemplis.

605 O Dio, che ci rallegri con l'annuale solennità dei tuoi beati martiri Marcellino e Pietro, ti preghiamo: fa' che seguiamo l'esempio di coloro nei cui meriti troviamo la nostra gioia.

606 *Super oblata.* Hostia haec, quaesumus, Domine, quam sanctorum tuorum natalicia recensentes offerimus, et vincula nostrae pravitatis absolvat, et tuae nobis misericordiae dona conciliet.

606 *Sulle offerte.* Ti preghiamo, Signore, perché questo sacrificio, che noi ti offriamo nella celebrazione del natale dei tuoi santi, ci liberi dai legami della nostra malvagità e ci procuri i doni della tua misericordia.

607 *Ad complendum.* Sacro munere satiati supplices te, Domine, deprecamur, ut quod debitae servitutis celebramus officio, salvationis tuae sentiamus augmentum.

607 *Per finire.* Saziati dal santo dono, supplici ti preghiamo, Signore, perché, mentre celebriamo questo sacrificio con devota sottomissione, sperimentiamo la crescita nella via della tua salvezza.

CVI.
XIIII KALENDAS IULII ID EST XVIII DIE MENSIS IUNII NATALE SANCTORUM MARCI ET MARCELLIANI

106
18 GIUGNO NATALE DEI SANTI MARCO E MARCELLIANO

608 Praesta, quaesumus, omnipotens Deus, ut qui sanctorum Marci et Marcelliani natalicia colimus, a cunctis malis imminentibus eorum intercessione liberemur.

608 Ti preghiamo, Dio onnipotente: fa' che noi, che celebriamo il giorno natalizio dei santi Marco e Marcelliano, per loro intercessione siamo liberati da tutti i mali che ci sovrastano.

609 *Super oblata.* Munera, Domine, tibi dicata sanctifica, et intercedentibus beato Marco et Mar-

609 *Sulle offerte.* Santifica, Signore, i doni a te offerti, e placato da questi e dall'intercessione dei santi Marco

celliano, per eadem nos placatus intende.

610 *Ad complendum.* Salutaris tui, Domine, munere satiati supplices exoramus, ut cuius laetamur gustu, renovemur effectu.

e Marcelliano, volgi benigno il tuo sguardo su di noi.

610 *Per finire.* Saziati, Signore, dal dono della tua salvezza, supplici ti preghiamo, perché siamo rinnovati dagli effetti di colui che ci rallegra col suo cibo.

CVII.

XIII KALENDAS IULII ID EST XVIIII DIE MENSIS IUNII NATALE SANCTORUM GERVASII ET PROTASII

611 Deus, qui nos annua sanctorum tuorum Protasii et Gervasii solemnitate laetificas, concede propitius, ut quorum gaudemus meritis, accendamur exemplis.

612 *Secreta.* Oblatis, quaesumus, Domine, placare muneribus, et intercedentibus sanctis tuis a cunctis nos defende periculis.

613 *Ad complendum.* Haec nos communio, Domine, purget a crimine, et intercedentibus sanctis tuis caelestis remedii faciat esse consortes.

107

19 GIUGNO NATALE DEI SANTI GERVASIO E PROTASIO

611 O Dio, che ci rallegri nell'annuale celebrazione dei tuoi santi Gervasio e Protasio, nella tua bontà concedici di essere infiammati dall'esempio di coloro nei cui meriti troviamo la nostra gioia.

612 *Sulle offerte.* Ti preghiamo, Signore: placato dai doni che ti offriamo e dall'intercessione dei tuoi santi, difendici da tutti i pericoli.

613 *Per finire.* Questa comunione, Signore, ci purifichi dal peccato e per intercessione dei tuoi santi, ci renda partecipi del rimedio celeste.

CVIII.

VIIII KALENDAS IULII ID EST XXIII DIE MENSIS IUNII VIGILIA SANCTI IOHANNIS BAPTISTAE

614 Praesta, quaesumus, omnipotens Deus, ut familia tua per viam salutis incedat, et beati Ioannis praecursoris hortamenta sectando ad eum, quem praedixit, secura perveniat, eundem dominum.

615 *Secreta.* Munera, Domine, oblata sanctifica, et intercedente beato Ioanne baptista nos per haec a peccatorum nostrorum maculis emunda.

108

23 GIUGNO VIGILIA DI SAN GIOVANNI BATTISTA

614 Dio onnipotente, concedi alla tua famiglia di camminare sulla via della salvezza e di andare con serena fiducia, sotto la guida di san Giovanni il Precursore, incontro al Messia da lui predetto, Gesù Cristo Signore nostro.

615 *Sulle offerte.* Santifica, Signore, i doni che ti offriamo: per mezzo di questi e per intercessione del beato Giovanni Battista, purificaci dalle macchie dei nostri peccati.

616 *Ad complendum.* Beati Ioannis baptistae nos, Domine, praeclara comitetur oratio, et quem venturum esse praedixit, poscat nobis favere placatum dominum nostrum Iesum Christum.

616 *Per finire.* Ci accompagni, Signore, la devota preghiera del beato Giovanni Battista e ci accordi il favore di colui, del quale predisse la venuta, il Signore nostro Gesù Cristo.

CVIIII.
VIII KALENDAS IULII
ID EST XXIIII DIE MENSIS IUNII
NATALE SANCTI
IOHANNIS BAPTISTAE

109
24 GIUGNO
NATALE
DI SAN GIOVANNI BATTISTA

IN PRIMA MISSA

ALLA PRIMA MESSA

617 Concede, quaesumus, omnipotens Deus, ut qui beati Ioannis baptistae solemnia colimus, eius apud te intercessione muniamur.

617 Ti preghiamo, Dio onnipotente: concedi a noi di essere difesi davanti a te dall'intercessione del beato Giovanni Battista, del quale celebriamo la solennità.

618 *Secreta.* Munera, Domine, oblata sanctifica, et intercedente beato Ioanne baptista nos per haec a peccatorum nostrorum maculis emunda.

618 *Sulle offerte.* Santifica, Signore, i doni che ti offriamo: mediante questi e con l'intercessione del beato Giovanni Battista purificaci dalle macchie dei nostri peccati.

619 *Ad complendum.* Praesta, quaesumus, omnipotens Deus, ut qui caelestia alimenta percepimus, intercedente beato Ioanne baptista per haec contra omnia adversa muniamur.

619 *Per finire.* Ti preghiamo, Dio onnipotente: fa' che mediante gli alimenti celesti che riceviamo, e per l'intercessione del beato Giovanni Battista siamo difesi da tutte le avversità.

ITEM AD MISSAM

UGUALMENTE PER LA MESSA

620 Deus, qui praesentem diem honorabilem nobis in beati Ioannis nativitate fecisti, da populis tuis spiritalium gratiam gaudiorum, et omnium fidelium mentes dirige in viam salutis aeternae.

620 O Dio, che con la natività di Giovanni Battista ci hai reso questo giorno degno d'essere santificato, concedi al tuo popolo la grazia delle gioie spirituali e guida la mente dei tuoi fedeli verso la via della salvezza eterna.

621 *Secreta.* Tua, Domine, muneribus altaria cumulamus, illius nativitatem honore debito celebrantes, qui salvatorem mundi et cecinit adfuturum, et adesse monstravit dominum.

621 *Sulle offerte.* Deponiamo sul tuo altare, o Signore, i nostri doni nel gioioso ricordo della nascita di san Giovanni Battista, che annunciò la venuta e indicò la presenza del Salvatore del mondo.

622 *Ad complendum.* Sumat ecclesia

622 *Per finire.* La tua Chiesa, Signore, ac-

tua, Deus, beati Ioannis baptistae generatione laetitiam, per quem suae regenerationis cognovit auctorem, dominum nostrum Iesum Christum.

623 *Ad vesperum ubi supra.* Deus, qui nos beati Ioannis baptistae concedis natalicio perfrui, eius nos tribue meritis adiuvari.

624 *Ad fontes.* Omnipotens sempiterne Deus, da cordibus nostris illam tuarum rectitudinem semitarum, quam beati Ioannis baptistae in deserto vox clamantis edocuit.

ALIAE ORATIONES

625 Deus, qui conspicis quia nos undique mala nostra contristant, per praecursorem gaudii corda nostra laetifica.

626 *Alia.* Da, quaesumus, omnipotens Deus, intra sanctae ecclesiae uterum constitutos, eo nos spiritu ab iniquitate nostra sanctificari, quo beatum Ioannem intra viscera materna docuisti.

627 *Alia.* Deus, qui nos annua beati Ioannis baptistae solemnia frequentare concedis, praesta, quaesumus, ut et devotis eadem mentibus celebremus, et eius patrocinio promerente plenae capiamus securitatis augmentum.

628 *Alia.* Omnipotens et misericors Deus, qui beatum Ioannem baptistam tua providentia destinasti, ut perfectam plebem Christo Domino praepararet, da, quaesumus, ut familia tua huius intercessione praeconis et a peccatis omnibus exuatur, et ad eum quem prophetavit pervenire mereatur.

colga la gioia della nascita del beato Giovanni Battista, mediante il quale ha conosciuto l'autore della sua rigenerazione, il Signore nostro Gesù Cristo.

623 *A vespro come sopra.* O Dio, che ci concedi di celebrare la nascita di Giovanni Battista, nella tua bontà concedi che i suoi meriti vengano in nostro aiuto.

624 *Ai fonti [battesimali].* O Dio onnipotente ed eterno, concedi ai nostri cuori la rettitudine delle tue vie, che ci ha mostrato la voce di Giovanni Battista che gridava nel deserto.

ALTRE PREGHIERE

625 O Dio, tu vedi che i nostri mali ci contristano da ogni parte; mediante il precursore della gioia rallegra i nostri cuori.

626 *Un'altra.* Ti preghiamo, Dio onnipotente, concedi che noi all'interno della santa Chiesa siamo purificati dalla nostra cattiveria per quello Spirito con il quale istruisti Giovanni quando ancora era nel grembo materno.

627 *Un'altra.* O Dio, che ci concedi di partecipare all'annuale solennità del beato Giovanni Battista, ti preghiamo: fa' che la celebriamo con spirito devoto, e per la sua protezione meritiamo di prendere parte alla pienezza della salvezza.

628 *Un'altra.* O Dio onnipotente e misericordioso, che hai destinato nella tua provvidenza il beato Giovanni Battista, perché preparasse per Cristo un popolo perfetto, ti preghiamo perché la tua famiglia, mediante l'intercessione di questo araldo, sia liberata da tutti i peccati e meriti di giungere da colui che aveva preannunciato.

CX.

VI KALENDAS IULII
ID EST XXVI DIE MENSIS IUNII
NATALE SANCTORUM
IOANNIS ET PAULI

629 Quaesumus, omnipotens Deus, ut nos geminata laetitia hodiernae festivitatis excipiat, quae de beatorum Ioannis et Pauli glorificatione procedit, quos eadem fides et passio vere fecit esse germanos.

630 *Super oblata.* Hostias tibi, Domine, sanctorum martyrum tuorum Ioannis et Pauli dicatas meritis benignus adsume, et ad perpetuum nobis tribue provenire subsidium.

631 *Ad complendum.* Sumpsimus, Domine, sanctorum tuorum solemnia celebrantes caelestia sacramenta, praesta, quaesumus, ut quod temporaliter gerimus, aeternis gaudiis consequamur.

CXI.

IIII KALENDAS IULII
ID EST XXVIII DIE MENSIS IUNII
VIGILIA SANCTI PETRI

ORATIO AD MISSAM

632 Praesta, quaesumus, omnipotens Deus, ut nullis nos permittas perturbationibus concuti, quos in apostolicae confessionis petra solidasti.

633 *Super oblata.* Munus populi tui, Domine, quaesumus, apostolica intercessione sanctifica, nosque a peccatorum nostrorum maculis emunda.

634 *Praefatio.* VD et iustum est aequum et salutare. Te, Domine, suppliciter exorare, ut gregem tuum, pastor aeterne, non deseras, sed per beatos apostolos

110

26 GIUGNO
NATALE DEI SANTI
GIOVANNI E PAOLO

629 Ti preghiamo, Dio onnipotente, perché ci accolga la doppia gioia di questo giorno che ha origine dalla glorificazione dei beati Giovanni e Paolo, che la stessa fede e lo stesso martirio resero davvero fratelli.

630 *Sulle offerte.* Accetta benigno, Signore, il sacrificio a te offerto per i meriti dei tuoi santi martiri Giovanni e Paolo, e concedi a noi di conseguire il tuo perpetuo aiuto.

631 *Per finire.* Ci siamo nutriti, o Signore, dei tuoi sacramenti celebrando la festa dei tuoi santi: fa' che gustiamo nella gioia eterna il mistero che ci conforta nel pellegrinaggio terreno.

111

28 GIUGNO
VIGILIA DI SAN PIETRO

PREGHIERA PER LA MESSA

632 Dio onnipotente, concedi che tra gli sconvolgimenti del mondo non si turbi la tua Chiesa, che hai fondato sulla roccia della professione di fede dell'apostolo Pietro.

633 *Sulle offerte.* Santifica, Signore, questo dono per l'intercessione dell'apostolo, e purificaci dalle macchie dei nostri peccati.

634 *Prefazio.* È veramente degno. Tu, pastore eterno, non abbandoni il tuo gregge, ma per mezzo dei tuoi santi apostoli lo custodisci con continua protezione, perché sia governato

tuos continua protectione custodias, ut eisdem rectoribus gubernetur, quos operis tui vicarios eidem contulisti praeesse pastores.

635 *Ad complendum.* Quos caelesti, Domine, alimento satiasti, apostolicis intercessionibus ab omni adversitate custodi.

AD VIGILIAS NOCTE

636 Deus, qui ecclesiam tuam apostoli tui Petri fide et nomine consecrasti, quique beatum illi Paulum ad praedicandum gentibus gloriam tuam sociare dignatus es, concede, ut omnes qui ad apostolorum tuorum solemnia convenerunt, spiritali remuneratione ditentur.

CXII.

III KALENDAS IULII
ID EST XXVIIII DIE MENSIS IUNII
NATALE SANCTI PETRI

637 Deus, qui hodiernam diem apostolorum tuorum Petri et Pauli martyrio consecrasti, da ecclesiae tuae eorum in omnibus sequi praeceptum, per quos religionis sumpsit exordium.

638 *Secreta.* Hostias, Domine, quas nomini tuo sacrandas offerimus, apostolica prosequatur oratio, per quam nos expiari tribuis et defendi.

639 *Praefatio.* VD et iustum est aequum et salutare, Te, Domine, suppliciter exorare, ut gregem tuum pastor aeterne non deseras, sed per beatos apostolos tuos continua protectione custodias, ut eisdem rectoribus gubernetur, quos operis tui vicarios eidem contulisti praeesse pastores.

dalle stesse guide che per esso hai costituito vicari e pastori della tua opera.

635 *Per finire.* Per intercessione dell'apostolo custodisci, Signore, da ogni avversità quelli che hai saziato con gli alimenti celesti.

PER LA VIGILIA NELLA NOTTE

636 O Dio, che nella fede e nel nome del tuo apostolo Pietro hai consacrato la tua Chiesa e hai voluto associare a lui il beato Paolo per la predicazione della tua gloria alle genti, concedi che tutti coloro che sono raccolti per la solennità dei tuoi santi apostoli, siano arricchiti della ricompensa celeste.

112

29 GIUGNO
NATALE DI SAN PIETRO

637 O Dio, che hai consacrato questo giorno con il martirio dei tuoi apostoli Pietro e Paolo, concedi alla tua Chiesa di seguire in ogni circostanza l'insegnamento di coloro per mezzo dei quali la nostra religione mosse i primi passi.

638 *Sui doni.* La preghiera dell'apostolo, Signore, per mezzo della quale ci concedi di essere purificati e protetti, accompagni queste offerte perché siano consacrate al tuo nome.

639 *Prefazio.* È veramente degno. Tu, pastore eterno, non abbandoni il tuo gregge, ma per mezzo dei tuoi santi apostoli lo custodisci con continua protezione, perché sia governato dalle stesse guide che per esso hai costituito vicari e pastori della tua opera. [= 634]

640 *Ad complendum.* Quos caelesti, Domine, alimento satiasti, apostolicis intercessionibus ab omni adversitate custodi.

641 *Ad vesperos.* Deus, qui apostolo tuo Petro conlatis clavibus regni caelestis ligandi atque solvendi pontificium tradidisti, concede, ut intercessionis eius auxilio a peccatorum nostrorum nexibus liberemur.

642 *Alia.* Omnipotens sempiterne Deus, qui ecclesiam tuam in apostolica soliditate fundatam ab inferorum eruis terrore portarum, praesta, ut nulla recipiat consortia perfidorum, sed in tua semper veritate persistat.

643 *Alia.* Familiam tuam, Domine, propitiatus intuere et apostolicis defende praesidiis, ut eorum precibus gubernetur, quibus innititur te constituente principibus.

644 *Alia.* Exaudi nos, Deus salutaris noster, et apostolorum tuorum nos tuere praesidiis, quorum donasti fideles esse doctrinis.

645 *Alia.* Protege, Domine, populum tuum, et apostolorum tuorum patrocinio confidentem perpetua defensione conserva.

646 *Alia.* Esto, Domine, plebi tuae sanctificator et custos, ut apostolicis munita praesidiis, et conversatione tibi placeat et secura deserviat.

640 *Per finire.* Con l'intercessione dell'apostolo custodisci, Signore, quelli che hai saziato con il celeste nutrimento.

641 *Al vespro.* O Dio, che con la consegna delle chiavi del regno celeste hai dato al tuo apostolo Pietro il potere di sciogliere e di legare, concedi a noi di essere sciolti dai lacci dei nostri peccati con l'aiuto della sua intercessione.

642 *Un'altra.* Dio onnipotente ed eterno, che liberi la tua Chiesa, fondata sulla solidità dell'apostolo, dal terrore delle porte infernali, fa' che non accolga nel suo grembo nessuna comunità di malvagi, ma perseveri sempre nella tua verità.

643 *Un'altra.* Volgi benigno lo sguardo verso la tua famiglia, Signore, e difendila con l'aiuto degli apostoli, perché sia guidata dalle preghiere di coloro che per tua disposizione segue come guide.

644 *Un'altra.* Esaudiscici, Dio, nostra salvezza, e difendici con l'aiuto dei tuoi apostoli, alla cui dottrina ci hai concesso di essere fedeli.

645 *Un'altra.* Difendi, Signore, il tuo popolo e con la tua perpetua protezione conservalo mentre confida nel soccorso dei tuoi apostoli.

646 *Un'altra.* Santifica e custodisci il tuo popolo, Signore, perché corroborato dall'aiuto degli apostoli, ti compiaccia con il suo genere di vita e ti serva senza preoccupazioni.

CXIII.
II KALENDAS IULII
ID EST XXX DIE MENSIS IUNII
NATALE SANCTI PAVLI

647 Deus, qui multitudinem gentium beati Pauli apostoli praedicatione docuisti, da nobis, quaesumus, ut cuius natalicia

113
30 GIUGNO
NATALE DI SAN PAOLO

647 O Dio, che mediante la predicazione del beato Paolo hai chiamato alla fede molti popoli, ti preghiamo perché possiamo sperimentare davanti

colimus, eius apud te patrocinia sentiamus.

648 *Super oblata*. Ecclesiae tuae, quaesumus, Domine, preces et hostias apostolica commendet oratio, ut quod pro illorum gloria celebramus, nobis prosit ad veniam.

649 *Ad complendum*. Perceptis, Domine, sacramentis beatis apostolis intervenientibus deprecamur, ut quae pro illorum celebrata sunt gloria, nobis proficiant ad medelam.

a te la protezione di colui del quale celebriamo il giorno natalizio.

648 *Sulle offerte*. Signore, la preghiera degli apostoli ti renda accetti i sacrifici e le preghiere della tua Chiesa, perché ciò che celebriamo per la loro gloria, ci giovi per il conseguimento del perdono.

649 *Per finire*. Ricevuti i sacramenti per intercessione dei beati apostoli, ti preghiamo, Signore, perché ciò che celebriamo per la loro gloria, giovi a noi per il conseguimento del perdono.

CXIIII.

IN OCTABAS APOSTOLORUM AD SANCTUM PETRUM

650 Deus, cuius dextera beatum Petrum ambulantem in fluctibus ne mergeretur erexit, et coapostolum eius Paulum tertio naufragantem de profundo pelagi liberavit, exaudi nos propitius, et concede, ut amborum meritis aeternitatis gloriam consequamur.

651 *Super oblata*. Offerimus tibi, Domine, preces et munera, quae ut tuo sint digna conspectui, apostolorum tuorum, quaesumus, precibus adiuvemur.

652 *Ad complendum*. Protege, Domine, populum tuum, et apostolorum patrocinio confidentem perpetua defensione conserva.

114

NELL'OTTAVA DEGLI APOSTOLI [*statio*] A SAN PIETRO

650 O Dio, la cui destra ha sostenuto il beato Pietro che camminava sui flutti perché non venisse sommerso, e ha liberato per la terza volta dal mare profondo Paolo, il compagno d'apostolato, in balia delle onde, ascoltaci benigno e concedi a noi di conseguire la gloria dell'eternità per i meriti di entrambi.

651 *Sulle offerte*. Ti offriamo, Signore, preghiere e doni, e perché siano degni della tua presenza, ti preghiamo d'essere aiutati dalle preghiere dei tuoi apostoli.

652 *Per finire*. Proteggi, Signore, il tuo popolo che confida nella protezione degli apostoli, e conservalo con il tuo continuo aiuto.

CXV.

MENSE IULIO

VI NONAS IULII
ID EST DIE II MENSIS IULII
NATALE SANCTORUM
PROCESSI ET MARTINIANI

653 Deus, qui nos sanctorum tuorum Processi et Martiniani

115

MESE DI LUGLIO

2 LUGLIO
NATALE DEI SANTI
PROCESSO E MARTINIANO

653 O Dio, con la gloriosa testimonianza dei tuoi santi Processo e Martiniano

confessionibus gloriosis circumdas et protegis, da nobis et eorum imitatione proficere, et intercessione gaudere.

654 *Secreta.* Suscipe, Domine, preces et munera, quae ut tuo sint digna conspectui, sanctorum tuorum, quaesumus, precibus adiuventur.

655 *Ad complendum.* Corporis sacri et pretiosi sanguinis repleti libamine, quaesumus, Domine Deus noster, ut quod pia devotione gerimus, certa redemptione capiamus.

ci avvolgi di amore e ci proteggi, concedici di progredire nella loro imitazione e di essere sostenuti dalla loro preghiera.

654 *Sui doni.* Accetta, Signore, preghiere e doni, e perché siano degni della tua presenza ti chiediamo di essere aiutati dalle preghiere dei tuoi santi.

655 *Per finire.* Saziati dalla partecipazione al sacro corpo e al sangue prezioso, ti preghiamo, Signore Dio nostro, perché con la sicurezza della redenzione riceviamo ciò che celebriamo con pietà e devozione.

CXVI.
VI IDUS IULII
ID EST DIE X MENSIS IULII
NATALE VII FRATRUM

116
10 LUGLIO
NATALE DEI SETTE FRATELLI

656 Praesta, quaesumus, omnipotens Deus, ut qui gloriosos martyres fortes in sua confessione cognovimus, pios apud te in nostra intercessione sentiamus.

657 *Super oblata.* Sacrificiis praesentibus, Domine, quaesumus, intende placatus, et intercedentibus sanctis tuis devotioni nostrae proficiant et saluti.

658 *Ad complendum.* Quaesumus, omnipotens Deus, ut illius salutaris capiamus effectum, cuius per haec mysteria pignus accepimus.

656 Ti preghiamo, Dio onnipotente, perché noi che dei gloriosi martiri abbiamo conosciuto la fortezza nel martirio, avvertiamo la loro pietà mentre intercedono per noi presso di te.

657 *Sulle offerte.* Ti preghiamo, Signore: volgi benigno il tuo volto sul presente sacrificio, e l'intercessione dei tuoi santi sia di aiuto alla nostra devozione e salvezza.

658 *Per finire.* Ti preghiamo, Dio onnipotente, perché riceviamo i salutari effetti di colui, del quale mediante questi misteri accogliamo il pegno.

CXVII.
IIII KALENDAS AUGUSTI
ID EST DIE XXVIIII MENSIS IULII
NATALE SANCTI
FELICIS ET SIMPLICII
ET FAUSTINI ET BEATRICIS

117
29 LUGLIO
NATALE DEI SANTI
FELICE E SIMPLICIO
E FAUSTINO E BEATRICE

659 Infirmitatem nostram respice, omnipotens Deus, et quia pondus propriae actionis gravat, beati Felicis martyris tui atque

659 Dio onnipotente, guarda la nostra infermità, e perché ci opprime il peso delle nostre azioni, ci protegga la gloriosa intercessione del beato

pontificis intercessio gloriosa nos protegat.

660 *Super oblata*. Accepta sit in conspectu tuo, Domine, nostra devotio, et eius nobis fiat supplicatione salutaris, pro cuius solemnitate defertur.

661 *Ad complendum*. Spiritum nobis, Domine, tuae caritatis infunde, ut quos uno caelesti pane satiasti, intercedente beato Felice martyre tuo tua facias pietate concordes.

Felice, tuo martire e pontefice.

660 *Sulle offerte*. Al tuo cospetto, Signore, sia gradita la nostra devozione e sia per noi fonte di salvezza la supplica di colui, in onore del quale celebriamo la solennità.

661 *Per finire*. Infondi in noi, Signore, lo spirito del tuo amore, perché coloro che hai saziato con l'unico pane celeste, per intercessione del tuo beato martire Felice li renda concordi nella tua pietà.

CXVIII.

III KALENDAS AUGUSTI
ID EST DIE XXX MENSIS IULII
NATALE SANCTORUM
ABDO ET SENNES

118

30 LUGLIO
NATALE DEI SANTI
ABDON E SENNEN

662 Deus, qui sanctis tuis Abdo et Sennae ad hanc gloriam veniendi copiosum munus gratiae contulisti, da famulis tuis suorum veniam peccatorum, ut sanctorum tuorum intercedentibus meritis ab omnibus mereamur adversitatibus liberari.

662 O Dio, che ai tuoi santi Abdon e Sennen hai concesso il dono di giungere a questa gloria, concedi ai tuoi servi il perdono dei propri peccati perché, per intercessione dei tuoi santi e dei loro meriti, otteniamo di essere liberati da tutte le avversità.

663 *Super oblata*. Hostia haec, quaesumus, Domine, quam sanctorum tuorum natalicia recensentes offerimus, et vincula nostrae pravitatis absolvat, et tuae nobis misericordiae dona conciliet.

663 *Sulle offerte*. Ti preghiamo, Signore: questo sacrificio che ti offriamo mentre celebriamo il natale dei tuoi santi, sciolga i legami della nostra cattiveria e ci ottenga i doni della tua misericordia.

664 *Ad complendum*. Per huius, Domine, operationem mysterii et vitia nostra purgentur, et iusta desideria compleantur.

664 *Per finire*. Signore, per opera di questo mistero siano eliminati i nostri peccati e siano portati a compimento i giusti desideri.

CXVIIII.

MENSE AUGUSTO
KALENDIS AUGUSTIS
AD SANCTUM PETRUM
AD VINCULA

119

MESE DI AGOSTO
1° AGOSTO
[*statio*] PRESSO
SAN PIETRO IN VINCOLI

665 Deus, qui beatum Petrum apostolum a vinculis absolutum inlaesum abire fecisti, nostrorum,

665 O Dio, che permettesti al beato apostolo Pietro, sciolto dalle catene, di andare via illeso, ti preghiamo: scio-

quaesumus, absolve vincula peccatorum, et omnia mala a nobis propitiatus exclude.

666 *Super oblata.* Oblatum tibi, Domine, sacrificium vivificet nos semper et muniat.

667 *Ad complendum.* Corporis sacri et pretiosi sanguinis repleti libamine, quaesumus, Domine Deus noster, ut quod pia devotione gerimus, certa redemptione capiamus.

gli i legami dei nostri peccati e benigno allontana da noi tutti i mali.

666 *Sulle offerte.* Il sacrificio che ti offriamo, Signore, ci vivifichi sempre e ci fortifichi.

667 *Per finire.* Saziati dalla partecipazione al sacro corpo e al sangue prezioso, ti preghiamo, Signore Dio nostro, perché con la sicurezza della redenzione riceviamo ciò che celebriamo con pietà e devozione.

CXX.
MENSE AUGUSTO
IIII NONAS AUGUSTI ID EST DIE II MENSIS AUGUSTI NATALE SANCTI STEPHANI EPISCOPI

120
2 AGOSTO
NATALE DEL VESCOVO SANTO STEFANO

668 Deus, qui nos beati Stephani martyris tui atque pontificis annua solemnitate laetificas, concede propitius, ut cuius natalicia colimus, de eiusdem etiam intercessione gaudeamus.

668 O Dio, che ci rallegri con l'annuale celebrazione del tuo beato papa e martire Stefano, nella tua benevolenza concedici di godere anche dell'intercessione di colui del quale ci rallegriamo per il giorno natalizio.

669 *Secreta.* Munera tibi, Domine, dicata sanctifica, et intercedente beato Stephano martyre tuo atque pontifice, per eadem nos placatus intende.

669 *Sui doni.* Santifica, Signore, i doni che ti offriamo: per questi e con l'intercessione del tuo papa e martire il beato Stefano rivolgi benevolo il tuo sguardo verso di noi.

670 *Ad complendum.* Haec nos communio, Domine, purget a crimine, et intercedente beato Stephano martyre tuo atque pontifice caelestis remedii faciat esse consortes.

670 *Per finire.* Questa comunione, Signore, ci purifichi dal peccato e per l'intercessione del beato papa e martire Stefano ci renda partecipi del rimedio celeste.

CXXI.
VIII IDUS AUGUSTI ID EST DIE VI MENSIS AUGUSTI NATALE SANCTI XYSTI EPISCOPI

121
6 AGOSTO
NATALE DEL VESCOVO SAN SISTO

671 Deus, qui conspicis quia ex nulla nostra virtute subsistimus, concede propitius, ut intercessione beati Xysti martyris tui

671 O Dio, tu sai che non possiamo assolutamente esistere per nostro volere; nella tua bontà concedi a noi di essere fortificati contro tutte le avversità

atque pontificis contra omnia adversa muniamur.

672 *Secreta.* Sacrificiis praesentibus, Domine, quaesumus, intende placatus, ut et devotioni nostrae proficiant et saluti.

673 *Praefatio uvae.* Intra quorum nos consortio non aestimator meriti, sed veniae, quaesumus, largitor admitte.

674 *Benedictio uvae.* Benedic, Domine, et hos fructus novos uvae, quos tu, Domine, rore caeli et inundantia pluviarum et temporum serenitate atque tranquillitate ad maturitatem perducere dignatus es, et dedisti eam ad usus nostros cum gratiarum actione percipere, in nomine domini nostri Iesu Christi. Per quem haec omnia Domine semper.

675 *Ad complendum.* Praesta, quaesumus, Domine Deus noster, ut cuius nobis festivitate votiva sunt sacramenta, eius salutaria nobis intercessione reddantur.

ITEM EODEM DIE
MENSIS AUGUSTI
NATALE SANCTI
FELICISSIMI ET AGAPITI

676 Deus, qui nos concedis sanctorum martyrum tuorum Felicissimi et Agapiti natalicia colere, da nobis in aeterna laetitia de eorum societate gaudere.

677 *Super oblata.* Munera tibi, Domine, nostrae devotionis offerimus, quae et pro tuorum tibi grata sint honore iustorum, et nobis salutaria te miserante reddantur.

678 *Ad complendum.* Praesta nobis, Domine, quaesumus, intercedentibus sanctis tuis Felicis-

dall'intercessione del beato papa e martire Sisto.

672 *Sulle offerte.* Ti preghiamo, Signore: guarda benigno il presente sacrificio, perché sia di aiuto alla nostra devozione e salvezza.

673 *Premessa per [la benedizione del]l'uva.* Ammettici a godere della loro sorte beata non per i nostri meriti ma per la ricchezza del tuo perdono.

674 *Benedizione dell'uva.* Benedici, Signore, anche il nuovo frutto dell'uva che tu, Signore, ti sei degnato di produrre con la rugiada del cielo, e hai portato a maturazione con l'abbondanza delle piogge e la tranquilla serenità delle stagioni; dopo averti ringraziato, concedi a noi di usufruirne nel nome del Signore nostro Gesù Cristo.

675 *Per finire.* Ti preghiamo, Signore Dio nostro: fa' che diventino per noi fonte di salvezza i sacramenti per intercessione di colui nella cui festività ti offriamo i nostri voti.

UGUALMENTE NELLO STESSO
GIORNO DEL MESE DI AGOSTO
NATALE DEI SANTI
FELICISSIMO E AGAPITO

676 O Dio, che ci concedi di celebrare il natale dei tuoi santi martiri Felicissimo e Agapito, permettici di godere della loro amicizia nella gioia eterna.

677 *Sulle offerte.* Ti offriamo, Signore, i doni della nostra devozione; offerti in onore dei tuoi giusti, siano a te graditi e per la tua misericordia diventino per noi fonte di salvezza.

678 *Per finire.* Ti preghiamo, Signore: per intercessione dei tuoi santi Felicissimo e Agapito donaci di comprende-

simo et Agapito, ut quae ore contingimus, pura mente capiamus.

re con animo puro ciò che tocchiamo con la bocca.

CXXII.
VI IDUS AUGUSTI
ID EST DIE VIII
MENSIS AUGUSTI
NATALE SANCTI CYRIACI

679 Deus, qui nos annua beati Cyriaci martyris tui solemnitate laetificas, concede propitius, ut cuius natalicia colimus, virtutem quoque passionis imitemur.

680 *Super oblata*. Accepta sit in conspectu tuo, Domine, nostra devotio, et eius nobis fiat supplicatione salutaris, pro cuius solemnitate defertur.

681 *Ad complendum*. Refecti participatione muneris sacri, quaesumus, Domine Deus noster, ut cuius exsequimur cultum, sentiamus effectum.

122
8 AGOSTO
NATALE DI SAN CIRIACO

679 O Dio, che ci allieti nell'annuale solennità del tuo beato martire Ciriaco, mentre celebriamo il suo giorno natalizio, nella tua benevolenza concedi a noi di imitare il suo coraggio nel martirio.

680 *Sulle offerte*. La nostra devozione, Signore, sia accetta al tuo cospetto e per intercessione di colui nella cui solennità ti viene offerta, diventi per noi causa di salvezza.

681 *Per finire*. Ristorati dalla partecipazione al sacro dono, ti preghiamo, Signore Dio nostro, di sperimentare l'aiuto di colui, del quale celebriamo la festa.

CXXIII.
V IDUS AUGUSTI
ID EST DIE VIIII
MENSIS AUGUSTI
VIGILIA SANCTI LAURENTII

682 Adesto, Domine, supplicationibus nostris, et intercessione beati Laurentii martyris tui perpetuam nobis misericordiam benignus inpende.

683 *Secreta*. Hostias, Domine, quas tibi offerimus, propitius suscipe, et intercedente beato Laurentio martyre tuo vincula peccatorum nostrorum absolve.

684 *Ad complendum*. Da, quaesumus, Domine Deus noster, ut sicut beati Laurentii martyris tui commemoratione temporali gratulamur officio, ita perpetuo laetemur aspectu.

123
9 AGOSTO
VIGILIA DI SAN LORENZO

682 Signore, ascolta benigno le nostre suppliche e per intercessione del tuo beato martire Lorenzo nella tua benevolenza concedi a noi la tua perenne misericordia.

683 *Sui doni*. Nella tua bontà, Signore, accetta il sacrificio che ti offriamo e per intercessione del tuo beato martire Lorenzo sciogli i legami dei nostri peccati.

684 *Per finire*. Ti preghiamo, Signore, Dio nostro: nella commemorazione del tuo beato martire Lorenzo ti ringraziamo per il suo servizio su questa terra, fa' che ci rallegriamo per la sua visione nell'eternità.

CXXIIII.

IIII IDUS AUGUSTI ID EST
DIE X MENSIS AUGUSTI
NATALE SANCTI LAURENTII

124

10 AGOSTO
NATALE DI SAN LORENZO

IN PRIMA MISSA

685 Excita, Domine, in ecclesia tua spiritum cui beatus Laurentius levita servivit, ut eodem nos replente studeamus amare quod amavit, et opere exercere quod docuit.

686 *Secreta*. Sacrificium nostrum tibi, Domine, quaesumus, beati Laurentii precatio sancta conciliet, ut cuius honore solemniter exhibetur, meritis efficiatur acceptum.

687 *Ad complendum*. Supplices te rogamus, omnipotens Deus, ut quos donis caelestibus satiasti, intercedente beato Laurentio martyre tuo perpetua protectione custodias.

ITEM AD MISSAM

688 Da nobis, omnipotens, quaesumus, Deus, vitiorum nostrorum flammas extinguere, qui beato Laurentio tribuisti tormentorum suorum incendia superare.

689 *Super oblata*. Accipe, quaesumus, Domine, munera dignanter oblata, et beati Laurentii suffragantibus meritis ad nostrae salutis auxilium provenire concede.

690 *Ad complendum*. Sacro munere satiati supplices te, Domine, deprecamur, ut quod debitae servitutis celebramus officio, intercedente beato Laurentio salvationis tuae sentiamus augmentum.

691 *Alia*. Deus, cuius caritatis ar-

ALLA PRIMA MESSA

685 Ravviva, Signore, nella tua Chiesa quello Spirito al cui servizio si pose il beato levita Lorenzo, perché noi, pervasi dallo stesso, cerchiamo di amare ciò che egli ha amato e di mettere in pratica con le opere ciò che lui ha insegnato.

686 *Sui doni*. Ti preghiamo, Signore: la santa preghiera del beato Lorenzo renda propizio il nostro sacrificio, e diventi a te gradito per i meriti di colui, in onore del quale viene solennemente offerto.

687 *Per finire*. Supplici ti preghiamo, Dio onnipotente, perché con la tua eterna protezione custodisca coloro che hai saziato con i doni celesti, per intercessione del tuo beato martire Lorenzo.

UGUALMENTE PER LA MESSA

688 Ti preghiamo, Dio onnipotente: tu che hai concesso al beato Lorenzo di superare il fuoco del suo martirio, concedici di estinguere le fiamme dei nostri peccati.

689 *Sulle offerte*. Ti preghiamo, Signore: accogli i doni che umilmente ti offriamo e concedici che questi, per i meriti del beato Lorenzo, siano di aiuto per la nostra salvezza.

690 *Per finire*. Saziati dal sacro dono, supplici ti preghiamo, Signore, perché per intercessione del beato Lorenzo avvertiamo gli effetti della tua salvezza, che celebriamo con i segni del dovuto servizio.

691 *Un'altra*. O Dio, il beato Lorenzo, di-

dore beatus Laurentius edaces incendii flammas contempto persecutore devicit, concede, ut omnes qui martyrii eius merita veneramur, protectionis tuae auxilio muniamur.

sprezzato il persecutore, con l'ardore del tuo amore vinse le fiamme che lo consumavano, concedi a tutti noi che veneriamo i meriti del martire di essere fortificati dall'aiuto della tua protezione.

CXXV.
III IDUS AUGUSTI ID EST DIE XI MENSIS AUGUSTI NATALE SANCTI TIBURTII

692 Beati Tiburtii nos, Domine, foveant continuata praesidia, quia non desinis propitius intueri, quos talibus auxiliis concesseris adiuvari.

693 *Secreta.* Adesto, Domine, precibus populi tui, adesto muneribus, ut quae sacris sunt oblata mysteriis, tuorum tibi placeant intercessione sanctorum.

694 *Ad complendum.* Sumpsimus, Domine, pignus redemptionis aeternae, sit nobis, Domine, interveniente beato Tiburtio martyre tuo vitae praesentis auxilium pariter et futurae.

125
11 AGOSTO NATALE DI SAN TIBURZIO

692 Ci protegga, Signore, il continuo sostegno di san Tiburzio perché tu non smetta di guardare con benevolenza coloro che hai deciso di proteggere con tali aiuti.

693 *Sui doni.* Ascolta benigno le preghiere del tuo popolo, Signore; volgi lo sguardo su questi doni perché, per intercessione dei tuoi santi, ti siano graditi quelli offerti durante i sacri misteri.

694 *Per finire.* Il pegno della redenzione eterna che abbiamo ricevuto, o Signore, per l'intercessione del tuo beato martire Tiburzio, sia per noi di aiuto nella vita presente e in quella futura.

CXXVI.
IDIBUS AUGUSTIS ID EST XIII DIE MENSIS AUGUSTI NATALE SANCTI HIPPOLYTI

695 Da nobis, omnipotens Deus, ut beati Hippolyti martyris tui veneranda solemnitas et devotionem nobis augeat et salutem.

696 *Secreta.* Respice, Domine, munera populi tui sanctorum festivitate votiva, et tuae testificatio veritatis nobis proficiat ad salutem.

697 *Ad complendum.* Sacramentorum tuorum, Domine, communio sumpta nos salvet, et in tuae veritatis luce confirmet.

126
13 AGOSTO NATALE DI SANT'IPPOLITO

695 Dio onnipotente, fa' che la veneranda solennità del tuo beato martire Ippolito accresca in noi la devozione e la salvezza.

696 *Sui doni.* Guarda, Signore, i doni che il tuo popolo ti offre in questo giorno di festa, e la testimonianza della tua verità giovi per la nostra salvezza.

697 *Per finire.* La partecipazione ai tuoi sacramenti ci salvi, o Signore, e confermi noi tutti nella luce della tua verità.

CXXVII.

XVIIII KALENDAS SEPTEMBRIS ID EST XIIII DIE MENSIS AUGUSTI NATALE SANCTI EUSEBII PRESBYTERI

698 Deus, qui nos beati Eusebii confessoris tui annua solemnitate laetificas, concede propitius, ut cuius natalicia colimus, per eius ad te exempla gradiamur.

699 *Secreta.* Laudis tuae, Domine, hostias immolamus in tuorum commemoratione sanctorum, quibus nos et praesentibus exui malis confidimus et futuris.

700 *Ad complendum.* Refecti cibo potuque caelesti, Deus noster, te supplices exoramus, ut in cuius haec commemoratione percepimus, eius muniamur et precibus.

127

14 AGOSTO NATALE DI SANT'EUSEBIO PRESBITERO

698 O Dio, che ci rallegri con l'annuale solennità del tuo beato confessore Eusebio, nella tua benevolenza concedici di camminare verso di te con l'esempio di colui del quale celebriamo il giorno natalizio.

699 *Sui doni.* Immoliamo, Signore, il sacrificio della tua lode nella commemorazione dei tuoi santi, [per la cui intercessione] confidiamo d'essere liberati dai mali presenti e futuri.

700 *Per finire.* Rinfrancati dal cibo e dalla bevanda celeste, supplici, Dio nostro, ti preghiamo, perché siamo protetti anche dalle preghiere di colui del quale in questa commemorazione percepiamo la presenza.

CXXVIII.

XVIII KALENDAS SEPTEMBRIS ID EST XV DIE MENSIS AUGUSTI ADSUMPTIO SANCTAE MARIAE

701 Concede, quaesumus, omnipotens Deus, ad beatae Mariae semper virginis gaudia aeterna pertingere, de cuius nos veneranda adsumptione tribuis annua solemnitate gaudere.

702 *Secreta.* Intercessio, quaesumus, Domine, beatae Mariae semper virginis munera nostra commendet, nosque in eius veneratione tuae maiestati reddat acceptos.

703 *Ad complendum.* Supplices te rogamus, omnipotens Deus, ut quos tuis reficis sacramentis, tibi etiam intercedente beata Maria semper virgine placitis moribus dignanter deservire concedas.

128

15 AGOSTO ASSUNZIONE DI SANTA MARIA

701 Ti preghiamo, Dio onnipotente: concedici di raggiungere le gioie eterne della beata sempre Vergine Maria, della quale ci permetti di godere ogni anno la solennità della veneranda assunzione.

702 *Sulle offerte.* O Signore, l'intercessione della beata sempre Vergine Maria renda a te graditi i nostri doni e ottenga a noi, che la veneriamo, di essere accolti dalla tua maestà.

703 *Per finire.* Dio onnipotente, che ci nutri con i tuoi sacramenti, donaci di servirti degnamente con una vita santa.

[...]

CXXVIIII.
XV KALENDAS SEPTEMBRIS ID EST XVIII DIE MENSIS AUGUSTI NATALE SANCTI AGAPITI

704 Laetetur ecclesia tua, Deus, beati Agapiti martyris tui confisa suffragiis, atque eius precibus gloriosis et devota permaneat et secura consistat.

705 *Super oblata.* Suscipe, Domine, munera quae in eius tibi solemnitate deferimus, cuius nos confidimus patrocinio liberari.

706 *Ad complendum.* Satiasti, Domine, familiam tuam muneribus sacris, eius, quaesumus, semper interventione nos refove, cuius solemnia celebramus.

129
18 AGOSTO NATALE DI SANT'AGAPITO

704 Si allieti, o Dio, la tua Chiesa che si affida alle preghiere del santo martire Agapito, e per la sua gloriosa intercessione si consacri con serena fiducia al tuo servizio.

705 *Sulle offerte.* Accetta, Signore, i doni che ti offriamo nella solennità di colui dal cui patrocinio confidiamo d'essere liberati.

706 *Per finire.* Hai saziato, Signore, la tua famiglia con i sacri doni; ti preghiamo di rinnovarci sempre per intercessione di colui di cui celebriamo la festa.

CXXX.
XI KALENDAS SEPTEMBRIS ID EST XXII DIE MENSIS AUGUSTI NATALE SANCTI TIMOTHEI

707 Auxilium tuum nobis, Domine, quaesumus, placatus inpende, et intercedente beato Timotheo martyre tuo dexteram super nos tuae propitiationis extende.

708 *Super oblata.* Accepta tibi sit, Domine, sacratae plebis oblatio pro tuorum honore sanctorum, quorum se meritis percepisse de tribulatione cognoscit auxilium.

709 *Ad complendum.* Divini muneris largitate satiati, quaesumus, Domine Deus noster, ut intercedente beato Timotheo martyre tuo eius semper participatione vivamus.

130
22 AGOSTO NATALE DI SAN TIMOTEO

707 Ti preghiamo, Signore: concedici benigno il tuo aiuto e per intercessione del tuo beato martire Timoteo stendi verso di noi la destra della tua misericordia.

708 *Sulle offerte.* Ti siano graditi, Signore, i doni che il popolo consacrato offre in onore dei tuoi santi, per i meriti dei quali riconosce d'aver ricevuto aiuto nella tribolazione.

709 *Per finire.* Ti preghiamo, Signore Dio nostro, perché, saziati dalla liberalità del dono divino, per intercessione del tuo beato martire Timoteo viviamo sempre uniti a lui.

CXXXI.

V KALENDAS SEPTEMBRIS
ID EST XXVIII DIE
MENSIS AUGUSTI
NATALE SANCTI HERMETIS

710 Deus, qui beatum Hermen martyrem tuum virtute constantiae in passione roborasti, ex eius nobis imitatione tribue pro amore tuo prospera mundi despicere, tuisque semper adhaerere mandatis.

711 *Secreta.* Sacrificium tibi, Domine, laudis offerimus in tuorum commemoratione sanctorum, da, quaesumus, ut quod illis contulit gloriam, nobis prosit ad salutem.

712 *Ad complendum.* Repleti, Domine, benedictione caelesti, quaesumus, clementiam tuam, ut intercedente beato Hermete martyre tuo quae humiliter gerimus, salubriter sentiamus.

131

28 AGOSTO
NATALE DI SANT'ERMETE

710 O Dio, durante il martirio hai reso forte il tuo beato martire Ermete con la virtù della costanza: mentre lo imitiamo concedici, per tuo amore, di disprezzare i beni di questo mondo e di essere sempre fedeli ai tuoi comandamenti.

711 *Sulle offerte.* Nella commemorazione dei tuoi santi, Signore, ti offriamo il sacrificio di lode; concedici, ti preghiamo, che possa giovare alla nostra salvezza ciò che a loro arrecò gloria.

712 *Per finire.* Colmati, Signore, della benedizione celeste, imploriamo la tua clemenza perché per intercessione del tuo beato martire Ermete possiamo sperimentare per la nostra salvezza ciò che umilmente celebriamo.

CXXXII.

IIII KALENDAS SEPTEMBRIS
ID EST XXVIIII DIE
MENSIS AUGUSTI
NATALE SANCTAE SABINAE

713 Deus, qui inter cetera potentiae tuae miracula etiam in sexu fragili victoriam martyrii contulisti, concede propitius, ut cuius natalicia colimus, per eius exempla ad te gradiamur.

714 *Secreta.* Hostias tibi, Domine, beatae Sabinae martyris tuae dicatas meritis benignus adsume, et ad perpetuum nobis tribue provenire subsidium.

715 *Ad complendum.* Divini muneris largitate satiati, quaesumus, Domine Deus noster, ut intercedente beata Sabina martyre tua huius semper participatione vivamus.

132

29 AGOSTO
NATALE DI SANTA SABINA

713 O Dio, che tra i tanti prodigi della tua potenza hai riposto la vittoria del martirio anche nella fragilità della donna, nella tua bontà concedi a noi di venire verso di te, seguendo gli esempi di colei di cui oggi celebriamo la nascita.

714 *Sui doni.* Per i meriti della tua martire Sabina, accogli benigno, Signore, questo sacrificio che ti offriamo, e permettici di giungere al tuo perpetuo aiuto.

715 *Per finire.* Saziati dalla liberalità del dono divino, ti preghiamo, Signore Dio nostro, perché per intercessione della tua beata martire Sabina viviamo sempre uniti a lei.

Sacramentario

CXXXIII.

III KALENDAS SEPTEMBRIS
ID EST XXX DIE
MENSIS AUGUSTI
NATALE SANCTORUM
FELICIS ET AUDACTI

716 Maiestatem tuam, Domine, supplices deprecamur, ut sicut nos iugiter sanctorum tuorum commemoratione laetificas, ita semper supplicatione defendas.

717 *Secreta.* Hostias, Domine, tuae plebis intende, et quas in honore sanctorum tuorum devota mente celebrat, proficere sibi sentiat ad salutem.

718 *Ad complendum.* Repleti, Domine, muneribus sacris, quaesumus, ut intercedentibus sanctis tuis in gratiarum tuarum semper actione maneamus.

CXXXIIII.

MENSE SEPTEMBRI
VI IDUS SEPTEMBRIS
ID EST DIE VIII
MENSIS SEPTEMBRIS
NATIVITATE SANCTAE MARIAE

719 Adiuvet nos, quaesumus, Domine, beatae Mariae semper virginis intercessio veneranda, et a cunctis periculis absolutos in tua faciat pace gaudentes.

720 *Secreta.* Munera nostrae devotionis, quaesumus, Domine, propitius respice, et ad salutem nostram provenire concede.

721 *Ad complendum.* Adesto, Domine, populo tuo, ut quae sumpsit fideliter, et mente sibi et corpore beatae Mariae semper virginis intercessione custodiat.

133

30 AGOSTO
NATALE DEI SANTI
FELICE E AUDATTO

716 Supplici, Signore, preghiamo la tua maestà: come ci rallegri continuamente nella celebrazione dei tuoi santi, così ci difendi grazie alle loro suppliche.

717 *Sui doni.* Volgi benigno, Signore, lo sguardo al sacrificio del tuo popolo, perché avverta che giova alla propria salvezza ciò che con mente devota celebra in onore dei tuoi santi.

718 *Per finire.* Ristorati, Signore, dai sacri doni, ti preghiamo, perché per intercessione dei tuoi santi rimaniamo sempre sotto l'influsso della tua grazia.

134

MESE DI SETTEMBRE
8 SETTEMBRE
NATIVITÀ DI SANTA MARIA

719 Ci soccorra, o Signore, la preziosa intercessione della beata sempre Vergine Maria, liberi da tutti i pericoli, possiamo godere della tua pace.

720 *Sui doni.* Ti preghiamo, Signore: guarda propizio i doni della nostra devozione e permettici di giungere alla nostra salvezza.

721 *Per finire.* Volgi benigno, Signore, lo sguardo sul tuo popolo, perché per intercessione della beata sempre Vergine Maria custodisca nello spirito e nel corpo quanto ha ricevuto con la fede.

141

CXXXV.
III IDUS SEPTEMBRIS
ID EST XI DIE
MENSIS SEPTEMBRIS
NATALE SANCTORUM
PROTI ET HIACYNTHI

722 Beati Proti nos, Domine, et Hiacynthi foveat pretiosa confessio, et pia iugiter intercessione tueatur.

723 *Secreta.* Pro sanctorum Proti et Hiacynthi munera tibi, Domine, commemoratione, quae debemus, exsolvimus, praesta, quaesumus, ut remedium nobis perpetuae salutis operentur.

724 *Ad complendum.* Ut percepta nos, Domine, tua sancta purificent, beati Proti et Hiacynthi, quaesumus, imploret oratio.

CXXXVI.
XVIII KALENDAS OCTOBRIS
ID EST XIIII DIE MENSIS
SEPTEMBRIS
NATALE SANCTORUM
CORNELII ET CYPRIANI

725 Infirmitatem nostram, quaesumus, Domine, propitius respice, et mala omnia, quae iuste meremur, sanctorum tuorum intercessione averte.

726 *Super oblata.* Adesto, Domine, supplicationibus nostris, quas in sanctorum tuorum commemoratione deferimus, ut qui nostrae iustitiae fiduciam non habemus, eorum qui tibi placuerunt meritis adiuvemur.

727 *Ad complendum.* Quaesumus, Domine, salutaribus repleti mysteriis, ut quorum solemnia celebramus, orationibus adiuvemur.

135
9 SETTEMBRE
NATALE DEI SANTI
PROTO E GIACINTO

722 Ci sostenga, Signore, la preziosa testimonianza dei beati Proto e Giacinto, e ci proteggano continuamente con la loro santa intercessione.

723 *Sui doni.* Nella commemorazione dei santi Proto e Giacinto, ti offriamo, Signore, i doni che ti dobbiamo, e ti preghiamo perché questi siano per noi di rimedio per la salvezza eterna.

724 *Per finire.* Ci soccorra, Signore, la preghiera dei beati Proto e Giacinto, perché ci purifichi la partecipazione ai tuoi santi (doni/misteri).

136
14 SETTEMBRE
NATALE DEI SANTI
CORNELIO E CIPRIANO

725 Ti preghiamo, Signore, guarda benevolo la nostra debolezza e per l'intercessione dei tuoi santi allontana da noi tutti i mali che nella tua giustizia meritiamo.

726 *Sulle offerte.* Ascolta, Signore, le nostre suppliche che ti offriamo nella commemorazione dei tuoi santi, perché noi che non abbiamo fiducia nella nostra giustizia, siamo aiutati per i meriti di coloro che hanno agito secondo la tua volontà.

727 *Per finire.* Colmati di tuoi misteri fonte di salvezza, Signore, ti preghiamo di essere aiutati dalle preghiere di coloro dei quali celebriamo la solennità.

ITEM EODEM DIE XIIII
DIE MENSIS SEPTEMBRIS
EXALTATIO SANCTAE CRUCIS

728 Deus, qui unigeniti Filii tui pretioso sanguine vivificae crucis vexillum sanctificare voluisti, concede, quaesumus, nos qui eiusdem sanctae crucis gaudemus honore, tua quoque ubique protectione gaudere.

729 *Secreta.* Haec hostia, quaesumus, Domine, mundet nostra delicta, quae in ara crucis immolata totius mundi tulit offensa.

730 *Ad complendum.* Refecti cibo potuque caelesti, quaesumus, omnipotens Deus, ut ab hostium defendas formidine, quos redemisti pretioso sanguine filii tui domini nostri Iesu Christi.

731 *Alia.* Deus, qui unigeniti tui domini nostri Iesu Christi pretioso sanguine humanum genus redimere dignatus es, concede propitius, ut qui ad venerandam vivificam crucem adveniunt, a peccatorum suorum nexibus liberentur.

EGUALMENTE IL 14 SETTEMBRE
ESALTAZIONE
DELLA SANTA CROCE

728 O Dio, che hai voluto richiamarci alla vita con il prezioso sangue del tuo Figlio unigenito e santificarci con l'insegna della croce, apportatrice di vita, ti preghiamo: concedi che noi, mentre godiamo per la gloria della santa croce, possiamo godere ovunque anche della tua protezione.

729 *Sui doni.* Ti preghiamo, Signore: cancelli i nostri peccati questo sacrificio che, immolato sull'altare della croce, caricò sulle sue spalle i peccati di tutto il mondo.

730 *Per finire.* Ti preghiamo, Dio onnipotente: con il cibo e la bevanda celeste difendi dall'assalto dei nemici noi che hai redento con il sangue prezioso del tuo unigenito Figlio, il Signore nostro Gesù Cristo.

731 *Un'altra.* O Dio, che con il prezioso sangue dell'Unigenito tuo, il nostro Signore Gesù Cristo, hai voluto redimere il genere umano, nella tua benevolenza concedi che siano liberati dai vincoli dei loro peccati quanti vengono a venerare la croce apportatrice di vita.

CXXXVII.

XVII KALENDAS OCTOBRIS
ID EST XV DIE
MENSIS SEPTEMBRIS
NATALE SANCTI NICOMEDIS

732 Adesto, Domine, populo tuo, ut beati Nicomedis martyris tui merita praeclara venerantes, ad impetrandam misericordiam tuam semper eius patrociniis adiuvemur.

733 *Secreta.* Suscipe, Domine, munera propitius oblata, quae maiestati tuae beati Nicomedis martyris commendet oratio.

137

15 SETTEMBRE
NATALE DI SAN NICOMEDE

732 Guarda, Signore, il tuo popolo perché, mentre veneriamo i meriti insigni del tuo beato martire Nicomede, con la sua intercessione siamo sempre aiutati per impetrare la tua misericordia.

733 *Sui doni.* Accetta benevolo, Signore, questi doni, perché la preghiera del beato martire Nicomede li affidi alla tua maestà.

734 *Ad complendum.* Purificent nos, Domine, sacramenta quae sumpsimus, et intercedente beato Nicomede martyre tuo a cunctis efficiant vitiis absolutos.

734 *Per finire.* Ci purifichino, Signore, i sacramenti che abbiamo ricevuto e per intercessione del tuo beato martire Nicomede ci liberino da tutti i peccati.

CXXXVIII.
XVI KALENDAS OCTOBRIS
ID EST XVI DIE
MENSIS SEPTEMBRIS
NATALE SANCTAE EUPHEMIAE

138
16 SETTEMBRE
NATALE DI SANT'EUFEMIA

735 Omnipotens sempiterne Deus, qui infirma mundi eligis, ut fortia quaeque confundas, concede propitius, ut qui beatae Euphemiae martyris tuae solemnia colimus, eius apud te patrocinia sentiamus.

735 Dio onnipotente ed eterno, che scegli le creature miti e deboli per confondere quelle forti, concedi a noi che celebriamo la festa della tua beata martire Eufemia, di sperimentare la sua intercessione presso di te.

736 *Super oblata.* Praesta, quaesumus, Domine Deus noster, ut sicut in tuo conspectu mors est pretiosa sanctorum, ita eorum merita venerantium accepta tibi reddatur oblatio.

736 *Sulle offerte.* Ti preghiamo, Signore Dio nostro: come è preziosa al tuo cospetto la morte dei santi, così sia a te gradita l'offerta di coloro che venerano i loro meriti.

737 *Ad complendum.* Sanctificet nos, quaesumus, Domine, tui perceptio sacramenti, et intercessio beatae martyris Euphemiae reddat acceptos.

737 *Per finire.* Ti preghiamo, Signore: il sacramento che abbiamo da te ricevuto ci santifichi, e l'intercessione della beata martire Eufemia ci renda a te accetti.

ITEM EODEM DIE
NATALE SANCTORUM
LUCIAE ET GEMINIANI

EGUALMENTE NELLO STESSO
GIORNO IL NATALE DEI SANTI
LUCIA E GEMINIANO

738 Praesta, Domine, precibus nostris cum exultatione profectum, ut quorum diem passionis annua devotione recolimus, etiam fidei constantiam subsequamur.

738 Guarda benigno, Signore, le nostre preghiere a te innalzate con gioia, perché otteniamo anche la costanza della fede di coloro che veneriamo nell'annuale ricorrenza del loro martirio.

739 *Secreta.* Vota populi tui, Domine, propitiatus intende, et quorum nos tribuis solemnia celebrare, fac gaudere suffragiis.

739 *Sui doni.* Signore, volgi benigno lo sguardo alle preghiere del tuo popolo e fa' che godiamo della benevolenza di coloro dei quali ci concedi di celebrare la solennità.

740 *Ad complendum.* Exaudi, Domine, preces nostras, et sanctorum tuorum, quorum festa solemniter celebramus, continuis foveamur auxiliis.

740 *Per finire.* Esaudisci, Signore, le nostre preghiere e fa' che siamo protetti dal continuo aiuto di coloro dei quali celebriamo la festa.

CXXXVIIII.

MENSE SEPTIMI ORATIONES DIE DOMINICO AD SANCTUM PETRUM

741 Absolve, Domine, quaesumus, tuorum delicta populorum, et a peccatorum nostrorum nexibus, quae pro nostra fragilitate contraximus, tua benignitate liberemur.

742 *Secreta.* Pro nostrae servitutis augmento sacrificium tibi, Domine, laudis offerimus, ut quod inmeritis contulisti, propitius exsequaris.

743 *Ad complendum.* Quaesumus, omnipotens Deus, ut humanis non sinas subiacere periculis, quos divina tribuis participatione gaudere.

CXL.

FERIA IIII AD SANCTAM MARIAM MAIOREM

744 Misericordiae tuae remediis, quaesumus, Domine, fragilitas nostra subsistat, ut quae sua condicione atteritur, tua clementia reparetur.

745 *Alia.* Praesta, quaesumus, Domine, familiae supplicanti, ut dum a cibis corporalibus se abstinent, a vitiis mente ieiunent.

746 *Secreta.* Haec hostia, Domine, quaesumus, emundet nostra delicta, et ad sacrificium celebrandum subditorum tibi corpora mentesque sanctificet.

747 *Ad complendum.* Sumentes dona caelestia, Domine, suppliciter deprecamur, ut quae sedula servitute donante te gerimus, dignis sensibus tuo munere capiamus.

139

NEL SETTIMO MESE PREGHIERE PER LA DOMENICA [*statio*] A SAN PIETRO

741 Ti preghiamo, Signore: perdona i mali del tuo popolo e fa' che per la tua benevolenza siamo liberati dai legami dei peccati che abbiamo commesso per nostra fragilità.

742 *Sui doni.* Ti offriamo, o Signore, il sacrificio di lode per ottenere la grazia di crescere nel tuo servizio, e ti preghiamo di accompagnare nella tua misericordia il ministero che, senza mio merito, hai voluto affidarmi.

743 *Per finire.* Ti preghiamo, Dio onnipotente, perché tu non permetta che noi, ai quali concedi di godere del sacrificio divino, soccombiamo ai pericoli umani.

140

FERIA IV [*statio*] A SANTA MARIA MAGGIORE

744 Ti preghiamo, Signore: i rimedi della tua misericordia rafforzino la nostra fragilità, e la tua clemenza ripari quanto viene distrutto per la sua condizione.

745 *Un'altra.* Ti preghiamo, Signore: sii benevolo verso la tua famiglia che ti supplica perché, mentre si astiene dai cibi corporali, si tenga lontana con la mente dai peccati.

746 *Sui doni.* Questa offerta, Padre misericordioso, ci ottenga il perdono dei nostri peccati e santifichi nel corpo e nello spirito di quanti sono a te sottomessi.

747 *Per finire.* Mentre consumiamo i doni celesti, Signore, ti preghiamo umilmente perché, quello che per tua grazia compiamo con fedele servizio, lo comprendiamo con degni sentimenti del tuo dono.

CXLI.
FERIA VI
AD APOSTOLOS

748 Praesta, quaesumus, omnipotens Deus, ut observationes sacras annua devotione recolentes et corpore tibi placeamus et mente.

749 *Super oblata.* Accepta tibi sint, Domine, quaesumus, nostri dona ieiunii, quae et expiando nos tuae gratiae dignos efficiant, et ad sempiterna promissa perducant.

750 *Ad complendum.* Quaesumus, omnipotens Deus, ut de perceptis muneribus gratias exhibentes, beneficia potiora sumamus.

CXLII.
SABBATO AD SANCTUM PETRUM IN XII LECTIONES

751 Omnipotens sempiterne Deus, qui per continentiam salutarem et corporibus mederis et mentibus, maiestatem tuam supplices exoramus, ut pia ieiunantium deprecatione placatus, et praesentia nobis subsidia praebeas et futura.

752 *Alia.* Da nobis, quaesumus, omnipotens Deus, ut ieiunando tua gratia satiemur, et abstinendo cunctis efficiamur hostibus fortiores.

753 *Alia.* Tuere, quaesumus, Domine, familiam tuam, ut salutis aeternae remedia, quae te aspirante requirimus, te largiente consequamur.

754 *Alia.* Praesta, quaesumus, Domine, sic nos ab epulis abstinere carnalibus, ut a vitiis inruentibus pariter ieiunemus.

755 *Alia.* Ut nos, Domine, tribuis solemne tibi deferre ieiunium,

141
FERIA VI
[*statio*] PRESSO [i santi] APOSTOLI

748 Ti preghiamo, Dio onnipotente: fa' che, mentre celebriamo i sacri riti nell'annuale ricorrenza, siamo a te graditi nell'anima e nel corpo.

749 *Sulle offerte.* Ti preghiamo, Signore: siano a te graditi i doni del nostro digiuno, e mentre espiamo i nostri peccati ci rendano degni della tua grazia e ci conducano alle promesse eterne.

750 *Per finire.* Ti preghiamo, Dio onnipotente: mentre ti rendiamo grazie per i doni ricevuti, possiamo ricevere beni più preziosi.

142
SABATO [*statio*] A SAN PIETRO
[in occasione delle] XII LETTURE

751 Dio onnipotente ed eterno, che mediante la salutare continenza curi il corpo e lo spirito, supplici preghiamo la tua maestà, perché placato dalla pia preghiera di coloro che attendono al digiuno, ci conceda il tuo aiuto nel presente e nel futuro.

752 *Un'altra.* Ti preghiamo, Dio onnipotente, perché con il digiuno siamo saziati dalla tua grazia, e mediante l'astinenza diventiamo più forti di tutti gli avversari.

753 *Un'altra.* Ti preghiamo, Signore: difendi la tua famiglia, perché per tua largizione conseguiamo i rimedi per la salvezza eterna che per tua ispirazione cerchiamo.

754 *Un'altra.* Ti preghiamo, Signore: come ci teniamo lontani dai peccati che ci incalzano, così ci asteniamo dai cibi, nutrimento della carne.

755 *Un'altra.* Come ci concedi, Signore, di offrirti la solennità del digiuno,

sic nobis, quaesumus, indulgentiae praesta subsidium.

756 *Alia.* Deus, qui tribus pueris mitigasti flammas ignium, concede famulis tuis, ut nos flamma vitiorum non exurat, quos igne tuae caritatis inluminare voluisti.

757 *Secreta.* Concede, quaesumus, omnipotens Deus, ut oculis tuae maiestatis munus oblatum et gratiam nobis devotionis obtineat, et effectum beatae perennitatis adquirat.

758 *Ad complendum.* Perficiant in nobis, Domine, quaesumus, tua sacramenta quod continent, ut quae nunc specie gerimus, rerum veritate capiamus.

CXLIII.
DIE DOMINICO VACAT

759 Omnipotens sempiterne Deus, misericordiam tuam ostende supplicibus, ut qui de meritorum qualitate diffidimus, non iudicium tuum sed indulgentiam sentiamus.

760 *Super oblata.* Sacrificiis praesentibus, Domine, quaesumus, intende placatus, ut et devotioni nostrae proficiant et saluti.

761 *Ad complendum.* Quaesumus, omnipotens Deus, ut illius salutaris capiamus effectum, cuius per haec mysteria pignus accepimus.

CXLIIII.
V KALENDAS OCTOBRIS
ID EST XXVII DIE
MENSIS SEPTEMBRIS
NATALE SANCTORUM
COSMAE ET DAMIANI

762 Praesta, quaesumus, omnipo-

così donaci, ti preghiamo, l'aiuto della tua bontà.

756 *Un'altra.* O Dio, che ai tre fanciulli mitigasti le fiamme del fuoco, concedi ai tuoi servi che hai voluto illuminare con la fiamma del tuo amore, di non essere bruciati dalla fiamma dei vizi.

757 *Sui doni.* Ti preghiamo, Dio onnipotente: concedi a noi che il dono offerto agli occhi della tua divina maestà ci ottenga la grazia della devozione e ci procuri come effetto l'eterna beatitudine.

758 *Per finire.* Si compia in noi, o Signore, la realtà significata dai tuoi sacramenti, perché otteniamo in pienezza ciò che ora celebriamo nel mistero.

143
DOMENICA LIBERA

759 Dio onnipotente ed eterno, mostra la tua misericordia a coloro che ti invocano: noi che non abbiamo fiducia nella bontà dei nostri meriti, possiamo sperimentare non il tuo giudizio ma l'indulgenza.

760 *Sulle offerte.* Ti preghiamo, Signore: volgi benigno il tuo sguardo sul sacrificio che ti offriamo, perché sia di giovamento alla nostra devozione e salvezza.

761 *Per finire.* Ti preghiamo, Dio onnipotente, perché accogliamo gli effetti salutari della tua redenzione che abbiamo ricevuto in pegno per mezzo di questi misteri.

144
27 SETTEMBRE
NATALE DEI SANTI
COSMA E DAMIANO

762 Ti preghiamo, Dio onnipotente, per-

tens Deus, ut qui sanctorum tuorum Cosmae et Damiani natalicia colimus, a cunctis malis imminentibus eorum intercessionibus liberemur.

ché noi che veneriamo il natale dei tuoi santi Cosma e Damiano, per la loro intercessione siamo liberati da tutti i mali che ci sovrastano.

763 *Super oblata.* Sanctorum tuorum nobis, Domine, pia non desit oratio, quae et munera nostra conciliet, et tuam nobis indulgentiam semper obtineat.

763 *Sulle offerte.* Non ci manchi mai, Signore, la pia preghiera dei tuoi santi, perché renda accetti i nostri doni, e ci ottenga sempre la tua indulgenza.

764 *Ad complendum.* Protegat, Domine, quaesumus, populum tuum et participatio caelestis indulta convivii, et deprecatio conlata sanctorum.

764 *Per finire.* Ti preghiamo, Signore: la partecipazione al celeste convito e la preghiera dei tuoi santi proteggano il tuo popolo.

CXLV.

III KALENDAS OCTOBRIS ID EST XXVIIII DIE MENSIS SEPTEMBRIS DEDICATIO BASILICAE SANCTI ANGELI

145

29 SETTEMBRE DEDICAZIONE DELLA BASILICA DEL SANTO ANGELO

765 Deus, qui miro ordine angelorum ministeria hominumque dispensas, concede propitius, ut quibus tibi ministrantibus in caelo semper adsistitur, ab his in terra nostra vita muniatur.

765 O Dio, che con ordine mirabile affidi agli angeli e agli uomini la loro missione, fa' che la nostra vita sia difesa sulla terra da coloro che in cielo stanno davanti a te per servirti.

766 *Secreta.* Hostias tibi, Domine, laudis offerimus suppliciter deprecantes, ut easdem angelico pro nobis interveniente suffragio, et placatus accipias, et ad salutem nostram provenire concedas.

766 *Sui doni.* Supplici, Signore, ti offriamo il sacrificio di lode perché, mentre gli angeli con la loro preghiera intervengono in nostro favore, tu lo accolga benigno e ci conceda di giungere alla salvezza.

767 *Ad complendum.* Beati archangeli tui Michaelis intercessione suffulti supplices te, Domine, deprecamur, ut quos honore prosequimur, contingamus et mente.

767 *Per finire.* Sostenuti dall'intercessione del tuo beato Michele arcangelo ti preghiamo, Signore, perché possiamo raggiungere anche con lo spirito coloro che circondiamo di onore.

CXLVI.

MENSE OCTOBRI
NONIS OCTOBRIBUS ID EST
VII DIE MENSIS OCTOBRIS
NATALE SANCTI MARCI PAPAE

768 Exaudi, Domine, quaesumus, preces nostras, et interveniente beato Marco confessore tuo atque pontifice supplicationes nostras placatus intende.

769 *Secreta.* Accepta tibi sit, Domine, sacrae plebis oblatio pro tuorum honore sanctorum, quorum se meritis percepisse de tribulatione cognoscit auxilium.

770 *Ad complendum.* Da, quaesumus, Domine, fidelibus populis sanctorum tuorum semper veneratione laetari, et eorum perpetua supplicatione muniri.

CXLVII.

II IDVS OCTOBRIS
ID EST XIIII DIE
MENSIS OCTOBRIS
NATALE
SANCTI CALISTI PAPAE

771 Deus, qui nos conspicis, ex nostra infirmitate deficere, ad amorem tuum nos misericorditer per sanctorum tuorum exempla restaura.

772 *Secreta.* Mystica nobis, Domine, prosit oblatio, quae nos et a reatibus nostris expediat, et perpetua salvatione confirmet.

773 *Ad complendum.* Quaesumus, omnipotens Deus, ut et reatum nostrum munera sacrata purificent, et recte vivendi nobis operentur effectum.

146

MESE DI OTTOBRE
7 OTTOBRE
NATALE DI SAN MARCO PAPA

768 Ti preghiamo, Signore: esaudisci le nostre preghiere e per intercessione del beato Marco, tuo confessore e papa, accogli benigno le nostre suppliche.

769 *Sui doni.* Ti sia gradita, Signore, l'offerta che il popolo a te consacrato depone in onore dei tuoi santi, dai quali riconosce d'aver ricevuto aiuto per i meriti della loro tribolazione.

770 *Per finire.* Ti preghiamo, Signore: concedi al popolo fedele d'essere allietati dalla venerazione dei tuoi santi e difesi dalla loro perenne supplica.

147

14 OTTOBRE
NATALE DI SAN CALLISTO PAPA

771 O Dio, che conosci la nostra debolezza, per la tua misericordia e l'esempio dei santi riportaci alla pienezza del tuo amore.

772 *Sui doni.* Ci sia di aiuto, Signore, la mistica offerta, perché ci liberi dai nostri peccati e ci confermi nella salvezza eterna.

773 *Per finire.* Ti preghiamo, Dio onnipotente: i doni a te consacrati purifichino il nostro peccato e ci concedano di vivere nella rettitudine.

CXLVIII.

MENSE NOVEMBRI
KALENDIS NOVEMBRIBUS
NATALE SANCTI CAESARII
COLLECTA AD SANCTOS
COSMAM ET DAMIANUM

774 Adesto, Domine, martyrum deprecatione sanctorum, et quos pati pro tuo nomine tribuisti, fac tuis fidelibus suffragari.

ALIA AD MISSAM

775 Deus, qui nos beati martyris tui Caesarii annua solemnitate laetificas, concede propitius, ut cuius natalicia colimus, etiam actiones imitemur.

776 *Secreta.* Hostias tibi, Domine, beati Caesarii martyris tui dicatas meritis benignus adsume, et ad perpetuum nobis tribue provenire subsidium.

777 *Ad complendum.* Quaesumus, omnipotens Deus, ut qui caelestia alimenta percepimus, intercedente beato Caesario martyre tuo per haec contra omnia adversa muniamur.

CXLVIIII.

VI IDUS NOVEMBRIS
ID EST VIII DIE
MENSIS NOVEMBRIS
NATALE SANCTORUM
IIII^or CORONATORUM

778 Praesta, quaesumus, omnipotens Deus, ut qui gloriosos martyres Claudium, Nicostratum, Simpronianum, Castorium atque Simplicium fortes in sua passione cognovimus, pios apud te in nostra intercessione sentiamus.

779 *Secreta.* Benedictio tua, Domine, larga descendat, quae et munera nostra deprecantibus

148

MESE DI NOVEMBRE
1° NOVEMBRE
NATALE DI SAN CESARIO
ASSEMBLEA [nella chiesa dei]
SANTI COSMA E DAMIANO

774 Sii propizio, Signore, per la preghiera dei santi martiri e concedi ai tuoi fedeli di essere sostenuti dall'aiuto di coloro ai quali hai concesso di soffrire per il tuo nome.

UGUALMENTE PER LA MESSA

775 O Dio, che ci allieti con l'annuale solennità del tuo beato martire Cesario, nella tua benevolenza concedi a noi di imitare anche le azioni di colui del quale celebriamo il giorno del suo natale.

776 *Sui doni.* Accogli benigno, Signore, il sacrificio dedicato ai meriti del tuo beato martire Cesario e concedici di giungere all'eterna salvezza.

777 *Per finire.* Ti preghiamo, Dio onnipotente: noi che abbiamo ricevuto il nutrimento celeste, per intercessione del tuo beato martire Cesario siamo fortificati contro tutte le avversità.

149

8 NOVEMBRE
NATALE DEI SANTI
QUATTRO CORONATI

778 Ti preghiamo, Dio onnipotente: fa' che noi che abbiamo conosciuto la forza con cui hanno affrontato la passione i gloriosi martiri Claudio, Nicostrato, Semproniano, Castorio e Simplicio, li avertiamo favorevoli mentre alla tua presenza intercedono per noi.

779 *Sui doni.* Discenda abbondante la tua benedizione, Signore, perché per intercessione dei tuoi santi renda ac-

sanctis tuis tibi reddat accepta, et nobis sacramentum redemptionis efficiat.

780 *Ad complendum.* Caelestibus refecti sacramentis et gaudiis, supplices te, Domine, deprecamur, ut quorum gloriamur triumphis, protegamur auxiliis.

780 *Per finire.* Rinfrancati dalla gioia dei sacramenti, supplici, Signore, ti preghiamo perché siamo protetti dall'aiuto di coloro di cui ci rallegriamo per il trionfo.

cetti i nostri doni e ci procuri il sacramento della redenzione.

CL.
V IDUS NOVEMBRIS
ID EST VIIII DIE
MENSIS NOVEMBRIS
NATALE SANCTI THEODORI

781 Deus, qui nos beati Theodori martyris tui confessione gloriosa circumdas et protegis, praesta nobis eius imitatione proficere, et oratione fulciri.

782 *Super oblata.* Suscipe, Domine, fidelium preces cum oblationibus hostiarum, ut intercedente beato Theodoro martyre tuo per haec piae devotionis officia ad caelestem gloriam transeamus.

783 *Ad complendum.* Praesta nobis, Domine, quaesumus, intercedente beato Theodoro martyre tuo, ut quae ore contingimus, pura mente capiamus.

150
9 NOVEMBRE
NATALE DI SAN TEODORO

781 O Dio, che ci avvolgi e proteggi con la confessione del tuo beato martire Teodoro, donaci di trarre giovamento dalla sua imitazione e di essere protetti dalla sua preghiera.

782 *Sulle offerte.* Accogli, Signore, le preghiere dei fedeli insieme con l'offerta del sacrificio perché, per intercessione del tuo beato martire Teodoro, mediante questi doni, frutto della nostra pietà e devozione, giungiamo alla gloria celeste.

783 *Per finire.* Ti preghiamo, Signore: per intercessione del tuo beato martire Teodoro fa' che riceviamo con spirito puro ciò che tocchiamo con la bocca.

CLI.
III IDUS NOVEMBRIS
ID EST XI DIE
MENSIS NOVEMBRIS
NATALE SANCTI MENNAE

784 Praesta, quaesumus, omnipotens Deus, ut qui beati Mennae martyris tui natalicia colimus, intercessione eius in tui nominis amore roboremur.

785 *Super oblata.* Muneribus nostris, quaesumus, Domine, precibusque susceptis et caelestibus nos munda mysteriis, et clementer exaudi.

151
11 NOVEMBRE
NATALE DI SAN MENNA

784 Ti preghiamo, Dio onnipotente: a noi che veneriamo il natale del tuo beato martire Menna, per sua intercessione concedi di essere rafforzati nel tuo amore.

785 *Sulle offerte.* Ti preghiamo, Signore: accetta i nostri doni e preghiere, purificaci con i misteri celesti e nella tua clemenza esaudiscici.

786 *Ad complendum.* Da, quaesumus, Domine Deus noster, ut sicut tuorum commemoratione sanctorum temporali gratulamur officio, ita perpetuo laetemur aspectu.

786 *Per finire.* Ti preghiamo, Signore nostro Dio: fa' che come ti ringraziamo nella commemorazione dei tuoi santi, così ci rallegriamo al tuo cospetto.

CLII.
ITEM EODEM DIE
NATALE SANCTI MARTINI

787 Deus, qui conspicis quia ex nulla nostra virtute subsistimus, concede propitius, ut intercessione beati Martini confessoris tui contra omnia adversa muniamur.

788 *Super oblata.* Da, misericors Deus, ut haec nos salutaris oblatio et propriis reatibus indesinenter expediat, et ab omnibus tueatur adversis.

789 *Ad complendum.* Praesta, quaesumus, Domine Deus noster, ut quorum festivitate votiva sunt sacramenta, eorum salutaria nobis intercessione reddantur.

152
NELLO STESSO GIORNO
NATALE DI SAN MARTINO

787 O Dio, tu vedi che non possiamo confidare sulla nostra forza: per intercessione del tuo beato confessore Martino concedici di essere difesi contro tutte le avversità.

788 *Sulle offerte.* Dio misericordioso, concedi che questa offerta, per noi fonte di salvezza, ci liberi continuamente dai nostri peccati e ci difenda da tutte le avversità.

789 *Per finire.* Ti preghiamo, Signore Dio nostro: fa' che per noi sia fonte di salvezza l'intercessione di coloro nella cui festività offriamo questi sacramenti.

CLIII.
X KALENDAS DECEMBRIS
ID EST XXII DIE
MENSIS NOVEMBRIS
NATALE SANCTAE CAECILIAE

790 Deus, qui nos annua beatae Caeciliae martyris tuae solemnitate laetificas, da, ut quam veneramur officio, etiam piae conversationis sequamur exemplo.

791 *Super oblata.* Haec hostia, Domine, placationis et laudis, quaesumus, ut interveniente beata Caecilia martyre tua nos propitiatione dignos semper efficiat.

792 *Ad complendum.* Satiasti, Domine, familiam tuam muneribus sacris, eius semper intercessione nos refove, cuius solemnia celebramus.

153
22 NOVEMBRE
NATALE DI SANTA CECILIA

790 O Dio, che ci allieti nell'annuale solennità della tua beata martire Cecilia, fa' che mentre la veneriamo col rito, ne seguiamo anche l'esempio della pia vita.

791 *Sulle offerte.* Ti preghiamo, Signore: questo sacrificio di espiazione e di lode per intercessione della tua beata martire Cecilia ci renda sempre degni della tua benevolenza.

792 *Per finire.* Hai saziato, Signore, la tua famiglia con i sacri doni; sostienici sempre per intercessione della santa, della quale celebriamo la festa.

CLIIII.
VIIII KALENDAS DECEMBRIS ID EST XXIII DIE MENSIS NOVEMBRIS NATALE SANCTI CLEMENTIS

793 Deus, qui nos annua beati Clementis martyris tui atque pontificis solemnitate laetificas, concede propitius, ut cuius natalicia colimus, virtutem quoque passionis imitemur.

794 *Super oblata.* Munera, Domine, oblata sanctifica, et intercedente beato Clemente martyre tuo per haec nos a peccatorum nostrorum maculis emunda.

795 *Ad complendum.* Corporis sacri et pretiosi sanguinis repleti libamine, quaesumus, Domine Deus noster, ut quod pia devotione gerimus, certa redemptione capiamus.

ITEM EODEM DIE NATALE SANCTAE FELICITATIS

796 Praesta, quaesumus, omnipotens Deus, ut beatae Felicitatis martyris tuae solemnia recensentes, meritis ipsius protegamur et precibus.

797 *Super oblata.* Vota populi tui, Domine, propitiatus intende, et quorum nos tribuis solemnia celebrare, fac gaudere suffragiis.

798 *Ad complendum.* Supplices te rogamus, omnipotens Deus, ut intervenientibus sanctis tuis et tua in nobis dona multiplices, et tempora nostra disponas.

154
23 NOVEMBRE NATALE DI SAN CLEMENTE

793 O Dio, che ci allieti nell'annuale solennità del tuo beato martire Clemente, nella tua benevolenza concedici che del santo, del quale veneriamo la nascita, imitiamo anche il coraggio mostrato nella sua passione.

794 *Sulle offerte.* Santifica, Signore, i doni che ti offriamo: mediante questi e per intercessione del tuo martire Clemente purificaci dalle macchie dei nostri peccati.

795 *Per finire.* Saziati dalle primizie del sacro corpo e del prezioso sangue, ti preghiamo, Signore Dio nostro, perché con la certezza della redenzione comprendiamo ciò che celebriamo con pietà e devozione.

LO STESSO GIORNO NATALE DI SANTA FELICITA

796 Ti preghiamo, Dio onnipotente: mentre celeriamo la festa della tua beata martire Felicita, fa' che siamo protetti per i suoi meriti e preghiere.

797 *Sulle offerte.* Ascolta benigno le invocazioni del tuo popolo, Signore, e permettici di godere dei favori di coloro dei quali celebriamo la festa.

798 *Per finire.* Supplici ti preghiamo, Dio onnipotente, perché, con l'intervento dei tuoi santi, moltiplichi in noi i tuoi doni e disponga il tempo della nostra vita secondo la tua volontà.

153

CLV.

VIII KALENDAS DECEMBRIS
ID EST XXIIII DIE
MENSIS NOVEMBRIS
NATALE SANCTI CHRYSOGONI

799 Adesto, Domine, supplicationibus nostris, ut qui ex iniquitate nostra reos nos esse cognoscimus, beati Chrysogoni martyris tui intercessione liberemur.

800 *Super oblata.* Oblatis, quaesumus, Domine, placare muneribus, et intercedente beato Chrysogono martyre tuo a cunctis nos defende periculis.

801 *Ad complendum.* Tui, quaesumus, Domine, perceptione sacramenti et a nostris mundemur occultis, et ab hostium liberemur insidiis.

CLVI.

III KALENDAS DECEMBRIS
ID EST XXVIIII DIE
MENSIS NOVEMBRIS
NATALE SANCTI SATURNINI

802 Deus, qui nos beati Saturnini martyris tui concedis natalicia perfrui, eius nos tribue meritis adiuvari.

803 *Secreta.* Munera, Domine, tibi dicata sanctifica, et intercedente beato Saturnino martyre tuo per eadem nos placatus intende.

804 *Ad complendum.* Sanctificet nos, Domine, quaesumus, tui perceptio sacramenti, et intercessione sanctorum tibi reddat acceptos.

ITEM EODEM DIE
VIGILIA SANCTI ANDREAE

805 Quaesumus, omnipotens Deus, ut beatus Andreas apostolus tuum nobis imploret auxilium,

155

24 NOVEMBRE
NATALE DI SAN CRISOGONO

799 Ascolta, Signore, le nostre suppliche, perché noi, che riconosciamo d'essere colpevoli, per intercessione del tuo beato martire Crisogono siamo liberati dai nostri peccati.

800 *Sulle offerte.* Ti preghiamo, Signore: reso benevolo dai doni che ti offriamo, per intercessione del tuo beato martire Crisogono difendici da tutti i pericoli.

801 *Per finire.* Ti preghiamo, Signore, perché noi che abbiamo ricevuto il tuo sacramento siamo purificati dai nostri mali occulti e liberati dalle insidie dei nemici.

156

28 NOVEMBRE
NATALE DI SAN SATURNINO

802 O Dio, che ci concedi di godere della nascita [al cielo] del tuo beato martire Saturnino, donaci di essere aiutati dai suoi meriti.

803 *Sui doni.* Santifica, Signore, i doni a te consacrati e per intercessione del tuo beato martire Saturnino volgi benigno il tuo sguardo su di noi.

804 *Per finire.* Ti preghiamo, Signore: i sacramenti che abbiamo ricevuto ci santifichino e per intercessione dei tuoi santi ci rendano a te accetti.

LO STESSO GIORNO
VIGILIA DI SANT'ANDREA

805 Ti preghiamo, Signore: il tuo beato apostolo Andrea implori per noi l'aiuto sì che, assolti dai nostri peccati,

ut a nostris reatibus absoluti a cunctis etiam periculis exuamur.

806 *Secreta*. Sacrandum tibi, Domine, munus offerimus, quo beati Andreae solemnia recolentes purificationem quoque nostris mentibus imploramus.

807 *Praefatio*. VD et iustum est aequum et salutare, nos tibi semper et ubique gratias agere, Domine, sancte pater, omnipotens aeterne Deus. Qui ecclesiam tuam in apostolicis tribuisti consistere fundamentis, de quorum collegio beati Andreae solemnia celebrantes te, Domine, suppliciter conlaudamus.

808 *Ad complendum*. Perceptis, Domine, sacramentis suppliciter exoramus, ut intercedente beato Andrea apostolo tuo, quae pro illius veneranda gerimus passione, nobis proficiant ad medelam.

CLVII.
II KALENDAS DECEMBRIS ID EST XXX DIE MENSIS NOVEMBRIS NATALE SANCTI ANDREAE

809 Maiestatem tuam, Domine, suppliciter exoramus, ut sicut ecclesiae tuae beatus Andreas apostolus exstetit praedicator et rector, ita apud te sit pro nobis perpetuus intercessor.

810 *Super oblata*. Sacrificium nostrum tibi, Domine, quaesumus, beati Andreae precatio sancta conciliet, ut cuius honore solemniter exhibetur, meritis efficiatur acceptum.

810a Praefatio *ut supra in vigilia*.

811 *Ad complendum*. Sumpsimus, Domine, divina mysteria beati

siamo liberati anche da tutti i pericoli.

806 *Sui doni*. Ti offriamo questi doni per consacrarli a te, Signore, perché nella festa in onore di sant'Andrea tu purifichi il nostro spirito.

807 *Prefazio*. È veramente degno e giusto, conveniente e salutare, che noi sempre e dovunque ti ringraziamo, Signore, padre santo, onnipotente sempiterno Dio, perché hai stabilito di costituire la tua chiesa sul fondamento degli apostoli, e celebrando la solennità del beato Andrea di quel collegio, te, Signore, supplichevoli lodiamo.

808 *Per finire*. Dopo aver ricevuto i sacramenti, Signore, supplici ti preghiamo, perché, per intercessione del tuo beato apostolo Andrea, i riti che celebriamo nel giorno della sua veneranda passione, giovino alla nostra salvezza.

157
30 NOVEMBRE NATALE DI SANT'ANDREA

809 Umilmente ti invochiamo, o Signore: il santo apostolo Andrea, che fu annunciatore del Vangelo e guida per la tua Chiesa, sia presso di te nostro perenne intercessore.

810 *Sulle offerte*. Ti preghiamo, Signore: la santa preghiera del beato Andrea presenti a te il nostro sacrificio perché, mentre in suo onore celebriamo questa festa, sia reso a te gradito per i suoi meriti.

810a *Prefazio come sopra, nella vigilia*.

811 *Per finire*. Signore, nella festività del beato Andrea abbiamo accolto con

Andreae festivitate laetantes, quae sicut tuis sanctis ad gloriam, ita nobis, quaesumus, ad veniam prodesse perficias.

812 *Ad vesperum ubi supra.* Da nobis, quaesumus, Domine Deus noster, beati apostoli tui Andreae intercessionibus sublevari, ut per quos ecclesiae tuae superni muneris rudimenta donasti, per eos subsidia perpetuae salutis inpendas.

813 *Alia.* Adiuvet ecclesiam tuam tibi, Domine, supplicando beatus Andreas apostolus, et pius interventor efficiatur, quod tui nominis exstitit praedicator.

814 *Alia.* Deus, qui es sanctorum tuorum splendor mirabilis, quique hunc diem beati Andreae martyrio consecrasti, da ecclesiae tuae de eius natalicia semper gaudere, ut apud misericordiam tuam exemplis eius protegamur et meritis.

815 *Alia.* Exaudi, Domine, populum tuum cum sancti apostoli tui Andreae patrocinio supplicantem, ut tuo semper auxilio secura tibi possit devotione servire.

gioia i divini misteri. Ti preghiamo che questi, come hanno condotto i tuoi santi alla gloria, così ci conducano al perdono.

<u>812</u> *Al vespro come sopra.* Signore Dio nostro, che nella predicazione del tuo beato apostolo Andrea hai dato alla Chiesa le primizie della fede cristiana, per sua intercessione vieni in nostro aiuto e guidaci nel cammino della salvezza eterna.

813 *Un'altra.* Con le suppliche in tuo onore, Signore, il beato apostolo Andrea aiuti la tua Chiesa; per la sua pietà diventi intercessore lui che fu il predicatore del tuo nome.

814 *Un'altra.* O Dio, che sei splendore mirabile dei tuoi santi e hai consacrato questo giorno al martirio del beato Andrea, fa' che la tua Chiesa possa godere sempre del suo giorno natalizio, perché presso la tua misericordia siamo protetti dal suo esempio e dai suoi meriti.

815 *Un'altra.* Esaudisci, Signore, il tuo popolo che con il patrocinio del tuo santo apostolo Andrea ti supplica, perché con il tuo aiuto ti possa sempre servire con sicura devozione.

CLVIII.
MENSE DECEMBRI
ORATIO
DE ADVENTU DOMINI
DOMINICA PRIMA

816 Excita, Domine, quaesumus, potentiam tuam et veni, ut ab imminentibus peccatorum nostrorum periculis te mereamur protegente eripi, te liberante salvari.

817 *Secreta.* Haec sacra nos, Domine, potenti virtute mundatos ad suum faciant puriores venire principium.

158
MESE DI DICEMBRE
PREGHIERA
PER LA PRIMA DOMENICA
DELL'AVVENTO DEL SIGNORE

<u>816</u> Risveglia la tua potenza e vieni, o Signore: dai pericoli che ci minacciano a causa dei nostri peccati la tua protezione ci liberi, il tuo soccorso ci salvi.

817 *Sui doni.* Questi sacri doni, Signore, consentano a noi, purificati dalla potenza della tua virtù, di giungere più puri al principio della nostra salvezza.

818 *Ad complendum.* Suscipiamus, Domine, misericordiam tuam in medio templi tui, ut reparationis nostrae ventura solemnia congruis honoribus praecedamus.

818 *Per finire.* Disponi, o Padre, i nostri cuori a ricevere nel tempio vivo della Chiesa la tua misericordia, perché possiamo prepararci con devota esultanza alla festa ormai vicina della nostra redenzione.

CLVIIII.
DOMINICA SECUNDA

819 Excita, Domine, corda nostra ad praeparandas unigeniti tui vias, ut per eius adventum purificatis tibi mentibus servire mereamur.

820 *Super oblata.* Placare, quaesumus, Domine, humilitatis nostrae precibus et hostiis, et ubi nulla suppetunt suffragia meritorum, tuis nobis succurre praesidiis.

821 *Ad complendum.* Repleti cibo spiritalis alimoniae supplices te, Domine, deprecamur, ut huius participatione mysterii doceas nos terrena despicere et amare caelestia.

159
SECONDA DOMENICA

819 Ridesta i nostri cuori, o Padre, a preparare le vie del tuo Figlio unigenito, e fa' che, per la sua venuta, possiamo servirti con purezza di spirito.

820 *Sulle offerte.* Guarda con benevolenza, o Signore, alle preghiere e al sacrificio che umilmente ti presentiamo: all'estrema povertà dei nostri meriti supplisca l'aiuto della tua misericordia.

821 *Per finire.* Saziati dal cibo spirituale, o Signore, a te innalziamo la nostra supplica: per la partecipazione a questo sacramento insegnaci a disprezzare i beni terreni e ad amare quelli celesti.

CLX.
IDUS DECEMBRIS
ID EST XIII DIE
MENSIS DECEMBRIS
NATALE SANCTAE LUCIAE

822 Exaudi nos, Deus salutaris noster, ut sicut de beatae Luciae festivitate gaudemus, ita piae devotionis erudiamur effectu.

823 *Super oblata.* Accepta tibi sit, Domine, sacratae plebis oblatio pro tuorum honore sanctorum, quorum se meritis percepisse de tribulatione cognoscit auxilium.

824 *Ad complendum.* Satiasti, Domine, familiam tuam muneribus sacris, eius, quaesumus, semper interventione nos refove, cuius solemnia celebramus.

160
13 DICEMBRE
NATALE DI SANTA LUCIA

822 Esaudiscici, o Dio, nostra salvezza, perché come godiamo per la festa della beata Lucia, così siamo ammaestrati dagli effetti di una pia devozione.

823 *Sulle offerte.* Ti sia gradito, Signore, quanto il tuo santo popolo offre in onore dei tuoi santi, per i cui meriti e tribolazioni è consapevole di ricevere aiuto.

824 *Per finire.* Hai saziato, Signore, la tua famiglia con i tuoi sacri doni; e grazie all'intervento di colei, della quale celebriamo la festa, ti preghiamo di rinnovarci sempre.

CLXI.

DOMINICA III
AD SANCTUM PETRUM

825 Aurem tuam, quaesumus, Domine, precibus nostris accommoda, et mentis nostrae tenebras gratiae tuae visitationis inlustra.

826 *Super oblata*. Devotionis nostrae tibi, quaesumus, Domine, hostia iugiter immoletur, quae et sacri peragat instituta mysterii, et salutare tuum nobis mirabiliter operetur.

827 *Ad complendum*. Imploramus, Domine, clementiam tuam, ut haec divina subsidia a vitiis expiatos ad festa ventura nos praeparent.

CLXII.

FERIA IIII AD SANCTAM
MARIAM MAIOREM

828 Praesta, quaesumus, omnipotens Deus, ut redemptionis nostrae ventura solemnitas et praesentis nobis vitae subsidia conferat, et aeternae beatitudinis praemia largiatur.

829 *Alia*. Festina, quaesumus, ne tardaveris, Domine, et auxilium nobis supernae virtutis inpende, ut adventus tui consolationibus subleventur, qui in tua pietate confidunt.

830 *Super oblata*. Accepta tibi sint, Domine, quaesumus, nostra ieiunia, quae et expiando nos tua gratia dignos efficiant, et ad sempiterna promissa perducant.

831 *Ad complendum*. Salutaris tui, Domine, munera satiati supplices deprecamur, ut cuius laetamur gustu, renovemur effectu.

161

TERZA DOMENICA
[*statio*] A SAN PIETRO

825 Ti preghiamo, Signore: rivolgi le tue orecchie alle nostre preghiere e illumina le tenebre del nostro spirito con la venuta della tua grazia.

826 *Sulle offerte*. Sempre si rinnovi, o Signore, l'offerta di questo sacrificio che attua il santo mistero da te istituto, e con la sua divina potenza renda efficace in noi l'opera della salvezza.

827 *Per finire*. Imploriamo, Signore, la tua clemenza, perché il tuo divino aiuto ci prepari, purificati dai peccati, alle prossime feste.

162

FERIA III [*statio*]
A SANTA MARIA MAGGIORE

828 Ti preghiamo, Dio onnipotente: fa' che la solennità ormai prossima della nostra redenzione ci porti aiuto nella vita presente e ci elargisca il premio della beatitudine eterna.

829 *Un'altra*. Affrettati, ti preghiamo, non tardare, Signore, e donaci in abbondanza l'aiuto della virtù superna, perché siano risollevati dalla consolazione del tuo arrivo coloro che confidano nel tuo amore.

830 *Sulle offerte*. Accogli, o Signore, i nostri digiuni, perché la loro forza di purificazione ci renda degni della tua grazia e ci conduca alle promesse eterne.

831 *Per finire*. Saziati, Signore, dal dono della tua salvezza, supplici ti preghiamo, perché siamo rinnovati per effetto di colui del quale con gioia ci nutriamo.

CLXIII.
FERIA VI AD APOSTOLOS

832 Excita, quaesumus, Domine, potentiam tuam et veni, ut qui in tua pietate confidunt, ab omni citius adversitate liberentur.

833 *Super oblata.* Muneribus nostris, quaesumus, Domine, precibusque susceptis et caelestibus nos munda mysteriis, et clementer exaudi.

834 *Ad complendum.* Tui nos, Domine, quaesumus, sacramenti libatio sancta restauret, et a vetustate purgatos in mysterii salutaris faciat transire consortium.

CLXIIII.
SABBATO AD SANCTUM PETRUM IN XII LECTIONES

835 Deus, qui conspicis quia ex nostra pravitate affligimur, concede propitius, ut ex tua visitatione consolemur.

836 *Alia.* Concede, quaesumus, omnipotens Deus, ut quia sub peccati iugo ex vetusta servitute deprimimur, expectata unigeniti filii tui nova nativitate liberemur.

837 *Alia.* Indignos nos, quaesumus, Domine, famulos tuos, quos actionis propriae culpa contristat, unigeniti filii tui adventu laetifica.

838 *Alia.* Praesta, quaesumus, omnipotens Deus, ut filii tui ventura solemnitas et praesentis nobis vitae remedia conferat, et praemia aeterna concedat.

839 *Alia.* Preces populi tui, quaesumus, Domine, clementer exaudi, ut qui iuste pro peccatis nostris affligimur, pietatis tuae visitatione consolemur.

163
FERIA VI [*statio* ai santi] APOSTOLI

832 Ti preghiamo, Signore: risveglia la tua potenza e vieni, perché siano liberati presto da ogni avversità coloro che confidano nel tuo amore.

833 *Sulle offerte.* Ti preghiamo, Signore: accogli i nostri doni e preghiere, purificaci con i tuoi misteri celesti e nella tua clemenza esaudiscici.

834 *Per finire.* Ti preghiamo, Signore: i tuoi santi sacramenti che abbiamo ricevuto, ci rinnovino e dopo averci purificato dall'antico peccato, ci permettano di giungere alla partecipazione del mistero, fonte di salvezza.

164
SABATO [*statio*] A SAN PIETRO PER LE XII LETTURE

835 O Dio, che ci vedi afflitti dalla nostra malvagità, concedici nella tua bontà di essere consolati dalla tua visita.

836 *Un'altra.* Oppressi a lungo sotto il giogo del peccato, aspettiamo, o Padre, la nostra redenzione; la nuova nascita del tuo Figlio unigenito ci liberi dalla schiavitù antica.

837 *Un'altra.* La coscienza della nostra colpa, o Padre, ci rattrista e ci fa sentire indegni di servirti; donaci la tua gioia e salvaci con la venuta del tuo Figlio unigenito.

838 *Un'altra.* Dio onnipotente, concedi che la festa ormai vicina del tuo Figlio risani le ferite della vita presente e ci dia il possesso dei beni eterni.

839 *Un'altra.* Ti preghiamo, Signore: nella tua clemenza ascolta le preghiere del tuo popolo, perché noi che siamo giustamente puniti per i nostri peccati, siamo consolati dall'amore della tua visita.

840 *Alia*. Deus, qui tribus pueris mitigasti flammas ignium, concede famulis tuis, ut nos flamma vitiorum non exurat, quos igne tuae caritatis inluminare voluisti.

841 *Super oblata*. Sacrificiis praesentibus, quaesumus, Domine, placatus intende, ut et devotioni nostrae proficiant et saluti.

842 *Ad complendum*. Quaesumus, Domine Deus noster, ut sacrosancta mysteria, quae pro reparationis nostrae munimine contulisti, et praesens nobis remedium esse facias et futurum.

840 *Un'altra*. O Dio, che ai tre fanciulli alleviasti le fiamme del fuoco, concedi ai tuoi servi che hai voluto illuminare con il fuoco del tuo amore, di non essere bruciati dalla fiamma dei vizi.

841 *Sulle offerte*. Ti preghiamo, Signore: volgi benevolo il tuo sguardo sul presente sacrificio, perché sia di aiuto alla nostra devozione e salvezza.

842 *Per finire*. Signore nostro Dio, questi santi misteri, che hai affidato alla tua Chiesa come forza e vigore nel cammino della salvezza, ci siano di aiuto per la vita presente e per quella futura.

CLXV.
DOMINICA VACAT

843 Excita, Domine, potentiam tuam et veni, et magna nobis virtute succurre, ut per auxilium gratiae tuae, quod nostra peccata praepediunt, indulgentia tuae propitiationis acceleret.

844 *Secreta*. Sacrificiis praesentibus, Domine, placatus intende, ut et devotioni nostrae proficiant et saluti.

845 *Ad complendum*. Sumptis muneribus, Domine, quaesumus, ut cum frequentatione mysterii crescat nostrae salutis effectus.

165
DOMENICA LIBERA

843 Risveglia la tua potenza e vieni, o Signore: dai pericoli che ci minacciano a causa dei nostri peccati la tua protezione ci liberi, il tuo soccorso ci salvi.

844 *Sui doni*. Placato dal presente sacrificio, Signore, volgi benigno il tuo sguardo verso di noi, perché sia di aiuto alla nostra pietà e salvezza.

845 *Per finire*. Per i doni che abbiamo ricevuti, ti preghiamo, Signore, perché insieme con la frequentazione del mistero cresca l'efficacia della nostra salvezza.

ALIAE ORATIONES
DE ADVENTU

846 Excita, Domine, potentiam tuam et veni, et quod ecclesiae tuae promisisti, usque in finem saeculi clementer operare.

847 *Alia*. Conscientias nostras, quaesumus, Domine, visitando purifica, ut veniente filio tuo Domino nostro paratam sibi in nobis inveniat mansionem.

ALTRE PREGHIERE
PER L'AVVENTO

846 Ridesta, Signore, la tua potenza e vieni; realizza fino alla fine del tempo quanto hai promesso alla tua Chiesa.

847 *Un'altra*. Ti preghiamo, Signore, di purificare con la tua visita la nostra coscienza, perché il tuo Figlio e Signore nostro con la sua venuta la trovi pronta ad accoglierlo.

848 *Alia.* Prope esto, Domine, omnibus expectantibus te in veritate, ut in adventu filii tui domini nostri placitis tibi actibus praesentemur.

849 *Alia.* Concede, quaesumus, omnipotens Deus, ut magnae festivitatis ventura solemnia prospero celebremus effectu, pariterque reddamur et intenti caelestibus disciplinis, et de nostris temporibus laetiores.

850 *Alia.* Mentes nostras, quaesumus, Domine, lumine tuae visitationis inlustra, ut esse te largiente mereamur et inter prospera humiles, et inter adversa securi.

851 *Alia.* Preces populi tui, quaesumus, Domine, clementer exaudi, ut qui de adventu unigeniti filii tui secundum carnem laetantur, in secundo cum venerit in maiestate sua, praemium aeternae vitae percipiant.

CLXVI.
ORATIO QUANDO LEVANTUR RELIQUIAE

852 Aufer a nobis, Domine, quaesumus, iniquitates nostras, ut ad sancta sanctorum puris mereamur mentibus introire.

CLXVII.
ORATIO IN DEDICATIONE ECCLESIAE

853 Domum tuam, quaesumus, Domine, clementer ingredere, et in tuorum tibi corda fidelium perpetuam constitue mansionem, ut cuius aedificatione subsistit, huius fiat habitatione praeclara.

848 *Un'altra.* Sii vicino, Signore, a quanti ti attendono nella verità, perché nella venuta del tuo Figlio, nostro Signore, siamo presentati con azioni a te gradite.

849 *Un'altra.* Ti preghiamo, Dio onnipotente: concedi a noi di celebrare con grande gioia la solennità che si avvicina, e parimenti di essere resi intenti alle celesti discipline e più lieti nei riguardi del nostro tempo.

850 *Un'altra.* Ti preghiamo, Signore: illumina la nostra mente con la luce della tua visita, perché meritiamo di essere umili nella buona sorte e sicuri nell'avversa.

851 *Un'altra.* Esaudisci con bontà le preghiere del tuo popolo, o Padre, perché coloro che si rallegrano per la venuta del tuo Figlio unigenito nella carne, possano ottenere il premio della vita eterna quando verrà nella gloria la seconda volta.

166
PREGHIERA PER L'ESPOSIZIONE DELLE RELIQUIE

852 Ti preghiamo, Signore: allontana da noi la nostra iniquità, perché con spirito puro possiamo entrare nel santo dei santi.

167
PREGHIERA NELLA DEDICAZIONE DELLA CHIESA

853 Ti preghiamo, Signore: entra con clemenza nella tua casa e stabilisci nel cuore dei tuoi fedeli la tua perpetua dimora, perché sia un'abitazione degna di colui per il quale è costruita la casa.

ORATIO
POST VELATUM ALTARE

854 Descendat, quaesumus, Domine Deus noster, Spiritus sanctus tuus super hoc altare, qui et populi tui dona sanctificet, et sumentium corda dignanter emundet.

AD MISSAM

855 Deus, qui invisibiliter omnia contines, et tamen pro salute generis humani signa tuae potentiae visibiliter ostendis, templum hoc potentiae tuae inhabitationis inlustra, ut omnes qui huc deprecaturi conveniunt, ex quacumque tribulatione clamaverint, consolationis tuae beneficia consequantur.

856 *Alia.* Deus, qui sacrandorum tibi auctor es munerum, effunde super hanc orationis domum benedictionem tuam, ut ab omnibus invocantibus nomen tuum defensionis tuae auxilium sentiatur:

857 *Alia.* Deus, qui ex omni coaptatione sanctorum aeternum tibi cordis habitaculum praeparas, da aedificationis tuae incrementa caelestia, ut quorum hic reliquias pio amore conplectimur, eorum semper meritis adiuvemur.

858 *Super oblata.* Omnipotens sempiterne Deus, altare nomini tuo dicatum caelestis virtutis benedictione sanctifica, ut omnibus in te sperantibus auxilii tui munus ostendas, ut hic sacramentorum virtus et votorum obtineatur effectus.

859 *Praefatio.* VD. Per quem te supplices deprecamur, ut altare hoc sanctis usibus praeparatum caelesti dedicatione san-

PREGHIERA DOPO LA COPERTURA
DELL'ALTARE

854 Discenda, Signore Dio nostro, il tuo santo Spirito su questo altare per santificare i doni del tuo popolo e purificare il cuore di coloro che degnamente lo riceveranno.

PER LA MESSA

855 O Dio, che pur nella tua invisibilità tutto contieni e tuttavia per la salvezza del genere umano manifesti i segni visibili della tua potenza, concedi gloria a questo tempio nel quale abita la tua potenza, perché tutti quelli che vengono qui per pregare, in qualunque tribolazione ti invochino, ottengano i benefici della tua consolazione.

856 *Un'altra.* O Dio, che accresci il numero di coloro che sono destinati ad offrirti sacrifici, effondi la tua benedizione su questa casa di preghiera, perché tutti quelli che invocano il tuo nome percepiscano quanto tu li aiuti e li difenda.

857 *Un'altra.* O Dio, che dall'armonia di tutti i santi ti prepari un'eterna abitazione nel cuore, concedi i tuoi doni celesti al tuo edificio, perché siamo sempre aiutati dai meriti di coloro dei quali qui con pio amore raccogliamo le reliquie.

858 *Sulle offerte.* O Dio onnipotente ed eterno, santifica l'altare dedicato al tuo nome con la benedizione della tua potenza celeste, perché a tutti quelli che sperano in te manifesti il dono del tuo aiuto, e qui si manifesti l'efficacia dei voti e la potenza dei sacramenti.

859 *Prefazio.* Per mezzo di lui noi supplici ti preghiamo, perché nella celeste dedicazione santifichi questo altare preparato per i sacri riti; come accet-

ctifices, ut sicut Melchisedech sacerdotis praecipui oblationem dignatione mirabili suscepisti, ita inposita novo huic altari munera semper accepta ferre digneris, ut populus in hanc ecclesiae domum sanctam conveniens, per haec libamina caelesti sanctificatione salvatus animarum quoque suarum salutem perpetuam consequatur.

860 *Ad complendum.* Quaesumus, omnipotens Deus, ut hoc in loco, quem nomini tuo indigni dicavimus, cunctis petentibus aures tuae pietatis accommodes.

tasti con mirabile e particolare benevolenza l'offerta del sacerdote Melchisedek, così ti degni di accettare sempre i doni posti su questo nuovo altare; il popolo, quando si raccoglie in questa santa casa, la tua chiesa, salvato da queste offerte e dalla salvezza che viene dal cielo, consegua l'eterna salvezza della sua anima.

860 *Per finire.* Ti preghiamo, Dio onnipotente, perché in questo luogo che noi, benché indegni, abbiamo dedicato al tuo nome, volgi le orecchie del tuo amore a tutti quelli che ti invocano.

CLXVIII.
ORATIONES ET PRECES IN NATALE PLURIMORUM APOSTOLORUM

861 Deus, qui es omnium sanctorum tuorum splendor mirabilis, quique hunc diem beatorum apostolorum tuorum martyrio consecrasti, da ecclesiae tuae eorum in omnibus sequi praeceptum, per quos sumpsit religionis exordium.

862 *Secreta.* Respice, Domine, munera quae in sanctorum apostolorum tuorum commemoratione deferimus, ut quorum honore tibi sunt grata, eorum nobis fiant intercessione salutaria.

863 *Ad complendum.* Pignus vitae aeterne capientes humiliter te, Domine, imploramus, ut apostolicis fulti patrociniis, quod in imagine contingimus sacramenti, manifesta perfectione sumamus.

864 *Super populum.* Protector in te sperantium Deus, familiam tuam propitius respice, et per beatos apostolos tuos eam a

168
ORAZIONI E PREGHIERE NEL NATALE DI PIÙ APOSTOLI

861 O Dio, per tutti i tuoi santi sei splendore mirabile: tu che hai consacrato questo giorno al martirio dei tuoi beati apostoli, concedi alla tua Chiesa di seguire in tutte le occasioni l'esempio di coloro per mezzo dei quali hai posto le fondamenta della nostra fede.

862 *Sui doni.* Guarda, Signore, i doni che ti offriamo nella commemorazione dei tuoi santi apostoli, perché siano per noi fonte di salvezza per intercessione di coloro dei quali gradisci gli onori.

863 *Per finire.* Noi, che umilmente riceviamo il pegno della vita eterna, ti imploriamo, Signore, perché, sostenuti dal patrocinio degli apostoli, possiamo toccare nella sua evidente perfezione ciò che vediamo nell'immagine del sacramento.

864 *Sul popolo.* O Dio, protettore di quanti sperano in te, guarda con benevolenza la tua famiglia e mediante i tuoi beati apostoli difendila da tutte

cunctis adversitatibus potentiae tuae brachio defende.

le avversità con il braccio della tua
potenza.

CLXVIIII.

ORATIONES ET PRECES
IN NATALE UNIUS APOSTOLI

865 Beatus apostolus tuus, Domine, quaesumus, te pro nobis
iugiter imploret, ut nostris reatibus absoluti a cunctis etiam
periculis eruamur.

866 *Secreta.* Beati apostoli tui, Domine, solemnia recensemus,
ut eius auxilio beneficia capiamus, pro quo tibi hostias laudis offerimus.

867 *Ad complendum.* Beati apostoli
tui, Domine, quaesumus, intercessione nos adiuva, pro
cuius solemnitate percepimus
tua sancta laetantes.

868 *Super populum.* Adiuvet familiam tuam, quaesumus, tibi,
Domine, supplicantem venerandus apostolus tuus, et pius
interventor efficiatur, qui tui
nominis exstetit praedicator.

169

ORAZIONI E PREGHIERE NEL
NATALE DI UN SOLO APOSTOLO

865 Ti preghiamo, Signore: il tuo beato
apostolo ti implori continuamente per noi perché, liberati da tutti i
nostri peccati, siamo tenuti lontani
anche dai pericoli.

866 *Sui doni.* Celebriamo, Signore, la
solennità del tuo beato apostolo, in
onore del quale ti offriamo il sacrificio di lode, perché riceviamo i benefici del suo aiuto.

867 *Per finire.* O Signore, per intercessione del santo apostolo, proteggi noi,
tuoi fedeli, che nella sua festa abbiamo ricevuto con gioia i tuoi santi misteri.

868 *Sul popolo.* Ti preghiamo, Signore:
il tuo venerando apostolo venga in
aiuto della tua famiglia che ti supplica, e con la sua pietà diventi per noi
intercessore colui che fu predicatore
del tuo nome.

CLXX.

ORATIONES ET PRECES
IN NATALE PLURIMORUM
MARTYRUM

869 Deus, qui per gloriosa bella certaminis inmortalitatis
triumphos martyribus con-
donasti, da cordibus nostris
dignam pro eorum commemo-
ratione laetitiam, ut quorum
gaudemus triumphis, provocemur exemplis.

870 *Secreta.* Haec hostia, quaesumus, Domine, solemni-
ter immolanda pro tuorum
commemoratione sanctorum
conscientias nostras emundet
semper et protegat.

170

ORAZIONI E PREGHIERE
NEL NATALE DI PIÙ MARTIRI

869 O Dio, che mediante gloriose lotte
hai donato ai martiri il trionfo immortale, nella loro commemorazione concedi al nostro cuore una gioia
degna, perché siamo stimolati dall'e-
sempio di coloro per il cui trionfo ci
rallegriamo.

870 *Sui doni.* Ti preghiamo, Signore: questo sacrificio che ci accingiamo ad
immolare nella commemorazione
dei tuoi santi, purifichi sempre la
nostra coscienza e ci protegga.

871 *Ad complendum.* Purificet nos, Domine, quaesumus, et divini perceptio sacramenti, et gloriosa sanctorum tuorum oratio.

872 *Super populum.* Adsit ecclesiae tuae, Domine, sanctorum martyrum desiderata iucunditas, eamque maiestati tuae et pia semper intercessione conciliet, et sua faciat celebritate devotam.

871 *Per finire.* Ti preghiamo, Signore: il sacramento divino che abbiamo ricevuto e la gloriosa preghiera dei tuoi santi ci purifichino.

872 *Sul popolo.* La desiderata gioia dei santi martiri, Signore, assista la tua Chiesa; con la loro pia intercessione la riconcili sempre con la tua maestà, e con la loro fama la renda a te devota.

CLXXI.

ORATIONES ET PRECES IN NATALE UNIUS MARTYRIS

873 Sancti martyris tui, Domine, quaesumus, veneranda festivitas salutaris auxilii nobis praestet augmentum.

874 *Super oblata.* Praesta nobis, quaesumus, omnipotens Deus, ut nostrae humilitatis oblatio et pro tuorum grata sit honore sanctorum, et nos corpore pariter et mente purificet.

875 *Ad complendum.* Sumptis, Domine, sacramentis, quaesumus, intercedente beato martyre tuo N., ad redemptionis aeternae proficiamus augmentum.

876 *Super populum.* Adesto, Domine, fidelibus tuis, nec ullis eos mentis et corporis patiaris subiacere periculis, quos beati martyris tui N. munit gloriosa confessio.

171

ORAZIONI E PREGHIERE NEL NATALE DI UN SOLO MARTIRE

873 Ti preghiamo, Signore: la veneranda festa in onore del tuo santo martire ci ottenga l'incremento del tuo aiuto.

874 *Sulle offerte.* Dio onnipotente, ti sia gradita l'umile offerta che presentiamo in onore dei tuoi santi, e ci purifichi nel corpo e nello spirito.

875 *Per finire.* Ti preghiamo, Signore: con la partecipazione ai sacramenti e l'intercessione del tuo beato martire N., procediamo verso l'incremento della redenzione eterna.

876 *Sul popolo.* Porgi aiuto, Signore, ai tuoi fedeli che la gloriosa confessione del tuo beato martire N. protegge, perché tu non permetta che soggiacciano a nessun pericolo dello spirito e del corpo.

CLXXII.

ORATIONES ET PRECES IN NATALE BEATORUM PLURIMORUM CONFESSORUM

877 Adiuva nos, Domine, tuorum deprecatione sanctorum, ut quorum festa gerimus, sentiamus auxilium.

172

ORAZIONI E PREGHIERE NEL NATALE DI PIÙ CONFESSORI SANTI

877 Per la preghiera dei tuoi santi aiutaci, Signore, perché avvertiamo l'aiuto di coloro dei quali celebriamo la festività.

878 *Super oblata.* Hostias tibi, Domine, pro sanctorum tuorum commemoratione supplices deferimus, humiliter deprecantes, ut et indulgentiam nobis pariter conferant et salutem.

879 *Ad complendum.* Pasce nos, Domine, tuorum gaudiis ubique sanctorum, quia et nostrae salutis augmenta sunt, quoties illis honor inpenditur, in quibus tu mirabilis praedicaris.

880 *Super populum.* Sancti tui, Domine, ubique nos laetificent, ut dum eorum merita recolimus, patrocinium sentiamus.

878 *Sulle offerte.* Signore, nella commemorazione dei tuoi santi noi supplici ti offriamo questo sacrificio, mentre umilmente ti preghiamo perché allo stesso tempo ci doni il perdono e la salvezza.

879 *Per finire.* Nutrici dovunque, Signore, con la gioia dei tuoi santi, per mezzo dei quali tu sei mirabilmente annunciato, perché accrescono la nostra salvezza ogni qual volta ne celebriamo la festa.

880 *Sul popolo.* I tuoi santi, Signore, ci rallegrino dovunque, perché mentre veneriamo i loro meriti sperimentiamo il loro patrocinio.

CLXXIII.
ORATIONES ET PRECES IN NATALE UNIUS CONFESSORIS

173
ORAZIONI E PREGHIERE NEL NATALE DI UN SOLO CONFESSORE

881 Exaudi, Domine, preces nostras, quas in sancti confessoris tui solemnitate deferimus, et qui tibi digne meruit famulari, eius intercedentibus meritis ab omnibus nos absolve peccatis.

882 *Super oblata.* Hostias tibi, Domine, pro commemoratione sancti confessoris tui offerimus, suppliciter deprecantes, ut sicut illi praebuisti sacrae fidei claritatem, sic nobis indulgentiam largiaris et pacem.

883 *Ad complendum.* Deus, fidelium remunerator animarum, praesta, ut per sancta quae sumpsimus, et beati confessoris tui, cuius venerandam celebramus festivitatem, precibus indulgentiam consequamur.

884 *Super populum.* Plebs tua, Domine, laetetur tuorum semper honore sanctorum, ut eorum percipiat intercessione votiva subsidia, quorum patrociniis gloriatur.

881 Ascolta, Signore, le preghiere che ti offriamo nella festa del tuo confessore e per intercessione di colui che ha meritato di servirti degnamente, assolvici da tutti i peccati.

882 *Sulle offerte.* Ti offriamo, o Signore, il sacrificio nella memoria del tuo santo confessore e ti preghiamo umilmente: come hai donato a lui lo splendore della santa fede, concedi a noi il perdono e la pace.

883 *Per finire.* O Dio, tu che ricompensi le anime dei tuoi fedeli, fa' che conseguiamo il tuo perdono sia mediante i sacramenti che abbiamo ricevuto, sia per le preghiere del tuo beato confessore, del quale celebriamo la veneranda festività.

884 *Sul popolo.* Il tuo popolo si rallegri sempre per l'onore dei tuoi santi, perché riceva l'aiuto che desidera mediante l'intercessione di coloro del cui patrocinio si rallegra.

CLXXIIII.

ORATIONES ET PRECES
IN NATALE VIRGINUM

885 Deus, qui inter cetera potentiae tuae miracula etiam in fragili sexu victoriam martyrii contulisti, concede propitius, ut cuius natalicia colimus, per eius exempla ad te gradiamur.

886 *Secreta.* Accipe munera, quaesumus, Domine, quae in beatae martyris tuae solemnitate deferimus, quia ad tuam recurritur laudem, quoties sanctorum tuorum merita recoluntur.

887 *Ad complendum.* Haec nos, Domine, gratia tua, quaesumus, semper exerceat, ut et divinis instauret nostra corda mysteriis, et sanctae martyris tuae commemoratione laetificet.

888 *Super populum.* Auxilium tuum, Domine, nomini tuo subdita poscunt corda fidelium, ut quia sine te nihil possunt implere quod iustum est, intercessione beatae martyris tuae et quae recta sunt adprehendant, et omnia sibi profutura percipiant.

174

ORAZIONI E PREGHIERE
NEL NATALE DELLE VERGINI

885 O Dio, che tra gli altri miracoli della tua potenza hai conferito la vittoria del martirio anche alla fragilità della donna, benevolo concedi a noi di avanzare verso di te mediante l'esempio di colei di cui celebriamo il natale.

886 *Sui doni.* Ti preghiamo, Signore: accetta i doni che ti presentiamo nel natale della tua beata martire, perché ritorna a gloria tua ogni volta che si celebrano i meriti dei tuoi santi.

887 *Per finire.* La tua grazia, Signore, sia sempre la nostra guida; ti preghiamo perché rinnovi il nostro cuore con i misteri divini e ci rallegri nella commemorazione della tua santa martire.

888 *Sul popolo.* I cuori dei fedeli sottomessi al tuo nome, Signore, chiedono il tuo aiuto; per intercessione della tua beata martire apprendano quanto è retto e sperimentino quanto giova loro, perché senza di te non possono compiere niente di giusto.

CLXXV.

ORATIONES PRO PECCATIS

889 Exaudi, Domine, gemitum populi supplicantis, et qui de meritorum qualitate diffidimus, non iudicium sed misericordiam consequi mereamur.

890 *Alia.* Succurre, quaesumus, Domine, populo supplicanti, et opem tuam tribue benignus infirmis, ut sincera tibi mente devoti et praesentis vitae remediis gaudeant et futurae.

175

ORAZIONI PER I PECCATI

889 Ascolta, Signore, il gemito del popolo che ti supplica, perché noi che diffidiamo della qualità dei nostri meriti, meritiamo di ottenere non il tuo giudizio ma il tuo perdono.

890 *Un'altra.* Esaudisci, o Signore, le invocazioni del popolo a te fedele: tu, che sei benevolo verso l'umana fragilità, concedi il tuo aiuto, perché la tua famiglia, rendendoti culto con animo sincero, possa godere dei rimedi della vita presente e di quella futura.

891 *Alia.* Exaudi, quaesumus, Domine, supplicum preces, et confitentium tibi parce peccatis, ut pariter nobis indulgentiam tribuas benignus et pacem.

892 *Alia.* Deus, qui iuste irasceris et clementer ignoscis, afflicti populi lacrimas respice, et iram tuae indignationis, quam iuste meremur, propitiatus averte.

893 *Alia.* Conserva, quaesumus, Domine, populum tuum et ab omnibus quas meremur adversitatibus redde securum, ut tranquillitate percepta devota tibi mente deserviat.

894 *Alia.* Adflictionem familiae tuae, quaesumus, Domine, intende placatus, ut indulta venia peccatorum de tuis semper beneficiis gloriemur.

895 *Alia.* Ab omnibus nos, quaesumus, Domine, peccatis propitiatus absolve, ut percepta venia peccatorum liberis tibi mentibus serviamus.

896 *Alia.* Precibus nostris, quaesumus, Domine, aurem tuae pietatis accommoda, et orationes supplicum, occultorum cognitor, benignus exaudi, ut te largiente ad vitam perveniant sempiternam.

897 *Alia.* Praesta populo tuo, Domine, quaesumus, consolationis auxilium, ut diuturnis calamitatibus laborantem propitius respirare concede.

898 *Alia.* Quaesumus, omnipotens Deus, ut qui nostris fatigamur offensis, et merito nostrae iniquitatis affligimur, pietatis tuae gratiam consequi mereamur.

899 *Alia.* Deus, qui nos conspicis in tot perturbationibus non posse subsistere, adflictorum gemi-

891 *Un'altra.* Ti preghiamo, Signore: ascolta le preghiere di quanti ti supplicano e non ti adirare per i peccati di coloro che confidano in te, perché la tua benignità ci conceda a un tempo perdono e pace.

892 *Un'altra.* O Dio, che nella tua giustizia ti adiri e perdoni nella tua clemenza, guarda le lacrime del tuo popolo afflitto; benevolo allontana da noi l'ira della tua indignazione che giustamente meritiamo.

893 *Un'altra.* Ti preghiamo, Signore: conserva il tuo popolo e rendilo sicuro da tutte le avversità che meritiamo, perché, ricevuta la serenità, ti serva con spirito devoto.

894 *Un'altra.* Ti preghiamo, Signore: guarda benevolo l'afflizione della tua famiglia perché, ricevuto il perdono dei peccati, possiamo gloriarci sempre dei tuoi benefici.

895 *Un'altra.* Ti preghiamo, Signore: nella tua benevolenza assolvici da tutti i nostri peccati perché, ricevuto il perdono dei peccati, ti serviamo con spirito libero.

896 *Un'altra.* Ti preghiamo, o Signore: rivolgi l'orecchio della tua pietà alle nostre invocazioni; tu che conosci quanto è nascosto, benevolo ascolta le preghiere di quanti ti supplicano, perché per tuo dono giungano alla vita eterna.

897 *Un'altra.* Ti preghiamo, Signore: dona al tuo popolo l'aiuto della tua consolazione, perché mentre è afflitto da continue calamità, benigno gli conceda di respirare (riprendere fiato?).

898 *Un'altra.* Ti preghiamo, Dio onnipotente, perché noi che siamo afflitti dalle nostre offese e tormentati dagli effetti della nostra iniquità, meritiamo di ottenere la grazia del tuo amore.

899 *Un'altra.* O Dio, tu vedi che noi non possiamo resistere in tanti turbamenti: guarda benevolo il gemito

tum propitius respice, et mala omnia quae meremur averte.

900 *Alia.* Deus, cui proprium est misereri semper et parcere, suscipe deprecationem nostram, et quos delictorum catena constringit, miseratio tuae pietatis absolvat.

901 *Alia.* Exaudi, Domine, populum tuum tota tibi mente subiectum, ut corpore et mente protectus quod pie credit, tua gratia consequatur.

902 *Alia.* Subiectum tibi populum, quaesumus, Domine, propitiatio caelestis amplificet, et tuis semper faciat servire mandatis.

903 *Alia.* Purifica, quaesumus, Domine, tuorum corda fidelium, ut a terrena cupiditate mundati et praesentis vitae periculis exuantur, et perpetuis donis firmentur.

904 *Alia.* Clamantium ad te, quaesumus, Domine, preces dignanter exaudi, ut sicut Ninivitis in adflictione positis pepercisti, ita et nobis in praesenti tribulatione succurre.

905 *Alia.* Miserere iam, quaesumus, Domine, populo tuo, et continuis tribulationibus laborantem celeri propitiatione laetifica.

906 *Alia.* Auxiliare, Domine, quaerentibus misericordiam tuam, et da veniam confidentibus, parce supplicibus, ut qui nostris meritis flagellamur, tua miseratione salvemur.

907 *Alia.* Praesta, quaesumus, omnipotens Deus, ut qui iram tuae indignationis agnovimus, misericordiae tuae indulgentiam consequamur.

908 *Alia.* Tribulationem nostram,

degli afflitti e allontana da noi i mali che meritiamo.

900 *Un'altra.* O Dio, che sei incline al perdono e alla misericordia, accogli la nostra supplica, e la pietà del tuo amore liberi quelli che la catena dei delitti tiene legati.

901 *Un'altra.* Ascolta, Signore, il tuo popolo a te completamente soggetto perché, protetto nello spirito e nel corpo, con la tua grazia ottenga ciò che crede nella sua pietà.

902 *Un'altra.* La tua misericordia, o Dio, faccia crescere nella fede il popolo che ti riconosce suo Signore e lo sostenga nell'osservanza dei tuoi comandamenti.

903 *Un'altra.* Ti preghiamo, Signore: purifica il cuore dei tuoi fedeli perché, purificati dai desideri terreni, siano liberati dai pericoli della vita presente e rafforzati dai doni perenni.

904 *Un'altra.* Ti preghiamo, Signore: ascolta con benevolenza le preghiere di coloro che ti invocano perché, come hai risparmiato gli abitanti di Ninive durante la penitenza, così soccorri anche noi nella presente tribolazione.

905 *Un'altra.* Ti preghiamo, Signore: abbi pietà del tuo popolo e mentre soffre per le continue tribolazioni rallegralo subito con una pronta propiziazione.

906 *Un'altra.* Aiuta, Signore coloro che implorano la tua misericordia e concedi il perdono a chi confida in te; abbi pietà di chi ti supplica, perché noi che siamo puniti per i nostri peccati, siamo salvati dalla tua misericordia.

907 *Un'altra.* Ti preghiamo, Dio onnipotente: noi che abbiamo sperimentato l'ira del tuo sdegno fa' che possiamo conseguire il perdono della tua misericordia.

908 *Un'altra.* Guarda con benevolenza

quaesumus, Domine, propitius respice, et iram tuae indignationis, quam iuste meremur, propitiatus averte.

909 *Alia.* Deus, qui peccantium animas non vis perire sed culpas, contine quam meremur iram, et quam precamur super nos effunde clementiam, ut de maerore gaudium tuae misericordiae consequi mereamur.

910 *Alia.* Quaesumus, omnipotens Deus, afflicti populi lacrimas respice et iram tuae indignationis averte, ut quia reatum nostrae infirmitatis agnoscimus, tua consolatione liberemur.

911 *Alia.* Deus, qui culpa offenderis paenitentia placaris, preces populi tui supplicantis propitius respice, et flagella tuae iracundiae, quae pro peccatis nostris meremur, averte.

912 *Alia.* Parce, Domine, parce populo tuo, ut dignis flagellationibus castigatus in tua miseratione respiret.

913 *Alia.* Intende, quaesumus, Domine, preces nostras, ut qui non operando iustitiam correptionem meremur afflicti, in tribulatione clamantes respiremus auditi.

914 *Alia.* Praesta, quaesumus, omnipotens Deus, ut qui offensa nostra per flagella cognoscimus, tuae consolationis gratiam sentiamus.

915 *Alia.* Ne despicias, omnipotens Deus, populum tuum in adflictione clamantem, sed propter gloriam nominis tui tribulantibus succurre placatus.

916 *Alia.* Exaudi, Domine, gemitum populi tui, ne plus apud te valeat offensio delinquentium, quam misericordia tua indulta

la nostra tribolazione, o Signore, e allontana benigno da noi la collera del tuo sdegno, che giustamente meritiamo.

909 *Un'altra.* O Dio, tu vuoi che periscano non le anime dei peccatori ma le colpe: trattieni l'ira che meritiamo ed effondi su di noi la clemenza che chiediamo, perché dal dolore meritiamo di conseguire la gioia della tua misericordia.

910 *Un'altra.* Ti preghiamo, Dio onnipotente: volgi il tuo sguardo alle lacrime del popolo e allontana da noi l'ira della tua indignazione perché siamo liberati dalla tua consolazione noi che conosciamo la colpa della nostra debolezza.

911 *Un'altra.* O Dio, che sei offeso dal peccato e placato dalla penitenza, guarda benevolo le preghiere del popolo che ti supplica e allontana da noi il flagello della tua ira che meritiamo per i nostri peccati.

912 *Un'altra.* Abbi pietà, Signore, abbi pietà del tuo popolo perché, punito dai tuoi giusti castighi, possa trovare conforto nella tua misericordia.

913 *Un'altra.* Ti preghiamo, Signore: ascolta le nostre preghiere perché noi che non operiamo secondo la tua giustizia, afflitti, meritiamo la correzione, esauditi possiamo trovare il tuo conforto mentre nella tribolazione ti rivolgiamo il grido di aiuto.

914 *Un'altra.* Ti preghiamo, Dio onnipotente: mentre per le nostre colpe sperimentiamo i tuoi flagelli, avvertiamo la grazia della tua consolazione.

915 *Un'altra.* Non disprezzare, Dio onnipotente, il tuo popolo che nell'afflizione ti invoca, ma per la gloria del tuo nome soccorrilo benigno nelle tribolazioni.

916 *Un'altra.* Ascolta, Signore, il gemito del tuo popolo, perché davanti a te non valgano le offese di quanti sono nel peccato più della tua misericor-

fletibus supplicantium.

917 *Alia.* Omnipotens Deus, misericordiam tuam nobis placatus inpende, ut qui contemnendo culpam incurrimus, confitendo veniam consequamur.

918 *Alia.* Deus, refugium pauperum, spes humilium salusque miserorum, supplicationes populi tui clementer exaudi, ut quos iustitia verberum fecit afflictos, abundantia remediorum faciat consolatos.

919 *Alia.* Moveat pietatem tuam, quaesumus, Domine, subiectae tibi plebis affectus, et misericordiam tuam supplicatio fidelis obtineat, ut quod meritis non praesumit, indulgentiae tuae largitate percipiat.

920 *Alia.* Deprecationem nostram, quaesumus, omnipotens Deus, benignus exaudi, et quibus supplicandi praestas affectum, tribue defensionis auxilium.

921 *Alia.* Averte, quaesumus, Domine, iram tuam propitiatus a nobis, et facinora nostra, quibus indignationem tuam provocavimus, expelle.

922 *Alia.* Memor esto, quaesumus, Domine, fragilitatis humanae, et qui iuste verberas peccatores, parce propitiatus afflictis.

923 *Alia.* Aures tuae pietatis, quaesumus, Domine, precibus nostris inclina, ut qui peccatorum nostrorum flagellis percutimur, miserationis tuae gratia liberemur.

dia verso quanti, in lacrime, supplicano il tuo perdono.

917 *Un'altra.* Dio onnipotente, volgi benigno verso di noi la tua misericordia perché confidando in te otteniamo il perdono e non incorriamo nella colpa che condanniamo.

918 *Un'altra.* O Dio, rifugio dei poveri, speranza degli umili e salvezza dei disperati, ascolta con clemenza le suppliche del tuo popolo, perché l'abbondanza dei rimedi consoli quelli che affliggi con i tuoi giusti castighi.

919 *Un'altra.* Ti preghiamo, Signore: l'amore verso il popolo a te soggetto muova la tua pietà; la supplica dei fedeli concili la tua misericordia, e per la generosità del tuo perdono possa ottenere quanto non riesce a conseguire per i suoi meriti.

920 *Un'altra.* Ti preghiamo, Dio onnipotente: ascolta benigno la nostra supplica e a coloro ai quali doni la volontà di supplicarti, concedi l'aiuto della (tua) difesa.

921 *Un'altra.* Ti preghiamo, Signore: distogli benevolo da noi la tua ira e allontana i nostri peccati, per mezzo dei quali abbiamo provocato la tua indignazione.

922 *Un'altra.* Ti preghiamo, Signore: sii sempre memore dell'umana fragilità e, benevolo, risparmia gli afflitti, tu che nella tua giustizia percuoti i peccatori.

923 *Un'altra.* Ti preghiamo, Signore: rivolgi verso le nostre preghiere le orecchie della tua pietà, perché noi che siamo percossi dal flagello dei nostri peccati, siamo liberati dalla grazia della tua misericordia.

CLXXVI.
ORATIONES MATUTINALES

924 Inlumina, quaesumus, Domine, in te corda credentium, ut tuo semper munimine et tuo auxilio protegamur.

925 *Alia.* Inlumina, quaesumus, Domine, tenebras nostras, et totius noctis insidias tu repelle propitius.

926 *Alia.* Tua nos, Domine, veritas semper inluminet et ab omni pravitate defendat.

927 *Alia.* Salva nos, omnipotens Deus, et lucem nobis concede perpetuam.

928 *Alia.* Deus, qui diem discernis a nocte, actus nostros a tenebrarum distingue caligine, ut semper quae sancta sunt meditantes in tua iugiter luce vivamus.

929 *Alia.* Quaesumus, Domine Deus noster, diei molestias noctis quiete sustena, ut necessaria temporum vicissitudine succedente nostra reficiatur infirmitas.

930 *Alia.* Adesto, Domine, precibus nostris, et die noctuque nos protege, ut quibuslibet alternationibus temporum tua semper incommutabilitate firmemur.

931 *Alia.* Exaudi nos, misericors Deus, et mentibus nostris gratiae tuae lumen ostende.

CLXXVII.
ORATIONES VESPERTINALES SIVE MATUTINALES

932 Vox nostra te, Domine, semper deprecetur, et ad aures tuae pietatis ascendat.

933 *Alia.* Praesta, quaesumus, omnipotens Deus, ut liberis tibi mentibus serviamus.

176
PREGHIERE DEL MATTINO

924 Ti preghiamo, Signore: illumina i cuori di quanti credono in te, perché siamo sempre protetti dal tuo aiuto e dalla tua difesa.

925 *Un'altra.* Ti preghiamo, Signore: illumina le nostre tenebre e nella tua bontà allontana le insidie di tutta la notte.

926 *Un'altra.* La tua verità, Signore, ci illumini sempre e ci difenda da ogni male.

927 *Un'altra.* Salvaci, Dio onnipotente, e concedici la luce perpetua.

928 *Un'altra.* O Dio, che separi il giorno dalla notte, separa le nostre azioni dalla caligine delle tenebre, perché noi che meditiamo tutto ciò che è santo, possiamo continuamente vivere nella tua luce.

929 *Un'altra.* Ti preghiamo, Signore Dio nostro: dopo la quiete della notte possiamo sostenere le molestie del giorno, perché con la necessaria alternanza del tempo, sia guarita la nostra infermità.

930 *Un'altra.* Sii propizio, Signore, alle nostre preghiere e custodiscici giorno e notte, perché in qualsiasi alternanza del tempo siamo sempre rafforzati dalla tua immutabilità.

931 *Un'altra.* Esaudiscici, Dio misericordioso, e manifesta al nostro spirito la luce della tua grazia.

177
PREGHIERE DELLA SERA O DEL MATTINO

932 La nostra voce, Signore, ti implori sempre e salga alle orecchie della tua pietà.

933 *Un'altra.* Ti preghiamo, Dio onnipotente: fa' che ti serviamo sempre con spirito libero.

934 *Alia.* Ut tuam, Domine, misericordiam consequamur, fac nos tibi toto corde esse devotos.

935 *Alia.* Suscipe, Domine, preces nostras, et clamantium ad te pia corda propitius intende.

936 *Alia.* Cunctas, Domine, semper a nobis iniquitates repelle, ut ad viam salutis aeternae secura mente curramus.

937 *Alia.* Redemptor noster aspice, Deus, et tibi nos iugiter servire concede.

938 *Alia.* Deus, caeli terraeque dominator, auxilium nobis tuae defensionis benignus inpende.

939 *Alia.* Praesta, quaesumus, misericors Deus, ut tibi placita mente serviamus.

940 *Alia.* Purificet nos indulgentia tua, Deus, et ab omni semper iniquitate custodiat.

941 *Alia.* Adesto nobis, misericors Deus, et tua circa nos propitiatus dona custodi.

942 *Alia.* A cunctis iniquitatibus nostris exue nos, Domine, et in tua fac pace gaudere.

943 *Alia.* Vincula, Domine, quaesumus, humanae pravitatis abrumpe, ut ad confitendum nomen tuum libera mente curramus.

944 *Alia.* Tua nos, Domine, quaesumus, gratia benedicat et ad vitam perducat aeternam.

945 *Alia.* Vide, Domine, infirmitates nostras et celeri nobis pietate succurre.

946 *Alia.* Fac nos, Domine, quaesumus, mala nostra toto corde respuere, ut bona tua capere valeamus.

947 *Alia.* Esto nobis propitius, Deus, ut tua nos misericordia subsequatur.

934 *Un'altra.* Perché possiamo conseguire, Signore, la tua misericordia, accordaci di esserti devoti con tutto il cuore.

935 *Un'altra.* Accogli, Signore, le nostre preghiere e ascolta benevolo i cuori di quanti ti invocano con pietà.

936 *Un'altra.* Allontana sempre da noi, Signore, tutti i peccati, perché possiamo correre con mente sicura verso la via della salvezza eterna.

937 *Un'altra.* Volgi verso di noi il tuo sguardo, o Dio nostro redentore, e concedici di servirti senza interruzione.

938 *Un'altra.* O Dio, dominatore del cielo e della terra, donaci nella tua benignità l'aiuto della tua protezione.

739 *Un'altra.* Ti preghiamo, Dio misericordioso: fa' che ti serviamo con spirito a te gradito.

940 *Un'altra.* Il tuo perdono ci purifichi, o Dio, e ci custodisca sempre da ogni male.

941 *Un'altra.* Sii vicino a noi, Dio misericordioso, e reso benigno dai doni che hai posto intorno a noi, custodisci.

942 *Un'altra.* Liberaci, Signore, da tutte le nostre colpe e permettici di godere nella tua pace.

943 *Un'altra.* Ti preghiamo, Signore: spezza i legami dei nostri peccati, perché con mente sgombra possiamo correre a glorificare il tuo nome.

944 *Un'altra.* Ti preghiamo, Signore: la tua grazia ci benedica e ci conduca alla vita eterna.

945 *Un'altra.* Guarda, Signore, le nostre infermità e nel tuo amore vieni presto in nostro aiuto.

946 *Un'altra.* Ti preghiamo, Signore: concedici di allontanare con tutto il cuore i nostri mali perché possiamo ricevere i tuoi beni.

947 *Un'altra.* Sii a noi propizio, o Dio, perché ci accompagni la tua misericordia.

948 *Alia*. Praeveniat nos, quaesumus, Domine, misericordia tua, et voces nostras clementiae tuae propitiationis anticipet.

949 *Alia*. Celeri nobis, quaesumus, Domine, pietate succurre, ut devotio supplicantium ad gratiarum transeat actionem.

950 *Alia*. Delicta nostra, Domine, quibus adversa nobis dominantur, absterge, et tua nos ubique miseratione custodi.

951 *Alia*. Absolve, Domine, quaesumus, nostrorum vincula peccatorum, et quicquid pro eis meremur averte.

952 *Alia*. Ascendant ad te, Domine, preces nostrae, et ab ecclesia tua cunctam repelle nequitiam.

953 *Alia*. Clamantes ad te, Deus, dignanter exaudi, ut nos de profundo iniquitatis eripias et ad gaudia aeterna perducas.

954 *Alia*. Concede nobis, quaesumus, Domine, veniam delictorum, et eos qui nos inpugnare moliuntur expugna.

955 *Alia*. Tua nos, Domine, quaesumus, gratia semper et praeveniat et sequatur, ac bonis operibus praestet iugiter esse intentos.

956 *Alia*. Respice nos, misericors Deus, et nomini tuo perfice veraciter obsequentes.

957 *Alia*. Tuere nos, superne moderator, et fragilitatem nostram tuis defende praesidiis.

958 *Alia*. Ut a nostris excessibus, Domine, temperemur, tua nos praecepta concede iugiter operari.

959 *Alia*. Aufer a nobis, quaesumus, nostras, Domine, pravitates, ut non indignationem tuam sed indulgentiam sentiamus.

948 *Un'altra*. Ti preghiamo, Signore: la tua misericordia ci prevenga e la tua clemente benevolenza anticipi le nostre richieste.

949 *Un'altra*. Ti preghiamo, Signore: con il tuo amore vieni presto in nostro aiuto, perché possa renderti grazie la devozione di quanti ti supplicano.

950 *Un'altra*. Cancella, Signore, i nostri peccati che nonostante li teniamo lontani hanno il sopravvento su di noi, e custodiscici ovunque con la tua misericordia.

951 *Un'altra*. Recidi, Signore, i legami dei nostri peccati e allontana da noi tutto ciò che per quelli meritiamo.

952 *Un'altra*. Salgano fino a te, Signore, le nostre preghiere e allontana dalla tua Chiesa ogni malvagità.

953 *Un'altra*. Ascolta con clemenza, Signore, coloro che ti invocano, perché ci strappi dal profondo delle nostre colpe e ci conduca alle gioie della vita eterna.

954 *Un'altra*. Ti preghiamo, Signore: concedici il perdono dei nostri peccati e disperdi coloro che si affannano per assalirci.

955 *Un'altra*. Ti preghiamo, Signore: la tua grazia ci prevenga, ci segua e ci aiuti sempre, mentre siamo intenti nelle buone opere.

956 *Un'altra*. Volgi il tuo sguardo su di noi, Dio misericordioso, e salva quanti confidano veramente nel tuo nome.

957 *Un'altra*. Difendici, o moderatore supremo, e con il tuo aiuto proteggi la nostra fragilità.

958 *Un'altra*. I tuoi precetti, Signore, agiscano continuamente su di noi, perché siamo moderati nei nostri eccessi.

959 *Un'altra*. Ti preghiamo, Signore: allontana da noi tutte le nostre malvagità, perché avvertiamo non la tua indignazione ma la tua indulgenza.

960 *Alia.* Ut cunctis nos, Domine, foveas adiumentis, tuis apta propitius disciplinis.

961 *Alia.* Oculi nostri ad te, Domine, semper intendant, ut auxilium tuum et misericordiam sentiamus.

962 *Alia.* Peccata nostra, Domine, quaesumus, memor humanae condicionis absolve, et quicquid eorum retributione meremur averte.

963 *Alia.* Porrige nobis, Deus, dexteram tuam et auxilium nobis supernae virtutis inpende.

964 *Alia.* Exaudi nos, Deus salutaris noster, et ecclesiam tuam inter mundi turbidines fluctuantem clementi gubernatione moderare.

965 *Alia.* Intende, quaesumus, Domine, supplices tuos, et pariter nobis indulgentiam tribue benignus et gaudium.

966 *Alia.* Respice nos, omnipotens et misericors Deus, et ab omnibus tribulationibus propitiatus absolve.

967 *Alia.* Iniquitates nostras ne respicias, Deus, sed sola nobis misericordia tua prosit indignis.

968 *Alia.* Fac nos, Domine Deus noster, tuis oboedire mandatis, quia tunc nobis prospera cuncta proveniunt, si te totius vitae sequamur auctorem.

960 *Un'altra.* Rendici disponibili ai tuoi insegnamenti, Signore, perché nella tua benevolenza possa favorirci con tutti i tuoi aiuti.

961 *Un'altra.* I nostri occhi, Signore, siano sempre rivolti verso di te, perché avvertiamo il tuo aiuto e la tua misericordia.

962 *Un'altra.* Ti preghiamo, Signore, perché tu memore dell'umana condizione, assolva i nostri peccati e allontani da noi quanto meritiamo come ricompensa di quelli.

963 *Un'altra.* Protendi verso di noi, o Dio, la tua destra e donaci l'aiuto della tua divina potenza.

964 *Un'altra.* O Dio, che sei la nostra salvezza, ascoltaci e con la tua guida clemente dirigi la tua Chiesa sballottata dai turbini del mondo.

965 *Un'altra.* Ti preghiamo, Signore: ascolta quanti ti supplicano e nella tua benevolenza concedici sempre la gioia della grazia.

966 *Un'altra.* Dio onnipotente e misericordioso, volgi benevolo il tuo sguardo su di noi e liberaci da tutte le tribolazioni.

967 *Un'altra.* Non guardare le nostre iniquità, o Dio, ma a noi, sebbene indegni, arrechi aiuto solo la tua misericordia.

968 *Un'altra.* Signore Dio nostro, rendici obbedienti ai tuoi precetti, perché ogni cosa per noi è favorevole se per tutta la vita seguiamo te, nostro creatore.

CLXXVIII.
BENEDICTIO EPISCOPORUM

969 Adesto supplicationibus nostris, omnipotens Deus, et quod humilitatis nostrae gerendum est ministerio, tuae virtutis impleatur effectu.

178
CONSACRAZIONE DEI VESCOVI

969 Ascolta benigno le nostre suppliche, Dio onnipotente, perché sia fecondato dalla tua potenza ciò che dobbiamo compiere con il nostro umile servizio.

970 *Alia.* Propitiare, Domine, supplicationibus nostris, et inclinato super hunc famulum tuum cornu gratiae sacerdotalis, benedictionis tuae in eo effunde virtutem.

971a *Consecratio.* Deus honorum omnium, Deus omnium dignitatum, quae gloriae tuae sacratis famulantur ordinibus. Deus qui Moysen, famulum tuum secreti familiaris affatu, inter cetera caelestis documenta culturae de habitu quoque indumenti sacerdotalis instituens, electum Aaron mystico amictu vestiri inter sacra iussisti, ut intellegentiae sensum de exemplis priorum caperet secutura posteritas, ne eruditio doctrinae tuae ulli deesset aetati, cum et apud veteres reverentiam ipsa significationum species obtineret, et apud nos certiora essent experimenta rerum quam aenigmata figurarum. Illius namque sacerdotii anterioris habitus nostrae mentis ornatus est, et pontificalem gloriam non iam nobis honor commendat vestium, sed splendor animarum, quia et illa quae tunc carnalibus blandiebantur optutibus, ea potius, quae in ipsis erant, intellegenda poscebant. Et idcirco huic famulo tuo, quem ad summi sacerdotii ministerium elegisti, hanc, quaesumus, Domine, gratiam largiaris, ut quicquid illa velamina in fulgore auri, in nitore gemmarum, in multis modis operis varietate signabant, hoc in eius moribus actibusque clarescat.

971b Comple in sacerdote tuo mysterii tui summam, et ornamentis totius glorificationis instructum caelestis unguenti

970 *Un'altra.* Sii propizio, Signore, alle nostre suppliche e reclinata l'ampolla della grazia sacerdotale su questo tuo servo, effondi su di lui il potere della tua benedizione.

971a *Consacrazione.* O Dio di tutti gli onori, di tutte le dignità che con la consacrazione degli ordini servono alla tua gloria; o Dio che hai scelto Mosè tuo servo nel segreto del colloquio familiare, e tra gli altri insegnamenti celesti gli hai dato anche indicazioni sull'abbigliamento da tenere nel culto e sugli indumenti sacerdotali; hai ordinato che Aronne, dopo la sua scelta, durante i riti fosse rivestito del mistico amitto, perché i posteri dagli esempi degli avi comprendessero il senso, e l'insegnamento della tua dottrina non venisse meno in nessuna età, perché anche presso gli anziani l'aspetto esterno ottenesse il rispetto per ciò che significava, e per noi l'esperienza degli eventi fosse più evidente degli enigmi. L'abbigliamento del sacerdozio precedente, infatti, è un ornamento della nostra mente, e non più la magnificenza delle vesti ma lo splendore dell'anima esalta la gloria del pontefice, perché anche ciò che allora allettava lo sguardo della carne, ed era in esso riposto, richiedeva d'essere compreso. Perciò ti preghiamo, Signore, di elargire la grazia a questo tuo servo che hai scelto per il ministero di sommo sacerdote, perché tutto ciò che il luccichio dell'oro e la lucentezza delle gemme sulle vesti in molti modi evidenziavano la varietà delle opere, brilli nella sua condotta di vita e nelle sue azioni.

971b Riversa nel tuo sacerdote la pienezza del tuo ministero, e santifica con il fiore del celeste unguento lui, rivestito con le insegne della tua glo-

flore sanctifica. Hoc, Domine, copiose in eius caput influat, hoc in oris subiecta decurrat, hoc in totius corporis extrema descendat, ut tui spiritus virtus et interiora eius repleat, et exteriora circumtegat. Abundet in eo constantiam fidei, puritas dilectionis, sinceritas pacis. Tribuas ei cathedram episcopalem ad regendam ecclesiam tuam et plebem universam. Sis ei auctoritas, sis ei firmitas, sis potestas. Multiplices super eum benedictionem et gratiam tuam, ut ad exorandam misericordiam tuam tuo munere semper idoneus, tua gratia possit esse devotus.

972 *Secreta.* Haec hostia, Domine, quaesumus, emundet nostra delicta, et sacrificium celebrandum subditorum tibi corpora mentesque sanctificet.

973 *Infra actionem.* Hanc igitur oblationem servitutis nostrae, sed et cunctae familiae tuae, quam tibi offerimus etiam pro famulo tuo *illo,* quem ad episcopatus ordinem promovere dignatus es, quaesumus, Domine, ut placatus accipias, et propitius in eo tua dona custodias, ut quod divino munere consecutus est, divinis effectibus exsequatur, diesque nostros in tua pace disponas.

974 *Ad complendum.* Haec nos communio, Domine, purget a crimine, et caelestis remedii faciat esse consortes.

ria. Questo, Signore, in abbondanza scenda sul suo capo; questo scorra sulla sua bocca; questo scenda fino alle estremità del corpo, perché la potenza del tuo Spirito ne riempia l'interno, lo circondi e lo difenda all'esterno. Abbondi in lui la costanza della fede, la purità dell'amore, la sincerità della pace. Concedigli la cattedra di vescovo, perché guidi la tua Chiesa e il popolo tutto. Sii per lui di autorità, sii a lui principio di saldezza, sii il suo potere. Moltiplica su di lui la tua benedizione e la tua grazia, perché per tuo dono sia sempre idoneo a chiedere la tua misericordia, e per tua grazia possa essere devoto.

972 *Sui doni.* Questa offerta, Padre misericordioso, ci ottenga il perdono dei nostri peccati e santifichi nel corpo e nello spirito di quanti sono a te sottomessi.

973 *Durante la recita del canone.* Accetta con benevolenza, o Signore, questa offerta che ti presentiamo noi tuoi ministri e tutta la tua famiglia: te l'offriamo anche per il tuo servo N., oggi ordinato vescovo: custodisci in lui i tuoi doni e rendi efficace con la tua grazia l'opera da te affidata al suo ministero.

974 *Per finire.* Ci purifichi da ogni colpa, o Signore, questa comunione al tuo sacramento e ci renda partecipi della gioia eterna.

CLXXVIIII.
ORATIONES AD ORDINANDUM PRESBITERUM

975 Oremus, dilectissimi, Deum patrem omnipotentem, ut super hunc famulum suum, quem ad

179
PREGHIERE PER L'ORDINAZIONE DI UN PRESBITERO

975 Preghiamo, dilettissimi, Dio Padre onnipotente, perché moltiplichi i suoi doni su questo suo servo che ha

presbyterii munus elegit, caelestia dona multiplicet.

976 *Alia*. Exaudi nos, quaesumus, Domine Deus noster, et super hunc famulum tuum benedictionem sancti spiritus et gratiae sacerdotalis effunde virtutem, ut quem tuae pietatis aspectibus offerimus consecrandum, perpetua muneris tui largitate prosequaris.

977a *Consecratio*. Domine, sancte pater, omnipotens aeterne Deus, honorum auctor, et distributor omnium dignitatum, per quem proficiunt universa, per quem cuncta firmantur, amplificatis semper in melius naturae rationalis incrementis per ordinem congrua ratione dispositum, unde et sacerdotales gradus atque officia levitarum sacramentis mysticis instituta creverunt, ut cum pontifices summos regendis populis praefecisses, ad eorum societatis et operis adiumentum sequentis ordinis viros, et secundae dignitatis eligeres. Sic in heremo per septuaginta virorum prudentium mentem Moysi spiritum propagasti, quibus ille adiutoribus usus in populo innumeras multitudines facile gubernavit. Sicut in Eleazaro et Ithamar paternae plenitudinis abundantiam transfudisti, ut ad hostias salutares et frequentiores officii sacramenta ministerium sufficeret sacerdotum.

977b Hac providentia, Domine, apostolis filii tui doctores fidei comites addidisti, quibus illi orbem totum secundis praedicatoribus impleverunt. Quapropter infirmitati quoque nostrae, Domine, haec adiumenta largire, qui quanto magis fra-

destinato alla missione del presbiterato.

976 *Un'altra*. Ti preghiamo, Signore, Dio nostro: effondi su questo tuo servo la benedizione del tuo Spirito santo e il potere della grazia sacerdotale, perché tu possa arricchire con la perenne generosità del tuo dono colui che con la consacrazione offriamo allo sguardo della tua pietà.

977a *Consacrazione*. Signore, Padre santo, Dio onnipotente ed eterno, tu sei fonte di tutti gli onori e dispensatore di tutte le dignità. Per mezzo tuo tutto arreca giovamento, tutto viene reso stabile, come sono accresciuti sempre in meglio i germi insiti nella natura razionale mediante l'ordine regolato con congrue disposizioni. Perciò per i mistici sacramenti istituirono i gradi nel sacerdozio e il compito dei leviti, perché tu, dopo aver posto i vescovi a capo dei popoli, come loro aiuto nell'opera sociale scegliessi uomini per l'ordine successivo, inferiori per dignità. Come nel deserto effondesti il tuo spirito su Mosè assistito dal consiglio di settanta uomini prudenti, perché egli con il loro aiuto governasse con facilità le innumerevoli moltitudini del suo popolo. Allo stesso modo su Eleazaro e su Itamar riversasti l'abbondanza della pienezza del Padre, perché i sacerdoti nel loro servizio si dedicassero in modo sempre più frequente alle vittime salutari e all'amministrazione dei sacramenti.

977b Con questo atto della tua provvidenza, Signore, hai aggiunto agli apostoli del tuo Figlio maestri della fede e compagni, per mezzo dei quali hanno riempito tutto il mondo di buoni predicatori. Perciò, Signore, alla nostra infermità elargisci anche questi aiuti, perché noi quanto più

giliores sumus, tanto his pluribus indigemus. Da, quaesumus, pater, in hunc famulum tuum presbyterii dignitatem, innova in visceribus eius spiritum sanctitatis, acceptum a te, Deus, secundi meriti munus obtineat, censuramque morum exemplo suae conversationis insinuet. Sit probus cooperator ordinis nostri, eluceat in eo totius forma iustitiae, ut bonam rationem dispensationis sibi creditae redditurus aeternae beatitudinis praemia consequatur.

siamo fragili tanto più ne abbiamo bisogno. Infondi, Padre, la dignità di presbitero in questo tuo servo; rinnova nelle sue viscere lo spirito di santità, ricevuto da te, o Dio; ottenga il dono propizio del tuo merito, e con l'esempio della sua vita diffonda la castità dei costumi. Sia probo cooperatore del nostro ordine, brilli in lui in tutta la sua bellezza l'immagine della giustizia, perché quando si accingerà a render conto del bilancio sulla buona diffusione di quanto gli è stato affidato, consegua il premio della beatitudine eterna.

CLXXX.
ORATIONES AD ORDINANDUM DIACONUM

180
PREGHIERE PER L'ORDINAZIONE DEL DIACONO

978 Oremus, dilectissimi, Deum patrem omnipotentem, ut super hunc famulum suum, quem in sacrum ordinem dignatur adsumere, benedictionis suae gratiam clementer effundat eique donum consecrationis indulgeat, per quod eum ad praemia aeterna perducat.

978 Preghiamo, figli dilettissimi, Dio Padre onnipotente, perché nella sua clemenza effonda su questo suo servo, che si è degnato di assumere nel sacro ordine, la grazia della sua benedizione e gli conceda il dono della consacrazione, e per mezzo di questo lo conduca al premio eterno.

979 *Alia.* Exaudi, Domine, preces nostras, et super hunc famulum tuum spiritum tuae benedictionis emitte, ut caelesti munere ditatus et tuae gratiam possit maiestatis adquirere, et bene vivendi aliis exemplum praebere.

979 *Un'altra.* Esaudisci, Signore, le nostre preghiere ed effondi su questo tuo servo lo spirito della tua benedizione, perché arricchito dei beni celesti possa acquistare la grazia proveniente dalla tua maestà e offrire agli altri l'esempio di una vita proba.

980a *Consecratio.* Adesto, quaesumus, omnipotens Deus, honorum dator, ordinum distributor, officiorum dispensator, qui in te manens innovas omnia, et cuncta disponis per verbum virtutem sapientiamque tuam Iesum Christum, filium tuum dominum nostrum, sempiterna providentia praeparas,

980a *Consacrazione.* Ti preghiamo, Dio onnipotente: tu concedi gli onori, distribuisci gli ordini, dispensi gli incarichi; tu rinnovi tutto pur rimanendo in te stesso e tutto disponi mediante il tuo Figlio, il Signore nostro Gesù Cristo, il tuo Verbo, la tua virtù, la tua sapienza. Tu con l'eterna tua provvidenza tutto disponi e ad ogni persona in tutti i tempi dispen-

et singulis quibusque temporibus aptanda dispensas, cuius
corpus ecclesiam tuam caelestium gratiarum varietate di-
stinctam suorumque conexam
discretione membrorum, per
legem mirabilem totius com-
pagis unitam in augmentum
templi tui crescere, dilatarique
largiris. Sacri muneris servitutem trinis gradibus ministrorum nomine tuo militare
constituens, electis ab initio
Levi filiis, qui mysticis opera-
tionibus domus tuae fidelibus
excubiis permanentes hereditatem benedictionis aeternae
sorte perpetua possiderent.

980b Super hunc quoque famulum
tuum, quaesumus, Domine,
placatus intende, quem tuis sacrariis serviturum in officium
diaconii suppliciter dedica-
mus. Et nos quidem tamquam
homines divini sensus et summae rationis ignari huius vitam, quantum possumus, ae-
stimamus. Te autem, Domine,
ea quae nobis sunt ignota non
transeunt, te occulta non fal-
lunt, tu cognitor secretorum,
tu scrutator es cordium, tu eius
vitam caelesti poteris examina-
re iudicio, quo semper praeva-
les, et commissa purgare, et ea
quae sunt agenda concedere.
Emitte in eum, Domine, quaesumus, spiritum sanctum,
quo in opus ministerii fideliter
exsequendi septiformis gratiae
munere roboretur. Abundet in
eo totius forma virtutis, auctoritas modesta, pudor constans,
innocentiae puritas et spiritalis
observatio disciplinae. In moribus eius praecepta tua ful-
geant, ut suae castitatis exemplo imitationem sancta plebs
adquirat, et bonum conscientiae testimonium proferens in

si quanto è necessario; al suo corpo,
la tua santa Chiesa, alla quale, pur
distinta dalla diversità delle grazie
e riunita nella distinzione dei suoi
membri, concedi di crescere e di am-
pliarsi, unita mediante la legge mirabile della sua compagine. Tu hai
costituito il servizio del sacro ministero nei tre ordini dei tuoi ministri,
come se militassero nel tuo nome,
dopo aver scelto fin dall'inizio i figli
di Levi, perché essi, attendendo alle
mistiche incombenze della tua casa
come fedeli sentinelle, ottenessero
per sempre in sorte l'eredità dell'e-
terna benedizione.

980b Ti preghiamo, Signore: nella tua benevolenza volgi il tuo sguardo anche
su questo tuo servo, che noi supplici consacriamo perché espleti il suo
servizio nei tuoi santuari. E noi, pur
ignari della percezione divina e degli altissimi tuoi progetti, valutia-
mo, per quanto è possibile, la vita di
quest'uomo. A te, Signore, non sfugge ciò che noi non conosciamo; tu
conosci quanto è occulto; tu conosci
quanto è nascosto; tu scruti i cuori;
tu che mediante il tuo celeste discer-
nimento, grazie al quale sei sempre
superiore, potrai esaminare la sua
vita, perdonare i peccati commessi
e concedergli la grazia per quanto si
accinge a compiere. Ti preghiamo, Signore: invia su di lui lo Spirito santo,
perché nel fedele espletamento del
ministero sia corroborato dal settiforme dono della tua grazia. Abbondi in
lui ogni forma di virtù, la modestia
nell'autorità, la costanza del pudore,
la purezza dell'innocenza e l'osservanza della disciplina spirituale. Nel
suo comportamento risplendano i
tuoi precetti, perché il popolo santo
lo imiti e segua l'esempio della sua
castità; e mentre annuncia la testimonianza d'una santa coscienza, con
stabile fermezza perseveri in Cristo,

Christo firmus et stabilis perseveret, dignisque successibus de inferiori gradu per gratiam tuam capere potiora mereatur.

e in seguito ai meritati successi, pur da un grado inferiore, con l'aiuto della tua grazia meriti di ricevere beni più importanti.

CLXXXI.
ORATIO IN NATALE PAPAE

981 Deus, qui licet sis magnus in magnis, mirabilia tamen gloriosius operaris in minimis, concede mihi indigno famulo tuo sacris convenienter servire mysteriis, ut quem conscientiae reatus accusat, in omnibus tua misericordia protegat.

181
PREGHIERA NELL'ANNIVERSARIO [dell'elezione] DI UN PAPA

981 O Dio, tu, sebbene sia grande nelle grandi occasioni, con la tua gloria tuttavia operi cose mirabili anche in quelle più insignificanti; concedi a me, indegno tuo servo, di servire in maniera conveniente ai tuoi sacri misteri, perché la tua misericordia in tutte le circostanze protegga me che la coscienza d'aver peccato accusa.

982 *Alia.* Deus, qui populis tuis indulgentia consulis, et amore dominaris, da spiritum sapientiae, quibus dedisti regimen disciplinae, ut de profectu sanctarum ovium fiant gaudia aeterna pastorum.

982 *Un'altra.* O Dio, che vegli sul tuo popolo e lo governi con indulgenza e amore, arricchisci dello Spirito di sapienza tutti coloro che hai posto come maestri e guide della tua Chiesa, perché il progresso spirituale del gregge diventi la gioia eterna dei pastori.

983 *Super oblata.* Hostias tibi, Domine, laudis exolvo suppliciter implorans, ut quod inmerito contulisti, intercedente beato Petro apostolo tuo propitius exsequaris.

983 *Sulle offerte.* Mentre supplice ti invoco, Signore, ti offro questo sacrificio di lode perché, per intercessione del tuo beato apostolo Pietro, benevolo mi conceda di portare a compimento quanto, sebbene indegno, mi hai donato.

984 *Praefatio.* VD et iustum est aequum et salutare. Ut quia in manu tua dies nostri vitaque consistit, sicut honorem nobis indignis largiris ministerii, sic quoque tribuas rationabilis obsequii propitius incrementum, et tua dona in nobis custodias, ut eius suffragiis apud te semper reddat acceptus, cuius me vice hodie ecclesiae tuae praeesse voluisti.

984 *Prefazio.* È veramente degno e giusto, conveniente e salutare. Come nelle tue mani sono riposti i giorni della nostra vita, così a noi, sebbene indegni, largisci la dignità del ministero e benevolo concedi che si sviluppi il rispetto fondato sulla ragione. Custodisci in noi i tuoi doni, perché con le preghiere li renda sempre accetti alla tua presenza, della quale hai voluto che io, al tuo posto, sia a capo della Chiesa.

985 *Ad complendum.* Corporis sacri et pretiosi sanguinis repleti libamine, quaesumus, Domine Deus noster, ut gratiae tuae mu-

985 *Per finire.* Signore Dio nostro, saziati dal sacro corpo e dal sangue prezioso ti preghiamo perché il dono della tua grazia, che ci hai dato nonostan-

nus, quod nobis inmeritis contulisti, intercedente beato Petro apostolo tuo propitius muniendo custodias.

te non lo meritassimo, per intercessione del tuo beato apostolo Pietro, con la sua benevolenza ci protegga e custodisca.

CLXXXII.
ORATIO IN ORDINATIONE PRESBYTERI

986 Deus, qui digne tibi servientium nos imitare desideras famulatum, da nobis caritatis tuae flamma ardere succensos, ut antistitum priorum qui tibi placuerunt, mereamur consortia obtinere.

987 *Secreta.* Aufer a nobis, Domine, spiritum superbiae cui resistis, ut sacrificia nostra tibi sint semper accepta.

988 *Praefatio.* VD et iustum est aequum et salutare. Qui dissimulatis peccatis humanae fragilitatis nobis indignis sacerdotalem confers dignitatem, da nobis, quaesumus, ut ad sacrosancti mysterii immolanda sacrificia cum beneplacitis mentibus facias introire, quia tu solus sine operibus aptis iustificas peccatores, tu gratiam praestas benignus ingratis, tu ea, quae retro sunt, oblivisci concedis, et ad priora promissa clementissima gubernatione perducis.

989 *Infra actionem.* Hanc igitur oblationem servitutis nostrae, quam tibi offerimus in die hodiernae solemnitatis, quo nobis indignis sacerdotalem infulam tribuisti, quaesumus, Domine, ut placatus accipias, et tua pietate conserva, quod es operatus in nobis, diesque nostros in tua pace dispone.

990 *Ad complendum.* Corporis sacri et pretiosi sanguinis repleti libamine, quaesumus, Domine

182
PREGHIERA NELL'ORDINAZIONE DI UN PRESBITERO

986 O Dio, tu desideri che nel servizio imitiamo quelli che ti servono degnamente: concedi a noi, avvolti dalla fiamma del tuo amore, il merito di ottenere la comunione con i vescovi che ci hanno preceduto e che hanno incontrato il tuo favore.

987 *Sui doni.* Allontana da noi, Signore, lo spirito di superbia, alla quale tu opponi resistenza, perché il nostro sacrificio sia sempre a te gradito.

988 *Prefazio.* Ignorati i peccati propri dell'umana fragilità, a noi, benché indegni, conferisci la dignità sacerdotale; concedici, ti preghiamo, di essere ammessi ad immolare i sacrifici del sacrosanto mistero con animo sereno, perché tu solo, pur senza le opere adatte, giustifichi i peccatori; nella tua benevolenza a noi, benché ingrati, concedi la grazia; tu ci permetti di dimenticare quanto è passato e ci conduci sotto la tua guida clemente verso quanto in precedenza hai promesso.

989 *Durante la recita del canone.* Accetta con benevolenza, o Signore, l'offerta del nostro servizio, che ti presentiamo nella solennità odierna in cui a noi, benché indegni, concedi la dignità del sacerdozio, e conserva nel tuo amore quanto hai operato in noi.

990 *Per finire.* Signore Dio nostro, saziati dal sacro corpo e dal sangue prezioso, ti preghiamo perché per inter-

Deus noster, ut gratiae tuae munus, quod nobis inmeritis contulisti, intercedente beato *illo* propitius muniendo custodias.

cessione di N. e per la tua benevola difesa custodisca il dono della tua grazia che ci hai dato, nonostante non la meritassimo.

CLXXXIII.
ORATIO IN ORDINATIONE DIACONI

991 Ad preces nostras, quaesumus, Domine, propitiatus intende, ut levitae tui sacris altaribus servientes et fidei veritate fundati, et mente sint spiritali conspicui.

992 *Secreta.* Suscipe, quaesumus, Domine, hostias famuli tui et levitae tui N., quibus mente tuo nomini devota, et a terrenis contagiis expiari, et caelestibus contulisti propinquare consortiis.

993 *Ad complendum.* Praesta, quaesumus, omnipotens Deus, ut nostrae gaudeamus provectionis augmento et congruo sacramenti caelestis obsequio.

183
PREGHIERA PER L'ORDINAZIONE DI UN DIACONO

991 Ti preghiamo, Signore: ascolta benevolo le nostre preghiere, perché i tuoi leviti mentre servono ai sacri altari, siano saldi nella verità della fede e insigni per la spiritualità della loro mente.

992 *Sui doni.* Ti preghiamo, Signore: accogli l'offerta del tuo servo e del tuo levita N., ai quali hai concesso, per lo spirito devoto al tuo nome, di essere purificati dai contagi terreni e di avvicinarsi alla comunità del cielo.

993 *Per finire.* Ti preghiamo, Dio onnipotente: concedi a noi di godere dei frutti della nostra continua crescita nel dovuto ossequio verso il sacramento celeste.

CLXXXIIII.
ORATIO PRO ADEPTA DIGNITATE

994 Deus, cuius omnis potestas et dignitas, da famulo tuo N. prosperum suae dignitatis effectum, in qua te semper timeat tibique iugiter placere contendat.

184
PREGHIERA PER LA DIGNITÀ ACQUISITA

994 O Dio, che hai nelle tue mani il potere e la dignità, concedi al tuo servo N. un esito felice per la sua dignità; grazie ad essa abbia sempre timore di te e cerchi allo stesso tempo di compiere ciò che ti è gradito.

CLXXXV.
ORATIO AD ABBATEM FACIENDUM

995 Concede, quaesumus, omnipotens Deus, ut famulum tuum N., quem ad regimen animarum elegimus, gratiae tuae dono prosequaris, ut te largiente cum ipsa tibi nostra electione placeamus.

185
PREGHIERA PER LA BENEDIZIONE DI UN ABATE

995 Ti preghiamo, Dio onnipotente, di accompagnare con il dono della tua grazia il tuo servo N., che abbiamo scelto per la guida delle anime, perché per tua elargizione siamo a te graditi in questa nostra scelta.

CLXXXVI.

ORATIO PRO RENUNTIANTIBUS
SAECULO

996 Praesta, Domine, quaesumus, famulis tuis renuntiantibus saecularibus pompis gratiae tuae vias aperiri, qui dispecto diabolo confugiunt sub titulo Christi. Iube venientes ad te sereno vultu suscipere, ne de eis inimicus valeat triumphare. Tribue eis brachium infatigabile auxilii tui, mentes eorum fidei lorica circumda, et felice muro vallati mundum se gaudeant evasisse.

CLXXXVII.

ORATIO IN MONASTERIO

997 Deus, qui renuntiantibus saeculo mansionem paras in caelo, dilata sanctae huius congregationis habitaculum temporale caelestibus bonis, ut fraternae teneantur conpagine caritatis, unianimes continentiae praecepta custodiant, sobrii simplices et quieti gratis sibi datam gratiam fuisse cognoscant, concordet illorum vita cum nomine, professio sentiatur in opere.

CLXXXVIII.

ORATIO MONACHORUM

998 Tu famulis tuis, quaesumus, Domine, bonos mores placatus institue, tu in eis, quod tibi placitum sit, dignanter infunde, ut et digni sint, et tua valeant beneficia promereri.

186

PREGHIERA PER COLORO
CHE RINUNCIANO AL SECOLO

996 Ti preghiamo, Signore: dischiudi le vie della tua grazia ai tuoi servi, i quali, disprezzate le insidie del diavolo, si rifugiano sotto la protezione di Cristo e rinunciano ai beni di questo mondo. Ordina di accogliere quanti vengono a te con volto sereno, perché il nemico non abbia il sopravvento su di loro. Concedi loro l'instancabile aiuto del tuo braccio, cingi le loro menti con la corazza della fede e, difesi da inespugnabile muro, godano di essere usciti fuori dal mondo.

187

PREGHIERA NEL MONASTERO

997 O Dio, per coloro che rinunciano ai beni temporali tu prepari un'abitazione in cielo; con i beni celesti amplia la dimora temporale di questa congregazione, perché siano tenuti insieme dal vincolo della carità fraterna; perché nella sobrietà, nella semplicità e nella quiete riconoscano che la grazia è stata loro donata senza ricompensa; perché la loro vita concordi con il loro nome, e la loro professione si avverta nelle opere.

188

PREGHIERA DEI MONACI

998 Ti preghiamo, Signore: nella tua benevolenza per i tuoi servi stabilisci buoni comportamenti; infondi in loro quanto a te è gradito, perché siano degni e possano meritare i tuoi benefici.

CLXXXVIIII.

ORATIO AD CLERICUM FACIENDUM

999 Praesta, quaesumus, omnipotens Deus, ut huic famulo tuo *illo,* qui ad deponendam comam capitis sui propter amorem Christi filii tui festinat, dones spiritum sanctum, qui habitum religionis in eo perpetuum custodiat et a mundi impedimento vel saeculari desiderio cor eius defendat, et sicut inmutatur in vultu, ita manus dexterae tuae in eum virtutes tribuat, et ab omni caecitate humana oculos aperiat, et lumen aeternae gratiae concedat.

189

PREGHIERA PER LA BENEDIZIONE DI UN CHIERICO

999 Ti preghiamo, Dio onnipotente: porgi il tuo aiuto a questo tuo servo N., il quale, per amore di Cristo tuo Figlio, si affretta a deporre la sua chioma; donagli lo Spirito santo, perché custodisca per sempre in lui l'abito della religione e difenda il suo cuore sia dagli ostacoli del mondo che dai desideri terreni. Come cambia il suo volto, così la tua destra gli doni le virtù, apra i suoi occhi contro la cecità degli uomini e gli conceda il lume della grazia eterna.

CXC.

ORATIO AD CAPILLATURAM

1000 Omnipotens sempiterne Deus, respice propitius super hunc famulum tuum *illum,* quem ad novam capillos tondendi gratiam vocare dignatus es, tribuens ei remissionem omnium peccatorum, atque caelestium donorum consortem esse concede.

190

PREGHIERA PER IL TAGLIO DEI CAPELLI

1000 Dio onnipotente ed eterno, volgi benevolo il tuo sguardo su questo tuo servo N., che con il taglio dei capelli ti sei degnato di chiamare ad una nuova grazia, e mentre gli doni la remissione dei peccati, concedigli di essere partecipe dei doni celesti.

CXCI.

ORATIO AD BARBAS TONDENDAS

1001 Deus, cuius spiritu creatura omnis incrementi adulta congaudet, exaudi preces nostras super hunc famulum tuum N. iuvenalis aetatis decore laetantem, et primis auspiciis ad tondentem, exaudi, Domine, ut in omnibus protectionis tuae munitus auxilio caelestem benedictionem accipiat, et praesentis vitae praesidiis gaudeat et aeternae.

191

PREGHIERA PER LA RASATURA DELLA BARBA

1001 O Dio, con il tuo Spirito ogni creatura gode per la sua crescita: ascolta le preghiere per questo tuo servo N. che si rallegra per l'onore dell'età giovanile, e con i migliori presagi alla sua rasatura, ascolta, Signore, perché fortificato in tutte le occasioni dall'aiuto della tua protezione, riceva la benedizione celeste e goda della tua protezione nella vita presente e in quella futura.

CXCII.
ORATIO AD DIACONAM FACIENDAM

1002 Exaudi, Domine, preces nostras, et super hanc famulam tuam *illam* spiritum tuae benedictionis emitte, ut caelesti munere ditata et tuae gratiam possit maiestatis adquirere, et bene vivendi aliis exemplum praebere.

192
PREGHIERA PER L'ISTITUZIONE DI UNA DIACONESSA

1002 Esaudisci, Signore, le nostre preghiere e infondi lo spirito della tua benedizione su questa tua serva N., perché arricchita dal tuo dono celeste, possa acquisire la grazia della tua maestà e offrire agli altri l'esempio di una vita santa.

CXCIII.
ORATIO AD ANCILLAS DEI VELANDAS

1003 Famulas tuas, Domine, tua custodia muniat pietatis, ut virginitatis sanctae propositum, quod te inspirante susceperunt, te protegente inlaesum custodiant.

193
PREGHIERA PER LE SERVE DI DIO QUANDO PRENDONO IL VELO

1003 La tua pietà, Signore, sorvegli e fortifichi le tue serve, perché custodiscano intatto il voto della santa verginità, che hanno assunto per tua ispirazione.

CXCIIII.
ORATIO PRO REGIBUS

1004 Deus, regnorum omnium et christiani maxime protector imperii, da servo tuo regi *illi* triumphum virtutis tuae scienter excolere, ut cuius constitutione est princeps, eius semper munere sit protectus.

1005 *Alia.* Deus, in cuius manu corda sunt regum, inclina ad preces humilitatis nostrae aures misericordiae tuae, et famulo tuo *illi* regimen tuae adpone sapientiae, ut haustis de tuo fonte consiliis et tibi placeat, et super omnia regna praecellat.

1006 *Secreta.* Suscipe, Domine, preces et hostias ecclesiae tuae pro salute famuli tui *illius* supplicantis, et in protectione fidelium populorum antiqua brachii tui operare miracula, ut superatis pacis inimicis secura tibi deserviat christianorum libertas.

194
PREGHIERA PER I RE

1004 O Dio, che proteggi il potere di tutti i regni e soprattutto di quello cristiano, concedi al tuo servo, il re N., di coltivare con coscienza il trionfo della tua virtù, perché sia sempre protetto dal dono di colui per la cui decisione egli è re.

1005 *Un'altra.* O Dio, nelle tue mani è riposto il cuore dei re: volgi le orecchie della tua misericordia alle nostre umili preghiere, e concedi al re N., tuo servo, il governo della tua saggezza, perché, attinti i consigli dalla tua fonte, sia a te gradito e si distingua su tutti i regni.

1006 *Sui doni.* Accetta, Signore, le preghiere e le offerte della tua Chiesa per la salvezza del tuo servo N. che ti supplica, e per la protezione dei popoli fedeli rinnova gli antichi miracoli del tuo braccio, perché con la vittoria sui nemici della pace i cristiani ti possano servire in tutta sicurezza.

1007 *Ad complendum.* Deus, qui praedicando aeterni regni evangelio romanum imperium praeparasti, praetende famulo tuo *illo* arma caelestia, ut pax ecclesiarum te donante semper renovetur et crescat.

1007 *Per finire.* O Dio, che preparasti l'impero romano al lieto annuncio del regno eterno, poni innanzi al tuo servo N. le armi celesti, perché, grazie al tuo dono, la pace nelle Chiese si rinnovi e cresca in continuazione.

CXCV.
ORATIO TEMPORE BELLI

1008 Omnipotens et misericors Deus, a bellorum nos, quaesumus, turbine fac quietos, quia bona nobis cuncta praestabis, si pacem dederis et mentis et corporis.

1009 *Secreta.* Sacrificium, Domine, quod immolamus, intende placatus, ut ab omni nos exuat bellorum nequitia, et in tuae protectionis securitate constituat.

1010 *Ad complendum.* Omnipotens Deus, christiani nominis inimicos virtute, quaesumus, tuae conprime maiestatis, ut populus tuus et fidei integritate laetetur, et temporum tranquillitate semper exultet.

195
PREGHIERA IN TEMPO DI GUERRA

1008 Ti preghiamo, Dio onnipotente e misericordioso: rendici immuni dai turbini della guerra, perché se ci darai la pace nello spirito e nel corpo, ci concederai tutti i beni.

1009 *Sui doni.* Accogli benigno, Signore, il sacrificio che ti immoliamo, perché ci sottragga da tutti i mali della guerra e ci rafforzi con la sicurezza della tua protezione.

1010 *Per finire.* Ti preghiamo, Dio onnipotente: con la virtù della tua maestà reprimi i nemici del nome cristiano, perché il tuo popolo si rallegri per l'integrità della fede ed esulti sempre per la tranquillità dei tempi.

CXCVI.
ORATIO AD SPONSAS VELANDAS

1011 Exaudi nos, omnipotens et misericors Deus, ut quod nostro ministratur officio, tua benedictione potius impleatur.

1012 *Secreta.* Suscipe, quaesumus, Domine, pro sacra connubii lege munus oblatum, et cuius largitor es operis esto dispositor.

1013 *Praefatio.* VD. Qui foedera nuptiarum blando concordiae iugo et insolubili pacis vinculo nexuisti, ut ad operationem filiorum sanctorum conubiorum fecunditas pudica serva-

196
PREGHIERA PER LA *VELATIO* DELLE SPOSE

1011 Esaudiscici, Dio onnipotente e misericordioso, perché sia colmato della tua benedizione quanto ti viene offerto dal nostro servizio.

1012 *Sui doni.* Accogli, o Signore, i doni che ti offriamo per la santificazione dell'alleanza nuziale, e custodisci con la tua provvidenza la nuova famiglia che hai costituito.

1013 *Prefazio.* È veramente degno. Tu hai dato alla comunità coniugale la dolce legge dell'amore e il vincolo indissolubile della pace, perché l'unione casta e feconda degli sposi accresca il numero dei tuoi figli. Con disegno

retur. Tua enim, Domine, providentia, tua gratia utrumque dispensat, ut quod generatio mundi edidit ad ornatum, regeneratio ad ecclesiae perducat augmentum.

1014 *Infra actionem.* Hanc igitur oblationem famulorum tuorum, quam tibi offerunt pro famula tua *illa,* quam perducere dignatus es ad statum mensurae et ad diem nuptiarum, pro qua maiestati tuae supplices fundimus preces, ut eam propitius cum viro suo copulare digneris, quaesumus, Domine, ut placatus.

1014a *Antequam dicatur* Pax domini *dicit orationem:*

1015 Propitiare, Domine, supplicationibus nostris, et institutis tuis, quibus propagationem humani generis ordinasti, benignus adsiste, ut quod te auctore iungitur, te auxiliante servetur.

1016a *Benedictio.* Deus, qui potestate virtutis tuae de nihilo cuncta fecisti, qui dispositis universitatis exordiis homini ad imaginem Dei facto ideo inseparabilem mulieris adiutorium condidisti, ut femineo corpori de virili dares carne principium, docens quod ex uno placuisset institui, numquam liceret disiungi. Deus, qui tam excellenti mysterio coniugalem copulam consecrasti, ut Christi et ecclesiae sacramentum praesignares in foedere nuptiarum. Deus, per quem mulier iungitur viro, et societas principaliter ordinata ea benedictione donatur, quae sola nec per originalis peccati poenam nec per diluvii est ablata sententiam.

mirabile, o Signore, la tua grazia viene somministrata ad entrambi, perché ciò che la generazione produce ad ornamento del mondo, la rigenerazione conduce all'accrescimento della Chiesa.

1014 *Durante la recita del canone.* Accetta con bontà l'offerta dei tuoi fedeli, che ti presentano per la tua serva N., che ti sei degnato di condurre a maturità e al giorno delle nozze. Per lei noi supplici rivolgiamo preghiere alla tua maestà, perché benevolo le conceda di unirsi con suo marito.

1014a *Prima di dire* La pace del Signore, *recita la seguente preghiera:*

1015 Ascolta propizio, Signore, le nostre suppliche e con benevolenza proteggi le istituzioni, mediante le quali hai stabilito che il genere umano si propagasse, perché con il tuo aiuto si conservi ciò che viene unito sotto la tua protezione.

1016a *Benedizione.* O Dio, che hai creato dal nulla tutto quanto esiste con il potere della tua virtù; tu che, stabilita l'origine del mondo, hai dato all'uomo, plasmato ad immagine di Dio, un aiuto inseparabile nella donna, perché dal corpo dell'uomo immettessi in quello della donna il principio della vita; tu hai permesso loro di comprendere che non è mai lecito dividere quanto tu hai deciso di fondare sull'unità. O Dio, che mediante un così grande mistero hai consacrato l'unione coniugale perché nel sacramento delle nozze prefigurassi il sacramento di Cristo e della Chiesa. O Dio, per mezzo di questo sacramento la donna si unisce all'uomo e la società viene regolata principalmente dalla benedizione che, sola, non viene portata via né dalla pena del peccato originale né dalla sentenza del diluvio.

1016b Respice propitius super hanc famulam tuam, quae maritali iungenda est consortio, tua se expetit protectione muniri. Sit in ea iugum dilectionis et pacis, fidelis et casta nubat in Christo, imitatrixque sanctarum permaneat feminarum, sit amabilis ut Rachel viro, sapiens ut Rebecca, longeva et fidelis ut Sarra. Nihil in ea ex actibus suis ille auctor praevaricationis usurpet, nexa fidei mandatisque permaneat, uni toro iuncta, contactus inlicitos fugiat, muniat infirmitatem suam robore disciplinae. Sit verecundia gravis, pudore venerabilis, doctrinis caelestibus erudita, sit fecunda in sobole, sit probata et innocens, et ad beatorum requiem atque ad caelestia regna perveniat, et videat filios filiorum suorum usque in tertiam et quartam progeniem, et ad optatam perveniat senectutem.

1016c Pax domini sit semper vobiscum.

1017 *Ad complendum.* Quaesumus, omnipotens Deus, instituta providentiae tuae pio amore comitare, ut quos legitima societate conectis, longeva pace custodias.

1016b Volgi benigno lo sguardo su questa tua serva, la quale, mentre si avvicina all'unione coniugale, chiede di essere fortificata dalla tua protezione. Sia in lei il giogo dell'amore e della pace; fedele e casta affronti il matrimonio nel nome di Cristo; imiti sempre le sante donne; ami suo marito come Rachele; sia saggia come Rebecca; longeva e fedele come Sara. L'autore della prevaricazione non trovi niente dei suoi atti in lei; osservi sempre la fede e i comandamenti; sia fedele ad un solo letto; eviti rapporti illeciti e fortifichi la sua debolezza con il vigore della disciplina. Sia vereconda, rispettabile, venerabile per il suo pudore, istruita nella dottrina celeste, sia feconda nella prole, provata e innocente entri nella pace dei beati e nel regno del cielo; veda i figli dei figli fino alla terza e alla quarta generazione e giunga alla desiderata vecchiaia.

1016c La pace del Signore sia sempre con voi.

1017 *Per finire.* Ti preghiamo, Dio onnipotente: accompagna con il tuo amore divino quanto per tua divina provvidenza hai istituito, perché custodisca con lunga pace quelli che unisci in una famiglia fondata sulla tua legge.

CXCVII.
BENEDICTIO VIDUAE

1018 Da, quaesumus, omnipotens Deus, ut haec famula tua, quae pro spe retributionis promissi muneris se desiderat consecrari, plena fide animoque permaneat. Tribue ei pro operibus gloriam, pro pudore reverentiam, pro pudicitia sanctitatem, ut ad meritum aeternae beatitudinis possit pervenire.

197
BENEDIZIONE DELLA VEDOVA

1018 Ti preghiamo, Dio onnipotente: concedi che questa tua serva, che desidera essere consacrata nella speranza del dono promesso, perseveri con coraggio nella fede. Concedile la gloria per le sue opere, il rispetto per il suo pudore, la santità per la sua pudicizia, perché possa giungere al merito della vita eterna.

CXCVIII.
ORATIO PRO HIS QUI ITER AGUNT

1019 Exaudi nos, Domine, et iter famuli tui *illius* inter vitae huius pericula tuo semper regatur auxilio.

CXCVIIII.
ORATIO PRO PLUVIA POSTULANDA

1020 Terram tuam, Domine, quam videmus nostris iniquitatibus tabescentem, caelestibus aquis infunde atque inriga beneficiis gratiae tuae.

1021 *Alia.* Da nobis, Domine, quaesumus, pluviam salutarem, et aridam terrae faciem fluentis caelestibus dignanter infunde.

1022 *Alia.* Omnipotens sempiterne Deus, qui salvas omnes et neminem vis perire, aperi fontem benignitatis tuae, et terram aridam aquis fluentibus dignanter infunde.

CC.
ORATIO QUANDO MULTUM PLUIT

1023 Domine Deus, qui in ministerio aquarum salutis tuae nobis sacramenta sanxisti, exaudi orationem populi tui, et iube terrores inundantium cessare pluviarum, flagellumque huius elementi ad effectum tui converte mysterii, ut qui se regenerantibus aquis gaudent renatos, gaudeant his castigantibus esse correctos.

1024 *Alia.* Quaesumus, omnipotens Deus, clementiam tuam, ut inundantiam cohibeas imbrium, et hilaritatem tui vultus nobis impertire digneris.

198
PREGHIERA PER COLORO CHE INTRAPRENDONO UN VIAGGIO

1019 Ascoltaci, Signore: il viaggio del tuo servo N. tra i pericoli di questa vita sia sempre sostenuto dal tuo aiuto.

199
PREGHIERA PER LA RICHIESTA DELLA PIOGGIA

1020 Effondi, Signore, su questa terra che vediamo inaridita per le nostre iniquità, le tue acque dal cielo, e rendila feconda con i benefici della tua grazia.

1021 *Un'altra.* Ti preghiamo, Signore: concedici la pioggia fonte di salvezza e degnati di infondere sull'arida faccia della terra l'abbondanza dei tuoi doni celesti.

1022 *Un'altra.* O Dio onnipotente ed eterno, che salvi tutti e non vuoi che nessuno perisca, apri la fonte della tua benevolenza e nella tua bontà effondi acque fluenti sull'arida terra.

200
PREGHIERA PER QUANDO PIOVE MOLTO

1023 Signore Dio, che nel ministero delle acque hai sancito il sacramento della nostra salvezza, ascolta la preghiera del tuo popolo e fa' che cessino i timori delle piogge abbondanti; converti il flagello di questo elemento ai voleri del tuo mistero, perché coloro che godono d'essere rinati dalle acque rigeneranti, sperimentino la gioia d'essere corretti dal loro castigo.

1024 *Un'altra.* Dio onnipotente, imploriamo la tua clemenza, perché freni le inondazioni dovute alle piogge, e degnati di comunicarci la gioia del tuo volto.

CCI.
ORATIO IN AREA

1025 Multiplica, Domine, in hac area frumenti tua dona repleta, et sicut fidelibus tuis tricesimum atque sexagesimum vel centesimum fructum donare consuisti, ita et famulo tuo *illi* praesenti tempore uberius tua dona largire.

201
PREGHIERA SULL'AIA

1025 Moltiplica, Signore, i tuoi doni su quest'aia ricolma di frumento, e come hai stabilito di concedere ai tuoi fedeli il trenta o il sessanta o il cento per cento del suo frutto, così al tuo servo N. elargisci con maggiore abbondanza i tuoi beni nel tempo presente.

CCII.
ORATIO PRO PESTE ANIMALIUM

1026 Deus, qui laboribus hominum etiam de mutis animalibus solacia subrogasti, supplices te rogamus, ut sine quibus non habetur humacna condicio, nostris facias usibus non perire.

202
PREGHIERAPER LA PESTE DEGLI ANIMALI

1026 O Dio, che per i lavori hai messo a disposizione dell'uomo anche l'aiuto degli animali, supplici ti preghiamo, perché tu non permetta che vengano meno ai nostri impieghi, senza i quali ne risente la condizione umana.

CCIII.
ORATIO DE MORTALITATE

1027 Deus, qui non mortem sed poenitentiam desideras peccatorum, populum tuum, quaesumus, ad te converte propitius, ut dum tibi devotus extiterit, iracundiae tuae ab eo flagella amoveas.

1028 *Alia.* Populum tuum, quaesumus, omnipotens Deus, ab ira tua ad te confugientem paterna recipe pietate, ut qui tuae maiestatis flagella formidant, de tua mereantur venia gratulari.

1029 *Alia.* Exaudi nos, Deus salutaris noster, et intercedente beato martyre tuo *illo* populum tuum et ab iracundiae tuae terroribus libera, et misericordiae tuae fac largitate securum.

203
PREGHIERE [in occasione di] MORTALITÀ

1027 O Dio, che desideri non la morte ma la penitenza dei peccatori, ti preghiamo: nella tua benevolenza converti a te il tuo popolo, perché mentre devoto è rimasto in vita, allontani da lui i flagelli della tua ira.

1028 *Un'altra.* Ti preghiamo, Dio onnipotente: accogli con pietà di padre il tuo popolo che, scampando alla tua ira, si rifugia presso di te, perché meritino di godere del tuo perdono quanti temono i flagelli della tua maestà.

1029 *Un'altra.* Dio della nostra salvezza, ascoltaci, e per intercessione del tuo beato martire N., libera il tuo popolo dalla paura della tua ira e rendilo sicuro con l'abbondanza della tua misericordia.

CCIIII.
ORATIO AD VISITANDUM INFIRMUM

1030 Deus, qui famulo tuo Ezechiae ter quinos annos ad vitam addidisti, ita et famulum tuum *illum* a lecto aegritudinis tua potentia erigat ad salutem.

1031 *Alia.* Respice, Domine, famulum tuum *illum* in infirmitate sui corporis laborantem, et animam refove quam creasti, ut castigationibus emendatus continuata se sentiat tua medicina salvatum.

CCV.
ORATIO SUPER POENITENTEM

1032 Da nobis, Domine, ut sicut publicani precibus et confessione placatus es, ita et huic famulo tuo *illi* placare, et precibus eius benignus aspira, ut in confessione flebili permanens et petitione perpetuam clementiam tuam celeriter exoret, sanctisque altaribus et sacramentis restitutus rursus divino famulatui mancipetur.

CCVI.
ORATIO AD AGAPE PAUPERVM

1033 Da, Domine, famulo tuo *illi* sperata suffragia obtinere, ut qui tuos pauperes vel tuas ecclesias bonis fovet conlatis, sanctorum omnium simul et beati martyris tui Laurentii mereatur consortia, cuius nunc est exempla secutus.

CCVII.
ORATIO AD BAPTIZANDUM INFIRMUM

1034 Medelam tuam deprecor, Do-

204
PREGHIERA PER LA VISITA AD UN INFERMO

1030 O Dio, come hai aggiunto al tuo servo Ezechia ancora quindici anni di vita, così il tuo potere permetta al tuo servo N. di alzarsi sano dal letto della malattia.

1031 *Un'altra.* Volgi il tuo sguardo, Signore, sul tuo servo N. afflitto dall'infermità del suo corpo e ristora l'anima che hai creato, perché, purificato dai castighi, sia consapevole d'essere salvo per la tua continua medicina.

205
PREGHIERA SU DI UN PENITENTE

1032 Fa', o Signore, che, come sei stato placato dalle preghiere e dalla confessione del pubblicano, ti rivolga benevolo anche verso questo tuo servo N.; benigno tu sia favorevole alle sue preghiere e, mentre perdura nel dolore della confessione e della richiesta, ottenga subito e per sempre la tua clemenza; e restituito ai santi altari e ai sacramenti, sia di nuovo impegnato nel servizio divino.

206
PREGHIERA PER LA MENSA DEI POVERI

1033 Concedi, Signore, al tuo servo N. di ottenere gli sperati suffragi, perché colui che con i propri beni soccorre i tuoi poveri o le tue Chiese, meriti la compagnia di tutti i santi e del tuo beato martire Lorenzo, del quale ha seguito gli esempi.

207
PREGHIERA PER IL BATTESIMO DI UN INFERMO

1034 Il tuo medicamento imploriamo, o

mine, sancte pater, omnipotens aeterne Deus, qui subvenis in periculis, qui temperas flagella dum verberas, te ergo, Domine, supplices deprecamur, ut hunc famulum tuum eruas ab hac valitudine, ut non praevaleat inimicus usque ad animae temptationem; sicut in Iob terminum ei pone, ne inimicus de anima ista sine redemptione baptismatis incipiat triumphare, differ, Domine, exitum mortis, et spatium vitae extende, releva quem perducas ad gratiam baptismi tui. Per dominum nostrum Iesum Christum, qui venturus est.

Signore Dio onnipotente ed eterno, che ci sovvieni nei pericoli; mentre ci percuoti, moderi i flagelli; te, dunque, Signore, supplici preghiamo, perché liberi dalla malattia questo tuo servo N.; il nemico non prevalga su di lui quando mette la sua anima in tentazione. Come per Giobbe, stabilisci anche per lui un termine, perché il nemico non cominci a trionfare su quest'anima priva del battesimo redentore; differisci, Signore, l'arrivo della sua morte e allungagli il periodo della vita; concedi il sollievo della tua grazia a questi che conduci alla grazia del tuo battesimo. Per il nostro Signore Gesù Cristo, che verrà.

ORATIO AQUAE AD BAPTIZANDUM INFIRMUM

1035 *Postquam eum catechizaveris, benedicis aquam his verbis:* Exorcizo te, creatura aquae, in nomine Dei et domini nostri Iesu Christi filii Dei et sancti spiritus, si quod fantasma, si qua virtus inimici, si qua incursio diaboli eradicare et effugare ab hac creatura aquae, ut fiat fons saliens in vitam aeternam; et cum baptizatus fuerit hic famulus domini, fiat templum Dei vivi in remissionem omnium peccatorum. In nomine domini nostri Iesu Christi, qui venturus est iudicare vivos et mortuos et saeculum per ignem.

1036 *Baptizas et linis eum de chrysmate in cerebro et dicis:* Ille talis, baptizo te. In nomine patris et filii et spiritus sancti.

1037 *Postea tangis eum de chrysmate in caput et dicis orationem istam:* Deus omnipotens, pater domini nostri Iesu Christi, qui te regeneravit ex aqua et spiritu sancto, quique dedit tibi remissionem omnium pecca-

PREGHIERA SULL'ACQUA PER IL BATTESIMO DI UN INFERMO

1035 *Dopo averlo catechizzato, benedici l'acqua con queste parole:* Esorcizzo te, creatura dell'acqua, nel nome di Dio e del Signore nostro Gesù Cristo, Figlio di Dio e dello Spirito Santo. Se ancora conservi qualche spettro o potere del nemico o un attacco del diavolo, ti prego di sradicarli dall'acqua e metterli tutti in fuga, perché diventi fonte viva per la vita eterna; e questo tuo servo, dopo aver ricevuto il battesimo, diventi tempio del Dio vivo per la remissione di tutti i peccati. In nome del Signore nostro Gesù Cristo, che verrà a giudicare col fuoco i vivi e i morti.

1036 *Lo battezzi e ungi con il crisma sulla fronte e dici:* N. io ti battezzo. Nel nome del Padre e del Figlio e dello Spirito Santo.

1037 *Quindi lo tocchi sulla testa con il crisma e dici la seguente preghiera:* Dio onnipotente, Padre del Signore nostro Gesù Cristo, che ti ha rigenerato dall'acqua e dallo Spirito Santo, e che ti ha concesso la remissione di tutti i peccati, egli ti unge con il cri-

torum, ipse te linit chrismate salutis in vitam aeternam.

1038 *Communicas et confirmas eum.*

sma della salvezza per la vita eterna.

1038 *Lo comunichi e lo confermi.*

CCVIII.
ORATIO AQUAE EXORCIZATAE IN DOMO

1039 Exorcizo te, creatura aquae, in nomine Dei patris omnipotentis, et in nomine Iesu Christi filii eius domini nostri, ut fias aqua exorcizata ad effugandam omnem potestatem inimici, et ipsum inimicum eradicare et explantare cum angelis suis apostaticis per virtutem domini nostri Iesu Christi, qui venturus est iudicare vivos et mortuos et saeculum per ignem. Amen.

1040 *Alia oratio.* Deus, qui ad salutem humani generis maxima quaeque sacramenta in aquarum substantia condidisti, adesto invocationibus nostris, et elemento huic multimodis purificationibus praeparato virtutem tuae benedictionis infunde, ut creatura mysteriis tuis serviens ad abiciendos daemones, morbosque pellendos divinae gratiae sumat effectum, ut quicquid in domibus vel in locis fidelium haec unda resparserit, careat immunditia, liberetur a noxia, non illic resedeat spiritus pestilens, non aura corrumpens, discedant omnes insidiae latentis inimici, et si quid est quod aut incolumitati habitantium invidet aut quieti, aspersione huius aquae effugetur, ut salubritas per invocationem tui nominis expetita ab omnibus sit inpugnationibus defensa.

208
PREGHIERA SULL'ACQUA ESORCIZZATA IN CASA

1039 Esorcizzo te, creatura dell'acqua, nel nome di Dio e del Signore nostro Gesù Cristo, Figlio suo e Signore nostro, perché tu diventi acqua benedetta per scacciare ogni potere del nemico, e per sradicare il nemico in persona e allontanarlo insieme con gli angeli ribelli per il potere del Signore nostro Gesù Cristo, che verrà a giudicare col fuoco i vivi e i morti e questo mondo. Amen.

1040 *Un'altra preghiera.* O Dio, che per la salvezza del genere umano hai nascosto nella sostanza dell'acqua i più grandi sacramenti, porgi l'orecchio alle nostre invocazioni e infondi il potere della tua benedizione in questo elemento preparato con innumerevoli purificazioni, perché questa creatura, soggetta ai tuoi misteri per scacciare i demoni, riceva il potere della tua divina grazia per allontanare le malattie, perché qualunque oggetto questa acqua abbia asperso nelle case o nei luoghi dei fedeli sia privato della lordura, sia liberato dalla colpa; non vi risieda più lo spirito della pestilenza, non l'aria della corruzione; si allontanino tutte le insidie del nemico nascosto, e se c'è un elemento che attenti l'incolumità o la tranquillità degli abitanti, sia messo in fuga con l'aspersione di quest'acqua, perché la salubrità chiesta con l'invocazione del tuo nome sia di difesa da tutti gli assalti del nemico.

CCVIIII.
ORATIO SUPER EPISCOPUM DEFUNCTUM

1041 Praesta, quaesumus, Domine, ut anima famuli tui N., quam in hoc saeculo commorantem sacris muneribus decorasti, caeleste sede gloria semper exultet.

1042 *Alia.* Deus, cuius misericordiae non est numerus, suscipe pro anima famuli tui preces nostras, et lucis ei laetitiaeque in regione sanctorum tuorum societate concede.

1043 *Secreta.* Annue nobis, Domine, ut animae famuli et sacerdotis tui N. haec prosit oblatio, quam immolando totius mundi tribuisti relaxari delicta.

1044 *Infra actionem.* Hanc igitur oblationem servitutis nostrae, quam tibi offerimus pro anima famuli tui N., quaesumus, Domine, placatus accipias, ut cum praesulibus apostolicae dignitatis, quorum est secutus officium, habere tribuas sempiternae beatitudinis portionem.

1045 *Ad complendum.* His sacrificiis, quaesumus, omnipotens Deus, purgata anima famuli tui N. ad indulgentiam et refrigerium sempiternum pervenire mereatur.

1046 *Alia.* Praesta, quaesumus, omnipotens Deus, ut animam famuli tui N. in congregatione iustorum aeternae beatitudinis iubeas esse consortem.

ITEM ALIA ORATIO AD AGENDA MORTUORUM

1047 Inclina, Domine, aurem tuam ad preces nostras, quibus misericordiam tuam supplices deprecamur, ut animam fa-

209
PREGHIERA PER LA MORTE DI UN VESCOVO

1041 Ti preghiamo, Signore: fa' che l'anima del tuo servo N., che mentre dimorava in questo mondo hai ornato dei tuoi sacri doni, nella sede del cielo esulti sempre per la tua gloria.

1042 *Un'altra.* O Dio, in nome della tua misericordia che non ha limiti, accogli le nostre preghiere per l'anima del tuo servo N., e nella casa dei tuoi santi concedigli di essere accolto nella gioia della luce.

1043 *Sui doni.* Sii benevolo verso di noi, Signore, perché questa offerta sia di giovamento per l'anima del tuo servo e sacerdote N., alla quale con la celebrazione del sacrificio divino hai concesso di rimettere i peccati di tutto il mondo.

1044 *Durante la recita del canone.* Ti preghiamo, Signore: accetta benevolo questa offerta del nostro servizio, che ti presentiamo per l'anima del tuo servo N., perché tu gli conceda di aver parte con i presuli della dignità apostolica, in nome dei quali nei nostri giorni ha espletato il suo ministero.

1045 *Per finire.* Ti preghiamo, Dio onnipotente: mediante questi sacrifici l'anima purificata del tuo servo N. meriti di giungere alla remissione dei suoi peccati e al refrigerio eterno.

1046 *Un'altra.* Ti preghiamo, Dio onnipotente: fa' che l'anima del tuo servo N. nella comunione dei giusti sia partecipe della beatitudine eterna.

UN'ALTRA PREGHIERA PER CELEBRARE I FUNERALI

1047 Porgi l'orecchio, Signore, alle preghiere che umilmente ti innalziamo: all'anima del tuo servo N. alla quale hai ordinato di migrare da questo

muli tui N., quam de hoc saeculo migrare iussisti, in pacis ac lucis regione constituas, et sanctorum tuorum iubeas esse consortem.

1048 *Secreta.* Annue nobis, Domine, ut animae famuli tui N. haec prosit oblatio, quam immolando totius mundi tribuisti relaxari delicta.

1049 *Ad complendum.* Absolve, Domine, animam famuli tui ab omni vinculo delictorum, ut in resurrectionis gloria inter sanctos tuos resuscitari mereatur.

1050 *Alia.* Annue nobis, Domine, ut anima famuli tui N. remissionem, quam semper optavit, mereatur percipere peccatorum.

mondo nel regno della luce e della pace, concedi di partecipare alla comunione dei tuoi santi.

1048 *Sui doni.* Sii benevolo verso di noi, Signore, perché questa offerta sia di giovamento per l'anima del tuo servo e sacerdote N., alla quale con la celebrazione del sacrificio divino hai concesso di rimettere i peccati di tutto il mondo.

1049 *Per finire.* Assolvi, Signore, l'anima del tuo servo dal vincolo di tutti i peccati, perché nella gloria della risurrezione meriti di essere risuscitato tra i tuoi santi.

1050 *Un'altra.* Mostrati benigno verso di noi, Signore, perché l'anima del tuo servo N., come ha sempre desiderato, meriti di ricevere la remissione dei peccati.

CCX.
AD PONTIFICEM ORDINANDUM

1051 *Quae addi debeant in consecratione, cui initium est*: Deus honorum omnium *ad locum,* et idcirco huic famulo tuo, quem apostolicae sedis praesulem et primatum omnium qui in orbe terrarum sunt sacerdotum ac universalis ecclesiae doctorem dedisti, et ad summi sacerdotii ministerium elegisti, hanc, quaesumus, Domine, gratiam largiaris, tribuas ei cathedram episcopalem ad regendam ecclesiam tuam et plebem universam.

210
PER L'ORDINAZIONE DI UN PONTEFICE

1051 *Questa invocazione deve essere aggiunta durante la consacrazione, che inizia*: O Dio di tutti gli onori [= 971a]. Perciò ti preghiamo, o Signore, di elargire la tua grazia a questo tuo servo, che hai scelto come presule e gli hai concesso d'essere il primo di tutti i sacerdoti che si trovano in questo mondo e lo hai reso maestro della Chiesa universale, e di assegnargli la cattedra episcopale perché guidi la tua Chiesa e il popolo tutto.

INCIPIUNT MISSAE	**INIZIANO LE MESSE**

<I.>

DOMINICA PRIMA
POST THEOPHANIAM

PRIMA DOMENICA
DOPO L'EPIFANIA

1052 Votiva, quaesumus, Domine, supplicantis populi caelesti pietate prosequere, ut et quae agenda sunt videant, et ad implenda quae viderint convalescant.

1052 Ti preghiamo, Signore: nella tua celeste pietà accogli i doni del tuo popolo che ti supplica, perché tutti vedano quanto devono compiere e possano portare a compimento quanto hanno visto.

1053 *Secreta.* Oblatum tibi, Domine, sacrificium vivificet nos semper et muniat.

1053 *Sui doni.* Il sacrificio che ti offriamo, Signore, ci vivifichi sempre e ci fortifichi.

1054 *Post communionem.* Supplices te rogamus, omnipotens Deus, ut quos reficis sacramentis, tibi etiam placitis moribus dignanter deservire concedas.

1054 *Dopo la comunione.* Dio onnipotente, che ci nutri con i tuoi sacramenti, donaci di servirti degnamente con una vita santa.

II.

DOMINICA II
POST THEOPHANIAM

2

DOMENICA II
DOPO L'EPIFANIA

1055 Omnipotens sempiterne Deus, qui caelestia simul et terrena moderaris, supplicationes populi tui clementer exaudi, et pacem tuam nostris concede temporibus.

1055 Dio onnipotente ed eterno, che governi il cielo e la terra, ascolta con bontà le preghiere del tuo popolo e dona ai nostri giorni la tua pace.

1056 *Secreta.* Oblata, Domine, munera sanctifica, nosque a peccatorum nostrorum maculis emunda.

1056 *Sui doni.* Santifica, Signore, i doni che ti offriamo e purificaci dalle macchie dei nostri peccati.

1057 *Post communionem.* Augeatur in nobis, Domine, quaesumus, tuae virtutis operatio, ut divinis vegetata sacramentis ad eorum promissa capienda tuo munere praeparemur.

1057 *Dopo la comunione.* Rafforza in noi, o Signore, la tua opera di salvezza, perché i sacramenti che ci nutrono in questa vita ci preparino a ricevere i beni che promettono.

III.

DOMINICA III
POST THEOPHANIAM

3

DOMENICA III
DOPO L'EPIFANIA

1058 Omnipotens sempiterne Deus, infirmitatem nostram respice

1058 Dio onnipotente ed eterno, guarda con paterna bontà la nostra debo-

propitius, atque ad protegendum nos dexteram tuae maiestatis extende.

1059 *Secreta.* Haec hostia, Domine, quaesumus, emundet nostra delicta, et sacrificium celebrandum tibi corpora mentesque sanctificet.

1060 *Post communionem.* Quos tantis, Domine, largiris uti mysteriis, quaesumus, ut effectibus nos eorum veraciter aptare digneris.

lezza, e stendi la tua mano potente a nostra protezione.

1059 *Sui doni.* Questa offerta, Padre misericordioso, ci ottenga il perdono dei nostri peccati e santifichi nel corpo e nello spirito di quanti sono a te sottomessi.

1060 *Dopo la comunione.* Ti preghiamo, Signore, perché ti degni di concedere a noi, ai quali permetti di avvicinarsi ai misteri, di accogliere veramente i loro effetti.

IIII.
DOMINICA IIII POST THEOPHANIAM

1061 Deus, qui nos in tantis periculis constitutos pro humana scis fragilitate non posse subsistere, da nobis salutem mentis et corporis, ut ea quae pro peccatis nostris patimur, te adiuvante vincamus.

1062 *Secreta.* Concede, quaesumus, omnipotens Deus, ut huius sacrificii munus oblatum fragilitatem nostram ab omni malo purget semper et muniat.

1063 *Post communionem.* Munera tua nos, Domine, a delectationibus terrenis expediant, et caelestibus semper instruant alimentis.

4
DOMENICA IV DOPO L'EPIFANIA

1061 O Dio, che conosci i pericoli che ci circondano e l'umana fragilità che ci inclina a cadere, donaci la salute del corpo e dello spirito, perché con il tuo aiuto possiamo superare i mali che ci affliggono a causa dei nostri peccati.

1062 *Sui doni.* Concedi, Dio onnipotente, che l'offerta di questo sacrificio sostenga la debolezza della nostra fede, ci purifichi dal peccato e ci renda forti nel bene.

1063 *Dopo la comunione.* I tuoi doni, Signore, ci liberino dai piaceri della terra e ci arricchiscano sempre con i celesti alimenti.

V.
DOMINICA V POST THEOPHANIAM

1064 Familiam tuam, quaesumus, Domine, continua pietate custodi, ut quae in sola spe gratiae caelestis innititur, caelesti etiam protectione muniatur.

1065 *Secreta.* Hostias tibi, Domine, placationis offerimus, ut et delicta nostra miseratus absolvas, et nutantia corda tu dirigas.

5
DOMENICA V DOPO L'EPIFANIA

1064 Custodisci sempre con paterna bontà la tua famiglia, o Signore, e poiché unico fondamento della nostra speranza è la grazia che viene da te, aiutaci sempre con la tua protezione.

1065 *Sui doni.* Ti offriamo, o Signore, questo sacrificio di riconciliazione perché le nostre colpe siano perdonate dalla tua misericordia e i nostri cuori

1066 *Post communionem.* Quaesumus, omnipotens Deus, ut in illius salutaris capiamus effectum, cuius per haec mysteria pignus accepimus.

incerti trovino in te guida sicura.

1066 *Dopo la comunione.* Ti preghiamo, Dio onnipotente, perché possiamo accogliere l'effetto della salvezza operato da colui per i cui misteri riceviamo questo pegno.

VI.
DOMINICA VI
POST THEOPHANIAM

1067 Conserva populum tuum, Deus, et tui nominis fac devotum, ut divinis subiectus officiis et temporalis vitae aeterna dona percipiat.

1068 *Secreta.* Haec nos oblatio mundet, quaesumus, Domine, et renovet, gubernet et protegat.

1069 *Post communionem.* Caelestibus, Domine, pasti deliciis, quaesumus, ut semper eadem, per quem veraciter vivimus, appetamus.

6
DOMENICA VI
DOPO L'EPIFANIA

1067 Conserva il tuo popolo, o Dio, e rendilo devoto del tuo nome, perché sia soggetto ai divini uffici e dopo la vita trascorsa sulla terra riceva i doni eterni.

1068 *Sui doni.* Ti preghiamo, Signore, perché questa offerta ci purifichi e rinnovi, ci guidi e protegga.

1069 *Dopo la comunione.* O Signore, che ci hai fatto gustare il pane del cielo, fa' che desideriamo sempre questo cibo che dona la vera vita.

VII.
DOMINICA I POST OCTABAS
PASCHAE

1070 Deus, qui in filii tui humilitate iacentem mundum erexisti, fidelibus tuis perpetuam laetitiam concede, ut quos perpetuae mortis eripuisti casibus, gaudiis facias sempiternis perfrui.

1071 *Secreta.* Benedictionem, Domine, nobis conferat salutarem sacra semper oblatio, ut quod agit mysterio, virtute perficiat.

1072 *Post communionem.* Praesta nobis, omnipotens Deus, ut vivificationis tuae gratiam consequentes in tuo semper munere gloriemur.

7
DOMENICA I DOPO L'OTTAVA
DI PASQUA

1070 O Dio, che nell'umiliazione del tuo Figlio hai risollevato l'umanità dalla sua caduta, dona ai tuoi fedeli una gioia eterna, perché, librati dalla schiavitù del peccato, godano della felicità eterna.

1071 *Sui doni.* L'offerta che ti presentiamo ci ottenga la tua benedizione, o Signore, perché si compia in noi con la potenza del tuo Spirito la salvezza che celebriamo nel mistero.

1072 *Dopo la comunione.* Dio onnipotente, fa' che noi, seguendo la grazia della tua risurrezione, ci gloriamo sempre dei tuoi doni.

VIII.
DOMINICA II
POST OCTABAS PASCHAE

1073 Deus, qui errantes, ut in viam possint redire iustitiae, veritatis tuae lumen ostendis, da cunctis qui christiana professione censentur, et illa respuere, quae huic inimica sunt nomini, et ea quae sunt apta sectari.

1074 *Secreta.* His nobis, Domine, mysteriis conferatur, quo terrena desideria mitigantes discamus amare caelestia.

1075 *Post communionem.* Sacramenta quae sumpsimus, Domine, quaesumus, et spiritalibus nos excipiant alimentis, et corporalibus tueantur auxiliis.

VIIII.
DOMINICA III
POST OCTABAS PASCHAE

1076 Deus, qui fidelium mentes unius efficis voluntatis, da populis tuis id amare quod praecipis, id desiderare quod promittis, ut inter mundanas varietates ibi nostra fixa sint corda, ubi vera sunt gaudia.

1077 *Secreta.* Deus, qui nos per huius sacrificii veneranda commercia unius summae divinitatis participes esse fecisti, praesta, quaesumus, ut sicut tuam cognoscimus veritatem, sic eam dignis moribus adsequamur.

1078 *Post communionem.* Adesto, Domine Deus noster, ut per haec, quae fideliter sumpsimus, et purgemur a vitiis, et a periculis omnibus exuamur.

8
DOMENICA II
DOPO L'OTTAVA DI PASQUA

1073 O Dio, che mostri agli erranti la luce della tua verità perché possano tornare sulla retta via, concedi a tutti coloro che si professano cristiani di respingere ciò che è contrario a questo nome e di seguire ciò che gli è conforme.

1074 *Sui doni.* Per la partecipazione ai tuoi misteri insegnaci, o Signore, a moderare i desideri terreni e ad amare i beni del cielo.

1075 *Dopo la comunione.* Ti preghiamo, Signore: i sacramenti, che abbiamo ricevuto, mediante gli alimenti spirituali ci traggano in salvo e ci difendano mediante l'aiuto che offrono al nostro corpo.

9
DOMENICA III
DOPO L'OTTAVA DI PASQUA

1076 O Dio, che unisci in un solo volere le menti dei fedeli, concedi al tuo popolo di amare ciò che comandi e desiderare ciò che prometti, perché tra le vicende del mondo là siano fissi i nostri cuori, dove è la vera gioia.

1077 *Sui doni.* O Dio, che mediante il venerando rito di questo sacrificio ci rendi partecipi del massimo grado della tua divinità, concedi a noi che, come veniamo a conoscenza della tua verità, così la seguiamo con la dignità del nostro comportamento.

1078 *Dopo la comunione.* Signore Dio nostro, mediante i doni che abbiamo ricevuto, fa' che siamo purificati dai peccati e liberati da tutti i pericoli.

X.
DOMINICA IIII
POST OCTABAS PASCHAE

1079 Deus, a quo bona cuncta procedunt, largire supplicibus, ut cogitemus te inspirante quae recta sunt, et te gubernante eadem faciamus.

1080 *Secreta.* Suscipe, Domine, fidelium preces cum oblationibus hostiarum, ut per haec piae devotionis officia ad caelestem gloriam transeamus.

1081 *Post communionem.* Tribue nobis, Domine, caelestis mensae virtutis societatem, et desiderare quae recta sunt, et desiderata percipere.

XI.
DOMINICA POST
ASCENSA DOMINI

1082 Omnipotens sempiterne Deus, fac nos tibi semper et devotam gerere voluntatem, et maiestati tuae sincero corde servire.

1083 *Secreta.* Sacrificia nos, Domine, inmaculata purificent, et mentibus nostris supernae gratiae dent vigorem.

1084 *Post communionem.* Repleti, Domine, muneribus sacris, da, quaesumus, ut in gratiarum semper actione maneamus.

XII.
DOMINICA I POST OCTABAS
PENTECOSTEN

1085 Deus, in te sperantium fortitudo, adesto propitius invocationibus nostris, et quia sine te nihil potest mortalis infirmitas, praesta auxilium gratiae tuae, ut in exsequendis mandatis tuis et voluntate tibi et actione placeamus.

10
DOMENICA IV
DOPO L'OTTAVA DI PASQUA

1079 O Dio, dal quale deriva ogni bene, a noi supplici concedi che per tua inspirazione pensiamo ciò che è giusto e operiamo lo stesso sotto la tua guida.

1080 *Sui doni.* Accogli, o Signore, le preghiere dei tuoi fedeli insieme all'offerta di questo sacrificio, perché mediante il nostro servizio sacerdotale possiamo giungere alla gloria del cielo.

1081 *Dopo la comunione.* Concedi a noi, Signore, di partecipare alla mensa della virtù celeste, di desiderare ciò che è giusto, e di ricevere quanto desideriamo.

11
DOMENICA DOPO
L'ASCENSIONE DEL SIGNORE

1082 Dio onnipotente ed eterno, donaci di orientare sempre a te la nostra volontà e di servirti con cuore sincero.

1083 *Sui doni.* Il sacrifico immacolato, Signore, ci purifichi e conceda al nostro spirito la vitalità della tua grazia superna.

1084 *Dopo la comunione.* Ti preghiamo, Signore: fa' che arricchiti dai tuoi sacri doni, possiamo sempre renderti grazie.

12
DOMENICA I DOPO L'OTTAVA
DI PENTECOSTE

1085 O Dio, fortezza di quelli che sperano in te, ascolta benevolo la nostra invocazione, perché l'infermità dell'uomo, senza il tuo aiuto, non realizza niente; concedici l'aiuto della tua grazia, perché nell'eseguire i tuoi comandi possiamo esserti graditi per il desiderio con cui li accettiamo.

1086 *Secreta.* Hostias nostras, Domine, tibi dicatas placatus adsume, et ad perpetuum nobis tribue provenire subsidium.

1087 *Post communionem.* Tantis, Domine, repleti muneribus praesta, quaesumus, ut et salutaria dona capiamus, et a tua numquam laude cessemus.

1086 *Sui doni.* Accogli benigno, Signore, l'offerta che ti consacriamo e concedici di giungere nel tuo eterno riparo.

1087 *Dopo la comunione.* O Signore, che ci hai nutriti con i doni della tua carità senza limiti, fa' che godiamo i benefici della salvezza e viviamo sempre in rendimento di grazie.

XIII.
DOMINICA II POST OCTABAS PENTECOSTEN

13
DOMENICA II DOPO L'OTTAVA DI PENTECOSTE

1088 Sancti nominis tui, Domine, timorem pariter et amorem fac nos habere perpetuum, quia tua numquam gubernatione destitues, quos in soliditate tuae dilectionis instituens.

1088 Signore, fa' che possiamo nello stesso tempo nutrire amore e timore perpetuo per il tuo santo Nome, perché non allontani mai dalla tua guida noi che sostieni con la fermezza del tuo amore.

1089 *Secreta.* Oblatio nos, Domine, tuo nomini dicanda purificet, et de die in diem ad caelestis vitae transferat actionem.

1089 *Sui doni.* Ci purifichi, o Signore, quest'offerta che consacriamo al tuo nome, e ci conduca di giorno in giorno più vicini alle realtà del cielo.

1090 *Post communionem.* Sumptis muneribus, quaesumus, Domine, ut cum frequentatione mysterii crescat nostrae salutis augmentum.

1090 *Dopo la comunione.* Dopo aver ricevuto questi doni, ti preghiamo, Signore, perché con la partecipazione al mistero cresca l'incremento della nostra salvezza.

XIIII.
DOMINICA III POST OCTABAS PENTECOSTEN

14
DOMENICA III DOPO L'OTTAVA DI PENTECOSTE

1091 Protector in te sperantium Deus, sine quo nihil est validum, nihil sanctum, multiplica super nos misericordiam tuam, ut te rectore, te duce sic transeamus per bona temporalia, ut non amittamus aeterna.

1091 O Dio, che proteggi quanti sperano in te e senza di te non c'è nulla di valido e di santo, moltiplica su di noi la tua misericordia, perché, da te sorretti e guidati, possiamo passare attraverso i beni terreni senza perdere quelli eterni.

1092 *Secreta.* Respice, Domine, munera supplicantis ecclesiae, et saluti credentium perpetua sanctificatione sumenda concede.

1092 *Sui doni.* Guarda, Signore, i doni della Chiesa che ti supplica e, mediante una continua santificazione, concedi a noi quanto dobbiamo ricevere per la salvezza di coloro che credono.

1093 *Post communionem.* Sancta tua nos, Domine, sumpta vivifi-

1093 *Dopo la comunione.* Ci vivifichino, Signore, i doni che abbiamo ricevuto e

cent, et misericordiae sempiternae praeparent expiatos.

dopo l'espiazione dei peccati ci preparino all'eterna misericordia.

XV.
DOMINICA IIII POST OCTABAS PENTECOSTEN

1094 Da nobis, Domine, quaesumus, ut et mundi cursus pacifico nobis ordine dirigatur, et ecclesia tua tranquilla devotione laetetur.

1095 *Secreta.* Oblationibus, quaesumus, Domine, placare susceptis, et ad te nostras etiam rebelles conpelle propitius voluntates.

1096 *Post communionem.* Mysteria nos, Domine, sancta purificent, et suo munere tueantur.

15
DOMENICA IV DOPO L'OTTAVA DI PENTECOSTE

1094 Ti preghiamo, Signore: concedi a noi che il corso del mondo sia guidato dall'ordine e dalla pace, e la tua Chiesa si rallegri in serena devozione.

1095 *Sui doni.* Ti preghiamo, Signore: ti plachino le offerte che presentiamo e benevolo rivolgi verso di te la nostra volontà, anche se ribelle.

1096 *Dopo la comunione.* Ci purifichino, Signore, i tuoi santi misteri e ci difendano con i loro doni.

XVI.
DOMINICA I POST NATALE APOSTOLORUM

1097 Deus, qui diligentibus te bona invisibilia praeparasti, infunde cordibus nostris tui amoris effectum, ut te in omnibus et super omnia diligentes promissiones tuas, quae omne desiderium superant, consequamur.

1098 *Secreta.* Propitiare, Domine, supplicationibus nostris, et has oblationes famulorum famularumque tuarum benignus adsume, ut quod singuli obtulerunt ad honorem nominis tui, cunctis proficiant ad salutem.

1099 *Post communionem.* Quos caelesti, Domine, dono satiasti, praesta, quaesumus, ut a nostris mundemur occultis, et ab hostium liberemur insidiis.

16
DOMENICA I DOPO IL NATALE DEGLI APOSTOLI [Pietro e Paolo]

1097 O Dio, che hai preparato beni invisibili per coloro che ti amano, infondi nei nostri cuori la dolcezza del tuo amore, perché, amandoti in ogni cosa e sopra ogni cosa, otteniamo i beni da te promessi, che superano ogni desiderio.

1098 *Sui doni.* Ascolta con bontà, o Signore, le nostre preghiere e accogli le offerte dei tuoi fedeli, perché quanto ognuno offre in onore del tuo nome giovi alla salvezza di tutti.

1099 *Dopo la comunione.* Ti preghiamo, Signore: fa'che noi, saziati dal tuo dono celeste, siamo purificati dai nostri mali occulti e liberati dalle insidie dei nemici.

XVII.
DOMINICA II POST NATALE APOSTOLORUM

1100 Deus virtutum, cuius est totum quod est optimum, insere pectoribus nostris amorem tui nominis, et praesta, ut in nobis religionis augmentum quae sunt bona nutrias, ac vigilanti studio quae sunt nutrita custodias.

1101 *Secreta.* Propitiare, Domine, supplicationibus nostris, et has populi tui oblationes benignus adsume, ut nullius sit irritum votum, et nullius vacua postulatio, praesta, ut quod fideliter petimus, efficaciter consequamur.

1102 *Post communionem.* Repleti sumus, Domine, muneribus tuis, tribue, quaesumus, ut eorum et mundemur affectu et muniamur auxilio.

XVIII.
DOMINICA III POST NATALE APOSTOLORUM

1103 Deus, cuius providentia in sui dispositione non fallitur, te supplices exoramus, ut noxia cuncta submoveas, et omnia nobis profutura concedas.

1104 *Secreta.* Deus, qui legalium differentiam hostiarum unius sacrificii perfectione sanxisti, accipe sacrificium devotis tibi famulis, et pari benedictione sicut munera Abel sanctifica, ut quod singuli obtulerunt ad maiestatis tuae honorem, cunctis proficiat ad salutem.

1105 *Post communionem.* Tua nos, Domine, medicinalis operatio et a nostris adversitatibus clementer expediat, et ad ea quae sunt recta perducat.

17
DOMENICA II DOPO IL NATALE DEGLI APOSTOLI

1100 Dio onnipotente, unica fonte di ogni dono perfetto, infondi nei nostri cuori l'amore per il tuo nome, accresci la nostra dedizione a te, fa' maturare ogni germe di bene e custodiscilo con vigile cura.

1101 *Sui doni.* Sii propizio alle nostre suppliche, Signore, e benigno accogli l'offerta del tuo popolo, perché di nessuno sia vano il voto e di nessuno vana la richiesta. Fa' che realmente otteniamo quanto con fede ti chiediamo.

1102 *Dopo la comunione.* O Signore, ci hai saziati con i tuoi doni: fa' che ci purifichino con la loro efficacia e ci rafforzino con il loro aiuto.

18
DOMENICA III DOPO IL NATALE DEGLI APOSTOLI

1103 O Dio, che nelle disposizioni della tua provvidenza non trai in inganno, supplici ti preghiamo perché allontani da noi ciò che è dannoso e ci conceda quanto giovi.

1104 *Sui doni.* O Dio, che nell'unico e perfetto sacrificio di Cristo hai dato compimento alla Legge antica, accogli e santifica questa nostra offerta come un giorno benedicesti i doni di Abele, perché ciò che ognuno di noi presenta in tuo onore giovi alla salvezza di tutti.

1105 *Dopo la comunione.* O Signore, la tua forza risanatrice, operante in questo sacramento, ci guarisca dal male e ci guidi sulla via del bene.

XVIIII.
DOMINICA IIII
POST NATALE APOSTOLORUM

1106 Largire nobis, Domine, quaesumus, semper spiritum cogitandi quae recta sunt propitius et agendi, ut qui sine te esse non possumus, secundum te vivere valeamus.

1107 *Secreta.* Suscipe munera, quaesumus, Domine, quae tibi de tua largitate deferimus, ut haec sacrosancta mysteria gratiae tuae operante virtute, praesentis vitae nos conversatione sanctificent, et ad gaudia sempiterna perducant.

1108 *Post communionem.* Sit nobis, Domine, reparatio mentis et corporis caeleste mysterium, ut cuius exsequimur actionem, sentiamus effectum.

19
DOMENICA IV
DOPO IL NATALE DEGLI APOSTOLI

1106 Ti preghiamo, Signore: nella tua benevolenza concedici di pensare e di agire sempre con rettitudine, perché noi che non possiamo esistere senza di te, viviamo secondo i tuoi dettami.

1107 *Sui doni.* Ti preghiamo, Signore: accogli i doni che grazie alla tua generosità ti offriamo, perché questi sacrosanti misteri, ad opera della tua virtù, ci santifichino nel decorso della vita presente e ci conducano alle gioie eterne.

1108 *Dopo la comunione.* Il mistero celeste, Signore, sia per noi di rinnovamento per lo spirito e per il corpo, perché avvertiamo gli effetti di colui di cui celebriamo il mistero.

XX.
DOMINICA V
POST NATALE APOSTOLORUM

1109 Pateant aures misericordiae tuae, Domine, precibus supplicantium, ut et petentibus desiderata concedas, fac tibi eos, quaesumus, placita postulare.

1110 *Secreta.* Concede nobis haec, quaesumus, Domine, frequentare mysteria, quia quotiens huius hostiae commemoratio celebratur, opus nostrae redemptionis exercetur.

1111 *Post communionem.* Tui nobis, Domine, communio sacramenti et purificationem conferat, et tribuat unitatem.

20
DOMENICA V
DOPO IL NATALE DEGLI APOSTOLI

1109 Nella tua misericordia, o Signore, porgi l'orecchio alla voce di coloro che ti supplicano, e perché tu possa esaudire i loro desideri, fa' che chiedano quanto ti è gradito.

1110 *Sui doni.* Ti preghiamo, Signore: concedi a noi di partecipare a questi misteri, perché ogni volta che si celebra il memoriale di questo sacrificio, si compie l'opera della nostra redenzione.

1111 *Dopo la comunione.* La comunione al tuo sacramento ci purifichi, o Signore, e ci raccolga nell'unità e nella pace.

XXI.
DOMINICA VI
POST NATALE APOSTOLORUM

1112 Deus, qui omnipotentiam

21
DOMENICA VI
DOPO IL NATALE DEGLI APOSTOLI

1112 O Dio, che riveli la tua onnipoten-

tuam parcendo et miserando manifestas, multiplica super nos gratiam tuam, ut ad tua promissa currentes, caelestium bonorum facias esse consortes.

1113 *Secreta*. Tibi, Domine, sacrificia dicata reddantur, quae sic ad honorem nominis tui deferenda tribuisti, ut eadem remedia fieri nostra praestares.

1114 *Post communionem*. Quaesumus, Domine Deus noster, ut quos divinis reparare non desinis sacramentis, tuis non destituas benignus auxiliis.

za soprattutto con la misericordia e il perdono, continua a effondere su di noi la tua grazia, perché, affrettandoci verso i beni da te promessi, diventiamo partecipi della felicità eterna.

1113 *Sui doni*. Salga a te, o Signore, questo sacrificio, che ci concedi di offrire in onore del tuo nome e rendilo per noi sorgente di salvezza.

1114 *Dopo la comunione*. Ti preghiamo, Signore Dio nostro, perché quelli che tu non smetti di ricreare con i tuoi divini sacramenti, nella tua benevolenza non li privi del tuo aiuto.

XXII.
DOMINICA I POST SANCTI LAURENTI

1115 Omnipotens sempiterne Deus, qui abundantiam pietatis tuae et meritis supplicum excedis et vota, effunde super nos misericordiam tuam, ut dimittas quae conscientia metuit, et adicias quod oratio non praesumit.

1116 *Secreta*. Respice, Domine, quaesumus, nostram propitius servitutem, ut quod offerimus, sit tibi munus acceptum, sit nostrae fragilitatis subsidium.

1117 *Post communionem*. Sentiamus, Domine, quaesumus, tui perceptione sacramenti subsidium mentis et corporis, ut in utrumque salvati caelesti remedii plenitudine gloriemur.

22
DOMENICA I DOPO [il natale di] SAN LORENZO

1115 Dio onnipotente ed eterno, che esaudisci le preghiere del tuo popolo oltre ogni desiderio e ogni merito, effondi su di noi la tua misericordia: perdona ciò che la coscienza teme e aggiungi ciò che la preghiera non osa sperare.

1116 *Sui doni*. Volgi il tuo sguardo, o Signore, al nostro servizio sacerdotale, perché questa offerta ti sia gradita e sia un aiuto alla nostra fragilità.

1117 *Dopo la comunione*. La partecipazione a questo sacramento, o Signore, ci sostenga nel corpo e nello spirito, perché, completamente rinnovati, possiamo gloriarci della pienezza del tuo dono.

XXIII.
DOMINICA II POST SANCTI LAURENTI

1118 Omnipotens et misericors Deus, de cuius munere venit, ut tibi a fidelibus tuis digne et laudabiliter serviatur, tribue, quaesumus, nobis, ut ad promissiones tuas sine offensione curramus.

23
DOMENICA II DOPO [il natale di] SAN LORENZO

1118 Dio onnipotente e misericordioso, tutto ci viene dal tuo dono; perché i tuoi fedeli possano servirti in modo lodevole e degno, ti preghiamo di venire in nostro aiuto perché senza inciampi possiamo correre verso ciò che hai promesso.

1119 *Secreta.* Hostias, quaesumus, Domine, propitius intende, quas sacris altaribus exhibemus, ut nobis indulgentiam largiendo tuo nomini dent honorem.

1120 *Post communionem.* Vivificet nos, quaesumus, Domine, huius participatio sancta mysterii, et pariter nobis expiationem tribuat et munimen.

1119 *Sui doni.* Ti preghiamo, Signore: guarda benigno le offerte sacrificali che deponiamo sui sacri altari, perché con l'elargizione della tua misericordia diano onore al tuo nome.

1120 *Dopo la comunione.* La partecipazione ai santi misteri rinnovi, o Padre, la nostra vita; ci ottenga la libertà dal peccato e il conforto della tua protezione.

XXIIII.
DOMINICA III POST NATALE SANCTI LAURENTI

1121 Omnipotens sempiterne Deus, da nobis fidei spei et caritatis augmentum, et ut mereamur adsequi quod promittis, fac nos amare quod praecipis.

1122 *Secreta.* Propitiare, Domine, populo tuo propitiare muneribus, et hac oblatione placatus, et indulgentiam nobis tribuas, et postulata concedas.

1123 *Post communionem.* Sumptis, Domine, caelestibus sacramentis, ad redemptionis aeternae, quaesumus, proficiat augmentum.

24
DOMENICA III DOPO [il natale di] SAN LORENZO

1121 Dio onnipotente ed eterno, accresci in noi la fede, la speranza e la carità, e perché possiamo ottenere ciò che prometti, fa' che amiamo ciò che comandi.

1122 *Sui doni.* Guarda benevolo, Signore, il tuo popolo, guarda benevolo questi doni; placato da questa offerta, concedici la tua indulgenza e donaci quanto ti chiediamo.

1123 *Dopo la comunione.* Ti preghiamo, Signore: la ricezione dei doni celesti favorisca la crescita della redenzione eterna.

XXV.
DOMINICA IIII POST NATALE SANCTI LAURENTI

1124 Custodi, Domine, quaesumus, ecclesiam tuam propitiatione perpetua, et quia sine te labitur humana mortalitas, tuis semper auxiliis et abstrahatur a noxiis, et ad salutaria dirigatur.

1125 *Secreta.* Concede nobis, Domine, quaesumus, ut haec hostia salutaris et nostrorum fiat purgatio delictorum, et tuae propitiatio potestatis.

1126 *Post communionem.* Purificent

25
DOMENICA IV DOPO [il natale di] SAN LORENZO

1124 Custodisci con continua benevolenza, o Padre, la tua Chiesa e poiché, a causa della debolezza umana, non può sostenersi senza di te, il tuo aiuto la liberi sempre da ogni pericolo e la guidi alla salvezza eterna.

1125 *Sui doni.* Concedi, o Signore, che questo sacrificio di salvezza ci purifichi dai peccati e ci ottenga il dono della tua misericordia.

1126 *Dopo la comunione.* O Dio, i tuoi sa-

semper et muniant nos tua sacramenta, Deus, et ad perpetuae ducant salvationis effectum.

cramenti ci purifichino sempre, ci sostengano e ci donino gli effetti della salvezza eterna.

XXVI.
DOMINICA V POST NATALE SANCTI LAURENTI

1127 Ecclesiam tuam, Domine, miseratio continuata mundet et muniat, et quia sine te non potest salva consistere, tuo semper munere gubernetur.

1128 *Secreta*. Tua nos, Domine, sacramenta custodiant, et contra diabolicos tueantur incursus.

1129 *Post communionem*. Mentes nostras et corpora possideat, Domine, quaesumus, doni caelestis operatio, ut non noster sensus in nobis, sed iugiter eius praeveniat effectus.

26
DOMENICA V DOPO [il natale di] SAN LORENZO

1127 Nella tua continua misericordia, o Padre, purifica e rafforza la tua Chiesa, e poiché non può vivere senza di te, guidala sempre con la tua grazia.

1128 *Sui doni*. I tuoi sacramenti, Signore, ci custodiscano e ci difendano contro gli assalti del demonio.

1129 *Dopo la comunione*. La forza del tuo dono, o Signore, operi nel nostro spirito e nel nostro corpo, perché l'efficacia del sacramento ricevuto preceda e accompagni sempre i nostri pensieri e le nostre azioni.

XXVII.
DOMINICA I POST SANCTI ANGELI

1130 Fac nos, Domine, quaesumus, prompta voluntate subiectos, et ad supplicandum tibi nostras semper excita voluntates.

1131 *Secreta*. Munda nos, Domine, sacrificii praesentis effectu, et perfice miseratus in nobis, ut eius mereamur esse participes.

1132 *Post communionem*. Purifica, Domine, quaesumus, mentes nostras, et renova caelestibus sacramentis, ut consequenter et corporum praesens pariter et futurum capiamus auxilium.

27
DOMENICA I DOPO [la festa del] SANTO ANGELO

1130 Ti preghiamo, Signore: rendici a te soggetti con prontezza di volontà, e sollecita sempre il nostro pensiero a supplicarti.

1131 *Sui doni*. Purificaci, Signore, con i benefici effetti di questo sacrificio e, mosso a compassione, portalo a compimento in noi perché meritiamo d'esserne partecipi.

1132 *Dopo la comunione*. Purifica, o Signore, il nostro spirito e rinnovalo con questo sacramento di salvezza, perché anche il nostro corpo mortale riceva un germe di risurrezione e di vita nuova.

XXVIII.
DOMINICA II
POST SANCTI ANGELI

1133 Da, Domine, quaesumus, populo tuo diabolica vitare contagia, et te solum dominum pura mente sectari.

1134 *Secreta*. Maiestatem tuam, Domine, suppliciter deprecamur, ut haec sancta quae gerimus, et praeteritis nos delictis exuant et futuris.

1135 *Post communionem*. Sanctificationibus tuis, omnipotens Deus, et vitia nostra curentur, et remedia nobis aeterna proveniant.

XXVIIII.
DOMINICA III
POST SANCTI ANGELI

1136 Dirigat corda nostra, Domine, quaesumus, tuae miserationis operatio, quia tibi sine te placere non possumus.

1137 *Secreta*. Deus, qui nos per huius sacrificii veneranda commercia unius summaeque divinitatis participes efficis, praesta, quaesumus, ut sicut tuam cognoscimus veritatem, sic eam dignis mentibus et moribus adsequamur.

1138 *Post communionem*. Gratias tibi referimus, Domine, sacro munere vegetati, tuam misericordiam deprecantes, ut dignos nos eius participatione facias.

XXX.
DOMINICA IIII
POST SANCTI ANGELI

1139 Omnipotens et misericors Deus, universa nobis adversantia propitiatus exclude, ut mente et corpore pariter expe-

28
DOMENICA II
DOPO [la festa del] SANTO ANGELO

1133 Ti preghiamo, Signore: concedi al tuo popolo di evitare il contagio con il diavolo e di seguire con mente pura te unico Signore.

1134 *Sui doni*. Supplici preghiamo la tua maestà, Signore, perché questo sacrificio che celebriamo, ci liberi dai peccati passati e futuri.

1135 *Dopo la comunione*. I tuoi sacramenti, Dio onnipotente, ci rimettano i peccati e ci donino i rimedi eterni.

29
DOMENICA III
DOPO [la festa del] SANTO ANGELO

1136 La tua misericordia, o Signore, guidi i nostri cuori, poiché senza di te non possiamo fare nulla che ti sia gradito.

1137 *Sui doni*. O Dio, che mediante il venerando contatto con questo sacrificio, ci rendi partecipi dell'unica e somma divinità, ti preghiamo: fa' che, come conosciamo la tua verità, così possiamo adeguarci ad essa con il nostro pensiero e comportamento.

1138 *Dopo la comunione*. Nutriti del sacro dono, Signore, mentre preghiamo la tua misericordia, ti rendiamo grazie, perché tu ci renda degni di parteciparvi.

30
DOMENICA IV
DOPO [la festa del] SANTO ANGELO

1139 Dio, onnipotente e misericordioso, con la tua benevolenza allontana da noi tutte le avversità, perché liberi ad un tempo nel corpo e nello spi-

diti, quae tua sunt liberis mentibus exsequamur.

1140 *Secreta.* Haec munera, quaesumus, Domine, quae oculis tuae maiestatis offerimus, salutaria nobis esse concede.

1141 *Post communionem.* Tua nos, Domine, medicinalis operatio et a nostris perversitatibus semper expediat, et tuis faciat semper inhaerere mandatis.

rito, con mente sgombra possiamo seguire i tuoi santi precetti.

1140 *Sui doni.* Ti preghiamo, Signore: questi doni che offriamo agli occhi della tua maestà, fa' che siano per noi fonte di salvezza.

1141 *Dopo la comunione.* O Signore, la tua forza risanatrice, operante in questo sacramento, ci guarisca dal male e ci permetta di aderire sempre ai tuoi precetti.

XXXI.
DOMINICA V
POST SANCTI ANGELI

1142 Largire, quaesumus, Domine, fidelibus tuis indulgentiam placatus et pacem, ut pariter ab omnibus mundentur offensis, et secura tibi mente deserviant.

1143 *Secreta.* Caelestem nobis praebeant haec mysteria, quaesumus, Domine, medicinam, et vitia nostri cordis expurgent.

1144 *Post communionem.* Ut sacris, Domine, reddamur digni muneribus, fac nos, quaesumus, tuis oboedire mandatis.

31
DOMENICA V
DOPO [la festa del] SANTO ANGELO

1142 Ti preghiamo, Signore: con la tua benevolenza elargisci ai fedeli il tuo perdono, perché ad un tempo siano liberati dai peccati e ti servano con animo tranquillo.

1143 *Sui doni.* Ti preghiamo, Signore: questi misteri ci offrano la medicina celeste e purifichino il nostro cuore dai peccati.

1144 *Dopo la comunione.* Ti preghiamo, o Signore, di renderci obbedienti ai tuoi precetti perché possiamo essere degni dei tuoi doni.

XXXII.
DOMINICA VI
POST SANCTI ANGELI

1145 Familiam tuam, Domine, quaesumus, continuata pietate custodi, ut a cunctis adversitatibus te protegente sit libera, et in bonis actibus tuo nomini sit devota.

1146 *Secreta.* Suscipe, Domine, propitius hostias, quibus et te placare voluisti, et nobis salutem potenti pietate succurre.

1147 *Post communionem.* Inmortalitatis alimoniam consecuti, quaesumus, Domine ut quod ore percepimus, mente sectemur.

32
DOMENICA VI
DOPO [la festa del] SANTO ANGELO

1145 Custodisci con infinita misericordia, o Signore, la tua famiglia, perché con la tua protezione sia libera da ogni pericolo e con le buone opere dia lode al tuo nome.

1146 *Sui doni.* Accogli, o Signore, questo sacrificio che nella tua grande misericordia hai istituito perché abbiamo pace con te e otteniamo il dono della salvezza eterna.

1147 *Dopo la comunione.* Dopo aver assunto il nutrimento immortale, Signore, ti preghiamo di seguire con lo spirito ciò che percepiamo con la bocca.

XXXIII.
DOMINICA VII
POST SANCTI ANGELI

1148 Deus, refugium nostrum et virtus, adesto piis ecclesiae tuae precibus auctor ipse pietatis, et praesta, ut quod fideliter petimus, efficaciter consequamur.

1149 *Secreta.* Da, misericors Deus, ut haec nobis salutaris oblatio, et propriis reatibus indesinenter expediat, et ab omnibus tueatur adversis.

1150 *Post communionem.* Sumpsimus, Domine, sacri dona mysterii humiliter deprecantes, ut quae in tui commemoratione nos facere praecepisti, in nostrae proficiant infirmitatis auxilium.

XXXIIII.
DOMINICA VIII
POST SANCTI ANGELI

1151 Excita, Domine, quaesumus, tuorum fidelium voluntates, ut divini operis fructum propensius exsequentes, pietatis tuae remedia maiora percipiant.

1152 *Secreta.* Propitius esto, Domine, supplicationibus nostris, et populi tui oblationibus precibusque susceptis, omnium nostrorum ad te corda converte, ut a terrenis cupiditatibus liberi in caelestibus desideriis transeamus.

1153 *Post communionem.* Concede nobis, Domine, quaesumus, ut sacramenta quae sumpsimus, quicquid in nostra mente vitiosum est, ipsius medicationis dono curetur.

33
DOMENICA VII
DOPO [la festa del] SANTO ANGELO

1148 O Dio, nostro rifugio e nostra forza, accogli l'umile preghiera della tua Chiesa: tu, che infondi in noi una fiducia filiale, donaci di ottenere con pienezza ciò che ti chiediamo con fede.

1149 *Sui doni.* Dio misericordioso, fa' che questa offerta sia per noi fonte di salvezza, ci liberi continuamente dai nostri peccati e ci difenda da tutte le avversità.

1150 *Dopo la comunione.* O Dio, che ci hai nutriti con questo sacramento, ascolta la nostra umile preghiera: il memoriale della Pasqua, che Cristo tuo Figlio ci ha comandato di celebrare, sia di aiuto alla nostra infermità.

34
DOMENICA VIII
DOPO [la festa del] SANTO ANGELO

1151 Ridesta, o Signore, la volontà dei tuoi fedeli, perché, collaborando con impegno alla tua opera di salvezza, ottengano in misura sempre più abbondante i doni della tua misericordia.

1152 *Sui doni.* Sii benevolo, Signore, verso le nostre suppliche, e dopo aver accolto le offerte e le preghiere del tuo popolo, converti a te i nostri cuori, perché liberi dalle cupidigie terrene passiamo nei desiderati beni celesti.

1153 *Dopo la comunione.* Ti preghiamo, Signore: fa' che i sacramenti che abbiamo ricevuto, con il dono della loro medicina curino tutto ciò che nel nostro spirito è vizioso.

XXXV.
MISSA COTTIDIANA

1154 Actiones nostras, quaesumus, Domine, et aspirando praeveni, et adiuvando prosequere, ut cuncta nostra operatio et a te semper incipiat, et per te coepta finiatur.

1155 *Super oblata.* Haec hostia, Domine, placationis et laudis tua nos propitiatione dignos efficiat.

1156 *Ad complendum.* Cunctis nos, Domine, reatibus et periculis propitiatus absolve, quos tanti mysterii tribuis esse participes.

ITEM ALIA MISSA

1157 Deus, qui ineffabilibus mundum renovas sacramentis, praesta, quaesumus, ut ecclesia tua aeternis proficiat institutis, et temporalibus non destituatur subsidiis.

1158 *Super oblata.* Per haec veniat, quaesumus, Domine, sacramenta nostrae redemptionis effectus, qui nos et ab humanis retrahat semper excessibus, et ad salutaria cuncta perducat.

1159 *Ad complendum.* Sacramenta, quae sumpsimus, Domine Deus noster, et spiritalibus nos repleant alimentis, et corporalibus tueantur auxiliis.

XXXVI.
IN NATALE
UNIUS APOSTOLI

1160 Quaesumus, omnipotens Deus, ut beatus *ille* apostolus tuus pro nobis imploret auxilium, ut a nostris reatibus absoluti a cunctis etiam periculis exuamur.

1161 *Secreta.* Sacrandum tibi, Domine, munus offerimus, quo bea-

35
MESSA QUOTIDIANA

1154 Ispira le nostre azioni, o Signore, e accompagnale con il tuo aiuto, perché ogni nostra attività abbia sempre da te il suo inizio e in te il suo compimento.

1155 *Sulle offerte.* Questo sacrificio di espiazione e di lode, Signore, ci renda degni della tua benevolenza.

1156 *Per finire.* Libera, Signore, da tutti i pericoli del peccato noi, ai quali nella tua benevolenza permetti di partecipare a così grande mistero.

ALLO STESSO MODO
UN'ALTRA MESSA

1157 O Dio, che rinnovi il mondo con i tuoi ineffabili sacramenti, fa' che la Chiesa si edifichi con questi segni delle realtà del cielo e non resti priva del tuo aiuto per la vita terrena.

1158 *Sulle offerte.* Il sacrificio che ti offriamo, o Signore, infonda in noi una forza di redenzione che ci preservi dalle umane intemperanze e ci disponga a ricevere i doni della salvezza.

1159 *Per finire.* I sacramenti che abbiamo ricevuto, Signore Dio nostro, ci colmino con alimenti spirituali e ci difendano con aiuti utili al nostro corpo.

36
NEL NATALE
DI UN SOLO APOSTOLO

1160 Ti preghiamo, Dio onnipotente: il tuo beato apostolo N. implori per noi l'aiuto, perché purificati dai nostri peccati, siamo anche liberati da tutti i pericoli.

1161 *Sui doni.* Ti offriamo, Signore, un dono da consacrare a te, mediante il

ti *illius* apostoli solemnia recolentes, purificationem quoque nostris mentibus imploramus.

1162 *Post communionem.* Perceptis, Domine, sacramentis suppliciter exoramus, ut intercedente beato *illo* apostolo tuo quae pro illius veneranda gerimus solemnitate, nobis proficiant ad salutem.

quale, mentre celebriamo la solennità del beato apostolo N., imploriamo anche la purificazione del nostro spirito.

1162 *Dopo la comunione.* Ricevuti i sacramenti, Signore, supplici ti preghiamo, perché per intercessione del tuo apostolo N., il sacrificio che ti offriamo nel giorno della sua solennità giovi alla nostra salvezza.

XXXVII.
IN VIGILIA
UNIUS CONFESSORIS

1163 Adesto, Domine, precibus nostris, quas in sancti confessoris tui *illius* commemoratione deferimus, ut qui nostrae iustitiae fiduciam non habemus, eius qui tibi placuit precibus adiuvemur.

1164 *Secreta.* Propitiare, Domine, quaesumus, supplicationibus nostris, et interveniente pro nobis sancto *illo* confessore tuo his sacramentis caelestibus servientes, ab omni culpa liberos esse concede, ut purificante nos gratia tua iisdem, quibus famulamur mysteriis, emundemur.

1165 *Post communionem.* Ut nobis, Domine, tua sacrificia dent salutem, beatus confessor tuus *ille*, quaesumus, precator accedat.

37
NELLA VIGILIA
DI UN SOLO CONFESSORE

1163 Porgi l'orecchio, Signore, alle nostre preghiere, che ti offriamo nella commemorazione del tuo santo confessore N., perché noi che non abbiamo fiducia nella nostra giustizia, siamo confortati dalle preghiere di colui che a te piacque.

1164 *Sui doni.* Ti preghiamo, Signore: sii propizio alle nostre suppliche, e mentre il tuo santo confessore N. intercede per noi che ci accostiamo a questi sacramenti celesti, concedici d'essere liberi da ogni colpa, perché con la purificazione della tua grazia siamo mondati dagli stessi sacramenti ai quali ci accostiamo.

1165 *Dopo la comunione.* Ti preghiamo Signore: si avvicini come intercessore il tuo beato confessore N., perché il tuo sacrificio ci doni la salvezza.

XXXVIII.
IN VIGILIA
UNIUS MARTYRIS

1166 Da nobis, omnipotens Deus, ut beati *illius* martyris tui quam praevenimus veneranda solemnitas, et devotionem nobis augeat et salutem.

1167 *Secreta.* Praesta, quaesumus, Domine, ut beati *illius* suffragiis in nobis tua munera tuearis,

38
NELLA VIGILIA
DI UN SOLO MARTIRE

1166 Concedici, Dio onnipotente, che l'anticipo della veneranda solennità del tuo martire N., accresca in noi la devozione e la salvezza.

1167 *Sui doni.* Ti preghiamo, Signore: fa' che mediante le preghiere del tuo beato N., per la cui veneranda confessione ti offriamo sacrifici di lode,

pro cuius honoranda confessione hostias tibi laudis offerimus.

1168 *Ad complendum.* Praesta, quaesumus, Domine, ut sacramenti tui participatione vegetati sancti quoque martyris tui precibus adiuvemur.

1168 *Per finire.* Ti preghiamo, Signore: fa' che nutriti dalla partecipazione al tuo sacramento siamo aiutati anche dalle preghiere del tuo martire.

tu rivolga i tuoi doni verso di noi.

XXXVIIII.
IN VIGILIA PLURIMORUM MARTYRUM

1169 Martyrum tuorum, Domine, *illorum* natalicia praeeuntes, supplices te rogamus, ut quos caelesti gloria sublimasti, tuis adesse concedas fidelibus.

1170 *Secreta.* Sacrificium, Domine, quod pro sanctis martyribus *illis* praevenit nostra devotio, eorum merita nobis augeat te donante suffragium.

1171 *Post communionem.* Purificet nos, Domine, quaesumus, et divini perceptio sacramenti et gloriosa sanctorum tuorum oratio.

39
NELLA VIGILIA DI PIÙ MARTIRI

1169 Mentre anticipiamo, Signore, il giorno della nascita dei tuoi martiri N.N., supplici ti preghiamo perché conceda che quelli che hai reso sublimi con la gloria del cielo, siano di aiuto ai tuoi fedeli.

1170 *Sui doni.* Il sacrificio in onore dei santi martiri N.N., che la nostra devozione, Signore, anticipa, accresca in noi i loro meriti e per tuo dono il loro soccorso.

1171 *Dopo la comunione.* Ti preghiamo, Signore: il sacramento divino che abbiamo ricevuto e la gloriosa preghiera dei tuoi santi ci purifichino.

XL.
IN VIGILIA VIRGINUM

1172 Sanctae martyris tuae *illius* supplicationibus tribue nos fovere, ut cuius venerabilem solemnitatem praevenimus obsequio, eius intercessionibus commendemur et meritis.

1173 *Secreta.* Muneribus nostris, Domine, sanctae *illius* martyris tuae festa praecedimus, ut quae conscientiae nostrae praepedimus obstaculis, illius meritis reddantur accepta.

1174 *Post communionem.* Sanctificet nos, Domine, quaesumus, tui perceptio sacramenti, et intercessio beatae martyris *illius* tibi reddat acceptos.

40
NELLA VIGILIA DELLE VERGINI

1172 Concedici d'essere ritemprati dalle invocazioni della tua santa martire N., perché siamo presentati dalle preghiere e dai meriti di colei, della quale con devozione anticipiamo la solennità.

1173 *Sui doni.* Con i nostri doni, Signore, anticipiamo la festa della tua santa martire N., perché i suoi meriti ti rendano gradito ciò che a noi è impedito dall'ostacolo della nostra coscienza.

1174 *Dopo la comunione.* Ti preghiamo, Signore: il tuo sacramento che abbiamo ricevuto, e l'intercessione della beata martire N. ci santifichino e ci rendano a te graditi.

XLI.
MISSA ANNUALIS DEDICATIONIS ECCLESIAE

1175 Deus, qui nobis per singulos annos huius sancti templi tui consecrationis reparas diem, et sacris semper mysteriis repraesentas incolumes, exaudi preces populi tui, et praesta, ut si quis hoc templum beneficia petiturus ingreditur, cuncta se impetrasse laetetur.

1176 *Alia.* Deus, qui nos ad anniversarium diem huius ecclesiae tribuisti venire, concede, quaesumus, ut quicquid in tuo nomine petituri intraverimus, sanctorum tuorum precibus imploremus.

1177 *Secreta.* Annuae festivitatis cultum Deo nostro, fratres dilectissimi, summa nostrarum precum supplicatione poscimus, ut quicumque intra templi huius, cuius natalis est hodie, ambitu continemur, plena illi atque perfecta corporis et animae devotione placeamus, ut dum haec praesentia vota reddimus, ad aeterna praemia venire mereamur.

1178 *Ad complendum.* Deus, qui ecclesiam tuam sponsam vocare dignatus es, ut quae haberet gratiam per fidei devotionem, haberet etiam ex nomine pietatem, da, ut omnis haec plebs nomini tuo serviens huius vocabuli consortio digna esse mereatur, et ecclesia tua in templo, cuius natalis est hodie, tibi collecta te timeat, te diligat, te sequatur, et dum iugiter per vestigia tua graditur, ad caelestia promissa te ducente pervenire mereatur.

41
MESSA NELL'ANNIVERSARIO DELLA DEDICAZIONE DI UNA CHIESA

1175 O Dio, che ogni anno ci doni il giorno, nel quale questo santo tempio fu a te consacrato, e noi sani e salvi ci rendi partecipi dei tuoi santi misteri, esaudisci le preghiere del tuo popolo e concedi che chiunque entri in questo tempio per impetrare benefici, esca lieto per aver ottenuto tutto ciò che aveva chiesto.

1176 *Un'altra.* O Dio, che ci hai concesso di giungere al giorno anniversario di questa chiesa, ti preghiamo: concedici che mediante le preghiere dei tuoi santi, imploriamo tutto ciò per cui siamo entrati per chiederlo in tuo nome.

1177 *Sui doni.* Durante la celebrazione annuale della festività in onore del nostro Dio, dilettissimi fratelli, con sincera supplica delle nostre preghiere imploriamo che chiunque di noi entri nell'ambito di questo tempio, del quale oggi ricorre l'anniversario della dedicazione, siamo a lui graditi per la piena devozione dell'anima e del corpo, perché mentre gli offriamo questi voti, meritiamo di giungere ai premi eterni.

1178 *Per finire.* O Dio, che ti sei degnato di chiamare la Chiesa tua sposa, perché anche nel nome avesse la pietà e la grazia, che aveva per fede e devozione, concedi che tutto questo popolo, mentre si rende conforme al tuo nome, meriti d'essere degno dell'unione che tale vocabolo designa; e la tua Chiesa, riunita nel tuo nome in questo tempio del quale oggi ricorre l'anniversario della dedicazione, ti ami, ti segua, e mentre ad un tempo calca le tue orme, sotto la tua guida meriti di giungere ai beni celesti da te promessi.

XLII.

MISSA PROPRIA EPISCOPI DIE ORDINATIONIS SUAE

1179 Deus, qui non propriis suffragantibus meritis, sed sola ineffabilis gratiae largitate, me familiae tuae praeesse iussisti, tribue tibi digne persolvere ministerium sacerdotalis officii, et ecclesiasticis convenienter servire ministeriis, plebemque commissam te in omnibus protegente gubernare concede.

1180 *Alia.* Deus, mundi creator et rector, ad humilitatis meae preces placatus adtende, et me famulum tuum, quem nullis suffragantibus meritis, sed inmensa largitate clementiae tuae caelestibus mysteriis servire tribuisti, dignum sacris altaribus fac ministrum, ut quod mea celebrandum voce depromitur, tua sanctificatione firmetur.

1181 *Secreta.* Ad gloriam, Domine, tui nominis annua festa repetentes sacerdotalis exordii, hostiam tibi laudis offerimus suppliciter exorantes, ut cuius ministerii vice tibi servimus inmeriti, suffragiis eius reddamur accepti.

1182 *Infra actionem.* Hanc igitur oblationem, quam tibi offero ego tuus famulus et sacerdos ob diem, in quo me dignatus es ministerio sacro constituere sacerdotem, obsecro, Domine, ut placatus suscipias. Unde maiestatem tuam supplex exoro, ut quod in me largire dignatus es, propitius custodire digneris.

1183 *Post communionem.* Repleantur consolationibus tuis, Domine, quaesumus, tuorum corda fidelium, pariterque etiam et de ecclesiae praesule et de suorum votorum plenitudine gratiarum referant actionem.

42

MESSA PROPRIA DEL VESCOVO NEL GIORNO DELLA SUA ORDINAZIONE

1179 O Dio, che non in forza dei miei meriti ma per la sola generosità della tua grazia ineffabile, hai voluto che io fossi a capo della tua famiglia, fa' che in tuo onore io possa degnamente assolvere al ministero sacerdotale e servire in modo conveniente ai ministeri ecclesiastici; concedi ancora che con la tua piena protezione possa governare il popolo che mi hai affidato.

1180 *Un'altra.* O Dio, creatore e rettore dell'universo, porgi benigno l'orecchio alle mie umili preghiere; tu che hai voluto che io, tuo servo, fossi a servizio dei tuoi celesti misteri non per i miei meriti ma per l'immensa generosità della tua clemenza, rendimi ministro degno dei sacri altari, perché tutto ciò che sgorga dalla mia voce durante la celebrazione sia reso solido dalla tua santificazione.

1181 *Sui doni.* Mentre nel tuo nome, Signore, con la ricorrenza annuale celebro l'inizio del mio sacerdozio, supplice ti offro la vittima di lode, perché mediante le preghiere di colui che ha scelto me, indegno, io sia in grado di rappresentarlo nella celebrazione dei sacri misteri.

1182 *Durante l'azione liturgica.* Ti prego, Signore, perché benevolo accetti questa offerta che io, tuo servo e sacerdote, ti consacro nel giorno in cui ti sei degnato di costituirmi sacerdote per il tuo sacro ministero. Perciò supplico la tua maestà, perché ciò che in me ti sei degnato di elargire, per la tua benevolenza ti degni di custodirlo.

1183 *Dopo la comunione.* Ti preghiamo, Signore: il cuore dei tuoi fedeli sia pieno delle tue consolazioni e nello stesso tempo ti rendano azioni di grazia per il presule della Chiesa e per la pienezza dei suoi voti.

XLIII.

ITEM MISSA
PRO ALIO SACERDOTE

1184 Deus, qui dierum nostrorum numeros mensurasque temporum maiestatis tuae potestate dispensas, ad humilitatis nostrae propitius respice servitutem, et tuae pacis abundantiam tempora nostra, et episcopi nostri tua gratia benignus adcumula.

1185 *Secreta.* Respice, quaesumus, Domine, nostram propitius servitutem, et haec oblatio nostra sit tibi munus acceptum, sit fragilitatis nostrae subsidium sempiternum.

1186 *Infra actionem.* Hanc igitur oblationem famuli tui *illius* et antistitis tui *illius,* quam tibi offert ob devotionem mentis suae, quaesumus, Domine, placatus accipias, tuaque in eo munera ipse custodias, donesque ei annorum spatia, ut ecclesiae suae fideliter praesedendo, te omnia in omnibus operante sic utatur temporalia, ut praemia mereatur aeterna.

1187 *Post communionem.* Da, quaesumus, Domine, ut tanti mysterii munus indultum non condemnatio, sed sit medicina sumentibus.

XLIIII.

MISSA PROPRIA SACERDOTIS

1188 Suppliciter te Deus, pater omnipotens, qui es creator omnium rerum, deprecor, ut dum me famulum tuum coram omnipotentiam maiestatis tuae graviter deliquisse confiteor, manum misericordiae tuae mihi porrigas, quatenus dum hanc oblationem tuae pietatis

43

ALLO STESSO MODO LA MESSA
PER UN ALTRO SACERDOTE

1184 O Dio, che col potere della tua maestà stabilisci il numero dei nostri giorni e lo spazio del tempo, guarda benevolo la nostra umiltà posta al tuo servizio; nella tua clemenza accumula, mentre viviamo, l'abbondanza della tua pace e della tua grazia nella persona del nostro vescovo.

1185 *Sui doni.* Ti preghiamo, Signore: guarda benigno il nostro servizio; l'offerta che ti presentiamo sia per te dono gradito, sia aiuto perenne della nostra fragilità.

1186 *Durante l'azione liturgica.* Ti preghiamo, Signore, perché benevolo accetti questa offerta del tuo servo N. e del tuo vescovo N., che ti porge per la devozione del suo spirito; custodisci in lui i tuoi doni, donagli molti anni di vita perché, mentre presiede con fedeltà alla tua Chiesa e tu operi ogni bene in tutti, possa servirsi dei beni temporali in modo da meritare quelli eterni.

1187 *Dopo la comunione.* Ti preghiamo, Signore: il dono indulgente di un mistero così grande per coloro che lo assumono non sia di condanna ma medicina di salvezza.

44

MESSA PROPRIA DI UN SACERDOTE

1188 Supplice ti prego, Dio Padre onnipotente che hai creato tutte le cose, perché mentre davanti all'onnipotenza della tua maestà confesso che io, tuo servo, ho commesso peccati, porgimi la mano della tua misericordia, e mentre presento questa offerta al tuo amore, nella tua infinita clemenza degnati di perdonare quanto per

offero, quod nequiter amisi, clementissime digneris absolvere.

1189 *Secreta.* Deus misericordiae, Deus pietatis, Deus indulgentiae, indulge, quaeso, et miserere mei, sacrificium quoque, quod pietatis tuae gratia humiliter offero, benigne digneris suscipere, et peccata, quae labentibus vitiis contraxi, pius et propitius ac miseratus indulgeas, ut loco poenitentiae ac flumine lacrimarum concesso, veniam a te merear accipere.

1190 *Post communionem.* Deus, qui vivorum es salvator omnium, qui non vis mortem peccatoris, nec laetaris in perditione morientium, te suppliciter deprecor, ut concedas mihi veniam delictorum, ut admissa defleam, et ea postmodum non admittam, et cum mihi extrema dies finisque vitae advenerit, emundatis delictis omnibus me angelus sanctitatis suscipiat.

1189 *Sui doni.* Dio di misericordia, Dio di pietà, Dio di indulgenza, ti prego di essere clemente e abbi misericordia di me; accogli benevolo anche il sacrificio che con umiltà offro per il tuo amore; nella tua pietà e nella benevola commiserazione sii indulgente verso i peccati che per il sopravvento dei vizi ho commesso, perché superato il tempo della penitenza e il fiume delle lacrime, meriti di ricevere il tuo perdono.

1190 *Dopo la comunione.* O Dio, che sei il salvatore di tutti i viventi, che non desideri la morte del peccatore né ti rallegri per la perdizione di coloro che muoiono, supplice ti prego, perché mi conceda il perdono dei peccati e la grazia di non commetterli in avvenire; e quando verrà l'ultimo giorno e la fine della vita, dopo il perdono di tutti i miei peccati mi accolga il tuo angelo santo.

XLV.

MISSA IN MONASTERIO

1191 Omnipotens sempiterne Deus, qui facis mirabilia magna solus, praetende super famulum tuum *illum* abbatem cum congregatione beati Benedicti sibi commissa spiritum gratiae salutaris, et ut in veritate tibi conplaceant, perpetuum eis rorem tuae benedictionis infunde.

1192 *Secreta.* Hostias, Domine, famulorum tuorum placatus intende, et quas in honore nominis tui devota mente pro eis celebramus, proficere sibi sentiant ad medelam.

1193 *Infra actionem.* Hanc igitur

45

MESSA IN MONASTERO

1191 O Dio onnipotente ed eterno, che solo operi grandi meraviglie, effondi sull'abate N. tuo servo insieme con l'ordine del beato Benedetto a lui affidato lo spirito della tua grazia salvifica, e perché possano compiacerti nella verità, infondi in essi la rugiada della tua benedizione.

1192 *Sui doni.* Benigno, Signore, volgi lo sguardo sul sacrificio dei tuoi servi: avvertano in sé il giovamento dei divini misteri che in onore del tuo nome celebriamo con spirito devoto.

1193 *Durante l'azione liturgica.* Accogli

oblationem, Domine, famulorum tuorum, quam tibi offerimus ob devotionem mentis eorum, pius ac propitius clementi vultu suscipias, tibique supplicantes libens protege, dignanter exaudi, et aeterna eos protectione conserva, ut semper in tua religione laetantes, instanter in sanctae trinitatis confessione fide catholica perseverent, nobis haec quoque unanimiter et crebre petentibus, ipse praesta, omnipotens Deus, per Christum dominum nostrum.

1194 *Post communionem*. Quos caelesti recreas munere, perpetuo, Domine, comitare praesidio, et quos fovere non desinis, dignos fieri sempiterna redemptione concede.

benevolo con volto clemente questa offerta dei tuoi servi, Signore, che ti innalziamo per la devozione del loro spirito; proteggi con amore coloro che ti supplicano; degnati di esaudirli e conservali con la tua protezione eterna, perché vivendo con gioia nella tua religione, perseverino con costanza nella confessione della santa Trinità e nella fede cattolica; dona infine anche a noi, Dio onnipotente, questi beni che ti chiediamo all'unanimità e con forza, per mezzo di Cristo nostro Signore.

1194 *Dopo la comunione*. Accompagna con il tuo continuo aiuto, Signore, coloro che risollevi con i tuoi doni e a quelli, in aiuto dei quali non smetti mai di soccorrere, concedi d'essere degni della redenzione eterna.

XLVI.
MISSA DE MORTALITATE

1195 Deus, qui non mortem sed poenitentiam desideras peccatorum, populum tuum, quaesumus, ad te converte propitius, ut dum tibi devotus extiterit, iracundiae flagella amoveas.

1196 *Alia*. Populum tuum, quaesumus, omnipotens Deus, ab ira tua ad te confugientem paterna recipe pietate, ut qui tuae maiestatis flagella formidant, de tua mereantur venia gratulari.

1197 *Secreta*. Subveniat nobis, Domine, quaesumus, sacrificii praesentis operatio, quia nos et ab erroribus universis potenter absolvat, et a totius eripiat perditionis incursu.

1198 *Praefatio*. VD. Qui sanctorum apud te gloriam permanentem fidelium facis devotione clarescere, praesta, quaesumus, ut

46
MESSA [in occasione di] MORTALITÀ

1195 O Dio, che desideri non la morte ma il pentimento dei peccatori, ti preghiamo: converti benevolo a te il tuo popolo, perché mentre ti segue devoto, allontani i flagelli della tua ira.

1196 *Un'altra*. Ti preghiamo, Dio onnipotente: accogli con amore paterno il tuo popolo, il quale, per evitare la tua ira, si rifugia da te; meritino di godere del tuo perdono coloro che temono i flagelli della tua maestà.

1197 *Sui doni*. Ti preghiamo, Signore: venga in nostro aiuto l'offerta di questo sacrificio, perché con la sua potenza ci assolva da tutti i peccati e ci strappi dall'assalto della dannazione.

1198 *Prefazio*. Noi rivolgiamo preghiere a te che fai brillare presso di te la gloria permanente dei santi per la devozione dei fedeli; fa' che la veneranda

beatorum martyrum tuorum *illorum* intercessio veneranda obsequentibus sibi beneficia dignanter inpendat.

1199 *Post communionem.* Tuere nos, Domine, quaesumus, tua sancta sumentes, et ab omni propitius iniquitate defende.

intercessione dei tuoi beati martiri si effonda degnamente su quelli che cercano benefici per sé.

1199 *Dopo la comunione.* Ti preghiamo, Signore: proteggi noi mentre riceviamo i tuoi santi doni e benevolo difendici da ogni iniquità.

XLVII.
ITEM MISSA DE MORTALITATE ANIMALIUM

1200 Deus, qui laboribus hominum etiam de mutis animalibus solacia subrogasti, supplices te rogamus, ut sine quibus non alitur humana condicio, nostris facias usibus non perire.

1201 *Alia.* Deus, qui humanae fragilitati necessaria providisti misericors adminicula iumentorum, quaesumus, eadem miseris consolando non subtrahas, et quorum nostris meritis saevit interitus, tua nobis parcendo clementia cessare iubeas vastitatem.

1202 *Secreta.* Sacrificiis, Domine, placatus oblatis, opem tuam nostris temporibus clementer inpende.

1203 *Praefatio.* VD. Qui ideo malis praesentibus nos flagellas, ut ad bona futura perducas, ideo bonis temporalibus consolaris, ut sempiternis efficias certiores. Quo te et in prosperis et in adversis pia semper confessione laudemus cum angelis.

1204 *Post communionem.* Benedictionem tuam, quaesumus, Domine, populus fidelis accipiat, qua corpore salvatus ac mente, et congruam tibi semper exhibeat servitutem, et propitiationis tuae beneficia semper inveniat.

47
ALLO STESSO MODO
[per la] MORIA DEGLI ANIMALI

1200 O Dio, tu hai provveduto al lavoro degli uomini con l'aiuto dei silenziosi animali: supplici ti preghiamo perché non li faccia venir meno al nostro uso, senza i quali gli uomini non possono alimentarsi.

1201 *Un'altra.* O Dio, che nella tua misericordia hai fornito all'umana fragilità il sostegno degli animali, ti preghiamo di non privarcene mentre consoli la nostra miseria; e mentre ci vieni incontro con la tua clemente misericordia fa' cessare la desolazione che ci tormenta l'animo per i nostri peccati.

1202 *Sui doni.* Reso benigno, Signore, dal sacrificio che ti offriamo, per la tua clemenza donaci il tuo aiuto nel nostro tempo.

1203 *Prefazio.* È veramente degno. Tu ci flagelli per i mali presenti per condurci ai beni futuri; ci consoli con i beni di questa terra per renderci certi di quelli sempiterni; e sia nella buona che nella cattiva sorte, mentre confessiamo la nostra pietà verso te, insieme con gli angeli possiamo sempre lodarti.

1204 *Dopo la comunione.* Ti preghiamo, Signore: il popolo fedele accolga la tua benedizione, perché da questa salvato nel corpo e nello spirito, mostri sempre una virtù adeguata e sperimenti i benefici della tua vittima espiatrice.

1205 *Alia.* Averte, Domine, quaesumus, a fidelibus tuis cunctos miseratos errores, et saevientium morborum depelle perniciem, ut quos merito flagellas devios, foveas tua miseratione correctos.

1205 *Un'altra.* Ti preghiamo, Signore: allontana dai tuoi fedeli tutti i peccati che li gettano nella miseria; respingi le sofferenze delle malattie che imperversano perché, mentre giustamente flagelli quelli che hanno deviato, con la tua misericordia favorisca quanti si sono emendati.

XLVIII.
MISSA TEMPORE BELLI

1206 Deus, qui conteris bella et inpugnatores in te sperantium potentia tuae defensionis expugnas, auxiliare implorantibus misericordiam tuam, ut omnium gentium feritate depressa, indefessa te gratiarum actione laudemus.

1207 *Alia.* Deus, qui sub tuae maiestatis arbitrio omnium regnorum contines potestatem, christiani regni propitiare principibus, ut qui tua expetunt protectione defendi, omnibus sint hostibus fortiores.

1208 *Secreta.* Sacrificium, Domine, quod immolamus, intende placatus, ut ab omni nos exuat bellorum nequitia, et in tuae protectionis securitate constituat.

1209 *Post communionem.* Adesto, Domine, supplicationibus nostris, et populi sacra mysteria contingentes nullis periculis affligantur, qui in te protectorem confidunt.

48
MESSA IN TEMPO DI GUERRA

1206 O Dio, che respingi la guerra e con la tua potenza espugni i nemici di quelli che sperano in te, con la tua misericordia aiuta coloro che ti implorano perché, umiliata la baldanza di tutti i popoli, ti possiamo lodare con instancabile rendimento di grazie.

1207 *Un'altra.* O Dio, che nel potere della tua maestà conservi il dominio di tutti i regni, guarda benevolo i principi del regno cristiano, perché coloro che chiedono di essere difesi dalla tua protezione, siano più forti di tutti i loro nemici.

1208 *Sui doni.* Volgi benevolo il tuo sguardo, Signore, sul sacrificio che immoliamo in tuo onore, perché ci sottragga da tutti i mali delle guerre e ci stabilisca nella sicurezza della tua protezione.

1209 *Dopo la comunione.* Ascolta benigno le nostre suppliche, Signore, e i sacri misteri del popolo che confida nella tua protezione non siano afflitti da nessun pericolo.

XLVIIII.
MISSA
PRO STERELITATE TERRAE

1210 Sempiternae pietatis tuae abundantiam, Domine, supplices imploramus, ut nos beneficia quae non meremur anticipent, et benefacere cognoscaris indignis.

49
MESSA
IN TEMPO DI CARESTIA

1210 Supplici, Signore, imploriamo l'abbondanza del tuo eterno amore, perché non riconosca indegni della tua beneficenza noi che non meritiamo i benefici che ci anticipi.

1211 *Alia.* Da nobis, quaesumus, Domine, piae supplicationis effectum, et pestilentiam famemque propitiatus averte, ut mortalium corda cognoscant, et te indignante talia flagella producere, et te miserante cessare.

1212 *Secreta.* Deus, qui humani generis utramque substantiam et praesentium munerum alimento vegetas et renovas sacramento, tribue, quaesumus, ut eorum et corporibus nostris subsidium non desit et mentibus.

1213 *Praefatio.* VD. Qui sempiterno consilio non desinis regere quod creasti, nosque delinquere manifestum est, cum supernae dispositionis ignari discretorum tuorum dispensationem causamur, ac tunc potius recte sentire cognoscimus quod non in nostram providentiam confidentes, sed pietatem iustitiamque tuam iugiter perpendimus exorandam. Certe quod qui iniustos malosque non deseris, multo magis quos tuos esse tribuisti, clementi nullatenus gubernatione destituas.

1214 *Post communionem.* Guberna, Domine, quaesumus, temporalibus adiumentis, quos dignaris aeternis informare mysteriis.

1211 *Un'altra.* Ti preghiamo, Signore: effondi su di noi gli effetti della supplica che ti rivolgiamo con pietà, e allontana benigno la fame e la pestilenza, perché il cuore degli uomini sappia che tali flagelli, inviati dalla tua indignazione, sono allontanati dalla tua misericordia.

1212 *Sui doni.* O Dio, che nel pane e nel vino doni all'uomo il cibo che lo alimenta e il sacramento che lo rinnova, fa' che non ci venga mai a mancare questo sostegno del corpo e dello spirito.

1213 *Prefazio.* È veramente degno. O Dio, tu non smetti di reggere con la tua eterna saggezza quanto hai creato; è evidente che noi commettiamo peccati quando, ignari della tua disposizione divina, meritiamo i tuoi castighi, e solo allora ci accorgiamo di pensare con rettitudine, perché non poniamo fiducia nella nostra avvedutezza ma nella tua pietà e giustizia. Come non abbandoni ingiusti e malvagi, ma ancor più hai voluto che fossero tuoi, non trascurarli in nessun modo con la tua clemente presenza.

1214 *Dopo la comunione.* Sostieni, o Signore, con il nutrimento quotidiano coloro che rinnovi con il pane di vita eterna.

L.
MISSA
PRO ITER AGENTIBUS

1215 Adesto, Domine, supplicationibus nostris, et iter famuli tui *illius* interno discretionis moderamine ubique regendo dispone, sicque ministerium eius, quod humanae utilitati prospicit, pio favore prosequere, quatenus hunc a tuis praeceptis non patiaris deviare.

50
MESSA
PER CHI SI METTE IN CAMMINO

1215 Volgiti benigno, Signore, alle nostre suppliche e con la discrezione della tua guida interiore, seguendola ovunque, disponi il viaggio del tuo servo N. e accompagna con il tuo pio favore il suo servizio, richiesto dall'umana utilità, sì da non permettere mai che questi devii dai tuoi insegnamenti.

1216 *Alia.* Preces nostras, quaesumus, Domine, clementer exaudi, et inter huius vitae adversitates atque discrimina famulum tuum *illum* ambulantem tua pietate conserva.

1217 *Secreta.* Famulum tuum, Domine, *illum* haec tueantur ubique gradientem oblata sacrificia, quae totius mundi interna virtute conpescuere naufragia.

1218 *Secreta.* Propitiare, Domine, supplicationibus nostris, et hanc oblationem, quam tibi offerimus pro famulo tuo *illo,* benignus adsume, ut et gratia tua praecedente viam illius dirigas et subsequente ab omni diversitate custodias.

1219 *Ad complendum.* Sumpta, Domine, caelestis sacramenti mysteria, quaesumus, ad prosperitatem itineris famuli tui *illius* proficiant, et eum ad salutaria cuncta perducant.

1216 *Un'altra.* Ti preghiamo, Signore: ascolta con clemenza le nostre preghiere, e tra le avversità e i pericoli di questa vita conserva col tuo amore il viaggio del tuo servo N.

1217 *Sui doni.* Proteggano, Signore, il tuo servo N. in viaggio queste offerte sacrificali che con il loro intrinseco potere hanno frenato naufragi su tutta la terra.

1218 *Sui doni.* Sii propizio, Signore, alle nostre suppliche e accogli benigno questo sacrificio che ti offriamo per il tuo servo N., perché precedendolo con la tua grazia, lo guidi nella sua via e, accompagnandolo, lo custodisca da ogni avversità.

1219 *Per finire.* Ti preghiamo, Signore: il mistero del sacramento celeste che abbiamo ricevuto, conceda al tuo servo N. un viaggio felice e gli permetta di portare a compimento tutti gli impegni.

LI.
MISSA PRO INFIRMO

1220 Omnipotens sempiterne Deus, salus aeterna credentium, exaudi nos pro infirmo famulo tuo, pro quo misericordiae tuae imploramus auxilium, ut reddita sibi sanitate gratiarum tibi in ecclesia tua referat actionem.

1221 *Secreta.* Deus, sub cuius nutibus vitae nostrae momenta decurrunt, suscipe preces et hostias famuli tui *illius,* pro quo misericordiam tuam aegrotanti imploramus, ut de cuius periculo metuimus, de eius salute laetemur.

1222 *Post communionem.* Deus, infirmitatis humanae singulare praesidium, auxilii tui super infirmum famulum tuum *illum*

51
MESSA PER UN INFERMO

1220 Dio onnipotente ed eterno, salvezza dei credenti, ascolta le preghiere che ti rivolgiamo implorando l'aiuto della tua misericordia per i nostri fratelli infermi, perché, recuperata la salute, possano renderti grazie nella tua Chiesa.

1221 *Sui doni.* O Dio, i momenti della nostra vita scorrono nella tua volontà: accogli la preghiera e il sacrificio del tuo servo N., per la cui malattia imploriamo la tua misericordia perché, come temiamo per il suo pericolo, così ci rallegriamo della sua guarigione.

1222 *Dopo la comunione.* O Dio, che contro l'infermità dell'uomo sei straordinaria difesa, mostra la potenza del tuo aiuto su questo infermo, il tuo servo

ostende virtutem, ut ope misericordiae tuae adiutus ecclesiae tuae sanctae repraesentari mereatur.

N., perché, aiutato dalla tua misericordia, meriti di frequentare di nuovo la tua santa Chiesa.

LII.
MISSA PRO ELYMOSINIS

1223 Deus, qui post baptismi sacramentum secundam abolitionem peccatorum elymosinis indidisti, respice propitius super famulos tuos, quorum operis tibi gratiae referuntur, fac eos praemio beatos, quos fecisti pietate devotos, recipiant pro parvis magna, pro terrenis caelestia, pro temporalibus sempiterna.

1224 *Secreta.* Deus, qui tuorum corda fidelium per elymosinam dixisti posse mundari, praesta, quaesumus, per huius consortium sacramenti, ut ad conscientiae suae fructum non gravare studeant miseros sed iuvare.

1225 *Post communionem.* Omnipotens et misericors Deus, famulos tuos placatus intende, qui recolentes divina mandata opem indigentibus subministrant, ut sicut eorum devotio nobis est necessaria, ita sit tibi semper accepta.

52
MESSA PER LE ELEMOSINE

1223 O Dio, che dopo il sacramento del battesimo hai concesso mediante le elemosine una seconda remissione dei peccati, volgi benigno il tuo sguardo sui tuoi servi che ti rendono grazie con le loro opere; rendi felici con il tuo premio coloro ai quali hai dato in dono la pietà, perché in cambio di poco ricevano molto: i beni celesti in cambio di quelli terreni, la vita eterna in cambio di quanto su questa terra è destinato a perire.

1224 *Sui doni.* O Dio, tu hai detto che il cuore dei tuoi fedeli può essere purificato per mezzo delle elemosine: ti preghiamo non gravare i miseri per il frutto del loro benessere, ma di aiutarli per la partecipazione a questo sacramento.

1225 *Dopo la comunione.* Dio onnipotente e misericordioso, volgi benigno lo sguardo sui tuoi servi i quali, mettendo in pratica gli insegnamenti divini, somministrino le loro sostanze agli indigenti, perché ti sia sempre accetta la loro devozione a noi tanto necessaria.

LIII.
MISSA AD PLUVIAM POSTULANDAM

1226 Deus, in quo vivimus movemur et sumus, pluviam nobis tribue congruentem, et praesentibus subsidiis sufficienter adiuti sempiterna fiducialius appetamus.

1227 *Alia.* Delicta fragilitatis nostrae, Domine, quaesumus, miseratus absolve, et aquarum

53
MESSA PER CHIEDERE LA PIOGGIA

1226 O Dio, nel quale viviamo, ci muoviamo ed esistiamo, mandaci la pioggia conforme alle nostre necessità, perché sostenuti in modo sufficiente dai beni presenti, desideriamo con maggior fiducia verso quelli eterni.

1227 *Un'altra.* Ti preghiamo, Signore: nella tua misericordia perdona i peccati commessi dalla nostra fragilità, e

subsidia praebe caelestium, quibus terrena condicio vegetata subsistit.

1228 *Secreta.* Oblatis, Domine, placare muneribus, et oportunum tribue nobis pluviae sufficientis auxilium.

1229 *Post communionem.* Tuere nos, Domine, quaesumus, tua sancta sumentes, et ab omnibus propitius absolve peccatis.

1230 *Alia.* Da nobis, Domine, quaesumus, pluviam salutarem, et aridam terrae faciem fluentis caelestibus dignanter infunde.

donaci l'aiuto delle acque del cielo perché le condizioni della terra, resa feconda da queste, assolvano al loro mandato.

1228 *Sui doni.* Sii benevolo con noi, Signore, per i doni che ti offriamo, e concedici un aiuto adeguato mediante una pioggia sufficiente.

1229 *Dopo la comunione.* Ti preghiamo, Signore: difendici mentre riceviamo i tuoi santi misteri, e benevolo assolvici da tutti i peccati.

1230 *Un'altra.* Ti preghiamo, Signore: concedici la pioggia, fonte di salvezza, e degnati di effondere dal cielo rivoli d'acqua fecondatrice sull'arida faccia della terra.

LIIII.
MISSA PRO SERENITATE POSTULANDA

1231 Domine Deus noster, qui in ministerio aquarum salutis nostrae nobis sacramenta sanxisti, exaudi orationem populi tui, et iube terrores inundantium cessare pluviarum, flagellumque huius elementi ad effectum tui converte mysterii, ut qui se regenerantibus aquis gaudent renatos, gaudeant his castigantibus esse correctos.

1232 *Alia.* Ad te nos, Domine, clamantes exaudi, et aëris serenitatem nobis tribue supplicantibus, ut qui pro peccatis nostris iuste affligimur, misericordia tua praeveniente clementiam sentiamus.

1233 *Secreta.* Praeveniat nos, quaesumus, Domine, gratia tua semper et subsequatur, et has oblationes, quas pro peccatis nostris nomini tuo consecrandas deferimus, benignus adsume, ut intercessione sanctorum tuorum cunctis nobis proficiant ad salutem.

54
MESSA PER CHIEDERE IL [tempo] SERENO

1231 Signore Dio nostro, che nel servizio delle acque hai sancito il mistero della nostra salvezza, esaudisci la preghiera del tuo popolo; ordina che cessino le paure per le inondazioni dovute alle piogge e converti il flagello di questo elemento nel compimento del tuo mistero, perché godano d'essere corretti da questi castighi coloro che si rallegrano di essere rinati dalla rigenerazione delle acque.

1232 *Un'altra.* Ascolta, Signore, noi che ti rivolgiamo grida di aiuto: mentre siamo giustamente puniti per i nostri peccati ti supplichiamo di concederci la serenità dell'aria perché con la tua preveniente misericordia avvertiamo la tua clemenza.

1233 *Sui doni.* Ti preghiamo, Signore: la tua grazia ci prevenga sempre e ci accompagni; nella tua benignità accogli queste offerte che consacriamo al tuo nome per i nostri peccati, perché, per intercessione dei tuoi santi, siano di giovamento per la salvezza di tutti.

1234 *Post communionem.* Plebs tua, Domine, capiat sacrae benedictionis augmentum, ut copiosis beneficiorum tuorum sublevetur auxiliis, quae tantis intercessionum deprecationibus adiuvatur.

1235 *Alia.* Quaesumus, omnipotens Deus, clementiam tuam, ut inundantiam cohibeas imbrium, et hilaritatem tui vultus nobis impertire digneris.

1234 *Dopo la comunione.* Il tuo popolo, Signore, riceva l'aumento della santa benedizione, perché sia assistito dai copiosi aiuti dei tuoi benefici, corroborati dall'intercessione di quanti, così numerosi, ti pregano.

1235 *Un'altra.* Dio onnipotente, imploriamo la tua clemenza perché contenga l'inondazione dovuta alle piogge, e ti degni di manifestarci la serenità del tuo volto.

LV.
MISSA DE SANCTA TRINITATE

1236 Omnipotens sempiterne Deus, qui dedisti famulis tuis in confessione verae fidei aeternae trinitatis gloriam agnoscere, et in potentia maiestatis adorare unitatem, quaesumus, ut eiusdem fidei firmitate ab omnibus semper muniamur adversis.

1237 *Secreta.* Sanctifica, quaesumus, Domine Deus, per tui sancti nominis invocationem huius oblationis hostiam, et per eam nosmetipsos tibi perfice munus aeternum.

1238 *Praefatio.* VD. Qui cum unigenito filio tuo et spiritu sancto unus es Deus, unus es Dominus, non in unius singularitate personae, sed in unius trinitate substantiae. Quod enim de tua gratia revelante te credimus, hoc de filio tuo, hoc de spiritu sancto, sine differentia discretionis sentimus, ut in confessione verae sempiternaeque deitatis, et in personis proprietas et in essentia unitas et in maiestate adoretur aequalitas. Quam laudant angeli.

1239 *Post communionem.* Proficiat nobis ad salutem corporis et animae, Domine Deus, huius

55
MESSA DELLA SANTA TRINITÀ

1236 Dio onnipotente ed eterno, che hai dato ai tuoi servi di conoscere nella confessione della vera fede la gloria dell'eterna Trinità e di adorarne l'unità nella potenza della sua maestà, ti preghiamo, perché nella fermezza della stessa fede siamo sempre difesi da tutte le avversità.

1237 *Sui doni.* Santifica, Signore nostro Dio, l'offerta di questo sacrificio per l'invocazione del tuo santo nome, e per mezzo di esso fa' di noi un'offerta perenne a te gradita.

1238 *Prefazio.* È veramente degno. Con il tuo Figlio unigenito e con lo Spirito Santo sei un solo Dio, un solo Signore, non nell'unità di una sola persona, ma nella Trinità di una sola sostanza. Quanto hai rivelato della tua gloria, noi lo crediamo, e con la stessa fede, senza differenze, lo affermiamo del tuo Figlio e dello Spirito Santo. E nel proclamare te Dio vero ed eterno, noi adoriamo la Trinità delle persone, l'unità della natura, l'uguaglianza nella maestà divina.

1239 *Dopo la comunione.* Ci giovi per la salvezza dell'anima e del corpo, Signore Dio, il ricevimento di questo

sacramenti susceptio, et sempiterna sanctae trinitatis confessio.

1240 *Super populum*. Domine Deus, pater omnipotens, famulos tuae maiestati subiectos per unicum filium tuum in virtute sancti spiritus benedic et protege, ut ab omni hoste securi in tua iugiter laude laetentur.

LVI.

MISSA
DE SAPIENTIA

1243 Deus, qui per coaeternam tibi sapientiam hominem cum non esset condidisti, perditumque misericorditer reformasti, praesta, quaesumus, ut eadem pectora nostra inspirante te tota mente amemus, et ad te toto corde curramus.

1244 *Secreta*. Sanctificetur, quaesumus, Domine Deus, huius nostrae oblationis munus tua cooperante sapientia, ut tibi placere possit ad laudem, et nobis proficere ad salutem.

1245 *Praefatio*. VD. Qui tui nominis agnitionem et tuae potentiae gloriam nobis in coaeterna tibi sapientia revelare voluisti, ut tuam confitentes maiestatem, et tuis inhaerentes mandatis tecum vitam habeamus aeternam.

1246 *Ad complendum*. Infunde, quaesumus, Domine Deus, per haec sancta quae sumpsimus tuae cordibus nostris lumen sapientiae, ut te veraciter agnoscamus et fideliter diligamus.

1247 *Alia*. Deus, qui misisti filium tuum, et ostendisti creaturae creatorem, respice propitius super nos famulos tuos, et praepara hagiae sophiae dignam in cordibus nostris habitationem.

sacramento e la confessione della sempiterna santa Trinità.

1240 *Sul popolo*. Signore Dio nostro, Padre onnipotente, per mezzo del tuo unico Figlio in virtù dello Spirito Santo benedici e proteggi i tuoi servi, soggetti alla tua maestà, perché liberi ad un tempo da tutti i nemici godano della tua lode.

56

MESSA [per ottenere il dono della]
SAPIENZA

1243 O Dio, che hai creato l'uomo sebbene non fosse a te coeterno per sapienza e, dopo la caduta, lo hai risollevato con la tua misericordia, ti preghiamo: fa' che il nostro petto, per tua ispirazione, ti ami con tutta la mente e corriamo verso di te con tutto il cuore.

1244 *Sui doni*. Ti preghiamo, Signore: con l'aiuto della tua sapienza sia santificato il dono della nostra offerta, perché a te possa arrecare gloria e a noi salvezza.

1245 *Prefazio*. È veramente degno. Tu hai voluto rivelarci la conoscenza del tuo nome, la gloria nella tua coeterna sapienza, perché noi che confessiamo la tua maestà e aderiamo ai tuoi precetti abbiamo insieme con te la vita eterna.

1246 *Per finire*. Ti preghiamo, Signore Dio nostro: mediante i santi misteri che abbiamo ricevuto, infondi nel nostro cuore il lume della tua sapienza, perché conosciamo te nella tua verità e ti amiamo nella fede.

1247 *Un'altra*. O Dio, che hai inviato il tuo Figlio e a noi, tue creature, hai mostrato il creatore, volgi benevolo lo sguardo su di noi tuoi servi, e nei nostri cuori prepara una degna dimora per la santa Sapienza.

LVII.
MISSA AD POSTULANDAM GRATIAM SPIRITUS SANCTI

1251 Omnipotens mitissime Deus, respice propitius preces nostras, et libera cor famuli tui *illius* de malarum temptatione cogitationum, ut sancti spiritus dignum fieri habitaculum inveniatur.

1252 *Super oblata.* Has tibi, Domine Deus, offerimus oblationes pro salute famuli tui *illius,* quatenus animam illius sancti spiritus gratia inluminare digneris.

1253 *Praefatio.* VD. Humiliter tuam deprecantes clementiam, ut gratiam sancti spiritus animae famuli tui *illius* clementer infundere digneris, ut te perfecte diligere, et digne laudare mereatur.

1254 *Post communionem.* Per hoc, quaesumus, Domine, sacrificium quod tuae obtulimus pietati, ab omnibus cor famuli tui *illius* emunda temptationibus.

LVIII.
MISSA DE SANCTA MARIA COTTIDIANA

1255 Concede nos famulos tuos, quaesumus, Domine Deus, perpetua mentis et corporis sanitate gaudere, et gloriosa beatae Mariae semper virginis intercessione, a praesenti liberari tristitia, et futura perfrui laetitia.

1256 *Super oblata.* Tua, Domine, propitiatione et beatae Mariae semper virginis intercessione, ad perpetuam atque praesentem haec oblatio nobis proficiat prosperitatem.

1257 *Ad complendum.* Sumptis, Domine, salutis nostrae subsidiis da, quaesumus, eius nos patrociniis ubique protegi, in cuius

57
MESSA PER CHIEDERE LA GRAZIA DELLO SPIRITO SANTO

1251 Dio onnipotente, immensamente mite, volgi benevolo lo sguardo alle nostre preghiere e libera il cuore del tuo servo N. dalla tentazione dei cattivi pensieri, perché sia trovato degna dimora dello Spirito Santo.

1252 *Sulle offerte.* Ti offriamo, Signore Dio, questi doni per la salvezza del tuo servo N., perché ti degni di illuminare la sua anima con la grazia dello Spirito Santo.

1253 *Prefazio.* È veramente degno. Preghiamo umilmente la tua clemenza perché ti degni di infondere la grazia dello Spirito Santo nell'anima del tuo servo N., perché possa amarti completamente e lodarti degnamente.

1254 *Dopo la comunione.* Ti preghiamo, Signore: per questo sacrificio che abbiamo offerto al tuo amore, libera il cuore del tuo servo N. da tutte le tentazioni.

58
MESSA QUOTIDIANA
[in onore] DI SANTA MARIA

1255 Ti preghiamo, Signore Dio: concedi a noi, tuoi servi, di godere la salvezza eterna sia dell'anima che del corpo, e per intercessione della beata e gloriosa sempre Vergine Maria, di liberarci dalle afflizioni presenti e di godere della gioia futura.

1256 *Sulle offerte.* Mediante il tuo sacrificio di propiziazione e la continua intercessione della beata sempre Vergine Maria, questa offerta ci sia di giovamento per la prosperità presente e per quella eterna.

1257 *Per finire.* Ricevuti, Signore, gli aiuti per la nostra salvezza, ti preghiamo: fa' che noi siamo protetti dal patrocinio di colei nella cui venerazione

veneratione haec tuae obtulimus maiestati.

1258 *Super populum*. Omnipotens Deus, famulos tuos dextera potentiae tuae a cunctis protege periculis, et beata Maria semper virgine intercedente, fac eos praesenti gaudere prosperitate et futura.

abbiamo offerto questi sacri misteri alla tua maestà.

1258 *Sul popolo*. Dio onnipotente, proteggi i tuoi servi con la potenza della tua destra da tutti i pericoli e per intercessione della beata sempre Vergine Maria fa' che essi possano godere della prosperità oggi e in futuro.

LVIIII.
MISSA OMNIUM SANCTORUM COTIDIANA SIVE DE SANCTA MARIA

1261 Deus, qui nos beatae Mariae semper virginis et beatorum apostolorum, martyrum, confessorum atque omnium simul sanctorum continua laetificas solemnitate, praesta, quaesumus, ut quos cottidiano veneramur officio, etiam piae conversationis semper sequamur exemplo.

1262 *Secreta*. Munera tibi, Domine, nostrae devotionis offerimus, quae et pro tuorum tibi grata sint honore iustorum, et nobis salutaria te miserante reddantur.

1263 *Post communionem*. Praesta nobis, Domine, quaesumus, intercedentibus omnium sanctorum tuorum meritis, ut quae ore contingimus, puro corde capiamus.

1264 *Super populum*. Fac nos, Domine Deus, sanctae Mariae semper virginis subsidiis attolli, et gloriosa beatorum apostolorum, martyrum, confessorum atque virginum omnium simul sanctorum protectione defendi, ut dum eorum pariter cottidie festa celebramus, eorum pariter cottidie ab omnibus adversis protegamur auxilio.

59
MESSA QUOTIDIANA DI TUTTI I SANTI OPPURE DI SANTA MARIA

1261 O Dio, che ci rallegri continuamente con la solennità della beata sempre Vergine Maria, dei beati apostoli, dei martiri, dei confessori e di tutti i santi, ti preghiamo: fa' che seguiamo anche con l'esempio di una corretta scelta di vita coloro che veneriamo con devoto servizio.

1262 *Sui doni*. Ti offriamo, Signore, i doni della nostra devozione, perché per l'onore dei tuoi giusti siano a te graditi e per noi di salvezza, grazie alla tua misericordia.

1263 *Dopo la comunione*. Ti preghiamo, Signore: fa' che per intercessione dei meriti di tutti i tuoi santi, possiamo accogliere con cuore puro ciò che tocchiamo con la bocca.

1264 *Sul popolo*. Signore Dio, fa' che noi siamo incoraggiati dall'aiuto della santa Vergine Maria e difesi dalla gloriosa protezione dei beati apostoli, dei martiri, dei confessori e di tutte le sante vergini, perché ogni giorno siamo parimenti difesi in tutte le avversità dall'aiuto di coloro dei quali ogni giorno celebriamo la festività.

LX.
IN VIGILIA
OMNIUM SANCTORUM
PRIDIE KALENDAS NOVEMBRIS

1265 Domine Deus noster, multiplica super nos gratiam tuam, et quorum praevenimus gloriosa solemnia, tribue subsequi in sancta professione laetitiam.

1266 *Secreta.* Altare tuum, Domine Deus, muneribus cumulamus oblatis, da, quaesumus, ut ad salutem nostram omnium sanctorum tuorum precatione proficiant, quorum solemnia ventura praecurrimus.

1267 *Praefatio.* VD. Reverentiae tuae dedicato ieiunio gratulantes, quia veneranda omnium sanctorum tuorum solemnia desideratis praevenimus officiis, ut ad eadem celebranda solemniter praeparemur.

1268 *Ad complendum.* Sacramentis, Domine, et gaudiis optata celebritate expletis, quaesumus, ut eorum precibus adiuvemur, quorum recordationibus exhibentur.

1269 *Super populum.* Erudi, quaesumus, Domine, populum tuum spiritalibus instrumentis, et quorum praestas solemnia praevenire, fac eorum et consideratione devotum, et defensione securum.

LXI.
KALENDIS NOVEMBRIBUS
NATALE OMNIUM
SANCTORUM

1270 Omnipotens sempiterne Deus, qui nos omnium sanctorum merita sub una tribuisti celebritate venerari, quaesumus, ut desideratam nobis tuae propitiationis abundantiam

60
VIGILIA DI TUTTI I SANTI
31 OTTOBRE

1265 Signore Dio nostro, moltiplica la tua grazia su di noi e concedici di seguire nella professione della santità la gioia di quelli dei quali oggi celebriamo in anticipo la gloriosa solennità.

1266 *Sui doni.* Colmiamo di doni, che ti offriamo, Signore Dio, il tuo altare. Ti preghiamo di concederci che tutti i tuoi santi, dei quali oggi celebriamo in anticipo la festività, ci proteggano e ci conducano alla salvezza.

1267 *Prefazio.* È veramente degno. Mentre ti ringraziamo per il digiuno dedicato alla tua santità, celebriamo in anticipo, e con i dovuti onori, la veneranda festa di tutti i tuoi santi, perché ci prepariamo a rinnovarla domani con la dovuta solennità.

1268 *Per finire.* Celebrati con la dovuta solennità i tuoi sacramenti, Signore, ti preghiamo di essere soccorsi dalle preghiere di coloro dei quali rinnoviamo il ricordo.

1269 *Sul popolo.* Ti preghiamo, Signore: istruisci il tuo popolo nelle qualità spirituali e permettici di celebrare in anticipo la loro festività; rendilo devoto mediante la meditazione delle loro virtù e sicuro della loro difesa.

61
1° NOVEMBRE
NATALE DI TUTTI I SANTI

1270 Dio onnipotente ed eterno, che ci doni la gioia di celebrare in un'unica festa i meriti e la gloria di tutti i Santi, concedi al tuo popolo, per la comune intercessione di tanti nostri fratelli, l'abbondanza della tua mise-

multiplicatis intercessoribus largiaris.

1271 *Secreta.* Munera tibi, Domine, nostrae devotionis offerimus, quae et pro cunctorum tibi grata sint honore iustorum, et nobis salutaria te miserante reddantur.

1272 *Praefatio.* VD. Clementiam tuam suppliciter obsecrantes, ut cum exultantibus sanctis tuis in caelestis regni cubilibus gaudia nostra coniungas, et quos virtutis imitatione non possumus sequi, debitae venerationis contingamus effectu.

1273 *Post communionem.* Da, quaesumus, Domine, fidelibus populis omnium sanctorum semper veneratione laetari, et eorum perpetua supplicatione muniri.

1274 *Alia.* Omnipotens sempiterne Deus, qui nos omnium sanctorum tuorum multiplici facis solemnitate gaudere, concede, quaesumus, ut sicut illorum commemoratione temporali gratulamur officio, ita perpetuo laetemur aspectu.

ricordia.

1271 *Sui doni.* Ti offriamo, Signore, i doni della nostra devozione perché per l'onore di tutti tuoi giusti siano a te graditi e siano di salvezza per noi, grazie alla tua misericordia.

1272 *Prefazio.* È veramente degno. Preghiamo supplici la tua clemenza, perché unisca la nostra gioia con quella dei tuoi santi che esultano nella sede del regno celeste, e siamo rassicurati dagli effetti della venerazione di coloro dei quali non riusciamo a imitare la virtù.

1273 *Dopo la comunione.* Ti preghiamo, Signore: concedi ai popoli a te fedeli di rallegrarsi sempre nella venerazione di tutti i santi e di essere difesi dalla loro eterna supplica.

1274 *Un'altra.* Dio onnipotente ed eterno, che ci permetti di godere nella molteplice solennità di tutti i santi, ti preghiamo: fa' che come ci rallegriamo per la loro commemorazione mediante una celebrazione nel tempo, così godiamo dell'eterna visione.

LXII.
MISSA PRO VENERATIONE SANCTORUM IN QUALIBET ECCLESIA QUORUM IBIDEM RELIQUIAE VENERANTUR

1275 Concede, quaesumus, omnipotens Deus, ut sancta Dei genetrix sanctique tui apostoli, martyres, confessores, virgines atque omnes sancti, quorum reliquiae in ista continentur ecclesia, patrocinia nos ubique adiuvent, quatenus hic, in illorum praesenti suffragio, tranquilla pace in tua laude laetemur.

62
MESSA PER LA VENERAZIONE DEI SANTI IN QUALSIASI CHIESA IN CUI SONO VENERATE LE LORO RELIQUIE

1275 Ti preghiamo, Dio onnipotente: concedici che la santa Madre di Dio, i tuoi santi apostoli, i martiri, i confessori, le vergini e tutti i santi, le cui reliquie sono conservate in questa chiesa, ci aiutino ovunque col loro patrocinio, e possiamo in questo luogo rallegrarci nella tua lode con l'aiuto della loro preghiera e nella tranquillità della pace.

1276 *Alia.* Auxilium tuum nobis, Domine, quaesumus, placatus inpende, et intercedentibus sanctis tuis, quorum in hanc praesentem ecclesiam pretiosa patrocinia colligere curavimus, fac nos ab omni adversitate liberari, et in aeterna laetitia gaudere cum illis.

1277 *Secreta.* Munera tuae, misericors Deus, maiestati oblata benigno, quaesumus, suscipe intuitu, ut eorum nobis precibus fiant salutaria, quorum sacratissimae in hac basilica reliquiae reconduntur.

1278 *Post communionem.* Divina libantes mysteria, quaesumus, Domine, ut eorum nos ubique intercessio protegat, quorum hic sacra gaudemus praesentia.

1279 *Alia.* Exaudi, Domine Deus, clementer in hac domo tua preces servorum tuorum, quatenus illorum meritis tuam consequamur gratiam, quorum hic veneramur patrocinia.

1276 *Un'altra.* Ti preghiamo, Signore: nella tua benignità concedi a noi il tuo aiuto, e per l'intercessione dei tuoi santi, dei quali in questa chiesa abbiamo accolto la loro protezione, rendici liberi da tutte le avversità e permettici di godere insieme con loro nella gioia eterna.

1277 *Sui doni.* Dio misericordioso, accetta con volto benigno questi doni offerti alla tua maestà, perché diventino per noi fonte di salvezza mediante le preghiere di coloro le cui santissime reliquie riposano in questa basilica.

1278 *Dopo la comunione.* Ti preghiamo, Signore: mentre ti offriamo i divini misteri, in ogni luogo ci protegga l'intercessione di coloro dei quali qui ci rallegriamo per la loro santa presenza.

1279 *Un'altra.* Esaudisci clemente, Signore Dio, in questa tua casa le preghiere dei tuoi servi, cosicché conseguiamo la tua grazia per i meriti di coloro, dei quali veneriamo qui il patrocinio.

LXIII.
MISSA AD POSTULANDA ANGELICA SUFFRAGIA

1280 Perpetuum nobis, Domine, tuae miserationis praesta subsidium, quibus et angelica praestitisti suffragia non deesse.

1281 *Secreta.* Hostias tibi, Domine, laudis offerimus suppliciter deprecantes, ut easdem angelico pro nobis interveniente suffragio, et placatus accipias, et ad salutem nostram provenire concedas.

1282 *Praefatio.* VD. Quamvis enim illius sublimis angelicae substantiae sit habitatio semper in caelis, tuorum tamen fidelium praesumit affectus pro tuae

63
MESSA PER CHIEDERE LA PROTEZIONE DEGLI ANGELI

1280 Concedici, Signore, l'aiuto perpetuo della tua commiserazione perché non ci venga mai meno l'intercessione di coloro ai quali hai offerto la protezione degli angeli.

1281 *Sui doni.* Signore, mentre ti preghiamo in tutta umiltà, ti offriamo il sacrificio di lode, perché con l'intervento e la protezione degli angeli tu benevolo lo accolga, e concedi che giovi alla nostra salvezza.

1282 *Prefazio.* È veramente degno. Come la sostanza sublime degli angeli ha sempre la sua dimora nei cieli, così la pietà dei tuoi fedeli in ossequio al tuo potere, con questo rito di pietà

reverentia potestatis, per haec piae devotionis officia quoddam retinere pignus in terris adstantium in conspectu tuo iugiter ministrorum.

1283 *Post communionem.* Plebem tuam, quaesumus, Domine, perpetua pietate custodi, ut secura semper et necessariis adiuta subsidiis spirituum tibimet placitorum, pia semper veneratione laetetur.

1284 *Alia.* Repleti, Domine, benedictione caelesti suppliciter imploramus, ut quod fragili celebramus officio, sanctorum archangelorum nobis prodesse sentiamus auxilio.

LXIIII.
MISSA DE SANCTA CRUCE

1285 Deus, qui unigeniti tui pretioso sanguine vivificae crucis vexillum sanctificare voluisti, concede, quaesumus, nos qui eiusdem sanctae crucis gaudemus honore, tua quoque ubique protectione gaudere.

1286 *Secreta.* Haec oblatio, Domine, ab omnibus nos purget offensis, quae in ara crucis etiam totius mundi tulit offensa.

1287 *Praefatio.* VD. Qui salutem humani generis in ligno crucis constituisti, ut unde mors oriebatur, inde vita resurgeret, et qui per lignum vincebat, per lignum quoque vinceretur.

1288 *Post communionem.* Adesto nobis, Domine Deus noster, et quos sanctae crucis laetare fecisti inventione, eius quoque perpetuis defende subsidiis.

1289 *Alia.* Deus, qui praeclara salutiferae crucis inventione hodiernae nobis festivitatis gaudia dicasti, tribue, ut vita-

e devozione, spera di ottenere sulla terra il pegno concesso ai ministri che ti sono davanti.

1283 *Dopo la comunione.* Ti preghiamo, Signore: con il tuo perpetuo amore custodisci il tuo popolo, perché sempre sicuro e soccorso dal necessario aiuto degli spiriti a te graditi, si rallegri sempre mentre ti venera con amore.

1284 *Un'altra.* Ricolmi della benedizione celeste ti preghiamo, Signore, perché ciò che celebriamo con incerto servizio, con l'aiuto dei santi arcangeli possa esserci di aiuto.

64
MESSA DELLA SANTA CROCE

1285 O Dio, che volesti santificare il vessillo della croce, apportatrice di salvezza, con il sangue del tuo Figlio unigenito, ti preghiamo di concedere a noi che godiamo dell'onore tributato alla santa croce, di rallegrarci in ogni luogo anche della tua protezione.

1286 *Sui doni.* Signore, questa offerta che sull'altare della croce sostenne i peccati di tutto il mondo, ci purifichi da tutte le colpe.

1287 *Prefazio.* È veramente degno. Nel legno della croce tu hai stabilito la salvezza dell'uomo, perché da dove sorgeva la morte di là risorgesse la vita, e chi dall'albero traeva la vittoria, dall'albero venisse sconfitto.

1288 *Dopo la comunione.* Sii vicino, Signore Dio nostro, e difendici con il continuo aiuto di coloro ai quali concedesti di rallegrarsi in seguito al ritrovamento della croce.

1289 *Un'altra.* O Dio, che con il glorioso ritrovamento della croce, fonte di salvezza, ci hai donato la gioia della festività odierna, fa' che con la sa-

lis ligni tuitione ab omnibus muniamur adversis.

lutifera protezione del legno siamo difesi da tutte le avversità.

LXV.
MISSA IN CONCILIO

1290 Infunde, quaesumus, famulis tuis, Domine Deus, spiritum veritatis et pacis, ut quae tibi placita sint, toto corde cognoscant, et agnita tota virtute sectentur.

1291 *Secreta.* Respiciat, quaesumus, clementia tua, Domine Iesu, munera servorum tuorum, et gratiam tuae miserationis illis inpende, ut quae recta sint in oculis tuis, veraciter intellegant et fiducialiter loquantur.

1292 *Praefatio.* VD. Clementiam tuam votis implorantes, ut pectora servorum tuorum lumine tuae sapientiae informare digneris, ut te tota mente amemus, et ad te toto corde curramus.

1293 *Post communionem.* Da nobis, misericors Deus, ut sancta tua quae sumpsimus, nos in tua voluntate confirment, et veritatis ubique praedicatores efficiant.

1294 *Super populum.* Conserva, quaesumus, Domine Deus, longaeva prosperitate populo tuo rectorem quem dedisti, et nobis famulis tuis tuae caritatis spiritum infunde, et populum christianum potentiae tuae dextera ab omni adversitate custodi.

65
MESSA DURANTE UN CONCILIO

1290 Ti preghiamo, Signore Dio: infondi sui tuoi servi lo spirito di verità e di pace, perché conoscano con tutto il cuore ciò che ti sia gradito e, conosciuto, lo seguano con ogni impegno.

1291 *Sui doni.* La tua clemenza, o Signore Gesù, volga lo sguardo sui doni dei tuoi servi ed effondi su di essi la grazia della tua misericordia, perché comprendano veramente e parlino con franchezza di ciò che è giusto davanti ai tuoi occhi.

1292 *Prefazio.* È veramente degno. Con le nostre preghiere invochiamo la tua clemenza perché ti degni di informare con la tua luce il petto dei tuoi servi, affinché ti amiamo con tutta la mente e corriamo da te con tutto il cuore.

1293 *Dopo la comunione.* Concedici, o Dio misericordioso, che i tuoi santi sacramenti che abbiamo ricevuto, confermino in noi la tua volontà e ci rendano in ogni luogo messaggeri della tua verità.

1294 *Sul popolo.* Ti preghiamo, Signore Dio nostro: conserva a lungo e felice colui che hai dato al tuo popolo come guida spirituale; su di noi, tuoi servi, infondi il tuo spirito di carità e con la potenza della tua destra custodisci il popolo cristiano da ogni avversità.

LXVI.
IN NATALE CUIUSLIBET SANCTI CONFESSORIS VEL MARTYRIS

1295 Propitiare, quaesumus, Domine, nobis famulis tuis per huius sancti confessoris tui

66
NEL NATALE DI QUALSIASI SANTO CONFESSORE O MARTIRE

1295 Ti preghiamo, Signore: per i gloriosi meriti del santo confessore N., che riposa in questa chiesa, sii benevolo

illius, qui in praesenti requiescit ecclesia, merita gloriosa, ut eius pia intercessione ab omnibus protegamur adversis.

1296 *Super oblata.* Suscipiat clementia tua, Domine, quaesumus, de manibus nostris munus oblatum, et per huius sancti confessoris tui *illius* orationes ab omnibus nos emundet peccatis.

1297 *Praefatio.* VD. Pia devotione tuam laudantes clementiam. Qui huic sancto confessori tuo talem contulisti gloriam, ut pro tui nominis amore tota despiceret terrena et amaret caelestia. Unde et pro eius veneratione in loco reliquiarum illius haec sacramenta salutis nostrae tuae offerimus pietati, ut tanto nobis intercedente patrono dextera potentiae tuae nos ubique protegat et regat.

1298 *Post communionem.* Divina libantes mysteria, quae pro huius sancti confessoris tui *illius* veneratione tuae obtulimus maiestati, praesta, quaesumus, ut per ea veniam mereamur peccatorum, et caelestis gratiae donis reficiamur.

1299 *Super populum.* Da, aeternae consolationis pater, per huius sancti confessoris tui preces populo tuo pacem et salutem, ut tuis tota dilectione inhaereant praeceptis, et quae tibi placita sunt, tota perficiant voluntate.

LXVII.
ORATIO AD MISSAM IN NATALE SANCTI RODPERTI CONFESSORIS

1300 Deus, qui nos devota beati Rodperti confessoris tui atque pontificis instantia ad agnitionem tui sancti nominis vocare dignatus es, concede propitius,

verso di noi, tuoi servi, perché con la sua pia intercessione siamo protetti da tutte le avversità.

1296 *Sulle offerte.* Ti preghiamo, Signore: la tua clemenza accolga il dono offerto con le nostre mani e per le preghiere del tuo santo confessore N. ci purifichi da tutti i peccati.

1297 *Prefazio.* È veramente degno. Veneriamo la tua clemenza con pietà e devozione. Tu hai concesso a questo tuo santo confessore una gloria così grande che per amore del tuo nome ha disprezzato tutti i beni terreni per quelli celesti. Perciò anche per la sua venerazione nel luogo dove riposano le sue reliquie offriamo alla tua pietà questi sacramenti istituiti per la nostra salvezza, perché per intercessione di un così potente patrono la destra della tua potenza ci protegga e ci guidi in ogni luogo.

1298 *Dopo la comunione.* Mentre ti offriamo i divini misteri, che nella festa del tuo santo confessore N. presentiamo alla tua maestà, ti preghiamo perché per mezzo di quelli otteniamo il perdono dei peccati e siamo rinfrancati dai doni della tua grazia.

1299 *Sul popolo.* Per mezzo delle preghiere del tuo santo confessore concedi al tuo popolo, Padre dell'eterna consolazione, pace e salvezza, perché con tutto l'amore aderisca ai tuoi precetti e con piena volontà compia quanto a te è gradito.

67
PREGHIERA PER LA MESSA NEL NATALE DI SAN RUPERTO CONFESSORE

1300 O Dio, che per la devota preghiera del beato Ruperto, tuo confessore e vescovo, ti sei degnato di chiamarci per conoscere il tuo santo nome, nella tua benevolenza concedici di

ut cuius solemnia colimus, etiam patrocinia sentiamus.

1301 *Secreta.* Hostias, Domine, laudis tuis altaribus adhibemus, quas tibi patrocinio credimus commendandas, cuius nos voluisti votis ad tuae pietatis pervenire notitiam.

1302 *Praefatio.* VD. Diemque natalicium beati pontificis et confessoris Rodperti omni devotione venerari, suppliciter obsecrantes, ut ipsum nos apud tuam clementiam sentiamus habere patronum, quem tua gratia largiente meruimus aeternae salutis suscipere ministrum.

1303 *Ad complendum.* Beati Rodperti confessoris tui atque pontificis, Domine, precibus confidentes, quaesumus, clementiam tuam, ut per ea quae sumpsimus, aeterna remedia capiamus.

1304 *Super populum.* Populum tuum, Domine, quaesumus, pio favore prosequere, et a cunctis adversitatibus beato Rodperto confessore tuo atque pontifice intercedente custodi.

sentire anche il patrocinio di colui del quale celebriamo la festa.

1301 *Sui doni.* Per il tuo altare, Signore, adoperiamo le vittime che crediamo di dover affidare al patrocinio di colui per i cui voti hai voluto che noi giungessimo alla conoscenza del tuo amore.

1302 *Prefazio.* È veramente degno. Celebriamo il giorno in cui è nato al cielo San Ruperto, tuo vescovo e confessore: supplici ti preghiamo perché possiamo avvertire di averlo davanti alla tua clemenza come nostro patrono e intercessore, e per grazia tua meritiamo di accoglierlo come ministro della nostra salvezza.

1303 *Per finire.* Mentre confidiamo, Signore, nelle preghiere di San Ruperto, tuo vescovo e confessore, ti preghiamo di mostrarci la tua clemenza perché, ad opera dei sacramenti che abbiamo ricevuto, accogliamo i rimedi eterni.

1304 *Sul popolo.* Ti preghiamo, Signore: accompagna con amorevole benevolenza il tuo popolo e per intercessione del tuo beato vescovo e confessore Ruperto liberalo da tutte le avversità.

LXVIII.
MISSA
PRO CARITATE

1305 Deus, qui diligentibus te facis cuncta prodesse, da cordibus nostris inviolabilem caritatis affectum, ut desideria de tua inspiratione concepta nulla possint temptatione mutari.

1306 *Alia.* Deus, qui nos ad imaginem tuam sacramentis renovas et praeceptis, perfice gressus nostros in semitis tuis, ut caritatis donum, quam fecisti a nobis sperare, per haec quae offerimus, facias sacrificia adprehendi.

68
MESSA
PER [ottenere il dono della] CARITÀ

1305 O Dio, che doni ogni bene a coloro che ti amano, concedi al nostro cuore gli inviolabili effetti della carità perché, per tua ispirazione, nessuna tentazione possa mutare i nostri pensieri.

1306 *Un'altra.* O Dio, che ci rinnovi a tua immagine con la Parola e i Sacramenti, nella tua misericordia conduci alla meta il nostro cammino sulle tue vie, e donaci, per l'offerta di questo sacrificio, di raggiungere il dono dell'amore che ci hai fatto sperare.

1307 *Secreta.* Praesta, quaesumus, Domine Deus noster, ut caritatis dono quo cunctum innovas mundum, per haec sacrosancta mysteria nos quoque reddas acceptos.

1308 *Post communionem.* Spiritum in nobis, Domine, tuae caritatis infunde, ut quos uno caelesti pane satiasti, tua facias pietate concordes.

1307 *Sui doni.* Ti preghiamo, Signore Dio nostro: fa' che con il dono della carità, con cui rinnovi tutto il mondo, mediante questi sacrosanti misteri renda anche noi a te accetti.

1308 *Dopo la comunione.* Infondi in noi, o Padre, lo Spirito del tuo amore, perché saziati dall'unico pane del cielo, nell'unica fede siamo resi un solo corpo.

LXVIIII.
MISSA PRO AMICIS VIVENTIBUS

1309 Deus, qui caritatis dona per gratiam sancti spiritus tuorum cordibus fidelium infudisti, da famulis tuis, de quibus tuam deprecamur clementiam, salutem mentis et corporis, ut te tota virtute diligant, et quae tibi placita sunt, tota dilectione perficiant.

1310 *Super oblata.* Miserere, quaesumus, Domine Deus, famulis tuis, pro quibus hoc sacrificium laudis tuae offerimus maiestati, ut per haec sancta supernae benedictionis gratiam obtineant, et gloriam aeternae beatitudinis adquirant.

1311 *Praefatio.* VD. Clementiam tuam pronis mentibus obsecrantes, ut famulos tuos, quos sanctae dilectionis nobis familiaritate iunxisti, tibi facias toto corde subiectos, ut tuae caritatis spiritu repleti a terrenis mundentur cupiditatibus, et caelesti beatitudine te donante digni efficiantur.

1312 *Post communionem.* Divina libantes mysteria, quaesumus, Domine, ut haec salutaria sacramenta illis proficiant ad prosperitatem et pacem, pro quorum dilectione haec tuae obtulimus maiestati.

69
MESSA PER GLI AMICI CHE SONO IN VITA

1309 O Dio, che per la grazia dello Spirito Santo infondi nei cuori dei fedeli i doni della carità, umilmente ti preghiamo per i nostri parenti e amici: concedi loro la salute dell'anima e del corpo, perché ti amino con tutte le forze e compiano con tutto il cuore ciò che ti è gradito.

1310 *Sulle offerte.* Ti preghiamo, Signore: abbi pietà dei tuoi servi, per i quali offriamo alla tua maestà questo sacrificio di lode, affinché mediante questi sacri misteri ottengano la grazia della benedizione celeste e acquisiscano la gloria della beatitudine eterna.

1311 *Prefazio.* È veramente degno. Con mente prona ai tuoi piedi preghiamo la tua clemenza, perché renda a te sottomessi i tuoi servi che hai a noi congiunto con il santo vincolo dell'amicizia; ricolmi dello spirito del tuo amore, essi siano purificati dalle cupidigie della terra, e per tuo dono siano resi degni della beatitudine celeste.

1312 *Dopo la comunione.* Mentre gustiamo i divini misteri ti preghiamo, Signore, perché ad opera di questi sacramenti, fonte di salvezza, siano causa di prosperità e di pace per quelli per il cui amore li offriamo alla tua maestà.

LXX.
MISSA PRO AMICO VIVENTE

1313 Deus, qui iustificas impium et non vis mortem peccatorum, maiestatem tuam suppliciter deprecamur, ut famulum tuum de tua misericordia confidentem caelesti protegas benignus auxilio, et adsidua protectione eum conserva, ut a te nullis temptationibus separetur, sed tibi iugiter famuletur.

1314 *Secreta.* Suscipe, clementissime pater, hostiam placationis et laudis, quam ego peccator et indignus tuus famulus tibi offero ad honorem et gloriam nominis tui et pro incolumitate famuli tui *illius,* ut omnium delictorum suorum veniam consequi mereatur.

1315 *Post communionem.* Purificent nos, quaesumus, Domine, sacramenta quae sumpsimus, et famulum tuum *illum* ab omni culpa liberum esse concede, ut qui a reatu conscientiae constringitur, de caelestis remedii plenitudine glorietur.

LXXI.
MISSA PROPRIA PRO SEMETIPSO VEL PRO AMICO

1316 Omnipotens sempiterne Deus, miserere famulo tuo *illi,* et dirige eum secundum tuam clementiam in viam salutis aeternae, ut te donante tibi placita cupiat, et tota virtute perficiat.

1317 *Super oblata.* Proficiat, quaesumus, haec oblatio, Domine, quam tuae supplices offerimus maiestati, ad salutem famuli tui *illius,* ut tua providentia eius vita inter adversa et prospera ubique dirigatur.

1318 *Post communionem.* Sumentes,

70
MESSA PER UN AMICO IN VITA

1313 O Dio, che giustifichi l'empio e non desideri la morte dei peccatori, preghiamo supplici la tua maestà, perché dal cielo protegga benevolo con il tuo aiuto il tuo servo N. che confida nella tua misericordia, e conservalo con la tua continua protezione, perché non sia separato da te da nessuna tentazione, ma ad un tempo ti serva con amore.

1314 *Sui doni.* Accogli, Padre clementissimo, il sacrificio di purificazione e di lode che io peccatore e indegno tuo servo ti offro, ad onore e gloria del tuo nome, soprattutto per l'incolumità del tuo servo N., perché meriti di ottenere il perdono di tutti i suoi peccati.

1315 *Dopo la comunione.* Ti preghiamo, Signore: i sacramenti che abbiamo ricevuto, ci purifichino. Concedi al tuo servo N. di essere libero da ogni colpa, perché gioisca per la pienezza del rimedio celeste colui che avverte il rimorso della coscienza.

71
MESSA PROPRIA PER SE STESSO O PER UN AMICO

1316 Dio onnipotente ed eterno, abbi pietà del tuo servo N. e con la tua clemenza dirigilo verso la via della salvezza eterna perché, grazie al tuo dono, desideri ciò che a te piace e lo porti a termine con tutte le sue forze.

1317 *Sulle offerte.* Ti preghiamo, Signore: questo dono che supplici offriamo alla tua maestà, sia di giovamento per la salvezza del tuo servo N., perché per la tua provvidenza la sua vita sia sempre e dovunque guidata sia nelle avversità che nella prosperità.

1318 *Dopo la comunione.* Mentre ricevia-

Domine, perpetuae sacramenta salutis, tuam deprecantes clementiam, ut per ea famulum tuum *illum* ab omni adversitate protegas.

1319 *Alia.* Famulum tuum, quaesumus, Domine, *illum* tua semper protectione custodi, ut libera tibi mente deserviat, et te protegente a malis omnibus sit securus.

mo, Signore, i sacramenti della salvezza eterna e ti rivolgiamo suppliche, ti preghiamo perché tu con la tua clemenza protegga il tuo servo N. da tutte le avversità.

1319 *Un'altra.* Ti preghiamo, Signore: custodisci sotto la tua protezione il tuo servo N., perché si dedichi a te con animo libero e, sotto la tua protezione, sia al riparo da tutti i mali.

LXXII.
MISSA
PRO TEMPESTATE

1320 Magnificentiam tuam, Domine, praedicamus suppliciter implorantes, ut quia nos eminentibus periculis exuisti, a peccatis quoque benignus absolvas, ut beneficia nobis maiora concedas, et tuis nos facias parere mandatis.

1321 *Secreta.* Offerimus, Domine, laudes et munera pro concessis beneficiis gratias referentes, et pro concedendis semper suppliciter deprecantes.

1322 *Ad complendum.* Omnipotens sempiterne Deus, qui nos et castigando sanas, et ignoscendo conservas, praesta supplicibus tuis, ut et tranquillitatibus tuis optatae consolationibus laetemur, et dono tuae pietatis semper utamur.

72
MESSA
IN OCCASIONE DI UNA TEMPESTA

1320 Proclamiamo, Signore, la tua magnificenza, mentre supplici imploriamo: tu che con la tua bontà ci hai liberato da imminenti pericoli, assolvici benevolo anche dai peccati, perché ci conceda benefici maggiori e ci renda disponibili ad obbedire ai tuoi precetti.

1321 *Sui doni.* Ti offriamo, Signore, lodi e doni, mentre ti rendiamo grazie per i benefici che ci hai concesso, e sempre supplici ti preghiamo per quelli che hai deciso di concederci ancora.

1322 *Per finire.* Dio onnipotente ed eterno, che ci risani nella prova e con la tua misericordia ci custodisci, ascolta la nostra supplica: nella tranquillità ci rallegriamo per la consolazione del tuo amore desiderato e godiamo sempre per il dono della tua bontà.

LXXIII.
MISSA PRO PACE

1323 Deus, conditor mundi, sub cuius arbitrio omnium saeculorum ordo decurrit, adesto propitius invocationibus nostris, et tranquillitatem pacis praesentibus concede temporibus.

1324 *Alia.* Deus, a quo sancta desideria et iusta sunt opera, da

73
MESSA PER LA PACE

1323 O Dio, creatore dell'universo, sotto il tuo giudizio scorre la serie dei secoli: volgiti benevolo alle nostre invocazioni, e concedici di godere nel tempo presente la pace e la tranquillità.

1324 *Un'altra.* O Dio, da te hanno origine i santi desideri e le opere; concedi

famulis tuis illam, quam dare mundus non potest perpetuam pacem, ut et corda mandatis tuis dedita, et tempora hostium sublata formidine tua sint protectione tranquilla.

1325 *Super oblata.* Huius, quaesumus, Domine, virtute mysterii et a nostris mundemur occultis, et ab hostium liberemur insidiis.

1326 *Ad complendum.* Vivificet nos, Domine, quaesumus, participatio tui sancta mysterii, et pariter nobis expiationem tribuat et munimen.

ai tuoi servi la pace perenne che il mondo non riesce a dare, perché il cuore si dedichi ai tuoi comandamenti e, allontanato il timore dei nemici, vivano tranquilli sotto la tua protezione.

1325 *Sulle offerte.* Ti preghiamo, Signore: in virtù di questo mistero fa' che siamo liberati sia dalle insidie occulte che da quelle tese dai nostri nemici.

1326 *Per finire.* La partecipazione ai santi misteri rinnovi, o Padre, la nostra vita; ci ottenga la libertà dal peccato e il conforto della tua protezione.

LXXIIII.
ORATIONES ET MISSA PRO PECCATIS

1327 Preces populi tui, quaesumus, Domine, clementer exaudi, ut qui iuste pro peccatis nostris affligimur, pro tui nominis gloria misericorditer liberemur.

1328 *Alia.* Deus, qui nos in tantis periculis constitutos pro humana scis fragilitate non posse subsistere, da nobis salutem mentis et corporis, ut ea quae pro peccatis nostris patimur, te adiuvante vincamus.

1329 *Super oblata.* Munus populi tui, quaesumus, Domine, apostolica intercessione sanctifica, nosque a peccatorum nostrorum maculis emunda.

1330 *Ad complendum.* Corporis sacri et pretiosi sanguinis repleti libamine, quaesumus, Domine Deus noster, ut quod pia devotione gerimus, certa redemptione capiamus.

74
PREGHIERE E MESSA PER I PECCATI

1327 Ti preghiamo, Signore: nella tua clemenza esaudisci le preghiere del tuo popolo perché noi, che per i nostri peccati siamo giustamente puniti, siamo liberati dalla misericordiosa gloria del tuo nome.

1328 *Un'altra.* O Dio, che conosci i pericoli che ci circondano e l'umana fragilità che ci inclina a cadere, donaci la salute del corpo e dello spirito, perché con il tuo aiuto possiamo superare i mali che ci affliggono a causa dei nostri peccati.

1329 *Sulle offerte.* Ti preghiamo, Signore: per intercessione degli apostoli santifica il dono del tuo popolo e purificaci dalle macchie dei nostri peccati.

1330 *Per finire.* Saziati dal sacro corpo e dal sangue prezioso ti preghiamo, Dio nostro, perché con la certezza della redenzione riceviamo ciò che compiamo con la nostra devozione.

ITEM ALIA MISSA

1331 Protector noster aspice, Deus, ut qui malorum nostrorum pondere praemimur, percepta misericordia, libera tibi mente famulemur.

1332 *Alia.* Subveniat nobis, Domine, misericordia tua, ut ab imminentibus peccatorum nostrorum periculis te mereamur protegente salvari.

1333 *Secreta.* Pro nostrae servitutis augmento sacrificium tibi, Domine, laudis offerimus, ut quod inmeritis contulisti, propitius exsequaris.

1334 *Ad complendum.* Quaesumus, omnipotens Deus, ut quos divina tribuisti participatione gaudere, humanis non sinas subiacere periculis.

ITEM ALIA MISSA

1335 Miserere, Domine, populo tuo, et continuis tribulationibus laborantem propitius respirare concede.

1336 *Alia.* Parce, Domine, quaesumus, populo tuo, et nullis iam patiaris adversitatibus fatigari, quos pretioso filii tui sanguine redemisti.

1337 *Secreta.* Mystica nobis, Domine, prosit oblatio, quae nos et a reatibus nostris expediat, et perpetua salvatione confirmet.

1338 *Ad complendum.* Perficiant in nobis, Domine, quaesumus, tua sacramenta quod continent, ut quae specie gerimus, rerum veritate capiamus.

ITEM ALIA MISSA

1339 Praesta, quaesumus, omnipotens Deus, ut qui nostris excessibus incessanter affligimur,

UN'ALTRA MESSA

1331 O Dio, volgi il tuo sguardo su di noi che siamo schiacciati dalla triste eredità dei nostri peccati perché con il dono della tua misericordia ti possiamo servire con cuore libero.

1332 *Un'altra.* Venga in nostro aiuto, Signore, la tua misericordia, perché con la tua protezione meritiamo d'essere liberati dai pericoli dovuti ai nostri peccati.

1333 *Sui doni.* Ti offriamo, o Signore, il sacrificio di lode per ottenere la grazia di crescere nel tuo servizio, e ti preghiamo di accompagnare nella tua misericordia il ministero che, senza mio merito, hai voluto affidarmi.

1334 *Per finire.* Dio onnipotente, che ci hai dato la gioia di partecipare ai divini misteri, non permettere che noi soggiacciamo ai pericoli umani.

UN'ALTRA MESSA

1335 Abbi pietà del tuo popolo, Signore, e mentre è assalito da continue tribolazioni, nella tua bontà concedigli di avere un po' di tregua.

1336 *Un'altra.* Ti preghiamo, Signore: abbi pietà del tuo popolo e non permettere che siano oppressi da avversità alcuna quelli che hai redento con il tuo sangue prezioso.

1337 *Sui doni.* Sia a noi di giovamento, Signore, questa mistica offerta, perché ci liberi dai nostri peccati e ci rincuori con la salvezza eterna.

1338 *Per finire.* Si compia in noi, o Signore, la realtà significata dai tuoi sacramenti, perché otteniamo in pienezza ciò che ora celebriamo nel mistero.

UN'ALTRA MESSA

1339 Ti preghiamo, Dio onnipotente, perché noi che siamo continuamente afflitti dai nostri eccessi, in tutte le

tuae pietatis in omnibus protectione consolemur.

1340 *Alia*. Omnipotens Deus, misericordiam tuam in nobis placatus inpende, ut qui contemnendo culpam incurrimus, confitendo veniam consequamur.

1341 *Secreta*. Da, misericors Deus, ut haec nobis sacra oblatio et a propriis reatibus indesinenter expediat, et ab omnibus tueatur adversis.

1342 *Ad complendum*. Repleti cibo spiritalis alimoniae supplices te, Domine, deprecamur, ut huius participatione mysterii doceas nos terrena despicere, et amare caelestia.

ITEM ALIA MISSA

1343 Deus, qui culpa offenderis poenitentia placaris, adflictorum gemitus respice, et mala quae iuste inrogas, misericorditer averte.

1344 *Item alia*. Exaudi, quaesumus, Domine, supplicum preces, et confitentium tibi parce peccatis, ut pariter nobis indulgentiam tribuas benignus et pacem.

1345 *Secreta*. Hostias tibi, Domine, placationis offerimus, ut et delicta nostra miseratus absolvas, et nutantia corda dirigas.

1346 *Praefatio*. VD et iustum est. Suppliciter implorantes, ut nos ab omnibus peccatis clementer eripias, et a cunctis protegas benignus inimicis.

1347 *Infra actionem*. Hanc igitur oblationem, quam tibi offerimus pro peccatis atque offensionibus nostris, ut omnium delictorum nostrorum remissionem consequi mereamur, quaesumus, Domine.

circostanze siamo consolati dalla tua amorevole protezione.

1340 *Un'altra*. Dio onnipotente, effondi benevolo su di noi la tua misericordia, perché noi che con il peccato siamo incorsi nella colpa, otteniamo il perdono con la nostra fede.

1341 *Sui doni*. Dio misericordioso, fa' che questa sacra offerta ci liberi continuamente dai nostri peccati e ci difenda contro tutte le avversità.

1342 *Per finire*. Saziati dal cibo spirituale, o Signore, a te innalziamo la nostra supplica: per la partecipazione a questo sacramento insegnaci a disprezzare i beni terreni e ad amare quelli celesti.

UN'ALTRA MESSA

1343 O Dio, che ti offendi per i peccati e ti plachi con la penitenza, volgi il tuo sguardo sui gemiti di quanti soffrono e con la tua misericordia allontana i mali che nella tua giustizia ci somministri.

1344 *Allo stesso modo un'altra*. Ti preghiamo, Signore: esaudisci le preghiere di quanti ti supplicano e perdona i peccati di coloro che confidano in te, perché con la tua bontà ci doni la pace del perdono.

1345 *Sui doni*. Ti offriamo, o Signore, questo sacrificio di riconciliazione perché le nostre colpe siano perdonate dalla tua misericordia e i nostri cuori incerti trovino in te guida sicura.

1346 *Prefazio*. È veramente degno e giusto. Supplici ti invochiamo, perché nella tua clemenza ci strappi da tutti i peccati e con la tua benevolenza ci protegga da tutti i nemici.

1347 *Durante l'azione liturgica*. Ti preghiamo, Signore, perché per mezzo di questo dono che ti offriamo per i nostri peccati e per le offese, meritiamo di ottenere la remissione di tutte le nostre colpe.

1348 *Ad complendum.* Praesta nobis, aeterne salvator, ut percipientes hoc munere veniam peccatorum et deinceps peccata vitemus.

1349 *Super populum.* Deus, qui sperantibus in te misereri potius eligis quam irasci, da nobis digne flere mala quae fecimus, ut tuae consolationis gratiam invenire mereamur.

1348 *Per finire.* Salvatore eterno, mediante questo dono fa' che riceviamo il perdono dei peccati e possiamo in seguito evitarli.

1349 *Sul popolo.* O Dio, lento all'ira e grande nella misericordia verso coloro che sperano in te, concedi ai tuoi fedeli di piangere i mali commessi, per ottenere la grazia della tua consolazione.

LXXV.
MISSA PRO SALUTE VIVORUM

1350 Praetende, Domine, misericordia tua famulis et famulabus tuis *illis* dexteram caelestis auxilii, ut te toto corde perquirant, et quae digne postulant adsequantur.

1351 *Secreta.* Propitiare, Domine, supplicationibus nostris, et hanc oblationem famulorum famularumque tuarum, quam tibi pro incolumitate eorum offerimus, benignus adsume, ut nullius sit irritum votum, nullius vacua postulatio, praesta, quaesumus, ut quod fideliter petimus, efficaciter consequamur.

1352 *Infra actionem.* Hanc igitur oblationem, Domine, famulorum famularumque tuarum, quam tibi offerimus ob devotionem mentis eorum, pius ac propitius clementi vultu suscipias, tibi supplicantes libens protege, dignanter exaudi, et aeterna eos protectione conserva, ut in tua semper religione laetantes, instanter in sanctae trinitatis confessione fide catholica perseverent, diesque nostros in tua pace disponas.

1353 *Post communionem.* Da famulis et famulabus tuis, quaesumus, Domine, in tua fide et since-

75
MESSA PER LA SALUTE DEI VIVI

1350 Per la tua misericordia, Signore, stendi la destra del tuo aiuto celeste ai tuoi servi e alle tue serve N. N., perché ti cerchino con tutto il cuore e ottengano quanto degnamente chiedono.

1351 *Sui doni.* Sii propizio, Signore, alle nostre suppliche e accetta con benevolenza l'offerta dei tuoi servi e delle tue serve, che ti presentiamo per la loro incolumità; fa' che non siano vani i voti di nessuno e vana la preghiera di nessuna, perché possiamo subito ottenere quanto ti chiediamo con fede.

1352 *Durante l'azione liturgica.* Con clemente pietà, accogli, Signore, con volto benigno, il dono dei tuoi servi e delle tue serve, che ti offriamo per la devozione del loro cuore; proteggi benigno quelli che ti supplicano, esaudiscili con prontezza, e conservali con la tua eterna protezione, perché sempre lieti nella tua fede, perseverino con costanza nella confessione cattolica della Santa Trinità e disponga i nostri giorni nella pace.

1353 *Dopo la comunione.* Ti preghiamo, Signore: concedi ai tuoi servi e alle tue serve la costanza nella sincerità della

ritate constantiam, ut nullis temptationibus ab eius integritate separati, in caritate divina firmentur.

tua fede, perché tutti, non distolti nella loro integrità da tentazione alcuna, siano consolidati nella carità divina.

LXXVI.
MISSA
IN TRIBULATIONE

76
MESSA DURANTE
UNA TRIBOLAZIONE

1354 Ineffabilem misericordiam tuam, Domine, nobis clementer ostende, ut simul nos et a peccatis exuas et a poenis, quas pro his meremur, eripias.

1354 Nella tua clemenza mostraci, Signore, la tua ineffabile misericordia, perché nello stesso tempo ci liberi dai peccati e ci sottragga alle pene che per questi meritiamo.

1355 *Secreta.* Quaesumus, Domine, nostris placare muneribus, quoniam tu eadem tribuis ut placeris.

1355 *Sui doni.* Ti preghiamo, Signore, sii placato dai nostri doni, poiché tu ce li concedi per essere placato.

1356 *Post communionem.* Praesta, Domine, quaesumus, ut terrenis affectibus expiati ad superni plenitudinem sacramenti, cuius libavimus sancta, tendamus.

1356 *Dopo la comunione.* Ti preghiamo, Signore: fa' che noi, liberi dagli affetti terreni tendiamo verso la pienezza del sacramento supremo che nella sua sacralità abbiamo gustato.

ITEM ALIA

UN'ALTRA [MESSA]

1357 Parce, Domine, parce peccatis nostris, et quamvis incessabiliter delinquentibus continua poena debeatur, praesta, quaesumus, ut quod ad perpetuum mereamur exitium, transeat ad correctionis auxilium.

1357 Abbi pietà, Signore, abbi pietà delle nostre colpe e, pur meritevoli per i nostri continui peccati d'una costante punizione, ti preghiamo perché l'intervento della tua correzione ci sottragga alla dannazione eterna che meritiamo.

1358 *Secreta.* Sacrificia, Domine, tibi cum ecclesiae precibus immolanda, quaesumus, corda nostra purificent, et indulgentiae tuae nobis dona conciliant, et de adversis prospera sentire perficiant.

1358 *Sui doni.* Ti preghiamo, Signore: il sacrificio che ti immoliamo con le preghiere della Chiesa purifichi il nostro cuore, ci concili il dono della tua misericordia e ci permetta di avvertire la serenità durante le avversità.

1359 *Ad complendum.* Vitia cordis humani haec, Domine, quaesumus, medicina conpescat, quae mortalitatis nostrae venit curare languores.

1359 *Per finire.* Ti preghiamo, Signore: la tua medicina che viene per curare le debolezze della nostra condizione umana, reprima i peccati nel cuore dell'uomo.

ITEM ALIA

1360 Deus, humilium consolator et fidelium fortitudo, propitius esto supplicationibus nostris, ut humana fragilitas quae per se proclivis est ad labendum, per te semper muniatur ad standum, et quae per se prona est ad offensam, per te semper reparetur ad veniam.

1361 *Secreta.* Haec hostia, Domine, quaesumus, et ab occultis ecclesiam tuam reatibus semper expediat, et manifestis convenienter expurget.

1362 *Ad complendum.* Quos munere, Domine, caelesti reficis, divino tuere praesidio, ut tuis mysteriis perfruentes nullis subdamur adversis.

ITEM ALIA

1363 Ne despicias, omnipotens Deus, populum tuum in adflictione clamantem, sed propter gloriam nominis tui tribulatis succurre placatus.

1364 *Secreta.* Suscipe, Domine, propitiatus hostias, quibus et te placari voluisti, et nobis salutem potenti pietate restitue.

1365 *Praefatio.* VD. Qui propterea iure punis errantes et clementer refoves castigatos, ut nos et a malis operibus abstrahas, et ad bona facienda convertas, quia non vis invenire quod damnes, sed vis esse potius quod corones.

1366 *Ad complendum.* Vivificet nos, Domine, sacrae participationis infusio, et perpetua protectione defendat.

1367 *Super populum.* Tribulationem nostram, quaesumus, Domine, propitius respice, et iram tuae indignationis, quae iuste meremur, propitiatus averte.

UN'ALTRA [MESSA]

1360 O Dio, consolatore degli umili e forza per i fedeli, sii benevolo verso di noi che ti supplichiamo, perché la fragilità dell'uomo che è per sua natura incline al peccato, sia sempre fortificata per resistere, e con il tuo aiuto sia sempre disposta a ricevere il perdono, anche se, per propria natura, è incline a commettere peccati.

1361 *Sui doni.* Ti preghiamo, Signore: questo sacrificio liberi sempre la tua Chiesa dai peccati occulti e chieda in maniera conveniente perdono per quelli manifesti.

1362 *Per finire.* O Signore, che ci nutri con i doni del cielo, custodisci con la divina protezione coloro che partecipano ai tuoi misteri perché siamo aiutati nelle avversità.

UN'ALTRA [MESSA]

1363 Non respingere, Signore, il tuo popolo che ti invoca nel tormento, ma per la gloria del tuo nome soccorrilo con bontà nelle sofferenze.

1364 *Sui doni.* Accogli, o Signore, questo sacrificio che nella tua grande misericordia hai istituito perché abbiamo pace con te e otteniamo il dono della salvezza eterna.

1365 *Prefazio.* È veramente degno. Tu, che per giusta ragione punisci chi pecca e risollevi con clemenza quanti hai castigato, ci tieni lontano dalle cattive azioni e ci spingi a opere di bene, perché non vuoi trovare chi da condannare, ma da ricevere la corona della tua gloria.

1366 *Per finire.* La piena partecipazione a questo sacro rito, Signore, ci vivifichi e ci difenda con una perpetua protezione.

1367 *Sul popolo.* Guarda con benevolenza la nostra tribolazione, o Signore, e allontana benigno da noi la collera del tuo sdegno, che giustamente meritiamo.

LXXVII.
MISSA IN NATALE EVANGELISTARUM

1368 Magnificet te, Domine, sanctorum tuorum evangelistarum beata solemnitas, per quam illis gloriam sempiternam et opem nobis ineffabili providentia contulisti.

1369 *Super oblata.* Ad altaria, Domine, veneranda cum hostiis laudis accedimus, fac, quaesumus, ut et indulgentiam nobis obtineant et favorem.

1370 *Praefatio.* VD. Qui ecclesiam tuam sempiterna pietate non deserens, per evangelistarum tuorum doctrinam iugiter eam et erudis et protegis.

1371 *Ad complendum.* Sacramentis, Domine, et gaudiis optata celebritate expletis, quaesumus, ut eorum precibus adiuvemur, quorum recordationibus exhibentur.

1372 *Super populum.* Da, quaesumus, Domine, fidelibus populis sanctorum tuorum evangelistarum semper veneratione laetari, et eorum perpetua supplicatione muniri.

LXXVIII.
MISSA CONTRA OBLOQUENTES

1373 Praesta, quaesumus, Domine, ut mentium reprobarum non curemus obsequium, sed eadem pravitate calcata exoramus, ut nec terreri nos lacerationibus patiaris iniustis, nec captiosis adulationibus implicari, sed potius amare quae praecipis.

1374 *Alia.* Conspirantes, Domine, contra tuae plenitudinis firmamentum dexterae tuae virtute prosterne, ut iustitiae non Do-

77
MESSA NEL NATALE DEGLI EVANGELISTI

1368 Ti glorifichi, Signore, la beata solennità dei tuoi santi evangelisti, per mezzo della quale [doni] a loro gloria eterna e a noi l'aiuto ad opera della tua ineffabile provvidenza.

1369 *Sulle offerte.* Mentre ci accostiamo al tuo venerando altare con vittime di lode, ti preghiamo perché ci ottengano la tua indulgenza e il tuo favore.

1370 *Prefazio.* È veramente degno. Nel tuo amore non abbandoni la tua Chiesa, la proteggi e nello stesso tempo la istruisci ad opera dei tuoi evangelisti.

1371 *Per finire.* Celebrati, Signore, i sacramenti con gioia e con desiderata affluenza, ti preghiamo perché sia manifesto il ricordo di coloro dalle cui preghiere siamo aiutati.

1372 *Sul popolo.* Ti preghiamo, Signore: concedi al tuo popolo fedele di rallegrarsi sempre per la venerazione dei tuoi santi evangelisti e di essere difeso dalla loro supplica eterna.

78
MESSA CONTRO I DETRATTORI

1373 Ti preghiamo, Signore: fa' che non incorriamo nella compiacenza di menti malvagie, ma respinta la cattiveria, ti preghiamo perché tu non permetta che siamo atterriti da ingiuste lacerazioni, né avvinti da capziose adulazioni, ma di amare piuttosto quanto ci ordini.

1374 *Un'altra.* Con la forza della tua destra, Signore, abbatti coloro che cospirano contro il sostegno della tua grazia, perché l'iniquità non abbia il

minetur iniquitas, sed subdatur semper falsitas veritati.

1375 *Alia.* Da, quaesumus, omnipotens Deus, sic nos tuam gratiam promereri, ut nostros corrigamus excessus, sic fatentibus relaxare delictum, ut coerceamus in suis pravitatibus obstinatos.

1376 *Secreta.* Oblatio, Domine, tuis aspectibus immolanda, quaesumus, ut et nos ab omnibus vitiis potenter absolvat, et a cunctis defendat inimicis.

1377 *Praefatio.* VD. Per Christum dominum nostrum. Per quem maiestatem tuam suppliciter exoramus, ut ab ecclesia tua quicquid est noxium tu repellas, et quod eidem salutare est largiaris, nosque contra superbos spiritus humilitatem tribuas rationabilem custodire, cum gratiam tuam clementer inpendis, ut nec humanos incertos consilii derelinquas, sed tua quae falli non potest gubernatione disponas.

1378 *Post communionem.* Praesta, Domine, quaesumus, ut per haec sancta quae sumpsimus, dissimulatis lacerationibus improborum, eadem te gubernante, quae recta sunt cautius exsequamur.

sopravvento sulla giustizia, e la falsità sia sempre vinta dalla verità.

1375 *Un'altra.* Ti preghiamo, Dio onnipotente: fa' che come correggiamo i nostri eccessi, così meritiamo la tua grazia; come reprimiamo gli ostinati nelle loro malvagità, così rassereniamo coloro che confessano il proprio peccato.

1376 *Sui doni.* Ti preghiamo, Signore: l'offerta che immoliamo davanti ai tuoi occhi con la sua forza ci assolva da tutti i peccati e ci difenda da tutti i nemici.

1377 *Prefazio.* È veramente degno. Per Cristo nostro Signore. Per mezzo di lui supplici preghiamo la tua maestà, perché tu respinga dalla tua Chiesa ciò che è dannoso e le elargisca ciò che la conduce alla salvezza; e conceda che una ragionevole umiltà ci custodisca contro gli spiriti superbi quando nella tua clemenza ci doni la tua grazia, perché non abbandoni le incertezze dell'umano consiglio, ma disponga con la tua provvidenza ciò che non può essere ingannato.

1378 *Dopo la comunione.* Ti preghiamo, Signore: fa' che per questi santi misteri, che abbiamo ricevuto, messe da parte le lacerazioni arrecate dagli empi, sotto la tua tutela e con la nostra cautela otteniamo ciò che è retto.

LXXVIIII.
MISSA
DE CONPUNCTIONE CORDIS

1379 Deus, cui omne cor patet et omnis voluntas loquitur et nullum latet secretum, purifica per infusionem sancti spiritus cogitationes cordis nostri, ut perfecte te diligere, et digne laudare mereamur.

1380 *Secreta.* Haec oblatio, Domine

79
MESSA
PER LA COMPUNZIONE DEL CUORE

1379 O Dio, davanti a te ogni cuore si apre, ogni anima si confida e nessun segreto rimane nascosto: con il dono dello Spirito Santo purifica i pensieri del nostro cuore, perché meritiamo di amarti perfettamente e di lodarti degnamente.

1380 *Sui doni.* Questa offerta, Signore Dio,

Deus, cordis nostri maculas mundet, ut sancti spiritus digna efficiatur habitatio.

1381 *Praefatio.* VD. Qui inspicis cogitationum secreta, et omnis nostrae mentis intentio providentiae tuae patescit intuitu. Respice propitius arcana cordis nostri cubilia, et sancti spiritus rore nostras purifica cogitationes, ut tuae maiestati digna cogitemus et agamus.

1382 *Post communionem.* Sacrificium salutis nostrae tibi offerentes, concede nobis, Domine Deus, purificatis mentibus saepius tuae pietatis celebrare mysterium.

1383 *Super populum.* Concede, quaesumus, omnipotens Deus, spiritum nos sanctum votis promereri sedulis, quatenus eius gratia ab omnibus liberemur temptationibus, et peccatorum nostrorum indulgentiam mereamur accipere.

LXXX.
MISSA IN MONASTERIO PRO SUA FAMILIA

1384 Defende, quaesumus, beato *illo* intercedente, Domine Deus, istam ab omni adversitate familiam, et tibi toto corde prostratam ab hostium propitius tuere clementer insidiis.

1385 *Secreta.* Suscipe, quaesumus, clementer, omnipotens Deus, nostrae oblationem devotionis, et per virtutem huius sacramenti tuae maiestatis famulos a cunctis protege adversitatibus.

1386 *Praefatio.* VD. Qui es totius fons misericordiae, spes et consolatio lugentium, vita et salus ad te clamantium, exaudi famulo-

elimini i peccati del nostro cuore, perché diventi abitazione degna dello Spirito Santo.

1381 *Prefazio.* È veramente degno. Tu guardi il segreto dei pensieri e scruti con il tuo sguardo ogni movimento della nostra mente. Guarda benigno i luoghi più reconditi del nostro cuore e con la rugiada proveniente dal tuo Spirito Santo purifica i nostri pensieri, perché alimentiamo nel nostro cuore pensieri degni della tua maestà e agiamo di conseguenza.

1382 *Dopo la comunione.* A noi che ti offriamo il sacrificio per la nostra salvezza, concedi, Signore Dio che, purificati nella mente, possiamo celebrare più spesso il mistero del tuo amore.

1383 *Sul popolo.* Ti preghiamo, Dio onnipotente: a noi assidui nel desiderio, concedi di meritare lo Spirito Santo, perché con la sua grazia siamo liberati da tutte le tentazioni e meritiamo di ricevere la remissione dei nostri peccati.

80
MESSA NEL MONASTERO PER LA PROPRIA FAMIGLIA

1384 Ti preghiamo, Signore Dio nostro: per intercessione del beato N., difendi questa famiglia da tutte le avversità e nella tua clemenza, mentre è prostrata davanti a te, liberala dalle insidie dei nemici.

1385 *Sui doni.* Ti preghiamo, Dio onnipotente: accogli con clemenza l'offerta della nostra devozione e in virtù di questo sacramento della tua maestà proteggi i tuoi servi da tutte le avversità.

1386 *Prefazio.* È veramente degno. Tu che sei la fonte di ogni misericordia, speranza e consolazione di quelli che piangono, vita e salvezza per quanti

rum preces tuorum, et potentiae tuae dextera ab omni eos adversitate protege et custodi, quatenus tibi soli Deo secura mente servire valeant, atque ab omni temptationum molestia liberati, tranquilla pace suae salutis tuae pietati continuas agere gratias mereantur.

1387 *Post communionem.* Sumptis redemptionis nostrae muneribus, praesta, quaesumus, misericors Deus, eorum celebratione nobis tuae protectionis contra omnes adversitates subsidium.

1388 *Super populum.* Copiosa protectionis tuae beneficia, quaesumus, Domine Deus, familia tua consequatur, ut quae sacris tibi liminibus devota consistit, intercessione beati *illius* atque sanctorum tuorum, et vitae praesentis subsidio gratuletur, et gratiam aeternae benedictionis inveniat.

LXXXI.
MISSA IN CIMITERIIS

1391 Deus, cuius miseratione animae fidelium requiescunt, famulis tuis *illis* et *illis*, vel omnibus hic in Christo quiescentibus, da propitius veniam peccatorum, ut a cunctis reatibus absoluti sine fine laetentur.

1392 *Secreta.* Pro animabus famulorum famularumque tuarum *illorum* et *illarum* et omnium catholicorum dormientium hostiam, Domine, suscipe benignus oblatam, ut hoc sacrificio singulari vinculis horrendae mortis exutae, vitam mereantur aeternam.

1393 *Infra actionem.* Hanc igitur oblationem, quam tibi offeri-

ti invocano, esaudisci le preghiere dei tuoi servi; proteggili e custodiscili con la potenza della tua destra da tutte le avversità, perché con animo tranquillo possano servire solo te che sei il solo Dio; e liberati dalla molestia di tutte le tentazioni, nella tranquillità della pace e della salvezza meritino di ringraziare continuamente la tua pietà.

1387 *Dopo la comunione.* Ti preghiamo, Dio misericordioso: ricevuti i doni della nostra salvezza, con la loro celebrazione concedici il tuo aiuto contro tutte le avversità.

1388 *Sul popolo.* Ti preghiamo, Signore: possa la tua famiglia ottenere i copiosi benefici della tua protezione, perché essa che, a te devota, sosta davanti alle sacre soglie, per intercessione del beato N. e di tutti i tuoi santi, possa godere del tuo aiuto nella vita presente e abbia la grazia della tua eterna benedizione.

81
MESSA NEI CIMITERI

1391 O Dio, nella tua pietà riposano le anime dei fedeli: concedi benigno ai tuoi servi N. e N., *oppure* a tutti quelli che riposano in Cristo, il perdono dei peccati, perché liberati da tutti i reati possano godere senza fine.

1392 *Sui doni.* Per le anime dei tuoi servi N. N. e delle tue serve N. N. e di tutti i cristiani che sono morti accetta benigno, Signore, questa offerta, perché liberate ad opera di questo sacrificio singolare dai vincoli di una morte orrenda, meritino la vita eterna.

1393 *Durante l'azione liturgica.* Accogli benigno, Signore, questa offerta che ti

mus, Domine, pro tuorum requie famulorum et famularum *illorum* et *illarum,* et omnium fidelium catholicorum orthodoxorum in hac basilica in Christo requiescentium, et qui in circuitu huius ecclesiae tuae requiescunt, quaesumus, Domine, placatus accipias, ut per haec salutis humanae subsidia in tuorum numero redemptorum sorte perpetua censeantur.

1393a Quam oblationem.

1394 *Post communionem.* Deus, fidelium lumen animarum, adesto supplicationibus nostris, et da omnibus fidelibus in Christo, quorum corpora hic requiescunt, refrigerii sedem, quietis beatitudinem, luminis claritatem.

porgiamo per il riposo dei tuoi servi e delle tue serve N. N. e di tutti i fedeli cattolici, i quali, morti in Cristo nell'ortodossia, riposano in questa basilica, e per coloro i quali dormono all'interno di questa chiesa, perché per mezzo di questi doni, dati in aiuto per la salvezza umana, siano ritenuti degni di condividere nel novero dei tuoi redenti la sorte eterna.

1393a Santifica, o Dio, questa offerta.

1394 *Dopo la comunione.* O Dio, luce delle anime dei tuoi fedeli, ascolta le nostre suppliche e concedi a tutti i tuoi fedeli in Cristo, i cui corpi riposano in questo luogo, la sede del refrigerio, la beatitudine della pace, lo splendore della luce.

LXXXII.
MISSA PRO DEFUNCTO NUPER BAPTIZATO

1395 Deus, qui ad caeleste regnum non nisi renatis per aquam et spiritum pandis introitum, multiplica super animam famuli tui *illius* misericordiam tuam, et cui donasti caelestem et incontaminatum transitum post baptismi sacramentum, da ei aeternorum plenitudinem gaudiorum.

1396 *Alia.* Deus, qui omne meritum vocatorum donis tuae bonitatis anticipas, propitiare animae famuli tui *illius,* quem in fine istius vitae regenerationis unda mundavit, et quem fecisti non timere de culpa, fac gaudere de gratia.

1397 *Secreta.* Propitiare, Domine, supplicationibus nostris pro anima famuli tui *illius,* pro qua tibi offerimus sacrificium lau-

82
MESSA PER UN DEFUNTO APPENA BATTEZZATO

1395 O Dio, che spalanchi l'ingresso nel regno celeste a tutti coloro che sono rinati mediante l'acqua e lo Spirito Santo, moltiplica nell'anima del tuo servo N. la tua misericordia; e a lui, cui hai donato dopo il sacramento del battesimo l'incontaminato transito verso il cielo, concedi la pienezza delle gioie eterne.

1396 *Un'altra.* O Dio, con i doni della tua bontà anticipi il merito a coloro che sono stati chiamati: sii benevolo verso l'anima di N., che l'acqua del battesimo ha purificato e rigenerato alla fine di questa vita; e fa' godere della grazia colui al quale non hai permesso di aver paura della colpa.

1397 *Sui doni.* Ascolta benigno, Signore, le nostre suppliche per l'anima del tuo servo N., per la quale ti offriamo il sacrificio di lode, perché ti degni di

dis, ut eam sanctorum tuorum consortio sociare digneris.

1398 *Infra actionem.* Hanc igitur oblationem, quam tibi offerimus, Domine, pro anima famuli tui *illius* benignus adsume, eumque regenerationis fonte purgatum et periculis vitae huius exutum, beatorum numero digneris inserere spirituum.

1398a   Quam oblationem.

1399 *Post communionem.* Propitiare, Domine, animae famuli tui *illius,* ut quem in fine istius vitae regenerationis fonte mundasti, ad caelestis regni beatitudinem facias pervenire.

renderla partecipe della comunione dei tuoi santi.

1398 *Durante l'azione liturgica.* Accogli benevolo, Signore, questa offerta che ti presentiamo per l'anima del tuo servo N., perché, dopo averlo purificato presso il fonte della rigenerazione anche dai pericoli di questa vita, ti degni di annoverarlo tra gli spiriti beati.

1398a Santifica, o Dio, questa offerta.

1399 *Dopo la comunione.* Mostrati benigno, Signore, verso l'anima del tuo servo N., perché, dopo averlo purificato con l'acqua della rigenerazione, gli permetta di giungere nella beatitudine del regno celeste.

LXXXIII.
ORATIO AD MISSAM PRO DEFUNCTIS DESIDERANTIBUS POENITENTIAM ET MINIME CONSECUTIS

1400 *Si quis poenitentiam petens, dum sacerdos venit, fuerit officio linguae privatus, constitutum est ut si idonea testimonia hoc dixerint, et ipse per motos aliquos satisfecit, sacerdos impleat omnia circa poenitentem, ut mos est.*

1401 *Ite ad missam.* Omnipotens et misericors Deus, in cuius humana condicio potestate consistit, animam famuli tui *illius,* quaesumus, ab omnibus absolve peccatis, ut poenitentiae fructum, quem voluntas eius optavit, praeventus mortalitatis non perdat.

1402 *Secreta.* Satisfaciat tibi, Domine, quaesumus, pro anima famuli tui *illius* sacrificii praesentis oblatio, et peccatorum veniam quam quaesivit inveniat, et quod officio linguae

83
PREGHIERA PER LA MESSA PER I DEFUNTI CHE HANNO DESIDERATO LA PENITENZA E NON L'HANNO OTTENUTA

1400 *Se qualcuno chiede il sacramento della penitenza, e mentre il sacerdote sta venendo, rimane privato dell'uso della lingua, è stabilito che, se testimoni degni di fede affermano ciò ed egli mediante alcuni gesti l'abbia confermato, il sacerdote, com'è uso, adempia tutti i suoi doveri nei riguardi del penitente.*

1401 *Allo sesso modo durante la messa.* O Dio onnipotente e misericordioso, nel tuo potere è posta la condizione dell'uomo: ti preghiamo di assolvere da tutti i peccati l'anima del tuo servo N., perché con il sopraggiungere dell'umana condizione non perda il frutto della penitenza che la sua volontà ha desiderato.

1402 *Sui doni.* Ti preghiamo, Signore: l'offerta di questo sacrificio sia a te gradita per l'anima del tuo servo N., perché riceva il perdono dei peccati come ti ha chiesto, e ciò che con l'uso

implere non potuit, desideratae poenitentiae conpensatione percipiat.

1403 *Infra actionem.* Hanc igitur oblationem, Domine, quam tibi offert famulus tuus pro anima famuli tui *illius,* cuius depositionis diem *illum* celebramus, quaesumus, Domine, ut placatus accipias, et ineffabili pietate concedas, ut quod exsequi praeventus condicione mortali ministerio linguae non potuit, mereatur indulgentiam sempiternam quae in eius mente non defuit poenitendi, diesque nostros.

1404 *Ad complendum.* Deus, a quo speratur humani corporis omne quod bonum est, tribue per haec sancta quae sumpsimus, ut sicut animae famuli tui *illius* poenitentiam velle donasti, sic indulgentiam tribue miseratus optatam.

della lingua non ha potuto adempiere, partecipi con il frutto della penitenza desiderata.

1403 *Durante l'azione liturgica.* Ti preghiamo, Signore, perché accetti benigno questa offerta che il tuo servo ti porge per l'anima del tuo servo N., del quale celebriamo il giorno della sepoltura; con il tuo ineffabile amore concedigli ciò che durante la vita terrena, per il sopravvento della condizione umana, non poté ottenere con l'uso della lingua, e meriti il tuo eterno perdono, perché nella sua mente non smise mai di pentirsi.

1404 *Per finire.* O Dio, da te l'uomo spera tutto ciò che è buono; per questi sacri misteri che abbiamo ricevuto concedi che come hai dato all'anima del tuo servo N. la possibilità di desiderare la penitenza, così per tua misericordia donagli l'indulgenza desiderata.

LXXXIIII.
MISSA
PRO EPISCOPO DEFUNCTO

1405 Deus, qui inter apostolicos sacerdotes famulum tuum N. ecclesiae archiepiscopum censeri fecisti, praesta, quaesumus, ut quorum vicem gerebat ad horam in terris, eorum perpetuo consortio laetetur in caelis.

1406 *Secreta.* Haec oblatio, quaesumus, Domine, animam famuli tui N. archiepiscopi ab omnibus vitiis humanae condicionis absolvat, quae totius mundi tulit etiam immolata peccatum.

1407 *Ad complendum.* Da veniam, Domine, quaesumus, per sancta mysteria quae sumpsimus animae famuli tui *illius* archie-

84
MESSA
PER UN VESCOVO DEFUNTO

1405 O Dio, che tra i sacerdoti successori degli apostoli hai voluto che fosse annoverato il tuo servo N., arcivescovo della Chiesa, ti preghiamo: fa' che nei cieli si rallegri nella comunione perenne di coloro dei quali temporaneamente sulla terra espletava le veci.

1406 *Sui doni.* Ti preghiamo, Signore: come questa vittima nell'immolarsi prese su di sé i peccati di tutto il mondo, così assolva l'anima dell'arcivescovo N. tuo servo da tutti i peccati, dovuti alla condizione umana.

1407 *Per finire.* Ti preghiamo, Signore: per i santi misteri che abbiamo ricevuto, concedi il perdono all'anima del tuo servo N., arcivescovo, perché non sia

piscopi, ut occursu non terreatur malo, sed tuo semper protegatur auxilio.

spaventato dagli assalti del nemico, ma sia sempre difeso dal tuo aiuto.

LXXXV.
MISSA PRO DEFUNCTO ABBATE SIVE SACERDOTE

1408 Deus, qui famulum tuum *illum* sacerdotem atque abbatem et sanctificasti vocatione misericordiae, et adsumpsisti consummatione felici, suscipe propitius preces nostras, et praesta, ut sicut ille tecum est meritis, ita nobis non recedat exemplis.

1409 *Alia.* Omnipotens sempiterne Deus maiestatem tuam supplices exoramus, ut famulo tuo *illi* abbate atque sacerdote, quem in requiem tuam vocare dignatus es, dones sedem honorificatam et fructum beatitudinis sempiternae, ut ea quae in oculis nostris docuit et gessit, non iudicium nobis pariant, sed profectum adtribuant, ut pro quo nunc in te gaudemus in terris, cum eodem apud te exultare mereamur in caelis.

1410 *Secreta.* Concede, quaesumus, omnipotens Deus, ut anima famuli tui *illius* abbatis atque sacerdotis per haec sancta mysteria in tuo conspectu semper clara consistat, quae fideliter ministravit.

1411 *Infra actionem.* Hanc igitur oblationem, quam tibi pro anima famuli tui *illius* abbatis atque sacerdotis offerimus, quaesumus, Domine, placatus intende, pro qua maiestati tuae supplices fundimus preces, ut eam in numero sanctorum tuorum tibi placentium facias dignanter adscribi.

1411a   Quam oblationem.

85
MESSA PER UN ABATE O UN SACERDOTE DEFUNTO

1408 O Dio, che con la vocazione della tua misericordia hai santificato il tuo servo N., sacerdote e abate, e con un felice trapasso lo hai assunto presso di te, accogli benigno le nostre preghiere e fa' che come lui è con te per ai suoi meriti, così non si allontani da noi per il suo esempio.

1409 *Un'altra.* Dio onnipotente ed eterno, supplici preghiamo la tua maestà: al tuo servo, sacerdote e abate che ti sei degnato di chiamare nel tuo riposo, dona una sede degna di ogni onore e il frutto della beatitudine eterna, perché quanto ha insegnato e compiuto sotto i nostri occhi non desti in noi giudizio alcuno, ma gli conferisca giovamento; e insieme con lui, per il quale ora godiamo in te sulla terra, meritiamo di esultare davanti a te nel cielo.

1410 *Sui doni.* Dio onnipotente, ti preghiamo perché l'anima del tuo servo N., abate e sacerdote, mediante questi sacri misteri che fedelmente amministrò, sieda sempre luminosa davanti al tuo cospetto.

1411 *Durante l'azione liturgica.* Signore, ti preghiamo perché accolga benevolo questa offerta che ti porgiamo per l'anima del tuo servo N., abate e sacerdote, per la quale supplici innalziamo preghiere alla tua maestà perché permetta che sia ascritta nel novero di coloro che a te piacciono.

1411a Santifica, o Dio, questa offerta.

1412 *Ad complendum.* Prosit, quaesumus, Domine, animae famuli tui *illius* sacerdotis misericordiae tuae implorata clementia, ut eius in quo speravit et credidit, aeternum capiat te miserante consortium.

1412 *Per finire.* La tua clemenza, Signore misericordioso, si effonda sull'anima del tuo servo N., sacerdote, perché ottenga la comunione eterna con colui, nel quale ha sperato e creduto.

LXXXVI.
MISSA IN UNIUS DEFUNCTI

86
MESSA PER UN SOLO DEFUNTO

1413 Omnipotens sempiterne Deus, cui numquam sine spe misericordiae supplicatur, propitiare animae famuli tui *illius*, ut qui de hac vita in tui nominis confessione discessit, sanctorum tuorum numero facias adgregari.

1413 Dio onnipotente ed eterno, a te nessuno mai rivolge suppliche senza la speranza della tua misericordia: mostrati benevolo verso l'anima del tuo servo N., perché permetta d'essere unito alla schiera dei tuoi santi lui che ha lasciato questa vita nella confessione del tuo nome.

1414 *Secreta.* Propitiare, quaesumus, Domine, animae famuli tui *illius*, pro qua tibi hostias placationis offerimus, et quia in hac luce fide mansit catholica, in futura eius retributio condonetur.

1414 *Sui doni.* Ti preghiamo, Signore: sii benevolo per l'anima del tuo servo N., per il quale ti offriamo sacrifici di purificazione, perché a lui che è vissuto nella luce della fede cattolica, sia concessa la retribuzione futura.

1415 *Infra actionem.* Hanc igitur oblationem, quam tibi pro requie animae famuli tui *illius* offerimus, quaesumus, Domine, placatus accipias, et tua pietate concedas, ut mortalitatis nexibus absoluta inter fideles tuos habere constituas mansionem.

1415 *Durante l'azione liturgica.* Ti preghiamo, Signore: accogli benigno questa offerta che ti presentiamo per il riposo dell'anima del tuo servo N., e per il tuo amore gli conceda che, come nella vita visse libera dai legami della mortalità, così le doni di avere un posto tra i tuoi fedeli.

1416 *Post communionem.* Praesta, quaesumus, omnipotens Deus, ut animam famuli tui *illius* ab angelis lucis susceptam, in praeparatis habitaculis deduci facias beatorum.

1416 *Dopo la comunione.* Ti preghiamo, Dio onnipotente, perché tu permetta che l'anima del tuo servo N., accolta dagli angeli della luce, sia condotta nelle abitazioni dei beati da te preparate.

LXXXVII.
MISSA PRO MORTUORUM PLURALITER

87
MESSA IN SUFFRAGIO DI PIÙ DEFUNTI

1417 Deus, veniae largitor et humanae salutis amator, quaesumus clementiam tuam, ut nomina famulorum famularumque

1417 O Dio, che elargisci il perdono e desideri la salvezza dell'uomo, preghiamo la tua clemenza perché i nomi dei tuoi servi e delle tue serve,

tuarum, quae hic piae dilectionis officio pariter conscripsimus, in libro vitae miserationis tuae gratia iubeas conscribi.

1418 *Secreta.* Praesta, quaesumus, misericors Deus, ut animae, pro quibus hoc sacrificium laudis tuae offerimus maiestati, post huius virtutem sacramenti a peccatis omnibus expiatae, lucis perpetuae te miserante recipiant consortium.

1419 *Post communionem.* Proficiat, quaesumus, Domine, ad indulgentiam animabus, pro quibus tuam obsecramus clementiam, divini celebratio sacramenti, ut per haec sancta a contagiis terrenae conversationis emundatae, ad caelestem mereantur venire habitationem.

MISSA PRO DEFUNCTIS

1420 Deus, cui proprium est misereri, et preces exaudire supplicantium, propitiare animabus famulorum famularumque tuarum, ut te miserante a peccatorum vinculis absoluti, ad aeternae beatitudinis requiem pervenire mereantur.

1421 *Secreta.* Hostias tibi, Domine, humili supplicatione pro animabus famulorum famularumque tuarum deferimus, ut per haec salutis nostrae sacrificia perpetuam beatitudinis misericordiam consequantur.

1422 *Praefatio.* VD. Qui nobis in Christo unigenito filio tuo Domino nostro spem beatae resurrectionis concessisti, praesta, quaesumus, ut animae, pro quibus hoc sacrificium redemptionis nostrae tuae offerimus maiestati, ad beatae resurrectionis requiem te miserante cum sanctis tuis pervenire mereantur.

che abbiamo associato ad un tempo nel pio sacrificio del tuo amore, permetta che per la grazia da te ricevuta siano iscritti nel libro della tua vita misericordiosa.

1418 *Sui doni.* Ti preghiamo, Dio misericordioso: fa' che le anime per le quali offriamo alla tua maestà questo sacrificio di lode, dopo aver espiato tutti i peccati ad opera di questo sacramento, per la tua misericordia ricevano il conforto della luce eterna.

1419 *Dopo la comunione.* Ti preghiamo, Signore: per ottenere la tua indulgenza sia di giovamento alle anime, per le quali preghiamo la tua clemenza, la celebrazione del sacramento divino, perché purificate ad opera di questi sacri misteri dai contagi della vita terrena, meritino di giungere nella dimora celeste.

MESSA PER I DEFUNTI

1420 O Dio, che sei incline alla misericordia e ad esaudire le preghiere di quanti ti supplicano, mostrati benevolo verso le anime dei tuoi servi e delle tue serve, perché liberi, per la tua misericordia, dai legami del peccato, meritino di giungere nel riposo dell'eterna beatitudine.

1421 *Sui doni.* Con umile supplica ti offriamo, Signore, questa vittima per le anime dei tuoi servi e delle tue serve, perché ad opera di questo sacrificio di salvezza possano conseguire per la tua misericordia la felicità eterna.

1422 *Prefazio.* È veramente degno.Tu per mezzo di Cristo, tuo Figlio unigenito e Signore nostro, ci hai concesso la speranza della nostra redenzione, perché le anime, per le quali offriamo alla tua maestà questo sacrificio della nostra redenzione, con la tua misericordia meritino di giungere nel riposo della beata resurrezione insieme con i tuoi santi.

1423 *Infra actionem.* Hanc igitur oblationem, Domine, quaesumus, placatus intende, quam pro animabus fidelium nostrorum tuae supplices exhibemus pietati, ut per haec sancta mysteria ab omnibus absoluti peccatis aeternae beatitudinis participes efficiantur.

1424 *Post communionem.* Divina libantes sacramenta concede, quaesumus, omnipotens Deus, ut haec eadem nobis proficiant ad salutem et animabus, pro quibus tuam deprecamur clementiam, prosint ad indulgentiam.

1425 *Alia.* Deus, vita viventium, spes morientium, salus omnium in te sperantium, praesta propitius, ut animae famulorum famularumque tuarum a nostrae mortalitatis tenebris absolutae, in perpetua cum sanctis tuis luce laetentur.

LXXXVIII.
MISSA PRO FIDELIBUS DEFUNCTIS

1426 Deus, veniae largitor et humanae salutis amator, quaesumus clementiam tuam, ut nomina famulorum famularumque tuarum, quae hic piae dilectionis officio pariter conscripsimus, in libro vitae tuae miserationis gratia iubeas conscribi.

1427 *Secreta.* Deus, cuius misericordiae non est numerus, suscipe propitius preces humilitatis nostrae, et animabus quibus tui nominis dedisti confessionem, cunctorum remissionem tribue peccatorum.

1428 *Post communionem.* Praesta, quaesumus, misericors Deus, ut animae pro quibus hoc sacrificium laudis tuae offerimus

1423 *Durante l'azione liturgica.* Ti preghiamo, Signore: volgi benigno lo sguardo su questa offerta che supplici presentiamo alla tua pietà per le anime dei fedeli, perché per mezzo di questi santi misteri, liberi da tutti i peccati, possano diventare partecipi della beatitudine eterna.

1424 *Dopo la comunione.* Ti preghiamo, Signore: mentre gustiamo questi divini misteri, concedi che siano di giovamento a noi per ottenere la salvezza, e alle anime, per le quali supplichiamo la tua clemenza, per godere della tua clemenza.

1425 *Un'altra.* O Dio, vita dei viventi, speranza dei moribondi, salvezza di tutti quelli che sperano in te, ascolta benigno: le anime dei tuoi servi e delle tue serve, ormai libere dalle tenebre della nostra mortalità, possano rallegrarsi nella luce eterna insieme con i tuoi santi.

88
MESSA PER I FEDELI DEFUNTI

1426 O Dio, che elargisci il perdono e desideri la salvezza dell'uomo, preghiamo la tua clemenza, perché i nomi dei tuoi servi e delle tue serve che qui ad un tempo abbiamo associato nel pio ricordo del tuo amore, in grazia della tua misericordia fa' che siano iscritti nel libro della vita.

1427 *Sui doni.* O Dio di infinita misericordia, accogli benigno le preghiere che nella nostra umiltà ti offriamo per le anime alle quali hai concesso di professare il tuo nome; concedi loro la remissione di tutti i peccati.

1428 *Dopo la comunione.* Ti preghiamo, Dio misericordioso: fa' che le anime, per le quali offriamo alla tua maestà questo sacrificio di lode, dopo che

maiestati, post huius virtutem sacramenti a peccatis omnibus expiatae, lucis perpetuae te miserante recipiant consortium.

1429 *Super populum.* Proficiat, quaesumus, Domine, ad indulgentiam animabus, pro quibus tuam obsecramus clementiam divini celebratio sacramenti, ut per haec sancta a contagiis terrenae conversationis emundatae, ad caelestem mereantur pervenire habitationem.

LXXXVIIII.
IN DIE DEPOSITIONIS VEL III. VII^{mi} ET XXX^{mi}

1430 Adesto, Domine, quaesumus, pro anima famuli tui *illius,* cuius in depositione sua officium commemorationis inpendimus, ut si qua eam saecularis macula inhaesit, aut vitium mundiale infecit, dono tuae pietatis indulgeas et extergas.

1431 *Alia.* Quaesumus, Domine, ut famulo tuo *illi,* cuius septimum obitus sui diem commemoramus, sanctorum atque electorum tuorum largire consortium, et rorem misericordiae tuae perennis infunde.

1432 *Secreta.* Adesto, Domine, supplicationibus nostris, et hanc oblationem, quam tibi offerimus ob diem depositionis tertium, septimum, tricesimum, pro anima famuli tui *illius* placatus ac benignus adsume.

1433 *Infra actionem.* Hanc igitur oblationem, quam tibi offerimus pro anima famuli tui *illius,* cuius depositionis diem tertium, septimum, tricesimum celebramus, quo deposito corpore animam tibi creatori reddidit quam dedisti, pro

le hai liberate in virtù di questo sacramento da tutti i peccati, in grazia della tua misericordia ricevano la comunione della luce perpetua.

1429 *Sul popolo.* Ti preghiamo, Signore: la celebrazione di questo sacramento divino sia alle anime, per le quali preghiamo la tua clemenza, di giovamento per ricevere la tua indulgenza, perché per mezzo di questi sacri misteri, liberate dagli influssi della vita terrena, meritino di giungere nella dimora celeste.

89
NEL GIORNO DELLA DEPOSIZIONE O NEL III, NEL VII E NEL XXX

1430 Ti preghiamo, Signore: mostrati benevolo all'anima del tuo servo N., nella cui sepoltura offriamo questo sacrificio per la sua commemorazione, perché se ancora rimanga macchia alcuna della sua vita sulla terra o lo deturpa qualche peccato di questo mondo, abbi pietà di lui e purificalo per il dono del tuo amore.

1431 *Un'altra.* Ti preghiamo, Signore, perché al tuo servo N., del quale commemoriamo il settimo giorno dalla sua morte, sia elargita la comunione dei tuoi eletti e infusa su di lui la rugiada della tua eterna misericordia.

1432 *Sui doni.* Ascolta benigno, Signore, le nostre suppliche e con il tuo benevolo amore accogli questa offerta che ti presentiamo nel terzo, nel settimo, nel trentesimo giorno dalla sua deposizione.

1433 *Durante l'azione liturgica.* Accogli questa offerta che ti presentiamo per l'anima del tuo servo N., per il quale commemoriamo oggi il terzo, il settimo, il trentesimo giorno dalla sua sepoltura. Deposto il corpo, ha restituito a te, suo creatore, l'anima che gli ha dato. Per questa imploriamo

qua petimus divinam clementiam tuam, ut mortis vinculis absoluta transitum mereatur ad vitam.

1434 *Ad complendum.* Omnipotens sempiterne Deus, collocare dignare corpus et animam famuli tui *illius*, cuius diem tertium, septimum, tricesimum sive depositionis celebravimus, in sinibus Abrahae Isaac et Iacob, ut cum dies resurrectionis venerit, inter sanctos et electos tuos eum resuscitari praecipias.

la tua divina clemenza perché, libera dai vincoli della morte, meriti di passare alla vita.

1434 *Per finire.* Dio onnipotente ed eterno, degnati di collocare il corpo e l'anima del tuo servo N., del quale abbiamo commemorato il terzo, il settimo, il trentesimo giorno della sepoltura, nel seno di Abramo, Isacco e Giacobbe, perché quando verrà il giorno della risurrezione, possa partecipare alla risurrezione insieme con i tuoi santi ed eletti.

INCIPIUNT CONTESTATIONES

INCOMINCIANO I PREFAZI

DE ADVENTU DOMINI

PER L'AVVENTO DEL SIGNORE

1435 VD aeterne Deus. Cui proprium est ac singulare quod bonus es, et nulla umquam a te es commutatione diversus. Propitiare supplicationibus nostris, et ecclesiae tuae misericordiam tuam quam confitetur ostende, manifestans plebi tuae unigeniti tui mirabile sacramentum, ut in universitate nationum perficiatur, quod per verbi tui evangelium promisisti, et habeat plenitudo adoptionis, quod praetulit testificatio veritatis.

1435 È veramente degno, eterno Dio. A te è proprio e singolare che sei buono e non sei mai soggetto a mutamento alcuno. Mostrati benevolo verso le nostre suppliche e mostrati misericordioso verso la tua Chiesa che proclama la tua misericordia mentre mostra al tuo popolo il mirabile sacramento del tuo Figlio unigenito, perché si compia in tutte le nazioni, ciò che hai promesso per mezzo del vangelo del tuo Verbo, cosa che ha previsto la testimonianza della verità.

FERIA IIII

FERIA IV

1436 VD. Qui salubre meditantes ieiunium necessaria curatione tractamus, et per observantiae conpetentis obsequium de perceptis grati muneribus, de percipiendis efficiamur gratiores, ut non solum terrena felicitate laetemur, sed nativitatem panis aeterni purificatis suscipiamus mentibus honorandam.

1436 È veramente degno. Noi pratichiamo il digiuno salutare con la necessaria cura e nella meditazione, grati per i doni e con necessaria sottomissione per l'osservanza dei precetti; fa' che diventiamo più grati quando ci avviciniamo per riceverli, affinché ci rallegriamo non solo per la felicità che godiamo sulla terra, ma con spirito purificato accogliamo e onoriamo la natività del pane eterno.

CONTESTATIO FERIAE VI

1437 VD. Qui, ne imago quae ad similitudinem tui facta fuerat vivens dissimilis haberetur ex morte, munus venialis indulgentiae praestitisti. Et unde mortem peccata contraxerunt, inde vitam pietas repararet. Haec postquam prophetae cecinerunt, et Gabriel archangelus Mariae iam praesentia nuntiavit, mox puellae credentis in utero fidelis verbi mansit aspirata conceptio, et illa prolis nascendi sub lege latuit, quae cuncta suo nasci nutu concessit. Tumebat virginis sinus, et fecunditatem suorum viscerum corpus miratur intactum. Mater fuit virgo Dei, et virginitas permansit inviolata parientis.

PREFAZIO PER LA FERIA VI

1437 È veramente degno. Tu, che avevi creato l'uomo vivente a tua immagine e somiglianza, non hai permesso che egli perdesse la sua similitudine a causa della morte. Per questo gli hai concesso in dono il tuo indulgente perdono e da dove il peccato aveva meritato la morte da lì la pietà potesse riacquistare la vita. Tutto questo, preannunziato un tempo dagli oracoli profetici, divenuto realtà ormai presente, fu annunziato a Maria dall'arcangelo Gabriele. E subito il concepimento del Verbo fedele per opera dello Spirito prese dimora nel seno della fanciulla che aveva creduto. Ma ad essa che aveva permesso con il suo pieno assenso che tutto nascesse, non fu chiaro che il Figlio nasceva sotto la legge. Il seno della vergine cresceva sempre più, mentre il suo corpo illeso contemplava pieno di meraviglia la fecondità delle sue viscere. Fu vergine la Madre di Dio e restò intatta la sua verginità nel parto.

IN VIGILIA DOMINI
VESPERE

1438 VD. Tuae laudis hostiam iugiter immolantes. Cuius figuram Abel iustus instituit, agnus quoque legalis ostendit. Celebravit Abraham, Melchisedech sacerdos exhibuit, sed verus agnus et aeternus pontifex hodie natus Christus implevit.

NEL VESPRO
ALLA VIGILIA DI NATALE

1438 È veramente degno. Immolando ad un tempo ritualmente questa offerta. La cui figura istituì il giusto Abele, la mostrò anche l'agnello legale. La celebrò Abramo, la esibì il sacerdote Melchisedek, ma la realizzò il vero agnello e pontefice eterno oggi nato, Cristo.

MANE I.

1439 VD. Per Christum dominum nostrum. Qui licet aequalis patri, et spiritali sit potentia coaeternus, hodie tamen ad augmentum lucis virginali puerperio dignatus est nasci, scilicet ut novum ac perpetuum mundo lumen orietur,

IN MATTINATA I [MESSA]

1439 È veramente degno. Per Cristo Signore nostro. Il quale benché sia uguale al Padre, e per potenza spirituale coeterno, oggi tuttavia si è degnato di nascere con il parto verginale per portare la luce; di nascere come nuovo ed eterno lume per il mondo ed essere soggetto a sofferen-

essetque in nostra natura pro nostra redemptione passibilis, qui in divina Deo patri semper mansit aequalis.

za nella nostra natura per la nostra redenzione, lui che rimase tuttavia sempre uguale al Padre nella divinità.

IN NATALE BEATI STEPHANI

1440 VD. Beati Stephani levitae simul et martyris natalicia recolentes. Qui fidei, qui sacrae militiae, qui dispensationis et castitatis egregiae, qui praedicationis mirabilisque constantiae veneranda proponebat exempla. Et ideo nativitatem filii tui merito prae ceteris passionis suae festivitas subsequitur, cuius gloriae sempiternae primus martyr occurrit.

NEL NATALE DEL BEATO STEFANO

1440 È veramente degno. Mentre celebriamo il giorno natalizio del beato levita e martire Stefano. Egli mostrava esempi di fede e di sacra milizia, esempi di beneficienza e castità egregia, proponeva mirabili e venerandi esempi di costanza. Perciò la festa del suo martirio, affrontato per la gloria eterna, segue giustamente prima degli altri la natività del tuo Figlio.

IN NATALE
BEATI IOHANNIS
APOSTOLI ET EVANGELISTAE

1441 VD. Beati apostoli tui et evangelistae Ioannis venerandae adsumptionis natalicia recensentes, qui domini nostri Iesu Christi filii tui vocatione suscepta terrenum respuit patrem, ut posset invenire caelestem. Adeptus in regno caelorum sedem apostolici culminis, qui tantum retia carnalis contempserat genitoris quique ab unigenito tuo sic familiariter est dilectus, et inmensae gratiae muneribus adprobatus, ut eum idem Dominus in cruce iam positus vicarium suae matri virgini filium subrogaret, quatenus beatae genetricis integritati probata dilecti discipuli virginitas deserviret. Nam et in cenae mysticae sacrosancto convivio super ipsum vitae fontem aeternum pectus scilicet recubuerat salvatoris. De quo perenniter manantia cae-

NEL NATALE DEL
BEATO GIOVANNI
APOSTOLO ED EVANGELISTA

1441 È veramente degno. Mentre celebriamo il giorno natalizio della veneranda salita al cielo di Giovanni, tuo beato apostolo ed evangelista. Egli, accolta la chiamata di Gesù Cristo, nostro Signore e tuo Figlio, abbandonò il padre terreno perché potesse trovare quello celeste. Conquistata nel regno dei cieli la posizione più alta tra gli apostoli, lui che aveva disprezzato i legami con sua madre nella carne, dal tuo Unigenito fu amato tanto, e per i doni della grazia divina fu reso così accetto che il Signore stesso, già inchiodato sulla croce, lo pose al suo posto perché come figlio provvedesse alla sua Vergine Madre, perché la provata verginità del discepolo diletto fosse accanto alla verginità della Vergine Madre. Egli, infatti, durante il sacrosanto banchetto della mistica cena, aveva posto il capo sul santo petto del Salvatore, sulla stessa fonte eterna della vita. Egli bevve i fondamenti della dottrina celeste che ema-

lestis hauriens fluenta doctrinae tam profundis ac mysticis est revelationibus inspiratus, ut omnem transgrediens creaturam excelsa mente conspiceret et evangelica voce proferret quia, In principio erat verbum, et verbum erat apud Deum, et Deus erat verbum.

navano da lui ed ebbe un'ispirazione così profonda e mistica della rivelazione che superò con l'acume della sua mente ogni creatura sì da vedere e proclamare con voce evangelica: "In principio era il Verbo, e il Verbo era presso Dio, e il Verbo era Dio".

IN NATALE INFANTUM

1442 VD. Pretiosis enim mortibus parvulorum, quos propter nostri salvatoris infantiam bestiali saevitia Herodes funestus occidit, inmensa clementiae tuae dona suscepimus. Fulget namque sola magis gratia quam voluntas, et clara est prius confessio quam loquela, ante passio quam membra passioni existerent, testes Christi, qui eius nondum fuerant agnitores. O infinita benignitas, cum pro suo nomine trucidatis meritum gloriae suae perire non patitur, sed proprio cruore perfusis, et salus regenerationis expletur et inputatur corona martyrii.

NEL NATALE DEI BAMBINI [innocenti]

1442 È veramente degno. Abbiamo infatti ricevuto gli immensi doni della tua clemenza anche per mezzo dei bambini che il crudele Erode ordinò di uccidere con disumana violenza a causa del nostro Salvatore. In questi, infatti, da sola brilla più la grazia che la volontà, e la loro testimonianza è più luminosa della parola. Essi furono testimoni di Cristo senza averlo ancora conosciuto, e la tua divina bontà non permette che essi, trucidati nel suo nome, non godano il premio della sua gloria, ma bagnati del proprio sangue ricevano il dono della rigenerazione e la corona del martirio.

IN OCTABAS DOMINI

1443 VD. Per Christum dominum nostrum. Qui mirabili tuae dispensatione pietatis factus ex muliere, factus sub lege, dignatus est circumcidi pro nobis, ut nos regeneratos spiritu a vetusta vitiorum sorde mundaret, atque evangelica gratia liberatos in novam transferret propitius creaturam.

NELL'OTTAVA DEL SIGNORE

1443 È veramente degno, per Cristo Signore nostro. Il quale per disposizione del tuo amore è nato da una donna, è nato sotto la legge, si è sottoposto alla circoncisione per noi perché liberasse dall'antica sozzura dei peccati noi, rigenerati dallo Spirito, e liberati dall'evangelica grazia per la sua benevolenza ci trasferisse in una nuova creatura.

IN NATALE SANCTI ANTONII

1444 VD. Sancti Antonii confessoris tui merita repetentes, quod

NEL NATALE DI SANT'ANTONIO

1444 È veramente degno. Ricordando i meriti di sant'Antonio, tuo confesso-

certi qui donis tuis hic exstetit gloriosus, apud te noster exsistat idoneus interventor.

re, che per la certezza dei tuoi doni visse glorioso sulla terra, sia presso di te nostro idoneo intercessore.

IN NATALE
SANCTI SEBASTIANI

1445 VD. Quoniam martyris beati Sebastiani pro confessione nominis tui venerabilis sanguis effusus simul et tua mirabilia manifestat, quo perficis in infirmitate virtutem, et nostris studiis dat profectum, et infirmis apud te praestat auxilium.

NEL NATALE
DI SAN SEBASTIANO

1445 È veramente degno. Poiché il venerabile sangue del beato martire Sebastiano sparso per la confessione del tuo nome manifesta insieme le tue meraviglie, con il quale tu rafforzi nella debolezza il nostro coraggio, concedi la perfezione per il nostro amore, e per noi che ci troviamo nell'infermità concede aiuto presso di te.

IN NATALE
BEATAE AGNAE

1446 VD. Recensemus enim diem beatae Agnae martyrio consecratum. Quae terrenae generositatis oblectamenta despiciens, caelestem meruit dignitatem, societatis humanae vota contemnens, aeterni regis est sociata consortio, et pretiosam mortem sexus fragilitate calcata, pro Christi confessione suscipiens simul est facta conformis et sempiternitatis eius et gloriae.

NEL NATALE
DELLA BEATA AGNESE

1446 È veramente degno. Mentre ricordiamo il giorno dedicato al martirio della beata Agnese, la quale, mentre disprezzava le lusinghe della generosità terrena, meritò quella celeste; mentre disprezzava i desideri della società umana, venne associata alla comunione con il re eterno; superata la fragilità insita nella natura della donna, accettando il martirio per la confessione di Cristo, venne ad un tempo resa conforme alla sua eterna gloria.

IN DIE PURIFICATIONIS
SANCTAE MARIAE

1447 VD. In exultatione praecipue solemnitatis hodiernae, in qua coaeternus tibi filius tuus unigenitus in terrena natus substantia a parentibus legali traditione deportatus in templum. Idem legis dator et custos, praecipiens et oboediens, dives in suo, pauper in nostro. Par turturum vel duos pullos columbarum vix sufficit sacrificio caeli terraeque possessor. Grandaevi Symeonis invalidis gesta-

NEL GIORNO DELLA
PURIFICAZIONE DI SANTA MARIA

1447 È veramente degno. Esultiamo per la solennità di oggi, nella quale il tuo Figlio unigenito, a te coeterno, venuto al mondo nella carne umana da genitori sottoposti a ciò che la legge ordinava, fu portato al tempio. Egli elargisce la legge e la custodisce, egli comanda e obbedisce, egli che nel suo regno è ricco, è povero sulla terra. A lui, che è padrone del cielo e della terra, per il sacrificio sono sufficienti un paio di tortore o due colombi. Viene preso in braccio dall'anziano e

tur in manibus, a quo mundi rector et Dominus praedicatur. Accedit etiam oraculum viduae testificantis, quoniam decebat ab utroque annuntiaretur sexu utriusque salvator.

malfermo Simeone, dal quale viene proclamato Signore e Rettore dell'universo. Al lui si accompagnò la testimonianza e l'oracolo di una vedova perché era giusto che lui, Salvatore dell'uomo e della donna, fosse annunziato da entrambi.

IN NATALE
SANCTAE AGATHAE

1448 VD. Pro cuius nomine poenarum mortisque contemptum in utroque sexu fidelium cunctis aetatibus contulisti, ut inter felicium martyrum palmas Agathen quoque beatissimam virginem victrici patientia coronares. Quae nec minis territa nec superata suppliciis de diaboli saevitia triumphavit, quia in tuae Deitatis confessione permansit.

NEL NATALE
DI SANT'AGATA

1448 È veramente degno. Per il cui nome in ogni tempo tu hai infuso nell'uomo e nella donna il disprezzo delle sofferenze e della morte, perché nelle palme dei felici martiri coronassi con la vittoriosa sofferenza anche la beatissima vergine Agata. Non atterrita dalle minacce né vinta dalle suppliche, essa ebbe il sopravvento sulla malizia del diavolo perché perseverò nella confessione della tua divinità.

IN NATALE SANCTI VALENTINI

1449 VD. Qui sic tribuis ecclesiam tuam sanctorum commemoratione proficere, ut eam semper illorum et festivitate laetifices et exemplum piae conversationis exerceas grataque tibi supplicatione tuearis.

NEL NATALE DI SAN VALENTINO

1449 È veramente degno. Tu che concedi alla tua Chiesa di trarre giovamento dalla commemorazione dei tuoi santi, perché essa si rallegri nella loro festività, la stimoli con l'esempio della pia frequentazione e la protegga, mentre grata a te rivolge suppliche.

PRAEFATIO IN CONCEPTIONE
SANCTAE MARIAE

1450 VD aequum et salutare nos tibi semper et ubique gratias agere, Domine, sancte pater, omnipotens aeterne Deus. Quia per mirabile mysterium et inenarabile sacramentum hodie unigenitum tuum virgo sacra concepit, et caeli dominum clausis portavit visceribus. O magna clementia Deitatis, quae virum non cognovit et mater est, et post filium virgo est. Duobus enim gavisa est muneribus, miratur quod virgo concepit, laetatur quod

PREFAZIO PER LA CONCEZIONE
DI SANTA MARIA

1450 È veramente degno, conveniente e salutare, che noi sempre e dovunque ti rendiamo grazie, Signore, padre santo, onnipotente eterno Dio. Che per il mirabile mistero e l'inenarrabile sacramento oggi la Vergine Santa ha concepito il tuo Figlio unigenito e portò nel suo grembo il Signore del cielo. Per la grande clemenza di Dio, ella che non ha conosciuto uomo è diventata madre e dopo il parto è rimasta vergine. Si rallegra, infatti, perché ha ricevuto due doni: mentre si meraviglia per aver concepito nella verginità, si rallegra per aver

edidit redemptorem Christum Dominum nostrum.

dato alla luce Cristo, nostro Signore e redentore.

IN SEPTUAGESIMA

1451 VD. Quia cum nostra laude non egeas, grata tibi tamen est tuorum devotio famulorum. Nec te augeant nostra praeconia, sed nobis proficiunt ad salutem, quoniam sicut fontem vitae praeterire causa moriendi est, sic eodem iugiter redundare, effectus est sine fine vivendi.

NELLA SETTUAGESIMA

1451 È veramente degno. Sebbene tu non abbia bisogno della nostra lode, ti è tuttavia grata la devozione dei tuoi servi; sebbene le nostre lodi non ti esaltino, giovano alla nostra salvezza perché, come con la morte passiamo nella fonte della vita, così lì, dove trascorriamo un'esistenza senza fine, ne siamo senza interruzione ricolmi.

IN SEXAGESIMA

1452 VD. Per Christum dominum nostrum. Qui aeternitate sacerdotii sui omnes tibi servientes sanctificat sacerdotes, quoniam mortali carne circumdati, ita cottidianis peccatorum remissionibus indigemus, ut non solum pro populo tuo, sed etiam pro nobis eiusdem pontificis interpellatio et sanguis exoret.

NELLA SESSAGESIMA

1452 È veramente degno. Per Cristo signore nostro. Che con l'eternità del suo sacerdozio santifica tutti noi che ti serviamo nel nostro sacerdozio perché, rivestiti di carne mortale, abbiamo così bisogno ogni giorno della remissione dei peccati, che l'intercessione e il sangue dello stesso pontefice non solo prega per il tuo popolo, ma anche per noi.

IN QUINQUAGESIMA

1453 VD. Maiestatem tuam devotis mentibus implorantes, ut sicut ex te habemus esse quod sumus, sic per gratiam tuam et bene velle sumamus, et bonum posse quod volumus.

NELLA QUINQUAGESIMA

1453 È veramente degno. Imploriamo con spirito devoto la tua maestà perché come per mezzo tuo abbiamo l'essere che siamo, così per grazia tua prendiamo il buon volere, e il buon potere che vogliamo.

IN QUADRAGESIMA

1454 VD. Per Christum dominum nostrum. Qui continuatis quadraginta diebus et noctibus hoc ieiunium non esuriens dedicavit. Postea enim esuriit non tam cibum hominum quam salutem. Nec escarum saecularium epulas concupivit, sed animarum desideravit potius sanctitatem. Cibus enim eius est redemptio populo-

NELLA QUARESIMA

1454 È veramente degno. Per Cristo signore nostro. Senza aver fame egli praticò il digiuno per quaranta giorni e quaranta notti, senza interruzione. Subito dopo ebbe fame non tanto del cibo umano, quanto della salvezza; non desiderò cibo umano, ma piuttosto la santità delle anime. Il suo cibo, infatti, è di redenzione per i popoli ed è effetto della sua volontà. Egli non ci ha insegnato a procurarci

rum. Cibus est tuae voluntatis effectus. Qui nos docuit operari non cibum, qui terrenis dapibus apparatur, sed qui divinarum scripturarum lectione percipitur.

il cibo che si trova sulla mensa degli uomini, ma quello che si riceve dalla lettura delle Scritture divine.

FERIA IIII

1455 VD. Maiestatem tuam suppliciter implorantes, ut mentibus nostris medicinalis observantiae munus infundas, et qui neglegentibus etiam subsidia ferre non desinis, beneficia praebeas potiora devotis.

FERIA IV

1455 È veramente degno. Imploriamo la tua maestà di infondere nel nostro spirito il dono della necessaria osservanza perché tu, che non smetti di arrecare il tuo aiuto a quanti vivono nella trascuratezza, offra benefici migliori a chi ti è devoto.

FERIA VI

1456 VD. Qui fidelibus tuis non solum carnalem, sed etiam victum spiritalem benignus inpendis, ut non in solo pane vivamus, sed in omni verbo tuo vitalem habeamus alimoniam, nec tantum epulando sed et ieiunando pascamur.

FERIA VI

1456 È veramente degno. Ai tuoi fedeli offri benigno non solo il nutrimento per la carne ma anche per lo spirito, perché non viviamo di solo pane, ma troviamo nutrimento vitale in tutte le tue parole e ci nutriamo non solo con il cibo ma anche con il digiuno.

SABBATO IN XII LECTIONES

1457 VD. Qui corporali ieiunio vitia conprimis, mentem elevas, virtutem largiris et praemia.

SABATO NELLE XII LETTURE

1457 È veramente degno. Con il digiuno quaresimale tu vinci le nostre passioni, elevi lo spirito, infondi la forza e doni il premio, per Cristo Signore nostro.

DIE DOMINICO <II.>

1458 VD. Qui non solum peccata dimittis, sed ipsos etiam iustificas peccatores, et reis non tantum poenam relaxas, sed donas et praemia.

NELLA II DOMENICA

1458 È veramente degno. Non solo rimetti i peccati, ma giustifichi persino i peccatori, non solo sciogli i rei dalla pena, ma doni loro anche il premio.

DOMINICA TERTIA

1459 VD. Maiestatem tuam iugiter exorantes, ut Iesus Christus filius tuus Dominus noster sua nos gratia consequatur, et quia sine ipso nihil recti valemus efficere, ipsius semper munere

TERZA DOMENICA

1459 È veramente degno. Preghiamo la tua maestà: Gesù Cristo, tuo Figlio e nostro Signore, ci accompagni con la sua grazia, perché senza di lui non riusciamo a compiere niente di buono; riceviamo sempre i suoi doni,

capiamus, ut tibi placere possimus.

perché possiamo piacerti.

DOMINICA QUARTA

1460 VD. Implorantes clementiam tuam, ut qui te auctore subsistimus, te dispensante dirigamur. Non nostris sensibus relinquamur, sed ad tuae reducti semper tramitem veritatis haec studeamus exercere quae praecipis, ut possimus dona percipere quae promittis.

QUARTA DOMENICA

1460 È veramente degno. Imploriamo la tua clemenza perché noi grazie a te che sei nostro creatore esistiamo, e grazie al tuo aiuto siamo guidati. Cerchiamo di mettere in pratica quello che ordini, affinché non siamo abbandonati dai nostri sensi ma desideriamo essere condotti sulla via della tua verità per ottenere i doni che prometti.

DOMINICA QUINTA

1461 VD. Maiestatem tuam propensius implorantes, ut quanto magis dies salutiferae festivitatis accedit, tanto devotius ad eius digne celebrandum proficiamus paschale mysterium.

DOMENICA QUINTA

1461 È veramente degno. Imploriamo con più umiltà la tua maestà, perché quanto più si avvicina il giorno della festività, apportatrice di salvezza, con maggior devozione ci apprestiamo a celebrare degnamente il mistero della sua pasqua.

DOMINICA SEXTA

1462 VD. Per Christum dominum nostrum. Qui seipsum pro nobis protulit immolandum, ne brutorum animalium sanguis ultra sacris in altaribus funderetur. Ipse Dominus et salvator noster, sacerdos simul existere dignatur et hostia. Per quam non solum sanctificaret populum, sed ipsos quoque dicatos maiestati tuae mundaret antistites, ut cottidianis sacrificiis salutaribus sumentes in pane hoc corpus, quod pependit in cruce, et libantes in calice, quod manavit ex latere, omni benedictione spiritus sancti repleamur.

DOMENICA SESTA

1462 È veramente degno. Per Cristo Signore nostro. Egli si offrì in sacrificio per noi, perché non si versasse più sangue di animali sugli altari. Signore e Salvatore nostro, egli stesso si è degnato ad un tempo di essere sacerdote e vittima, perché per mezzo di essa non solo santificasse il popolo, ma purificasse i sacerdoti per la tua maestà, affinché, mentre mediante questo pane ricevono il suo corpo che pende dalla croce, durante il sacrificio quotidiano, e bevono dal calice ciò che sgorgò dal suo costato, siano ripieni per mezzo dello Spirito Santo di ogni benedizione.

FERIA IIII

1463 VD. Qui nos de donis bonorum temporalium ad percep-

FERIA IV

1463 È veramente degno. Dai beni della terra ci conduci alla percezione di

tionem provehis aeternorum, et haec tribuens et illa promittens, ut et mansuris iam incipiamus inseri, et praetereuntibus non teneri. Tuum est enim omne quod vivimus, quia licet peccati vulnere natura nostra sit vitiata, tui tamen est operis, ut terreni generati ad caelestia renascamur.

quelli eterni perché, mentre ci concedi questi e ci prometti quelli, cominciamo ad essere inseriti in quelli destinati a rimanere e non ci preoccupiamo dei transeunti, perché tuoi sono tutti i mezzi che ci metti a disposizione per vivere. Sebbene la nostra natura sia indebolita dalle ferite del peccato, tuo tuttavia è il merito, perché pur nati sulla terra, rinasciamo per i beni celesti.

ALIA

1464 VD. Per Christum dominum nostrum. Qui propter redemptionem nostram implendam, se perfidi proditoris indicio passus est tradi. Cuius hostia et delictum praevaricationis antiquae et iugum aegyptiae dominationis amisimus, et eius effusione sanguinis redempti sumus.

UN ALTRO

1464 È veramente degno. Per Cristo Signore nostro. Il quale per portare a termine la nostra redenzione, permise d'essere consegnato al patibolo ad opera di un perfido traditore. Mediante il suo sacrificio ci è stato rimesso sia il crimine dell'antico peccato sia il giogo della schiavitù in Egitto e siamo stati redenti con l'effusione del suo sangue.

FERIA V

1465 VD. Per Christum dominum nostrum. Qui in illa praesentis diei cena singulariter praecipua, ubi discipulos adimpletis sacris legalibus suae mysteria passionis in novo testamento celebranda perdocuit. Eiusdem quoque pedes lavare magister discipulis, Dominus servis, Deus hominibus benigna dispensatione curavit, ut et formam semper imitandae humilitatis praeberet, et ipsum se esse, qui solus mundum a peccatis sordibus suo sanguine lavare posset, ostenderet.

FERIA V

1465 È veramente degno. Per Cristo Signore nostro. Il quale durante la Cena di questo giorno particolarmente importante quando, adempiuti i riti secondo le prescrizioni della legge, ordinò ai discepoli di celebrare nel Nuovo Testamento i misteri della sua passione. Con amore e benevolenza lui, come Maestro, lavò anche i piedi ai servi, come Signore ai servi, come Dio agli uomini, perché mostrasse il modo per imitare l'umiltà e per evidenziare che solo lui, col suo sangue, poteva lavare il mondo dalla sporcizia del peccato.

FERIA III IN ALBAS

1466 VD. Quia refulsit in aeternum dies resurrectionis et gloriae Iesu Christi domini nostri, qui

FERIA III *IN ALBIS*

1466 È veramente degno. In eterno rifulse il giorno della risurrezione e della gloria di Gesù Cristo, nostro Signo-

sacerdos et hostia dignanter existens non solum sanctificat populos, sed ipsos quoque dicatos maiestati tuae mundat antistites.

re, il quale come sacerdote e vittima non solo santifica i popoli, ma purifica anche i sacerdoti che si sono consacrati alla tua maestà.

FERIA IIII

1467 VD. Tuamque clementiam continua devotione precari, ut mentes nostras in bonis operibus semper informes, quia sic erimus praeclari muneris prompti in caritate cultores, si ad meliora transeuntes paschale mysterium studeamus habere perpetuum.

FERIA IV

1467 È veramente degno; e pregare con continua devozione la tua clemenza, perché la nostra mente, sempre mal disposta verso le buone azioni, come eccellerà nella carità così sarà pronta per il magnifico dono se, mentre passiamo ad azioni migliori, ci impegniamo a possedere per sempre il mistero pasquale.

FERIA V

1468 VD. Cui possibile est in fragilitate nostra paschale sacramentum mirabiliter operari, ut carnali conversatione deposita, spiritali iam nunc mente surgamus, et quod fide profitemur, instinctu veritatis imitatione sectemur.

FERIA V

1468 È veramente degno. A lui è possibile operare nella nostra fragilità mediante il sacramento della Pasqua perché, alla fine della nostra vita sulla terra, risorgiamo già fin d'ora con la mente rivolta ai beni spirituali, e nell'imitazione della verità conseguiamo d'impulso ciò che professiamo con la fede.

FERIA VI

1469 VD. Quia vetustate destructa renovantur universa deiecta, et vitae nobis in Christo reparatur integritas.

FERIA VI

1469 È veramente degno. Annientato il vecchio peccato, tutto ciò che era stato rigettato viene rinnovato e a noi, in Cristo, viene concessa una vita integra.

SABBATO

1470 VD. Per Christum dominum nostrum. Qui humanos miseratus errores per virginem nasci dignatus est, per passionem mortis a perpetua nos morte liberavit, et per resurrectionis suae virtutem aeternae nobis vitae dona contulit.

SABATO

1470 È veramente degno. Per Cristo Signore nostro. Il quale preso da compassione per peccati degli uomini, si è degnato di nascere per mezzo della Vergine; con la sua passione ci ha liberato dalla morte eterna, e con la sua risurrezione ci ha portato i doni della vita eterna.

DOMINICA II
POST ALBAS

1471 VD. Ut solemnitate recursa, qui salutis nostrae sumus principia venerati, pascha perpetuum et filii tui immolationem continuam in nostrae vitae correctione tractemus.

DOMENICA II
DOPO QUELLA *IN ALBIS*

1471 È veramente degno. Con il ritorno della solennità noi, che abbiamo celebrato il principio della nostra salvezza durante la nostra vita redenta dal suo sangue, possiamo celebrare la pasqua eterna e la continua immolazione del tuo Figlio.

DOMINICA III

1472 VD. Redemptionis nostrae festa recolere, quibus humana substantia vinculis praevaricationis exuta, spem resurrectionis per renovatam meruit originis dignitatem.

DOMENICA III

1472 È veramente degno. Celebrando i riti della nostra redenzione, con i quali la natura umana, liberata dai vincoli del peccato, ha meritato la speranza della risurrezione mediante la rinnovata dignità concessaci all'origine.

DOMINICA IIII

1473 VD. Quia primum tuae pietatis indicium est, si tibi nos facias toto corde subiectos. Tu spiritum nobis tantae devotionis infunde, ut propitius largiaris consequenter auxilium.

DOMENICA IV

1473 È veramente degno. La pietà è il primo segno del tuo amore se ci rendi a te sottomessi con tutto il cuore. Infondi in noi, Signore, lo spirito per una così grande devozione, perché benevolo ci elargisca il necessario aiuto.

IN LAETANIA MAIORE

1474 VD. Et suppliciter exorare, sic nos bonis tuis instruis sempiternis, ut et temporalibus consoleris, sic praesentibus foveri, ut ad gaudia mansura perducas.

NELLA LITANIA MAGGIORE

1474 È veramente degno. E supplicarti durante la preghiera perché ci fornisci i tuoi beni imperituri; tu consoli nella vita terrena sì che siamo sostenuti nel presente, perché ci conduca nelle gioie destinate a rimanere per sempre.

DOMINICA V

1475 VD. Clementiam tuam pronis mentibus implorantes, ut unigenitus tuus, qui se usque in finem saeculi suis promisit fidelibus adfuturum, et praesentia corporalis mysterii non deserat quos redemit, et maiestatis suae beneficia non derelinquat.

DOMENICA V

1475 È veramente degno. Imploriamo la tua clemenza con umile spirito, perché il tuo unigenito che promise di aiutare fino alla fine dei secoli i suoi fedeli mediante la presenza del mistero del suo corpo, non abbandoni adesso noi che ha redento, e non ci privi dei benefici provenienti dalla sua maestà.

IN NATALE APOSTOLORUM PHILIPPI ET IACOBI

1476 VD. Qui ecclesiam tuam in tuis fidelibus ubique pollentem apostolicis facis constare doctrinis, ut per quos initium divinae cognitionis accepit, per eos usque in finem saeculi capiat regni caelestis augmentum.

NEL NATALE DEGLI APOSTOLI FILIPPO E GIACOMO

1476 È veramente degno. Tu che reggi la tua Chiesa tra i tuoi fedeli e con l'insegnamento degli apostoli la rafforzi in ogni luogo, perché per mezzo di quelli dai quali ebbe inizio la conoscenza di Dio, riceva fino alla fine dei secoli l'incremento del regno celeste.

DOMINICA VI

1477 VD. Omnipotentiam tuam iugiter implorantes, ut quibus annua celebritatis huius vota multiplicas, plenam divini cultus gratiam largiaris, et per augmenta corporea profectum clementer tribuas animarum, quod ad incommutabile bonum per mutabilia dona veniamus, temporalique laetitiae gaudia sempiterna succedant.

DOMENICA VI

1477 È veramente degno. Mentre imploriamo la tua onnipotenza, perché mediante questo sacrificio moltiplichi in noi gli annuali voti; ci elargisca durante il culto divino la pienezza della grazia; mediante l'incremento dei beni materiali conceda che la nostra anima progredisca; con i doni mutevoli noi possiamo giungere al bene incommutabile; e alla gioia dei beni temporali subentri quella per i beni eterni.

DOMINICA POST ASCENSA DOMINI

1478 VD. Per Christum dominum nostrum. Qui secundum iuramenti tui incommutabilem veritatem caelestis pontifex factus in aeternum, solus omnium sacerdotum peccati remissione non eguit. Ut throno gloriae tuae inmaculatus propitiator adsistens, digne pro nostris offensionibus indulgentiam postularet. Qui sic naturae humanae consortium recepisset, ut delictorum contagium non haberet.

DOMENICA DOPO L'ASCENSIONE DEL SIGNORE

1478 È veramente degno. Per Cristo Signore nostro. Reso per sempre celeste pontefice secondo il tuo eterno giuramento, unico tra tutti i sacerdoti [il Cristo] non ebbe bisogno della remissione dei peccati perché, mentre come nostro intercessore immacolato ci assiste presso il trono della tua gloria, implora degnamente perdono per le nostre colpe. Egli che aveva assunto tutte le miserie della natura umana, non ebbe mai nessun contatto con il peccato.

IN NATALE SANCTI PANCRATII

1479 VD. Quoniam a te constantiam fides, a te virtutem sumit infirmitas, et quicquid in persecutionibus saevum est, quicquid

NEL NATALE DI SAN PANCRAZIO

1479 È veramente degno. Da te la fede riceve costanza e saldezza la virtù, e tu ci permetti di superare tutto quanto vi è di crudele nelle persecuzioni,

in morte terribile nominis tui facis confessione superari. Unde te Domine in sanctorum tuorum provectione laudamus, teque in eorum triumphis gloriosum praedicamus.

tutto quanto vi è di terribile in punto di morte. Perciò noi lodiamo te, Signore, per andare incontro ai tuoi santi, e te proclamiamo per il loro glorioso trionfo.

SABBATO
PENTECOSTEN

1480 VD. Per Christum dominum nostrum. Qui ascendens super omnes caelos, sedensque ad dexteram tuam, promissum spiritum sanctum in filios adoptionis effudit. Unde laetantes inter altaria tua, Domine virtutum, hostiasque tibi laudis offerentes cum angelis et archangelis.

SABATO
[nella vigilia] DI PENTECOSTE

1480 È veramente degno. Per Cristo Signore nostro. Il quale salendo al di sopra di tutti i cieli, e sedere alla tua destra, effuse sui figli di adozione lo Spirito promesso. Perciò, Signore delle virtù, davanti al tuo altare ci rallegriamo e offriamo in tuo onore vittime di lode insieme con gli angeli e gli arcangeli.

FERIA IIII

1481 VD. Post illos enim laetitiae dies, quos in honorem domini a mortuis resurgentis et in caelos ascendentis exegimus, postque perceptum sancti spiritus donum, necessaria etenim nobis ieiunia sancta provisa sunt, ut pura conversatione viventibus, quae divinitus ecclesiae sunt conlata, permaneant.

FERIA IV

1481 È veramente degno. Dopo quei giorni della gioia, infatti, che noi celebriamo in onore del Signore risorto dai morti e asceso al cielo; dopo aver ricevuto in dono lo Spirito Santo, come elemento indispensabile ci è stato consegnato il santo digiuno, perché in noi, che viviamo in purezza di vita, perdurino i doni concessi da Dio alla Chiesa.

FERIA VI

1482 VD. Maiestatem tuam propensius obsecrantes, ut nos salutari conpendio bonos dignanter efficias, quo te principaliter et solum credamus auctorem et solum salvatorem.

FERIA VI

1482 È veramente degno. Preghiamo con maggior fede la tua maestà, che tu per con il tuo salutare dono ci faccia degnamente buoni, affinché crediamo assolutamente che tu sei l'unico creatore e l'unico salvatore.

SABBATO IN XII LECTIONES

1483 VD. Qui cum unigenito filii tuo e spiritu sancto unus es Deus, unus es Dominus, non in unius singularitate personae, sed in unius trinitate substantiae. Quod enim de tua

SABATO PER LE XII LETTURE

1483 È veramente degno. Tu che con il tuo Figlio unigenito e con lo Spirito Santo sei un solo Dio, un solo Signore, non nell'unità di una sola persona, ma nella Trinità di una sola sostanza. Quanto hai rivelato della tua glo-

gloria revelante te credimus, hoc de spiritu santo sine differentiae discretione sentimus. Ut in confessione verae sempiternaeque Deitatis, et in personis proprietas, et in esssentia unitas, et in maiestate adoretur aequalitas.

ria, noi lo crediamo, e con la stessa fede, senza differenze, lo affermiamo del tuo Figlio e dello Spirito Santo. E nel proclamare te Dio vero ed eterno, noi adoriamo la Trinità delle persone, l'unità della natura, l'uguaglianza nella maestà divina.

IN NATALE
SANCTORUM MARTYRUM
GERVASII ET PROTASII

1484 VD. Donari nobis suppliciter exorantes, ut sicut sancti tui mundum in tua virtute vicerunt, ita nos a mundanis erroribus postulent expediri.

NEL NATALE
DEI SANTI MARTIRI
GERVASIO E PROTASIO

1484 È veramente degno. Supplici ti preghiamo di donarci la tua grazia perché, come i tuoi santi vinsero gli allettamenti del mondo, così chiedano per noi la liberazione dagli errori terreni.

IN NATALE
SANCTI IOANNIS BAPTISTAE

1485 VD. Cuius adorandae dignationis adventum licet diu antea prophetis nuntiatum, Ioannem testatum esse voluisti. Hic est enim ille, quo inter natos mulierum maior exstitit nemo, vox heremi, preco verbi, amicus sponsi, ostensor agni, in similitudinem virtutum alter Helias. Hic inquam ille est lucerna ardens et humanae salutis lumen ostendens. Hic est enim cui nomen antequam conciperetur dedisti, quem spiritu sancto priusquam nasceretur implesti. Qui vocem matris domini nondum editus sensit, et adhuc clausus utero ad adventum salutis humanae prophetica exultatione gestivit. Qui et genetricis sterelitate conceptus abscessit, et patris linguam natus absolvit, solusque omnium prophetarum redemptorem mundi quem praenuntiavit ostendit.

NEL NATALE
DI SAN GIOVANNI BATTISTA

1485 È veramente degno. Tu che hai stabilito che Giovanni attestasse l'avvento dell'adorabile dignità, in precedenza più volte annunciato dai profeti. Egli, infatti, è colui, del quale nessuno tra i nati da donna è mai stato più grande, la voce del deserto, il preannunciatore del Verbo, l'amico dello sposo; egli è colui che indica l'Agnello e per simili virtù il secondo Elia. Egli, dico, è la lucerna che arde e mostra agli uomini la luce della salvezza. Questi è colui al quale desti il nome prima che fosse concepito, e prima che nascesse lo colmasti di Spirito Santo. Egli, prima di venire alla luce, percepì la voce della madre del Signore, e ancora nel grembo materno sobbalzò di profetica gioia per l'avvento della salvezza per il genere umano. Egli, da madre sterile venne alla luce e, appena nato, sciolse la lingua del padre; e fu il solo, tra tutti i profeti, a preannunciare e a mostrare il Redentore del mondo.

IN NATALE
SANCTI IOHANNIS BAPTISTAE

1486 VD. Digne enim beatus baptista Ioannes, cuius hodie solemnia recensemus, inter natos mulierum maior non apparuit. Qui Deum hominemque perfectum filium tuum Iesum Christum dominum nostrum solus omnium et praedicare meruit, et evidenter ostendere.

IN FESTIVITATE SANCTORUM
IOANNIS ET PAULI

1487 VD. Beati etenim martyres, quorum hodie festa recolimus, germanitatis egregiae veraciter unitatem impleverunt. Nascendi etenim lege consortes, fidei societatem coniuncti, passionis aequalitate consimiles, in uno semper Domino gloriosi, quem pariter confessi sunt, ut quos una corona martyrii sociaret et caelis.

IN OCTABAS APOSTOLORUM
PETRI ET PAULI

1488 VD. Qui ecclesiam tuam in apostolorum Petri et Pauli praedicatione constantem, nulla sinis fallacia violari, quia nihil in vera religione manere censetur, quod eorum non convenerit disciplinis, in quorum praedicatione ecclesiae tuae voluisti fundamenta consistere.

IN NATALE SANCTI XYSTI

1489 VD. In die festivitatis hodiernae, qua beatus Xystus pariter et sacerdos et martyr devotum tibi sanguinem exultanter effudit. Qui ad eandem gloriam promerendam doctrinae suae filios incitabat, et quos eru-

NEL NATALE
DI SAN GIOVANNI BATTISTA

1486 È veramente degno. Degnamente infatti del beato Giovanni Battista, del quale oggi celebriamo la solennità, tra i nati donna non apparve più grande. Egli solo tra tutti meritò di predicare e di mostrare in tutta evidenza che il tuo Figlio Gesù Cristo, il nostro Signore, è vero Dio e vero uomo.

NELLA FESTIVITÀ DEI SANTI
GIOVANNI E PAOLO

1487 È veramente degno. I beati martiri, dei quali oggi celebriamo la solennità, adempirono in maniera egregia l'unità della mirabile fratellanza. Essi, uniti dalla sorte per essere nati sotto la stessa legge, congiunti nella fede e simili per aver subito la stessa passione, hanno sempre, e insieme, confessato un solo Signore perché anche in cielo li unisse la corona del martirio.

NELL'OTTAVA DEGI APOSTOLI
PIETRO E PAOLO

1488 È veramente degno. Tu non permetti infatti che la tua Chiesa, che si fonda sulla predicazione degli apostoli Pietro e Paolo, sia macchiata da alcun peccato, perché si ritiene che nella vera religione non rimanga nulla che non convenga con la disciplina di coloro nella cui predicazione hai voluto porre le fondamenta della tua Chiesa.

NEL NATALE DI SAN SISTO

1489 È veramente degno. Nell'odierna festività in cui il beato Sisto, sacerdote e martire ad un tempo, con devota esultanza versò il suo sangue. Egli che incitava i figli nella sua dottrina a meritare la stessa gloria, si offriva come esempio a quelli che istruiva

diebat hortamento, praeibat exemplo.

con le esortazioni.

IN VIGILIA SANCTI LAURENTII

1490 VD. Venientem natalem beati Laurentii debita servitute praevenientes. Qui levita simul martyrque venerandus et proprio claruit gloriosus officio, et memoranda refulsit passione sublimis.

NELLA VIGILIA DI SAN LORENZO

1490 È veramente degno. Mentre ci prepariamo con la dovuta umiltà al giorno natale ormai prossimo del beato Lorenzo. Egli, ad un tempo levita e martire venerando, si distinse glorioso nel suo ufficio, e risplendé sublime per la memorabile passione.

IN NATALE SANCTI LAURENTII

1491 VD. Beati Laurentii natalicia repetentes, cui fidem confessionemque non abstulit ignis ingestus, sed ut luceret magis accendit. Nam sicut aurum flammis non uritur, sed probatur, sic beati martyris sancta substantia non consumitur incendiis, sed aptatur caelestibus ornamentis.

NEL NATALE DI SAN LORENZO

1491 È veramente degno. Mentre ricordiamo il giorno natalizio del beato Lorenzo, il quale, pur posto sul fuoco, non cessò di confessare la sua fede, ma si infiammò tanto da brillare ancora di più. Come, infatti, le fiamme non bruciano l'oro ma ne forniscono la prova, così la santa natura del beato martire non viene consunta dal fuoco, ma lo rende idoneo a ricevere l'ornamento celeste.

IN NATALE MARTYRUM CORNELII ET CIPRIANI

1492 VD. In exultatione praecipue solemnitatis hodiernae, qua beatorum pontificum et martyrum tuorum Cornelii et Cipriani passionem consummatam recolimus, et ad gloriam nominis tui sancti nitimur debitis magnificare praeconiis.

NEL NATALE DEI MARTIRI CORNELIO E CIPRIANO

1492 È veramente degno. Mentre esultiamo in modo particolare per la festività di questo giorno, nel quale celebriamo il compimento del martirio dei tuoi beati martiri e sacerdoti Cornelio e Cipriano, e per glorificare il tuo santo nome ci sforziamo di magnificarti con le dovute lodi.

IN NATALE SANCTORUM COSMAE ET DAMIANI

1493 VD. Qui nos adsiduis beatorum martyrum passionibus consolaris, et eorum sanguinem triumphalem, quem pro confessione tui nominis infidelibus praebuere fundendum, ad tuorum facis auxilium transire fidelium.

NEL NATALE DEI SANTI COSMA E DAMIANO

1493 È veramente degno. Tu che ci consoli con le frequenti passioni dei beati martiri; tu poni come aiuto dei tuoi fedeli questi, che con l'effusione del loro sangue hanno conseguito il trionfo e hanno reso testimonianza del tuo nome agli infedeli.

IN NATALE ARCHANGELORUM

1494 VD. Pietatem tuam votis omnibus expetentes, ut humanarum rerum prosperitate percepta, terrenis consolationibus gratulemur, ne gaudia quaerere superna cessemus, sed quicquid laetitiae temporalis inpenditur, eruditioni proficiat sempiternae.

NEL NATALE DEGLI ARCANGELI

1494 È veramente degno. Mentre con tutti i nostri voti imploriamo la tua pietà perché, accolta la prosperità degli eventi umani, godiamo delle gioie terrene per non smettere di cercare quelle eterne; ma ogni gioia che ci accompagna sulla terra ci sia di guida per la conoscenza dei beni celesti.

IN NATALE SANCTI LUCAE EVANGELISTAE

1495 VD. Clementiam tuam pronis mentibus obsecrantes, ut mentes nostras sensusque disponas, quia tunc inesse te nobis propitium, Domine, sentiemus, si a noxiis temperemur excessibus. Tunc nos beneficia tua sumpturos esse confidimus, si nobis studium veritatis, quo haec mereamur, infundas.

NEL NATALE DI SAN LUCA EVANGELISTA

1495 È veramente degno. Mentre con spirito umile imploriamo la tua clemenza affinché disponga la nostra mente e i sensi; se ci terremo lontani dagli eccessi nocivi allora, Signore, avvertiamo che tu ci sei propizio. Allora confidiamo che noi ci accingiamo a ricevere i tuoi benefici se infondi in noi l'amore per la verità, per il cui mezzo possiamo meritare questi doni.

IN NATALE SANCTI MARTINI

1496 VD. Qui glorificaris in tuorum confessione sanctorum. Et non solum excellentioribus praemiis martyrum tuorum merita gloriosa prosequeris, sed etiam sacrum mysterium conpetentibus servitiis exsequentes, gaudium domini sui tribuis benignus intrare.

NEL NATALE DI SAN MARTINO

1496 È veramente degno. Tu che sei glorificato mediante la confessione dei tuoi santi. Tu, inoltre, non solo accompagni i meriti gloriosi dei tuoi martiri con magnifici premi, ma nella tua benignità permetti anche di entrare nella gioia del loro Signore, mentre con culto adeguato celebrano il sacro mistero.

IN NATALE SANCTAE CAECILIAE

1497 VD. Cuius gratia mirabili beata virgo Caecilia dispecto mundi coniugio ad consortia superna contendens, nec aetate mutabili praepedita, nec inlecebris est revocata carnalibus, nec sexus fragilitate deterrita. Sed inter puellares annos, inter saeculi blandimenta,

NEL NATALE DI SANTA CECILIA

1497 È veramente degno. Con la tua grazia mirabile la beata vergine Cecilia, rifiutato il matrimonio di questo mondo e dirigendosi dirigeva verso la comunione celeste, non fu ostacolata né dalla fragile età, né attratta dai piaceri della carne, né spaventata dalla debolezza della donna. Ma durante gli anni della fanciullezza

inter supplicia persequentium, multiplicem victoriam virgo casta martyr implevit, et ad potiorem triumphum secum ad regna caelestia virum, cui fuerat nupta, perduxit.

la casta vergine e martire conseguì molte vittorie tra le lusinghe del mondo e tra i supplizi dei persecutori, e condusse con sé per un più pregevole trionfo nel regno celeste l'uomo cui era stata promessa.

IN NATALE SANCTI CLEMENTIS

1498 VD. Veneranda Clementis sacerdotis et martyris solemnia recolentes, qui fieri meruit beati apostoli tui Petri in peregrinatione comes, in confessione discipulus, in honore successor, et in passione secutor.

NEL NATALE DI SAN CLEMENTE

1498 È veramente degno. Mentre celebriamo la festa veneranda in onore di Clemente, sacerdote e martire che meritò d'essere compagno nel pellegrinaggio del beato apostolo Pietro, nella confessione discepolo, successore nella carica e seguace nel martirio.

IN FESTIUM MARTYRUM

1499 VD. Gratanter namque beatorum martyrum passiones celebramus, quorum solemnitas salutaris et temporalibus nos refovet gaudiis et aeternis. Cum adversa praesentia meriti sui virtute depellunt, et spiritalibus hortamentis ad praemium nos supernae vocationis invitant.

NELLE FESTE DEI MARTIRI

1499 È veramente degno. Mentre celebriamo con gioia la passione dei beati martiri, la cui solennità è per noi fonte di salvezza e ci ricolma di gioie spirituali ed eterne. Mentre i meriti delle loro virtù respingono le avversità del presente, con esortazioni spirituali ci invitano al premio della chiamata celeste.

AD MARTYRUM

1500 VD. Beatorum martyrum natalicia recensentes. Qui in ecclesiae tuae sanctae prato sicut rosae et lilia floruerunt, quos Christi sanguis in praelio confessionis roseo colore perfudit, et in praemio passionis liliorum splendore vestivit Dominus noster.

1501 *Alia*. VD. Donari nobis suppliciter exorantes, ut sicut sancti tui mundum in tua virtute vicerunt, ita nos a mundanis erroribus postulent expediri.

PRESSO [le tombe dei] MARTIRI

1500 È veramente degno. Mentre celebriamo il giorno natalizio dei beati martiri. I quali come rose e gigli fiorirono nel prato della tua santa Chiesa. Il sangue di Cristo durante lo scontro per la loro confessione li bagnò di roseo colore, e come premio del martirio il Signore nostro li rivestì con lo splendore dei gigli.

1501 *Un'altra*. È veramente degno. Mentre supplici ti preghiamo che tu ci conceda che, come i tuoi santi con l'aiuto della tua grazia vinsero il mondo, così ci ottengano di essere liberati dai mondani errori.

IN FESTIVITATE CONFESSORUM

1502 VD. Quia dum beati *illius* merita gloriosa veneramur, auxilium nobis tuae propitiationis adquirimus, nec desperamus veniae largitate, quam per eos, qui tibi placuere, deposcimus.

1503 *Alia.* VD. Quoniam supplicationibus nostris misericordiam tuam confidimus adfuturam, quam beati *illius* poscimus interventu nobis et confessione praestari.

1504 *Alia.* VD. Quoniam fiducialiter tibi laudis hostias immolamus, quas sancti *illius* martyris confessione praesenti confidimus adiuvandas.

1505 *Alia.* VD. Gloriam tuam, Domine, profusis precibus exorare, ut sancti *illius* patrocinio nos adiuvante debita nomini tuo servitute placaris.

NELLA FESTIVITÀ DEI CONFESSORI

1502 È veramente degno. Mentre commemoriamo i gloriosi meriti di quel beato, acquisiamo l'aiuto della tua propiziazione, e non disperiamo della larghezza del tuo perdono che ti chiediamo per mezzo di coloro che a te piacquero.

1503 *Un'altra.* È veramente degno. Confidiamo con le nostre suppliche di ottenere la tua misericordia, che ti chiediamo di concederci mediante l'intervento e la confessione di quel beato.

1504 *Un'altra.* È veramente degno. Con fiducia ti immoliamo questo sacrificio, e confidiamo che per la confessione del tuo santo martire sia a noi di giovamento.

1505 *Un'altra.* È veramente degno. Mentre noi, Signore, invochiamo con insistenti preghiere la tua gloria perché, con l'aiuto e il patrocinio di quel santo ti volga benevolo verso di noi, mentre devotamente serviamo al tuo nome.

PREMESSA AL COMMENTO

Il *Sacramentario* è un'antologia di testi ordinati in modo tale da costituire una raccolta di riferimento da cui trarre quanto poteva essere di aiuto per strutturare i contenuti di una celebrazione secondo le attese di una particolare comunità, secondo la circolarità e i dinamismi dell'anno liturgico. In questa linea si possono comprendere anche tutti quei testi che, introdotti da *alia* o espressione simile, caratterizzano numerose formule e formulari.

Seguendo l'ordine di quanto racchiuso nel *Sacramentario*, il commento ha l'obiettivo di introdurre nelle varie ricchezze tematiche come pure in specifiche problematiche. Cinque sono gli ambiti tenuti presenti secondo i contenuti; obiettivo specifico consiste nell'offrire una traccia di riflessioni in vista di ulteriori approfondimenti.

1. Dal "titolo" ad essenziali linee di teologia liturgica [= A →]

La prima sezione del commento offre anzitutto un riferimento alle letture bibliche proprie del formulario quando i testi eucologici corrispondono – tutti o in parte – a quanto racchiuso nell'*editio princeps* del *Missale Romanum* (= MR 1474). La distanza tra il tempo della composizione del *Sacramentario* e l'*editio princeps* non mette in discussione la validità del riferimento in quanto ricorda il criterio del fissismo liturgico; pertanto è possibile dedurre una prima ipotesi di raccordo tra le pericopi bibliche e i testi eucologici. L'ipotesi va poi convalidata e completata con quanto segnalato nella sezione **E** del commento. I titoli delle singole pericopi posti tra parentesi sono stati aggiunti per facilitare la memoria del tema della pericope.

In secondo luogo si evidenziano le principali tematiche teologico-liturgiche quali scaturiscono da una iniziale lettura, a partire dal valore di terminologie, di sintagmi e di espressioni ormai convalidate al tempo della composizione dei testi circa la portata semantica specifica in ordine al linguaggio del culto. La "lettura" offre un avvio per un accostamento della ricchezza tematica che la teologia liturgica sa elaborare qualora si prenda in considerazione sia il singolo testo che la sua lettura nell'insieme del formulario. Il riferimento poi al prefazio rinvia alla raccolta di questi testi spesso predisposti nell'ultima parte del documento; il loro accostamento, comunque, permette di dare completezza alla visione teologica dell'intero formulario.

Infine, nel commento, di solito non sono presi in considerazione gli embolismi della preghiera eucaristica (*communicantes, hanc igitur...*): la loro funzione consiste nel ricordare al centro della celebrazione del mistero della salvezza lo specifico aspetto tematico proprio della liturgia del giorno.

2. Uno stretto dialogo tra il *Sacramentario* e il *Martyrologium* [= B →]

Il riferimento all'*editio princeps* del *Martyrologium* (= Mart 1584) permette di cogliere il rapporto tra la memoria del martire e la sua celebrazione. Il recupero di qualche espressione relativa alla notazione storica racchiusa nell'elogio può dare luce all'interpretazione teologica dei testi del formulario.

Un confronto con quanto racchiuso nell'*editio typica* più recente del *Martyrologium* (= Mart 2004) permette di cogliere la linea di continuità in ordine alla memoria dell'evento, la sua eventuale puntualizzazione storica o anche la sua destinazione ad altra data. Il percorso manifesta la sua validità sempre in forza di quel fissismo liturgico di cui sopra. E la storia del *Martyrologium* ne costituisce un testimone eloquente.

3. La retorica a servizio della teologia liturgica [= C →]

Per quanto riguarda il commento letterario bisogna tener presente che la formazione del *Sacramentario* presuppone una lunga stagione di preghiera e di meditazione. Il testo delle singole eucologie è opera più dell'afflato spirituale e dell'assiduità con le sacre Scritture che della rielaborazione letteraria. Le eucologie sono belle; nella loro essenzialità sono semplici.

In esse frequente è la presenza di *mens*, anima, adoperata come sinonimo di *anima* e sempre in relazione a *corpus*. È utilizzata per denotare le funzioni più importanti del cervello, come sede della coscienza, della sensazione, della memoria, del pensiero, dell'intuizione, della ragione e, in modo particolare, della volontà, della capacità di scegliere tra il bene e il male, tra la grazia e il peccato. Frequente è anche *servitium*, con cui si intende unicamente l'atto liturgico, cui il fedele partecipa in prima persona non come spettatore, ma come agente attivo che prende parte al mistero della salvezza.

Altro termine frequente è *devotio*. La *devotio*, secondo la pratica religiosa dell'antica Roma, era il sacrificio personale, e volontario, di un comandante dell'esercito, il quale si immolava agli dei Mani perché concedessero, in cambio della propria vita, la vittoria e la salvezza alla patria. Di solito si votava alla morte il console o il dittatore; ma, secondo la testimonianza di Livio, poteva sacrificarsi qualsiasi cittadino romano. La *devotio* del *fidelis* è la morte volontaria alla vecchia vita, alla quale il *christianus* rinuncia con l'immersione nell'acqua battesimale. La *devotio* dell'eucologia indica l'intimo sentimento di profonda venerazione verso Dio, come pure la disposizione riscontrata nei martiri e in quanti vivono in modo eroico la propria fede.

Nelle eucologie, ancora, il verbo *esse* è adoperato all'imperativo futuro e seguito sempre dal vocativo, come in **19** *esto protector,* **922** *memor esto,* **947** *esto nobis propitius,* **1012** *esto dispositor,* **1152** *propitius esto.* Più frequente, invece, è *adesto,* come in **5** *adesto supplicationibus nostris,* o in **25, 36, 54** ecc.: *adesto, domine.* Verbi come *do, respicio, audio, intendo,* si trovano solo all'imperativo presente. L'orante percepisce bene la qualità dell'azione degli imperativi e la usa in modo appropriato: la benevolenza e la protezione del Signore devono estendersi nel futuro per lungo tempo; il dono, invece, e l'ascolto devono essere immediati. Per gli altri verbi si adopera il congiuntivo deprecativo o esortativo, come in **22** *proficiat,* **23** *protegat,* ecc.

Un ruolo significativo è assunto dalle clausole: anche se la *latinitas* liturgica del Medio Evo sembra già lontana dallo stile classico, bisogna tener presente che i compilatori dei testi spesso sono eccellenti compositori – si pensi ai papi come Damaso (366-384), Leone Magno (440-461) e Gregorio Magno (590-604) - impregnati del *cursus;* pertanto non desta meraviglia ritrovare una serie di clausole anche nei testi eucologici. Qui di seguito, per comodità del lettore, si riportano i metri citati nel commento, seguiti da alcuni esempi:

anapesto ∪ ∪ —	ionico a maiore — — ∪∪
anfibraco ∪ — ∪	ionico a minore ∪∪ — —
bacchio ∪ — —	molosso — — —
coriambo — ∪∪ —	palimbacchio — — ∪
cretico — ∪ —	peone I — ∪ ∪∪
dattilo — ∪ ∪	peone II ∪ — ∪∪
dicretico — ∪ — — ∪ —	peone III ∪ ∪ — ∪
ditrocheo — ∪ — ∪	peone IV ∪ ∪∪ —
epitrito I ∪ — — —	proceleusmatico ∪ ∪∪ ∪
epitrito II — ∪ — —	spondeo — —
epitrito III — — ∪ —	tribraco ∪ ∪∪
epitrito IV — — — ∪	trocheo — ∪
giambo ∪ —	

Per fornire al lettore una più ampia e completa informazione, si riporta qualche succinta notizia anche sul *cursus,* costituito da cadenza o clausola ritmica, cui si poneva nel Medio Evo una cura particolare in modo da concludere in maniera armoniosa sia i periodi che i membri che lo costituiscono. La clausola comprende almeno due parole, ognuna fornita di accento proprio. Si riporta, a proposito, la definizione di Ponzio il Provenzale (1096 ca.-1137), il quale così definisce il *cursus: cursus est matrimonium spondeorum cum dactilis prolatione debita celebratum* (un felice connubio di spondei e dattili armoniosamente disposti).

Il *cursus* può essere: *planus,* costituito da due parole piane, ed è adoperato soprattutto all'interno del periodo, come in **10** *córda servórum,* **13** *placátus et pácem,* **20** *virtúte deféndi; tardus,* è costituito da una parola piana seguita da una sdrucciola, come in **13** *ménte desérviant,* **19** *dóna per-cípiat; velox,* è costituito da una parola sdrucciola seguita da una piana, ed è quello maggiormente preferito, come in **21** *propénsius exsequéntes,* **26** *pópulum supplicántem.*

4. Dal *Sacramentario* all'*editio typica tertia* del *Missale Romanum* 2002 [= D →]

Per cogliere uno dei valori del fissismo liturgico basti osservare il numero elevato dei testi che dal *Sacramentario* sono giunti fino all'*editio typica tertia* del *Missale Romanum* (= MR 2002). Ed è da questa *editio* che dipende la *lex orandi* di tutta la Chiesa di rito romano. La maggior parte dei testi che i redattori hanno valorizzato è ripresa *ad litteram* dal *Sacramentario;* altri hanno subito degli aggiustamenti; altri ancora sono stati riutilizzati solo in parte o talvolta modificati in ordine alla funzione liturgica.

L'essenziale confronto può costituire un avvio per approfondire – sulla linea di numerosi studi già elaborati in seguito alla riforma liturgica del Concilio Vaticano II – i criteri di valorizzazione dei testi, insieme alla libertà entro cui si muove il Magistero nell'elaborare i testi della preghiera ufficiale. Questo permette di cogliere anche il criterio con cui sono state approntate nuove composizioni che con l'*editio typica* del *Missale Romanum* del Vaticano II e con gli adattamenti di numerose Chiese locali offrono un contributo importante all'arricchimento del deposito eucologico della *traditio* romana.

L'ulteriore riferimento alla traduzione ufficiale quale appare nell'edizione del *Messale Romano* per la Chiesa in Italia (= MR 2020) permette di cogliere un risultato finalizzato ad una proclamazione liturgica, condizionato da alcuni criteri che in tempi recenti sono stati meglio finalizzati non ad una traduzione *ad litteram* come richiedeva l'Istruzione *Liturgiam authenticam.* In questa linea, in ordine alla traduzione del MR 2020 è necessario tener presente una certa libertà, considerando che il testo è per la proclamazione liturgica, e quindi non una traduzione letterale, come richiesto dall'Istruzione *Liturgiam authenticam* (2001), ma nell'ottica di quanto predisposto nella Lettera apostolica di papa Francesco *Magnum principium* (2017).

Nel testo italiano il numero marginale sottolineato segnala questo rapporto tra il *Sacramentario* e il *Messale* del 2020. Sempre in ordine alla traduzione, emblematico potrebbe risultare il confronto con le due precedenti edizioni ufficiali del 1970-1971 e del 1983.

5. Una pedagogia liturgica nella proclamazione della Parola [= E →]

In ogni azione liturgica l'annuncio della parola di Dio è sempre presente. La scelta e la selezione delle pericopi ha conosciuto una ricca varietà lungo la storia. Ne sono un esempio eloquente i risultati di studi preziosi che oggi permettono di accostare con maggior precisione la linea seguita. Non si tratta di una prassi unitaria; la certificazione di quanto le fonti offrono permette di cogliere il criterio di libertà e di varietà con cui singole Chiese locali hanno avvalorato il proprio percorso di fede secondo una linea tematica offerta dalla parola di Dio.

Avviarsi in questa ricerca e continuare secondo i risultati eccellenti raggiunti permette di cogliere lo specifico di una lettura liturgica della parola di Dio quale si è attuata nella logica della festa, di un tempo liturgico, di un peculiare momento celebrativo.

Nella sezione **E** del commento si evidenziano – nei limiti del possibile – i risultati di quanto accennato, valorizzando gli studi di Theodor KLAUSER, *Das römische Capitulare evangeliorum*, I Typen, Münster 1935; di Antoine CHAVASSE, *Les lectionnaires romains de la messe au VIIe et au VIIIe siècle. Sources et dérivés*, Tome I = Spicilegii Friburgensis Subsidia 22, 1993; e di Norberto VALLI, *o.c.* nella nota 7 dell'*Introduzione*.

La ricerca in prima istanza ha seguito le indicazioni fornite dalla classificazione Chavasse e in secondo tempo le ha confrontate con le pericopi evangeliche indicate dal Klauser (*incipit* ed *explicit*; la numerazione in capitoli e versetti avviene solo nel sec. XIII). Di conseguenza i testi latini, riportati alla lettera E del presente commento, sono dedotti dal lavoro del Klauser che classifica i manoscritti da lui presi in esame in 4 tipi o modi:

1. - Π (pi greco) - Il primo tipo è ricostruibile sulla lista dei vangeli conservataci dal *Comes* di Würzburg. (237 brani, di età diversa dalla lista delle epistole). Riflette l'uso romano verso il 650. I testi consultati da Klauser sono i seguenti, di cui riportiamo le sigle da lui stabilite per tutti i quattro tipi, utili per comprendere le note: **W** → Würzburg, Universitätsbibliothek, cod. Mp. th. f. 62; **P** → Roma, Biblioteca Apostolica Vaticana, Cod. Pal. Lat. 46; **M** → Paris, Bibliothèque Nationale, Fonds Latin 260; **X** → Paris, Bibliothèque Nationale, Fonds Latin 274; **J** → Paris, Bibliotèque Nationale, Fonds Latin 266; **Q** → Paris, Bibliothèque Nationale, Fonds Latin 9385; **G** → Paris, Bibliothèque Nationale, Fonds Latin 269; **Y** → Paris, Bibliothèque Nationale, Fonds Latin 11959.

2. - Λ (lambda) - Il secondo tipo è testimoniato dall'evangeliario di Treviri (Stadtbibliotek, Cod. 22, scritto per Treviri verso l'800). Conserva l'uso romano del 740 circa. È diviso in due gruppi: - *a*. Gruppo **A** (Λ): **T** → Trier, Stadtbibliothek, Cod. XXII (Codex aureus); **L** → Biblioteca Apostolica Vaticana, Cod. Pal. Lat. 50; **R** → Zürich, Zentralbiblliothek, Codex Rh. 20; **S** → Paris, Bibliothèque Ste-Geneviève 1190. - *b*. Gruppo **B** (Λ): **K** → Biblioteca Apostolica Vaticana, Cod. Pal. Lat. 7016; **A** → Aachen, Domschatz, karoling. Evangeliar.

3. - Σ (sigma) - Il terzo tipo è un capitolare romano puro. È rappresentato dall'Evangeliario di Parigi (Bibliothèque Nationale, nouvelles acquisitons 1588, scritto per Autun verso l'800). Conserva l'uso intorno al 755 ed è quindi una evoluzione molto vicina alle liste del secondo tipo: **F** → Paris, Bibliothèque Nationale, Fonds Latin 1588; **N** → Paris, Bibliothèque Nationale, Fonds Latin 17227; **E** → Paris, Bibliothèque Nationale, Fonds Latin 11958; **I** → Paris, Bibliothèque Nationale, Fonds Latin 9386; **U** → Paris, Bibliothèque Nationale, Fonds Latin 11956; **H** →Biblioteca Apostolica Vaticana, Cod. Ottob. Lat. 79.

4. - Δ (delta) - Il quarto tipo è un capitolare romano di tipo Π ampliato verso il 750 e arricchito di elementi gallicani fuori Roma, in paesi Franchi. È rappresentato dal Lezionario di Douai (Bibliothèque Municipale, Cod. 12, scritto per Saint-Amand verso la fine dell'VIII secolo): **D** → Douai, Bibliothèque Municipale, Cod. 12; **C** → Paris, Bibliothèque NationWale, Fonds Latin 11957; **Z** → Zürich, Zentralbibliothek, Stadtbliothek C 39; **V** → Biblioteca Apostolica Vaticana, Cod. Pal. Lat. 8523; **O** → Paris, Bibliothèque Nationale, Fonds Latin 11963.

Antoine Chavasse formula tre ipotesi tipologiche.

La prima è riferita all'evangeliario in uso a Roma alla fine del sec. VI e all'inizio del VII; non è attestato letterariamente, ma è intuibile a partire dal tipo Π (645) di Klauser.

La seconda tipologia è rappresentata dai gruppi Λ (740) e Σ (755) di Klauser, che sviluppano la tipologia Π, e dall'evangeliario del *Comes di Würzburg.*

Finalmente nel sec. VIII nascono due famiglie: la *Famiglia A* si sviluppa in Roma verso il 700 ed è più antica; per la *Famiglia B* i testi romano-franchi (700-740) adattano A ai Gelasiani dell'VIII secolo (*Comes di Murbach* e *Comes di Corbie*), aggiungendo e modificando la distribuzione. Il gruppo Δ (750) di Klauser ne è una variante.

Per le abbreviazioni bibliche si tengano presenti le seguenti
usate dalla *Vulgata*:

1 Cor	I Corinti	Ez	Ezechiele
1 Cr	I Cronache (= 3 Reg)	Gal	Galati
1 Io	I Giovanni	Gn	Genesi
1 Mac	I Maccabei	Hab	Abacuc
1 Par	I Paralipomeni (= 1 Cr)	Heb	Ebrei
1 Pe	I Pietro	Iac	Giacomo
1 Reg	I Re	Idc	Giudici
1 Sam	I Samuele	Ids	Guda
1 Thess	I Tessalonicesi	Idt	Giuditta
1 Tim	I Timoteo	Ier	Geremia
2 Cor	II Corinti	Il	Gioele
2 Cr	II Cronache (= 4 Reg)	Io	Giovanni
2 Io	II Giovanni	Iob	Giobbe
2 Mac	II Maccabei	Ion	Giona
2 Par	II Paralipomeni (= 2 Cr)	Ios	Giosuè
2 Pe	II Pietro	Is	Isaia
2 Reg	II Re	Lam	Lamentazioni
2 Sam	II Samuele	Lc	Luca
2 Thess	II Tessalonicesi	Lv	Levitico
2 Tim	II Timoteo	Mal	Malachia
3 Io	III Giovanni	Mc	Marco
3 Reg	1 Par (= 1 Cr)	Mich	Michea
4 Reg	2 Par (= 2 Cr)	Mt	Matteo
Abd	Abdia	Nah	Nahum
Act	Atti	Ne	Nehemia
Ag	Aggeo	Nm	Numeri
Am	Amos	Os	Osea
Apc	Apocalisse	Philm	Filemone
Bar	Baruch	Philp	Filippesi
Col	Colossesi	Prv	Proverbi
Ct	Cantico	Ps	Salmi
Dn	Daniele	Rom	Romani
Dt	Deuteronomio	Rt	Ruth
Eccle	Ecclesiaste (= Qo)	Sap	Sapienza (= Eccli = Sir)
Eccli	Ecclesiastico (= Sir)	Soph	Sofonia
Eph	Efesini	Tb	Tobia
Esd	Esdra	Tit	Tito
Est	Ester	Zach	Zaccaria
Ex	Esodo		

COMMENTO

PARTE INTRODUTTIVA CON TESTI COMUNI

I primi due paragrafi si riferiscono anzitutto all'intestazione e al titolo dell'opera, con riferimento a san Gregorio Magno da cui il *Sacramentario* prende il nome, e l'indicazione dell'archivio dove era conservato; in secondo luogo le indicazioni rubricali per la celebrazione della Messa.

3 – 86: Orazioni quotidiane e Canone [Romano]

A → La iniziale raccolta di testi denota in modo immediato la dimensione antologica del *Sacramentario*. Fino al n. 60 si tratta di *collectae*; dal n. 61 al n. 64 sono *super oblata*; i nn. 83-86 sono *post communionem*. Da notare, come accennato nel titolo, la presenza del prefazio comune (nn. 65-66) che non è stato recepito nel MR 2002, in quanto generico perché privo dell'embolismo specifico. Inoltre il testo del Canone Romano (nn. 67-78), la *prex eucharistica* che, unica, ha caratterizzato la celebrazione della Messa fino al *Missale* del 1970. Infine i riti che precedono la comunione (nn. 78a-82).

C → In ordine alla forma letteraria i testi si caratterizzano per la loro *brevitas*: *invocatio* (*omnipotens sempiterne Deus* o più frequentemente *Domine*), *petitio* con vari *adiuncta* ed espressioni relative (*qui...*) e finali (*ut...*) permettono di cogliere in modo immediato che la preghiera è rivolta a Dio Padre; la *petitio* è sempre espressa con il verbo all'imperativo e finalizzata a sorreggere la vita del fedele (*fidelis, populus, plebs, nos, vox clamantis ecclesiae, corda* o *voluntas fidelium, supplex...*) perché raggiunga la pienezza della redenzione con quei *dona* che solo il Padre nella sua provvidenza può elargire e che l'assemblea invoca. In particolare: ≈ **3** da notare l'esatta corrispondenza verbale e ritmica delle due finali; mediante l'anafora di *et* l'orante chiede l'integrità fisica e la purificazione dell'anima, perché nell'uomo, formato di anima, *mens*, e di corpo, la salute dell'una esige quella dell'altro. ≈ **7** significativa la corrispondenza dei due membri «te fiat operante devota, te protegente secura», con ellissi del verbo nel secondo. ≈ **18** notevole il chiasmo con anafora di *et* «et a peccatis absolve propitius, et a cunctis eripe benignus adversis». ≈ **28** si osservi il ritmo e la clausola metrica del sintagma «tuorum reple corda fidelium» costituita da un dattilo e un cretico, preceduta da una tripodia giambica catalettica.

≈ **30** si noti la clausola «mentibus exequamur», costituita da un dattilo seguito da un epitrito secondo. ≈ **32** notevole la clausola «donatione firmentur», data da un epitrito terzo seguito da un molosso. ≈ **47** non casuale è la clausola «dilectione sinceri», data da un epitrito terzo e da un epitrito primo. ≈ **49** efficace è la clausola «concede temporibus», costituita da un palimbacchio e da un coriambo. ≈ **62** frequente è la clausola «semper et muniat», formata da un dicretico. Le altre sono similari. Le clausole sono una notevole testimonianza anche della *cantillatio* in un tempo in cui la quantità delle sillabe era pressoché scomparsa. ≈ **67** si noti la *climax* «pacificare custodire adunare et regere digneris», nella quale i primi tre infiniti sono uniti per asindeto concluso da *et*, che lega il quarto verbo. ≈ **72** rara in tutto il *Sacramentarium* è la clausola «memoriam facietis», formata da un peone quarto seguito da uno ionico a minore. ≈ **78** si noti il poliptoto «per ipsum, et cum ipso, et in ipso». ≈ **66-86** costituiscono la parte centrale, e più importante, dell'atto liturgico per eccellenza, la celebrazione del sacrificio eucaristico. - La prosa di queste eucologie è costituita da un'accurata elaborazione e disposizione delle parole con studiati effetti fonici ed evocativi, da incisi simmetrici, rispondenti alle disposizioni dell'anima e del momento celebrativo. Dall'anafora del *sanctus* si passa all'invocazione del *Pater* con una significativa prolessi del *Te* seguito da un anapesto, per poi sottolineare con *clementissime Pater*, costituito da un peone quarto e un anapesto, la clemenza di Dio. Chi ha messo mano a queste eucologie, la stratificazione delle quali è evidente, conosceva bene le regole della retorica e della lingua sacrale e cultuale pagana sia precedente che coeva. La *climax* ascendente è costante: l'autore parte sempre dal basso, dagli *humiles*, per giungere al *Pater omnipotens et clemens*. Non a caso premette *rogamus* a *petimus*, e prima *accepta habeas* e, successivamente, *benedicas haec sacrificia inlibata*. La **68** inizia con un efficace bacchio *memento*, seguito da un inciso, *domine*, sospeso, costituito da un tribraco, per riprendere con i *famuli* e le *famulae*, gli uomini e le donne consacrati al *servitium* del Signore e attori dell'atto liturgico. Ai *fideles*, tutti i battezzati, l'orante sostituisce di proposito *circumstantes*, cioè coloro che sono fisicamente presenti all'interno dell'edificio sacro. Dei *circumstantes* il *Pater* conosce bene la *devotio* che, resa in modo semplicistico con «devozione», non rispecchia in pieno il testo sacro e il suo profondo significato. L'eucologia si conclude con una *climax* discendente: il *fidelis* offre il *sacrificium laudis* a Dio, che è *aeternus, vivus* e *verus*. ≈ **69** di notevole portata semiologica è il *communicantes* incipitario, che non significa solo la partecipazione alla mensa eucaristica, ma anche, e soprattutto, la fattiva *communio* alla *fides* e al *mysterium fidei*, che diviene *actuosum* con la *veneratio* della Vergine

Maria e dei santi enumerati. ≈ **70** L'orante richiama l'attenzione dei *circumstantes* sulla presente loro *oblatio* a Dio. L'*oblatio* di sé a Dio può avvenire, perché i *circumstantes* hanno già praticato la *devotio*. ≈ **71** L'orante implora Dio perché si degni di rendere l'*oblatio* dei *circumstantes*, mediante una studiata *climax: benedicta, adscripta, rationabilis, acceptabilis*, perché **73** possano offrire l'*hostia pura*, l'*hostia sancta*, l'*hostia immaculata*. In questa densa e pregnante eucologia coesistono anafora e *climax*. ≈ **74** Si noti il parallelismo tra l'offerta presente e quella presentata, secondo una precisa scansione cronologica, da Abele, da Abramo e da Melchisedek.

D → In rapporto al *Missale* del Vaticano II è da evidenziare quanto segue: ≈ **14** Il MR 2002, p. 239, valorizza il testo, presente anche nel n. 311, come *oratio super populum* nel *sabbato* dell'*hebdomada III Quadragesimae*. ≈ **17** Il MR 2002, p. 617, valorizza il testo come *oratio super populum* (n. 12), con l'aggiunta di una seconda *petitio*: «... atque tua semper suavitate pascantur». MR 2020, p. 474: «... e gustino la soavità del tuo amore». ≈ **20** Il MR 2002, p. 224, valorizza il testo – presente anche nel n. 280 e 347 - come *oratio super populum* per la *feria sexta* dell'*hebdomada II Quadragesimae*; unica variante la sostituzione di «virtute» con «protectione» come nelle altre due formule. Il testo del MR 2020, p. 89, interpreta con libertà. ≈ **21** Il testo, presente anche nel n. 1151, è valorizzato sempre come *collecta* dal MR 2002, p. 484, nel formulario dell'*hebdomada XXXIV "per annum"*. ≈ **25** Il testo è ripreso nel MR 2002, p. 263, come *collecta* della *feria quinta* dell'*hebdomada V Quadragesimae*, con l'aggiunta di un ultimo segmento: «... permaneant, et promissionis tuae perficiantur heredes». Il testo del MR 2020, p. 113, risulta così formulato: «... permangano in una vita santa e siano fatti eredi della tua promessa». ≈ **35** Il testo è ripreso senza ritocchi nel MR 2002, p. 1268, come orazione conclusiva degli *specimina pro oratione universali* del tempo *"per annum"* II (= MR 2020, p. 1001). ≈ **49** Il MR 2002, p. 452, valorizza il testo (presente anche nel n. 1055) come *collecta* per la *dominica II "per annum"*. ≈ **61** Nel *Sacramentario* questo testo è presente ben otto volte (cf i nn. 207, 286, 321, 551, 746, 972 e 1059). Il MR 2002, p. 218, valorizza la formula come *super oblata* per la *dominica II in Quadragesima*, sostituendo il generico «... et sacrificium celebrandum tibi corpora...» con la contestualizzazione nel tempo quaresimale: «... ad celebranda festa paschalia fidelium tuorum corpora...». Così il testo del MR 2020, p. 83: «... e ci santifichi nel corpo e nello spirito, perché possiamo celebrare degnamente le feste pasquali». ≈ **62** Il testo è ripreso nel MR 2002 a p. 249 come *super oblata* nella *feria quinta* dell'*hebdomada IV Quadragesimae*; nel *Sacramentario* si ripete nelle formule nn. 241, 309 e 1062. ≈ **65-66** Il testo è qui riportato nella sua forma completa, con il suo protocollo ed escatocollo, per una verifica della struttura prefaziale; in tutti gli altri prefazi presenti nel *Sacramentario* si mantiene solo l'embolismo; per il testo completo cf *Sacramentarium Gregorianum: Concordantia*, op. cit. ≈ **85** Nel *Sacramentario* questo testo è presente cinque volte (cf anche nn. 145, 263, 601 e 974). Il MR 2002, p. 220, valorizza l'orazione come *post communionem* nella *feria secunda* dell'*hebdomada II Quadragesimae* con l'unica sostituzione di «remedii» con «gaudii». ≈ **86** Il testo (che ritroviamo anche nel n. 1057) è ripreso nel MR 2002, p. 481, come *post communionem* per la *dominica XXXI "per annum"*; queste le varianti: «… ut refecti caelestibus sacramentis…». Il MR 2020, p. 293, così interpreta: «… perché i sacramenti che ci nutrono in questa vita...».

TEMPO NATALIZIO

87 – 89: Nel nome del Signore – 24 dicembre – Veglia [in attesa] del Signore

A → Il MR 1474 segnala queste letture: Rom 1,1-6 (*Ex semine David secundum carnem*) e Mt 1,18-21 (*Quod in ea natum est, de Spiritu Sancto est*). - Per una teologia liturgica del mistero del Natale è necessario esaminare i testi disseminati principalmente nei nn. 87-115, senza dimenticare che l'orizzonte si completa con la solennità dell'Epifania. Nelle tre orazioni si pongono in evidenza: *a)* le due venute del Cristo come redentore e come giudice (n. 87); *b)* il rapporto tra i segni offertoriali e i doni eterni (n. 88); *c)* l'esperienza della *recensita nativitas* costituisce per il fedele l'occasione per immergersi (*pascimur et potamur*) nel *caeleste mysterium*.

C → Nelle tre preghiere si avverte un'accurata scelta terminologica, un accorto uso delle clausole, un'attenta disposizione della *climax* che prende inizio dalla redenzione e, mediante la recezione della grazia, si giunge a chiedere di usufruire dei doni celesti. ≈ **87** Si noti la conseguenziale analogia nella disposizione invertita degli stichi: «laeti suscipimus... securi videamus». Nella preposizione dipendente finale gli oranti chiedono di vedere, nel giudizio finale, colui che ora accolgono con gioia. ≈ **88** Da notare l'uso di *praevenio*, cui viene data una carica semantica nuova: invece di *prevenire* o *precedere* qui assume il significato di *preparare*, mediante la veglia di preghiera, la nascita di Gesù. ≈ **89** Notevole è l'uso mediale di *pascor*, di ascendenze virgiliane, e di *potor*, che danno vita a un efficace zeugma.

D → **87** - Anche il MR 2002, p. 153, valorizza il testo come *collecta ad Missam in Vigilia in Nativitate Domini*.

E → Π 245; Λ 270; Σ 274; Δ 1. - Die XXIIII mensis decembris vigiliae domini - Mt 1,18-21: *Cum esset desponsata mater Iesu* usq. *ipse enim salvum faciet populum suum a peccatis eorum*.

90 – 94: 25 dicembre – Natale del Signore – [*statio*] nella chiesa di santa Maria
A → Per il significato della *statio* che qui si incontra per la prima volta, cf *Introduzione*, n. 3 e *Appenndice III*. Nella messa della notte di Natale si compie la tradizionale *statio* nella basilica di santa Maria Maggiore. – Il MR 1474 segnala queste letture: Tit 2,11-15 (*Apparuit gratia Dei omnibus hominibus*) e Lc 2,1-14 (*Gloria in altissimis Deo*). - I temi teologici sono così evidenziati: *a)* nel chiasmo è sottolineato il tema della luce (*veri luminis* e *lucis mysteria*) sperimentata nel mistero, come anticipo del *gaudium in caelo* (n. 90); *b)* l'*oblatio* costituisce il segno del *sacrosanctum commercium* garanzia del raggiungimento di quell'immagine (*forma*) che dà senso alla *substantia* del fedele (n. 91); *c)* l'embolismo prefaziale ritorna sul tema della luce (*lux tuae claritatis*) perché il fedele sia avvolto (*rapiamur*) dall'amore per le realtà invisibili; *d)* la gioia della celebrazione del Natale sia una garanzia per il raggiungimento della piena comunione (*consortium*) con Cristo.
C → La forma letteraria delle eucologie è impeccabile e non differisce da quelle della vigilia. ≈ **90** L'iniziale andamento giambico viene via via smorzato dal ritmo dattilico spondaico che, dopo lo slancio dell'*incipit*, conferisce all'eucologia serenità e pacatezza, per finire con un molosso seguito da un cretico «in caelo perfuamur». ≈ **91** La struttura del testo è incentrata sulla calcolata ed equilibrata disposizione e combinazione del ritmo spondaico-dattilico, che viene concluso da un dicretico «nostra substantia». ≈ **94** Anche in questa eucologia all'inziale ritmo spondaico subentra quello dattilico, più agile e festoso; la conclusione è data da un trocheo, cui segue un dicretico «pertinere consortium».
D → **90** Il MR 2002, p. 155, valorizza il testo come *collecta* della *missa in nocte, in Nativitate Domini*, con la sostituzione di «cognovimus» in «agnovimus» e leggeri aggiustamenti stilistici. ≈ **92** Il testo del prefazio, ripetuto anche nel n. 105, si trova nel MR 2002, p. 520, come *praefatio I de Nativitate Domini*, con il titolo: *De Christo luce*; unica correzione del testo latino rispetto all'originale: «… per… amore*m*…».
E → Π 1; Λ 1; Σ 1; Δ 2. - Item in uigilia natalis domini in nocte – Lc 2,1-14: *Exiit edictum a Caesare Augusto* usq. *pax in hominibus bonae uoluntatis*.

95 – 102: Nella notte - [*statio* a] sant'Anastasia
A → Il MR 1474 segnala queste letture: Tit 3,4-7 (*Apparuit benignitas et humanitas Salvatoris nostri*) e Lc 2,15-20 (*Invenerunt Mariam et Ioseph et Infantem*). - La *statio* nella chiesa di sant'Anastasia comporta per il formulario doppi testi. Al di là del ricordo e dell'invocazione della santa martire (nn. 95 e 96), anche la *collecta* (n. 96) si muove sul tema della luce perché si manifesti nelle opere ciò che

brilla nello spirito; ed è la richiesta presente anche nei due testi finali (nn. 101 e 102) dove brilla la *novitas natalis* come garanzia per il superamento dell'*humana vetustas*. I due prefazi se da una parte fanno riferimento al martirio di sant'Anastasia come segno di *victoria* sul nemico del genere umano (n. 99), dall'altra ritornano sul tema della *lux vera* che, sola, permette di vedere e comprendere tutto il mistero (*intellectu et visu*) (n. 100).

C → La composizione di questi testi sembra risentire di una progressiva rielaborazione, subentrata all'originaria improvvisazione. Chi vi ha messo mano, ha cercato di rispettare le norme basilari della retorica e di equilibrare l'andamento ritmico di preferenza dattilico. ≈ La clausola dell'eucologia **95** è data da un trocheo, seguito da un peone primo e un epitrito secondo «te patrocinia sentiamus». ≈ **98** All'iniziale clausola esametrica segue un ritmo dattilico molto equilibrato, per concludersi con uno spondeo, cui segue un molosso. ≈ Notevole, invece, è la clausola dell'eucologia **102** costituita da un cretico seguito da un epitrito primo «reppulit vetustatem».

D → **98** Il testo mantiene la sua funzione di *super oblata* anche in MR 2002, p. 158, dove è valorizzato nella messa *in aurora* per la solennità *in Nativitate Domini*; unica variante: il «refulsit Deus» diventa «praefulsit et Deus» così interpretato dal MR 2020, p. 39: «... si manifestò Dio e uomo...».

E → Π 2; Λ 2; Σ 2; Δ 3. - Item ad scam Anastasiam mane prima – Lc 2,15-20: *Pastores loquebantur ad inuicem* usq. *sicut dictum est ad illos.*

103 - 107: Il giorno di Natale del Signore - [*statio*] a san Pietro
A → Il MR 1474 indica la *statio* a santa Maria Maggiore, con altra *collecta* (è il testo n. 112 modificato nella struttura); queste le letture: Heb 1,1-12 (*Novissime diebus nostris locutus est nobis in Filio*) e Io 1,1-14 (*In principio erat Verbum*). - I temi teologici per la *statio* nella basilica di san Pietro, nel giorno di Natale, valorizzano il tema della luce perché brilli (*oriatur*) sempre nei cuori dei fedeli (n. 103); invocano la santificazione dei *munera* e la purificazione dal peccato (n. 104); e domandano che l'Autore della divina generazione del Figlio garantisca quella immortale del fedele (n. 107).

C → Questo gruppo di eucologie presenta un'equilibrata uniformità di stile e di ritmo; risente meno dell'improvvisazione ravvisabile altrove. ≈ Notevole la clausola del **103** costituita da un dattilo seguito da un peone terzo; questo tipo di clausola apre l'animo alla gioia e lo proietta verso Dio. ≈ Efficace è l'anacoluto del **106** «communicantes et diem sacratissimum celebrantes, quo beatae Mariae intemerata virginitas edidit salvatorem». Certamente non sfugge l'endiadi «communicantes et... celebrantes». ≈ La clausola del **107** è data da un anfibraco e un molosso «sit ipse largitor».

D → **105** Cf n. 92. ≈ **106** Cf n. 93.

E → Π 3; Λ 3; Σ 3; Δ 4. - Item in die natalis domini ad scum Petrum
– Io 1,1-14: *In principio erat Uerbum* usq. *plenum gratia et ueritate.*

108 – 115: Altre orazioni per il Natale del Signore
  A → Nelle otto orazioni con funzione di *collecta* ritorna con forza
il tema della luce accompagnato dalla richiesta di crescere nella
fede – *inviolabilem fidei firmitatem* (n. 115) – ed evidenziando la
dialettica tra *novitas* e *vetustas* (n. 110; cf anche 112). Attraverso la
maternità di Maria si opera quel *consortium* (n. 111), quel *religionis
initium et perfectio* (n. 114), quella salvezza frutto di *gratia* e di *redemptio*, in vista del raggiungimento dei *mansuris gaudiis* (n. 115).
Il n.113 è il testo stupendo dove le figure letterarie contribuiscono
ad evidenziare la dialettica tra *mirabiliter condidisti* e *mirabilius reformasti* e quindi a sottolineare il rapporto tra *divinitas* e *humanitas*
(n. 113).
  C → Questo gruppo di eucologie presenta qua e là una certa
difformità sia di stile che di andamento ritmico. La formazione
retorica e l'influsso della lingua sacrale pagana se da una parte
rendono la formulazione più elegante sotto l'aspetto stilistico e
formale, dall'altra sacrificano la semplicità e lo slancio spirituale.
Molta cura si riscontra nelle clausole, vicine a quelle ciceroniane
e della migliore latinità. ≈ In **108** e **114** si ha un trocheo seguito da
un palimbacchio «lumen ostende». ≈ In **109** un peone terzo e un
coriambo «sine fine percipiant». ≈ In **110** un epitrito terzo e un
ditrocheo «contagiis exuamur». ≈ In **111** un giambo seguito da un
anfibraco e un molosso «adoptione securi». ≈ In **112** un epitrito
terzo e un cretico «nativitas liberet»; in **113** si ha un epitrito terzo
e un cretico «dignatus est particeps». ≈ L'eucologia **115** ha come
clausola un cretico e un epitrito secondo «gaudiis inserantur».
  D → **112** Cf n. 836. ≈ **113** Il MR 2002, p. 160, valorizza il testo come
collecta in nativitate Domini, ad missam in die. ≈ **114** Il MR 2002, p.
165, valorizza il testo come *collecta* per la messa *de VII die infra
octavam Nativitatis Domini* (31 dicembre). ≈ **115** Il MR 2002, p. 178,
valorizza il testo come *collecta* della *feria secunda in feriis temporis
nativitatis (ante festum Baptismatis Domini).* Nel *Sacramentario* il testo si ritrova anche nel n. 184.

116 – 120: 26 dicembre – natale di santo Stefano
  A → Il MR 1474 segnala queste letture: Act 6,8-10; 7,54-59 (*Domine
Iesu accipe spiritum meum*) e Mt 23,34-39 (*Venient haec omnia super generationem istam*). - I cinque testi per la memoria del martire
Stefano - imitatore della passione e della *pietas* del Signore (n.
119) - pongono in evidenza la primizia del martirio; su questa
testimonianza si colloca la richiesta per l'assemblea (n. 116) che
confida nella sempiterna *protectio* del martire (n. 118), e che nel

presentare i doni per il sacrificio invoca innocenza (n. 117) e aiuto per la propria *fragilitas* (n. 119), per essere sempre protetta dal *salutare mysterium* (n. 120).

B → Per l'elogio cf Mart 1584, n. 2834, e Mart 2004, p. 687, n. 1, dove si ricorda l'episodio di Act 7,54-60; il testo si conclude con «pro persecutoribus supplicans».

C → Anche in questa serie di eucologie si nota un'attenta rielaborazione formale nonché una particolare cura nelle clausole, per nulla differenti da quelle fin qui esaminate. ≈ Si noti in **119** sia la rima, *imitator... adiutor*, sia il chiasmo, entrambi inseriti in un periodo stilisticamente ben strutturato: «... imitator dominicae passionis et pietatis enituit, ita sit fragilitati nostrae promptus adiutor».

E → Π 4; Λ 4; Σ 4; Δ 5. - In natale sci Stephani – Mt 23,34-39: *Dicebat Iesus turbis Iudaeorum et principibus sacerdotum* usq. *benedictus qui venit in nomine domini*.

121 - 126: 27 dicembre – natale di san Giovanni evangelista
A → Il MR 1474 segnala queste letture: Eccli 15,1-6 (*In medio ecclesiae aperuit os eius*) e Io 21,19-24 (*Hic est discipulus qui testimonium perhibet*). - Illuminata dalla dottrina e sorretta dal patrocinio di san Giovanni, l'assemblea domanda di conseguire i *dona sempiterna*. Per le tre orazioni che qui si incontrano per la prima volta - *Ad vesperum, Ad fontes, ad sanctum Andream* - cf *Introduzione*, 2.7. Esse implorano da Dio – per l'*intercessio* dell'*adiutor* e del *supplicans* san Giovanni – *veniam* e *remedia sempiterna*.

B → L'elogio del Mart 1584, n. 2841, evidenzia la lunga vita e l'opera: «... totius Asiae fundavit rexitque ecclesias»; più biblico quello del Mart 2004, p. 688, n. 1, dove si evidenzia che «quod vidit annuntiavit».

E → Π 5; Λ 5; Σ 5; Δ 6. - In natale sci Iohannis apostoli et evangelistae VI kalendas ianuarias – Io 21,19-24: *Dixit Iesus Petro: sequere me* usq. *quia verum est testimonium eius*.

127 - 132: 28 dicembre – natale degli Innocenti – [*statio*] a san Paolo
A → Il MR 1474 segnala queste letture: Apc 14,1-5 (*Sine macula sunt ante thronum Dei*) e Mt 2,13-18 (*Ex Aegypto vocavi Filium meum*). - I sei testi esaltano il mistero del sacrificio dei santi Innocenti coronati dalla *gratia* della *caelestis nativitas*; su questa realtà l'assemblea implora di professare la fede con la vita, imitando la loro *sinceritas*; e implora Dio - *magnum in magnis* e ancora *mirabilis... in minimis* - per conseguire la *mentium puritas*. Il formulario va completato con il prefazio n. 1442 dove si ricorda la «bestialis saevitia» di Erode. Nel mistero dell'evento brilla più la «confessio» che la «loquela» di testimoni del Cristo pur non ancora conosciuto; e godono del «meritum gloriae» perché bagnati «proprio

cruore» conseguono la «salus regenerationis» unitamente alla «corona martyrii».
B → Il Mart 1584, n. 2845, ricorda solo l'eccidio voluto da Erode; più ampio l'elogio del Mart 2004, p. 689, n. 1, che presenta la testimonianza dei piccoli come «primizia di tutti coloro che avrebbero versato il loro sangue per Dio e per l'Agnello».
C → Notevole la rielaborazione stilistica e retorica di **127** – *non loquendo, sed moriendo* – con una ponderata rispondenza verbale; come pure la clausola piuttosto complessa «moribus vita fateatur» composta da un cretico, un trocheo e un epitrito secondo. ≈ Notevole anche la clausola di **128** «veneramur infantiam», costituita da un peone terzo e un epitrito terzo. ≈ Nel **130** oltre all'omoteleuto costituito da *in magnis... in minimis...*, c'è anche una ben studiata contrapposizione; la clausola è data da un ditrocheo e un epitrito secondo.
E → Π 6; Λ 6; Σ 6; Δ 7. - In natale Innocentum – Mt 2,13-23: *In illo tempore ecce angelus domini in somnis apparuit Ioseph* usq. *quoniam Nazareus vocabitur*.

133 – 136: 31 dicembre – natale di san Silvestro papa
A → Il MR 1474 segnala queste letture: 2 Tim 4,1-8 (*Bonum certamen certavi*) e Lc 12,35-40 (*Beati servi illi quos cum venerit dominus eius invenerit vigilantes*). - *Devotio* e *salus, indulgentia, beneficia* e *patrocinia* offrono i contenuti delle invocazioni dell'assemblea.
B → Il Mart 1584, n. 2870, sintetizza l'opera del santo ricordando il battesimo di Costantino e la conferma del concilio di Nicea (325); il Mart 2004, p. 693, n. 1, sottolinea il lungo pontificato (314-335), la costruzione di basiliche al tempo di Costantino, la conferma di Nicea, e la sua *depositio* nel cimitero di Priscilla.
E → Π 7; Λ 7; Σ 7; Δ 8. In natale sci Siluestri die XXXI mensis decembris – Mt 24,42-47: *In illo tempore dixit Iesus discipulis suis: uigilate* usq. *supra omnia bona sua constituet eum*. - Lc 12,35-40 è usato in: Π 160; Λ 182; Σ 181; Δ 213; Π 180; Λ 202; Σ 204; Δ 240.

137 – 139: Mese di gennaio – nell'ottava del Signore – [*statio*] a santa Maria *ad Martyres*
A → Il MR 1474 ha conservato solo la *super oblata*; queste le letture: Tit 2,11-15 (*Apparuit gratia Dei salvatoris nostri*) e Lc 2,21 (*Vocatum est nomen eius Iesus*). - Nell'ottava del Natale la memoria della maternità divina di Maria pone in evidenza il mistero del fedele divenuto *nova creatura*, che implora di essere purificato dalle *maculae vetustatis*. I due termini *forma* e *substantia* denotano l'essenza profonda del credente; la sua richiesta - espressa dall'*emunda* e dal *munda* - confluisce nella domanda della *medicina* per conseguire quella *perpetua redemptio* che ha la sua origine nella maternità della Vergine. - Il prefazio n. 1443 indicato per questa solennità

evidenzia la meravigliosa predisposizione dell'economia divina: il Cristo nato «ex muliere» e «sub lege» (cf Gal 4,4) si sottopone alla circoncisione perché il popolo fedele fosse liberato dal peccato e rigenerato dallo Spirito per divenire «nova creatura». Si nota una progressione nell'attuazione del progetto di salvezza che si dipana dalla figura della «vetusta sorde» per giungere tramite l'«evangelica gratia» alla «nova creatura»: è questa la sintesi della «mirabilis dispensatio».

B → Il Mart 1584, n. 1, accenna solo alla «circumcisio Domini»; il Mart 2002, p. 77, n. 1, ricorda l'evento dei padri del concilio di Efeso (431) i quali «Theotokon acclamaverunt».

E → Π 8; Λ 8; Σ 8; Δ 9. - In octabas domini ad scam Mariam ad martyres – Lc 2,21-32: *In illo tempore cum consumati sunt dies octo usq. gloriam plebis tuae Israhel.*

140 - 142: Preghiera per un'altra domenica

A → Un orizzonte ordinario è quello che si presenta con queste tre formule dove si chiede da parte del popolo *supplicans* di abbondare in *bonis operibus*, di ottenere la *gratia devotionis*, l'*effectum beatae perennitatis*, il compimento dei giusti *desideria* e la liberazione dai *vitia*.

D → **140** Il MR 2002, p. 453, valorizza il testo come *collecta* per la *dominica III "per annum"*. ≈ **141** Il testo, presente anche nel n. 369, nel MR 2002, p. 483, è usato sempre come *super oblata* nel formulario della *dominica XXXIII "per annum"*.

143 - 145: Allo stesso modo in altra domenica

A → Il rapporto letterario tra *agenda* e *adimplenda* determina la richiesta dell'assemblea – *populus supplicans* -; vedere ciò che deve fare e compiere ciò che ha veduto: ecco la domanda per evitare il *contagium perversitatis*, in quanto solo il *remedium caeleste* può liberare da ogni *crimen*.

C → Le eucologie dal n. **133** fino al **145** per stile e ritmo seguono lo schema costituito dall'*invocatio* o *deprecatio*, seguite dalla richiesta per i fedeli, sempre strutturata da una proposizione finale o, più di frequente, da due proposizioni finali coordinate. In queste, di solito, il redattore inserisce una relativa con l'indicativo, in pieno rispetto della successione temporale. ≈ In **143** si trova una studiata rispondenza tra le due finali, introdotte da *et* anaforico «ut et quae agenda sunt videant, et ad implenda quae viderint convalescant».

D → **143** Il MR 2002, p. 451, valorizza il testo come *collecta* per le ferie dell'*hebdomada I "per annum"*. ≈ **144** Il MR 2002, p. 234, valorizza il testo come *super oblata* nella *feria quinta* dell'*hebdomada III Quadragesimae*; alla formula originaria adatta l'orizzonte teologico del gesto offertoriale aggiungendo: «... nec falsis gaudiis inhaerere patiaris, quae ad veritatis tuae praemia venire promittis». Questa l'interpretazione del testo del MR 2020, p. 96: «... non permettere che siamo attratti da falsi piaceri, tu che ci chiami a godere della vera gioia». ≈ **145** Cf n. 85.

146 – 150: 6 gennaio – Epifania

A →· Il MR 1474 segnala queste letture: Is 60,1-6 (*Surge, illuminare Ierusalem quia venit lumen tuum*) e Mt 2,1-12 (*Ubi est qui natus est rex Iudaeorum?*). - Nella solennità dell'Epifania torna al centro il tema natalizio della luce - *stella duce* - che guida nel tempo il fedele - *ecclesia tua* -; egli mentre si muove nell'impegno del *cognoscere* domanda di essere condotto a contemplare lo splendore divino. Il riferimento ai tre doni dei Magi costituisce motivo per coglierne il simbolo in ordine alla salvezza che è Cristo in essi «significato, immolato e ricevuto» (*declaratur, immolatur, sumitur*). La struttura letteraria del prefazio evidenzia il rapporto tra la *substantia nostrae mortalitatis* e la *nova lux immortalitatis* operata dal Cristo; come pure nel *Communicantes* il rapporto tra il *coaeternus* e la sua apparizione nella *nostra caro*. Comprendere e professare questo richiede un'*intelligentia* frutto di una *mens purificata*.

B →· Mentre il Mart 1584, n. 48, ha solo il titolo della solennità, il Mart 2004, p. 85, n. 1, ricorda la triplice manifestazione di Cristo (ai Magi in Betlemme, al Giordano con l'unzione dello Spirito Santo, a Cana di Galilea dove «gloriam suam manifestavit»).

C →· In questo gruppo di eucologie si nota una certa uniformità di stile data da un attento revisore bene istruito nella retorica: calcolata, infatti, è tanto la scelta quanto la disposizione dei singoli lessemi e apoftegmi. Ciò conferisce una maggiore solennità e una più intensa partecipazione dell'assemblea, anche se è molto sfumato l'ardore delle più antiche supliche, certamente più elementari, ma più efficaci per la vicinanza culturale ed espressiva del fedele. Ben calcolata è la scansione delle sillabe brevi e lunghe, e studiata la sequenza delle subordinate soprattutto di secondo grado. Si esamini il lessema *concede propitius*, costituito da un palimbacchio seguito dal dattilo, mediante il quale l'animo dell'ascoltatore si proietta in alto, verso il suo fine. In questa eucologia la clausola *celsitudinis perducamur* è costituita da una tripodia trocaica catalettica seguita da un epitrito secondo. ≈ Più elaborata secondo i canoni della retorica classica appare l'eucologia **153**, nella quale l'estensore dopo l'*invocatio*, pone un ben studiato inciso appositivo, nel quale *splendor* è efficacemente inserito tra due genitivi, dei quali il primo dipende dal secondo. Ivi ancora è molto calcolata la posizione delle parole «subditis tibi populis per luminis tui appare claritatem», che terminano con un molosso e un epitrito secondo.

D →· **146** Il MR 2002, p. 175, valorizza il testo che permane come *collecta* per la *missa in die* nella solennità *in Epiphania Domini*. ≈ **147**

Il MR 2002, p. 175, valorizza il testo come *super oblata ad Missam in die* della solennità *in Epiphania Domini*. ≈ **148** Il MR 2002, p. 176, riprende la parte centrale dell'embolismo introducendolo così: «Quia *ipsum in Christo salutis nostrae mysterium hodie ad lumen gentium revelasti, et,* cum in substantia… immortalitatis *eius gloria reparasti*». Così il testo del MR 2020, p. 338: «[Oggi] in Cristo, luce del mondo, tu hai rivelato alle genti il mistero della salvezza e in lui, apparso nella nostra carne mortale, ci hai rinnovati con la gloria dell'immortalità divina». ≈ **149** Il MR 2002, p. 573, riprende l'embolismo.

E → Π 10; Λ 11; Σ 10; Δ 12. - In theophania ad scum Petrum - Mt 2,1-12: *In illo tempore cum natus esset Iesus in Bethleem Iudaeae* usq. *reuersi sunt in regionem suam.*

151 – 156: Altre preghiere

A → Le sei orazioni alternative esaltano Dio luce (*inluminator, splendor*) e manifestano la voce dell'assemblea che invoca *pax perpetua, lumen splendidum* e soprattutto poter meritare di *intus reformari – cor semper accende* - dopo aver conosciuto *foris* l'*Unigenitum – incessanter et veraciter* - attraverso la *manifestata nativitas;* solo così è possibile *digne celebrare mysterium*. Con questo orizzonte si completano i temi principali dell'eucologia nel tempo di Natale.

D → **152** Il MR 2002, p. 180 e 190, valorizza il testo come *collecta* per la *feria tertia post sollemnitatem Epiphaniae*. ≈ **153** Il MR 2002, p. 169, adatta il testo come *collecta* per la *dominica II post Nativitatem* tralasciando la relativa: «qui… imple». ≈ **155** Il MR 2002, p. 186, valorizza il testo come *collecta* (*post sollemnitatem Epiphaniae*) per la *feria sexta in feriis temporis Nativitatis*.

SANTORALE TRA GENNAIO E FEBBRAIO

157 – 159: 14 gennaio – natale di san Felice al Pincio

A → Celebrare la memoria (*solemnia*) dei santi implica imitarne la vita (*actus*); per questo se ne implora l'intercessione per conseguire il «perpetuum subsidium» mediante l'esperienza dei «salutaribus… mysteriis».

B → Ampio l'elogio che il Mart 1584, n. 110, riserva al presbitero Felice († 313), con riferimento alla vita scritta da san Paolino da Nola, illustre per «vitae exemplo ac doctrina». Sulla stessa linea il Mart 2004, p. 99, n. 3, ricorda le innumerevoli e dure persecuzioni finché – «pace tandem conciliata» - «inter suos rediit in paupertate… confessor fidei invictus».

D → **157** Il MR 2002, p. 955, adatta il testo come *collecta* per il *commune sanctorum et sanctarum: A. Pro pluribus Sanctis, 4* secondo questo testo: «… quatenus *beatorum N. et N.*, quorum *memoriam celebramus*, etiam actus *incessanter* imitemur».

160 - 162: 16 gennaio – natale di san Marcello papa

A → Nel ricordo della *passio* del papa e martire san Marcello I (306-309 ca.) l'assemblea implora il frutto dei suoi meriti per conseguire la salvezza; e per questo domanda di essere rinnovata con il suo aiuto: «semper interventione nos refove».

B → Il Mart 1504, n. 127, riserva un ampio elogio al santo papa, martirizzato sotto Massenzio. Il Mart 2004, p. 101, n. 1, precisa la *depositio* del martire, morto esule, nel cimitero di Priscilla sulla via Salaria Nuova; «veridicus pastor» secondo la testimonianza di papa Damaso (366-384).

E → Π 14; Λ 17; Σ 14; Δ 19. - Die XVI mensis ianuari natale sci Marcelli - scd. Mt 25,14-23: *Dixit Iesus discipulis suis: homo quidam peregre proficiscens* usq. *intra in gaudium domini tui.*

163 - 165: 18 gennaio – natale di santa Prisca

A → Nell'annuale *sollemnitas* della martire l'assemblea domanda di unire alla gioia dell'evento la crescita nel seguirne l'esempio («et... et...»). Lo stesso ritmo è presente anche nella *super oblata* dove si chiede che i «vincula pravitatis» possano essere perdonati dai «misericordiae dona» perché «salutaribus repleti mysteriis».

B → Il Mart 1504, n. 141, ne ricorda la *passio* sotto l'imperatore Claudio; mentre il Mart 2004, p. 104, n. 4, fa solo riferimento alla dedicazione della basilica («Deo dedicata») che porta il suo nome sul colle Aventino.

E → Π 20; Λ 23; Σ 24; Δ 25. - Die XVIII mensis ianuari natale scae Priscae - scd. Mt 13,44-52: *Simile est regnum caelorum thesauro abscondito* usq. *nova et vetera.*

166 - 168: 20 gennaio – natale di san Fabiano

A → Il MR 1474 ha già unito in un'unica memoria i due martiri Fabiano e Sebastiano; queste le letture: Heb 11,33-39 (*Sancti per fidem vicerunt regna*) e Lc 6,17-23 (*Beati pauperes quoniam vestrum est regnum Dei*). - L'assemblea invoca l'«intercessio gloriosa» del papa martire Fabiano (236-250) perché sperimenta il «pondus propriae actionis» che può essere affrontato e superato dalle conseguenze (*fructum*) del «perpetuum... subsidium» frutto della celebrazione.

B → Il Mart 1584, n. 153, ricorda il martirio al tempo dell'imperatore Decio e la sepoltura nelle catacombe in via Appia (Antica). Più sviluppato l'elogio nel Mart 2004, p. 107, dove si accenna alla sua elezione, ancora laico, al pontificato, e le parole di san Cipriano per la sua intrepida testimonianza «in regenda Ecclesia».

C → Le eucologie di questo gruppo risentono delle diverse fasi di rielaborazione: il revisore, infatti, ha posto particolare cura nelle clausole e nella disposizione dei diversi componenti del periodo. Nell'eucologia **168** si nota un omoteleuto nei due cola costituenti

la proposizione finale *cultum - effectum*. La clausola «sentiamus effectum» è costituita da un epitrito secondo e un molosso.
E → Π 26; Λ 29; Σ 26; Δ 32. - Die XX mensis ianuari natale sci Fabiani - scd. Mt 24,42-47: *Dixit Iesus discipulis suis: uigilate ergo* usq. *super omnia bona sua constituit eum.*

169 - 171: Egualmente nello stesso giorno – natale di san Sebastiano
A → Nello stesso giorno la memoria di san Sebastiano elogiato nella *invocatio* per la costanza nella «passio»; è da quell'esempio che l'assemblea invoca coraggio per «terrena mundi despicere» in modo da realizzare la «voluntas» di Dio e sperimentare l'«augmentum salvationis»; e in questa linea presenta la «devotionis oblatio» perché possa essere celebrata «debitae servitutis... officio». – Il prefazio, n. 1445, riconosce nell'effusione del sangue la manifestazione dei «mirabilia» di Colui che, solo, può rafforzare «in infirmitate virtutem», mentre dà incremento alle attese e sostegno «infirmis» (per due volte si evidenzia l'*infirmitas* spirituale e fisica).
B → Il Mart 1584, n. 154, ricorda i dettagli del martirio sotto l'imperatore Diocleziano. Il Mart 2004, p. 107, aggiunge l'origine milanese, completando così l'elogio: «... in Urbe quo hospes advenerat, domicilium immortalitatis perpetuae obtinuit».
E → Π 25; Λ 28; Σ 25; Δ 31. - Die XX mensis ianuari natale sci Sebastiani - scd. Lc 6,17-23: *Descendens Iesus de monte stetit* usq. *mercis vestra multa est in caelis.*

172 - 175: 21 gennaio – natale di sant'Agnese
A → Il MR 1474 segnala queste letture: Eccli 51,1-8.12 (*Confitebor nomini tuo quoniam adiutor et protector factus es mihi*) e Mt 13,44-52 (*Simile est regnum caelorum thesauro abscondito*). - Nella *invocatio* relativa - ispirandosi a 1 Cor 1,27 – il testo evidenzia l'esempio della martire Agnese; su questa realtà l'assemblea implora di seguire e imitarne la «fidei constantiam» per essere liberata dai «vincula peccatorum» e difesa «eius precibus». Per l'ottava cf 179-181. – Il testo prefaziale, n. 1446, evidenzia della martire Agnese: *a)* il disprezzo delle lusinghe terrene per meritare la «caelestis dignitas»; *b)* il rifiuto delle attese umane per essere associata «aeterni regis consortio»; *c)* il martirio per Cristo per conseguire la «sempiterna gloria».
B → Il Mart 1584, n. 158, ricorda il martirio avvenuto sotto il prefetto di Roma Sinfronio (sec. III) e aggiunge l'elogio di san Girolamo. Il Mart 2004, p. 109, n. 1, evidenzia la testimonianza - «titulum castitatis martyrio consecravit» – che le ha conquistato «amplissimam ammirationem» davanti al popolo cristiano e «maiorem gloriam» davanti a Dio.
C → Di questo gruppo eucologico degna di attenzione è l'eucolo-

gia **172**, nella quale l'estensore mette in voluta contrapposizione *infirma* con *fortia*. Del sintagma *concede propitius* già si è detto in precedenza. Particolare attenzione merita la clausola «patrocinia sentiamus», costituita da un giambo più un tribraco seguiti da un epitrito secondo. La clausola dell'eucologia seguente «constantiam subsequamur» è costituita da un epitrito terzo seguito da un epitrito secondo.

D → **172** – Il testo, presente anche nel n. 735, è valorizzato dal MR 2002, p. 713, nella memoria di sant'Agnese (21 gennaio), con un adattamento – recuperato dal n. **173** - nella relativa finale che risulta così formulata: «… tuae, natalicia celebramus, eius in fide constantiam subsequamur». Il MR 2020, p. 522, così traduce: «… di imitare la sua costanza nella fede».

E → Π 28; Λ 31; Σ 28; Δ 33. - Die XXI mensis ianuari natale scae Agnae de passione - scd. Mt 25,1-13: *Simile est regnum caelorum decem uirginibus* usq. *nescitis diem neque horam.*

176 – 178: 22 gennaio – natale di san Vincenzo

A → La memoria del martire Vincenzo, diacono di Saragozza, è occasione per l'assemblea di chiedere la liberazione dalle conseguenze della propria «iniquitas»; una liberazione ottenuta dalla partecipazione ai «caelestibus… mysteriis», a quei «caelestia alimenta» che garantiscono il sostegno «contra omnia adversa».

B → Il Mart 1584, n. 164, ha un ampio elogio del martire di Valencia, che subisce un terribile martirio sotto Diocleziano; la sua *passio*, cantata dai versi di Prudenzio, fu grandemente elogiata da Agostino e Leone Magno. Il Mart 2004, p. 111, aggiunge: «… invictus ad martyrii praemium evolavit in caelum».

E → Π 33; Λ 36; Σ 30; Δ 38. - Die XXII mensis ianuari natale sci Uincenti statio in basilica sci Eusebi - scd. Io 12,24-26: *Nisi granum frumenti* usq. *honorificauit eum pater meus qui est in caelis.*

179 – 181: 28 gennaio – secondo natale di sant'Agnese

A → Oltre a quanto evidenziato sopra in occasione della memoria (cf nn. 172-175), nel giorno ottavo si pone in evidenza il rapporto tra l'«officium», la celebrazione, e l'impegno di seguire l'«exemplo» della giovane martire. Per questo si implora una «benedictio copiosa» – frutto dei «votiva sacramenta» - che operi la «sanctificatio» del fedele insieme alla gioia della «solemnitas», quali garanzie per ottenere i «remedia temporalis vitae et aeternae».

E → Π 34; Λ 38; Σ 35; Δ 40. - Die XXVIII mensis supra scripti natale scae Agnae de natiuitate - scd. Mt 13,44-52: *In illo tempore dixit Iesus discipulis suis parabolam hanc: simile est regnum caelorum thesauro abscondito in agro* usq. *qui profert de thesauro suo noua et uetera.*

182 – 184: Mese di febbraio - 2 febbraio – *Ypapante* - [*statio*] a santa
Maria [Maggiore] – preghiera per l'assemblea raccolta in sant'A-
driano
A → Il MR 1474 indica queste letture: Mal 3,1-4 (*Ecce ego mitto
angelum meum*) e Lc 2,22-32 (*Nunc dimittis servum tuum Domine*).
- Per un orizzonte teologico-liturgico della festa questi testi vanno accostati ai tre del formulario seguente. La *collecta* esprime la
supplica dell'assemblea valorizzando la dialettica tra l'«extrinsecus» e l'«interius»: la manifestazione esteriore del segno della luce possa ottenere la «lux gratiae». È questo tema della luce
– determinato dalla luminaria della processione – che orienta il
linguaggio della richiesta: «... illumina... splendor... accende...»
per giungere all'incontro con il Salvatore. Pertanto, rinnovata la
propria fede nell'Unigenito «sempiternum in veritate nostri corporis natum», l'assemblea domanda di poter godere la gioia che
non ha fine.
B → Il Mart 1584, n. 246, ha solo l'annuncio della «purificatio beatae Mariae virginis, quae a Graecis Hypapante Domini appel-
latur». Il Mart 2004, p. 129, sviluppa il contenuto del *festum* con
ampio riferimento a Lc 2,22-32.
D → **184** – Cf n. 115.
E → Λ 45; Σ 42; Δ 49. - Λ 45 Mense februario die II ypapanti ad
scam Mariam - scd. Lc 2,22-32: *In illo tempore postquam impleti sunt
dies purgationis matris Iesu secundum legem Moysi* usq. *gloriam plebis
tuae Israhel.* - Σ 42 Mense februario die II mense supra scripto -
scd. Lc 2,22-32: *Postquam impleti sunt dies purgationis eius* usq. *gloriam plebis tuae Israel.* - Δ 49 Mense februario die II purificatio scae
Mariae - scd. Lc 2,22-32: *Postquam impleti sunt dies purificationis
matris Iesu* usq. *gloriam plebis tuae Israel.*

185 – 187: Egualmente nella celebrazione delle messe a santa Maria
Maggiore
A → Il mistero della "presentazione" al tempio per l'assemblea
è occasione per chiedere di essere anch'essa "presentata" a Dio
«purificatis mentibus». Per questo invoca il «subsidium tuae pietatis», il «remedium praesens et futurum», ottenuto dalla partecipazione ai «sacrosancta mysteria». – Il prefazio, n. 1447, evidenzia
l'esultanza dell'assemblea per l'odierna solennità nel sottolineare: *a)* il Creatore del mondo che è portato al tempio secondo la «legali traditione»; *b)* il datore e custode della Legge che è il primo a
comandare e ad obbedire; *c)* Colui che è ricco per la sua divinità
si fa povero sulla terra; *d)* il padrone del mondo che può presentare come offerta sacrificale solo tortore o colombi; *e)* le malferme
braccia dell'anziano Simeone che sorreggono il «mundi rector»; *f)*
il Salvatore dell'uomo e della donna – «sexu utriusque salvator»
- , il Cristo, che è annunziato e riconosciuto da Simeone ed Anna.

D → **185** Il MR 2002, p. 722, valorizza il testo come *collecta ad missam* per la festa *in Praesentatione Domini* (2 febbraio). ≈ **187** Il testo è presente nel *Sacramentario* anche nei nn. 483 e 842. Il MR 2002, p. 214, valorizza l'orazione come *post communionem* per la *feria quinta* dell'*hebdomada I Quadragesimae*, omettendo l'inciso dell'originaria intercessione mariana, come nel n. 483 e 842.

188 – 192: 5 febbraio – natale di sant'Agata

A → La memoria della giovane martire Agata è occasione per esaltare i «miracula» che la potenza divina opera «etiam in sexu fragili». È dall'esempio della martire che l'assemblea chiede – con la partecipazione ai «sumpta mysteria» - di far tesoro dei suoi «exempla» («quam veneramur officio, etiam… sequamur exemplo»), di essere liberata per il suo «patrocinio», di essere confermata nella sua «sempiterna protectione» in forza del «merito castitatis et tuae professione virtutis». – Se la *collecta* ha usato l'immagine del «sexu fragili», il prefazio, n. 1448, amplia all'«utroque sexu» – e per di più «cunctis aetatibus» - la capacità di saper affrontare la palma del martirio, come è stata coronata Agata «victrici patientia» per la sua perseveranza «in tuae deitatis confessione».

B → Il Mart 1584, n. 266, sviluppa con vari dettagli il martirio avvenuto al tempo dell'imperatore Decio. Il Mart 2004, p. 134, n. 1, evidenzia il «corpus incontaminatum et fidem integram» che la giovane ha conservato nel martirio.

D → **191** Il testo originario subisce una rielaborazione nel MR 2002, p. 725. Mantenendo il ruolo di *collecta*, a parte il «quaesumus», si nota l'aggiunta dell'appellativo *«virgo et* martyr»; e la sottolineatura della forza manifestata nella professione di fede per affrontare il martirio, espressa con l'«et tuae professione virtutis», risulta meglio esplicitata nell'«et virtute martyrii». Il MR 2020, p. 532, così sintetizza: «… sempre ti fu gradita per la forza del martirio e la gloria della verginità».

E → Π 41; Λ 46; Σ 43; Δ 51. - Die V mensis februari natale scae Agathae - scd. Mt 25,1-13: *Simile est regnum caelorum decem uirginibus* usq. *nescitis diem neque horam.*

193 – 195: 14 febbraio – natale di san Valentino

A → Nella memoria del martire Valentino l'assemblea domanda di essere liberata «a cunctis malis imminentibus», «a cunctis periculis»; per questo chiede – attraverso la celebrazione («actio») - di essere rinnovata nello spirito e nel corpo. – Il prefazio, n. 1449, evidenzia che nella commemorazione dei santi la Chiesa si rallegra, si sente stimolata per una pia condotta, e protetta dalla preghiera.

B → Il Mart 1584, n. 333, ricorda il martirio sotto l'imperatore

Claudio, avvenuto sulla via Flaminia. Il Mart 2004, p. 149, n. 2, aggiunge solo la precisazione «iuxta pontem Milvium».

C →* Questo gruppo di eucologie appare sotto l'aspetto stilistico e formale più elaborato dei precedenti; non segue nessun commento perché sono molto semplici nel tessuto sia grammaticale che sintattico. Anche le clausole non si discostano da quelle presenti in altri gruppi.

E →* Π 46; Λ 51; Σ 48; Δ 56. - Die XIIII mensis februari natale sci Valentini - scd. Lc 9,23-27: *Si quis uult post me uenire* usq. *donec uideant regnum Dei.*

196 – 199: 25 marzo – Annunciazione di santa Maria

A →* Il MR 1474 ha un formulario diverso; queste comunque le letture: Is 7,10-15 (*Ecce virgo concipiet et pariet filium*) e Lc 1,26-38 (*Missus est angelus Gabriel a Deo*). - I quattro testi eucologici del *Sacramentario* richiamano l'attenzione sulla «virginitas fecunda» di Maria, sulla sua «intercessio», sui suoi «patrocinia»; è da questa certezza che si muove la richiesta a Dio Padre perché lo Spirito Santo santifichi i «superposita munera» e i presenti in quanto ciò che essi hanno assunto per sé con lo spirito e con il corpo, lo custodiscano per difendersi «a cunctis hostibus». – Il prefazio, n. 1450, con splendida terminologia evidenzia il progetto divino definendolo «mirabile mysterium – inenarrabile sacramentum»: i due termini vengono a costituire un'endiadi di cui la tradizione eucologica fa ampio uso in quanto contribuiscono a definire il progetto divino nella storia della salvezza. Da questo orizzonte si delineano i temi oggetto della lode dell'assemblea: *a)* la «Virgo sacra» porta in grembo il «caeli Dominum»; *b)* i fedeli acclamano con meraviglia la «magna clementia Deitatis» per la maternità verginale di Maria; *c)* una concezione verginale per dare alla luce il Redentore.

B →* In questa data il Mart 1584, n. 620, dà solo l'annuncio della festa. Al contrario, il Mart 2004, p. 204, n. 1, riprende la descrizione evangelica di Lc 1,31-38 per annunciare la «plenitudo temporum», l'incarnazione del Figlio di Dio per opera dello Spirito Santo.

C →* Dato che si tratta di un evento celebrato con maggior solennità e spiritualmente più sentito sotto l'aspetto soteriologico, l'autore, fornito di una cultura letteraria più ampia e articolata, ha elaborato il testo con molta cura. ≈ Nell'eucologia **196** si ponga attenzione alla disposizione delle seguenti parole *fecunda humano generi praemia praestitisti*, nelle quali il sintagma *fecunda praemia* è intenzionalmente diviso mediante l'inserzione di *humano generi*, dativo di vantaggio. Anche la clausola *suscipere dominum nostrum* merita particolare attenzione: al peone primo segue un anapesto, chiuso da uno spondeo, che rallenta notevolmente il ritmo impresso dalla sequenza delle sillabe brevi. ≈ Si osservi nel **197** una clausola piuttosto inconsueta, costituita da un doppio molosso «virtutis replevit» e nel **198** «intercessione, custodiat» da un dicretico, preceduto da uno spondeo.

D → **196** Il MR 2002, p. 166, valorizza il testo come *collecta* per la *sollemnitas sanctae Dei Genetricis Mariae*. ≈ **197** Il testo è ripreso nel MR 2002, p. 141, come *super oblata* della *dominica IV adventus* con notevoli modifiche: «... Spiritus *ille sanctificet*, qui beatae Mariae viscera sua virtute replevit». Questo il testo di MR 2020, p. 25: «... con la potenza del tuo Spirito che santificò il grembo della Vergine Maria» (traduzione "adattata").

E → Λ 57; Σ 54. - Die XXV mense martio adnuntiatio domini - scd. Lc 1,26-38: *Missus est Gabriel angelus* usq. *secundum uerbum tuum.* - Π = post 50 *Die XXV m. martio adnontiatio domini* - Δ = 61 in marg. *Die XXV mense martio annuntiatio domini.*

TEMPO DI PREPARAZIONE ALLA QUARESIMA

200 – 202: Preghiera per la Settuagesima – [*statio*] a san Lorenzo fuori le mura

A → Il MR 1474 segnala queste letture: 1 Cor 9,24 – 10,4 (*Sic currite ut comprehendatis*) e Mt 20,1-16 (*Multi enim sunt vocati, pauci vero electi*). - La celebrazione, che segna l'inizio della preparazione alla Quaresima, vede il «populus» - consapevole del peso dei propri peccati - che implora misericordia «pro tui nominis gloria»; si affida ai «celestibus mysteriis» in modo che da essi possa essere rafforzato e perché mentre li riceve li cerchi, e mentre li cerca li riceva in pienezza. – Il prefazio, n. 1451, si apre con una sottolineatura particolare: Dio non ha bisogno della lode dei fedeli; se questi lo fanno è perché ciò torna loro «ad salutem», e come per la morte attraversiamo «fontem vitae» così ne possiamo essere ricolmi dagli effetti «sine fine».

C → Anche questo gruppo di eucologie non si discosta da quanto già in precedenza osservato. Da notare nella finale deprecativa, sia l'esatta rispondenza dei due membri che la costituiscono, sia l'omoteleuto *requirant... percipiant*. Ma non sfugge una ricercatezza nell'uso in modo diverso di *quaero-requiro* e *percipio*, disposti in chiasmo.

E → Π 51; Λ 58; Σ 55; Δ 62. - In septuagesima die dominico ad scum Laurentium - scd. Mt 20,1-16: *Dixit Iesus discipulis suis parabolam hanc: simile est regnum caelorum homini patrifamilias qui exiit prima mane* usq. *pauci uero electi.*

203 – 205: Per la Sessagesima - [*statio*] a san Paolo

A → Il MR 1474 segnala queste letture: 2 Cor 11,19 – 12,9 (*Virtus in infirmitate perficitur*) e Lc 8,4-15 (*Semen est Verbum Dei*). - La «protectio» di san Paolo «doctor gentium» è implorata «contra adversa omnia» – da notare il «muniamur» della *collecta* che riecheggia nel «muniat» della *super oblata* -. Ed è con la partecipazione ai sacramenti che l'assemblea domanda di servire il Signore «placitis moribus». – L'embolismo prefaziale, n. 1452, evidenzia la realtà del sacerdozio comune (cf la prefigurazione in Ex 19,6) reso sacro dall'«aeternitate sacerdotii» del Cristo. È su questa realtà - caratterizzata dal limite della «mortali carne» - che sorge il bisogno di «cotidianis remissionibus» dei peccati; il sangue e la preghiera (*interpellatio* corrisponde al *postulationes* di 1 Tim 2,1 seguendo sant'Agostino; cf anche Blaise, *Dictionnaire*, s.v.) dello stesso *Pontifex* agiscono in favore dei fedeli e per coloro che presiedono («pro populo – pro nobis»).

D → **205** Nel *Sacramentario* l'orazione è presente anche nei nn. 260, 542, 703 e 1054. Il MR 2002, p. 451, valorizza il testo come *post communionem* per le messe durante l'*hebdomada I "per annum"*. Cf anche i nn. 511 e 604 con lo stesso testo adattato alla memoria di san Giorgio e san Nicomede.

E → Π 52; Λ 59; Σ 56; Δ 65. - In sexagesima ad scum Paulum - scd. Lc 8,4-15: *Cum turba plurima conueniret* usq. *et fructum adferunt in patientia.*

206 – 208: Nella Quinquagesima - [*statio*] a san Pietro

A → Il MR 1474 segnala queste letture: 1 Cor 13,1-13 (*Nunc autem manent fides, spes, caritas*) e Lc 18,31-43 (*Respice, fides tua te salvum fecit*). - Nella domenica che prepara l'inizio della Quaresima l'assemblea domanda di essere sciolta «a peccatorum vinculis» e di essere custodita «ab omni adversitate», «contra omnia adversa»; la liberazione dalle conseguenze dei «delicta» costituisca la premessa perché i fedeli, santificati nel corpo e nello spirito con i «caelestia alimenta», possano celebrare in pienezza il «sacrificium». – Con il prefazio, n. 1453, l'assemblea riconosce «devotis mentibus» che come può mangiare ciò che è dono di Dio, così per suo dono possa disporre di un atteggiamento all'insegna del «bene velle» e del «bonum posse»: un autentico programma di vita che apre al percorso della Quaresima.

D → **207** Cf n. 61.

E → Π 53; Λ 60; Σ 57; Δ 68. - In quinquagesima die dominico ad scum Petrum - scd. Lc 18,31-43: *Adsumpsit Iesus duodecim* usq. *et omnis plebs ut uidit dedit laudem Deo.*

TEMPO DI QUARESIMA E DI PASQUA

209: Feria IV [*cinerum*] – Sul popolo raccolto a sant'Anastasia

A-B-D → Secondo la rubrica presente nel MR 1474 l'orazione concludeva il segno dell'imposizione delle Ceneri. – Il testo è ripreso *ad litteram* dal MR 2002, p. 197. Il tema della lotta spirituale «contra nequitias» è evidenziato nei termini «militia, pugnare, munire». Il contenuto è da considerare nell'ottica teologica del formulario successivo.

210 - 213: Egualmente per la messa - [*statio*] a santa Sabina

A → Il MR 1474 segnala queste letture: Il 2,12-19 (*Convertimini ad me in toto corde vestro*) e Mt 6,16-21 (*Ubi est thesaurus tuus ibi est et cor tuum*). - I quattro testi, da questo giorno arricchiti per tutto il periodo quaresimale anche dalla *oratio super populum*, pongono in evidenza l'atteggiamento dei fedeli che digiunano e che accompagnano questo gesto «congrua pietate» e con «secura devotione». Nell'esordio della Quaresima, definita «venerabilis sacramentum», l'assemblea domanda il «subsidium» del sacramento, il «divinum munus», il «caeleste auxilium» perché il digiuno raggiunga il suo vero obiettivo.

C → Nonostante la formulazione entri nelle norme già evidenziate, notevole sotto l'aspetto semantico è il sintagma finale del **210** «secura devotione percurrant», nel quale la *devotio*, già in precedenza accennata, è offerta con piena consapevolezza del sacrificio cui vanno incontro i cristiani quando sono decisi a percorrere fino in fondo il digiuno richiesto per la propria purificazione. La clausola, che sottolinea questo impegno, è data da un epitrito terzo seguito da un epitrito primo «devotione percurrant».

D → **212** Il testo è ripreso nel MR 2002, p. 200, come *post communionem* nella *feria quarta Cinerum*; unica variante la scomparsa dell'originaria figura letteraria dell'anafora «et... et...».

E → Π 54; Λ 61; Σ 58; Δ 69. - Feria IIII ad scam Sabinam - scd. Mt 6,16-21: *Dixit Iesus discipulis suis: cum ieiunatis* usq. *ubi est thesaurus tuus ibi erit cor tuum.*

214 - 217: Feria V – [*statio*] a san Giorgio

A → Il MR 1474 indica la *statio* a san Gregorio (*sic*) con altra *collecta*; queste le letture: Is 38,1-6 (*Audivi orationem tuam et vidi lacrimas tuas*) e Mt 8,5-13 (*Vade et sicut credidisti fiat tibi*). - Domina la prospettiva del digiuno pasquale realizzato con l'obiettivo che la «castigatio corporalis» giovi «ad fructum animarum». In questa linea si colloca l'offerta dei doni perché siano di incremento alla «devotio» e alla «salus», e perché le «dignae flagellationes» possano conseguire la «miseratio» divina.

D → **216** Il testo, presente anche nel n. 354, è valorizzato dal MR 2002, p. 201, come *post communionem* nella *feria quinta post Cineres*, con queste varianti: «... nobis *semper* et *indulgentiae* causa sit et salutis». Il MR 2020, p. 72, traduce: «... ci santifichi e sia per noi sorgente inesauribile di perdono e di salvezza».

E → Λ 62; Δ 70. - Feria V ad scum Georgium - scd. Mt 8,5-13: *Cum*

introisset Iesus Capharnaum usq. *et sanatus est puer ex illa hora;* Π = 54 in fol. annexo Feria V ad scum Georgium (cf. nota); Σ = post 58, Feria V ad scum Georgium (cf. nota).

218 – 221: Feria VI – [*statio*] ai santi Giovanni e Paolo
    A → Il MR 1474 segnala queste letture: Is 58,1-9 (*Tunc invocabis et Dominus exaudiet*) e Mt 5,43 – 6,4 (*Pater tuus qui videt te in abscondito reddet tibi*). - L'assemblea domanda che l'inizio del digiuno – l'«observantia paschalis» - sia sorretto «benigno favore» e con il dono dello «Spiritum… caritatis», perché l'atteggiamento esterno sia il segno dell'impegno dello spirito, e «nulla iniquitas» prevalga sulla «caelestis protectio».
    D → **218** Il testo è ripreso in MR 2002, p. 203, e valorizzato come *collecta* per la *feria sexta post Cineres*, come nel *Sacramentario*, con tre adattamenti: la sostituzione di «ieiunia» con l'esplicitazione di «paenitentiae opera», la sostituzione di «exhibemus» con «exercemus» e quindi l'«exercere» con «implere». Questo il testo del MR 2020, p. 73: «Accompagna con la tua benevolenza… i primi passi del nostro camino penitenziale, perché all'osservanza esteriore corrisponda un profondo rinnovamento dello spirito». ≈ **219** Il MR 2002, p. 203, valorizza il testo come *super oblata* nella *feria sexta post Cineres*, operando questi adattamenti: l'aggettivo «paschalis» diventa «quadragesimalis»; scompare il «praesta… ut» come pure l'anafora «et… et…». Questo il testo nel MR 2020, p. 73: «Il sacrificio che ti offriamo… in questo tempo di penitenza, renda a te graditi i nostri cuori, e ci dia la forza per più generose rinunce». ≈ **220** Il MR 2002, p. 452, valorizza il testo – presente anche nel n. 1308 - come *post communionem* nella *dominica II "per annum"*, e tra le *aliae orationes, pro opportunitate adhibendae* per le *missae rituales: 4. In conferenda Confirmatione* (p. 986). ≈ **221** Il MR 2002, p. 213, riprende il testo valorizzandolo come *oratio super populum* nella *feria quarta* dell'*hebdomada I Quadragesimae*, ma adattando il testo come segue: «… emunda, quia nulla ei nocebit adversitas, si nulla ei dominetur iniquitas» rendendo più lineare la *ratio* introdotta dal «quia». Questo il testo del MR 2020, p. 79: «… purificalo da ogni peccato, poiché nulla potrà nuocergli se sarà libero dal dominio del male».
    E → Π 55; Λ 63; Σ 59; Δ 71. - Feria VI in Pammachi - scd. Mt 5,43 - 6,4: *Dixit Iesus discipulis suis: audistis quia dictum est* usq. *et pater tuus qui uidet in abscondito reddet tibi.*

222 – 226: Nella [I domenica di] Quaresima – [*statio*] a san Giovanni in Laterano
    A → Il MR 1474 segnala queste letture: 2 Cor 6,1-10 (*Ecce nunc tempus acceptabile, ecce nunc dies salutis*) e Mt 4,1-11 (*Ductus est Iesus in desertum*). - Nel loro insieme i cinque testi mentre con-

testualizzano la preghiera – il «sacrificium quadragesimalis initii» - nell'«annua quadragesimae observatione» domandano che il frutto dell'astinenza – «epularum restrictione carnalium» - si risolva in «bonis operibus», lontano da «noxiis voluptatibus» e da ogni «adversitas», per raggiungere quel «consortium» frutto del «mysterium salutare». - Per l'uso e il significato delle ultime due orazioni del formulario cf *Introduzione*. – Il prefazio, n. 1454, si apre con il riferimento al digiuno di quaranta giorni e notti compiuto da Gesù (cf Mt 4,2). La sua fame però era costituita dall'«hominum salutem», per questo desiderò «animarum sanctitatem» perché suo cibo era la «redemptio populorum». Da qui il mesaggio quaresimale: l'invito a procurarsi quel nutrimento che scaturisce dalla «divinarum scripturarum lectione» (cf Mt 4,4).

D → **223** L'originario testo nel MR 2002, p. 199, è usato come *super oblata* nella *feria quarta Cinerum*, ma con un radicale adattamento nella finale che risulta così formulata: «… ut per paenitentiae caritatisque labores a noxiis voluptatibus temperemus, et, a peccatis mundati, ad celebrandam Filii tui passionem mereamur esse devoti». Questo pertanto il testo del MR 2020, p. 71: «… invochiamo la forza di astenerci dai nostri vizi con le opere di carità e di penitenza per giungere, liberati dal peccato, a celebrare devotamente la Pasqua del tuo Figlio». ≈ **224** Il MR 2002, p. 216, valorizza il testo – presente anche nel n. 834 - come *post communionem* nella *feria sexta* dell'*hebdomada I Quadragesimae* sostituendo «libatio» con «refectio». Il MR 2020, p. 81, traduce: «… sacramenti che abbiamo ricevuto…».

E → Π 56; Λ 64; Σ 60; Δ 73. - In quadragesima die dominico ad Lateranis - scd. Mt 4,1-11: *Ductus est Iesus in desertum a spiritu* usq. *et ecce angeli accesserunt et ministrabant ei.*

227 – 230: Feria II – [*statio*] a san Pietro in Vincoli

A → Il MR 1474 segnala queste letture: Ez 34,11-16 (*Ego ipse requiram oves meas, et pascam illas in iudicio et iustitia*) e Mt 25,31-46 (*Quam diu non fecistis uni de minoribus his nec mihi fecistis*). - La conversione implorata - «converte nos» - passa attraverso la pratica dell'«ieiunium quadragesimale» illuminato e sorretto da «caelestibus disciplinis», cioè dall'ascolto-confronto con la parola di Dio. La liberazione dal peccato - «emunda» «absolve» - e dalle sue conseguenze – «quidquid pro eis meremur» – è implorata come frutto della partecipazione ai «munera» – «oblata» e «satiati» -: su queste certezze si muove l'itinerario pasquale.

C → In questo gruppo l'attenzione cade necessariamente sul testo n. **229**, in cui si distinguono i due sintagmi, *laetemur gustu* e *renovemur effetu*. L'estensore insiste sulla determinazione di *laetemur gustu*, cui segue, come logica conseguenza, *renovemur effetu*, mediante l'esatta corrispondenza tra verbo ed estensione complementare.

D → **227** MR 2002, p. 208, riprende il testo valorizzandolo come *collecta* per la *feria secunda* dell'*hebdomada I Quadragesimae*; unica variante la sostituzione di «ieiunium» in «opus quadragesimale». MR 2020, p. 77: «… perché l'impegno quaresimale porti frutto…».
E → Π 57; Λ 65; Σ 61; Δ 74. - Feria II ad scum Petrum ad uincula - scd. Mt 25,31-46: *Dixit Iesus discipulis suis: cum uenerit filius hominis in sede maiestatis* usq. *Iusti autem in uitam aeternam.*

231 – 234: Feria III – [*statio*] a sant'Anastasia
A → Il MR 1474 segnala queste letture: Is 55,6-11 (*Quaerite Dominum dum inveniri potest*) e Mt 21,10-17 (*Domus mea domus orationis vocabitur*). - È lo spirito che deve risplendere per il desiderio di Dio; la «carnis maceratio» esprime un segno di tale desiderio e insieme il bisogno di difesa – «defende periculis» «repelle nequitiam» – garantito dalla partecipazione al «mysteria pignus» e sorretto dalle «preces nostrae».
C → Si nota nel testo n. **233** il sottile gioco retorico nella sequenza bene articolata *ut illius salutaris capiamus effectum, cuius per haec mysteria pignus accepimus,* nella quale l'orante chiede a Dio di godere gli effetti salvifici, *effectus,* dei quali il sacramento celebrato è pegno, *pignus.* Anche la disposizione verbale lessematica è disposta in modo semplice e lineare.
D → **231** Il MR 2002, p. 210, valorizza il testo come *collecta* per la *feria tertia* dell'*hebdomada I Quadragesimae,* adattando il «carnis maceratione» con «corporalium moderatione». MR 2020, p. 78: «… con la penitenza…».
E → Π 58; Λ 66; Σ 62; Δ 75. - Feria III ad scam Anastasiam - scd. Mt 21,10-17: *Cum intrasset Iesus Hierusolymam* usq. *de regno Dei.*

235 – 239: Feria IV – [*statio*] a santa Maria Maggiore
A → Il MR 1474 segnala per questo giorno le quattro *Tempora*; queste le letture: Ex 24,12-18 (*Dabo tibi duas tabulas lapideas. Et fuit ibi quadraginta diebus et quadraginta noctibus*), 3 Reg [= 1 Par = 1 Cr] 19,3-8 (*Surge, comede, grandis tibi restat via*) e Mt 12,38-50 (*Ecce mater mea et fratres mei*). - Di fronte a qualunque avversità – «cuncta adversantia» «hostium… insidiis» - si innalza la preghiera della «devotio populi», accompagnata dalla «maceratio in corpore», per conseguire il perdono e avere una guida sicura di fronte alle situazioni del cuore sempre incerto – «nutantia corda» -. Per questo l'implorazione del «lumen tuae claritatis» è condizione essenziale per vedere bene «quae agenda sunt» e per attuare «quae recta sunt». Il prefazio, n. 1455, implora il dono della «medicinalis observantia» perché possano scaturire «beneficia potiora» anche a coloro che trascurano i «subsidia» celesti.
C → Nell'eucologia **236** al sintagma proprio, mediante il quale esprime gli effetti del digiuno sul fisico, *macerantur in corpore,* si

aggiunge per incoraggiare e confortare il penitente, con una felice contrapposizione, il *reficiantur in mente,* con esatta rispondenza lessematica. ≈ Nell'eucologia **239** le due finali coordinate, *ut videre possimus quae agenda sunt, et quae recta sunt agere valeamus,* sono incentrate sul poliptoto del verbo *agere,* creando un effetto fonico ed evocativo molto suggestivo, senza trascurare tanto l'effetto salvifico quanto, e soprattutto, la parenesi. La clausola «agere valeamus», molto rara, è costituita da un tribraco seguito da un proceleusmatico.

D → **236** Il MR 2002, p. 212, valorizza il testo come *collecta* nella *feria quarta* dell'*hebdomada I Quadragesimae;* unica variante la sostituzione di «macerantur» in «temperantur». MR 2020, p. 79: «… mortificando…». ≈ **237** Il MR 2002, p. 260, valorizza il testo, presente anche nel n. 1065 e 1345, come *super oblata* per la *feria tertia* dell'*hebdomada V Quadragesimae.* ≈ **239** Il MR 2002, p. 209, riprende il testo dell'*oratio super populum* e lo ripropone nella *feria secunda* dell'*hebdomada I Quadragesimae,* adattando il «mentes nostras» a «mentem populi tui» e declinando al singolare i due verbi. MR 2020, p. 77: «… le menti dei tuoi fedeli…».

E → Π 59; Λ 67; Σ 63; Δ 76. - Mense primo feria IIII ad scam Mariam - scd. Mt 12,38-50: *Accesserunt ad Iesum scribae et pharisaei dicentes* usq. *ipse meus frater et soror et mater est.*

240 – 243: Feria V – [*statio*] a san Lorenzo
   A → Nel MR 1474 non c'è corrispondenza di orazioni; queste comunque le letture: Ez 18,1-9 (*Hic iustus est, vita vivet et non morietur*) e Mt 15,21-28 (*O mulier magna est fides tua, fiat tibi sicut vis*). - Digiuno ed elemosina sono «remedia peccatorum», frutto di spirito e corpo – «mente et corpore» –; i fedeli devono essere sempre attenti alle situazioni di «fragilitas» – o peggio ancora di «facinora» - che richiedono purificazione e sostegno – «purget et muniat» – per allontanare ogni forma di «indignatio» divina.
   D → **241** Cf n. 62.
   E → Λ 68; Σ 64. - Feria V ad scum Laurentium ad Formonsum - scd. Mt 15,21-28: *Egressus Iesus secessit in partes Tyri et Sidonis* usq. *et sanata est filia eius ex illa hora.* - Π = post 59 (cf. nota); Δ = post 77 (cf. nota).

244 – 247: Feria VI – [*statio*] agli Apostoli
   A → Per la *statio* ai XII Apostoli il MR 1474 segnala queste letture: Ez 18,20-28 (*Si impius egerit paenitentiam vivet et non morietur*) e Io 5,1-15 (*Surge, tolle grabatum tuum et ambula*). - C'è bisogno dell'invocazione del «benigno auxilio», del «gratiae lumen» di Dio perché l'assemblea possa esprimere la propria «devotio», e presentare l'«oblata servitiis» attraverso l'«operatio mysterii», in modo da passare dai «vitia» agli «iusta desideria». – Il prefazio, n.

1456, nel sotolineare il «victum carnale et spiritale» riecheggia il testo di Mt 4,4 («Non di solo pane vivrà l'uomo ma di ogni parola che esce dalla bocca di Dio») per ricordare che il nutrimento si realizza sia «epulando» che «ieiunando»!

C → L'estensore nell'eucologia **245** richiama il fedele sugli *oblata servitutis* che, se offerti con vera fede, diventano *dona* che il Signore, nella sua bontà, non esita a santificare. La carica e la ricchezza semantica dei due lessemi sono evidenti, avvalorate anche dalla loro disposizione. ≈ Nell'eucologia successiva **246** si pone in modo particolare l'accento sui *vitia*, i peccati, perché siano perdonati, e sui *desideria* che sono fonte e causa dei *vitia*. Si noti la rima dei due lessemi in questione.

E → Π 60; Λ 69; Σ 65; Δ 78. - Feria VI ad apostolos - scd. Io 5,1-15: *Erat dies festus Iudaeorum* usq. *quia Iesus esset qui fecit eum sanum.*

248 – 257: Sabato nelle XII letture – [*statio*] a san Pietro

A → La celebrazione delle così dette quattro *Tempora*, il sabato in cui si conferiscono gli Ordini, si apre con la richiesta perché il Signore allontani ogni flagello e venga incontro all'«humana fragilitas» donando «salutem mentis et corporis». Nella consapevolezza che «iuste pro peccatis affligimur», si sperimenta il «pondus malorum», e per questo la richiesta si fa insistente: «inter prospera humiles… inter adversa securi», in modo che ogni «operatio… a te semper incipiat et per te coepta finiatur». La liberazione dalle fiamme dei tre fanciulli nella fornace ardente è motivo per invocare lo spegnimento della «flamma vitiorum» – «vitia nostra curentur» – e poter così conseguire i «remedia aeterna». – Il brevissimo embolismo del prefazio, n. 1457, denota con una splendida sintesi gli effetti del digiuno corporale: «vitia comprimis, mentem elevas, virtutem largiris et praemia». ≈ Queste le letture, come riportato nel MR 1474, pp. 67-70 e nei Messali successivi fino a MR 1962, nn. 638-657: dopo il n. 248 il testo di Dt 26,15-19 (*Dominus elegisti hodie, et Dominus elegit te hodie*); dopo il n. 250 il testo di Dt 11,22-25 (*Si custodieritis mandata disperdet Dominus omnes gentes*); dopo il n. 251 il testo di 2 Mac 1,23-26 e 27 (*Det vobis cor omnibus ut colatis eum et faciatis eius voluntatem*); dopo il n. 252 il testo di Sap [*sic!* = Eccli = Sir] 36,1-10 (*Miserere nostri Deus omnium et respice nos*); dopo il n. 254 il testo di Dn 3,47-51 (*Angelus Domini descendit*) seguito dal relativo cantico 52-56 (*Benedictus es Domine Deus patrum nostrorum*) e completato con il n. 255; segue quindi 1 Thess 5,14-23 (*Omnia probate, quod bonum est tenete*) e Mt 17,1-9 (*Transfiguratus est ante eos*).

C → Si noti nell'eucologia n. **251** come viene considerata la vita dei *fideles*: devono essere *humiles inter prospera* o *in rebus secundis*, perché *inter adversa* possano essere *securi* sotto la protezione di Dio. Si noti la studiata opposizione di *prospera* con *adversa*, soprat-

tutto sotto l'aspetto metrico e ritmico: il dattilo di *prospera* proietta l'animo verso la gioia e la spensieratezza, il palimbacchio *adversa*, invece, verso le sofferenze e le angustie. ≈ Un cenno a parte merita l'eucologia **254** per la perfetta ed equilibrata formulazione. L'estensore pone sotto gli occhi del Signore tutte le *actiones nostras* e, mediante due gerundi strumentali simmetrici seguiti dall'imperativo presente, mostra in logica successione gli interventi di Dio *aspirando praeveni* e *adiuvando prosequere*. All'omoteleuto dei gerundi segue in aspetti diversi l'imperativo presente. L'orante chiede ciò perché *cuncta operatio* prenda inizio e sia portata a termine con l'aiuto di Dio. La clausola, molto curata, è costituita da una tripodia trocaica. ≈ Nel **256** si noti il chiasmo costituito da *profitetur extrinsecus, interius operetur*. Il secondo membro costituisce anche la clausola data dal peone primo seguito dal peone quarto.
D → **249** Il testo, riproposto anche nei nn. 1061 e 1328, è valorizzato dal MR 2002, p. 1152, come *collecta* tra le [C.] *Aliae orationes* del formulario *in quacumque necessitate*. ≈ **254** Il testo che ritorna anche nel n. 1154 è presente nel MR 2002, p. 201, dove figura come *collecta* nella *feria quinta post Cineres*; il testo del *Sacramentario* contiene quattro *et*; il MR 2002 ne elimina due rendendo più fluido il periodo.
E → Π 61; Λ 70; Σ 66; Δ 79. - Sabbato in XII lectiones ad scum Petrum - scd. Mt 17,1-9: *Post dies sex adsumpsit Iesus Petrum et Iacobum* usq. *donec filius hominis a mortuis resurgat*.

258 - 260: Domenica libera
A → Il MR 1474 indica la *statio* presso santa Maria *in Domnica* (o alla Navicella) con queste letture: 1 Thess 4,1-7 (*Haec est voluntas Dei, sanctificatio vestra*) e Mt 17,1-9 (*Transfiguratus est ante eos*). - La richiesta della liberazione da ogni «adversitas in corpore» si unisce a quella della purificazione delle «cogitationes in mente»; con la partecipazione al sacrificio l'assemblea implora il progresso nella «devotio» e nella «salus», e così poter servire il Signore «placitis moribus». – Il breve embolismo prefaziale, n. 1458, sintetizza l'atteggiamento misericordioso del Padre che non solo rimette i peccati, ma giustifica anche i peccatori; non solo libera dalla pena, ma conferisce perfino il premio! Espressioni che denotano l'amore infinito di Dio, e che aprono alla fiducia insieme all'impegno di un retto agire.
C → Nell'eucologia **258** si pone particolare attenzione sul sintagma *interius exteriusque*, costituito da un sintagma composto da due lessemi uniti dall'enclitica *que*. Si notino ancora i due membri con esatta corrispondenza verbale e oppositiva *muniamur in corpore* con *mundemur in mente*. Quest'ultimo membro costituisce anche la clausola finale, data dalla ripetizione del palimbacchio.
D → **260** Cf n. 205.

E → Π 62; Λ 71; Σ 67. - Ebdomada II die dominico uacat; - Δ = 80 Ebdomada II die dominico - scd. Mc 1,40 - 2,12: *Uenit ad Iesum leprosus deprecans eum* usq. *dicentes quia numquam sic uidimus.*

261 - 264: Feria II – [*statio*] a san Clemente
A → Il MR 1474 indica queste letture: Dn 9,15-19 (*Aperi oculos tuos et vide desolationem nostram*) e Io 8,21-29 (*Si non credideritis quia ego sum moriemini in peccato vestro*). - La consapevolezza dello stretto rapporto tra l'afflizione nella carne (con la penitenza e il digiuno) e l'operare per la giustizia, per l'assemblea è motivo per implorare di essere degna della «propitiatio» del Signore in modo da essere completamente liberata «a crimine» e soprattutto meritare di essere «consors caelestis remedii». Sulla certezza della fiducia nella «speranda pietas» si consolida l'attesa della «consueta misericordia».
C → Nell'eucologia **264** l'orante, mediante una studiata disposizione delle parole, chiede a Dio di manifestare all'uomo tutta la sua *pietas* e la sua *misericordia*. Il lessema *pietas* nelle lingue romanze ha assunto, tramite la mediazione cristiana, un'estensione semantica che nel latino più antico non aveva. Per i Romani dell'epoca repubblicana la *pietas* era la *devotio religiosa*, l'amore verso la patria e, di conseguenza, verso la *familia*, cellula importante nella costituzione della *res publica*. La *pietas* interessava anche il rispetto e il valore da attribuire ai suoi membri secondo il loro valore gerarchico. Presso i Romani era il *filius* che doveva avere il sentimento della *pietas* verso gli avi, come dimostra il *pius Aeneas*. Nell'evoluzione e rivoluzione operata dal Cristianesimo la *pietas* viene considerata sotto un duplice aspetto: denota non solo il senso di profondo rispetto e riverenza che l'uomo deve nutrire verso Dio, ma mette anche in evidenza il grande amore che Dio ha verso l'uomo e ne diviene un attributo essenziale al pari di *misericordia*. Questa, divenuta fondamentale nell'etica cristiana, è un sentimento importante, che trae origine dalla compassione per l'infelicità del prossimo. Anche questa, come la *pietas*, cui spesso si accompagna nelle eucologie, è un costante attributo di Dio.
D → **263** Cf n. 85.
E → Π 63; Λ 72; Σ 68; Δ 81. - Feria II ad scum Clementem - scd. Io 8,21-29: *Dixit Iesus turbis Iudaeorum: ego uadam* usq. *quae placita sunt ei facio semper.*

265 - 268: Feria III – [*statio*] a santa Balbina
A → Il MR 1474 indica la *statio* nella chiesa di santa Sabina (!); queste le letture: 3 Reg [= 1 Par = 1 Cr] 17,8-16 (*Quae abiit et fecit iuxta verbum Heliae, et comedit ipse et illa et domus eius*) e Mt 23,1-12 (*Unus est magister vester*). - La santa osservanza della Quaresima è un «subsidium» che può essere portato a perfezione attraverso la

conoscenza di ciò che bisogna compiere, e sorretto dall'impegno divino; la santificazione che si attua attraverso la partecipazione ai santi misteri implica la liberazione «a terrenis... vitiis» e la obbedienza «tuis mandatis» come condizione per conseguire i «caelestia dona»; solo con una «percepta remissio» ci si può rallegrare nella «benedictio» divina.

C → Nell'eucologia **265** balza in tutta la sua bellezza e forza la variante collocata per asindeto in sequenza parallela *te auctore - te operante*. Da notare il valore strumentale dell'ablativo assoluto che nella sua espressione brachilogica produce nell'ascoltatore un atto di devota e completa sottomissione a Dio. L'effettuazione del secondo membro è logico sviluppo e conseguenza del primo. La clausola «te operante impleamus» è costituita da un dattilo, seguito da un trocheo e un epitrito secondo.

D → **266** Il MR 2002, p. 221, valorizza il testo come *super oblata* nella *feria tertia* dell'*hebdomada II Quadragesimae*, con la sola sostituzione del «purget» con «emundet».

E → Π 64; Λ 73; Σ 69; Δ 82. - *Feria III ad scam Balbinam* - scd. Mt 23,1-12: *Locutus est Iesus ad turbas* usq. *qui se humiliauerit exaltabitur*.

269 - 272: Feria IV – [*statio*] a santa Cecilia

A → Il MR 1474 indica queste letture: Est 13,9-11.15-17 (*Converte luctum nostrum in gaudium*) e Mt 20,17-28 (*Potestis bibere calicem quem ego bibiturus sum?*). - La tradizione della *passio* di santa Cecilia ispira la richiesta dell'assemblea che con il riferimento «ab escis carnalibus» implora di essere liberata anche «a noxiis vitiis», dai «vincula peccatorum», per crescere nella redenzione eterna; solo Dio, «innocentiae restitutor et amator», può trasformare il cuore dei fedeli perché siano sempre più «et in fide... stabiles, et in opere efficaces».

E → Π 65; Λ 74; Σ 70; Δ 83. - *Feria IIII ad scam Caeciliam* - scd. Mt 20, 17-28: *Ascendit Iesus Hierosolymam* usq. *et dare animam suam redemptionem pro multis*.

273 - 276: Feria V – [*statio*] a santa Maria in Trastevere

A → L'eucologia del MR 1474 è diversa; queste comunque le letture: Ier 17,5-10 (*Benedictus vir qui confidit in Domino*) e Lc 16,19-31 (*Si Moises et prophetas non audiunt neque si quis ex mortuis resurrexerit credent*). - Qui il digiuno è definito «saluber» (solo quattro volte il termine è presente nel *Sacramentario*) perché fonte di serenità nella vita presente e condizione per l'«aeterna beatitudo». I frutti del digiuno – «dona ieiunii» – garantiscono al fedele animato da «divinum fervorem» di essere degno della «gratia» e di poter aspirare «ad sempiterna promissa» rinfrancato dall'aiuto dei «praesidiis invictae pietatis».

C → **275** Si noti la proposizione finale introdotta da *quo*, concordato con *fervorem*. Nella proposizione relativa l'estensore ha collocato, subito dopo, il pronome *eorum* che avrebbe potuto omettere, rendendo la frase così: *quorum pariter...*, ricorrendo all'attrazione del relativo. Si noti la rima di *fructu* e *actu* preceduti dal polisindeto *et*.
E → Λ 75; Σ 71. - Feria V ad scam Mariam trans Tiberim in titulo Calisti - scd. Lc 16,19-31: *In illo tempore dixit Iesus turbis pharisaeorum: homo quidam erat diues et induebatur purpura et bysso* usq. *neque si quis ex mortuis resurrexerit credent*; Π = Post 65 (cf. nota); Δ = 84 ev (cf. nota).

277 – 280: Feria VI – [*statio*] a san Vitale
A → Il MR 1474 segnala queste letture: Gn 37,6-22 (*Ecce somniator venit*) e Mt 21,33-46 (*Homo quidam plantavit vineam et sepem circumdedit ei*). - Un «ieiunium» sacro e purificante è la condizione per giungere «ad sancta ventura», alle feste pasquali, purché il «sacrificium» celebrato e vissuto quale «pignus salutis aeternae» porti frutto nella vita sorretta dalla «protectio» di Dio.
C → **278** Nel testo l'orante chiede che gli effetti benefici del sacrificio si attuino in modo attivo e corroborino le azioni del fedele. L'estensore, per un diverso modo di percepire e usare la lingua latina ricorre a due astratti, *actio* e *operatio*, là dove qualche tempo addietro un autore del latino repubblicano o del primo periodo imperiale avrebbe usato un gerundio strumentale, esprimendosi, più o meno, così: *et agendo permaneant, et operando firmentur*. La clausola «operatione firmentur» è composta da una tripodia giambica catalettica. ≈ **279** In questa eucologia con *sic* e *ut* si pongono in condizione di causa ed effetto due infiniti *tendere* e *pervenire*. Dei quali il primo sottolinea l'anelito verso la beatitudine, alla quale si può giungere (*pervenire*) con l'aiuto di Dio. La clausola «pervenire possimus» è data da una dipodia trocaica seguita da un molosso.
D → **277** Il MR 2002, p. 224, valorizza il testo come *collecta* per la *feria sexta* dell'*hebdomada II Quadragesimae*, sostituendo l'originale «ieiunio» con «paenitentiae studio». MR 2020, p. 89: «... impegno penitenziale...». ≈ **278** L'originaria *super oblata* nel MR 2002, p. 223, è valorizzata come *post communionem* per la *feria quinta* dell'*hebdomada II Quadragesimae*. ≈ **280** Cf n. 20.
E → Π 66; Λ 76; Σ 72; Δ 85. - Feria VI ad apostolos inter Uestinae - scd. Mt 21,33-46: *Dixit Iesus discipulis suis et turbis Iudaeorum parabolam hanc: homo erat paterfamilias qui plantauit uineam* usq. *quia sicut prophetam eum habebant*.

281 – 284: Sabato – [*statio*] ai santi Marcellino e Pietro
A → Il MR 1474 segnala queste ampie letture: Gn 27,6-39 (*In pin-*

guedine terrae et in rore caeli desuper erit benedictio tua) e Lc 15,11-32 (*Homo quidam habuit duos filios*). - La domanda che il digiuno sortisca un «effectum salutarem» è finalizzata a far sì che la «castigatio carnis» sia alimento dello spirito; non solo, mentre si implora il perdono delle proprie - «propriis» - colpe, si invoca la protezione – «caelesti… protectione muniatur» - da «delictis externis»; in questa linea la «divina libatio» deve agire nelle profondità del cuore.

C → **282** In questa eucologia, come in altre, il *peccatum* è chiamato *delictum*. Il *peccatum*, da *pecco*, nella latinità classica indica un'azione colpevole, un crimine, delitto, errore oppure sbaglio, un errore commesso nei riguardi sia della legge che degli uomini. Nella concezione cristiana, invece, è una grave offesa commessa nei riguardi di Dio, con evidente disobbedienza alla sua legge. *Delictum*, invece, da *delinquo*, denota una mancanza, un errore commesso nei riguardi di Dio o di un uomo e ha una precisa connotazione nei riguardi dell'offeso, di solito più grave del *peccatum*. I due termini non sono sinonimi, pur indicando una stessa realtà, perché il valore semantico dell'uno differisce notevolmente dall'altro. Il *delictum*, come il *peccatum*, può essere *externum*, il motivo è l'occasione esterna che muove al peccato, e *proprium* oppure *internum*, perché insito nella natura stessa dell'uomo. L'orante chiede di non essere gravato da colpe provenienti dall'esterno, perché già i propri peccati, quelli insiti nel suo essere uomo, son già troppi. La clausola «oramus absolvi» è data da un palimbacchio e un molosso.

D → **283** Il MR 2002, p. 225, valorizza il testo come *post communionem* nel *sabbato* dell'*hebdomada II Quadragesimae*, modificando «divina libatio penetrabilia» con «divina perceptio penetralia» e con l'aggiunta chiarificatrice del «nos». Questo il testo ufficiale del MR 2020, p. 90: «… agisca nella profondità del nostro cuore, e ci renda partecipi della sua forza». ≈ **284** L'originaria *super populum* – presente anche nel n. 1064 ma con la funzione di *collecta* - nel MR 2002, p. 455, è valorizzata come *collecta* per la *dominica V "per annum"*, con la sostituzione del «caelesti etiam…» in «tua semper…». Cf MR 2020, p. 267.

E → Π 67; Λ 77; Σ 73; Δ 86. - Die sabbato ad scos Marcellinum et Petrum - scd. Lc 15,11-32: *Dixit Iesus discipulis suis: homo quidam habuit duos filios* usq. *perierat et inuentus est*.

285 – 287: Domenica [III] – [*statio*] a san Lorenzo fuori le Mura

A → Il MR 1474 segnala queste letture: Eph 5,1-9 (*Fructus lucis est in omni bonitate et iustitia et veritate*) e Lc 11,14-28 (*Qui non est mecum adversus me est*). - Una ordinaria richiesta di aiuto per l'assemblea è motivo per implorare il perdono dei «delicta» - ma anche «reatibus et periculis absolve» - in modo che corpo e spirito siano degni «ad sacrificium celebrandum», degni di poter essere «tanti mysterii… participes». – Nel prefazio, n. 1459, i fedeli implorano di essere accompagnati dalla «gratia» divina, consapevoli che «sine ipso nihil recti valemus efficere»; da qui la richiesta del suo dono perché solo a lui «placere possimus».

D → **286** Cf n. 61.

E → Π 68; Λ 78; Σ 74; Δ 87. - Ebdomada III die dominico ad scum Laurentium - scd. Lc 11,14-28: *Erat Iesus eiciens daemonium* usq. *qui audiunt uerbum Dei et custodiunt illud.*

288 – 291: Feria II – [*statio*] a san Marco
A → Il MR 1474 segnala queste letture: 4 Reg [= 2 Par = 2 Cr] 5,1-15 (*Vade et lavare sempties in Iordane*) e Lc 4,23-30 (*Nemo propheta acceptus est in patria sua*). - La dialettica tra i cibi e i loro eventuali eccessi diventa motivo per implorare di evitare quei «noxiis eccessibus» che travolgono lo spirito. Da qui la richiesta che i segni offerti all'«omnipotens et misericors Deus» diventino un «salutare sacramentum» in modo che «quae ore contingimus, pura mente capiamus», e l'assemblea sia sempre protetta «ab imminentibus peccatorum… periculis».
E → Π 69; Λ 79; Σ 75; Δ 88. - Feria II ad scum Marcum - scd. Lc 4,23-30: *Dixerunt pharisaei ad Iesum: quanta audiuimus facta* usq. *ipse autem transiens per medium illorum ibat.*

292 – 295: Feria III – [*statio*] a santa Pudenziana
A → Il MR 1474 segnala queste letture: 4 Reg [= 2 Par = 2 Cr] 4,1-7 (*Vade, vende oleum et redde creditori tuo*) e Mt 18,15-22 (*Non dico tibi septies, sed usque septuagesies septies*). - La sollecita richiesta di una «continentia salutaris» e quindi di un allontanamento da «humanis… excessibus», da «omnis iniquitas», è garantita dalla partecipazione agli effetti dei «sacramenta… redemptionis» in modo che i fedeli possano conseguire «veniam et gratiam».
D → **293** Il testo, presente anche nel n. 1158, è valorizzato dal MR 2002, p. 225, come *super oblata* nel *sabbato* dell'*hebdomada II Quadragesimae*; unica variante la sostituzione di «cuncta» con «dona» che meglio esprime il rapporto con il momento celebrativo.
E → Π 70; Λ 80; Σ 76; Δ 89. - Feria III ad scam Potentianam - scd. Mt 18, 15-22: *In illo tempore respiciens Iesus discipulos suos dixit Simoni Petro: si peccauerit in te frater tuus* usq. *septuagies septies.*

296 – 299: Feria IV – [*statio*] a san Sisto
A → Il MR 1474 segnala queste letture: Ex 20,12-24 (*Vos vidistis quod de caelo locutus sum vobis*) e Mt 15,1-20 (*Omnis plantatio quam non plantavit pater meus caelestis eradicabitur*). - Un salutare digiuno e l'astinenza da atteggiamenti malvagi sono motivo per impetrare la «divina propitiatio», la «gratiam protectionis»; offerte e preghiere sono presentate dai fedeli per essere difesi «ab omnibus

periculis», «a malis omnibus», e la partecipazione alla «caelestis mensa» renda tutti degni «supernis promissionibus».

C → Le eucologie di questo gruppo sono molto semplici e seguono le norme della grammatica e della retorica. Ciò si evince dalla proposizione finale, presente in **296**, dove è introdotta da *quo* al posto di *ut*, secondo l'uso dei più accreditati scrittori del periodo repubblicano e imperiale. Il peccato, quasi ad attenuarne la conclamata gravità, è chiamato *vitium*, cui di proposito si aggiunge *noxium*, con chiaro riferimento alle dannose inclinazioni naturali verso il male, insite nella natura umana. La clausola «impetremus» è data da un epitrito secondo.

D → **297** Il MR 2002, p. 233, valorizza il testo come *super oblata* per la *feria quarta* dell'*hebdomada III Quadragesimae*. ≈ **298** Il MR 2002, p. 233, valorizza il testo come *post communionem* per la *feria quarta* dell'*hebdomada III Quadragesimae*.

E → Π 71; Λ 81; Σ 77; Δ 90. - Feria IIII ad scum Xystum - scd. Mt 15,1-20: *In illo tempore accesserunt ad Iesum ab Hierosolymis* usq. *non lotis manibus manducare non coinquinat hominem*.

300 – 303: Feria V – [*statio*] ai santi Cosma e Damiano

A → Il MR 1474 ha testi eucologici diversi; queste comunque le letture: Ier 7,1-7 (*Bonas facite vias vestras*) e Lc 4,38-44 (*Erat praedicans in sinagogis Galileae*). - Per l'assemblea la «sancta devotio ieiuniorum» costituisce motivo per implorare la propria purificazione – «a terrena cupiditate mundati» - ed essere così accetta davanti alla «suprema maiestas». Per questo domanda di accostarsi ai «sancta mysteria purificatis mentibus» perché l'«obsequium» manifestato nella celebrazione e nella vita sia sempre «competens», all'altezza cioè di come deve essere, e come conseguenza di quel «mystico effectu» garantito dalla «perpetua virtus» divina e dai «perpetuis donis».

E → Π 45; Λ 50; Σ 17; Δ 55. - Feria V ad scos Cosmam et Damianum - scd. Lc 4,38-44: *In illo tempore surgens Iesus de synagoga introiuit* usq. *erat praedicans in synagogis Galileae*.

304 – 307: Feria VI – [*statio*] a san Lorenzo in Lucina

A → Il MR 1474 segnala queste due ampie letture: Nm 20,2-3.6-13 (*Da nobis aquam ut bibamus*) e Gv 4,5-42 (*Qui biberit ex aqua quam ego dabo ei non sitiet in aeternum*). - La dialettica tra «mens» e «corpus», tra «alimentum» e «vitium», si apre sul senso dell'impegno quaresimale del digiuno («ieiunia - ieiunemus») che può essere sorretto dai «munera quae sacramus», da quella «perceptio sacramenti» che - sola - può purificare, può permettere di vincere «cuncta adversantia», e così condurre «ad caelestia regna».

C → **304** La composizione di questa eucologia si fonda sulla presenza di *corpus* e *mens*, il corpo e l'anima, che davanti al digiuno

non a caso l'estensore pone in posizione incipitaria *ieiunia*, efficacemente ripreso con *ieiunemus*, alla fine, dove il complemento di mezzo è espresso con *in*, come avviene sovente nel *Sacramentario*. Se *ieiunium* interessa il corpo, tenendolo lontano dal cibo, quello della *mens* non è meno impegnativo per tenersi lontano dal *vitium*, inteso in tutta la sua estensione semantica.

E → Π 72; Λ 83; Σ 79; Δ 92. - Feria VI ad scum Laurentium in titulo Lucinae - scd. Io 4,6-42: *In illo tempore Iesus fatigatus ex itinere sedebat sic super fontem* usq. *quia hic est uere saluator mundi.*

308 - 311: Sabato – [*statio*] a santa Susanna

A → Il MR 1474 segnala queste letture: Dn 13,1-62 (*Salvatus est sanguis innoxius in illa die*) e Io 8,1-11 (*Nec ego te contemnabo, vade et amplius noli peccare*). - Il senso del digiuno per tenere sotto controllo i desideri della carne («affligendo carne») diventa un richiamo per operare la giustizia («sectando iustitiam»), per ricercare «toto corde» il Signore, e così digiunare dalla colpa. La consapevolezza della propria «fragilitas» e quindi il bisogno del «caeleste auxilium» orienta l'assemblea ad implorare gli effetti del «munus oblatum» per essere resa partecipe delle membra di quel corpo e sangue cui comunica nella celebrazione dei santi misteri.

C → Di questo gruppo si segnala l'eucologia **308** trasmessa nella sua forma più arcaica e vicina alla formulazione originaria, forse improvvisata durante la celebrazione. Si ponga attenzione tanto al lessema *ut qui se affligendo carne ab alimentis abstinent* quanto all'assonanza *affligendo... sectando*. La clausola «a culpa ieiunent», trispondaica, è molto rara.

D → **309** Cf n. 62. ≈ **311** Cf n. 14.

E → Π 73; Λ 84; Σ 80; Δ 93. - Sabbato ad scam Susannam - scd. Io 8,1-11: *Perrexit Iesus in montem Oliueti* usq. *uade et amplius noli peccare.*

312 - 315: Domenica [IV] – [*statio*] a [santa Croce in] Gerusalemme [*in Suxurio*]

A → Il MR 1474 segnala queste letture: Gal 4,22-31 (*Sumus filii liberae, qua libertate Christus nos liberavit*) e Io 6,1-14 (*Hic est vere propheta qui venturus est in mundum*). - Azione e consolazione: due termini che permettono all'assemblea di essere consapevole delle conseguenze del proprio agire ma, insieme, di poter confidare nella «consolatio» che proviene dalla «gratia». «Devotio» e «salus» sono le due realtà che i fedeli implorano, garantiti dall'impegno di un «sincerum obsequium» e da un atteggiamento caratterizzato da «mens fidelis». Nell'orazione alternativa (n. 315) l'assemblea prende lo spunto dal miracolo della moltiplicazione dei pani in zona deserta (cf Mt 14,13-21) per implorare nel tempo che passa di non essere priva del «victum... spiritalem». – Nel

prefazio, n. 1460, l'assemblea riconosce di esistere «te auctore» e di essere guidata «te dispensante». Attuare «quae precipis» è un dono; per questo essa si apre ad accogliere «quae promittis».
E → Π 74; Λ 85; Σ 81; Δ 94. - Ebdomada IIII die dominico in Suxurium - scd. Io 6,1-14: *Abiit Iesus trans mare Galilaeae* usq. *quia hic est uere propheta qui uenturus est in mundum.*

316 - 319: Feria II - [*statio*] ai santi Quattro Coronati
A → Il MR 1474 segnala queste letture: 3 Reg [= 1 Par = 1 Cr] 3,16-28 (*Timuerunt regem videntes sapientiam Dei esse in eo*) e Io 2,13-25 (*Solvite templum hoc et in tribus diebus excitabo illud*). - L'annuale «sacra observatio» propria della quaresima costituisce motivo per implorare di piacere a Dio «et corpore... et mente». A questo tende l'«oblatum sacrificium», la «deprecatio» dell'assemblea, nella consapevolezza che è dalla partecipazione a questi «sacramenta salutaria» che si snoda la crescita nella vita di grazia.
C → Nell'elaborare questo gruppo di eucologie l'estensore ha concentrato l'attenzione su alcuni lessemi di particolare pregnanza, inserendoli in sintagmi e stilemi significativi sotto l'aspetto semiologico. Allo stilema *observationes sanctas annua devotione recolentes* molto semplice sotto l'aspetto stilistico e letterario, segue un sintagma stilisticamente più elaborato *et corpore tibi placeamus et mente*, nel quale l'orante chiede a Dio di essere accetto in seguito alla purificazione del corpo e dell'anima. *Corpus* e *mens*, corpo e anima, nelle orazioni sono sempre insieme e formano un'unità di grande impatto sul fedele, il quale – come si recita nell'eucologia **317** – dal *sacrificium* viene fortificato (*munire*) nel corpo e alimentato (*vivificare*) nell'anima. Questi due verbi sono, di solito, sempre insieme, quando l'orante inserisce nella preghiera il *corpus* e la *mens*. ≈ In **319** si osservi la posizione paratattica dei due membri finali *quibus supplicandi praesta affectum, tribue defensionis auxilium.* L'attenzione si concentra sui due doni richiesti, *affectum* e *auxilium*, i quali con la rima e con la stessa estensione quantitativa, l'uno formato dal molosso e dal coriambo l'altro che costituisce anche la clausola, offrono una scelta stilistica di grande efficacia.
E → Π 75; Λ 86; Σ 82; Δ 95. - Feria II ad scos Quattuor Coronatos - scd. Io 2,13-25: *Prope erat pascha Iudaeorum* usq. *ipse enim sciebat quid esset in homine.*

320 - 323: Feria III - [*statio*] a san Lorenzo in Damaso
A → Il MR 1474 segnala queste letture: Ex 32,7-14 (*Misertus est populo suo Dominus Deus noster*) e Io 7,14-31 (*Nolite iudicare secundum faciem sed iustum iudicium iudicate*). - Con terminologia simile a quella del n. 316 l'assemblea – «continuis tribulationibus laborantem» - implora un «augmentum» dell'intimità con Dio e il suo continuo «auxilium» («miserere»): un aiuto implorato perché la

partecipazione al «sacrificium» abbia come esito la santificazione di «corpora et mentes», la purificazione da ogni «crimen» e il conseguimento dei «caelestia regna».

C → **320** Da osservare in *conversatione* il nuovo arricchimento semantico sopraggiunto con l'adozione nel latino liturgico. Se negli autori classici indica: *volgere e rivolgere,* uso frequente oppure *soggiorno* nonché *intimità, rapporti, frequentazione,* nel nuovo contesto assume il significato di *conversione.*

D → **321** Cf n. 61.

E → Π 76; Λ 87; Σ 83; Δ 96. - Feria III in titulo Damasi - scd. Io 7,14-31: *Iam die festo mediante ascendit Iesus* usq. *de turba autem multi crediderunt in eum.*

324 - 328: Feria IV – [*statio*] a san Paolo

A → Il MR 1474 segnala queste letture: Ez 36,23-28 (*Dabo vobis cor novum, et spiritum novum ponam in medio vestri*), Is 1,16-19 (*Lavamini, mundi estote*) e Gv 9,1-38 (*Credo Domine, et procidens adoravit eum*). - Nei primi due testi è presente il termine «ieiunium» caratterizzato dall'appellativo «votivum», destinato come mezzo per ottenere il perdono ma anche per poter rallegrarsi – purché «terrenis affectibus mitigatis» - per una «sancta devotio» che, sola, può aiutare a far comprendere le realtà celesti e a conseguire una vera «sanitas mentis et corporis» attraverso «spiritalibus alimentis» e «corporalibus auxiliis», a condizione di implorare «quae tibi sunt placita»: e questa per il fedele è la ricerca che permane costante soprattutto nel tempo quaresimale.

C → Tra le eucologie di questo gruppo, tutte elaborate con perizia, particolare rilievo assumono in **327** il sintagma *spiritalibus… alimentis,* cui segue come necessaria rispondenza *corporalibus auxiliis.* I due sintagmi sono disposti nello stesso ordine, di modo che il secondo formi anche la clausola, costituita da un coriambo.

D → **328** Il testo, ripetuto anche nel n. 1109, è valorizzato dal MR 2002, p. 226, come *oratio super populum* nel *sabbato* dell'*hebdomada II Quadragesimae.*

E →: Π 77; Λ 38; Σ 84; Δ 97. - Feria IIII ad scum Paulum - scd. Io 9,1-38: *Praeteriens Iesus uidit hominem caecum* usq. *procidens adorabat eum.*

329 - 332: Feria V – [*statio*] a san Silvestro

A → Ad eccezione della *super populum* il MR 1474 ha altri testi eucologici; queste comunque le letture: 4 Reg [= 2 Par = 2 Cr] 4,25-38 (*Oscitavit puer sempties aperuitque oculos suos*) e Lc 7,11-16 (*Adolescens tibi dico surge*). - I termini «salutare» e «sollemne» che caratterizzano il «ieiunium» illuminano il senso del participio «eruditi»; da questo insegnamento vitale sorge l'impegno dell'astinenza «a noxiis vitiis», dai «peccata quibus impugnatur», quale garanzia per poter impetrare la «divina propitiatio» che proviene solamente da Dio «institutor et rector» che solo può garantire il proprio «munimen» per l'assemblea dei credenti.

C → 331 In questa eucologia, molto semplice e lineare, l'estensore ha posto una cura particolare nella calcolata disposizione dei singoli elementi: si noti la rima e la disposizione chiastica dei seguenti lessemi: *vivificando renovent et renovando vivificent*, cui si aggiunge il poliptoto nonché la clausola «vivificent», costituita dell'epitrito terzo.

D → 331 Notevole è l'adattamento – e letterariamente discutibile – che il MR 2002, p. 243, opera sul testo della *post communionem* per la *feria secunda* dell'*hebdomada IV Quadragesimae* dove la seconda parte dell'anafora è sostituita con «... et sanctificando ad aeterna perducant». Questo il testo del MR 2020, p. 102: «... trasformino la nostra vita e ci guidino ai beni eterni». ≈ **332** Il MR 2002, p. 232, valorizza il testo come *oratio super populum* per la *feria tertia* dell'*hebdomada III Quadragesimae*; unica variante il «placatus» trasformato in «placitus».

E → Λ 89; Σ 85; Δ 98 (cf nota). - Feria V ad scum Siluestrum - scd. Lc 7,11-16: *In illo tempore ibat Iesus in ciuitate quae uocatur Naim* usq. *quia Deus uisitauit plebem suam*; Π post 77 (cf. nota).

333 – 336: Feria VI – [*statio*] a sant'Eusebio

A → Il MR 1474 segnala queste letture: 3 Reg [= 1 Par = 1 Cr] 17,17-24 (*Verbum Domini in ore tuo verum est*) e Io 11,1-45 (*Multi qui viderant quae fecit Iesus, crediderunt in eum*). - «Aeterna instituta» (i sacramenti) e «temporalia auxilia» (il necessario per la vita) sono le realtà su cui si appoggia la richiesta dell'assemblea che, consapevole più della misericordia e della «virtus» che non dell'ira divina e consapevole pure della propria «infirmitas», implora purificazione attraverso la «participatio sacramenti» in modo da godere sempre della «pietas» invocata.

C → In questo formulario si pone l'attenzione in **333** su *mundus*, che nel latino cristiano ha assunto il significato attuale di mondo, sostituendo l'affermato e più comune *orbis terrarum*, mai usato nel *Sacramentario*. Nel latino repubblicano e del primo periodo imperiale *mundus* denota l'universo, il cielo e il firmamento; ma non di rado, soprattutto alla fine dell'età repubblicana e agli inizi dell'età imperiale il lessema si è imposto sempre più e gli autori lo hanno adoperato nel senso che si riscontra negli esiti romanzi. ≈ In **335** interessante la posizione chiastica di *propriis reatibus indesinenter expediat et omnibus tueatur adversis*. Nei due cola, oltre la rima, va osservato il valore semantico di *adversis*, considerato sinonimo di *externis*. La clausola «tueatur adversis» è formata da un peone terzo e un molosso.

D → 333 Il testo, ripreso anche nel n. 1157, dal MR 2002, p. 243, è valorizzato come *collecta* per la *feria secunda* dell'*hebdomada IV Quadragesimae*, con la figura letteraria dell'«et... et» e con la modifica del «foveatur» nel «non destituatur», come invece è presente nel n. 1157.

E → Π 78; Λ 90; Σ 86; Δ 99. - Feria VI ad scum Eusebium - scd. Io 11,1-45: *Erat quidam languens Lazarus* usq. *quae fecit Iesus et crediderunt in eum.*

337 – 340: Sabato – [*statio*] a san Lorenzo fuori le Mura
A → Il MR 1474 indica la *statio* nella chiesa di san Nicola [in Carcere]; i testi corrispondono; queste le letture: Is 49,8-15 (*Numquid oblivisci potest mulier infantem suum ut non misereatur filio uteri sui?*) e Io 8,12-20 (*Ego sum lux mundi*). - Clemenza e misericordia sono le due realtà che ritornano frequentemente nei testi quaresimali. In questa realtà si collocano gli «ieiunia» dei fedeli che si augurano graditi alla «pietas» divina. Per questo l'assemblea invoca la conversione delle proprie «rebelles voluntates» per sentirsi accolta da Dio.
D → **340** Il MR 2002, p. 260, valorizza il testo – che ritroviamo anche nel n. 1349 - sempre come *oratio super populum* per la *feria tertia* dell'*hebdomada V Quadragesimae*; la sostituzione del «nobis» con «fidelibus tuis» comporta il «fecerunt» e il «mereantur». Comunque, il testo di MR 2020, p. 112, è solo un adattamento del concetto essenziale dell'orazione.
E → Π 79; Λ 91; Σ 87; Δ 100. - Sabbato ad scum Laurentium martyrem - scd. Io 8,12-20: *Dicebat Iesus turbis Iudaeorum: ego sum lux mundi* usq. *quia nondum uenerat hora eius.*

341 – 343: Domenica [V] di Passione – [*statio*] a san Pietro
A → Il MR 1474 segnala queste letture: Heb 9,11-15 (*Per proprium sanguinem introivit semel in sancta*) Io 8,46-59 (*Antequam Abraham fieret ego sum*). - Sostenere il corpo e custodire lo spirito sono le due realtà su cui l'assemblea implora lo sguardo divino perché possa essere sciolta dai «vincula pravitatis», sorretta dai «dona misericordiae», e difesa da «perpetuis praesidiis». – Nel prefazio, n. 1461, l'assemblea implora la divina «maiestas» perché nell'avvicinarsi del «dies salutiferae festivitatis» emerga l'impegno di prepararsi a celebrare «devotius» il «paschale mysterium».
C → Nel formulario sotto l'aspetto stilistico più curata ed equilibrata appare la disposizione degli incisi ritmici e melodici. Un cenno a parte merita la disposizione delle due proposizioni finali, strutturate sulla rispondenza *te largiente regatur* e *te servante custodiatur*. Non sfugge la coppia, ormai canonica, di *corpus* e *mens*.
E → Π 80; Λ 92; Σ 88; Δ 101. - Ebdomada V die dominico ad scum Petrum - scd. Io 8,46-59: *Dicebat Iesus turbis Iudaeorum et principibus sacerdotum: quis ex uobis arguet me de peccato* usq. *Iesus autem abscondit se et exiuit de templo.*

344 - 347: Feria II - [*statio*] a san Crisogono

A →| Il MR 1474 segnala queste letture: Ion 3,1-10 (*Vidit Deus opera eorum quia conversi sunt de via sua mala*) e Io 7,32-39 (*Si quis sitit veniat ad me et bibat*). - La richiesta di santificare il digiuno e di implorare misericordia è accompagnata dall'offerta sacrificale - «haec hostia salutaris» - attraverso cui l'assemblea implora «purgatio» e «purificatio» delle proprie colpe, e «propitiatio» e «protectio» da parte di Dio. Tutto questo per conseguire «salus mentis et corporis» (come già evidenziato nel n. 20).

C →| **345** Mediante l'accurata disposizione e scelta delle parole, *purgatio – propitiatio*, è richiamata l'attenzione del fedele sulla necessità del primo e più importante momento per ottenere, in seguito, l'altro, presupposto per la salvezza.

D →| **347** Cf n. 20.

E →| Π 81; Λ 93; Σ 89; Δ 102. - Feria II ad scum Crisogonum - scd. Io 7,32-39: *Miserunt principes et pharisaei* usq. *quem accepturi erant credentes in eum.*

348 - 351: Feria III - [*statio*] a san Ciriaco

A →| Il MR 1474 segnala queste letture: Dn 14,28-42 (*Magnus es Domine Deus Danielis*) e Io 7,1-13 (*Tempus meum nondum impletum est*). - Il costante tema del digiuno costituisce motivo di supplica perché sia accolto - «accepta ieiunia» - come segno di espiazione e come rimedio eterno. L'offerta sacrificale - «hostias immolandas» - assume l'intento dell'invocazione di una consolazione nel tempo come garanzia di promesse eterne, di quei «donis caelestibus» verso cui l'assemblea è costantemente incamminata. La condizione che viene invocata consiste nell'agire in quel «perseverantem famulatum» che sia di promozione e sviluppo - «merito et numero» - del popolo fedele.

C →| Nel formulario si nota una rielaborazione formale molto accurata, per mettere in evidenza la successione cronologica, che il fedele deve percorrere su questa terra, tenendo presente, in **349**, che la speranza e la certezza delle *aeterna promissa* sono fonte della *temporalis consolatio*, un conforto limitato alla durata della vita terrena. ≈ In **350** nella proposizione finale si pone un accento particolare su *exsequentes*, che nel testo del *Sacramentario*, con un'estensione semantica molto ampia, assume il significato di seguire e raggiungere con costanza i *dona divina* insieme e in comunione con gli altri fedeli. Diverso, invece, il contenuto semantico di *ambio*, usato di frequente e, sovente, in unione con *exsequor*. Con *ambio* il fedele, oppresso dalle preoccupazioni terrene, supplica continuamente Dio perché gli conceda la grazia e lo liberi dal peccato. Alla già ricca estensione semantica riscontrata negli autori classici, nel latino cristiano e, in particolare, in quello liturgico, assume il senso di *ambire, desiderare, cercare* nonché quello di *ricorrere a Dio*.

D → **350** Il MR 2002, p. 260, valorizza il testo come *post communionem* per la *feria tertia* nell'*hebdomada V Quadragesimae*, sostituendo «exsequentes» con «ambientes».

E → Π 82; Λ 94; Σ 90; Δ 103. - Feria III ad scum Cyriacum - scd. Io 7,1-13: *Ambulabat Iesus in Galilaeam* usq. *nemo tamen palam loquebatur de illo propter metum Iudaeorum.*

352 - 355: Feria IV - [*statio*] a san Marcellino [Marcello al Corso]

A → Il MR 1474 ha come titolo la *statio* presso la chiesa di san Marcello (al Corso – in via Lata); queste le letture: Lv 19,1-2.11-19 (*Ego Dominus, leges meas custodite*) e Io 10,22-38 (*Operibus credite, ut cognoscatis et credatis quia in me est Pater et ego in Patre*). - La santificazione operata dal digiuno è motivo di luce per il cuore dei fedeli: da qui l'«affectum» e l'«auditum» come risvolti da parte di Dio – il sempre «misericors Deus» - di un serio impegno quaresimale del fedele, il cui «sincerum obsequium» vuol essere l'atteggiamento per implorare «placatio et laus», per conseguire una «speranda pietas», per ottenere la «caelestis benedictio», e infine una «consueta misericordia» come origine e sviluppo di «sacramenti causa et salutis».

C → **352** Da notare in questa eucologia la rima, costituita da *affectum* nel primo cola e *auditum* nel secondo. I due lessemi, costituiti da molossi, sono scanditi con particolare lentezza e solennità.

D → **354** Cf n. 216.

E → Π 83; Λ 95; Σ 91; Δ 104. - Feria IIII ad scum Marcellum - scd. Io 10,22-38: *Facta sunt encenia in Hierosolyma* usq. *quia in me est pater et ego in patre.*

356 - 359: Feria V - [*statio*] a sant'Apollinare

A → Nel MR 1474 i testi eucologici sono diversi; queste comunque le letture: Dn 3,34-45 (*Tu es Dominus Deus solus et gloriosus super omnem terram*) e Lc 7,36-50 (*Remittuntur ei peccata multa quoniam dilexit multum*). - Come condizione del solenne digiuno l'assemblea - «populus supplicans» - invoca l'«indulgentiae auxilium», l'«opem (tuam)» perché di fronte ai misteri – «celebraturi» – e alla partecipazione alla «mensae libatio» non valga tanto l'«abstinentia corporalis» quanto soprattutto la «mentium puritas», la «sincera mens» per raggiungere il «portum perpetuae salutis» che consiste «in praesentis vitae remediis… et futurae».

C → In **356** il testo è stato sottoposto a un'accurata revisione, grazie alla quale assume grande solennità l'assonanza di *ieiunium* con *auxilium*. Di questi il primo è un epitrito terzo, il secondo un coriambo. ≈ **358** Particolare rilievo in questa eucologia acquista la coppia *veget* e *innovet* messa in stretto rapporto con *gubernet* e *protegat*. Nella seconda coppia manca l'omoteleuto, presente nella prima. Tanto nelle singole coppie quanto nell'insieme, si noti la *climax* ascendente, conclusa da *inducat*. La clausola «salutis inducat» è data da un anfibraco e un molosso.

D → **357** Il testo è presente nel MR 2002, p. 258, come *super oblata* nella *feria secunda* dell'*hebdomada V Quadragesimae*. Qui però risulta così rielaborato: «Concede nobis, Domine, quaesumus, ut, celebraturi sancta mysteria, *tamquam paenitaentiae corporalis fructum, laetam tibi exhibeamus* mentium puritatem». MR 2020, p. 110: «... concedi ai tuoi fedeli, riuniti per celebrare i santi misteri, di offrirti come frutto della penitenza una coscienza pura e uno spirito rinnovato». ≈ **359** Il MR 2002, p. 618, valorizza il testo – presente anche nel n. 890 - come *oratio super populum* (n. 15) con due adattamenti: al «supplicanti» subentra «deprecanti», e all'«infirmis» il «fragilitati humanae».

E → Λ 96; Σ 92. - Feria V ad scum Apollinarem - scd. Lc 7,36-47: *Rogabat Iesum quidam pharisaeus ut manducaret cum illo usq. quoniam dilexit multum.* Π 83 (cf. nota); Δ 105 – Feria V ad scum Apollonarem – scd. Io 7,40-53: *Cum audissent quidam de turba sermones Iesu dicebant: hic est vere propheta usq. et reuersi sunt unusquisque in domum suam.*

360 - 363: Feria VI – [*statio*] a santo Stefano

A → Il MR 1474 indica queste letture: Ier 17,13-18 (*Salvum me fac et salvus ero quoniam salus mea tu es*) e Io 11,47-54 (*Expedit vobis ut unus moriatur homo pro populo et non tota gens pereat*). - Una macerazione temporanea come condizione per la liberazione «a suppliciis aeternis» è il contenuto della implorazione che sgorga dal cuore dell'assemblea – «cordibus nostris...» -; per questo implora di poter «servire... altaribus... secura mente» sorretta dalla «protectionis... gratiam», per essere salvata attraverso una costante – «perpetua» nel n. 361 e 362 - partecipazione ad essi, e con il sostegno di una «perpetua tuitio» divina che allontani «noxia cuncta... omnia mala» dalla vita dei fedeli.

D → **361** Il MR 2002, p. 265, valorizza il testo come *super oblata* nella *feria sexta* dell'*hebdomada V Quadragesimae*. ≈ **362** Il MR 2002, p. 266, valorizza il testo come *post communionem* per la *feria sexta* dell'*hebdomada V Quadragesimae*.

E → Π 84; Λ 97; Σ 93; Δ 106. - Feria VI ad scum Stephanum - scd. Io 11,47-54: *In illo tempore collegerunt pontifices et pharisaei concilium aduersus Iesum* usq. *et ibi morabatur cum discipulis suis.*

364 - 367: Sabato – [*statio*] a san Pietro, quando si dà l'elemosina

A → Ad eccezione della *super populum* il MR 1474 ha altri testi eucologici e indica la *statio* a san Giovanni *ante portam latinam*; queste le letture: Ier 18,18-23 (*Venite, cogitemus contra iustum cogitationes*) e Io 12,10-36 (*Si exaltatus fuero a terra omnia traham ad me ipsum*). - Una devota costanza nell'«observantia ieiuniorum», nell'«ieiuniorum sacrificiis» è presentata a Dio con un atteggiamento di «sancta conversatione» nel segno dell'«abstinentia carnalis alimoniae». La partecipazione ai «caelestia sacramenta» per il «populum deprecantem» è motivo per implorare la difesa «a cunctis periculis» con la protezione della mano divina – «dextera tua...» - per poter giungere alla pienezza della redenzione (cf anche nn. 1223-1225).

D → 367 Il MR 2002, p. 230, valorizza il testo come *oratio super populum* nella *feria secunda* dell'*hebdomada III Quadragesimae*, omettendo il «foveatur, et...» dell'originale, per cui nel MR 2020, p. 93, abbiamo questo testo: «La tua mano... protegga questo popolo in preghiera, lo purifichi e lo guidi, perché con la tua consolante presenza giunga ai beni eterni».

E → Π = post 84 (cf. nota) Feria VII Sabbato quando elymosina datur - scd. Io 6,70 - 7,1; Λ 98 Sabbato datur fermentum in consistorio Lateranensi; Σ 94 Sabbato datur fermentum in consestorio Lateranense - legitur euangelium scd. Io 17,1-11: *Subleuatis Iesus oculis in caelum* usq. *et ego ad te uenio;* Δ 107 Feria VII vacat elemosyna datur - scd. Io 6,53-71: *Amen amen dico uobis nisi manducaueritis carnem filii hominis* usq. *hic enim erat traditurus eum cum esset unus ex duodecim.*

368 – 370: Domenica [VI] delle Palme – [*statio*] a san Giovanni in Laterano

A → Il MR 1474 segnala queste letture dopo la *benedictio palmarum*: Philp 2,5-11 (*Semetipsum exhinanivit formam servi accipiens*) e Mt 26,1 – 27,1-61 (*Passio Domini*). - L'assemblea ricorda e contempla il mistero del Salvatore, fatto uomo e crocifisso – supremo «humilitatis exemplum» – perché l'insegnamento della sua passione – «patientiae documenta» – possa garantire il «consortium resurrectionis» anche per lei. Per questo nella celebrazione – nell'«operatio mysterii» - implora la grazia di servire fedelmente il Signore - «gratia devotionis» - per conseguirne l'effetto nella beata eternità. – Nel prefazio, n. 1462, si evidenziano questi concetti: *a)* Cristo si è offerto in sacrificio per eliminare lo spargimento di sangue di animali sugli altari; *b)* come Signore e Salvatore, si è offerto per essere «sacerdos simul et hostia»; *c)* tutto questo per la santificazione del popolo e la purificazione dei ministri «dicatos maiestati tuae»; *d)* nella celebrazione ci si nutre mediante il pane del suo Corpo e si beve nel calice «quod manavit ex latere»; *e)* tutto questo per conseguire «omni benedictione Spiritus Sancti».

C → Il formulario mostra un'attenta elaborazione letteraria e retorica con una ponderata disposizione delle parole in un periodo ampio, fluente e solenne. Se nella prima parte l'estensore mette in rilievo in **368** l'*humilitatis exemplum*, dall'altra, passando sul pregnante sintagma *patientiae ipsius habere documenta*, mette in grande risalto il *resurrectionis consortium.*

D → **368** Il MR, p. 281, valorizza il testo come *collecta ad missam* nella *dominica in palmis seu de Passione Domini*; unico elemento di stile l'aggiunta dell'«*et* patientiae... » per evidenziare l'anafora letteraria con l'«et resurrectionis... ». ≈ **369** Cf n. 141.

E → Π 85; Λ 99; Σ 95; Δ 108. - Ebdomada VI die dominico ad Lateranis - legitur passio domini scd. Mt 26,2 - 27,66: *In illo tempore dixit Iesus discipulis suis: scitis quia post biduum pascha fiet* usq. *signantes lapidem cum custodibus.*

371 - 374: Feria II - [*statio*] a santa Prassede

A → Il MR 1474 segnala queste letture: Is 1,5-10 (*Corpus meum dedi percutientibus*) e Io 12,1-9 (*Pauperes semper habetis vobiscum, me autem non semper habebitis*). - Per riprendere fiato – «respiremus» – nelle numerose situazioni di «infirmitas» l'assemblea domanda l'intercessione dei frutti della Passione, nella consapevolezza di poter tornare – «puriores» - «ad suum principium», a quel germe di santità ottenuto nel battesimo. L'implorazione del «divinum fervorem» è finalizzata al conseguimento dell'azione e del frutto dei «tua sancta» per giungere con gioia – «gaudentes» – a conseguire i promessi «beneficia».

C → In **371** l'autore con l'uso di *infirmitate* limita la complessa estensione semantica di *deficimus*, evidenziando il crollo fisico e spirituale dell'uomo, il quale, soccorso e sostenuto dalla grazia e dai meriti della Passione, *respirat.* Questo verbo nel latino cristiano acquista una nuova carica semantica, che prima si affianca e poi sostituisce il senso originario con *risuscitare.* ≈ In **372**, invece, si insiste sulla purificazione dell'uomo, il quale, una volta *mundatus*, diviene *purior.*

D → **372** Il MR 2002, p. 251, valorizza il testo come *super oblata* per la *feria sexta* dell'*hebdomada IV Quadragesimae.*

E → Π 86; Λ 100; Σ 96; Δ 109. - Feria II ad scam Praxedem - scd. Io 12,1-36: *Ante sex dies paschae uenit Iesus* usq. *abiit et abscondit se ab eis.*

375 - 378: Feria III - [*statio*] a santa Prisca

A → Il MR 1474 segnala queste letture: Ier 11,18-20 (*Venite, mittamus lignum in panem eius et eradamus eum de terra viventium*) e Mc 14,1 - 15,46 (*Passio Domini*). - L'esperienza dei «dominicae passionis sacramenta» è motivo per implorare «indulgentia» e «misericordia». È necessario che la partecipazione al sacrificio dia forza a ciò che è stato realizzato con «medicinalibus ieiuniis»; «vitia» e «remedia» ricordano così la dinamica per dare senso ad ogni impegno di «sanctificatio» per la liberazione da ogni male della vita passata e per accogliere la santità della nuova vita – «capaces sanctae novitatis» -.

D → **375** Il MR 2002, p. 287, valorizza il testo come *collecta* per la *feria III Hebdomadae Sanctae.*

E → Π 87; Λ 101; Σ 97; Δ 110. - Feria III ad scam Priscam - scd. Io 13,1-32: *Ante diem festum paschae sciens Iesus quia uenit hora eius* usq. *et Deus continuo clarificauit eum.*

379 – 383: Feria IV – [*statio*] a santa Maria Maggiore

A → Il MR 1474 segnala queste letture: Is 62,11 – 63,1-6 (*Ecce salvator tuus venit, ecce merces eius cum eo*), Is 53,1-10.12 (*Peccatum multorum tulit et pro transgressoribus oravit ut non perirent*) e Lc 22,1 – 23,49 (*Passio Domini*). - L'assemblea – «famulus tuus… ecclesia tua… familia tua» - domanda di liberarsi dalle conseguenze dei propri eccessi e dal potere del nemico per conseguire la «resurrectionis gratiam». Le preghiere presentate nel segno dei «pia munera» siano accolte con l'atteggiamento di una «expiata mens»: l'esperienza dei «veneranda mysteria» per la morte del Figlio possa garantire «vitam perpetuam» per i meriti del «crucis tormentum». – Sotto il titolo *feria IV* sono da accostare due prefazi; questi i contenuti teologico-liturgici presenti nel testo n. 1463: *a)* l'aiuto divino è per passare dai beni della terra a quelli eterni; *b)* nel concedere i primi e nel promettere gli altri i fedeli cominciano già ad essere inseriti in questi e a tenere in minor considerazione i primi; *c)* permane la consapevolezza che «tuum est omne quod vivimus»; *d)* da qui la richiesta che nonostante la «natura vitiata» e la constatazione di essere «terreni generati» i fedeli possano rinascere «ad caelestia». – Nell'embolismo n. 1464 si evidenziano questi temi: *a)* il tradimento del «perfidi proditoris» è stato accolto dal Cristo «propter redemptionem nostram»; *b)* l'offerta sacrificale ha permesso di eliminare il «delictum praevaricationis antiquae» – il peccato insito nel cuore dell'uomo -, come pure lo «iugum aegyptiae dominationis» – simbolo del male -; *c)* la redenzione è opera dell'«effusio sanguinis».

D → **380** Il MR 2002, p. 289, riprende alla lettera il testo come *collecta* per la messa nella *feria IV Hebdomadae Sanctae*. ≈ **382** Il MR 2002, p. 289, valorizza il testo come *post communionem* per la *feria IV Hebdomadae Sanctae*; unica aggiunta il soggetto dell'oggettiva «vitam *te* nobis…». Cf MR 2020, p. 128, dove scompare la contrapposizione offerta dall'ossimoro tra «temporalem mortem» del Cristo e la «perpetuam vitam» oggetto di speranza del fedele, rendendo il testo così: «Dona ai tuoi fedeli… la sicura speranza della vita eterna…». ≈ **383** Il MR 2002, p. 284, valorizza il testo come *oratio super populum* per la *dominica in palmis*.

E → Π 88; Λ 103; Σ 98; Δ 111. - Feria IIII ad scam Mariam - scd. Lc 22,1 - 23,53: *Adpropinquabat dies festus azymorum* usq. *quisquam positus erat.*

384 – 390: Preghiera alla Messa *in Cena Domini*

A → Il MR 1474 segnala anzitutto la *statio* a san Giovanni in Laterano; la celebrazione risulta strutturata con tutti i testi per la benedizione degli Oli; queste le letture: 1 Cor 11,20-32 (*Ego accepi a Domino quod et tradidi vobis*) e Io 13,1-15 (*Cepit lavare pedes discipulorum suorum*). - I testi della liturgia del Giovedì Santo racchiudono la benedizione degli Oli e la celebrazione della Messa. Le due realtà si intrecciano come evidenziato anche nella rubrica del n. 389. ≈ Circa la benedizione degli Oli (nn. 390-392): *a)* per l'olio degli infermi, il testo – ripreso in parte nell'attuale *benedictio olei infirmorum* (*editio typica* 1971, n. 20) - esalta il valore naturale dell'olio capace di eliminare «dolores, infirmitates» e «omnis aegritudo»; ma è anche con questo olio che furono unti sacerdoti, re e profeti; *b)* per il crisma si ha un'ampia «benedictio» – il cui testo è ripreso in parte anche nell'attuale *consecratio chrismatis* (*editio typica* 1971, n. 25) - che con intonazione prefaziale ripercorre la tipologia dell'Antico Testamento per giungere alla pienezza del Nuovo, per implorare la benedizione divina e l'azione dello Spirito Santo perché coloro che rinascono dall'acqua e dallo Spirito possano conseguire la «caelestis gloria»; *c)* per l'olio dei catecumeni – «venientes ad fidem» -, infine, che con il sacramento del battesimo acquisiscono la rinascita spirituale, la «benedictio» implora la conferma e lo sviluppo degli «imbecillarum mentium rudimenta» che si attua a partire dal «regenerationis lavacrum». ≈ La celebrazione eucaristica - richiesta da Cristo «in sui commemoratione» - si apre nel ricordo di due gesti contrapposti: Giuda e il ladrone pentito; il loro atteggiamento è motivo per implorare la «propitiatio divina» a seconda dei meriti di ciascuno e poter comunque conseguire - «ablato vetustatis errore» - la grazia della risurrezione. Tre brevi embolismi contestualizzano la celebrazione nel Canone Romano unitamente all'implorazione dello Spirito sulle ampolle (n. 389). – Il prefazio n. 1465 sintetizza il mistero che si celebra in questo giorno - «in caena singulariter praecipua» - ricordando che: *a)* si adempiono i riti della Legge antica; *b)* Cristo dà il comando – «perdocuit» – di celebrare i suoi «mysteria passionis in Novo Testamento»; *c)* l'umiltà del Maestro si attua nel gesto del lavare i piedi; *d)* e tutto questo per manifestare che solo con il suo Sangue «mundum a peccatis sordibus… lavare posset». C → I testi eucologici risultano molto elaborati sotto l'aspetto stilistico e retorico; è posta una cura particolare nella distribuzione dei singoli lessemi nelle varie eucologie. ≈ In **384** nel primo membro si richiama l'attenzione dell'orante sulla *poena* che si inflisse Giuda e sul *praemium* che meritò il ladro pentito. Tralasciando il secondo membro, nel quale si commemorano le grazie elargite da Cristo con la sua passione, con il terzo si chiede a Dio di perdonare l'antico peccato e di concedere la grazia della risurrezione, messa in evidenza dalla clausola costituita dal cretico seguito dall'epitrito secondo «gratiam largiatur». Da sottolineare che l'estensore con *poena* richiama il concetto di *mortalitas*, proprio dell'uomo, mentre con *praemium* quello di *immortalitas*, donata all'uomo dai meriti di Cristo. ≈ Anche l'eucologia **390**, accuratamente divisa in periodi ben ritmati e solenni mediante l'oculata disposizione degli spondei, presenta una finissima elaborazione letteraria. Al centro dell'eucologia l'orante richiama l'attenzione del fedele sull'omoteleuto *refectionem... benedictione*, considerando che nel primo la nasale finale si percepiva appena, se non era addirittura scomparsa.

E → Π = 89 (cf nota); Λ 103; Σ 99. - Feria V ad Lateranis conficitur chrisma - scd. Io 13,1-15: *In illo tempore sciens Iesus quia uenit eius hora* usq. *ut quemadmodum ego feci uobis ita et uos faciatis*; Δ = Feria V in caena domini ad Lateranis quando crisma conficitur - scd. Io 13,1-32: *Ante diem festum paschae sciens Iesus* usq. *et Deus continuo clarificauit eum.*

391: Incomincia la benedizione del Crisma principale

C → Le eucologie **391-392** hanno un tono solenne, dato dall'accurata disposizione tanto dei singoli membri del periodo quanto delle clausole, secondo le norme della retorica classica. Se l'estensore lo avesse diviso in cola, ogni eucologia risulterebbe un inno di lode. Anche se nel popolo il senso della quantità era ormai scomparso da tempo, il vescovo come persona colta nel declamare ad alta voce le preghiere scandiva certamente le parole secondo una sequenza ritmica ben calcolata, per conferire maggior solennità a quanto stava compiendo. Nella clausola «chrysmati deserviret» al cretico segue un doppio spondeo, che conferisce, con la sua lentezza, maggior solennità. Nella successiva, «redditam nuntiavit» non meno solenne della precedente, accanto al cretico pone un epitrito terzo. Non mancano assonanze, rime, figure etimologiche, come in **391** *effectibus... effecit*, la coordinazione per asindeto, e via di seguito.

392 - 393: Esorcismo sull'Olio

A → Con l'orazione conclusiva **393** si completa la prolungata celebrazione, seguita poi dalla *denudatio* degli altari, accompagnata da un'ampia serie di antifone, come indicato nel MR 1474. A partire dalla partecipazione ai «vitalibus alimentis» il testo nel contrapporre la «nostra mortalitas» con il «munus immortalitatis» pone in stretto rapporto l'effetto del «consequamur» con quanto realizzato nella celebrazione («exequimur»).

394 - 411: Preghiere da recitarsi il Venerdì santo [nella chiesa di santa Croce] in Gerusalemme

A → Il MR 1474 segnala queste letture: Os 6,1-6 (*Misericordiam volui et non sacrificium, et scientiam Dei plusquam holocaustum*), Ex

12,1-11 (*Est enim Paschae id est transitus Domini*) e Io 18 – 19,37 (*Passio Domini*). - L'azione liturgica del Venerdì Santo è caratterizzata oltre che dal racconto della Passione e dall'adorazione della Croce, dalla solenne *oratio universalis* strutturata da un annuncio del tema e da una preghiera. La proposta dei singoli temi – Chiesa universale; il papa; i vescovi, i presbiteri e i diaconi; l'imperatore; i catecumeni; la liberazione da ogni male; gli eretici e gli scismatici; i Giudei; e coloro che non credono in Cristo – costituisce l'occasione per formulare una preghiera dall'orizzonte veramente universale, formulata con stile semplice e immediato, e accompagnata dalla prostrazione dell'assemblea.

C → Nei testi particolare cura è posta nella clausola di ciascuna eucologia: alla chiusa esametrica, dattilo spondeo *omnipotentem*, della **394**; nella **395** si ha un epitrito quarto, *perseveret*. Nell'eucologia **394** al posto del comune e più frequente *mundus*, il compositore adopera *toto orbe terrarum*, senza *in*, come nella buona prosa classica. Non manca ancora la sovrabbondanza di epiteti, come *quietam et tranquillam vitam*, e nella **396** *eum... salvum et incolumem*. Nell'elenco gli ordini ecclesiastici, in **398**, sono giustapposti mediante l'asindeto. Non sfugge nell'eucologia **411** la contrapposizione *mortem... sed vitam*; si noti ancora il chiasmo costituito da *ecclesiae tuae sanctae ad laudem | et gloriam nominis tui*.

D → **395** Il MR 2002, p. 315, valorizza il testo come preghiera per l'*oratio universalis*: I. *Pro sancta Ecclesia, in Passione Domini*; da notare l'aggiunta del «tua» ad «ecclesia», forse superflua data la presenza di «tuam, tuae, tui» nello stesso testo. ≈ **397** Il MR 2002, p. 316, mantiene l'uso originario valorizzando il testo nell'*oratio universalis in Passione Domini*: II. *Pro Papa*; due elementi di adattamento: il «tali gubernatur» è corretto con «te...» e il termine «credulitatis suae» risulta meglio adattato con «fidei suae». ≈ **399** Il MR 2002, p. 317, conserva l'uso originario valorizzando il testo nell'*oratio universalis in Passione Domini*: III. *Pro omnibus ordinibus gradibusque fidelium*, con l'adattamento che porta a maggior chiarezza per la sostituzione di «universis ordinibus» con «ministris tuis» e la omissione di «gradibus», il tutto recuperato nel titolo della rubrica. ≈ **403** Il MR 2002, p. 318, valorizza il testo per l'*oratio universalis in Passione Domini*: IV. *Pro catechumenis*. ≈ **404** Con lievi adattamenti il MR 2002, p. 322, riprende il testo come invito alla preghiera per l'*oratio universalis in Passione Domini*: X. *Pro tribulatis*. ≈ **405** Il MR 2002, p. 323, riprende il testo come conclusione della preghiera *pro tribulatis*.

E → Π 90; Λ 104; Σ 100; Δ 113. - Feria VI in Suxorio quod est in basilica Hierusalem - legitur passio domini scd. Io 18,1 - 19,42: *In illo tempore egressus est Iesus trans torrentem Cedron* usq. *Quia iuxta erat monumentum ubi posuerunt Iesum*.

412: Benedizione del sale

> **A** → Con la benedizione del sale – «perfecta medicina… ad effugandum inimicum» - inizia la serie di testi per la complessa liturgia della veglia pasquale (cf nn. 412-438) articolata principalmente in tre fasi: *a)* l'ultima preparazione dei catecumeni con il riferimento al tema della luce – «illuminare lumen intellegentiae tuae» per conseguire la «scientiam veram» - e l'insieme della Veglia pasquale caratterizzata dalle orazioni che completano le sei letture (Genesi, Esodo, Isaia [2] e Salmo 41 [2]; da notare che il MR 1474 ha ben dodici letture dell'Antico Testamento seguite poi dalle due del Nuovo); *b)* l'ampia «benedictio fontis» con l'abbondante tipologia biblica che introduce alla comprensione del «sacramentum regenerationis» e al gesto del «chrisma salutis» (nn. 429-431); e *c)* la celebrazione eucaristica si concentra nell'implorazione dello «spiritum adoptionis» perché l'inizio dei misteri pasquali garantisca per tutti coloro che sono stati rigenerati «ex aqua et Spiritu Sancto» lo «Spiritum caritatis», e l'eternità – «aeternitatis medellam» - per la mediazione del «verus agnus qui abstulit peccata mundi».
>
> **C** → Si nota una cura particolare nella disposizione dei vari cola: accanto alla simmetria di *in nomine domini*… con *in virtute Sancti Spiritus* si pone la figura etimologica *sanctificando sanctifices, bendicendo benedicas.*

413: Preghiera per il catecumeno

414: Preghiera *super infantes* in Quaresima [alla consegna dei] quattro Vangeli

> **C** → Degna di nota la figura etimologica *inluminare lumine*, la variazione in climax *munda… sanctifica*; non sfugge certo l'altra *climax* coordinata per asindeto *firmam spem, consilium retum, doctrinam sanctam.* La clausola «gratiam baptismi tui» è costituita da un cretico seguito da uno spondeo e un cretico.

414a – 417: Preghiera nel sabato di Pasqua

> **C** → In **415** alla pregnante anafora di *imminere*, segue quella ancor più pregnante di *diem.* Nella seconda parte dell'*imprecatio*, che ha innegabili legami con la *defixio*, si riscontra un'efficace anafora costituita dall'imperativo *da*, incipitario di una *climax* ascendente. La clausola «saeculum per ignem» è costituita da un cretico e un bacchio.

418 – 428: Preghiere che si recitano in chiesa per le letture

> **D** → **419** Il testo è riproposto nel MR 2002, p. 357, *Vigilia paschalis*, come orazione alternativa *post primam lectionem (De creatione: Gn 1,1 – 2,2) et psalmum (103 vel 32).* ≈ **421** Il MR 2002, p. 358, valorizza il testo con lievi varianti come orazione dopo la terza lettura.

≈ **423** Il MR 2002, p. 360, riprende il testo e lo propone come orazione alternativa *post septimam lectionem (De corde novo et spiritu novo: Ez 36, 16-28) et psalmum (41-42)*. ≈ **425** Il MR 2002, p. 359, riprende il testo classico per la veglia pasquale; è l'orazione *post sextam lectionem (De fonte sapientiae: Bar 3, 9-15.31 – 4,4) et psalmum (18)*.

429 – 431: Benedizione del Fonte

C → Questo particolare testo mostra un'accurata rielaborazione letteraria e retorica mediante un temperato e controllato uso delle figure di parola e di pensiero. Durante la *cantillatio* i singoli cola, bene equilibrati per lunghezza e distribuzione delle unità metriche, producono un'armonia inimitabile. All'*invocatio* segue l'anafora di *esto*. ≈ La clausola dell'eucologia **429** «impleatur effectu» è data da un cretico e un epitrito secondo. ≈ Solenne e di ascendenza classica è la clausola dell'eucologia **430a** «gratiam de Spiritu sancto», data da un epitrito secondo seguito da un cretico e uno spondeo, che chiude il periodo in modo pacato e solenne.

D → **429** L'orazione è presente nel MR 2002, p. 363, come preghiera conclusiva delle litanie nella *liturgia baptismalis* della *vigilia paschalis*; il testo è proposto *si adsunt baptizandi*. Rispetto all'originale, il MR 2002 – a parte il «*re*creandos novos populos» - elimina il «mysteriis» semplificando con il «pietatis tuae sacramentis». Ed ecco il testo del MR 2020, p. 183: «… manda lo Spirito di adozione a ricreare nuovi figli dal fonte battesimale, perché l'azione del nostro umile ministero sia resa efficace dalla tua potenza». ≈ **430** L'ampia *benedictio fontis* risulta sorgente di ispirazione per il testo della *benedictio aquae baptismalis* presente nel MR 2002, p. 367, *vigilia paschalis*, secondo una redazione più breve; il loro confronto richiede un capitolo a sé; il testo del *Sacramentario*, comunque, si era mantenuto integro fino all'*editio typica* del MR 1962.

432: Preghiera per segnare con il segno della Croce gli *infantes*

433 – 438: Preghiere per la messa nella notte del Sabato santo

A → Il MR 1474 segnala queste letture per la celebrazione dell'Eucaristia a conclusione della Veglia pasquale: Col 3,1-4 (*Si consurrexistis cum Christo, quae sursum sunt quaerite*) e Mt 28,1-7 (*Nolite timere vos, non est hic*). Le orazioni corrispondono.

C → I testi presentano un'elaborazione stilistica e retorica molto curata, con un crescendo di emozioni suscitate da un'accurata scansione dei diversi periodi melodici sia all'interno di ogni singola eucologia, sia nel loro insieme. In rapporto alla solennità del momento, particolare rilievo hanno le clausole. Si consideri la studiata struttura dell'eucologia **438**, che risente di un'accurata rielaborazione letteraria. L'estensore, valorizza l'anafora di *Spiritus* inserita in una *climax* che racchiude i doni dello Spirito Santo.

Molto curata è la clausola «propitiatus aeterna», nella quale al dattilo segue il trocheo e il molosso, che conferiscono solennità all'eucologia. Si consideri la bellezza e l'efficacia della clausola «tua facias pietate concordes», nella quale a un giambo segue un anapesto, cui è aggiunto un peone terzo, per finire con un molosso che conferisce a tutta l'eucologia un andamento molto solenne.
D → **433** Il MR 2002, p. 360, riprende il testo come *collecta* nella *vigilia paschalis*, con vari adattamenti: «... illustras, *excita in Ecclesia tua adoptionis spiritum*, ut... *exhibeamus* servitutem». Questo il testo del MR 2020, p. 180: «... ravviva nella tua Chiesa lo spirito di adozione filiale, perché... siamo sempre fedeli al tuo servizio». ≈ **435** Il testo del prefazio - presente anche nel formulario successivo (n. 441) - si trova nel MR 2002, p. 530: *Praefatio paschalis I "De mysterio paschali"*. ≈ **438** Il testo, presente anche nel n. 444, è valorizzato dal MR 2002, p. 375, come *post communionem* nella *Vigilia Paschalis*.
E → Π 91; Λ 105; Σ 101; Δ 114. - Sabbato sco ad Lateranis - scd. Mt 28,1-7: *In illo tempore uespere autem sabbati quae lucescit in prima sabbati* usq. *ibi eum uidebitis ecce dixi uobis*.

439 - 447: Preghiera per la messa nella domenica santa [di Pasqua]
A → Il MR 1474 segnala la *statio* nella basilica di santa Maria Maggiore; queste le letture: 1 Cor 5,7-8 (*Pascha nostrum immolatus est Christus*) e Mc 16,1-7 (*Iesum quaeritis Nazarenum crucifixum surrexit, non est hic*). - Il formulario della liturgia del giorno di Pasqua racchiude nove elementi. L'apertura dell'«aeternitatis aditum» - frutto del «pascha nostrum immolatus... Christus» - è per l'assemblea motivo per mettere sotto la protezione e l'aiuto divino i propri «vota» - «praeveniendo... adiuvando...» - in modo da portarli a compimento insieme a «cunctae familiae tuae» perché «a morte animae resurgamus» e così ricevere la gioia della salvezza.
D → **439** Il MR 2002, p. 377, *ad Missam in die* nella solennità pasquale, valorizza solo la *invocatio*, la prima parte del testo, mentre per la seconda parte, la *petitio*, il concetto è preso dal n. 445 con questa soluzione: «... *da nobis, quaesumus*, ut, qui resurrectionis dominicae sollemnia colimus, *per innovationem* tui Spiritus *in lumine vitae* resurgamus». Questo il testo di MR 2020, p. 192: «... di rinascere nella luce della vita, rinnovati dal tuo Spirito». ≈ **441** Cf n. 435. ≈ **444** Cf n. 438.
E → Π 92; Λ 106; Σ 102; Δ 115. - In pascha dominica sca ad scam Mariam maiorem in praesepe - scd. Mc 16,1-7: *In illo tempore Maria Magdalene et Maria Jacobi et Salome* usq. *ibi eum uidebitis sicut dixit uobis*.

448 - 451: Feria II *in albis* - [*statio*] a san Pietro
A → Nel MR 1474 solo il testo della *collecta* corrisponde al n. 448;

queste le letture: Act 10,37-43 (*Hunc Deus suscitavit tertia die*) e Lc 24,13-35 (*Statim aperti sunt oculi eorum et cognoverunt eum*). - «Perfecta libertas» e «vita sempiterna» visti come «remedium» che scaturisce dalla «sollemnitas paschalis» costituiscono l'oggetto della preghiera di apertura della celebrazione. La consapevolezza, inoltre, del proprio limite - «a cunctis malis imminentibus» - ne fa implorare il perdono «per haec paschalia festa»: il «colimus» e il «teneamus» costituiscono motivo per ricordare la liberazione dal male e la richiesta di abbattere tutti coloro che si pongono contro - «adversantes» -.

C → Particolare rilievo acquista nel n. **450** la simmetrica disposizione dei due cola *venerando colimus* | *vivendo teneamus*, nei quali si osserva tanto nel primo quanto nel secondo un accurato omoteleuto. La clausola «vivendo teneamus» è data da un molosso e un peone terzo.

E → Π 93; Λ 107; Σ 103; Δ 116. - Feria II ad scum Petrum - scd. Lc 24,13-35: *In illo tempore duo ex discipulis Iesu ibant in castellum* usq. *et quomodo cognouerunt eum in fractione panis.*

452 - 457: Feria III [*in albis*] - [*statio*] a san Paolo

A → Il MR 1474 segnala queste letture: Act 13,16.26-33 (*Suscitavit eum a mortuis tertia die*) e Lc 24,36-47 (*Sic oportebat pati Christum et resurgere a mortuis die tertia*). - Il rapporto tra fede e vita è presente nella consapevolezza della propria fragilità da parte dell'assemblea che ne fa oggetto di richiesta per viverlo in pienezza. Per questo innalza «preces et hostiae» perché l'«officium devotionis» permetta di conseguire «caelestem gloriam» con la «continua perceptio» del sacramento pasquale e così vivere «in tua sanctificatione... in tua laude» sotto la divina protezione. - Il prefazio n. 1466 è un inno al «dies resurrectionis et gloriae»; il Cristo «sacerdos et hostia» santifica «populos» e coloro («antistites»: il termine è presente cinque volte nel *Sacramentario*; originariamente indicava il sovrintendente del tempio e del culto, da cui il significato di sommo sacerdote e quindi, nel latino cristiano e liturgico, anche vescovo) che sono consacrati alla sua «maiestas».

C → Notevole l'accostamento paratattico nel n. **455**, in cui si ha *solemnia colimus* | *sanctificatione vivamus*, con la rima dei due verbi di particolare efficacia, anche perché «vivamus», un molosso, costituisce l'ultima parte della clausola.

D → **452** Il MR 2002, p. 380, valorizza il testo come *collecta* per la *feria II infra octavam Paschae*; unica variante: il «novo semper foetu» adattato in «nova semper prole». ≈ **453** Il MR 2002, pp. 436 e 478 riprende il testo *ad litteram* - presente anche nel n. 1080 - come *super oblata* nella *feria tertia post dominicam VII Paschae* e nella *dominica XXVIII "per annum"*. ≈ **454** Nel MR 2002, p. 387, il testo è ripreso alla lettera come *post communionem* per la *dominica*

II Paschae seu de divina Misericordia.
E → Π 94; Λ 108; Σ 104; Δ 117. - Feria III ad scum Paulum - scd. Lc 24,36-47: *Stetit Iesus in medio discipulorum suorum* usq. *remissionem peccatorum in omnes gentes.*

458 - 463: Feria IV - [*statio*] a san Lorenzo fuori le Mura
A → Il MR 1474 segnala queste letture: Act 3,12-19 (*Paenitemini igitur et convertimini ut deleantur vestra peccata*) e Io 21,1-14 (*Venit Iesus et accepit panem et dedit eis et piscem similiter*). - Il clima della letizia pasquale emerge nei termini *laetificare, festum, gaudium*: essi diventano motivo per rivolgere lo sguardo ai «gaudia aeterna» con l'atteggiamento dei «paschalia gaudia», dei «paschalia festa», che costituiscono l'origine e il sostegno della vita della Chiesa – «et nascitur et nutritur» – per essere sempre più «nova creatura». Il «temporalia festa» della *collecta* riecheggia nell'orazione *ad vesperum* con il riferimento alla «temporalis tranquillitas» vista come premessa della «vitam sempiternam» là dove è «nostra substantia». – Il prefazio n. 1467 è un inchino orante alla clemenza divina perché pur nella consapevolezza di poca disposizione «in bonis operibus», i fedeli possano essere «in caritate cultores» per conseguire, in tal modo, il «paschale mysterium perpetuum».
C → Nel testo n. **458** l'estensore pone in successione, e in opposizione chiastica, *temporalia festa* con *gaudia aeterna*, che costituisce anche la clausola, composta da palimbacchio e ionico a minore. ≈ Nel n. **462** la proposizione finale alla rima di *agimus* con *teneamus* pone in successione di causalità *devote* con *fideliter*.
D → **458** Il MR 2002, p. 382, valorizza il testo come *collecta* per la *feria IV infra octavam Paschae.* ≈ **459** Il MR 2002, p. 377, riprende il testo come *super oblata* per la *missa in die* della *dominica Resurrectionis.* L'adattamento più notevole è la sostituzione di «immolamus» con «exsultantes offerimus» che meglio caratterizza la letizia pasquale della presentazione dei doni; l'aggiunta di «tua» ad «ecclesia» si accompagna anche con la perdita dell'anafora «... et... et...» pur con la sottolineatura del «renascitur». ≈ **460** Il testo è ripreso dal MR 2002, p. 382, come *post communionem* per la *feria IV infra octavam Paschae*; unica variante l'aggiunta: «... sacramenti *Filii* tui...».
E → Π 95; Λ 109; Σ 105; Δ 118. - Feria IIII ad scum Laurentium - scd. Io 21,1-14: *Manifestauit se Iesus ad mare Tiberiadis* usq. *cum resurrexisset a mortuis.*

464 - 469: Feria V - [*statio*] ai [santi] Apostoli
A → Il MR 1474 segnala queste letture: Act 8,26-40 (*Credo Filium Dei esse Iesum Christum*) e Io 20,11-18 (*Ascendo ad Patrem meum et Patrem vestrum*). - La «diversitas gentium» riunita nel nome del Signore è per l'assemblea occasione per implorare unità nella «fides

mentium» e nella «pietas actionum»: due atteggiamenti chiamati a integrarsi continuamente. Per questo la «confessio nominis (Iesu)» e il battesimo costituiscono l'aiuto per la vita presente, il sostegno per avere «liberiores animos», e la porta d'ingresso per la «sempiterna beatitudo», per i «gaudia sempiterna». - Il prefazio n. 1468 offre anzitutto la constatazione che solo il Cristo con il «paschale sacramentum» può operare «mirabiliter» nella realtà della «fragilitas» umana perché i fedeli – di conseguenza - possano essere predisposti fin d'ora a conseguire «quod fide profitemur».

C → Si noti nel n. 464 la coordinazione dei due cola *fides mentium* e *pietas actionum*, dei quali il primo presenta l'anima fedele e l'altro la *pietas* nell'agire, come sviluppo e conseguenza necessari della *fides*. ≈ Nel n. 465 invece nella sequenza bimembre coordinata col polisindeto, retta da *doce* seguito dall'infinito, l'orante richiama l'attenzione del fedele su *metuere* l'ira di Dio e *amare* i precetti del Signore. *Doceo* anticipa l'esito che si riscontra, in seguito, nelle lingue romanze.

D → 464 Il MR 2002, p. 383, riprende il testo come *collecta* per la *feria V infra octavam Paschae*. ≈ 465 Il MR 2002, p. 380, valorizza il testo come *super oblata* per la *feria II infra octavam Paschae*. ≈ 466 Questo testo è usato ben sei volte nei giorni feriali del tempo di Pasqua, sempre come *post communionem*, nel MR 2002: pp. 383, 389, 399, 405, 413 e 419, rispettivamente nella *feria quinta infra octavam Paschae*, nella *feria tertia post dominicam II Paschae*, nella *feria quarta post dominicam III Paschae*, nella *feria tertia post dominicam IV Paschae*, nella *feria quarta post dominicam V Paschae*, e nella *feria tertia post dominicam VI Paschae*.

E → Π 96; Λ 110; Σ 106; Δ 119. - Feria V ad apostolos - scd. Io 20,11-18: *Maria stabat ad monumentum foris plorans* usq. *quia uidi dominum et haec mihi dixit.*

470 - 475: Feria VI - [*statio*] a santa Maria *ad Martyres*

A → Il MR 1474 indica il titolo della *statio* a santa Maria della Rotonda (Pantheon, o *ad Martyres*); queste le letture: 1 Pe 3,18-20 (*Christus semel pro peccatis nostris mortuus est*) e Mt 28,16-20 (*Ecce ego vobiscum sum omnibus diebus, usque ad consummationem saeculi*). - La difesa da ogni «pravitas» che l'assemblea ha conseguito richiede di essere proseguita nel clima della solennità pasquale sorretta dal «paschale sacramentum», dagli «aeterna mysteria» celebrati sia in espiazione dei peccati che per conseguire il «caeleste auxilium»; «redemptio» e «adoptio» sono l'«opus misericordiae» per continuare a implorare «aeterna hereditas et vera libertas». - Il prefazio n. 1469 con estrema concisione evidenzia due conseguenze operate dalla Pasqua e attualizzate nella celebrazione: *a*) con l'anientamento dell'antico peccato tutto è rinnovato; *b*) in Cristo il fedele riacquista quella «vitae integritas» che era stata originariamente distrutta.

C → Nel formulario appare più omogenea la distribuzione dei cola metrici e più confacente l'andamento ritmico. Anche le clausole sono più curate e mostrano una più matura esperienza. Si noti tuttavia nel n. **472** l'efficace omoteleuto *expiatione | acceleratione*. La clausola «caelestis auxilii», è composta da un palimbacchio e da un coriambo.

D → **470** Il testo, presente anche nel n. 503, nel MR 2002, p. 411, è valorizzato come *collecta* per la *feria secunda post dominicam V Paschae*; è da notare la sostituzione della finale introdotta dall'«ut» con l'inciso «Filii tui Unigeniti resurrectione» che contestualizza in modo più adeguato il mistero del tempo di Pasqua. ≈ **471** Il MR 2002, p. 384, valorizza il testo come *collecta* per la *feria VI infra octavam Paschae*.

E → Π 97; Λ 111; Σ 107; Δ 120. - Feria VI ad martyres - scd. Mt 28,16-20: *Undecim discipuli abierunt in Galilaeam* usq. *ad consummationem saeculi*.

476 – 480: Sabato – [*statio*] a san Giovanni [in Laterano]

A → Il MR 1474 segnala queste letture: 1 Pe 2,1-10 (*Vos autem genus electum, regale sacerdotium, gens sancta, populus acquisitionis*) e Io 20,1-9 (*Et vidit et credidit*). - Ritorna il tema del rapporto tra «festa paschalia» e «gaudia aeterna»; ciò diventa motivo di rallegrarsi «per haec mysteria paschalia» perché la continuata opera della redenzione sia sempre motivo di letizia e di progressivo perfezionamento della fede per essere iscritti «dignanter» nell'adozione iniziata nel fonte battesimale, e di gioire nello sviluppo del numero dei figli. ≈ Nel prefazio n. **1470** la lode presenta una sintesi essenziale dell'opera di Cristo: *a)* con la nascita dalla Vergine è venuto incontro agli «errores humanos»; *b)* con la passione ha liberato l'uomo «a perpetua morte»; *c)* con la risurrezione ha portato «aeternae vitae dona». È questo un ulteriore testo che denota lo stile sobrio dell'eucologia nell'esprimere concetti fondamentali all'insegna di quella *brevitas* e insieme *concinnitas* propria della liturgia romana.

C → Da notare l'omoteleuto *renovasti | solidasti* nel n. **479**, cui segue il verbo *facio* seguito dall'infinito, che ha avuto un fecondo sviluppo nelle lingue romanze.

D → **477** Nel MR 2002 il testo è presente più volte nel tempo di Pasqua sempre come *super oblata*: a p. 385 nel *sabbato infra octavam Paschae*; a p. 389 nella *feria tertia post dominicam II Paschae*; a p. 399 nella *feria quarta post dominicam III Paschae*; a p. 403 nella *dominica IV Paschae* e a p. 405 nella successiva *feria quarta*; a p. 413 nella *feria quarta post dominicam V Paschae*; e finalmente a p. 419 nella *feria tertia post dominicam VI Paschae*. ≈ **478** Il MR 2002, p. 454, valorizza il testo come *post communionem* per la *dominica IV "per annum"*;

unica variante la correzione di «auxilium» in «auxilio».

E → Π 98; Λ 112; Σ 108. - Feria VII ad Lateranis - scd. Io 20,19-23: *Cum esset sero die illo una sabbatorum* usq. *quorum remiseritis peccata remittuntur eis;* Δ 121 Feria VII ad Lateranis - scd. Io 20,19-31: *Cum esset sero die illo una sabbatorum* usq. *credentes uitam aeternam habeatis in nomine eius.*

481 - 485: Domenica *in albis*

A → Il MR 1474 presenta il titolo *dominica in Octava Paschae* con la *statio ad sanctum Pancratium;* queste le letture: 1 Io 5,4-10 (*Haec est vitoria quae vincit mundum, fides nostra*) e Io 20,19-31 (*Accipite Spiritum sanctum. Beati qui non viderunt et crediderunt*). - La celebrazione delle feste pasquali è per i fedeli motivo per intercedere di poterle vivere «moribus et vita»; l'atteggiamento «exultans – exultantibus animis» - per l'«ecclesia» è motivo per implorare, come frutto della partecipazione ai «sacrosancta mysteria», il passaggio dall'esperienza del «gaudium» - conseguenza del «praesens remedium» - alla «laetitia» nella vita eterna, dal godimento dei «temporalia subsidia» alle conseguenze per l'eternità.

C → **485** - si nota la costruzione del verbo *facio* con l'infinito e, soprattutto, la contrapposizione dei *temporalibus subsidiis* su questa terra con gli *aternitatis fructibus* della vita futura. La clausola «effectibus gratulari» è costituita da uno ionico a minore seguito da un epitrito secondo.

D → **483** Cf n. 187.

E → Π 99; Λ 113; Σ 109; Δ 122. - Dominica octabas paschae - scd. Io 20,24-31: *Thomas unus ex duodecim* usq. *et ut credentes uitam habeatis in nomine eius.*

486 - 503: Altre preghiere per [il tempo di] Pasqua

A → La raccolta delle diciotto preghiere per questo contesto pasquale è una miniera di tematiche teologico-liturgiche che insistono, a partire dal clima della «sollemnitas paschalis», dagli «exordia salvationis», nell'implorare da Dio «conditor et redemptor» una molteplicità di aiuti divini, come ad esempio: *a)* «et velle et posse quae praecipis»; *b)* l'accompagnamento per coloro che sono rinati in Cristo «sacramento baptismatis»; *c)* poter vivere nella «lux virtutis», nella «gratiae protectione»; *d)* aver parte alla risurrezione di Cristo; *e)* essere rivestiti di immortalità; *f)* godere «in caelesti regno». La maggior parte di queste orazioni, ben undici, sono presenti anche nell'attuale Messale; tutte comunque orientate ad evidenziare il cammino dell'assemblea indirizzata «ad societatem caelestium gaudiorum».

C → Nel n. **486** è presente un efficace polisindeto *velle* e *posse*, divenuto, in seguito, un adagio molto popolare; inoltre non sfugge la singolare sequenza *fides cordium et pietas actionum*, epitrito secondo quest'ultimo, che costituisce anche la clausola. ≈ In **493** l'orante richiama l'attenzione sulla contrapposizione dell'*humilitas gregis* con la *celsitudo pastoris*. In quest'ultimo sintagma, che con la dipodia trocaica e il molosso costituisce la clausola, diventa un ossimoro molto efficace. ≈ In **497** si noti la metafora in *fecisti baptismo regenerari* e in *facias beata immortalitate vestiri*. La clausola, in questo caso, è data da uno spondeo seguito da una dipodia giambica e un molosso. ≈ Anche in **500** l'estensore adopera un altro efficace ossimoro, costituito da *aqua et spiritu*. La clausola, molto lenta e solenne, è data da due molossi.

D → **486** Il MR 2002, p. 267, riprende il testo della *collecta* per il *sabbato* dell'*hebdomada V Quadragesimae*; il «genus electum et regale sacerdotium» costituisce una esplicitazione dell'originale e una maggior fedeltà al testo biblico di 1 Pe 2,9. ≈ **487** Il MR 2002, p. 402, riprende la prima parte del testo come *collecta* del *sabbato post dominicam III Paschae*, mentre per la seconda risolve con questa espressione: «... ut, *omni erroris incursu devicto, gratiam tuae benedictionis fideliter servent*». Questo il testo del MR 2020, p. 216: «... vinto ogni assalto del male, conservino fedelmente la grazia della tua benedizione». ≈ **488** Il MR 2002, p. 391, riprende il testo valorizzandolo come *collecta* per la *feria quinta post dominicam II Paschae*, con alcune leggere varianti che rendono ancora più armonico il testo: «... paschale *effecisti*... supplicationibus *populi tui*, ut... nobis *Christus* Pontifex *noster*, nos... tibi *est* aequalis...». ≈ **489** Il MR 2002, p. 429, valorizza come *collecta* della *feria sexta in feriis post Ascensionem* solo la prima parte del testo, mentre la seconda parte risulta così: «Deus, qui ad aeternam vitam *in* Christi resurrectione nos reparas, erige nos ad consedentem in dextera tua nostrae salutis auctorem, ut, *cum in maiestate sua Salvator noster advenerit, quos fecisti baptismo renasci, facias beata immortalitate vestiri*»: questa seconda parte è ripresa *ad litteram* dal n. 497. Questo il testo ufficiale del MR 2020, p. 236: «O Dio, che nella risurrezione di Cristo ci rendi creature nuove per la vita eterna, innalzaci accanto al nostro Salvatore che siede alla tua destra, perché alla sua venuta nella gloria coloro che hai fatto rinascere nel Battesimo siano rivestiti dell'immortalità beata». ≈ **491** Il MR 2002, p. 385, valorizza come *collecta* del *sabbato infra octavam Paschae* la prima parte del testo, mentre per la seconda risolve così: «... ad electionem tuam propitius *intuere*, ut, qui sacramento baptismatis sunt renati, *beata facias immortalitate vestiri*». Quest'ultima parte è ripresa dal n. 489. ≈ **493** Il MR 2002, p. 403, valorizza il testo come *collecta* per la *dominica IV Paschae*, tralasciando l'inciso «spiritu sancto... atque» e risolvendo «celsitudo» con «fortitudo». ≈ **494** Il MR 2002, p. 419, valorizza il testo come *collecta* per la *feria tertia post dominicam VI Paschae*; unica variante l'aggiunta di «Filii tui» dopo «Christi». ≈ **495** Il MR 2002, p. 397, riprende il testo come *collecta* per la *feria secunda post dominicam III Paschae*, con la sostituzione di «actibus» in «rationibus» e la scomparsa dell'«*in illius*…». ≈ **496** Il MR 2002, p. 393, valorizza il testo come prima *collecta* per il *sabbato in feriis post dominicam II Paschae*; unica variante l'«evacuasti» reso con «vacuasti». ≈ **500** Il MR 2002, p. 398, riprende il testo come *collecta* per la *feria tertia post dominicam III Paschae*, operando uno spostamento della relativa «qui… peccatis» in vista di un ritmo più armonico. ≈ **503** Cf n. 470.

504 – 505: A conclusione dei giorni di festa

D → **505** Nel MR 2002, p. 177, il testo è valorizzato come *post communionem ad missam in die* della solennità *in Epiphania Domini*; unica variante, l'originale «effectu» diventa «affectu».

SANTORALE TRA APRILE E MAGGIO E LITANIE MAGGIORI

506 – 508: 14 aprile – natale dei santi Tiburzio e Valeriano

A → Celebrare la festa – «natalicia recensentes» - di testimoni della fede implica imitarne le «virtutes»: è quello che chiede l'assemblea, specificando di essere liberata dai «vincula pravitatis» e di poter così accogliere i «misericordiae dona», in modo da sperimentare e vivere l'«augmentum salvationis» a partire dall'esperienza del «sacro munere satiati».

B → Il Mart 1584, n. 757, presenta un ampio elogio dei martiri Tiburzio, Valeriano e Massimo che hanno subito il martirio sotto l'imperatore Alessandro Severo; erano stati convertiti dalle parole di santa Cecilia e battezzati da papa Urbano I (222-230). Il Mart 2004, p. 235, n. 1, ne ricorda solo la memoria con l'accenno alla sepoltura «in coemeterio Praetextati».

E → Π 100; Λ 114; Σ 110; Δ 123. - Die XIIII mensis aprilis natale scorum Tiburti Ualeriani et Maximi - scd. Io 15,12-16: *Dixit Iesus discipulis suis: hoc est praeceptum meum* usq. *ut quodcumque petieritis patrem in nomine meo det uobis.*

509 – 511: 23 aprile – natale di san Giorgio

A → L'assemblea si rallegra per l'intercessione e per i meriti di san Giorgio, e ne implora i benefici unitamente alla grazia divina: la liberazione «a peccatorum nostrorum maculis», e la possibilità di svolgere il servizio divino accompagnato da «placitis moribus».

B → Il breve elogio del Mart 1584, n. 824, fa solo riferimento all'«illustre martyrium» ricordato dalla venerazione dell'«Ecclesia Dei». Il Mart 2004, p. 249, n. 1, sviluppa invece l'elogio in questi termini: «Sancti Georgii, martyris, cuius gloriosus certamen Diospoli seu Lyddae in Palaestina omnes Ecclesiae ab Oriente ad Occidentem ab antiquitate celebrant».

D → **511** Cf n. 205.

E → Λ 116; Σ 112. - Die XXIII mensis supra scripti natale sci Georgii - scd. Lc 21,14-19: *In illo tempore dixit Iesus discipulis suis: ponite in cordibus uestris* usq. *in patientia uestra possidebitis animas uestras.* - Π post 101 (cf. nota); Δ 124 *in marg.* (cf. nota).

512 - 517: 25 aprile – Litania maggiore – [*statio*] a san Lorenzo in Lucina
A → La celebrazione delle Litanie maggiori è accompagnata da ben dieci testi: dai primi che caratterizzano il cammino processionale fino alla Messa (nn. 512-521). – Il percorso verso la *statio* di san Lorenzo in Lucina tocca le chiese di san Valentino (n. 513) e santa Croce (n. 514); attraversato ponte Milvio (n. 515) si giunge nell'atrio (nn. 516-517) e quindi si procede alla celebrazione dell'Eucaristia. – L'assemblea si muove nella memoria del martire Lorenzo implorando «munere compunctionis» e «largitate pietatis» (n. 512); il «fletus lugentium» implora di essere consolato dalla «pietatis gratiam» (n. 513), mentre nel contempo si domanda di trarre giovamento «de verbere tuo» attraverso quella «consolatio» che solo Dio può donare (n. 514). Nell'attraversamento di ponte Milvio l'assemblea implora di non essere afflitta da alcuna avversità; invocata quindi anche l'intercessione di san Pietro apostolo si predispone la celebrazione.

518 - 521: Per la messa
A → Il MR 1474 segnala la *statio ad sanctum Petrum*; le orazioni corrispondono; queste le letture: Iac 5,16-20 (*Multum valet deprecatio iusti assidua*) e Lc 11,5,13 (*Quanto magis Pater vester de caelo dabit Spiritum bonum petentibus se*). – Tra «adflictio» e «protectio» si muove l'atteggiamento dell'assemblea che, consapevole dei propri «vincula pravitatis», implora i «misericordiae dona» perché siano di sostegno «in tribulatione» e «de consolatione», e così raggiungere ciò che piace all'«omnipotens Deus». ≈ Nel prefazio n. **1474** l'assemblea constata il dono da parte di Dio dei «bonis sempiternis» come segno di consolazione per quelli «temporalibus» e di auspicio per i «praesentibus» in modo da conseguire i «gaudia mansura».
E → Π 102; Λ 117; Σ 113; Δ 125. - In laetania maiore die XXV mensis aprilis - scd. Lc 11,5-13: *Dixit Iesus discipulis suis: quis uestrum habet amicum* usq. *quanto magis pater uester de caelo dabit spiritum bonum petentibus se.*

522 - 524: 28 aprile – natale di san Vitale
A → La liberazione dai mali fisici e dai cattivi pensieri è il tema dell'invocazione al martire san Vitale; la «devotio» dell'assemblea possa accompagnare la «supplicatio salutaris» per poter beneficiare dell'evento cultuale.
B → Il Mart 1584, n. 858, onora san Vitale, padre (?) dei santi Ger-

vasio e Protasio, che dopo aver dato degna sepoltura al corpo del beato Ursicino, fu martirizzato dal console Paolino (277). Il Mart 2004, p. 258, n. 5, dedica un elogio più ampio ricordando anzitutto la dedicazione dell'omonima «percelebris basilica», in Ravenna, e quindi il martirio unitamente a Valeria, Gervasio, Protasio e Ursicino.

D → Nel n. **522** si noti la rispondenza di *liberemur in corpore* con *mundemur in mente*. In questi due cola si noti l'omoteleuto dei verbi e la coppia, molto frequente, di *corpus* e *mens*.

E → Π 105; Λ 120; Σ 116; Δ 128. - Die XXVIII mensis supra scripti natale sci Uitalis - scd. Io 15,1-7: *In illo tempore dixit Iesus discipulis suis: ego sum uitis uera et pater meus agricola* usq. *quodcumque uolueritis petitis et fiet uobis.*

525 – 527: Mese di maggio – 1° maggio – natale degli apostoli Filippo e Giacomo

A → Oltre alla corrispondenza dei testi eucologici, il MR 1474 segnala queste letture: Sap 5,1-5 (*Nos insensati, vitam illorum extimabamus insaniam et finem illorum sine honore*) e Io 14,1-13 (*Qui credit in me opera quae ego facio ipse faciet*). - La solennità degli apostoli Filippo e Giacomo è occasione per implorare di far tesoro dei loro esempi e, con l'aiuto delle loro preghiere, di ottenere l'allontanamento di «mala omnia». ≈ Il prefazio n. **1476** evidenzia due temi: *a)* è con l'insegnamento degli apostoli che il Signore dà solidità alla sua Chiesa; *b)* per la loro intercessione la Chiesa domanda di ricevere «usque in finem saeculi» quel «regni caelestis augmentum» fondato sull'«initium divinae cognitionis» ricevuto dagli apostoli.

B → Il Mart 1584, n. 885, dedica un ampio elogio: a Filippo che dopo aver predicato il Vangelo nella Scizia (Russia meridionale) fu crocifisso nella città di Gerapoli (Asia minore, Turchia); a Giacomo, fratello del Signore, primo vescovo di Gerusalemme, fu gettato dal pinnacolo del tempio e sepolto lì vicino. – Il Mart 2004, p. 267, n. 1, al 3 maggio, dedica un ampio elogio ricordando la loro vocazione, e il ruolo di Giacomo nel Concilio di Gerusalemme (cf Act 15).

E → Π 108; Λ 123; Σ 119; Δ 132. - Mense maio kalendis (mais) natale scorum Philippi et Iacobi - scd. Io 14,1-13: *Non turbetur cor uestrum* usq. *in nomine meo hoc faciam.*

528 – 530: 3 maggio – natale di Alessandro, Evenzio e Teodulo

A → Il MR 1474 riporta solo il titolo del formulario e aggiunge anche il martire Giovenale. - La liberazione da ogni male è tema ricorrente in molteplici orazioni, come in questa memoria. A ciò si aggiunge la richiesta della propria «sanctificatio», di potersi rallegrare in tale memoria, e di sperimentare nella vita quanto vissuto nel momento cultuale.

B → Il Mart 1584, n. 902, elogia i tre martiri ricordandone la *passio* sulla via Nomentana: il papa Alessandro I (108 o 109 – 116) martirizzato sotto Traiano e il giudice Aureliano; Evenzio e Teodulo «post longos carceres… decollati sunt». – Il Mart 2004, p. 268, n. 3, precisa il settimo miglio della via Nomentana.

E → Π 109; Λ 124; Σ 120; Δ 133. - Die III mensis mai natale scorum Alexandri et Euenti (et Theodoli) - scd. Io 15,17-25: *Hoc mando uobis* usq. *quia oderunt me gratis.*

531 – 533: 6 maggio – natale di san Giovanni a Porta Latina
A → Il MR 1474 segnala queste letture: Sap 5,1-5 (*Nos insensati, vitam illorum extimabamus insaniam et finem illorum sine honore*) e Mt 20,20-23 (*Potestis bibere calicem quem ego bibiturus sum?*). - La chiesa di san Giovanni in Oleo davanti a Porta Latina, in Roma, ricorda il luogo in cui secondo la tradizione – riportata anche nel Mart 1584, n. 933 – san Giovanni sarebbe stato condotto a Roma sotto l'imperatore Diocleziano (51-96) e processato dal senato; messo nell'olio bollente ne sarebbe uscito «purior et vegetior». L'assemblea invoca l'«intercessio gloriosa» dell'Evangelista ottenuta attraverso la partecipazione ai «caelestia mysteria» ed essere così nutrita «pane caelesti».

534 – 536: 10 maggio – natale dei santi Gordiano ed Epimaco
A → La memoria di due martiri è occasione per invocare la loro «intercessio» per poter giungere a quel «perpetuum subsidium» indispensabile per difendersi «contra omnia adversa».

B → Il Mart 1584, n. 966, dedica un ampio elogio al natale dei due martiri in via Latina. Al tempo dell'imperatore Giuliano l'apostata (360-363), il martire Gordiano fu sepolto nella stessa via, di notte, nella cripta dove poco prima erano state traslate da Alessandria le reliquie del beato Epimaco di Pelusio, martire sotto l'imperatore Decio (249-251). – Il Mart 2004, p. 279, n. 4, ricorda la stessa realtà.

E → Π 112; Λ 127; Σ 123; Δ 136. - Die X mensis mai natale sci Gordiani - scd. Mt 10,34-42: *Nolite arbitrari quia ueni pacem* usq. *amen dico uobis non perdet mercedem suam.*

537 – 539: 12 maggio – natale di san Pancrazio
A → Anche in occasione della memoria del martirio di san Pancrazio l'assemblea domanda – «nos… intende» - di essere liberata «a cunctis malis imminentibus» per ottenere quella «perpetua salvatio» celebrata nella «temporalis actio». ≈ Con il prefazio n. **1479** l'assemblea loda il Signore nell'andare incontro ai santi – «in sanctorum tuorum provectione» – e nel proclamarlo «gloriosum» per i loro trionfi. Su questa realtà si consolida la certezza che, sull'esempio dei santi, solo da Dio la fede riceve «constantia», l'incertezza la «virtus», il superamento di ciò che è «saevum»

nelle persecuzioni e di ciò che può apparire «terribile» di fronte alla morte.

B → Il Mart 1584, n. 984, ricorda la decollazione sulla via Aurelia del giovane quattordicenne Pancrazio sotto l'imperatore Diocleziano (284-305). – Più ampio l'elogio che vi dedica il Mart 2004, p. 282, n. 1bis: al secondo miglio della via Aurelia papa Simmaco (498-514) edificò una celebre basilica e san Gregorio Magno (590-604) più volte vi radunò il popolo per trarne esempio.

E → Π 114; Λ 129; Σ 125; Δ 139. - In natale sci Pancrati - scd. Io 15,17-25: *Haec mando uobis ut diligatis inuicem* usq. *quia oderunt me gratis.*

540 - 542: 13 maggio – natale di santa Maria *ad Martyres*

A → La memoria della dedicazione della chiesa a «sancta Maria ad Martyres» (Pantheon) è occasione per implorare di giungere «placitis moribus» a quei «gaudia aeterna» conseguiti dai martiri.

B → Il Mart 1584, n. 991, ricorda l'evento della dedicazione della chiesa alla beata sempre vergine Maria e a tutti i Martiri; l'opera fu realizzata al tempo dell'impratore Foca (602-610) da papa Bonifacio IV (608-615) svuotando il Pantheon pagano da ogni riferimento idolatrico. Nel Mart 2004 questa memoria non è presente.

D → **542** Cf n. 205.

E → Λ 132; Σ 128; Δ 145. - Die XIII mense supra scripto dedicatio ecclesiae scae Mariae ad martyres legitur euangelium cuiuscumque occurrerit ebdomadae eo quod semper in die dominica celebratur ipsa sollemnitas. Π Post 116 (cf. nota).

ASCENSIONE E PENTECOSTE

I giorni che vanno dall'Ascensione alla Pentecoste concludono il ciclo pasquale. Il contenuto teologico delle orazioni riflette il compimento del mistero della Pasqua e il dono dello Spirito Santo (cf nn. 543-577). La liturgia comprende la discesa (cf nn. 553-561) e la risalita (cf nn. 566-571) dal fonte battesimale con una celebrazione ricca di letture e di testi eucologici.

543 - 547: Nell'Ascensione del Signore

A → Il MR 1474 segnala queste letture: Act 1,1-11 (*Viri Galilei quid statis aspicentes in caelum?*) e Mc 16,14-20 (*Praedicate evangelium omni creaturae*). - Celebrare il mistero dell'Ascensione «ad caelos» per l'assemblea è occasione per domandare di abitare con il proprio cuore «in caelestibus». La condizione di essere liberata «a praesentibus periculis» per giungere «ad vitam aeternam» – «in gloriae tuae dextera» - è la base per essere «participes... divinitatis suae» dal momento che il Cristo ha unito a sé «fragilitatis nostrae substantiam»; ed è nell'esperienza celebrativa che partecipando «visibilibus mysteriis» si possa conseguire «invisibili effectu».

D → **543** Nel MR 2002, p. 425, il testo è ripreso alla lettera come *collecta* alternativa *ad Missam in die* per la solennità *in Ascensione Domini.*

E → Π 120; Λ 137; Σ 133; Δ 151. - Feria V in ascensa domini - scd. Mc 16,14-20: *Recumbentibus undecim discipulis* usq. *sequentibus signis.*

548 – 549: Altre preghiere

A → La certezza che il Salvatore è «consedens… in maiestate» con Dio Padre, per l'assemblea è motivo per implorarne la presenza «usque ad consummationem saeculi» in mezzo al suo popolo, come egli stesso ha promesso; e formulando inoltre il testo attorno al termine *captivitas* implora che la natura umana schiava del peccato, ma con Cristo assunta in cielo, possa conseguire quei doni concessi a quanti prendono parte alla sua gloria.

C → **548** Attenzione particolare bisogna porre alla ricchezza semantica del lessema *saeculum* che, in ambito cristiano, senza rinunciare a quanto aveva accumulato nella sua lunga vita, acquista il senso particolare di *tempo*, colto nella sua caducità in confronto all'*aeternitas* costituita dalla perenne fruizione dei beni celesti. ≈ In **549**, invece, efficace è la figura etimologica *captivitatem… captivam.*

550 – 552: 25 maggio – natale di sant'Urbano papa

A → Anche nell'occasione della memoria di sant'Urbano si presenta una richiesta generica perché l'assemblea sia aiutata dalla sua intercessione; e la partecipazione all'«haec hostia» diventa motivo per implorare la santificazione «corpora et mentes».

B → Il Mart 1584, n. 1090, ricorda il natale del papa e martire Urbano I (222-230) per la cui parola molti – tra cui Tiburzio e Valeriano - hanno seguito Cristo fino alla corona del martirio. – Più preciso il Mart 2004, p. 292, n. 1, che ricorda la *depositio* nel cimitero di Callisto sulla via Appia (Antica): proprio come successore di san Callisto (218-222) per otto anni «Ecclesiam Romanam fideliter rexit».

D → **551** Cf n. 61.

E → Λ 135; Σ 131; Δ 149. - Die XXV mensis mai natale sci Urbani - scd. Mt 24,42-47: *Dixit Iesus discipulis suis: uigilate* usq. *super omnia bona sua constituit eum.* Π post 118 (cf. nota).

553 – 561: Incominciano le preghiere per la Pentecoste – sabato prima della discesa al Fonte

A → La vigilia di Pentecoste ha una liturgia particolare con una serie di letture bibliche (Gn 22,1-19; Dt 31,22-30; Is 4,1-6; Ier [sic] = Bar 3,9-38; e Ps 41) seguite da orazioni come nella veglia pasquale (così è ricordato anche da una rubrica del MR 1474, p. 236, dove si specifica che le profezie «dicuntur de Sabbato sancto» e se ne segnalano sei), dalla benedizione del fonte, dalle litanie e finalmente dalla celebrazione dell'Eucaristia. – Questa la tematica che scaturisce dai testi eucologici: *a)* l'obbedienza di Abramo è un esempio che invita a spezzare la «pravitas voluntatis» dei fedeli, e ad accogliere i «praecepta» del Signore; *b)* l'esempio dell'insegnamento di Mosè è un richiamo a realizzare in pienezza gli «iussa» di Dio; *c)* le pagine dei due Testamenti invitano a valorizzare le realtà presenti in vista di quelle future; *d)* riconoscere Dio come «incommutabilis virtus et lumen aeternum» è motivo per implorare il suo sguardo sulla Chiesa qui definita «mirabile sacramentum» perché possa accompagnare con la «rectitudo vitae» ciò che sta celebrando con devozione; *e)* il giorno santo consacrato dallo Spirito è motivo per sollecitare con «caelestibus desideriis» di essere saziati dal «fontem vitae».

C → In **554** si nota la viva ed efficace opposizione tra *pravitas* e *rectitudo*, su cui è incentrata l'eucologia. ≈ In **556** si trova un'altra opposizione tra *temporalia*, tutto ciò che appartiene a questo mondo, e *aeterna*, tutto ciò che, invece, è presso Dio.

562 – 565: Altre preghiere

A → Il mistero del «paschale sacramentum» racchiuso nei cinquanta giorni è motivo per implorare l'unità di tutti i credenti al di là della «dispersio divisione linguarum». Il «sacramentum festivitatis hodiernae» invita ad allargare l'orizzonte sull'«universa ecclesia (in omni gente et natione… in totam mundi latitudinem)» perché possano essere diffusi i doni dello Spirito. Il ricordo della «paradisi felicitas» è motivo per implorare l'ingresso nell'«aeterna beatitudo» con la messa in pratica dei voleri divini. E finalmente la grazia dello Spirito Paraclito costituisce un nuovo modo per sorreggere la volontà dei fedeli ed essere così degni di ricevere i doni spirituali.

C → Particolare interesse mostrano le eucologie **562** e **563** nelle quali ricorrono lessemi che la tradizione cristiana ha mutuato dalla lingua sacrale pagana e vi ha infuso una diversa e più profonda carica semantica. Il primo è *sacramentum*, del quale si è già accennato; l'altro è *mysterium*. Con questo termine, per lo più al plurale *mysteria*, si indicava un complesso di riti religiosi. I più famosi erano gli Ἐλευσίνια Μυστήρια, i *mysteria Eleusinia*, che si celebravano ogni anno all'inizio della primavera ad Eleusi nel santuario di Demetra, nel quale si commemorava l'*ascesa*, l'ἄνοδος, di Persefone dal regno delle ombre sulla terra, nel regno della luce. In questi, come negli altri, cerimonie e formule furono tenute così segrete che sono andate quasi del tutto perdute. Il *mysterium christianum* assume una valenza semantica più ricca e per la visibilità dei rituali e per le formule che i fedeli ascoltavano, ripetevano e conservavano a memoria. Al *mysterium christianum* non partecipa solo l'iniziato, ma l'intera comunità. Assunto dal cristianesimo anche il lessema *gens*, di solito al plurale, si arricchisce ulteriormente e designa coloro che non hanno accolto la parola di Dio. *Natio*, invece, designa un popolo con usi, lingua e tradizioni diverse. Per cui l'accostamento in **563** *gens et natio* assume una forte connotazione universalistica. Da tener presente che *natio* deriva da *natus*, nascita, come in *Corpus Inscriptionum Latinarum*, I, 60: *nationu cratia Fortuna donom dedi*, che in latino classico suona: *nationis causa Fortunae donum feci*: per la mia nascita ho fatto questo dono alla fortuna.

D → **562** Il MR 2002, p. 443, valorizza il testo come *collecta* per la messa *in Vigilia* della *dominica Pentecostes*, con un adattamento particolare relativamente al significato teologico: l'«ut gentium facta dispersio divisione linguarum...» diventa «ut, gentium facta dispersione, divisiones linguarum ad unam confessionem...».
Il MR 2020, p. 251, così traduce: «... fa' che i popoli dispersi si raccolgano insieme e le diverse lingue si uniscano a proclamare la gloria del tuo nome».

566 – 571: Preghiera per la messa nel sabato di Pentecoste dopo la risalita dal Fonte

A → Il MR 1474 segnala queste letture: Act 19,1-8 (*Cum imposuisset illis manus Paulus, Spiritus sanctus supervenit super eos*) e Io 14,15-21 (*Qui diligit me diligetur a Patre meo*). - L'inizio della messa vigiliare *post ascensum Fontis* è caratterizzato dal tema della luce: «splendor... claritatis effulgeat»; è da questa premessa che l'assemblea invoca che la «lux tuae lucis» offra la conferma della rinascita battesimale «ex aqua et Spiritu Sancto» con il dono rinnovato dello Spirito – «sancti Spiritus illustratione...» -. Con la stessa terminologia l'assemblea domanda la purificazione nella *super oblata*. Ed è il prefazio a cantare il dono dello Spirito promesso dal Figlio, ed effuso «in filios adoptionis»: su quei fedeli, cioè, che implorano «infusio» e «aspersio» della rugiada divina. ≈ Il prefazio n. **1480** riprende la prima parte dell'embolismo con le stesse parole; nella seconda loda il «Domine virtutum» per la letizia che sta sperimentando «inter altaria tua» e per la possibilità di offrire «hostias laudis» con gli angeli e gli arcangeli.

D → **566** Nel MR 2002, p. 443, il testo è valorizzato come *collecta* alternativa per la messa *in vigilia dominicae Pentecostes*. ≈ **571** Nel MR 2002, p. 1169, il testo – presente anche nel n. 577 – è valorizzato come *post communionem* per la messa votiva *de Spiritu Sancto A*.
E → Π 123; Λ 140; Σ 136; Δ 155. - Sabbato pentecosten - scd. Io 14,15-21: *Dixit Iesus discipulis suis: si diligitis me* usq. *et manifestabo ei meipsum*.

572 - 577: Domenica - [*statio*] a san Pietro

A → Per la domenica di Pentecoste il MR 1474 segnala queste letture (unitamente a due sequenze): Act 2,1-11 (*Dum complerentur dies pentecostes erant omnes discipuli pariter in eodem loco*) e Io 14, 23-31 (*Paraclitus vos docebit omnia*). - Da quella luce - «illustratione» nella *collecta* e nella *super oblata* - che proviene dal mistero della Pentecoste scaturisce la richiesta dell'assemblea - «corda nostra... corda fidelium...» - che invoca «recta sapere» per godere sempre di quella «consolatio» che scaturisce solo dal dono dello Spirito.

D → **574** La parte centrale dell'embolismo è ripresa dal MR 2002, p. 1169 per il prefazio della messa votiva *De Spiritu Sancto A.* ≈ **576** L'*hanc igitur* è riproposto nel MR 2002, p. 574, con la rubrica: *A Missa Vigiliae paschalis usque ad dominicam II Paschae.* ≈ **577** Cf n. 571.

E → Π 124; Λ 141; Σ 137; Δ 156. - Ebdomada VII die dominico pentecosten - scd. Io 14,23-31: *Dixit Iesus discipulis suis: si quis diligit me sermonem meum seruabit* usq. *sicut mandatum dedit mihi pater sic facio.*

578 - 580: Feria II - [*statio*] a san Pietro in Vincoli

A → Il MR 1474 segnala queste letture: Act 10,40-45 (*Audiebat illos loquentes linguis et magnificantes Deum*) e Io 3,16-21 (*Qui facit veritatem venit ad lucem*). - Nella settimana che segue la Pentecoste l'assemblea continua nell'invocazione dello Spirito e dei suoi doni: fede e pace, offerta di sé come «munus aeternum», e difesa «ab hostium furore».

D → **579** Il MR 2002, p. 393, riprende il testo sempre come *super oblata* per il *sabbato in feriis post dominicam II Paschae.*

E → Π 125; Λ 142; Σ 138; Δ 157. - Feria II ad uincula - scd. Io 3,16-21: *Dixit Iesus discipulis suis: sic enim dilexit Deus mundum ut filium suum unigenitum daret* usq. *ut manifestentur eius opera quia in Deo sunt facta.*

581 - 583: Feria III – [*statio*] a sant'Anastasia

A → Il MR 1474 segnala queste letture: Act 8,14-27 (*Imponebant manus super illos et accipiebant Spiritum sanctum*) e Io 10,1-10 (*Ego sum hostium ovium*). - La potenza dello Spirito – rinnovata con la partecipazione ai «divinis sacramentis» - è implorata per la purificazione del cuore e come difesa di fronte a tutte le aversità, e per essere degni della «sacra participatione» nella consapevolezza che solo il Signore è «remissio omnium peccatorum».

E → Π 126; Λ 143; Σ 139; Δ 158. - Feria III ad scam Anastasiam - scd. Io 10,1-10: *Amen amen dico uobis qui non intrat per ostium in ouile* usq. *et abundantius habeant.*

584 - 587: Feria IV – [*statio*] a santa Maria Maggiore

A → Il MR 1474 segnala queste letture: Act 2,14-21 (*Omnis quicumque invocaverit nomen Domini salvus erit*), Act 5,12-16 (*Fiebant*

signa et prodigia multa in plebe) e Io 6,44-52 (*Ego sum panis vivus qui de caelo descendi*). - La richiesta di comprendere la verità in pienezza – «in omnem veritatem» – è accompagnata dal bisogno di accoglierla nella propria vita, là dove i fedeli si definiscono «templum gloriae» dell'«omnipotens et misericors Deus», e questo con l'auspicio di poter attuare nella vita quanto avviene nella celebrazione («mysteriis... affectibus») dei «caelestia sacramenta». ≈ Il prefazio n. **1481** ricorda i «laetitiae dies» della risurrezione, dell'ascensione e del dono dello Spirito. In questa realtà salvifica sono da considerare i giorni degli «ieiunia sancta» destinati a vivere in quelle scelte esistenziali - «pura conversatione» - entro cui si muove la Chiesa.

D → **584** Il testo mantiene la sua funzione di *collecta*, ma nel MR 2002, p. 986, è valorizzato nelle messe rituali *in conferenda Confirmatione: C. Aliae orationes, pro opportunitate adhibendae*.

E → Π 127; Λ 144; Σ 140; Δ 159. - Feria IIII ad scam Mariam - scd. Io 6,44-51: *Dixit Iesus discipulis suis: nemo potest uenire ad me* usq. *pro uita mundi*.

588 - 590: Feria VI - [*statio*] agli Apostoli

A → Il MR 1474 indica queste letture: Il 2,23-24.26-27 (*Non confundetur populus meus in sempiternum*) e Lc 5,17-26 (*Surge, tolle lectum tuum et vade in domum tuam*). - La richiesta di poter servire il Signore «secura devotio» sta al centro della *collecta*; una domanda che può essere fatta propria e trasformata da quell'«ignis divinus» che ha acceso il cuore dei «discipulorum Christi». Ed è per rispondere al comando di rinnovare il memoriale «in tui commemoratione» che l'assemblea - consapevole della propria «infirmitas» - implora «auxilium». ≈ Nel prefazio n. **1482** l'assemblea invoca di cuore - «propensius» - la «maiestas divina» per consolidare – «salutari compendio» - la propria fede nell'unico creatore e salvatore.

D → **589** Il MR 2002, p. 1171, riprende il testo come *super oblata* per la messa votiva *de Spiritu Sancto*, operando un notevole adattamento dell'orazione: la precisazione dell'«... ignis... divinus» con «Spiritus» recuperando così il riferimento successivo «per Spiritum sanctum»; e la sostituzione di «Christi» con «Filii». Abbiamo in tal modo un testo che il MR 2020, p. 934, rende così: «... il fuoco dello Spirito che infammò il cuore dei discepoli del tuo Figlio santifichi le offerte che ti presentiamo». ≈ **590** Il testo, che nel *Sacramentario* ritorna anche nel n. 1150, è presente ben sette volte nel MR 2002 come *post communionem* per il *sabbato post dominicam II Paschae*; adattamento di rilievo è la sostituzione dell'«infirmitatis auxilium» con «caritatis augmentum» (p. 394; cf inoltre pp. 401, 409, 415, 432, 436 e 483).

E → Π 128; Λ 145; Σ 141; Δ 161. - Feria VI ad apostolos - scd. Lc

5,17-26: *Factum est in una dierum* usq. *quia uidimus mirabilia hodie.*
* * * Nella numerazione dei formulari nell'edizione del *Sacramentario* si passa dal n. 99 al n. 101, mentre le formule mantengono la numerazione corretta.

591 - 598: Sabato - nelle XII letture del IV mese
A → La liturgia del sabato nelle dodici letture del quarto mese si apre con l'invocazione del dono dello Spirito per la cui sapienza l'uomo è stato creato ed è retto per la sua provvidenza. - Seguono quindi le letture (come indicato in MR 1474) accompagnate dall'orazione: Il 3,1-5 (*Quicumque invocaverit nomen Domini salvus erit*) con l'orazione n. 592; Lv 23,9-11.15-17.20.21 (*Vocabitis hunc diem celeberrimum atque sanctissimum*) con l'orazione n. 593; Dt 26,1-3.7-11 (*Adorato Domino Deo tuo epulaberis in omnibus bonis*) con l'orazione n. 594; Lv 26,3-12 (*Ponam tabernaculum in medio vestri*) con l'orazione n. 595; Dn 3 (*Hi tres quasi ex uno ore laudabant et glorificabant et benedicebant Deum*) compreso il cantico (*Benedictus es Domine*), con l'orazione n. 596; completate dalle altre due letture: Rom 5,1-5 (*Caritas Dei diffusa est in cordibus vestris*) e Lc 4,38-44 (*Erat predicans in sinagogis Galileae*). - Il prefazio n. 1483 corrisponde al n. 1238 dove è considerato nel contesto della *missa de sancta Trinitate*.
C → Nel latino del *Sacramentario*, come nella lingua comune, l'uso dei nomi astratti è molto frequente. ≈ Nel n. **591** si trova *sapientia* e *providentia*, lessemi molto importanti per la più antica spiritualità. Il primo, col significato di *intelligenza, sapienza, saggezza* oppure *scienza, sapere*, in ambito filosofico trova largo uso in Cicerone che, pare, l'abbia introdotto per la prima volta nella lingua latina, tenendo presente il greco σοφία. Anche il secondo, di probabile conio ciceroniano, dal greco πρόνοια, è adoperato dal prosatore latino solo in campo filosofico col senso di *preveggenza, conoscenza* dell'avvenire oppure *provvidenza* degli dei. Per il Cristianesimo la *provvidenza*, come la *sapienza* è solo un attributo di Dio. ≈ In **598** si noti non solo la rima di *actu* con *fructu*, ma anche la clausola «delectemur et fructu», costituita da un epitrito quarto e un molosso.
E → Π 129; Λ 146; Σ 142; Δ 162. - Sabbato XII lectionum ad scum Petrum - scd. Mt 20,29-34: *Egrediente Iesu ab Hiericho secutae sunt eum* usq. *et secuti sunt eum.* - Π 130 Item alia - scd. Lc 6,36-42: *Dixit Jesus discipulis suis: estote misericordes* usq. *tunc perspicies ut educas festucam de oculo fratris tui.* - Δ 163 Item alia - scd. Mc 12,41-44: *Sedens Iesus contra gazophilatio* usq. *misit totum uictum suum.* - 164 Item alia - scd. Lc 4,38-43: *Surgens Iesus de synagoga introiuit in domum Symonis* usq. *oportet me euangelizare regnum Dei.* - 165 Item alia ut supra - scd. Lc 6,36-42: *Estote ergo misericordes sicut et pater uester* usq. *educas festucam de oculo fratris tui.*

599 – 601: Domenica libera

A → «Affectum» e «auxilium» sono le richieste della «deprecatio» dell'assemblea che implora la santificazione dei «munera» perché diventino il corpo e il sangue dell'«Unigeniti tui»; dalla partecipazione ad essi i fedeli si attendono di essere perdonati per divenire «consortes caelestis remedii».

D → **601** Cf n. 85.

E →: Π 130 Item alia; Λ 147. - *Die dominico uacat;* Δ 165. - Item alia ut supra - scd. Lc 6,36-42: *In illo tempore dixit Iesus discipulis suis: estote misericordes* usq. *tunc perspicies ut educas festucam de oculo fratris tui.*

SANTORALE TRA GIUGNO E NOVEMBRE

602 – 604: Mese di giugno - 1° giugno – dedicazione [della chiesa] di san Nicomede

A → Mentre la memoria del presbitero san Nicomede è il 15 settembre (cf nn. 732-734) in questo giorno si ricorda solo la dedicazione della chiesa costruita sul sepolcro del martire sulla via Nomentana: su di esso Bonifacio V (619-625) fece costruire una basilica. L'assemblea mentre implora i benefici del martire, si attende di conseguire «dona gratiae»; per questo domanda di essere purificata dai peccati per poter servire degnamente l'«omnipotens Deus» con «placitis moribus».

C → Nell'eucologia **602**, come in molte altre del *Sacramentario*, ricorre il lessema *martyr*, che nel latino cristiano ha avuto un arricchimento semantico non indifferente. È un calco dal greco μάρτυς - μάρτυρος, dove era adoperato per designare il testimone in un processo. Il Cristianesimo lo adotta per designare colui che ha testimoniato la propria fede, nonostante la minaccia di morte. Oggi, comunemente, si intende il testimone per eccellenza, che ha versato il sangue per testimoniare la propria fedeltà a Cristo.

D → **604** Cf n. 205.

605 – 607: 2 giugno – natale dei santi Marcellino e Pietro

A → Il MR 1474 aggiunge anche la memoria di Erasmo (cf Mart 1584, n. 1157). - Rallegrarsi per i meriti dei santi Marcellino e Pietro è motivo per l'assemblea di implorare di essere provocata dal loro esempio; in questa linea essa domanda la liberazione dai «vincula pravitatis» per godere dei «misericordiae dona» e così sperimentare «salvationis augmentum».

B → Il Mart 1584, n. 1156, presenta un ampio elogio del presbitero Marcellino e dell'esorcista Pietro, che furono martirizzati sotto Diocleziano (284-305) nella zona denominata *Silva Nigra* e che da loro, secondo la tradizione, prese il nome di *Silva Candida*; il loro sepolcro fu adornato da versi del papa san Damaso (366-384). Il Mart 2004, p. 318, n. 1, precisa l'opera di una pia donna, Lucilla, che compose i due corpi nella via Labicana «in coemeterio ad Duas Lauros».

E → Π 131; Λ 148; Σ 144; Δ 166. - Mense iunio die II natale scorum Marcellini et Petri uia Lauicana - scd. Lc 21,9-19: *In illo tempore dixit Iesus discipulis suis: cum audieritis praelia* usq. *in patientia uestra possidebitis animas uestras.*

608 – 610: 18 giugno – natale dei santi Marco e Marcelliano

A → La memoria dei martiri Marco e Marcelliano è occasione per implorare la liberazione «a cunctis malis imminentibus». In questa linea si implora la santificazione dei «munera» perché per la loro partecipazione – «gustu» – si realizzino le conseguenze – «effectu» -.

B → Il Mart 1584, n. 1271, dedica l'elogio ricordando che nella persecuzione di Diocleziano durante il martirio non cessarono di «laudare Christum» e da qui «cum gloria martyrii ad siderea regna migrarunt». – Il Mart 2004, p. 343, n. 1, colloca la loro memoria nel cimitero di Balbina sulla via Ardeatina.

C → Anche nell'eucologia **610**, come in molte altre, l'estensore tende a unire mediante la rima, o omoteleuto, due lessemi, per conferire loro maggior solennità, come *gustu* ed *effctu*. Era una tecnica in voga anche per la memoria sia del celebrante che dei fedeli che assistevano al sacrificio divino. La clausola «renovemur effectu» è costituita da uno ionico a minore e un molosso.

E → Π 135; Λ 155; Σ 154; Δ 178. - Die XVIII mensis iuni natale scorum Marci et Marcelliani via ardeatina - scd. Io 15,12-16: *Dixit Iesus discipulis suis: hoc est praeceptum meum* usq. *in nomine meo det uobis.*

611 – 613: 19 giugno – natale dei santi Gervasio e Protasio

A → Nella memoria dei martiri Gervasio e Protasio l'assemblea implora di essere infiammata dai loro esempi e di essere difesa da ogni pericolo per essere partecipe del rimedio celeste. – Nel prefazio n. 1484 l'assemblea implora che come i martiri hanno vinto il mondo «in tua virtute», così possa – per loro intercessione – essere liberata «a mundanis erroribus».

B → Il Mart 1584, n. 1278, ricorda il martirio e soprattutto la traslazione dei loro corpi incorrotti fatta dal vescovo sant'Ambrogio. – Il Mart 2004, p. 344, n. 2, sottolinea in particolare l'opera di Ambrogio che edificò una basilica per trasferirvi i corpi «sollemni pompa».

E → Π 136; Λ 156; Σ 155; Δ 179. - Die XVIIII mensis supra scripti natale scorum Protasi et Geruasi ad scum Vitalem - scd. Mc 13,1-13: *In illo tempore regrediente Iesu de templo* usq. *in finem hic saluus erit.*

614 - 616: 23 giugno – vigilia di san Giovanni Battista

A ⟶ Il MR 1474 indica queste letture: Ier 1,4-10 (*Ecce dedi verba mea in ore tuo*) e Lc 1,5-17 (*Ne timeas Zacharia, quoniam exaudita est deprecatio tua*). - Una teologia liturgica attorno alla solennità di san Giovanni implica tener presenti tutti i testi eucologici che lo riguardano (cf nn. 617-628). – Nella vigilia l'assemblea implora l'intercessione del Precursore per camminare «per viam salutis» in modo da realizzare i «praecursoris hortamenta». Per questo nel domandare la santificazione dei «munera oblata» implora di essere liberata da ogni macchia di peccato, e di essere sorretta dalla preghiera di san Giovanni in modo da incontrare il favore di Colui di cui Giovanni predisse la venuta.

D ⟶ **614** Il MR 2002, p. 771, valorizza il testo come *collecta* per la messa *in vigilia* per la *sollemnitas in nativitate S. Iohannis Baptistae*.

E ⟶ Π 137; Λ 157; Σ 156; Δ 185. - Die XXIII mensis iuni uigiliae sci Iohannis Baptistae - scd. Lc 1,5-17: *Fuit in diebus Herodis regis sacerdos quidam nomine Zacharias* usq. *parare domino plebem perfectam.*

617 - 619: 24 giugno – natale di san Giovanni Battista – alla prima messa

A ⟶ Nella prima messa l'assemblea implora l'intercessione di san Giovanni e di essere liberata da ogni peccato; la partecipazione ai «caelestia alimenta» comporti il perdono dei peccati, e sia sostegno e protezione «contra omnia adversa». – Due i testi prefaziali che il *Sacramentario* racchiude nei nn. 1485 e 1486. Il primo, nel suo ampio sviluppo e con splendida sintesi di quanto trasmesso dai Vangeli, ricorda il preannuncio da parte dei profeti di colui che «vox heremi, preco Verbi, amicus Sponsi, ostensor Agni, alter Helias, lucerna ardens» ha indicato il Redentore del mondo. Il secondo, più breve, ricorda il Battista come il più grande «inter natos mulierum», e come colui che ha meritato di «praedicare et ostendere» il Cristo «deum et hominem perfectum».

B ⟶ Il Mart 1584, n. 1311, annuncia la «nativitas» del Precursore a Zaccaria ed Elisabetta. Più sviluppato l'elogio del Mart 2004, p. 351, n. 1: a partire da quanto narrato da Lc 1, completa la memoria riportando l'elogio fatto da Gesù in Lc 7,28.

620 - 624: Ugualmente per la messa

A ⟶ Il MR 1474 indica queste letture: Is 49,1-3.5-7 (*Dedi te in lucem gentium*) e Lc 1,57-68 (*Iohannes est nomen eius*). - La memoria – una memoria «honorabilis» - della natività di san Giovanni Battista che predisse la nascita del Salvatore e ne indicò la presenza – «et cecinit adfuturum et adesse monstravit» - offre all'assemblea motivo per implorare la grazia delle gioie spirituali - «spiritalium gratiam gaudiorum» - e di poter percorrere la via della salvezza eterna iniziata con quella rigenerazione operata dal Cristo; una «rectitudo semitarum» proclamata con forza dalla «vox clamantis in deserto».

D → **621** Il MR 2002, p. 772, valorizza il testo come *super oblata ad Missam in die* per la natività di san Giovanni Battista (24 giugno).

E → Π 138; Λ 158; Σ 157; Δ 186. - Die XXIIII mensis iuni natale sci Iohannis Baptistae - scd. Lc 1,57-68: *Elisabeth impletum est tempus pariendi* usq. *et fecit redemptionem plebis suae*.

625 – 628: Altre preghiere

A → Sempre nel contesto della festa, con altri quattro testi l'assemblea implora di essere allietata per la gioia del Precursore che ebbe la missione di preparare «perfectam plebem Christo Domino». ≈ Nel n. **626** i fedeli che si riconoscono «intra sanctae Ecclesiae uterum constitutos» implorano di essere santificati da quello stesso Spirito che santificò Giovanni quando era ancora «intra viscera materna», e così meritare di giungere da Colui che Giovanni profetizzò.

629 – 631: 26 giugno – natale dei santi Giovanni e Paolo

A → Il MR 1474 indica queste letture: Eccli 44,10-15 (*Generatio eorum et gloria eorum non derelinquetur*) e Lc 12,1-8 (*Attendite a fermento phariseorum*). - Una doppia festa – «geminata laetitia» – quella che scaturisce dalla glorificazione dei santi Giovanni e Paolo resi fratelli dalla fede e dal martirio – «fides et passio» -. Alla loro intercessione l'assemblea domanda di poter ottenere il «perpetuum subsidium» con la partecipazione ai «caelestia sacramenta», per conseguire «aeternis gaudiis». ≈ Il prefazio n. **1487** evidenzia la mirabile fratellanza dei «beati martyres» sorretta dal fatto di essere stati «lege consortes, fidei... coniuncti, passionis consimiles, in uno Domino gloriosi»; l'aver confessato lo stesso Signore ha meritato loro di essere associati nella stessa «corona martyrii» e nel cielo.

B → Il Mart 1584, n. 1328: al servizio di Costanza, figlia di Costantino, Giovanni e Paolo ricevettero poi il martirio al tempo di Giuliano l'Apostata. – Il Mart 2004, p. 354, n. 1, ricorda la dedicazione della basilica che porta il loro nome sul monte Celio lungo il clivo di Scauro nella proprietà del senatore Pammachio (340-409) ricordato come santo il 30 agosto anche per aver fondato un ospedale per poveri e bisognosi.

C → Si noti nell'eucologia **629** una sequenza piuttosto nutrita di nomi astratti: *laetitia hodiernae festivitatis* e, successivamente, *glorificatione... passio*. Sul loro uso già si è detto. Qui, però, si vuole notare solo l'efficace sintagma *laetitia... festivitatis*, in cui il primo denota la gioia traboccante, già adoperato da Cicerone, il secondo esprime tanto la gioia e la felicità di un giorno di festa, quanto la giovialità dell'anima.

D → **631** Il MR 2002, p. 933, valorizza il testo come *post communionem* per le messe comuni *III. A. Pro pluribus pastoribus* con l'unica sostituzione di «sollemnia» con «memoriam».
E → Π 139; Λ 159; Σ 158; Δ 187. - Die XXVI mensis iuni natale scorum Iohannis et Pauli - scd. Lc 12,1-8: *Dixit Iesus discipulis suis: adtendite a fermento pharisaeorum* usq. *et filius hominis confitebitur illum coram angelis Dei qui est in caelis.*

632 – 635: 28 giugno – vigilia di san Pietro – preghiera per la messa
A → Il MR 1474 sotto il titolo *in vigilia apostolorum Petri et Pauli* indica queste letture: Act 3,1-10 (*In nomine Christi Nazareni surge et ambula*) e Io 21,15-19 (*Pasce agnos meos*). - I testi eucologici della vigilia (ad eccezione del prefazio esaminato nel n. 639) implorano che non ci sia nessun turbamento per coloro che sono fondati «in apostolicae confessionis petra». L'«apostolica intercessio» è invocata per la liberazione da ogni macchia di peccato e «ab omni adversitate».
D → **632** Il MR 2002, p. 729, valorizza il testo come *collecta* per la festa della Cattedra di san Pietro apostolo (22 febbraio).
E → Π 141; Λ 162; Σ 160; Δ 189. - Die XXVIII mensis iuni uigiliae apostolorum Petri et Pauli - scd. Io 21,15-19: *Dixit Iesus Petro: Simon Iohannis amas me* usq. *qua morte clarificaturus esset Deum.*

636: Per la vigilia - nella notte

637 – 646: 29 giugno – natale di san Pietro
A → Il MR 1474 sotto il titolo *in die apostolorum Petri et Pauli* indica queste letture: Act 12,1-11 (*Nunc scio vere quia misit Dominus angelum suum*) e Mt 16,13-19 (*Tu es Petrus et super hanc petram edificabo ecclesiam meam*). - Ai dieci testi di questo formulario vanno aggiunti sia i precedenti che i successivi che riguardano san Paolo e la loro ottava qualora si vogliano tracciare linee di teologia liturgica a partire dall'eucologia. – Nella solennità l'assemblea implora di poter seguire gli insegnamenti di coloro per i quali ebbe inizio l'«exordium religionis». In questa linea la presentazione delle offerte sacrificali implora l'«apostolica oratio» quale garanzia di espiazione e di difesa per i fedeli. E nel canto del prefazio l'assemblea loda il «pastor aeternus» che non abbandona il suo gregge ma lo custodisce – «ab omni adversitate… continua protectione» - per mezzo degli apostoli che, come vicari, sono stati costituiti pastori (il prefazio n. 639 corrisponde al n. 634). – Altri testi ricordano: *a)* la missione di legare e sciogliere come motivo per implorare la liberazione da ogni peccato; *b)* la solidità apostolica che garantisce contro il terrore degli inferi; *c)* la difesa – «perpetua defensione» - dell'assemblea guidata dalla preghiera degli apostoli alle cui dottrine si è mantenuta fedele.
B → Il Mart 1584, n. 1350, ricorda i dettagli del martirio di Pietro e Paolo sotto Nerone. – Il Mart 2004, p. 359, n. 1, ha un ampio elo-

gio, sintesi della gloria che in tutta la Chiesa viene tributata «pari honore et veneratione».

C → I testi sono stati accuratamente elaborati sotto l'aspetto stilistico e retorico. Anche la distribuzione delle parole nei singoli incisi denota la stessa cura riscontrata nelle occasioni solenni. ≈ Nell'eucologia **637** si noti *diem*, che nel *Sacramenario* è adoperato sempre al maschile e in questa particolare circostanza è al femminile. La scelta non è casuale, né il cambiamento di genere può essere attribuito all'amanuense, perché l'estensore dalla grammatica sa bene che *dies*, al femminile, indica un giorno importante per un incontro, una festa, un abboccamento; e il giorno, nel quale si celebrano gli apostoli Pietro e Paolo, è per la Chiesa molto importante, unico. E ciò va sottolineato anche mediante l'accurata scelta delle parole nella preghiera. Nella stessa eucologia si ponga attenzione al lessema *religio*, che denota la religione cristiana con l'insieme di tutti i riti e la dottrina che la contraddistingue. A differenza della religione greco-romana, che consisteva in un insieme di credenze, esperienze personali e riti, che coinvolgevano solo esteriormente l'uomo e la sua comunità, quella cristiana pone al centro Dio redentore e il suo rapporto con l'uomo sia come individuo che come membro di una collettività. I due apostoli hanno dato l'*exordium religionis*, l'inizio a un'esperienza nuova, mediante la quale l'uomo redento percepisce Dio e, soprattutto, il sacro che apre a un comportamento diverso e, per mezzo di questo, all'*homo religiosus*. ≈ Nell'eucologia **645** l'estensore mediante *patrocinium*, lessema mutuato dal linguaggio giuridico con tutta la sua complessa estensione semantica, denota il compito specifico dell'apostolo: patrocinare, difendere, soccorrere il peccatore dal momento della nascita fino al suo ingresso nella vita beata.

E → Π 142; Λ 163; Σ 161; Δ 190. - Die XXVIIII mensis iuni natale apostolorum Petri et Pauli - scd. Mt 16,13-19: *Uenit Iesus in partes Caesareae Philippi* usq. *quaecumque solueris super terram erit solutum et in caelis*.

647 – 649: 30 giugno – natale di san Paolo

A → Il MR 1474 sotto il titolo *in commemoratione sancti Pauli* indica queste letture: Gal 1,11-20 (*Notum vobis facio evangelium quod evangelizatum est a me*) e Mt 19,27-29 (*Ecce nos reliquimus omnia et secuti sumus te*). - Nel ricordo della predicazione di Paolo alle genti l'assemblea implora il suo patrocinio, e la sua preghiera apostolica sia sostegno nella presentazione delle offerte e garanzia di perdono.

C → Una particolare riflessione semantica offre il testo **647**, in cui il significativo sintagma *multitudinem gentium*, con la *iunctura*, denota la missione evangelizzatrice dell'Apostolo. Sull'estensione semantica di *gens* già si è parlato.

E → Π 143; Λ 164; Σ 162; Δ 191. - Die XXX mensis supra scripti ad scum Paulum - scd. Mt 19,27-29: *Dixit Simon Petrus ad Iesum* usq. *centuplum accipiet et uitam aeternam possidebit.*

650 - 652: Nell'ottava degli Apostoli – [*statio*] a san Pietro
A → Il MR 1474 indica queste letture: Eccli 44,10-15 (*Generatio eorum et gloria eorum non derelinquetur*) e Mt 14,29-33 (*Ego sum, nolite timere*). - Il gesto di Gesù che porge la destra a Pietro mentre è nel mare in tempesta e il salvataggio di Paolo nel terzo naufragio, sono motivo per domandare «aeternitatis gloriam», per implorare di essere sorretti «apostolorum precibus», e per essere da loro protetti «perpetua defensione». ≈ Il prefazio n. **1488** ricorda che la Chiesa è fondata «in apostolorum Petri et Pauli praedicatione»; da questa certezza scaturisce la supplica perché «nulla fallacia» la macchi e perché tutto sia conforme a quella linea che costituisce il fondamento della comunità ecclesiale – «disciplinis» – stabilita dalla loro predicazione.
E → Π 146; Λ 167; Σ 165; Δ 194. - In octabas apostolorum - scd. Mt 14,22-33: *Iussit Iesus discipulos suos ascendere naui* usq. *dicentes uere filius Dei es.*

653 - 655: 2 luglio – natale dei santi Processo e Martiniano
A → La gloriosa «confessio» dei martiri Processo e Martiniano è motivo per l'assemblea di imitazione e di invocazione. In quanto degni del cospetto di Dio, possono essere implorati perché i fedeli siano sorretti dalla loro preghiera, e la partecipazione ai santi misteri - celebrati con «pia devotione» - possano garantire «certa redemptione».
B → Il Mart 1584, n. 1374, ricorda il loro natale sulla via Aurelia: battezzati in carcere dall'apostolo Pietro, ricevettero il martirio sotto Nerone. – Il Mart 2004, p. 365, precisa il luogo nel cimitero di Damaso al secondo miglio della via Aurelia.
C → I testi eucologici lasciano intravedere vistose tracce del latino parlato dal popolo, come *da* che, seguito dall'infinito, è considerato sinonimo di *fac*. Si notino tuttavia i due verbi *circumdo* e *protego*, che, propri del linguaggio militare, qui per traslato sono impiegati per denotare l'assistenza e la difesa continua dell'uomo da parte di Dio, mentre è ancora nella *militia terrestris*. Si notino ancora i due stichi uniti a *da* mediante il polisindeto *imitatione proficere* e *intercessione gaudere* disposti come causa ed effetto. ≈ Questa coppia viene richiamata in **655** con *pia devotione gerimus* e *certa redemptione capiamus*. L'effetto ieratico è ottenuto mediante l'equa distribuzione dei lessemi.
D → **653** Il MR 2002, p. 764, valorizza il testo come *collecta* per la memoria dei santi martiri Marcellino e Pietro (2 giugno), con questa soluzione: «... sanctorum *martyrum Marcellini et Petri confessione gloriosa* circumdas et protegis, *praesta* nobis ex eorum imi-

tatione proficere, et *oratione fulciri*». MR 2020, p. 571: «... con la gloriosa testimonianza dei santi martiri... ci avvolgi di amore e ci proteggi: concedi a noi di imitarne l'esempio e di essere sostenuti dalla loro preghiera».

E → Π 145; Λ 166; Σ 164; Δ 193 (precede il formulario *in octabas Apostolorum*) - Die II mensis iuli natale scorum Processi et Martiniani - scd. Mt 24,3-13: *Sedente Iesu super montem Oliueti* usq. *qui perseuerauerit usque in finem hic saluus erit.*

656 – 658: 10 luglio – natale dei Sette Fratelli

A → Il MR 1474 ha questo titolo: *in sanctorum martyrum septem Fratrum et sanctarum Rufinae martyris et Secundae virginis*; queste le letture indicate: Prv 31,10-31 (*Mulierem fortem quis inveniet?*) e Mt 12,46-50 (*Ecce mater mea et fratres mei*). - La testimonianza dei Sette Fratelli «fortes in confessione» è motivo per implorare la loro «intercessio» perché giovino alla «devotio» e alla «salus» dei fedeli e così conseguano il «salutaris effectum» di cui sperimentano il «pignus» nella celebrazione dei santi misteri.

B → Il Mart 1584, n. 1431, ricorda la *passio* dei figli della martire Felicita: Gennaro, Felice, Filippo, Silano, Alessadro, Vitale e Marziale subirono il martirio al tempo dell'imperatore Antonino Pio. – Il Mart 2004, p. 380, n. 1, precisa alcuni dati storici tralasciando il nome della madre e ricordando i vari cimiteri dove sono stati sepolti; e la Chiesa si rallegra «quia cum multiplici exemplo multiplicata intercessione munitur».

C → Nell'eucologia **656** si noti l'omoteleuto in *confessione* e *intercessione*, che acquistano una dimensione particolare in seguito alla *iunctura* l'uno con *cognosco* e l'altro con *sentio* mediante una disposizione già nota e usuale soprattutto nelle preghiere più semplici e antiche. ≈ In **658** si ponga particolare attenzione al lessema *pignus* che, alla già ampia estensione semantica del latino classico, nel latino del *Sacramentario* aggiunge la certezza delle promesse divine.

E → Π 150; Λ 171; Σ 169; Δ 199. - Die X mensis supra scripti natale Septem Fratrum via Appia (et) Salutaria. - scd. Mt 5,1-12: *In illo tempore uidens Iesus turbas ascendit in montem* usq. *mercis uestra copiosa est in caelis.* - Π 153; Λ 174; Σ 172; Δ 202. - Ad scam Felicitatem (si proclama il vangelo previsto dal MR 1474) - scd. Mt 12,46-50: *Loquente Iesu ad turbas ecce mater eius et fratres* usq. *ipse meus frater et soror et mater est.*

659 – 661: 29 luglio – natale dei santi Felice, Simplicio, Faustino e Beatrice

A → Il MR 1474 adotta altri testi eucologici. - Nella preghiera è implorata l'«intercessio gloriosa» del martire Felice, anche se il titolo del formulario e il martirologio ricordano pure gli altri, perché il dono dello «Spiritum caritatis» renda i fedeli «pietate concordes». **B** → Il Mart 1584 ricorda questi martiri nei nn. 1592-1593. – Il Mart 2004, p. 420, nei nn. 4 e 5 ricorda il martire Felice nel cimitero a lui dedicato nel terzo miglio della via Portuense; mentre Simplicio, Faustino, Viatrice e Rufo nel cimitero di Generosa. **E** → Π 160; Λ 182; Σ 181; Δ 213. - Die XXVIIII mense iulio natale scorum Felicis papae Simplici Faustini et Beatricis uia Portuense - scd. Lc 12,35-40: *Dixit Iesus discipulis suis: sint lumbi uestri praecincti* usq. *filius hominis uenit.*

662 – 664: 30 luglio – natale dei santi Abdon e Sennen
A → Due martiri originari della Persia al centro della preghiera dell'assemblea per implorare l'intercessione dei loro meriti ed essere liberata «ab omnibus adversitatibus», dai «vincula pravitatis», e «per huius operationem mysterii» essere abbracciati dalla misericordia di Dio e così portare a compimento gli «iusta desideria».
B → Il Mart 1584, n. 1602, elogia i due martiri che condotti a Roma in catene ricevettero il martirio sotto l'imperatore Decio. – Il Mart 2004, p. 422, n. 2, li ricorda nel cimitero di Ponziano sulla via Portuense.
C → **663** Da notare il sintagma *vincula nostrae pravitatis absolvat*, nel quale il lessema *vinculum* non denota le catene, con le quali era legato il *captivus*, ma i lacci della *pravitas* umana, causata, come si dice in **659**, dalla *infirmitas* spirituale.
E → Π 161; Δ 214. - Die XXX mensis iuli natale scorum Abdo et Sennae - scd. Mt 24,4-13: *Dixit Iesus discipulis suis: uidete ne quis uos seducat* usq. *qui autem perseuerauerit usque in finern hic saluus erit.* - Λ 184; Σ 182; Δ 215 (*item alia*). - Die XXX mense iulio natale scorum Abdon et Sennes - scd. Io 15,12-25: *Hoc est praeceptum meum* usq. *oderunt me gratis.*

665 – 667: 1° agosto – presso san Pietro in Vincoli
A → Il MR 1474 rinvia alle letture della solennità di san Pietro [e Paolo] (cf nn. 637-646). - La dedicazione della chiesa di san Pietro in Vincoli è motivo per ricordare la sua liberazione «a vinculis absolutum»; il termine *vinculum* diventa motivo per implorare la liberazione dai «vincula peccatorum» e da ogni male. Per questo si implorano gli effetti dell'«oblatum sacrificium».
C → Nell'eucologia **667** si noti l'accurata revisione sotto l'aspetto stilistico dell'*incipit*, che presenta un significativo chiasmo: *corporis sacri et pretiosi sanguinis*. La clausola «redemptione capiamus» è data da una tripodia giambica catalettica e un peone terzo.

668 – 670: 2 agosto – natale del vescovo santo Stefano
A → La festa del papa e martire Stefano I (254-257) per l'assemblea è motivo di venerazione e di auspicio di poter gioire della sua intercessione in modo da essere «caelestis remedii consortes».

B → Il Mart 1584, n. 1626, ricorda il pontefice nel cimitero di Callisto; e il martirio avvenuto nella persecuzione di Valeriano durante la celebrazione della Messa. – Il Mart 2004, p. 430, n. 4, ricorda che affermando «con chiarezza il principio che l'unione battesimale dei cristiani con Cristo si compie una sola volta, proibì che quanti intendevano volgersi alla piena comunione con la Chesa fossero nuovamente battezzati».

E → Π 166; Λ 189; Σ 187; Δ 222. - Mense augusto die II natale sci Stephani pontificis uia Latina - scd. Lc 19,12-26: *Homo quidam nobilis* usq. *omni habenti dabitur et abundabit.*

671 – 675: 6 agosto – natale di san Sisto vescovo
A → Il MR 1474 riunisce nello stesso giorno anche la memoria dei martiri del formulario successivo usandone pure i testi eucologici. - La memoria del martire san Sisto è occasione per l'assemblea che sperimenta la propria fragilità per invocare energia «contra omnia adversa»; e per questo implora che gli effetti del sacrificio, dei «votiva sacramenta», tornino a vantaggio «devotioni et saluti». – Per l'embolismo della *benedictio uvae* cf *Introduzione.* ≈ Il prefazio n. **1489** esalta il martire che accettò di versare il proprio sangue «exsultanter». L'esortazione ai figli con la propria dottrina l'ha preceduta con l'esempio.
B → Il Mart 1584, n. 1659, ricorda il natale del papa e martire Sisto II (257-258) – sepolto nel cimitero di Callisto sulla via Appia Antica - che subì il martirio durante la persecuzione di Valeriano. – Il Mart 2004, p. 436, n. 2, lo ricorda insieme ai compagni martiri rinviando la memoria liturgica al giorno successivo.
E → Π 170; Λ 192; Σ 190; Δ 227. - Die VI mensis augusti natale scorum Xisti Felicissimi et Agapiti - scd. Mt 10,16-22: *Ecce ego mitto uos* usq. *hic saluus erit.*

676 – 678: Ugualmente nello stesso giorno del mese di agosto – natale dei santi Felicissimo e Agapito
A → L'assemblea domanda di godere della loro compagnia «in aeterna laetitia». Per questo offre i propri «munera devotionis» che, mentre onorano i giusti del Signore, possano risultare di salvezza per il dono della sua misericordia.
B → Il Mart 1584, n. 1660, ricorda anche gli altri martiri, diaconi e suddiaconi, sepolti nel cimitero di Pretestato. – Il Mart 2004, p. 437, n. 1, nel gorno 7 agosto unitamente al papa Sisto ricorda il martirio anche dei suoi due diaconi.

679 – 681: 8 agosto – natale di san Ciriaco
A → Il MR 1474 aggiunge anche la memoria dei martiri Largo e Smaragdo, e indica solo la lettura evangelica: Mc 16,15-18 (*Praedicate evangelium omni creaturae*). - Imitare la forza della passione di un martire è la richiesta dell'assemblea ottenuta però dalla «sup-

plicatio salutaris» del martire per conseguire nella vita quanto realizzato nel culto.

B → Il Mart 1584, n. 1672, ricorda il martirio di san Ciriaco insieme a molti altri nella persecuzione di Diocleziano; i loro corpi sepolti sulla via Salaria furono da san Marcello papa trasportati nella diaconia di santa Maria in via Lata. – Il Mart 2004, p. 439, n. 3, precisa il luogo al settimo miglio della via Ostiense, unitamente ai compagni Largo, Crescenziano, Memmia, Giuliana e Smaragdo.

E → Π 171; Λ 193; Σ 191; Δ 228. - Die VIII mensis augusti natale sci Quiriaci - scd. Mt 10,26-32: *Nihil opertum quod non reueletur* usq. *coram patre meo qui est in caelis.*

682 – 684: 9 agosto – vigilia di san Lorenzo

A → Il MR 1474 indica queste letture: Eccli 51,1-8.12 (*Liberasti me secundum multitudinem misericordiae nominis tui*) e Mt 16,24-28 (*Qui perdiderit animam suam propter me inveniet eam*). - Per una teologia liturgica circa la festa di san Lorenzo è necessario tener presenti – oltre alle letture bibliche - tutte le relative formule, dal n. 682 al n. 691. – Qui in particolare nella vigilia i fedeli implorano «perpetuam misericordiam» per essere sciolti dai «vincula peccatorum», con l'auspicio che mentre l'assemblea si rallegra per la «commemoratio temporali», possa gioire per un «perpetuo aspectu». ≈ Nel prefazio n. **1490** l'assemblea si predispone a celebrare il «venientem natalem» del martire Lorenzo con atteggiamento di «debita servitute». Onorato come levita e martire, si distinse per l'impegno di diacono nel «proprio officio» e per la «memoranda passione».

C → **684** La seconda parte dell'eucologia, mediante la contrapposizione *temporali officio*, con l'efficace interposizione di *gratulamur*, e *perpetuo aspectu*, pone in risalto la fede dell'orante, il quale dopo la fedele devozione che si protrae nel breve tempo della vita, si abbandona fiduciosa al godimento eterno della visione beatifica di Dio.

E → Π 172; Λ 194; Σ 192; Δ 229. - Die VIII mensis augusti uigilia sci Laurenti - scd. Mt 16,24-28: *Si quis uult post me uenire* usq. *filium hominis uenientem in regno suo.*

685 – 687: 10 agosto – natale di san Lorenzo - alla prima messa

A → Il MR 1474 non ha il formulario della *prima missa*. - L'esempio del levita Lorenzo che ha servito lo Spirito è motivo per la Chiesa per implorare di amare «quod amavit» e di realizzare «quod docuit». Per questo si implora la «precatio sancta» del martire perché l'offerta del sacrificio sia gradita per i meriti di colui nel cui onore viene solennemente offerto, e sia custodita dalla «perpetua protectione» dell'«omnipotens Deus». ≈ Il prefazio n. **1491** prende lo spunto dalle fiamme e dal fuoco del martirio – «ignis, flamma, incendium – lucere, accendere, urere» - per ricordare che come il fuoco non brucia l'oro ma lo prova così la «sancta substantia» del martire non si consuma ma diventa idonea per i «caelestibus ornamentis».

C → Da notare nel n. **685** il poliptoto *amare… amavit* e, in modo particolare, il *servitium* del martire.

E → Π 173; Λ 195; Σ 193; Δ 230. - Item ad prima mjssa eiusdem - scd. Mt 10,37-42: *Qui amat patrem aut matrem* usq. *non perdit mercedem suam.*

688 – 691: Ugualmente per la messa

A → Il MR 1474 indica queste letture: 2 Cor 9,6-10 (*Qui parce seminat parce et metet*) e Io 12,24-26 (*Nisi granum frumenti cadens in terra mortuum fuerit ipsum solum manet*). - La richiesta di forza sta al centro della preghiera dell'assemblea per estinguere «vitiorum flammas», come Lorenzo superò «tormentorum incendia». Disprezzato il persecutore, il martire con l'ardore dell'amore divino vinse le fiamme che lo consumavano: su questa realtà l'assemblea implora di essere fortificata dall'aiuto della protezione divina.

B → Il Mart 1584, n. 1686, fa l'elogio dell'arcidiacono Lorenzo e della sua *depositio* nella via Tiburtina sotto la persecuzione di Valeriano, sepolto nel cimitero Verano da Ippolito e Giustino. – Il Mart 2004, p. 444, esplicita con maggior precisione l'opera del martire in favore dei poveri, veri «thesauri Ecclesiae», e il suo martirio.

E → Π 174; Λ 196; Σ 194; Δ 231. - In natale ut supra - scd. Io 12,24-26: *Nisi granum frumenti* usq. *honorificauit eum pater meus qui est in caelis.*

692 – 694: 11 agosto – natale di san Tiburzio

A → Il MR 1474 aggiunge anche la memoria di santa Susanna sostituendo la *collecta* del *Sacramentario*. - Nella persecuzione di Diocleziano anche san Tiburzio ha subito il martirio. Nella sua memoria l'assemblea ne domanda i «continuata praesidia» perché simili aiuti non manchino mai; e con insistenza i fedeli implorano – «adesto precibus… adesto muneribus» – che ciò che è offerto possa essere gradito a Dio per l'intercessione dei santi, e costituisca quel «pignus redemptionis aeternae» necessario per la vita presente e futura.

B → Il Mart 1584, n. 1692, ricorda il natale del martire a tre miglia da Roma. – Il Mart 2004, p. 446, p. 3, precisa il martirio «ad duas lauros via Labicana miliario tertio», e l'elogio che ne fa san Damaso.

C → L'eucologia **692**, scritta per un martire che ha combattuto per dimostrare la *fides* in Cristo, è tutta incentrata sul linguaggio militare. Per cui l'estensore mette giustamente in risalto *praesidium*, la difesa armata di una postazione, dalla quale poteva scorgere, *intueri*, l'appressarsi del nemico. Non mancano, ovviamente, gli *auxilia*, diverso da *auxilium* pur adoperato, che nell'esercito romano erano le truppe ausiliarie; nel latino cristiano, invece, sono gli aiuti spirituali, concessi ai fedeli dalla vigile intercessione del martire.

D → 694 – Il testo originario per il formulario di san Tiburzio è recuperato con un notevole adattamento dal MR 2002, p. 937, come *post communionem* nelle messe del *commune pastorum: IV. Pro fundatoribus Ecclesiarum, A. Pro uno fundatore*. Si nota l'*adiunctum* «beati N. festivitate laetantes» che condiziona l'insieme del testo. MR 2020, p. 733: «Il pegno della redenzione eterna che abbiamo ricevuto, o Signore, nella gioiosa memoria di san N., ci sia di aiuto nella vita presente e in quella futura».

E → Π 175; Λ 197; Σ 195; Δ 232. - Die XI mensis augusti natale sci Tiburti - scd. Io 15,12-16: *Hoc est praeceptum meum* usq. *in nomine meo det uobis.*

695 – 697: 13 agosto – natale di sant'Ippolito

A → Il MR 1474 aggiunge anche la memoria di san Cassiano adattando leggermente la *collecta*. - «Devotio» e «salus» implora l'assemblea unitamente allo sguardo divino sui «munera populi» perché la «testificatio veritatis» del martire sia di salvezza: «salvet et confirmet» è l'attesa che scaturisce dalla «sacramentorum communio».

B → Il Mart 1584, n. 1709, ricorda il martirio sotto l'imperatore Valeriano, unitamente alla sua nutrice Concordia ed altri 19, tutti sepolti nel cimitero Verano. – Il Mart 2004, p. 449, n. 1, unisce alla memoria del presbitero Ippolito anche quella di papa Ponziano, prima deportati in Sardegna e poi sepolti: Ippolito sulla via Tiburtina e Ponziano nel cimitero di Callisto.

D → 697 Il MR 2002, p. 469, valorizza il testo come *post communionem* nella *dominica XIX "per annum"*.

E → Π 176; Λ 199; Σ 199; Δ 234. - Die XIII mensis augusti natale sci Yppoliti - scd. Lc 12,1-8: *Adtendite a fermento pharisaeorum* usq. *coram angelis Dei.*

698 – 700: 14 agosto – natale di sant'Eusebio presbitero

A → Celebrare il natale di sant'Eusebio è motivo per implorare l'imitazione dei suoi esempi; nell'immolazione di «hostias laudis» i fedeli traggono la forza per essere liberati dai mali presenti e futuri con la partecipazione «cibo potuque caelesti».

B → Il Mart 1584, n. 1717, ricorda il martirio del presbitero Eusebio sotto l'imperatore ariano Costanzo; il suo corpo fu sepolto nel cimitero di Callisto sulla via Appia Antica per opera dei presbiteri Gregorio e Orosio. – Il Mart 2004, p. 452, n. 4, lo ricorda solo

come fondatore della basilica del suo titolo sul colle Esquilino.
E → Π 179; Λ 201; Σ 201; Δ 237. - Die XIIII mensis augusti natale sci Eusebi - scd. Mt 24,42-47: *Dixit Iesus discipulis suis: uigilate quia nescitis* usq. *super omnia bona sua constituet eum.*

701 - 703: 15 agosto – Assunzione di santa Maria
A → Il MR 1474 adotta altri testi eucologici; queste comunque le letture: Eccli 24,11-13.15-20 (*Quasi mirra electa dedi suauitatem odoris*) e Lc 10,38-42 (*Maria optimam partem elegit*). - La solennità della «veneranda adsumpio» di santa Maria per i fedeli è motivo per chiedere con la sua intercessione – «intercessio... intercedente...» - di conseguire i «gaudia aeterna»; nel frattempo la venerazione della Madre di Dio «reddat acceptos» tutti coloro che invocano di poter servire il Signore «placitis moribus».
B → A differenza del Mart 1584, n. 1723, che ha solo l'annuncio della festa, il Mart 2004, p. 454, n. 1, sviluppa l'elogio del dogma di fede che Pio XII nel 1950 «sollemniter definivit».
D → **702** Il MR 2002, p. 825, valorizza il testo come *super oblata* per la memoria *sanctissimi Nominis Mariae* (12 settembre) con la sola aggiunta «*nominis* venerazione» dettata dal titolo della stessa celebrazione. ≈ **703** Cf n. 205.
E → Λ 202; Σ 202; Δ 238. - Die XV mense augusto sollemnia de pausatione scae Mariae - scd. Lc 10,38-42: *Intrauit Iesus in quoddam castellum* usq. *non auferetur ab ea.* - Π post 179 - Die XV mensis augusti natale scae Mariae (cf. nota).

704 - 706: 18 agosto – natale di sant'Agapito
A → Tre termini denotano il fondamento per cui «laetetur ecclesia»: «confisa, devota et secura». La fiducia nelle preghiere – «suffragiis... precibus... patrocinio... interventione» - del martire Agapito è motivo per implorarlo nella partecipazione – «satiasti» - ai «sacra munera».
B → Il Mart 1584, n. 1743, tesse l'elogio del quindicenne Agapito che subì il martirio sotto l'imperatore Aureliano. – Il Mart 2004, p. 461, n. 1, ha solo questo elogio: «Praeneste in Latio, sancti Agapiti martyris».
C → L'andamento letterario e stilistico di queste eucologie non si discosta dai modelli fin qui esaminati. ≈ Di particolare importanza riveste l'eucologia **704** incentrata su *confisus*, termine adatto più alla sfera giuridica che filosofico-sacrale, cui è strettamente connesso *suffragium*, che nel latino cristiano, a differenza di quello classico, denota la preghiera del santo in favore dei vivi, in perenne lotta contro il male. Il *suffragium* del santo è dato dalle *preces* che questi rivolge a Dio perché la Chiesa militante rimanga, *consistat*, salda, *secura*, sulle sue posizioni.
D → **704** La *collecta* dell'originaria memoria, nel MR 2002, p. 754,

è valorizzata per la memoria del martire san Pancrazio (12 maggio).
E → Π 180; Λ 202; Σ 204; Δ 240. - Die XVIII mense augusto natale sci Agapiti - scd. Lc 12,35-40: *Dixit Iesus discipulis suis: sint lumbi uestri praecincti* usq. *filius hominis uenit.*

707 - 709: 22 agosto – natale di san Timoteo
A → Il MR 1474 aggiunge anche la memoria dei santi martiri Ippolito e Sinforiano (ricordati nel Mart 1584, nn. 1779 e 1780), adattando leggermente la *collecta*. - La memoria di san Timoteo è motivo per implorare l'aiuto divino – «dexteram tuae propitiationis» – perché sia accolta la «sacratae plebis oblatio», e per poter vivere sorretti «divini muneris participatione», nella consapevolezza di aver sperimentato «de tribulatione auxilium».
B → Il Mart 1584, n. 1778, ricorda il natale del martire sulla via Ostiense sotto Tarquinio prefetto dell'Urbe. – Il Mart 2004, p. 469, n. 3, ha solo il riferimento al cimitero sulla via Ostiense.
E → Π 182; Λ 205; Σ 206; Δ 242. - Die XXII mensis augusti natale sci Timothei - scd. Lc 14,26-35: *Dixit Iesus discipulis suis: si quis uenit ad me* usq. *qui habet aures audiendi audiat.*

710 - 712: 28 agosto – natale di sant'Ermete
A → Come il Signore ha sorretto Ermete nella sua *passio* così l'assemblea domanda la forza di disprezzare «prospera mundi» per essere fedele ai comandamenti, e fare in modo che possa giovare alla propria salvezza ciò che arrecò gloria al martire.
B → Il Mart 1584, n. 1839, nel riferirsi agli atti di papa Alessandro ricorda il martirio sotto l'imperatore Aureliano. – Il Mart 2004, p. 481, n. 2, precisa la memoria nel cimitero di Basilla sulla via Salaria antica; secondo papa Damaso, Ermete era originario della Grecia e Roma lo accolse come *civis* quando patì per il santo Nome.
C → Tutta l'eucologia **712** è incentrata su due avverbi, *humiliter* e *salubriter*, dei quali il primo è costituito da un proceleusmatico, e da un epitrito secondo l'altro. Si nota nei lessemi l'omoteleuto e un ossimoro molto significativo. L'eucologia è di buona fattura stilistica, con la clausola «salubriter sentiamus», formata da una dipodia giambica e un epitrito secondo.
E → Π 184; Λ 207; Σ 209; Δ 246. - Die XXVIII mensis augusti natale sci Hermetis - scd. Lc 6,17-23: *Descendens Iesus de monte stetit in loco campestri* usq. *ecce enim merces uestra copiosa est in caelis.*

713 - 715: 29 agosto – natale di santa Sabina
A → Tra i tanti miracoli della potenza divina c'è anche «victoriam martyrii in sexu fragili»; dall'esempio di santa Sabina l'assemblea domanda di giungere a Dio, a quel «perpetuum subsidium» nella cui partecipazione i fedeli domandano di vivere sempre.

B → Il Mart 1584, n. 1847, ricorda il *dies natalis* di santa Sabina sul monte Aventino, martirizzata sotto l'imperatore Adriano. - Il Mart 2004, p. 483, n. 3, ha solo la *commemoratio* e il riferimento al «titulus in Aventino».
E → Π 185; Λ 208; Σ 210; Δ 246. - Die XXVIIII mensis augusti natale scae Sabinae - scd. Mt 13,44-52: *Dixit Iesus discipulis suis: simile est regnum caelorum thesauro abscondito* usq. *de thesauro suo noua et uetera.*

716 - 718: 30 agosto - natale dei santi Felice e Audatto
A → La «commemoratio» dei martiri è sempre motivo di «supplicatio» perché l'assemblea sia continuamente difesa; la celebrazione «devota mente» vuol essere motivo per sperimentare la salvezza con la partecipazione ai «munera sacra» e per rimanere sempre «in gratiarum actione».
B → Il Mart 1584, n. 1857, ricorda la *passio* dei due martiri sulla via Ostiense sotto gli imperatori Diocleziano e Massimiano. – Il Mart 2004, p. 485, n. 1, fa riferimento al cimitero di Commodilla, sulla via Ostiense, nel ricordo dei due martiri i quali «pariter Christum confessi, victores pariter ad caelum properarunt».
E → Π 187; Λ 210; Σ 212; Δ 249. - Die XXX mense augusto natale scorum Felicis et Audacti. Et decollatione sci Iohannis Baptistae - scd. Mc 6,17-29: *Misit Herodes et tenuit Iohannem* usq. *et posuerunt illud in monumentum.*

719 - 721: Mese di settembre - 8 settembre – Natività di santa Maria
A → Il MR 1474 sostituisce completamente i testi eucologici e segnala queste letture: Prv 8,22-35 (*Qui me invenerit inveniet vitam*) e Mt 1,1-16 (*Liber generationis Iesu Christi*). - L'«intercessio veneranda» di santa Maria permetta ai fedeli di rallegrarsi una volta liberi da ogni pericolo, e con la partecipazione ai «munera devotionis» – partecipati «fideliter... et mente et corpore» - raggiungano la salvezza.
B → Mentre il Mart 1584, n. 1945, ha solo un riferimento, il Mart 2004, p. 503, n. 1, presenta il *festum* ricordando la nascita di Maria «ex semine Abrahae... ex progenie David», dalla quale è nato il Cristo «factus homo de Spiritu Sancto, ut homines vetusta servitute peccati liberaret». È la terminologia frequente nell'eucologia.
D → **719** Il testo è presente nel MR 2002, p. 902, come *collecta* nel sesto formulario del *commune Beatae Mariae Virginis* per il *tempus "per annum"*; unica variante la trasformazione del «gaudentes» finale in «gaudere».
E → Π; Λ 216; Σ 218; Δ 258. - Mense septembri die VIII mense septembri natiuitas scae Mariae - scd. Lc 1,39-47: *Exsurgens Maria abiit in montana* usq. *in Deo salutari meo.*

722 - 724: 9 settembre – natale dei santi Proto e Giacinto
A → La «pretiosa confessio» dei santi sia favorevole ai fedeli e li

protegga con «pia intercessione». Il compito di presentare i «munera» sia per il popolo un «remedium perpetuae salutis», e per questo si implora la preghiera dei martiri.

B → Il Mart 1584, n. 1970, nel giorno 11 settembre ricorda la *depositio* dei martiri nel cimitero di Basilla in via Salaria vecchia; al servizio della beata Eugenia, furono decollati sotto l'imperatore Gallieno perché si rifiutarono di sacrificare a lui. – Più completo il Mart 2004, p. 509, n. 1, dove si ricorda l'opera di papa Damaso nell'onorare la loro tomba con versi; lì dopo circa quindici secoli è stato ritrovato «il sepolcro intatto di san Giacinto e il suo corpo consumato dal fuoco».

E → Π 194; Λ 218; Σ 220; Δ 260. - Die XI mensis septembris natale scorum Proti et Iacinti - scd. Mt 10,23-33: *Dixit Iesus discipulis suis: cum persequuntur uos in ciuitate ista fugite in aliam* usq. *confitebor et ego eum coram patre meo qui est in caelis.*

725 – 727: 14 settembre – natale dei santi Cornelio e Cipriano

A → Il MR 1474 sostituisce la *collecta* rispetto al formulario del Sacramentario. - L'assemblea implora l'intercessione dei due martiri, lontani geograficamente – Roma e Cartagine – ma uniti nella fede e nella memoria della Chiesa, perché allontanino dai fedeli «mala omnia», e poiché essi non hanno fiducia nella propria giustizia possano almeno – «salutaribus repleti mysteriis» - essere aiutati dai meriti e dalle preghiere dei martiri. ≈ Nel prefazio n. **1492** il ricordo della «passio consummata» diventa occasione per magnificare Dio «debitis praeconiis».

B → Il Mart 1584, n. 1994-1995, ricorda il papa Cornelio martirizzato insieme ad altri 21 con Cereale e la moglie Sallustia, nella persecuzione di Decio; il vescovo Cipriano «sanctitate et doctrina clarissimus» fu martirizzato sotto Valeriano e Gallieno al sesto miglio da Cartagine, vicino al mare. – Il Mart 2004, p. 514, n. 2-3, ricorda la *depositio* del papa Cornelio nella cripta di Lucina nel cimitero di Callisto lungo la via Appia Antica. Essendosi opposto «fortiter» allo scisma di Novaziano, accolse nuovamente «magna caritate» nel seno della Chiesa molti *lapsi* finché l'imperatore Gallo lo esiliò a Civitavecchia dove subì il martirio. Simile l'elogio di san Cipriano che «funestissimis temporibus Ecclesiam optime rexit», e fu trafitto con la spada «coram frequentissimo populo». Insieme, il mondo li loda «come testimoni di amore per quella verità che non conosce cedimenti, da loro professata in tempi di persecuzione davanti alla Chiesa di Dio e al mondo».

E → Π 198; Λ 222; Σ 224; Δ 265. - Die XIIII mense septembri natale sci Corneli pontificis et Cypriani - scd. Lc 11,47-54: *Dicebat Iesus turbis pharisaeorum: uae uobis qui aedificatis* usq. *quaerentes capere aliquid ex ore eius ut accusarent eum.*

728 – 731: Egualmente il 14 settembre – Esaltazione della santa Croce

A → Il MR 1474 sostituisce completamente i testi eucologici; queste le letture: Philm 2,8-11 (*Christus factus est oboediens usque ad mortem*) e Io 12,31-36 (*Si exaltatus fuero a terra, omnia traham ad me ipsum*). - La festa della esaltazione della santa Croce, vivificata dal Sangue prezioso del Figlio di Dio, è motivo di onore per l'assemblea e per questo ne invoca la protezione. L'offerta dei fedeli «in ara crucis immolata» purifichi i peccati dal momento che la Croce ha portato su di sé «totius mundi offensa», e difenda dall'assalto dei nemici e da ogni legame con il peccato coloro che «ad venerandam vivificam crucem adveniunt».

B → Il Mart 1584, n. 1993, ricorda solo l'evento storico della restituzione della Croce a Gerusalemme dopo la sconfitta dell'imperatore persiano Cosroe. – Il Mart 2004, p. 514, n. 1, imposta l'elogio con il riferimento alla dedicazione della basilica dell'*Anastasis* costruita sopra il sepolcro di Cristo, esaltando il trofeo della «vittoria pasquale e segno che apparirà in cielo ad annunciare a tutti la seconda venuta del Signore».

E → Λ 223; Σ 225. - Die supra scripto exaltatio scae crucis - scd. Io 3,1-15: *Erat homo ex pharisaeis* usq. *sed habeat uitam aeternam*. - Δ 265 (in nota) inter lineas: Die supra scr. exaltatio scae crucis. - Π 198 (in nota) et ipsa die exaltatio scae crucis si uelis require euangl. ad legend. de sca cruce. *Simile est regnum caelorum thesauro abscondito in agro* (Mt 13,44).

732 – 734: 15 settembre – natale di san Nicomede

A → Ricordata al 1° giugno la dedicazione della chiesa che porta il suo nome, in questo giorno l'assemblea ne onora la memoria venerando i «merita praeclara» perché il Signore conceda misericordia al suo popolo e lo liberi «a cunctis vitiis».

B → Il Mart 1584, n. 2000, ricorda il natale del martire sulla via Nomentana; rifiutatosi di sacrificare agli dei, con il martirio «migravit ad Dominum». – Il Mart 2004, p. 515, n. 2, ricorda che il suo sepolcro fu onorato con una basilica fatta costruire dal papa Bonifacio V (619-625).

E → Π 200; Λ 225; Σ 227; Δ 267. - Die XV mense septembri natale sci Nicomedis - scd. Lc 9,23-27: *Dixit Iesus discipulis suis: si quis uult post me uenire* usq. *donec uideant regnum Dei*.

735 – 737: 16 settembre – natale di sant'Eufemia

A → Il MR 1474 unisce nella memoria di sant'Eufemia anche Lucia e Geminiano (cf nn. 738-740) valorizzandone i testi eucologici. - La *collecta* è già stata considerata commentando il n. 172 in occasione della festa di sant'Agnese. Come è gradita al cospetto di Dio «mors sanctorum» così possa essere accetta per i loro meriti l'«oblatio venerantium» anche per l'intercessione della martire.

B → Il Mart 1584, n. 2012, dedica un ampio elogio alla vergine e martire calcedonese che sotto l'imperatore Diocleziano e il proconsole Prisco «immaculatum spiritum Deo reddidit». – Il Mart 2004, p. 518, n. 2, si pone sulla stessa linea ricordando che giunse «per agonem certaminis ad coronam gloriae».

D → **735** Cf n. 172.

E → Π 201; Λ 226; Σ 228; Δ 268. - Die XVI mensis septembris natale scae Luciae et Euphemiae - scd. Mt 13,44-52: *Simile et regnum caelorum thesauro* usq. *noua et uetera*.

738 – 740: Egualmente nello stesso giorno – natale dei santi Lucia e Geminiano

A → Nel clima di letizia in cui l'assemblea innalza la propria preghiera, domanda quella «fidei constantiam» che venera nei martiri; da essi attende infatti di «gaudere suffragiis» per essere degna di essere protetta dal loro aiuto.

B → Il Mart 1584, n. 2013, ricorda il martirio della matrona Lucia e di Geminiano sotto l'imperatore Diocleziano. Non sono considerati nel MR 2004.

741 – 743: Nel settimo mese - preghiere per la domenica - [*statio*] a san Pietro

A → «Delicta… peccata»: realtà sempre presente nella coscienza dell'assemblea consapevole della propria «fragilitas» ma insieme anche della «benignitas divina». E l'invocazione che viene rivolta consiste nel poter portare a compimento ciò che senza meritarlo è stato donato, e per non soccombere «humanis periculis» implora di poter godere «divina participatione».

D → **742** Il MR 2002, valorizza per tre volte il testo (che si ripete anche nel n. 1333) sempre come *super oblata*: p. 991 *in Ordinatione unius Episcopi*; p. 997 *in Ordinatione plurium Episcoporum*; e p. 1092 *in anniversario propriae ordinationis*.

744 – 747: Feria IV - [*statio*] a santa Maria Maggiore

A → È il mercoledì delle *Quattro Tempora* di settembre, e il MR 1474 indica queste letture: Am 9,13-15 (*Plantabunt vineas et bibent vinum earum*), del secondo libro di Esdra 8,1-10 (*Aperuit Esdras librum coram omni populo*) e il vangelo di Mc 9,16-28 (*Credo, Domine, adiuva incredulitatem meam*). - Consapevole della propria «fragilitas» l'assemblea – «familia supplicans» - frequentemente implora i «misericordiae remedia» perché la situazione della propria «condicio» possa essere risolta dalla «clementia divina». La garanzia dell'astinenza «a cibis corporalibus» possa avvalorare il digiuno «a vitiis mente», purché realizzato «sedula servitute».

C → **745** Testo interessante per l'accurata elaborazione formale. Si osservi il parallelo e la *variatio*: *dum a cibis corporalibus se abstinent, a vitiis mente ieiunent*. Da notare ancora l'omoteleuto nei verbi. Alle intemperanze dovute ai *cibis corporalibus* contrappone il secondo membro: *a vitiis mente ieiunent*, dove l'attenzione è richiamata sia su *cibus* e *vitium* sia su *corpus* e *mens*.

D → **746** Cf n. 61.

E → Π 204; Λ 229; Σ 231; Δ 272. - Feria IIII mensis septimi ad scam Mariam - scd. Mc 9,17-29: *In illo tempore respondit unus de turba dixit* usq. *hoc genus non eicitur nisi in oratione et ieiunio*.

748 - 750: Feria VI - [*statio*] presso [i santi] Apostoli

A → Il MR 1474 indica queste letture: Os 14,2-10 (*Rectae viae Domini et iusti ambulabunt in eis*) e Lc 7,36-50 (*Remittuntur ei peccata multa quoniam dilexit multum*). - L'assemblea domanda di vivere l'annuale ricorrenza della «sacra observantia» propria delle *Quattro Tempora* «et corpore et mente», nella totalità della propria persona, attraverso i «dona ieiunii»: mezzo necessario per conseguire la grazia e un giorno i «sempiterna promissa», quei «beneficia potiora», cioè, che scaturiscono «de perceptis muneribus».

E → Π 205; Λ 230; Σ 232; Δ 273. - Feria VI ad apostolos - scd. Lc 5,17-26: *In illo tempore sedebat Iesus docens et erant pharisaei sedentes* usq. *uidimus mirabilia hodie*.

751 - 758: Sabato – [*statio*] a san Pietro [in occasione delle] XII letture

A → L'insieme degli otto testi eucologici va letto nel contesto di una liturgia che racchiude più letture. Tenendo presente l'appuntamento delle *Quattro Tempora* del mese di settembre (queste le letture, secondo il MR 1474, pp. 286-289: Lv 23,27-32 [*Decimo die mensis huius septimi dies expiationum erit et vocabitur sanctus*]; Lv 23,39-43 [*Quintodecimo die mensis huius septimi celebrabitis ferias Domini*]; Mich 7,14.16.18.20 [*Proiciet in profundum maris omnia peccata nostra*]; Zach 8,1.14-19 [*Loquimini veritatem unusquisque cum proximo suo*]; Dn 3,49-5047-48.51 [*Hi tres quasi ex uno ore laudabant et glorificabant* + il cantico: *Benedictus es Domine Deus patrum nostrorum*]; Heb 9,2-12 [*Per proprium sanguinem introivit semel in sancta aeterna redemptione inventa*]; Lc 13,6-17 [*Mulier dimissa es ab infirmitate tua*]), abbiamo queste tematiche che ruotano essenzialmente attorno al tema del digiuno: *a)* la «salutaris continentia» preziosa per il corpo e per lo spirito, accompagnata dalla «pia ieiuniantium deprecatio» è un auspicio per ottenere l'aiuto per la vita presente e futura (n. 751); *b)* dopo la lettura del Levitico dove si parla del *dies expiationum* l'assemblea rinnova la richiesta del dono della grazia frutto del digiuno, e di maggior forza contro i nemici con l'astinenza (n. 752); *c)* dopo la seconda lettura del Levitico - dove si accenna alla festa delle Capanne nel settimo mese - l'assemblea invoca i «remedia» per la salvezza eterna, che - ricercati per ispirazione divina - possono essere conseguiti solo per suo dono (n. 753); *d)* dopo le parole del profeta Michea che domandano a Dio di gettare in fondo al mare tutti i peccati del popolo, si invoca che dall'astinenza dai cibi scaturisca la forza per digiunare «a vitiis irruentibus» (n. 754); *e)* verità e giustizia sono le condizioni che devono caratterizzare il digiuno – il «sollemne ieiunium» di questi giorni - perché questo possa essere vissuto *in gaudium et laetitiam,* e ottenere l'«indulgentiae subsidium» (n. 755); *f)* il cantico dei tre fanciulli mentre ricorda le «flammas ignium» dà all'assemblea l'occasione di implorare di poter curare le «flammas vitiorum» ed essere illuminata con l'«igne caritatis» (n. 756); *g)* finalmente la presentazione del «munus oblatum» possa garantire sia la «gratia devotionis» che l'«effectum beatae perennitatis», in modo che ciò che ora «specie gerimus» possa essere conseguito «rerum veritate» (nn. 757-758).

D → **756** Cf nn. 255, 596 e 840. ≈ **758** Il MR 2002, p. 480, valorizza il testo – presente anche nel n. 1338 che omette il «nunc» - come *post communionem* per la *dominica XXX "per annum".*

E → Π 206; Λ 231; Σ 233; Δ 274. - Die sabbato ad scum Petrum XII lectionum - scd. Lc 13,10-17: *In illo tempore erat Iesus docens in synagogis Iudaeorum* usq. *quae gloriose fiebant ab eo.*

759 – 761: Domenica libera
A → Diffidare della qualità dei propri meriti è motivo per l'assemblea per implorare non il giudizio ma la misericordia dell'«omnipotens sempiterne Deus». Per questo domanda che la partecipazione al sacrificio sia proficua «devotioni et saluti», e così conseguire in pienezza ciò che sperimenta «per haec mysteria pignus».
E → Π 207. - Ebdomada II die dominico ad scos Cosmam et Damianum ante natale eorum. - Λ 232; Σ 234. - Ebdomada II post sci Cypriani - scd. Mt 22,23-33: *In illo tempore accesserunt ad Iesum sadducaei* usq. *audientes turbae mirabantur in doctrina eius.* - Δ 275 Ebdomada VII post sci Laurenti die dominico ad scos Cosmam et Damianum.

762 – 764: 27 settembre – natale dei santi Cosma e Damiano
A → L'intercessione che ritorna frequentemente è quella di essere liberati «a cunctis malis imminentibus»; per questo si implora la «pia oratio» dei santi perché siano accolti i «munera» dei fedeli e questi possano conseguire il perdono. In questa linea si snoda la richiesta finale di protezione in forza della «participatio caelestis convivii et deprecatio sanctorum». ≈ Il prefazio n. **1493** è un inno di ringraziamento a Dio Padre che consola, nel suo misterioso progetto, con «adsiduis passionibus» dei martiri: è dal loro «sanguinem triunphalem» – versato per confessare il suo Nome di fronte agli «infideles» - che scaturisce l'aiuto «ad tuorum fidelium».
B → Il Mart 1584, n. 2105, ricorda il natale dei due fratelli durante la persecuzione di Diocleziano, insieme ad altri tre fratelli

Antimo, Leonzio ed Euprepio. – Il Mart 2004, p. 537, n. 1, ricorda l'attività gratuita dei due medici – svolta a Cirro nella provincia di Eufratesia (Turchia) - nei confronti di malati, molti dei quali completamente guariti.

E ⟶ Π 210; Λ 235; Σ 238; Δ 279. - Die XXVII mensis supra scripti natale scorum Cosmae et Damiani - scd. Io 15,17-25: *In illo tempore dixit Iesus discipulis suis: haec mando uobis ut diligatis invicem* usq. *quia oderunt me gratis.*

765 – 767: 29 settembre – dedicazione della basilica del santo Angelo

A ⟶ Il MR 1474 indica queste letture: Apc 1,1-5 (*Gratia vobis et pax a septem spiritibus qui in conspectu throni sunt*) e Mt 18,1-10 (*Angeli eorum semper vident faciem Patris mei*). - In occasione della dedicazione della basilica di san Michele arcangelo l'assemblea, nel riconoscere l'opera di Dio che affida agli angeli e agli uomini la propria missione, implora difesa sulla terra da parte di coloro che in cielo «tibi ministrantibus… semper adsistitur». Con questa intercessione domanda salvezza per poter raggiungere con lo spirito coloro che ora sono circondati di onore. ≈ Il prefazio n. **1494** (*in natale Archangelorum*) unisce all'esperienza di prosperità degli eventi umani – «terrenis consolationibus» – la ricerca dei «gaudia superna», implorando che ogni elemento di «laetitia temporalis» diventi motivo per crescere nell'«eruditio sempiterna».

B ⟶ Il Mart 1584, n. 2126, fa riferimento alla memoria dell'arcangelo Michele sul Monte Gargano quando vi fu consacrata una chiesa costruita su «vili schemate sed caelesti praedita virtute». - Il Mart 2004, p. 544, n. 1, contestualizza invece la festa nel ricordo della dedicazione della chiesa di san Michele a Roma, al sesto miglio sulla via Salaria, unendo anche Gabriele e Raffaele «qui die ac nocte Deo serviunt et… glorificant».

D ⟶ **765** Il MR 2002, p. 837, riprende il testo come *collecta* per la festa dei santi Arcangeli (29 settembre; unica precisazione: «… ut *a* quibus…»).

E ⟶ Π 211; Λ 236; Σ 239; Δ 280. - Die XXVIIII mensis supra scripti dedicatio ecclesiae sci Archangeli - scd. Mt 18,1-10: *In illo tempore accesserunt discipuli ad Iesum* usq. *quia angeli eorum semper uident faciem patris mei qui in caelis est.*

768 – 770: Mese di ottobre - 7 ottobre – natale di san Marco papa

A ⟶ Il MR 1474 in occasione della memoria dei martiri Sergio, Bacco, Marcello e Apuleio aggiunge anche la *commemoratio* di san Marco con orazioni proprie come nel *Sacramentario*. - La memoria del papa Marco (336) è motivo per l'assemblea di implorare che siano accolte «supplicationes nostras»; la «sacrae plebis oblatio» è occasione per riconoscere l'aiuto ricevuto per i meriti della tribolazione dei santi, e per questo si rallegra nella loro venerazione e implora difesa dalla loro «perpetua supplicatione».

B → Il Mart 1584, n. 2185, ricorda solo la *depositio* sulla via Ardeatina. - Il Mart 2004, p. 559, n. 5, precisa la costruzione della chiesa del titolo *in Pallacinis* e una basilica nel cimitero di Balbina sulla via Ardeatina, dove il confessore della fede fu inumato.

E → Π 213; Λ 238; Σ 241; Δ 282. - Mense octobri die VII natale sci Marci - scd. Mt 25,14-23: *In illo tempore dixit Iesus discipulis suis parabolam hanc: homo quidam peregre proficiscens* usq. *intra in gaudium domini tui.*

771 - 773: 14 ottobre – natale di san Callisto papa

    A → La consapevolezza del proprio limite impegna l'assemblea nel rafforzare il proprio rapporto con Dio sull'esempio dei santi; e la «mystica oblatio» – i «munera sacrata» - possa liberare da ogni peccato e riconfermare nella salvezza eterna, conseguita con il proprio «recte vivendi».

    B → Il Mart 1584, n. 2246, ricorda la deposizione del corpo del papa Callisto I nel cimitero di Calepodio sulla via Aurelia, martirizzato sotto l'imperatore Alessandro. – Il Mart 2004, p. 570, n. 1, presenta un ampio elogio ricordando che già da diacono, dopo l'esilio in Sardegna, curava il cimitero che poi prenderà il suo nome; eletto papa «rectam doctrinam promovit» e la riconciliazione con i *lapsi*, fino al martirio.

    D → **771** - Il MR 2002, p. 953, valorizza il testo come *collecta* nel secondo formulario del *commune sanctorum et sanctarum: A. Pro pluribus sanctis.*

    E → Π 214; Λ 239; Σ 242. - Die XIIII mensis supra scripti natale sci Calisti pontificis - scd. Mt 24,42-47: *In illo tempore dixit Iesus discipulis suis: uigilate* usq. *super omnia bona sua constituet eum.* - Δ 286 (in nota) in marg.: Die XIIII ms. octob. nat. sci Calisti pontificis sc. Mt 24,42-47.

774: Mese di novembre - 1° novembre – natale di san Cesario – assemblea [nella chiesa dei] santi Cosma e Damiano

775 - 777: Ugualmente per la messa

    A → Nell'annuale ricorrenza di san Cesario l'assemblea domanda la forza di imitarlo nella vita; per questo implora il «perpetuum subsidium» nella partecipazione all'offerta sacrificale per essere forte «contra omnia adversa».

    B → Il Mart 1584, n. 2398, ricorda il natale del diacono Cesario martirizzato insieme al presbitero Giuliano. – Il Mart 2004, p. 600, n. 2, offre solo un riferimento a san Cesario.

    E → Π 215; Λ 241; Σ 244. - Mense nouembri kalendis nouembribus natale sci Caesarii - scd. Io 12,24-26: *In illo tempore dixit Iesus discipulis suis: amen amen dico uobis: nisi granum frumenti cadens in terram* usq. *honorificauit eum pater meus qui est in caelis.*

778 – 780: 8 novembre – natale dei santi Quattro Coronati

A → Nel ricordo dei gloriosi santi frateli Coronati - Severo, Severiano, Carpoforo e Vittorino «fortes in passione» - l'assemblea implora la loro intercessione, perché la benedizione divina renda accetti i «munera» deposti sull'altare e li renda «sacramentum redemptionis». L'esperienza celebrativa di «sacramentis et gaudiis» nel ricordo del loro trionfo sia motivo di sostegno con il loro aiuto.

B → Il Mart 1584, nei nn. 2468-2469, aiuta a comprendere la confusione tra il titolo del formulario e il riferimento ai "cinque" martiri nominati nella *collecta*. La memoria dei Quattro Coronati sulla via Labicana - subirono il martirio sotto l'imperatore Diocleziano – fa seguito al precedente elogio dove si nominano i cinque martiri (Claudio, Nicostrato, Simproniano, Castorio e Simplicio). – Il Mart 2004, p. 612, n. 1, precisa la commemorazione dei cinque martiri che, originari della Croazia, si rifiutarono di scolpire la statua del dio Esculapio e per questo martirizzati sotto Diocleziano; il loro culto fiorì a Roma nella basilica sul monte Celio chiamata con il titolo dei Quattro Coronati.

E → Π 216; Λ 242; Σ 245. - Die VIII mensis supra scripti natale scorum Quattuor Coronatorum - scd. Lc 6,17-23: *In illo tempore descendens Iesus de monte stetit in loco campestri* usq. *copiosa est in caelis.*

781 – 783: 9 novembre – natale di san Teodoro

A → L'assemblea è edificata e protetta dalla «confessio gloriosa» del martire Teodoro: «imitatio et oratio» sono le due realtà che essa domanda nella celebrazione dei «piae devotionis officia», per giungere un giorno «ad caelestem gloriam»; per questo domanda di ricevere «pura mente» ciò che tocca con la bocca.

B → Il Mart 1584, n. 2477, presenta un ampio elogio del soldato Teodoro martirizzato al tempo dell'imperatore Massimiano, e celebrato con splendido encomio da san Gregorio di Nissa. – Il Mart 2004, p. 152, n. 2, presenta l'elogio del martire Teodoro Tirone ad Amasea nell'Ellesponto (Turchia) il 17 febbraio, confermando l'encomio del Nisseno.

C → 781 Nell'elaborare questa eucologia l'estensore richiama l'attenzione dei fedeli sul parallelismo dei due membri conclusivi: *imitatione proficere* e *oratione fulciri*. Si noti ancora l'imperativo *praesta*, usato come sinonimo di *fac*, che regge i due infiniti seguenti, là dove ci si aspetterebbe una proposizione finale.

E → Π 217; Λ 243; Σ 246. - Die VIIII mensis supra scripti natale sci Theodori - scd. Lc 21,14-19: *In illo tempore dixit Iesus discipulis suis: ponite in cordibus uestris* usq. *in patientia uestra possidebitis animas uestras.*

784 - 786: 11 novembre – natale di san Menna

A → La memoria del natale del martire Menna è motivo per implorare di essere fortificati nell'amore di Dio; per questo i fedeli domandano di essere purificati «caelestibus mysteriis» e di essere considerati con clemenza. E come l'assemblea si rallegra per la celebrazione con il «temporali officio», possa un giorno allietarsi per il «perpetuo aspectu».

B → Il Mart 1584, n. 2494, elogia il militare egiziano Menna martirizzato sotto Diocleziano, che risplendette per molti miracoli dopo morte. – Il Mart 2004, p. 616, n. 2, ricorda il martirio oltre il lago Mareotide in Egitto.

C → Per questo formulario si richiama l'attenzione su *officium* dell'eucologia **786**. Con questo lessema si denota *officium*, il devoto servizio, la pia e puntuale imitazione su questa terra delle virtù professate dal santo, per godere successivamente, e per sempre, della sua visione e, ovviamente, della sua compagnia, *aspectu*. Si noti la contrapposizione tra *officium*, atto terreno, e *aspectus*, la visione nella gloria del cielo, dove viene meno l'impegno terreno.

E → Π 219; Λ 245; Σ 248. - Die XI mensis supra scripti natale sci Mennae - scd. Lc 9,23-27: *In illo tempore dixit Iesus discipulis suis: si quis uult post me uenire* usq. *donec uideant regnum Dei.*

787 - 789: Nello stesso giorno – natale di san Martino

A → La memoria di san Martino, il primo santo non martire collocato nel calendario liturgico, per i fedeli è occasione per riconoscere che non si può confidare sulle proprie forze; per questo implorano l'intercessione di san Martino per essere forti «contra omnia adversa» e di essere protetti «ab omnibus adversis». La «salutaris oblatio» unitamente alla «salutaris intercessio» costituiscono la premessa e la conseguenza dei «votiva sacramenta» celebrati in questa occasione. ≈ Il prefazio n. **1496** esalta la glorificazione di Dio quale si attua «in confessione sanctorum» non solo per i «merita gloriosa» dei martiri ma anche attraverso l'opera di coloro che celebrano il «sacrum mysterium» della salvezza «competentibus servitiis».

B → Il Mart 1584, n. 2493, ricorda il natale del vescovo e confessore nella città di Tours. – Il Mart 2004, p. 616, n. 1, sviluppa un ampio elogio della sua missione, fino alla conclusione della sua vita quando a Candes «ad Dominum migravit».

E → Π 220; Λ 246; Σ 249. - Die XII mensis supra scripti natale sci Martini - scd. Lc 12,35-40: *In illo tempore dixit Iesus discipulis suis: sint lumbi uestri praecincti* usq. *filius hominis uenit.*

790 - 792: 22 novembre – natale di santa Cecilia

A → L'annuale ricorrenza di santa Cecilia è motivo per invocare l'aiuto - nell'offerta dell'«hostia placationis et laudis», nella partecipazione ai «muneribus sacris» - per seguirne l'esempio con

una condotta di vita - «piae conversationis» - e per poter beneficiare della «propitiatio divina». ≈ Il prefazio n. **1497** evidenzia
che la «virgo casta» non cedette né per la fragilità della giovinez-
za – «sexus fragilitate» –, né al richiamo dei piaceri – «illecebris
carnalibus» –, né di fronte alle situazioni dei «puellares annos»,
né dinanzi ai «saeculi blandimenta». Il risultato conseguito dalla
«beata virgo» che aveva «dispecto mundi coniugio»: aver condotto «ad potiorem triumphum» l'uomo «cui fuerat nupta».

B → Il Mart 1584, n. 2585, riprende nell'ampio elogio i termini
della *passio* della martire al tempo dell'imperatore Marco Aurelio
Severo Alessandro. – Il Mart 2004, p. 636, n. 1, ricorda solo la duplice palma – della verginità e del martirio - e la sua memoria nel
cimitero di Callisto sulla via Appia Antica; il suo nome è legato al
titolo di una chiesa di Roma a Trastevere.

C → **790** Il testo richiama l'attenzione su due lessemi, che nella
vita cristiana si completano: *officium* da una parte ed *exemplum*
dall'altra. Nel suo comportamento verso i santi il fedele deve mostrare l'*officium*, il rispetto, la riverenza, e seguire continuamente
l'*exemplum* della conversione dal peccato alla grazia.

E → Π 223; Λ 249; Σ 252. - Die XXII mensis supra scripti natale
scae Caeciliae - scd. Mt 25,1-13: *In illo tempore dixit Iesus discipu-*
lis suis parabolam hanc: simile est regnum caelorum decem uirginibus
usq. *uigilate itaque quia nescitis diem neque horam qua dominus uester*
uenturus est.

793 – 795: 23 novembre – natale di san Clemente

A → Onorare il natale di un martire è impegnarsi ad imitarne la
«virtus passionis»; l'offerta dei «munera» implora la purificazione da ogni macchia e la «certa redemptio» che è possibile conseguire «pia devotione» dalla partecipazione «corporis sacri et pretiosi sanguinis». – Il prefazio n. 1498 esalta l'opera del sacerdote
e martire ricordandone quattro realtà: essere stato «in peregrinatione comes» dell'apostolo Pietro, suo discepolo «in confessione»
della fede, suo successore – «in honore» - nel servizio alla Chiesa,
e suo seguace «in passione».

B → Il Mart 1584, n. 2590, presenta un ampio elogio del terzo successore di san Pietro apostolo, martirizzato nella persecuzione di
Traiano; il suo corpo fu traslato a Roma dal papa Niccolò I e collocato nella chiesa già costruita nel suo nome. – Il Mart 2004, p. 637,
n. 1, ricorda la lettera scritta da Clemente ai Corinti «ad pacem et
concordiam inter illos firmandam».

C → **795** Il testo evidenzia da un lato la *pia devotio* e la *certa re-*
demptio dall'altro. Il secondo apoftegma *certa redemptio* si può considerare effetto del primo. Il parallelismo lega due realtà presenti
nella vita del fedele: la *devotio* di se stesso in vista della *redemptio,*
il godimento del paradiso.

E → Π 224; Λ 250; Σ 253. - Die XXIII mensis supra scripti natale sci Clementis - scd. Mt 25,14-23: *In illo tempore dixit Iesus discipulis suis parabolam hanc: homo quidam peregre proficiscens* usq. *intra in gaudium domini tui.*

796 – 798: Lo stesso giorno – natale di santa Felicita

A → Celebrando la festa della martire Felicita l'assemblea implora di essere protetta dai suoi «meritis et precibus», così pure di godere dei «suffragiis» di coloro – «intervenientibus sanctis tuis» - che sono al centro della celebrazione, perché siano moltiplicati i doni divini e sia ben disposto il tempo della vita.

B → Il Mart 1584, n. 2591, elogia la santa martire Felicita madre di sette figli martiri, decollata sotto l'imperatore Marco Antonino. – Il Mart 2004, p. 638, n. 3, ricorda solo la *depositio* nel cimitero di Massimo nella via Salaria Nuova.

E → Π 225; Λ 251; Σ 254; Δ 284. - Die supra scripto natale scae Felicitatis - scd. Mt 12,46-50: *In illo tempore loquente Iesu ad turbas ecce mater eius et fratres* usq. *ipse meus frater et soror et mater est.*

799 – 801: 24 novembre – natale di san Crisogono

A → La consapevolezza del proprio limite - «... iniquitate nostra reos nos...» - sollecita l'intercessione del martire perché l'assemblea sia liberata «a cunctis periculis», da ogni mancanza nascosta, e «ab hostium insidiis» attraverso la «perceptio sacramenti».

B → Il Mart 1584, n. 2597, elogia il martirio ad Aquileia, sotto Diocleziano. – Il Mart 2004, p. 640, n. 2, ne ricorda la venerazione nella basilica che a Roma porta il suo nome.

E → Π 227; Λ 252; Σ 256; Δ 287. - Die XXIII mensis supra scripti natale sci Chrisogoni - scd. Io 15,17-25: *In illo tempore dixit Iesus discipulis suis: haec mando uobis ut diligatis inuicem* usq. *quia oderunt me gratis.*

802 – 804: 28 novembre – natale di san Saturnino

A → L'eucologia non presenta particolari novità rispetto al linguaggio comune spesso incontrato; sempre è implorata l'«intercessio sanctorum» perché la vita dei fedeli sia sempre ben accetta davanti a Dio.

B → Il Mart 1584, n. 2634, ricorda il natale del martire sulla via Salaria, sotto l'imperatore Massimiano. – Più ampio e preciso l'elogio nel Mart 2004, p. 648, n. 1, dove si ricorda il martire cartaginese nel cimitero di Trasone sulla via Salaria Nuova; il papa Damaso riferisce che sotto l'imperatore Decio «coronam martyrii adeptus est».

C → **802** Si noti l'assenza di un'accurata elaborazione formale di questa eucologia, nella quale *perfruor* è assunto dalla lingua parlata ed è seguito da *natalicia*, accusativo; è retto, inoltre, da *concedis*, che richiede dopo di sé una proposizione finale. Questa eucologia è una vera perla di latino *vulgaris* e della semplicità dell'orante, il quale alla forma premetteva la fede e la spontaneità. ≈ Molto elaborata formalmente è l'eucologia **803**, la quale è incentrata su *sanctifica munera* e, come conseguenza, su *nos intende placatus*. In questo sintagma l'uso figurato di *intende* e la nuova dimensione semantica sono più che evidenti.

E → Π 230; Λ 255; Σ 259; Δ 304. - Die XXVIIII mensis supra scripti natale sci Saturnini - scd. Mc 13,5-13: *In illo tempore dixit Iesus discipulis suis: uidete ne quis uos seducat* usq. *in finem hic saluus erit.* - Λ 255 scd. Mc 13,6-13.

805 - 808: Lo stesso giorno – vigilia di sant'Andrea

A → Il MR 1474 indica queste letture: Eccli 44,5 - 45,9 (*Induit eum Dominus coronam gloriae*) e Io 1,35-51 (*Invenimus Messiam... et adduxit eum ad Iesum*). - Per una teologia liturgica attorno alla festa di sant'Andrea è necessario considerare con uno sguardo d'insieme le formule nn. 805-815 tenendo presente che il prefazio (n. 807) è lo stesso anche nella festa. – Nella vigilia l'assemblea implora l'«auxilium» dell'apostolo perché nel ricordo della «veneranda passio», sciolta da ogni colpa possa essere liberata «a cunctis periculis» e ottenere «purificationem nostris mentibus».

E → Π 231; Λ 256; Σ 260; Δ 305. - Die supra scripto uigilia sci Andreae - scd. Io 1,35-51: *In illo tempore stabat Iohannes et ex discipulis eius duo* usq, *et angelos Dei ascendentes super filium hominis.*

809 - 815: 30 novembre – natale di sant'Andrea

A → Il MR 1474 indica queste letture: Rom 10,10-18 (*Fides ex auditu, auditus autem per Verbum Christi*) e Mt 4,18-22 (*Venite post me et faciam vos fieri piscatores hominum*). - La certezza che la Chiesa è collocata «in apostolicis fundamentis», nel cui collegio è onorato il beato Andrea, permette di implorare il «praedicator et rector» perché sia anche un perenne «intercessor». La «precatio sancta» dell'apostolo è invocata perché possa essere gradito il «sacrificium» dell'assemblea: mentre questo è offerto «tuis sanctis ad gloriam», per lei possa risultare «ad veniam». In questa linea si collocano le altre richieste: *a)* il dono dei primi insegnamenti apostolici sia il mezzo per conseguire «subsidia perpetuae salutis» (n. 812); *b)* la richiesta che l'apostolo sia «pius interventor» è basata sul fatto del «tui nominis praedicator» (n. 813); *c)* la protezione del martire in forza degli esempi e dei meriti da lui conseguiti (n. 814); *d)* il patrocinio di sant'Andrea è invocato, infine, come aiuto perché i fedeli possano sempre servire Dio «secura devotione» (n. 815).

B → Il Mart 1584, n. 2640, raccoglie l'elogio del martire. – Il Mart 2004, p. 650, n. 1, precisa e sviluppa il testo ricordando la sua chiamata e quella del fratello Pietro, e quindi dopo la Pentecoste la sua predicazione in Acaia (Grecia) e la sua crocifissione a Patrasso. «La Chiesa di Costantinopoli lo venera come suo insigne patrono».

D → **809** Il MR 2002, p. 874, riprende il testo della *collecta* nella stessa festa di sant'Andrea apostolo (30 novembre). ≈ **812** Il MR 2002, p. 779, valorizza il testo come *collecta* per la messa *in vigilia* della *sollemnitas Ss. Petri et Pauli, apostolorum*; il riferimento a sant'Andrea è così sostituito: «... beatorum apostolorum Petri et Pauli...».

E → Π 232; Λ 257; Σ 261; Δ 306. - Die XXX mensis supra scripti natale sci Andreae - scd. Mt 4,18-22: *In illo tempore ambulans Iesus iuxta mare Galilaeae* usq. *illi autem relicti retibus et patre secuti sunt eum.*

TEMPO DI AVVENTO E SANTORALE DI DICEMBRE

816 – 818: Mese di dicembre - preghiera per la prima domenica dell'Avvento del Signore

A → Il MR 1474 nel segnalare la *statio ad sanctam Mariam Maiorem* indica queste letture: Rom 13,11-14 (*Hora est iam nos de somno surgere*) e Lc 21,25-33 (*Caelum et terra transibunt, verba autem mea non transibunt*). - Il tempo di Avvento è ovviamente caratterizzato dalla richiesta della venuta del Salvatore. Di fronte a pericoli di ogni genere l'assemblea domanda di essere liberata dalla potenza divina – «potenti virtute mundatos» - per essere trovata degna e pronta per celebrare «congruis honoribus» il principio della salvezza, quei «ventura sollemnia» in cui si attua la «reparatio», il rinnovamento interiore, quale segno eloquente della «misericordia» divina.

C → **816** L'attenzione è focalizzata sui due membri conclusivi della proposizione finale: *te mereamur protegente eripi, te liberante salvari*. Nel primo sintagma tra *te* e *protegente* è magistralmente inserito *mereamur*. In questo caso il verbo *salvo* viene arricchito di una nuova dimensione semantica, col preciso e unico senso di *salvare*. La clausola «te protegente salvari» è data da una tripodia giambica catalettica e un molosso.

D → **816** Il testo è ripreso *ad litteram* nel MR 2002, p. 126, come *collecta* per la *feria sexta* dell'*hebdomada I Adventus*. ≈ **818** Il MR 2002, p. 143, valorizza il testo come *post communionem* per la feria del 18 dicembre.

E → Π 239; Λ 264; Σ 268; Δ 317. - Ebdomada III ante natale domini - scd. Lc 21,25-33: *Erunt signa et prodigia in sole* usq. *uerba autem mea non transibunt.*

819 – 821: Seconda domenica

A → Il MR 1474 nel segnalare la *statio ad sanctam Crucem* indica queste letture: Rom 15,4-13 (*Deus spei repleat vos omni gaudio et pace in credendo*) e Mt 11,2-10 (*Quid existis in desertum videre?*). - Nel riprendere l'«excita» della prima domenica, l'assemblea invoca l'aiuto – modulando la richiesta sulle parole del Battista – per disporre il proprio cuore nel preparare «Unigeniti vias» perché è in quella accoglienza che «purificatis mentibus» è possibile servire il Signore in pienezza. La consapevolezza del limite dei propri «suffragia meritorum» è motivo per implorare i «praesidia» ottenuti dalla partecipazione a quel «cibus spiritalis alimoniae» in modo da apprendere come valutare con sapienza i beni della terra e amare quelli del cielo.

C → 819 *ut per eius adventum*: ci si aspetterebbe *per cuius adventum*. Si ponga attenzione su lessema *adventus* che, perduto il senso originario e reso con il termine *avvento*, significa solo il tempo, durante il quale si attende la venuta di Cristo. L'*adventus*, però, deve essere preparato con la *mens purificata*. ≈ In **820** si mette in risalto l'*humilitas* delle *preces* e delle *hostiae* e Dio, che soccorre con i suoi *praesidia* là, dove è insufficiente il *suffragium* per i meriti. L'estensore usa più registri linguistici, propri dell'ambito sacrale, della spiritualità e della milizia. Il coriambo *praesidiis*, che è anche clausola, conclude in modo degno un'eucologia dettata con gusto e raffinatezza. ≈ In **821** oltre al chiasmo *terrena despicere et amare caelestia*, si noti il verbo *docere* che, seguito dall'infinito, anticipa l'esito nelle lingue romanze.

D → 819 Nel MR 2002, p. 132, il testo è valorizzato come *collecta* per la *feria quinta* dell'*hebdomada II Adventus*. ≈ **820** Nel MR 2002, il testo è valorizzato ben sette volte (pp. 123, 126, 128, 130, 133, 137 e 140) sempre come *super oblata* nelle prime tre settimane del *tempus Adventus*. ≈ **821** Nel MR 2002 il testo – presente anche nel n. 1342 del *Sacramentario* - è valorizzato anch'esso sette volte (pp. 123, 126, 128, 130, 133, 138 e 140) sempre come *post communionem* nelle prime tre settimane del *tempus Adventus* con la variante della *petitio* che risulta così formulata: «... terrena sapienter perpendere, et caelestibus inhaerere». Il MR 2020, p. 7, così traduce: «... insegnaci a valutare con sapienza i beni della terra e a tenere fisso lo sguardo su quelli del cielo».

E → Π 240; Λ 265; Σ 269; Δ 320. - Ebdomada II ante natale domini - scd. Mt 11,2-10: *Cum audisset Iohannes in uinculis* usq. *qui praeparauit uiam tuam ante te*.

822 – 824: 13 dicembre – natale di santa Lucia

A → La memoria di santa Lucia è motivo per l'assemblea per invocare le conseguenze di una «pia devotio»; per questo l'offerta della «sacratae plebis oratio» è occasione per implorare aiuto, e con la partecipazione «muneribus sacris» domanda di essere continuamente rinnovata con l'intervento della martire.

B →︎ Il Mart 1584, n. 2747, ricorda il natale della vergine siracusana che ha subito il martirio nella persecuzione di Diocleziano. – Il Mart 2004, p. 670, n. 1, riprende l'immagine evangelica delle vergini che con le lampade accese vanno incontro allo Sposo; così Lucia «meruit et lumen indeficiens possidere».

E →︎ Π 236; Λ 261; Σ 265; Δ 312. - Mense decembri die XIII mense decembri natale scae Luciae - scd. Mt 13,44-52: *Dixit Iesus discipulis suis parabolam hanc: simile est regnum caelorum thesauro abscondito* usq. *noua et uetera.*

825 - 827: Terza domenica – [*statio*] a san Pietro

A →︎ Il MR 1474 indica queste letture: Philp 4,4-7 (*Gaudete in Domino semper, iterum dico gaudete*) e Io 1,19-28 (*Ego vox clamantis in deserto*). - Le tenebre dello spirito possono essere illuminate solo dalla visita del Signore. Per questo l'assemblea immola l'«hostia devotionis» che attua il santo mistero e che rende efficace il «salutare tuum mirabiliter». Così, liberi da ogni male, i fedeli possono realizzare la dovuta preparazione «ad festa ventura».

D →︎ **826** Il MR 2002 valorizza il testo sempre come *super oblata* in ben sei formulari del tempo di Avvento (pag. 124, 127, 131, 134, 135 e 138); unica variante la sostituzione di «mirabiliter» con «potenter».

E →︎ Π 241; Λ 266; Σ 270; Δ 323. - Ebdomada I ante natale domini - scd. Io 1,19-28: *Miserunt Iudaei ab Hierusolymis* usq. *ubi erat Iohannes baptizans.*

828 - 831: Feria IV – [*statio*] a santa Maria Maggiore

A →︎ Iniziano le *Quattro Tempora* di dicembre, caratterizzate – secondo il MR 1474 - dalla proclamazione di Is 2,2-5 (*Venite ascendamus ad montem Domini…*); Is 7, 10-15 (*Ecce virgo concipiet et pariet filium*); e Lc 1,26-38 (*Missus est angelus Gabriel a Deo*). – Nell'eucologia l'assemblea implora che la «ventura sollemnitas» porti aiuto alla vita presente insieme agli «aeternae beatitudinis praemia»; che possano essere sollevati dalla consolante venuta del Salvatore coloro che confidano nella «pietas divina». In questa linea sono offerti i «nostra ieiunia» come condizione per conseguire «sempiterna promissa».

D →︎ **830** Il testo è riproposto nel MR 2002, p. 267, come *super oblata* nel *sabbato* della *hebdomada V Quadragesimae*, con queste varianti che contribuiscono a manifestare l'offerta dei «dona» come espressione del digiuno per il conseguimento della «gratia»: «… *nostri dona ieiunii*, quae *expiando nos tuae gratiae* dignos efficiant et…». Il MR 2020, p. 115, così traduce: «Accogli… i doni che ti presentiamo in questo digiuno quaresimale, perché la loro forza di purificazione ci renda degni della tua grazia…».

E →︎ Π 242; Λ 267; Σ 271; Δ 324. - Mense decimo feria IIII ad scam

Mariam - scd. Lc 1,26-38: *Missus est Gabriel angelus a Deo* usq. *fiat mihi secundum uerbum tuum.*

832 - 834: Feria VI - [*statio* ai santi] Apostoli
A → Il MR 1474 indica queste letture: Is 11,1-5 (*Egredietur virga de radice Iesse*) e Lc 1,39-47 (*Magnificat anima mea Dominum*). - I testi eucologici riprendono l'invocazione della venuta del Salvatore perché coloro che confidano nella «pietas divina» possano – «citius» - essere liberi «ab omni adversitate». La purificazione dello spirito – «a vetustate purgatos» - ad opera dei «caelestibus mysteriis» è la conseguenza di quella «libatio sancta» che sola può permettere la partecipazione piena al «mysterium salutare». ≈ Con il testo prefaziale n. **1436** - nel contesto del tradizionale «salubre ieiunium» del mercoledì (oltre che del venerdì) - l'assemblea ringrazia «de perceptis muneribus» e più ancora implora «de percipiendis» non solo per poter godere «terrena felicitate» ma anche per accogliere e onorare – «purificatis mentibus» – la «nativitatem panis aeterni».
D → **834** Cf n. 224.
E → Π 243; Λ 268; Σ 272; Δ 325. - Feria VI ad apostolos - scd. Lc 1,39-47: *Exsurgens Maria* usq. *in Deo salutari meo.*

835 - 842: Sabato - [*statio*] a san Pietro - per le XII letture
A → La celebrazione del sabato delle *Quattro Tempora* secondo il MR 1474 contempla queste letture seguite dalle rispettive orazioni: Is 19,20-22 (*Et colent eum in hostiis et muneribus*); Is 35,1-7 (*Dicite pusillanimes confortamini et nolite timere*); Is 60,9-11 (*Ecce Dominus Deus in fortitudine veniet*); Is 45,1-8 (*Rorate caeli desuper et nubes pluant Iustum*); Dan 3,49.50.47.48.51 (*Hi tres quasi ex uno ore laudabant et glorificabant*) con il cantico dei tre fanciulli (*Benedictus es Domine Deus patrum nostrorum*); seguono quindi 2 Thess 2,1-8 (*Rogamus vos per adventum Domini nostri*) e Lc 3,1-6 (*Vox clamantis in deserto*). - La «vetusta servitus» ricordata nella prima lettura di Isaia è ripresa dall'assemblea per implorare la liberazione nell'attesa della «nova nativitas» (n. 836); sulla linea della seconda lettura la parola chiave è «laetifica»: rattristati per la colpa, i fedeli invocano l'«Unigeniti Filii adventus» (n. 837); al seguito della terza lettura i fedeli implorano «remedia et praemia» come aiuto nella vita presente e condizione per quella eterna (n. 838); alla quarta lettura fa eco la richiesta di essere consolati «pietatis tuae visitatione» per superare l'afflizione conseguenza del proprio peccato (n. 839); le fiamme ricordate nel libro di Daniele per l'assemblea, illuminata dal fuoco della carità divina, sono motivo per implorare la liberazione dalla «flamma vitiorum» (n. 840). - Alla richiesta della *collecta* di essere consolata dalla visita del Signore, l'assemblea unisce l'offerta del «sacrificium» perché possa giovare «et

devotioni et saluti» ed essere un «remedium» nel presente e nel futuro.

D → 836 Nel MR 2002, p. 143, il testo è ripreso come *collecta* per la messa in *die 18 decembris*; unica variante il «quia» trasformato in «qui» dall'attuale Messale. Da notare che nel n. 112 è presente lo stesso concetto ispiratore espresso con terminologia simile. ≈ **837** Mantenendo sempre il contesto liturgico originario dell'Avvento, il testo è presente nel MR 2002, p. 139, e valorizzato come *collecta* nella *feria quinta* dell'*hebdomada III Adventus*; unica variante l'aggiunta di «salutari» al termine *adventus*. ≈ **838** Il MR 2002, p. 138, valorizza il testo come *collecta* per la *feria quarta* dell'*hebdomada III Adventus*. ≈ **842** Cf n. 187.

E → Π 244 .- Feria VII ad scum Petrum - Λ 269; Σ 273; Δ 327. - Die sabbato in XII lectiones ad scum Petrum - scd. Lc 3,1-6: *Anno quinto decimo imperii Tiberii Caesaris* usq. *et uidebit omnis caro salutare Dei.*

843 – 845: Domenica libera

A → Il MR 1474 usa i testi eucologici per la IV domenica segnalando la *statio ad sanctos XII Apostolos* e indicando queste letture: 1 Cor 4,1-5 (*Dominus illuminabit abscondita tenebrarum*) e Lc 3,1-6 (*Anno quintodecimo imperii Tiberii Caesaris*). - «Potentia, virtus, auxilium, indulgentia» sono le realtà che l'assemblea implora per superare gli ostacoli frapposti dal peccato; con l'offerta del sacrificio e «cum frequentatione mysterii» domanda aiuto «et devotioni et saluti».

D → 843 Il testo è ripreso nel MR 2002, p. 125, come *collecta* per la *feria sexta* nell'*hebdomada I Adventus*, con alcune varianti per adattarlo al tempo liturgico: tralascia «et veni» (presente invece nel n. 816), e il «per auxilium gratiae tuae» è trasformato in «gratia tuae propitiationis…».

E → *ut supra.*

846 – 851: Altre preghiere per l'Avvento

A → Le sei orazioni per questo tempo di Avvento presentano varie richieste mentre riconoscono l'attesa di Dio che visita il suo popolo; sono domande che sottolineano: *a)* Dio mantenga la sua promessa fino alla fine dei tempi (n. 846); *b)* una coscienza purificata perché sia pronta ad accogliere il Signore (n. 847); *c)* essere presentati alla sua venuta «placitis actibus» (n. 848); *d)* il bisogno di essere «intenti caelestibus disciplinis» e ancora più lieti nei riguardi del tempo presente (n. 849); *e)* una lezione di vita: «inter prospera humiles et inter adversa securi» (n. 850); *f)* rallegrarsi per la prima venuta del Figlio è motivo per implorare il «praemium vitae aeternae» quando verrà «in secundo» (n. 851).

C → Il n. **847** è incentrato sul tema del viaggio iniziato con *visita* e richiamato in modo ancora più marcato nella *mansio*. Questo lessema, assunto per indicare la dimora dell'uomo sulla terra, sotto l'aspetto semantico è ulteriormente arricchito dal latino cristiano. ≈ In **850** si noti, nell'opposizione di *prospera* con *adversa*, la rispondenza mediante l'anafora di *inter*. Nei due lessemi *inter prospera humiles* con *inter adversa securi* l'accostamento di un nome astratto con uno concreto crea un efficace effetto e fonico e semantico. ≈ In **851** si noti il poliptoto *secundum secundo*: di questi il primo è preposizione con l'accusativo *secundum carnem*, la nascita di Cristo come uomo, il secondo è un avverbio, *la seconda volta*, e denota la seconda venuta di Cristo alla fine dei tempi, *in maiestate sua*.

D ⇢ **851** Il MR 2002, p. 146, valorizza il testo come *collecta* per la feria del 21 dicembre, con questi adattamenti che chiarificano meglio sia il concetto teologico che la dialettica fra le due venute: il «secundum carnem» varia «in nostra carne»; omesso «in secundo» anche «percipiant» si risolve con il «consequantur».

DEDICAZIONE DELLA CHIESA E DELL'ALTARE

852: Preghiera per l'esposizione delle reliquie

A ⇢ È una invocazione perché il Signore allontani ogni iniquità e si possa accedere «puris mentibus» al «sancta sanctorum» dove sono custodite le reliquie. Il gesto dell'esposizione delle reliquie faceva parte anche della ritualità della *statio* liturgica.

853: Preghiera nella dedicazione della chiesa

A ⇢ Dall'edificio materiale a quello spirituale: la preghiera dell'assemblea si muove dalla richiesta dell'ingresso del Signore nell'edificio come immagine per la presa di possesso del cuore dei fedeli perché questi siano la sua vera abitazione.

854: Preghiera dopo la copertura dell'altare

A ⇢ Il gesto della copertura dell'altare è assunto come figura dello Spirito che scende sull'altare: qui Egli santifica i doni, e da qui sono purificati coloro di cui si nutrono «dignanter».

D ⇢ Il MR 2002, p. 1067, valorizza il testo come *super oblata in dedicatione altaris*. Si stendono le tovaglie sull'altare dopo che esso è stato dedicato, per continuare nella celebrazione con i riti della presentazione dei doni. Per l'insieme della celebrazione odierna si veda il *Pontificale Romanum* (*editio typica* 1977, n. 59) e il *Caeremoniale episcoporum* (*editio typica* 1984, *pars VI, caput XI*).

855 – 860: Per la messa

A ⇢ Il MR 1474 contiene solo le tre orazioni della messa (le prime due corrispondono a quelle del *Sacramentario*) considerando che tutto il resto della lunga celebrazione si trova nel *Liber Pontificalis* (cf Pont 1485, nn. 860 ss). - I sei testi nel loro diversificato obiettivo e funzione celebrativa fanno emergere anzitutto l'immagine di Dio («Deus, qui...») che: *a)* nella sua invisibilità manifesta segni visibili della sua potenza (n. 855); *b)* nel tempo aumenta il numero di coloro che offrono sacrifici (n. 856); *c)* prepara sempre un'abitazione eterna nel cuore dei fedeli (n. 857). - In secondo luogo si evidenziano le richieste dell'assemblea quali emergono nelle varie *petitiones* dove si implora che il Signore: *a)* consoli coloro che vengono a pregare «ex quacumque tribulatione» (n. 855); *b)* sia invocato e sperimentato il suo «defensionis auxilium» (n. 856); *c)* non lasci mancare la sua benevolenza per i meriti di coloro di cui «hic» sono custodite le reliquie (n. 857); *d)* manifesti il suo aiuto con l'efficacia «sacramentorum virtus et votorum... effectus» (n. 858); *e)* porga ascolto «cunctis petentibus» che si radunano in questo luogo che «nomini tuo indigni dicavimus». - In terzo luogo, infine, l'inno di esaltazione presente nel prefazio dove, recuperando la tipologia dell'offerta sacerdotale di Melchisedek, si implora accoglienza benevola dei «dona» presentati dal «populus... conveniens» perché, salvato «per haec libamina», possa conseguire la «perpetua salus».

C ⇥ La composizione dei testi rileva una cura particolare nelle clausole dei singoli incisi, usando il cretico con *continens*, il molosso con *ostendis* e *inlustra* e un ditrocheo nella clausola finale *consequantur*. ≈ Notevole l'ossimoro di **855** *invisibiliter omnia continens*, cui aggiunge in opposizione semantica *signa potentiae tuae visibiliter ostendis*. Si noti ancora la proposizione finale resa con il participio futuro *deprecaturi*. ≈ In **856** notevole è l'uso di *sacrandorum* per *sacerdotum*. Si noi ancora la sovrabbondanza nel sintagma *defensionis tuae auxilium*. ≈ In **858** icastico è il sintagma *sacramentorum virtus*, nel quale *virtus* denota, come *vis*, la forza o il potere operativo del *sacramentum*.

E ⇥ Π 254; Λ 280; Σ 285; Δ 338. - In dedicatione basilicae siue oratorii - scd. Lc 6,43-48: *Non est enim arbor bona quae facit fructus malos* usq. *fundata enim erat super petram.*

COMUNE DEGLI APOSTOLI, DEI MARTIRI E DEI SANTI

Per le varie categorie di martiri e santi, testimoni della fede, il *Sacramentario* offre diversi formulari. Qui il commento si limita all'essenziale ponendo in evidenza solo la specifica tematica che viene evidenziata nell'insieme del formulario così come si presenta. Alla ricchezza delle prospettive teologiche offerte dall'eucologia talvolta si affianca una ordinarietà di temi spesso ricorrenti.

861 - 864: Orazioni e preghiere nel natale di più apostoli

A ⇥ L'assemblea domanda: *a)* di seguire sempre l'insegnamento degli apostoli dai quali «sumpsit religionis exordium»; *b)* che l'offerta dei doni sia accolta e trasformata in fonte di salvezza; *c)* con il patrocinio degli apostoli i fedeli possano conseguire quella perfezione che sperimentano «*in imagine sacramenti*»; *d)* e, finalmente, siano accompagnati dalla protezione e dalla difesa divina «a cunctis adversitatibus».

865 – 868: Orazioni e preghiere nel natale di un solo apostolo
A → La liberazione «a cunctis periculis» con l'«auxilium» dell'apostolo o di altri ricorre frequentemente nell'eucologia come in questo formulario. Qui l'invocazione è legata all'offerta sacrificale da cui l'assemblea attende di rallegrarsi e di poter ottenere la protezione di colui che «tui nominis exstetit praedicator».
D → 867 Il MR 2002, p. 792, riprende il testo come *post communionem* per la festa dell'apostolo san Giacomo, con questi adattamenti: «… apostoli *Iacobi*, quaesumus, Domine, intercessione… pro cuius *festivitate* percepimus…».

869 – 872: Orazioni e preghiere nel natale di più martiri
A → In un clima di «laetitia, gaudium, iocunditas» si contempla l'esempio dei martiri; la preghiera invita a implorare la loro intercessione perché nella letizia della loro commemorazione «provocemur exemplis». E l'offerta sacrificale con la conseguente «perceptio sacramenti» e la «gloriosa oratio» dei santi purifichi le coscienze, sia di protezione, e rendano i fedeli devoti.
C → Questo gruppo di eucologie non presenta un'elaborazione molto accurata, tuttavia, in **869**, notevole la formulazione *per gloriosa bella* come *condicio necessaria* di *certaminis immoralitatis triumphos*; in **872** si trova per il più comune *iucunditas* un popolare *iocunditas*, che va incontro a un felice esito romanzo.

873 – 876: Orazioni e preghiere nel natale di un solo martire
A → La «veneranda festivitas» è motivo per implorare un «salutaris auxilii augmentum»; a questo tende l'«humilitatis oblatio» perché mentre onora i santi purifichi il corpo e lo spirito degli offerenti, i quali implorano per la «gloriosa confessio» del martire di non incorrere «ullis mentis et corporis periculis».
D → 874 Il MR 2002, p. 953, valorizza il testo come *super oblata* nel secondo formulario del *commune sanctorum et sanctarum: A. Pro pluribus Sanctis.*

877 – 880: Orazioni e preghiere nel natale di più confessori
A → La «deprecatio sanctorum» è implorata per ottenerne l'aiuto; e l'offerta sacrificale possa conseguire «et indulgentiam… et salutem». La memoria dei santi se da una parte costituisce un «augmentum salutis», dall'altra è occasione per l'annuncio delle meraviglie divine; così nel ricordo dei loro «merita» i fedeli ne sperimentano il «patrocinium».

C → **879** La presenza di *pasce* riporta all'ambiente agricolo e pastorale, e costituisce un esplicito richiamo all'evangelico *pastor*, in quanto i fedeli sono il *grex* della nuova fede. Non sfugge tuttavia in *quoties*, piuttosto frequente nel *Sacramentario*, in alternativa con *quotiens*, la caduta della nasale.

884: Orazioni e preghiere nel natale di un confessore

A → Il merito del *confessor*, di colui che ha servito degnamente il Signore – «fidelium remunerator animarum» -, è implorato nella celebrazione della «veneranda festivitas» per la liberazione «ab omnibus… peccatis»; e come egli ha ricevuto la «claritas sacrae fidei» così i fedeli possano ottenere «indulgentiam et pacem», e quei «votiva subsidia» di cui «patrociniis gloriatur».

D → **882** Il MR 2002, p. 913, valorizza il testo come *super oblata* nel quarto formulario della messa *pro pluribus martyribus* adottando la ovvia sostituzione del «sancti confessoris tui» con «beatorum N. et N.».

885 – 888: Orazioni e preghiere nel natale delle vergini

A → L'assemblea contempla la potenza divina presente «etiam in fragili sexu» nell'affrontare e conseguire la vittoria del martirio; e nel ricordo dei «sanctorum merita» innalza la propria lode perché partecipando alla celebrazione dei «divinis mysteriis» sperimenti il rinnovamento del cuore; consapevole, infine, di non poter compiere «nihil quod iustum est» possa apprendere anche da questa esperienza «quae recta sunt», e sperimentare «omnia sibi profutura».

C → Nel menzionare il martirio di una donna esemplare appare il sintagma *in fragili sexu victoriam martyrii contulisti*, che non è banale come potrebbe sembrare a prima vista dalla presenza di *fragilis sexus*. Anzi è proprio questo che fa risaltare la *virtus* della donna, la quale, nonostante sia considerata fragile per natura, mostra un coraggio fuori del normale nel conseguire la *victoria*.

ORAZIONI PER ALCUNE CIRCOSTANZE

Nella prima sezione si trova un'ampia serie di orazioni con una frequente richiesta di perdono. Diverso il contenuto delle altre due sezioni che raccolgono orazioni per la preghiera del mattino e della sera (per un'ampia presentazione dei vari contenuti e forme letterarie dei testi nn. 889-968 cf M. Sodi, *Latinitas liturgica. Una pagina esemplare circa il rapporto tra Scrittura ed eucologia*, in *Latinitas* SN I [MMXIII] 51-72).

Nel loro insieme questi testi costituiscono una miniera da cui le diverse assemblee liturgiche potevano trarre elementi per arricchire o strutturare la propria preghiera. Si tratta di elaborazioni eucologiche che traggono la loro ispirazione fondamentalmente dalla sacra Scrittura e dalla tradizione delle comunità oranti.

889 – 923: Orazioni per i peccati

A → **890** Cf n. 359. ≈ **896** Il MR 2002, p. 1261, valorizza solo una parte del testo come orazione conclusiva per gli *specimina pro oratione universali: 2. Formula generalis, II*: modificando «aurem» in «aures», tralascia l'inciso «occultorum cognitor» e la finale «... ut te... sempiternam». ≈ **902** Il MR 2002, p. 617, valorizza il testo come *oratio super populum*, n. 7. ≈ **908** Il MR 2002, p. 1152, valorizza il testo – presente anche nel n. 1367 - come *post communionem* per la messa *ad diversa: 48. In quacumque necessitate, C. Aliae orationes*; due gli *adiuncta*: «... quam *pro peccatis nostris* iuste meremur, *per passionem Filii tui*, propitiatus averte».

924 – 931: Preghiere del mattino

932 – 968: Preghiere della sera o del mattino

C → Le eucologie, che vanno dall'**889** al **968**, nella semplicità e brevità ricalcano tutte uno schema accettato e messo in pratica nel migliore dei modi. Non si nota un'eccessiva rielaborazione né letteraria né stilistica, anche se emerge di tanto in tanto l'attenzione alle clausole. Scorrono piane e mirano all'essenziale, senza ornare o appesantire il periodo con incisi spesso poco intellegibili. E sono belle per la loro semplicità, essenzialità, per il loro fervore genuino.

MESSE RITUALI

Per i formulari seguenti si indica questo titolo per dare forma ad un insieme di testi che contemplano il sacramento dell'Ordine e una serie di altre benedizioni relative alla ministerialità nella Chiesa, o alla consacrazione della propria vita al servizio di Dio. Per i testi completi della liturgia cf Pont 1485, nn. 274 ss (vescovo), nn. 216 ss (presbitero), nn. 185 ss (diacono).

969 – 974: Benedizione [ordinazione] dei vescovi

A → Il formulario è caratterizzato da quattro orazioni, dal testo dell'ampia *consecratio* e da un embolismo per il Canone Romano. - Nelle orazioni l'assemblea implora la «virtus divina» su ciò che viene svolto nella celebrazione: *a)* con l'ampolla della grazia sacerdotale sia riversata sull'eletto la «virtus divinae benedictionis»; *b)* l'azione liturgica santifichi «corpora et mentes»; *c)* la comunione sacramentale liberi dal male e renda partecipi «caelestis remedii». - L'ampio testo della *consecratio* richiede un commento a sé, che tenga conto del ruolo delle figure, delle simbologie e degli eventi propri della tipologia dell'antica alleanza per domandare il passaggio di significato di tutto ciò «in moribus et actibus» dell'eletto. Così sono elencate le virtù che vengono implorate: «constantia fidei, puritas dilectionis, sinceritas pacis», ma anche «auctoritas, firmitas, potestas», e soprattutto che l'eletto sia «idoneus ad exorandam misericordiam» e «devotus tua gratia» (al testo n. 971 va aggiunto l'embolismo n. 1051).

C → I testi mostrano una notevole elaborazione sia stilistica che letteraria. Particolare cura si nota nella scelta e nella posizione delle parole nel testo, calcolando la disposizione delle sillabe brevi e lunghe per ottenere anche sotto l'aspetto fonico grande impatto sui fedeli. Particolarmente curate sono le clausole a conclusione degli incisi e dei periodi. ≈ Si consideri la clausola di **970**, «moribus actionibusque clarescat», formata da un dattilo, cui segue un ditrocheo e un molosso. Nel testo è da notare la presenza del significativo sintagma *inclinato... cornu gratiae sacerdotalis*, con evidenti richiami e riferimenti sia biblici che pagani, qualora si tenga presente la *cornucopia*, simbolo di fecondità e di abbondanza. ≈ In **971a** si noti, insieme con la solenne anafora di *Deus* e del pronome relativo, la complessa struttura del periodo, che attrae l'attenzione dei fedeli sia con l'effetto fonico, sia con la potenza delle immagini e dei personaggi evocati. ≈ In **971b**, si noti l'efficacia dei due sintagmi *interiora eius repleat et exteriora circumtegat*, nei quali e la posizione lessematica e l'opposizione *interiora – exteriora* hanno un ruolo fondamentale e, non a caso, sono posti al centro dell'eucologia. Anche la clausola «exteriora circumtegat» è particolarmente elaborata: è infatti costituita da un dattilo seguito da un trocheo e un epitrito terzo. Diversa, e molto più solenne, è quella finale «gratia possit esse devotus», data da un cretico, seguito da un ditrocheo e un molosso.

D → **972** Cf n. 61. ≈ **973** corrisponde al *De ordinatione... (editio typica altera* 1990), n. 59a, e MR 2002, p. 992. ≈ **974** Cf n. 85.

E → Π 260, 261, 262; Λ 286, 287, 288; Σ 291, 292, 293; Δ 345, 346, 347 Pro ordinantibus episcopis - scd. Mc 6,6-13: *In illo tempore circuibat Iesus in circuitu docens* usq. *et ungebant oleo multos aegrotos et sanabantur.* - Item alia ut supra: scd. Lc 9,1-6: *Conuocatis Iesus duodecim discipulis suis* usq. *euangelizantes et curantes ubique.* - Item alia: scd. Mt 9,35 - 10,1: *Circuibat Iesus ciuitates omnes* usq. *et curarent omnem languorum et omnem infirmitatem.*

975 – 977: Preghiere per l'ordinazione di un presbitero

A → Un'orazione introduttiva, preceduta dall'invito alla preghiera, e il testo della *consecratio* caratterizzano questo formulario. L'orizzonte teologico va completato con i testi dell'altro formulario (nn. 986-990). - La supplica dell'assemblea si concentra nella richiesta della «benedictio Sancti Spiritus» e nella «virtus gratiae sacerdotalis» sull'eletto. - Il testo della *consecratio,* sulla linea della tipologia dell'Antico e del Nuovo Testamento, implora il dono del presbiterato - «secundi meriti munus» - da svolgersi come «probus cooperator» del vescovo; un ministero che risplenda «totius forma iustitiae», perché un giorno possa conseguire «beatitudinis praemia».

C → Si noti la solennità delle parole, degli incisi e dei periodi che terminano tutti con clausole ben studiate. Anche in questo caso la struttura generale presuppone la presenza di una cultura e una pratica di alto livello.

E → Π 250; Λ 276; Σ 280; Δ 335. - In ordinatione presbyteri - scd. Mt 24,42-47: *Uigilate quia nescitis diem neque horam* usq. *quoniam super omnia bona sua constituet eum.*

978 - 980: Preghiere per l'ordinazione del diacono

A → Anche per l'ordinazione del diacono il *Sacramentario* presenta un'orazione, preceduta da un invito alla preghiera, e il testo della *consecratio*. L'orizzonte teologico va completato con il contenuto dei testi nn. 991-993. – Nella *collecta* l'assemblea implora da Dio lo «spiritum benedictionis» sull'eletto perché possa acquistare grazia e offrire a tutti «bene vivendi exemplum». – La *consecratio* illustra il contesto dell'opera di Cristo in ordine alla Chiesa. Il riferimento ai figli di Levi che possiedono «hereditatem benedictionis aeternae» costituisce la premessa per implorare sull'eletto «totius forma virtutis, auctoritas modesta, pudor constans, innocentiae puritas, spiritalis observatio disciplinae», in modo che possa essere «in Christo firmus et stabilis», e che pur da un grado inferiore – nel sacramento dell'Ordine – possa conseguire beni più importanti.

E → Π 251; Λ 277; Σ 282; Δ 336. - In ordinatione diaconi (diaconorum) - scd. Io 12, 24-26: *Amen dico uobis nisi granum frumenti* usq. *honorificabit eum pater meus qui est in caelis.*

981 - 985: Preghiera nell'anniversario [dell'elezione] di un papa

A → Nell'anniversario della propria elezione il pontefice implora la protezione della misericordia divina per «sacris convenienter servire mysteriis», libero da ogni «conscientiae reatus»; inoltre il dono di quello «spiritum sapientiae» a coloro che sono stati posti come «regimen disciplinae» perché l'atteggiamento dei fedeli sia la gioia eterna dei pastori; e con l'intercessione dell'apostolo Pietro possa essere portato a compimento quanto è stato donato. Nel prefazio, infine, si riconosce che tutto è dono di Dio, e si chiede che i doni ricevuti siano sempre accetti a Colui che ha voluto il pontefice a capo della sua Chiesa.

C → Si noti, in **981**, il poliptoto *magnus - magnis*, il comparativo *gloriosius* in opposizione a *minimis*.

D → **982** Il testo originale è una *collecta*. Il MR 2002, p. 995, valorizza la formula come prima parte della *benedictio in fine Missae in conferendis sacris ordinibus*; due varianti: la sostituzione di «dedisti» con «tradidisti», e prima ancora di «indulgentia» con «indulgendo».

E → Π 252; Λ 278; Σ 283; Δ 337. - Item in natale papae - scd. Mt 16,13-19: *Uenit Iesus in partes Caesareae Philippi* usq. *quodcumque solueris super terram erit solutum et in caelis.*

986 – 990: Preghiera nell'ordinazione di un presbitero
A → Oltre a quanto già evidenziato a proposito dei nn. 975-977, l'assemblea implora di meritare il «consortium» con tutti i vescovi precedenti. Per questo si invoca l'allontanamento dello «spiritum superbiae» da coloro che hanno ricevuto la «sacerdotalem infulam», e che il «gratiae munus» ricevuto possa essere custodito per l'intercessione del beato N. – Nel prefazio, infine, il neo ordinato chiede di essere ammesso «ad sacrosancti mysterii immolanda sacrificia» con animo sereno, consapevole che tutto è opera di Dio – «tu… iustificas, tu… praestas, tu… concedis et perducis» -.
C → Tenendo presente la solennità della cerimonia, particolarmente accurata è la disposizione delle parole, degli incisi e dei periodi, chiusi da clausole che si riscontrano nella migliore tradizione classica. L'estensore, però, non rinuncia ai nomi astratti e a termini che, tratti dalle varie sfere della vita, dal cristianesimo sono stati assorbiti e notevolmente arricchiti sotto l'aspetto semantico. In queste eucologie si coglie tutto il sapore della lingua adoperata dal ceto di media cultura a contatto con lo strato umile della popolazione, con cui si rivolgeva a Dio la preghiera. ≈ In **985** si noti il sintagma *caritatis flamma ardere*. ≈ In **989** *oblationem servitutis*, il sintagma alla *servitus* unisce l'*oblatio* con tutto quanto comporta. ≈ Nel **991** si noti la carica semantica di *mente spiritali*. ≈ In **993** il chiasmo *provectionis augmento et congruo sacramenti caelestis obsequio*. In quest'ultimo sintagma si noti la posizione del genitivo tra l'aggettivo e il sostantivo, come nella migliore prosa dell'ultimo periodo repubblicano. ≈ La clausola dell'eucologia **995** «electione placeamus» è costituita da tripodia giambica catalettica e da una dipodia trocaica. ≈ Quella della **996** «gaudeant evasisse» è formata da un cretico seguito da un epitrito quarto. ≈ In **997** oltre al raro *unianimes* (cf Forcellini; per *unianimositas* cf Blaise 1975) al posto del più frequente, e normale, *unanimes*, si noti anche la *climax* ascendente *sobri simplices et quieti*.

991 – 993: Preghiere per l'ordinazione di un diacono
A → Oltre a quanto evidenziato nei nn. 978-980, nell'ordinazione diaconale si implora anzitutto saldezza nella «fidei veritate» ed eccellenza «in mente spiritali»: una «mens devota» lontana «a terrenis contagiis» e degna dei «caelestibus consortiis»; una crescita che avviene nell'ossequio al sacramento celeste.

994: Preghiera per la dignità acquisita

995: Preghiera per la benedizione di un abate
A → Per la liturgia della *benedictio Abbatis* cf Pont 1485, nn. 447 ss.

ORAZIONI PER VARIE CIRCOSTANZE

Sotto questo titolo si individuano una serie di orazioni per le ciscostanze più diverse, spesso difficili da catalogare sotto un titolo sia pur generico. Varie situazioni sono anche legate a particolari benedizioni i cui formulari successivamente passeranno nel *Pontificale* e nel *Rituale* lungo la storia dei secoli successivi, fino alle prime edizioni a stampa dello stesso *Pontificale* (1485) e del *Rituale* (1614).

996: Preghiera per coloro che rinunciano al secolo

A → Il testo, più ampio del solito, implora la grazia divina per chi «dispecto diabolo» si rifugia in Cristo perché il nemico non trionfi; per questo è necessaria la interazione dell'«infaticabile brachium» di Dio, la «fidei lorica», il «murum vallatum»: immagini che ben caratterizzano la vita consacrata, come nei due testi successivi.

997: Preghiera nel monastero

A → Interessanti le immagini che usa la preghiera: i beni celesti sono implorati perché si allarghi con il loro dono l'«habitaculum temporale» della congregazione: la «fraterna caritas», l'«unanimis continentia», la «simplicitas» e la «quies» come segni di una grazia «gratis data»; la vita infine concordi con il nome, e la «professio» si sperimenti nelle opere.

998: Preghiera dei monaci

999: Preghiera per la benedizione di un chierico

C → Si noti l'efficace *variatio* costituita dai due lessemi *a mundi impedimento* e *saeculari impedimento*, nei quali, pur con estensione semantica diversa, *mundus* e *saeculum* nel latino cristiano denotano due realtà del tutto diverse. Di *mundus* già si è parlato. Qui si accenna brevemente a *saeculum*, al quale il cristianesimo, oltre ad accettarne i significati propri, aggiunge una nuova vitalità semantica, per designare la vita del mondo, il paganesimo e le distorsioni proprie di una vita senza grazia. La clausola «gratiae concedat» è costituita da un cretico seguito da un molosso.

1000: Preghiera per il taglio dei capelli

A → Cf Pont 1485, nn. 72 ss.

1001: Preghiera per la rasatura della barba

1002: Preghiera per l'istituzione di una diaconessa

A → Per la particolare circostanza relativa ad un ministero femminile nella comunità l'assemblea implora lo «spiritum benedictionis» di Dio perché una donna possa acquisire la «gratiam maiestatis» divina e offrire a tutti l'«exemplum bene vivendi».

C → Cf n. 1003.

1003: Preghiera per le converse quando prendono il velo

C → Le eucologie **1002** e **1003** non si discostano dalle altre per l'elaborazione ritmica e letteraria. Sono singolari, perché si tratta di donne consacrate agli uffici divini, per cui anche il linguaggio è adeguato alla persona. Nella formulazione non si nota nessuna differenza con l'uomo che riveste gli stessi gradi e lo stesso ordine in seno alla Chiesa: è, infatti, *famula* e accoglie, al pari dell'uomo, lo *spiritum benedictionis* e, come l'uomo, deve *bene vivendi exemplum praebere*. La clausola dell'eucologia **1002** «exemplum praebere» è data da un molosso e un palimbacchio. *Famulae*, nell'eucologia **1003**, sono le *virgines velandae*. La proposizione finale, introdotta da *quod*, è incentrata sulla ripartizione bimembre *te inspirante - te protegente*. La clausola «inlaesum custodiant» è formata da un molosso e un epitrito terzo.

1004 - 1007: Preghiera per i re

A → La prima richiesta che l'assemblea innalza a Dio «regnorum omnium protector» e «in cuius manu corda regum» è per il re perché eccella per il «triumphum virtutis», per il «regimen sapientiae», e sia protetto da colui «cuius constitutione est princeps». Gli «antiqua miracula» realizzati da Dio lungo la storia sono nuovamente implorati per sconfiggere i «pacis inimici». Il riferimento al ruolo dell'impero romano nella diffusione dell'«aeterni regni evangelio» è motivo per ricordare il ruolo di quelle «arma caelestia» finalizzate al servizio della «pax ecclesiarum».

C → Questi testi sembrano risentire della lingua parlata per alcuni costrutti tipici: in **1004**, c'è *do* seguito dall'infinito, del quale già si è detto in precedenza; il parallelismo tra *constitutione* e *munere*; la clausola «munere sit protectus» è formata da un coriambo e un dispondeo. ≈ Un'accennata rielaborazione letteraria, invece, si riscontra nell'eucologia **1005**, nella quale la disposizione delle parole e dei singoli membri è diversa e un po' più armoniosa. Data la solennità e l'importanza della persona, per la quale si prega, le clausole sono tutte concluse da un molosso, come «praecellat» di **1005**, «libertas» di **1006** e «et crescat» di **1007**.

1008 - 1010: Preghiera in tempo di guerra

A → La richiesta dell'assemblea si concentra sulla invocazione di «pax mentis et corporis» come garanzia di tutti i beni; e l'offerta del sacrificio è per tenere lontana la «nequitia bellorum», i nemici «christiani nominis», per vivere nella sicurezza della protezione divina e godere sempre della «temporum tranquillitas».

1011 - 1017: Preghiera per la *velatio* delle spose

A → Il formulario racchiude vari elementi; prescindendo dall'ampio testo della *benedictio* e dell'embolismo per il Canone Romano, si evidenzia l'orizzonte orante dell'assemblea che implora la benedizione divina su quanto si sta compiendo perché sia portata a compimento l'«instituta providentiae», l'opera (il sacramento) predisposta: «quod te auctore iungitur, te auxiliante servetur», e che la nuova famiglia possa essere custodita «longeva pace». Il prefazio è una esaltazione del patto matrimoniale finalizzato ad una «fecunditas pudica». «Providentia et gratia» sono implorate perché la «generatio mundi» trovi il suo completamento in quella «regeneratio» che accresce la vita della Chiesa.

C → Notevole è in **1011** il chiasmo *nostro… officio - tua benedictione*; la festività del momento è sottolineata anche dalla clausola «potius impleatur», costituita da tribraco e un epitrito secondo. Particolare attenzione richiede il sintagma *statum mensurae*, che indica la maturità tanto fisica quanto spirituale. I doveri coniugali sono sottolineati sia dall'accurata disposizione delle parole quanto dalla solennità della clausola «placatus», costituita da un molosso. ≈ L'eucologia **1016a** denota un'elaborazione non dissimile da quella per l'ordinazione del vescovo o del sacerdote: vi si nota, infatti, l'anafora di *Deus*, seguito sempre dal pronome relativo; la ritmica rispondenza dei vari membri della proposizione; un'accurata scelta e disposizione delle parole; ogni periodo è concluso da una clausola adatta al momento. Particolarmente solenne è la clausola «est ablata sententiam», costituita da un epitrito quarto, seguito da un epitrito terzo. ≈ Non meno rielaborata è la continuazione del testo n. **1016b**, in cui si nota un crescendo nella disposizione sintagmatica e nel ritmo; ben calcolata è la disposizione dei vari membri all'interno dei periodi, che procedono solenni, maestosi, intensi. Molta cura è posta anche nelle clausole, per sottolineare la solennità del momento.

D → **1012** Il MR 2002, p. 1024, valorizza il testo come *super oblata* per la messa rituale *V. In celebratione Matrimonii*, con l'*adiunctum* «*providus quoque* esto dispositor». MR 2020, p. 811: «… e guida e custodisci con la tua provvidenza la nuova famiglia che hai costituito». ≈ **1013** Il testo del prefazio è stato ripreso nel MR 2002, p. 1024, sotto il titolo: *De dignitate foederis nuptiarum*, con alcune modifiche qui poste in corsivo: «Qui foedera… ut *multiplicandis adoptionum filiis* sanctorum connubiorum fecunditas pudica *serviret*… tua*que* gratia *ineffabilibus modis* utrumque dispensa*s*,… generatio *ad* mundi produxit ornatum». Questo il testo ufficiale italiano, p. 812: «Tu hai dato… perché l'unione casta e feconda degli sposi accresca il numero dei tuoi figli. Con disegno mirabile hai disposto che la nascita di nuove creature allieti l'umana famiglia…». ≈ **1016** Il lungo testo (nel *Sacramentario* indicizzato con **a - b - c**) costituisce l'ampia *benedictio nuptialis* che con notevoli varianti ritroviamo nel MR 2002, p. 1026. Per la traduzione italiana del testo completo cf CEI, *Rito del Matrimonio*, 2008, n. 85, pp. 60-62.

1018: Benedizione della vedova

A ⇥ La scelta di una vedovanza consacrata è occasione per implorare coraggio nella fede, onore per quanto si può realizzare, rispetto per il pudore, santità per la pudicizia. La prospettiva infine del «meritum» per conseguire l'«aeterna beatitudo» costituisce sempre l'orizzonte del compimento di ogni preghiera cristiana.

1019: Preghiera per coloro che intraprendono un viaggio

1020 – 1022: Preghiera per la richiesta della pioggia

A ⇥ Le tre orazioni vanno accostate anche alle due successive (e ai testi nn. 1226-1230) per completare l'orizzonte delle attese dei fedeli in ordine alla pioggia. – Per la richiesta di «pluviam salutarem»: l'implorazione per l'irrigazione della terra inaridita è unita alla domanda dei «beneficia gratiae», dell'apertura del «fontem benignitatis» di Dio perché non manchino «aquae fluentes».

1023 – 1024: Preghiera per quando piove molto

A ⇥ Il riferimento al «ministerio aquarum» sorgente della salvezza, costituisce per l'asemblea occasione per implorare che cessino i «terrores inundantium pluviarum»; la relativa finale recupera ancora l'immagine battesimale perché coloro che sono rinati dalle acque rigeneranti del battesimo possano godere nel sentirsi corretti dall'«inundantia imbrium» e rasserenarsi per l'«hilaritas tui vultus» (cf anche i testi nn. 1231-1235).

1025: Preghiera sull'aia

1026: Preghiera per la peste degli animali

1027 – 1029: Preghiere [in occasione di] mortalità

1030 – 1031: Preghiera per la visita ad un infermo

A ⇥ Attorno alle situazioni di infermità sono presenti varie preghiere. Oltre a questa si osservino poco oltre i contenuti dei nn. 1034-1038. Nel n. 1030 il riferimento alla malattia e alla guarigione di Ezechia (cf Is 38) invita a pregare per la situazione di chi, ammalato nel letto, attende la salute in forza di una «continuata medicina» divina.

1032: Preghiera su di un penitente

A ⇥ Il tema del peccato, della penitenza e del perdono ritorna con grande frequenza nelle diverse orazioni e in particolari tempi liturgici. A questo si aggiunga la situazione di coloro che entravano nella penitenza pubblica e venivano poi riconciliati al mattino del Giovedì santo, secondo una peculiare ritualità descritta nei Pontificali medievali fino a quello del concilio di Trento compreso (cf Pont 1595-1596).

1033: Preghiera per la mensa dei poveri

A → La preghiera è implorata per colui che rivolge la propria attenzione con l'aiuto ai poveri o alle Chiese; in questa linea l'intercessione del martire Lorenzo è assunta come esempio da seguire.

1034: Preghiera per il battesimo di un infermo

A → Una richiesta per allontanare, se possibile, che il momento della morte e il momento della prova abbia un termine, come stabilito per Giobbe, e non prevalga l'«inimicus de anima ista»; il dono della grazia conduca alla «gratia baptismi». Da qui la preghiera e la ritualità successiva.

1035 – 1038: Preghiera sull'acqua per il battesimo di un infermo

A → Una implorazione perché l'acqua sia «fons saliens in vitam aeternam»; attraverso questo segno il fedele attende di essere «templum Dei vivi» con la «remissio omnium peccatorum»; e il segno del «chrisma salutis» suggella il cammino «in vitam aeternam».

C → Le eucologie che vanno dal **1035** al **1037** risultano elaborate con molta cura soprattutto nelle clausole, che costituiscono un momento particolare, per sottolineare determinati concetti. ≈ In **1034** e in **1035** l'eccessiva lunghezza del periodo è stemperata in incisi di grande effetto fonico e ritmico. Solenne e rara, nell'eucologia **1034**, è la clausola «ad gratiam baptismi tui», costituita da un epitrito terzo, seguito da un molosso e un giambo. Solenne e ben ritmata è l'eucologia **1035** sia sotto l'aspetto fonico che ritmico. Ben distribuite risultano le diverse parti, che costituiscono l'intero periodo che presenta due clausole di particolare effetto: la prima «omnium peccatorum» è formata da un cretico e un dispondeo; la seconda «saeculum per ignem» data da un cretico e un bacchio. ≈ Si ponga attenzione alla marcata solennità data alla clausola dell'eucologia **1037** «vitam aeternam» formata da uno spondeo e un molosso.

D → Il testo di **1037** è ripreso, con adattamenti, nell'*Ordo Baptismi parvulorum* (*editio typica altera* 1973, n. 98).

1039 – 1040: Preghiera sull'acqua esorcizzata in casa

A → Due testi per benedire (esorcizzare) l'acqua, ben preparata, da usarsi per scacciare le varie forme di male dalla casa e dalla vita ordinaria: «virtutem benedictionis... infunde». La potenza demoniaca e ogni «spiritus pestilens» possono essere annullati con l'aspersione dell'acqua, e la «invocatio Nominis» offra «salubritas» e costituisca la difesa «ab omnibus impugnationibus».

C → Per solennità ed elaborazione sia letteraria che ritmica le due eucologie non differiscono da quelle immediatamente precedenti. Curata è la disposizione dei membri che costituiscono il lungo e complesso periodo. Anche le varie clausole sono distribuite con particolare attenzione.

1041 - 1046: Preghiera per la morte di un vescovo

A → La gioia eterna, luce e letizia, «sempiterna beatitudo» possano coronare la vita di un vescovo «in regione sanctorum», «in congregatione iustorum». L'offerta sacrificale ora innalzata conceda la salvezza «totius mundi» e ottenga in particolare al vescovo defunto di essere «consors aeternae beatutudinis».

C → Le eucologie di questo gruppo, anche se ben elaborate sotto l'aspetto sia stilistico che letterario, non presentano particolari degni d'essere messi in risalto. Le clausole sono per lo più caratterizzate dalla presenza degli spondei, che conferiscono particolare solennità alla preghiera. Bisogna anche considerare che il defunto è un vescovo, una persona importante nella gerarchia ecclesiastica.

D → **1041** Il MR 2002, p. 1220, valorizza il testo come *collecta* per le messe *pro defunctis: 3. Pro sacerdote, A*. Da notare l'adattamento dall'originaria preghiera per un vescovo defunto ad un sacerdote: «... tui N. sacerdotis, quem... in caelesti sede gloriosa...» (all'interpretazione del testo italiano – cf MR 2020, p. 980 - si è preferita una traduzione più letterale).

1047 - 1050: Un'altra preghiera per celebrare i funerali

D → **1047** Il testo è ripreso dal MR 2002, p. 1204, e valorizzato come *collecta* alternativa *in variis commemorationibus: A. Pro uno defuncto 1*, con alcuni adattamenti: l'«animam famuli tui N.» è risolta solo con «famulus tuus N.»; segue una relativa che esplicita a livello teologico l'appartenenza alla comunità di fede: «quem in hoc saeculo tuo populo misericorditer aggregasti»; infine la sostituzione di «iubeas» con «concedas». ≈ **1049** Il testo che il *Sacramentario* offre come *post communionem* è ripreso nel MR 2002, p. 1205, come *collecta* nel secondo formulario *In variis commemorationibus. A. Pro uno defuncto*. Il testo risulta così rimodulato: «Absolve, *quaesumus*, Domine, *famulum tuum N.*, ab omni vinculo delictorum, ut, *qui in hoc saeculo Christo meruit conformari*, in resurrectionis gloria inter Sanctos tuos *resuscitatus respiret*». Questo il testo di MR 2020, p. 965: «Libera, o Signore, il nostro fratello N. da ogni vincolo di peccato: tu che su questa terra lo hai reso conforme a Cristo nel Battesimo, fa' che, risorto con lui, viva nella gloria dei santi».

1051: Per l'ordinazione di un pontefice

A → Si tratta di un embolismo che, come indicato dalla rubrica, si aggiunge al testo n. 971.

FORMULARI PER LE MESSE DOMENICALI E QUOTIDIANE

La serie dei formulari per le messe domenicali si muove dalla domenica dopo l'Epifania per giungere con i due ultimi formulari comuni fino alle domeniche del mese di novembre. Per cogliere l'orizzonte teologico-liturgico i testi vanno esaminati nel loro contesto, unitamente ai prefazi che completano l'ultima parte del *Sacramentario*. Le letture bibliche sono segnalate non per vedere il rapporto tra Parola annunciata e pregata ma per constatare il percorso dell'annuncio biblico, secondo quanto trasmesso e codificato dal *Missale Romanum* 1474 e da altre fonti, come indicato. Talvolta, tuttavia, appare eloquente il rapporto tra il testo della *collecta* e il brano evangelico. A questi testi biblici, comunque, andrebbero accostati quelli del *Graduale*, ma non rientra in questa peculiare prospettiva prenderli in considerazione.

1052 – 1054: Iniziano le messe - prima domenica dopo l'Epifania

A → Le letture della domenica contemplano Rom 12,1-5 (*Multi unum corpus sumus in Christo*) e Lc 2,42-52 (*Iesus proficiebat sapientia et aetate et gratia*). - L'eucologia si apre con la richiesta perché tutti «videant quae agenda sunt» e possano portare a compimento «quae viderint». A questo tende l'offerta sacrificale perché «vivificet et muniat» nel servire «dignanter» e «placitis moribus» il Signore.

D → **1054** Cf n. 205.

E → Π 11; Λ 15; Σ 11; Δ 13. - Dominica post theophania in ecclesia sci Iohannis et Pauli - scd. Lc 2,42-52: *Cum factus esset Iesus annorum duodecim* usq. *apud Deum et homines*.

1055 – 1057: Domenica II dopo l'Epifania

A → Continua la lettura di Rom 12,6-16 (*Fratres habentes donationes: secundum gratiam*) e Io 2,1-11 (*Nuptiae factae sunt in Cana Galileae*). - Al Dio che controlla «caelestia simul et terrena» l'assemblea domanda il dono della «pacem nostris temporibus» insieme al perdono dei peccati attraverso l'alimento dei «divinis sacramentis», e prepararsi così a ricevere quanto promesso.

D → **1055** Cf n. 49. ≈ **1057** Cf n. 86.

E → Π 15; Λ 18; Σ 15; Δ 18. - Ebdomaba II post theophania die dominico in ecclesia sci Eusebi - scd. Io 2,1-11: *Nuptiae factae sunt in Cana Galilaeae* usq. *crediderunt in eum discipuli eius*.

1058 – 1060: Domenica III dopo l'Epifania

A → Le letture bibliche sono costituite da Rom 12,16-21 (*Noli vinci a malo, sed vince in bono malum*) e Mt 8,1-13 (*Domine non sum dignus ut intres sub tectum meum*). – Le varie forme di «infirmitas» sono spesso motivo per implorare lo sguardo benevolo – «respice propitius» - di Dio: uno sguardo di protezione manifestato con la frequentissima immagine antropomorfica del «dexteram maiestatis extende». A questo tende l'offerta sacrificale e la partecipazione ad essa perché renda puri «mentes et corpora» quale attuazione piena della bontà divina.

D → **1058** Il MR 2002, p. 204, valorizza il testo come *collecta* per il *sabbato post Cineres*. ≈ **1059** Cf n. 61.

E → Π 21; Λ 24; Σ 20; Δ 26. - Ebdomada III die dominico - scd. Mt 8,1-13: *Cum descendisset Iesus de monte secutae sunt eum turbae* usq. *et sanatus est puer ex illa hora.*

1061 - 1063: Domenica IV dopo l'Epifania

A → Queste le letture: Rom 13,8-10 (*Plenitudo legis est dilectio*) e Mt 8,23-27 (*Domine salva nos: perimus*). - A motivo dell'«humana fragilitas» l'assemblea è consapevole di ritrovarsi debole «in tantis periculis»; per questo la prima invocazione si concentra nel domandare «salutem mentis et corporis», e l'offerta sacrificale è per implorare purificazione e sostegno - «caelestibus alimentis» - perché sia allontanato ogni male.

D → **1061** Cf n. 249. ≈ **1062** Cf n. 62.

E → Π 27; Λ 30; Σ 27; Δ 30. - Ebdomada IIII post theophania die dominico - scd. Mt 8,23-27: *Ascendente Iesu in navicula* usq. *quia uenti et mare oboediunt ei.*

1064 - 1066: Domenica V dopo l'Epifania

A → Queste le letture proclamate: Col 3,12-17 (*Omnia in nomine Domini facite gratias agentes Deo*) e Mt 13, 24-30 (*Simile factum est regnum caelorum homini qui seminavit bonum semen*). – Appoggiarsi solamente «in sola spe gratiae caelestis» costituisce per l'assemblea motivo per essere custodita «caelesti protectione». La consapevolezza dell'incertezza del cuore - «nutantia corda» - è sorretta dall'offerta dell'«hostias placationis»; ed è dalla partecipazione a questo «pignus» che scaturisce la certezza di poter godere del «salutaris effectum».

D → **1064** Cf n. 284 (qui è una *super populum*). ≈ **1065** Cf n. 237.

E → Π 32; Λ 35; Σ 33; Δ 37. - Ebdomada V die dominico post theophania - scd. Mt 13, 24-30: *Dixit Iesus discipulis suis parabolam hanc: simile est regnum caelorum homini qui seminauit bonum semen in agro suo* usq. *triticum congregate in horreum meum.*

1067 - 1069: Domenica VI dopo l'Epifania

A → Queste le pericopi bibliche: 1 Cor 9,24 – 10,4 (*Sic currite ut comprehendatis. Petra autem erat Christus*) e Mt 20,1-16 (*Multi enim sunt vocati, pauci vero electi*). - La devozione che l'assemblea manifesta nei «divinis officiis» richiede di essere sorretta per conseguire un giorno gli «aeterna dona». La presenza di quattro verbi nella *super oblata* – «mundet, renovet, gubernet, protegat» – per esprimere gli effetti dell'offerta sacrificale si risolve nella richiesta ultima di saper ricercare sempre quelle realtà per le quali merita di vivere «veraciter».

C → Le eucologie che vanno dalla **1052** alla **1069**, costruite su schemi precostituiti non presentano particolarità tali da essere messe in rilievo. Sono semplici e lineari. Non contengono peculiari slanci lirici né periodi complessi e subordinate tali da richiedere un'analisi particolare. ≈ Si noti, tuttavia, in **1067**, il sintagma *divinis subiectus officiis et temporalis vitae aeterna dona percipiat*, nel quale si ha uno zeugma del tutto particolare, perché *officiis* regge tanto *divinis* quanto il genitivo singolare *vitae aeternae*. Agli *officia terrena* l'orante accosta con efficace opposizione gli *aeterna dona*. La clausola «aeterna dona percipiat» è formata da un palimbacchio, un trocheo e un coriambo. ≈ **1068** In questa tanto breve quanto densa eucologia ottativa, risalta immediata l'efficace *climax*, disposta in due coppie simmetriche: *mundet et renovet - gubernet et protegat*.

D → **1069** Il MR 2002, p. 456, valorizza il testo come *post communionem* nella *dominica VI "per annum"*.

E → Π 51; Λ 58; Σ 55; Δ 62. - Die dominico ad scum Laurentium - scd. Mt 20,1-16: *Dixit Iesus discipulis suis: simile est regnum caelorum homini patrifamilias qui exiit primo mane* usq. *Multi sunt enim uocati pauci autem electi.*

1070 – 1072: Domenica I dopo l'ottava di Pasqua

A → Queste le letture: 1 Pe 2,21-25 (*Conversi estis nunc ad pastorem et episcopum animarum vestrarum*) e Io 10,11-16 (*Ego sum pastor bonus*). – È dalla «humilitas Filii» che l'assemblea riconosce che il «mundum iacentem» è stato redento; per questo chi è stato strappato dalle situazioni di «perpetuae mortis» possa godere «gaudiis sempiternis». A questo tende l'offerta della «sacra oblatio» per impetrare quella «benedictionem salutarem» perché quanto si attua nel mistero Dio lo porti a compimento con la sua «virtus», e permetta ai fedeli di rallegrarsi per tali doni.

C → **1070** Si noti il lessema *humilitas*, sinonimo di *peccatus*, in netta opposizione a *laetitia* del *fidelis*. A questo gruppo si contrappone nell'eucologia *perpetuae mortis casus* e *sempiternis gaudiis*. La clausola «sempiternis perfrui» è composta da due spondei seguiti da un cretico.

D → **1070** Il testo è ripreso anche nel MR 2002, p. 464, come *collecta* per la *dominica XIV "per annum"* con queste varianti che illustrano meglio la realtà profonda della letizia e precisando il senso della *mors perpetua* che ha la sua origine nel peccato: «… *sanctam* concede-laetitiam… eripuisti *a servitute peccati*, gaudiis…». ≈ **1071** Nel MR 2002, p. 472, il testo mantiene il suo ruolo di *super oblata* nella *dominica XXII "per annum"*.

E → Π 107; Λ 122; Σ 118; Δ 130. - Ebdomada II post pascha ad scos Cosmam et Damianum - scd. Io 10,11-16: *Dixit Iesus discipulis suis: ego sum pastor bonus* usq. *et fiet unum ouile et pastor.*

1073 – 1075: Domenica II dopo l'ottava di Pasqua [*II post albas*]

A → Queste le letture: 1 Pe 2,11-19 (*Sic est voluntas Dei: ut benefacientes obmutescere faciatis imprudentium hominum ignorantiam*) e Io 16,16-22 (*Gaudium vestrum nemo tolet a vobis*). – Per gli «errantes», ritornare sulla giusta via implica implorare il «veritatis lumen», l'unico che può aiutare a rifiutare ciò che è contrario alla «christiana professio» e aderire a ciò che vi si addice. Mitigare i «terrena desideria» è la condizione per imparare ad amare le realtà celesti; per questo nella *post communionem* si implora ancora l'esito positivo della partecipazione agli «spiritalibus alimentis» per conseguire ed essere difesi «corporalibus auxiliis». ≈ Il prefazio n. **1471** stabilisce un rapporto tra l'annuale ritorno della Pasqua - la «solemnitate recursa» - e la richiesta di celebrare «pascha perpetuum» garantita dalla perenne immolazione del Cristo quale si attua nella celebrazione.

C → **1073** Mediante un ponderato uso delle più elementari figure retoriche, il compositore mette in contrapposizione gli *errantes* nel buio del peccato con il *lumen* della grazia, cui ne corrisponde un'altra non meno efficace: evitare *quae huic inimica sunt nomini* e *quae sunt apta sectari*. ≈ In **1075** contrappone con perfetta rispondenza lessematica *spiritalibus alimentis* con *corporalibus auxiliis*: questi nel latino cristiano indicano gli aiuti provenienti da Dio e dall'intercessione dei santi, non le truppe ausiliarie secondo il significato del latino classico.

D → **1073** Il MR 2002, p. 465, valorizza il testo come *collecta* per la *dominica XV "per annum"* con due lievi varianti: la ovvia correzione di «errantes» in «errantibus», e l'omissione di «iustitiae» che di per sé esplicita il senso del percorso della vita (*via iustitiae*). ≈ **1074** Il MR 2002, p. 210, valorizza il testo come *post communionem* per la *feria tertia* dell'*hebdomada I Quadragesimae*.

E → Π 111; Λ 126; Σ 122; Δ 135. - Ebdomada III post pascha - scd. Io 16,16-22: *Dixit Iesus discipulis suis: modicum et iam non uidebitis me* usq. *et gaudium uestrum nemo tollet a uobis.*

1076 – 1078: Domenica III dopo l'ottava di Pasqua

A → Queste le letture: Iac 1,17-21 (*Genuit nos verbo veritatis ut simus initium creaturae eius*) e Io 16,5-14 (*Spiritus veritatis docebit vos omnem veritatem*). – Amare ciò che il Signore comanda e desiderare ciò che egli promette è il contenuto della richiesta perché il fedele possa districarsi tra le vicende delle «mundanas varietates» e orientare il cuore «ubi vera sunt gaudia». L'essere stati resi «summae divinitatis participes» per i fedeli è motivo per implorare di aderire «dignis moribus» alla «veritas» rivelata. E la partecipazione ai «veneranda commercia» sia garanzia per la liberazione «a vitiis et a periculis omnibus». ≈ Il prefazio n. **1472** è una lode che celebra il memoriale «redemptionis nostrae» perché ogni realtà della persona – «humana substantia» – è stata liberata da tutto ciò che è «praevaricatio», restituendo così quell'«originis dignitas» attraverso una rinnovata «spem resurrectionis».

C → **1076** Si noti la bimembre corrispondenza lessematica, nella consequenzialità dello sviluppo semantico: *id amare quod praeecipis* con *id desiderare quod promittis*, cui corrisponde *ibi nostra fixa sint corda* con *ubi vera sunt gaudia*.

D → **1076** Il MR 2002, p. 471, valorizza il testo come *collecta* per la *dominica XXI "per annum"*.

E → Π 115; Λ 130; Σ 126; Δ 141. - Ebdomada IIII post pascha - scd. Io 16,5-14: *Dixit Iesus discipulis suis: uado ad eum qui me misit* usq. *quia de meo accipiet et adnuntiabit uobis*.

1079 - 1081: Domenica IV dopo l'ottava di Pasqua

A → Queste le letture bibliche: Iac 1,22-27 (*Religio munda et immaculata apud Deum et Patrem haec est*) e Io 16,23-30 (*Si quid petieritis Patrem in nomine meo dabit vobis*). – Pensare ciò che è giusto e agire di conseguenza è riconoscere che questo è dono di Dio «a quo bona cuncta procedunt». La preghiera e l'offerta sacrificale sono il contenuto dei «piae devotionis officia» e comunque la premessa per conseguire «caelestem gloriam» come conseguenza della partecipazione alla «mensae virtutis societatem». – Il prefazio n. 1473 ricorda che per accogliere il primo segno della «pietas» divina è necessaria la sottomissione a Dio vissuta «toto corde». Per questo l'assemblea implora lo «spiritum tantae devotionis» per conseguire il necessario «auxilium».

C → **1079** Si noti in questa eucologia la simmetrica disposizione di *te inspirante* e *te gubernante*, preceduta in posizione chiastica da *cogitemus* e *faciamus*. La clausola è costituita da due anapesti, preceduti da un epitrito terzo o, se si preferisce, dal *cursus* piano. Il verbo *guberno* appartiene al lessico marinaro; assume qui un valore semiologico, ignoto al latino dell'età repubblicana. ≈ In **1081**, accanto a *tribuo* seguito dall'infinito, proprio del latino cristiano, in bella posizione chiastica l'estensore non senza un certo gusto artistico pone *desiderare quae recta sunt - desiderata percipere*, con un'efficace figura etimologica e poliptoto: *desiderare - desiderata*.

D → **1080** Cf n. 453.

E → Π 116; Λ 131; Σ 127; Δ 144. - Ebdomada V post pascha ante ascensa domini - scd. Io 16,23-30: *Dixit Iesus discipulis suis: amen amen dico uobis si quid petieritis patrem in nomine meo dabit uobis* usq. *in hoc credimus quia a Deo existi*.

1082 - 1084: Domenica dopo l'Ascensione del Signore

A → Queste le letture secondo il MR 1474: 1 Pe 4,7-11 (*Estote prudentes et vigilate in orationibus*) e Io 15,26 – 16,4 (*Paraclitus testimonium perhibebit de me*). – Una volontà devota e un cuore sincero sono le condizioni per servire il Signore, e la partecipazione ai «sacrificia immaculata» mentre ottengono la purificazione, diano vigore allo spirito e forza per rimanere sempre «in gratiarum actione». ≈ Il prefazio n. **1478** contempla il Cristo che: *a)* reso in eterno «caelestis pontifex» non ebbe bisogno della «peccati remissio» a differenza di tutti gli altri «sacerdotes» (cf in particolare Heb 7,26-28); *b)* sta dinanzi al trono della «gloria» divina come «immaculatus propitiator» per implorare misericordia «pro nostris offensionibus»; *c)* nell'assumere il «naturae humanae consortium» non ha subito il «delictorum contagium».

D → **1082** Il MR 2002, p. 479, valorizza il testo come *collecta* per la *dominica XXIX "per annum"*.

E → Π 121; Λ 138; Σ 134; Δ 153. - Ebdomada VI die dominico - scd. Io 15,26 - 16,4: *Dixit Iesus discipulis suis: cum autem uenerit paracletus* usq. *quia ego dixi uobis.*

1085 - 1087: Domenica I dopo l'ottava di Pentecoste

A → Queste le letture bibliche secondo il MR 1474: 1 Io 4,8-21 (*Qui diligit Deum diligat et fratrem suum*) e Lc 6,36-42 (*Estote misericordes sicut et Pater vester…*). – Anche dopo l'ottava di Pentecoste l'attenzione della preghiera si concentra sulla «mortalis infirmitas» sulla quale è implorata la «gratia» perché nell'attuazione delle parole divine la vita del fedele sia coerente «et voluntate et actione». Per questo nel presentare l'offerta sacrificale si implora il «perpetuum subsidium» per non venire mai meno nell'atteggiamento di lode a Dio.

D → **1087** Il MR 2002, p. 464, valorizza il testo come *post communionem* per la *dominica XIV "per annum"*.

E → Π 130; Λ 147; Δ 165 - Λ = Die dominico uacat - Π Δ = die sabbato XII lectionum ad scum Petrum item alia - Σ = post 297 Ebdomada IIII post pentecosten (cf. nota) - scd. Lc 6,36-42: *In illo tempore dixit Iesus discipulis suis: estote misericordes* usq. *tunc perspicies ut educas festucam de oculo fratris tui.*

1088 - 1090: Domenica II dopo l'ottava di Pentecoste

A → Queste le letture: 1 Io 3,13-18 (*Non diligamus verbo neque lingua sed opere et veritate*) e Lc 14,16-24 (*Compelle intrare ut impleatur domus mea*). – Un perenne «timor et amor» per il santo nome di Dio è la richiesta dell'assemblea che nella «frequentatione mysterii» desidera mantenersi sotto la «gubernatione divina» per rimanere in quella «soliditate dilectionis» in modo da giungere progressivamente – «de die in diem» – «ad caelestis vitae actionem», a quella liturgia perenne mirabilmente adombrata dall'Apocalisse, dove la richiesta del «salutis augmentum» avrà raggiunto la sua pienezza.

C → **1088** Oltre a *facio* seguito dall'infinito, si noti nella proposizione causale obliqua la rispondenza logica e semiologica di *numquam gubernatione destitues, quos in soliditate tuae dilectionis instituiss*. Si noti ancora sia la rima sia l'isosillabismo nel coriambo *destitues - instituiss*. Molto efficace sotto l'aspetto semantico l'accostamento di *gubernatione* con *soliditate*. Il primo, in questo caso particolare, viene ulteriormente arricchito perché, oltre al governo d'una nave e al dominio che si può avere su particolari eventi, assume il significato di guida operante sotto l'aspetto soteriologico, fondato sulla *soliditas* della fede e della promessa divina.

D → **1089** Il MR 2002, p. 864, riprende il testo come *super oblata* per la *dominica XIV "per annum"*, con l'unica sostituzione di «dicanda» con «dicata».

E → Π 135 in folio annexo, Dom. III p. pent. (cf. nota). - Σ = post 297 Ebdomada II post pentecosten - Δ 182 Ebdomada IIII post pentecosten (cf. nota) - scd. Lc 14,16-24: *Homo quidam fecit caenam magnam* usq. *qui uocati sunt gustabunt caenam meam.*

1091 – 1093: Domenica III dopo l'ottava di Pentecoste
A → Queste le letture: 1 Pe 5,6-11 (*Sobrii estote et vigilate*) e Lc 15,1-10 (*Gaudium erit in caelo coram angelis Dei super uno peccatore paenitentiam agente*). – Nella consapevolezza che solo in Dio tutto è «validum et sanctum», l'assemblea implora di attraversare le realtà terrene senza perdere quelle eterne, orientata verso quella «misericordia sempiterna» al cui ottenimento domanda di prepararsi.
C → **1091** Si noti l'anafora all'interno della *climax* con coordinazione asindetica *nihil… validum, nihil… sanctum*, che trova piena corrispondenza con *te rectore, te duce*. La conclusione è data dall'opposizione *per bona temporalia… non amittamus aeterna*.
D → **1091** Il MR 2002, p. 467, valorizza il testo come *collecta* per la *dominica XVII "per annum"*, con una importante modifica nella finale che risulta così formulata: «… ut… sic bonis transeuntibus nunc utamur, ut iam possimus inhaerere mansuris». Questo il testo del MR 2020, p. 279: «… da te sorretti e guidati usiamo saggiamente dei beni terreni nella continua ricerca dei beni eterni».
E → Π 133; Λ 153 ; Σ 147 Feria VI - Δ 174 = Ebdomada II post pentecosten - scd. Lc 15,1-10: *In illo tempore erant adpropinquantes ad Iesum peccatores* usq. *super unum peccatorem paenitentiam agentem.*

1094 – 1096: Domenica IV dopo l'ottava di Pentecoste
A → Queste le letture: Rom 8,18-23 (*Gemimus adoptionem filiorum Dei expectantes redemptionem corporis nostri*) e Lc 5,1-11 (*Noli timere, ex hoc enim iam eris homines capiens*). – Che la vita del mondo scorra pacifica è la prima richiesta dell'assemblea perché anche la comunità ecclesiale si allieti «tranquilla devotione». In questa linea si colloca la domanda specifica che le proprie volontà «etiam

rebelles» possano essere orientate verso il Signore, e che i «sancta mysteria» siano di protezione «suo munere».
E → Π 140; Λ 160; Σ 159. Ebdomada II post pentecosten - Δ 188 = Ebdomada V post pentecosten - scd. Lc 5,1-11: *Cum turbae inruerent ad Iesum ut audirent uerbum Dei* usq. *et relictis omnibus secuti sunt eum.*

1097 – 1099: Domenica I dopo il natale degli Apostoli [Pietro e Paolo]
A → Queste le letture: 1 Pe 3,8-15 (*Dominum Christum sanctificate in cordibus vestris*) e Mt 5,20-24 (*Vade prius reconciliari fratri tuo et tunc veniens offeres munus tuum*). – Amare Dio «in omnibus et super omnia» è la base per implorare il suo «amoris effectum» come garanzia di quelle «promissiones» che superano ogni attesa. E l'offerta sacrificale del singolo fedele possa giovare alla salvezza di tutti per la purificazione da ogni colpa nascosta ed essere così liberi «ab hostium insidiis».
D → **1097** Il MR 2002, p. 470, riprende il testo come *collecta* per la *dominica XX "per annum"*. ≈ **1098** Il MR 2002, p. 474, valorizza il testo come *super oblata* per la *dominica XXIV "per annum"*, tralasciando il «famularumque tuarum».
E → Π 144; Λ 165; Σ 163; Δ 192. - Π Δ = Ebdomada II post natale apostolorum - Σ = Ebdomada I post natale apostolorum - scd. Mt 5,20-24: *Dixit Iesus discipulis suis: amen dico uobis nisi abundauerit iustitia uestra* usq. *et tunc ueniens offeres munus tuum*. - Λ = Ebdomada I post natale apostolorum - scd. Mt 5,20-26: *In illo tempore dixit Iesus discipulis suis: nisi abundauerit iustitia uestra* usq. *amen dico uobis non exies inde donec reddas nouissimum quadrantem.*

1100 – 1102: Domenica II dopo il natale degli Apostoli
A → Queste le letture: Rom 6,3-11 (*Existimate vos mortuos esse peccato, viventes autem Deo*) e Mc 8,1-9 (*Misereor super turbam quia… non habent quod manducent*). – Riconoscere che solo in Dio è il massimo del bene – «totum quod est optimum» – è la premessa per implorare l'amore per il suo Nome e il dono di far crescere e custodire ogni germe di bene. L'offerta sacrificale è accompagnata dalla richiesta che sia accolto ogni «votum», ogni «postulatio», dove il «fideliter» e l'«efficaciter» cadenzano il ritmo tra il «petimus» e il «consequamur», così come «effectus et auxilium» stabiscono il rapporto di consequenzialità tra «et mundemur… et muniamur».
C → **1100** Si noti la figura etimologica con poliptoto *nutrias… nutrita* espressa in un'efficace e ben costruita brachilogia, che esplicitata sarebbe: *ut religionis augmentum iis, quae sunt bona, nutrias*. ≈ Nell'eucologia **1101** balza agli occhi l'omoteleuto *fideliter… efficaciter*.
D → **1100** Il MR 2002, p. 472, valorizza il testo come *collecta* per

la *dominica XXII "per annum"*; unica variante «augmentum» in «augmento». ≈ **1102** Il MR 2002, p. 968, valorizza il testo come *post communionem* nel secondo formulario del *commune sanctorum et sanctarum: V. Pro sanctis mulieribus*; questo spiega l'*adiunctum* «quae in celebritate beatae N. percepimus».

E → Π 149; Λ 170; Σ 168; Δ 197 - Π Δ = Ebdomada III post natale apostolorum - Λ = Ebdomada II - Σ = Ebdomada II post natale apostolorum - scd. Mc 8,1-9: *Cum multa turba esset cum Iesu* usq. *dimisit eos.*

1103 - 1105: Domenica III dopo il natale degli Apostoli

A → Queste le letture: Rom 6,19-23 (*Exhibete membra vestra servire iustitiae in sanctificationem*) e Mt 7,15-21 (*Qui facit voluntatem Patris mei ipse intrabit in regnum caelorum*). – La Provvidenza divina non viene mai meno; per questo è invocata contro «noxia cuncta», e perché nel contempo assicuri «omnia profutura». La duplice immagine biblica che caratterizza la *super oblata* evidenzia il valore unico del sacrificio di Cristo rispetto alle differenti vittime dell'antica alleanza (cf Lettera agli Ebrei, *passim*), e nella linea della benedizione divina sui doni di Abele (cf Gn 4) l'assemblea implora che giovi alla salvezza di tutti ciò che ciascuno presenta a Dio. È la «medicinalis operatio» che libera dalle colpe e che sola può condurre «ad ea quae sunt recta».

C → **1103** Si noti in posizione chiastica la contrapposizione di *noxia* con *profutura.*

D → **1104** Il testo è ripreso pressoché *ad litteram* (unica precisazione: «sacrificium *a* devotis...») nel MR 2002, p. 466, come *super oblata* per la *dominica XVI "per annum"*. ≈ **1105** Il MR 2002, p. 460, valorizza il testo – presente anche nel n. 1141 ma con diversa *petitio* finale - come *post communionem* per la *dominica X "per annum"*.

E → Π 156; Λ 177; Σ 175; Δ 206 - Π Δ = Ebdomada IIII post apostolorum - Λ Σ = Ebdomada III post natale apostolorum - scd. Mt 7,15-21: *Adtendite a falsis prophetis* usq. *ipse intrauit in regnum caelorum.*

1106 - 1108: Domenica IV dopo il natale degli Apostoli

A → Queste le letture bibliche: Rom 8,12-17 (*Quicumque Spiritu Dei aguntur hi filii Dei sunt*) e Lc 16,1-9 (*Redde rationem villicationis tuae*). – Pensare e agire con rettitudine è la richiesta di ogni fedele; nel presentare i doni, riconosciuti come segno della generosità divina, l'assemblea domanda che il «caeleste mysterium» operi la salvezza nel presente e possa aprire ai «gaudia aeterna».

C → **1106** Interessante la sequenza molto efficace *ut qui sine te esse non possumus, secundum te vivere valeamus*, con la prolessi della proposizione relativa.

E → Π 163; Λ 185; Σ 183; Δ 218 - Π Δ = Ebdomada V post apostolorum - Λ Σ = Ebdomada IV post natale apostolorum - scd. Lc 16,1-9: *Dixit Iesus discipulis suis parabolam hanc: homo quidam erat diues qui habebat uilicum* usq. *ut cum defeceritis recipiant uos in tabernacula sua.*

1109 - 1111: Domenica V dopo il natale degli Apostoli

A →˖ Queste le letture: 1 Cor 10,6-13 (*Qui se existimat stare videat ne cadat*) e Lc 19,41-47 (*Domus mea domus orationis est*). – Può sembrare una tautologia, ma questa è la richiesta: «... perché tu possa esaudire i loro desideri, fa' che chiedano quanto ti è gradito». Chiedere ciò che è gradito a Dio – «tibi placita postulare» - è un dono da implorare dalla sua misericordia; per questo l'assemblea domanda di «frequentare mysteria» perché in ogni celebrazione «opus nostrae redemptionis exercetur», e la «communio sacramenti» è sorgente di «purificationem et unitatem».

D →˖ **1109** Cf n. 328 (qui è una *super populum*). ≈ **1111** Il MR 2002, p. 230, valorizza il testo come *post communionem* nella *feria secunda* dell'*hebdomada III Quadragesimae*.

E →˖ Δ 212. - Ebd. V post apostolorum - scd. Lc 19,41-47: *Cum adpropinquaret Iesus Hierusalem uidens ciuitatem fleuit super illam* usq. *et erat docens cotidie in templo.*

1112 - 1114: Domenica VI dopo il natale degli Apostoli

A →˖ Queste le pericopi bbliche: 1 Cor 12,2-11 (*Unicuique datur manifestatio Spiritus ad utilitatem*) e Lc 18,9-14 (*Omnis qui se exaltat humiliabitur et qui se humiliat exaltabitur*). – «Parcendo et miserando»: due realtà che manifestano l'onnipotenza divina, ma anche due garanzie perché nella corsa verso le promesse divine il fedele possa diventare «consors caelestium donorum»; la nuova vita che si realizza nella partecipazione ai sacramenti non sia privata del necessario aiuto invocato al «Dominus Deus noster».

D →˖ **1112** Il testo è ripreso pressoché *ad litteram* dal MR 2002, p. 476, come *collecta* per la *dominica XXVI "per annum"*; unico elemento l'aggiunta dell'avverbio: «... parcendo *maxime* et miserando...». ≈ **1113** Il MR 2002, p. 261, valorizza il testo come *super oblata* per la *feria quarta* dell'*hebdomada V Quadragesimae*.

E →˖ Π 169; Δ 226. - Π = Ebdomada VII Feria IIII - Δ = Ebdomada VIII Feria IIII - scd. Lc 18,9-14: *Dixit Iesus ad quosdam qui in se confidebant tamquam iusti* usq. *qui se humiliat exaltabitur.*

1115 - 1117: Domenica I dopo [il natale di] san Lorenzo

A →˖ Queste le letture: 1 Cor 15,1-10 (*Tradidi enim vobis in primis quod et accepi*) e Mc 7,31-37 (*Bene omnia fecit: et surdos fecit audire et mutos loqui*). – «Pietas et misericordia»: due termini che denotano l'atteggiamento di Dio nei riguardi del suo popolo che mette in dialogo «conscientia et oratio» per valutare il presente e implorare per il futuro. A questo tende la «servitus» presentata come offerta sacrificale allo scopo di conseguire soprattutto il «fragilitatis subsidium» - costituito dalla «perceptio sacramenti» - implorato nuovamente come «subsidium mentis et corporis» in attesa della «plenitudo caelestis remedii».

D → **1115** Il MR 2002, p. 477, valorizza il testo come *collecta* per la *dominica XXVII "per annum"*. ≈ **1116** Il MR 2002, p. 460, valorizza il testo come *super oblata* per la *dominica X "per annum"* con la modifica della *petitio* finale: il «fragilitatis subsidium» è trasformato in «caritatis augmentum». ≈ **1117** Il MR 2002, p. 208, riprende sostanzialmente il testo valorizzandolo come *post communionem* nella *feria secunda* dell'*hebdomada I Quadragesimae*.

E → Π 181; Λ 204; Σ 205; Δ 241. - Ebdomada I post sci Laurenti - scd. Mc 7,31-37: *Exiens Iesus de finibus Tyri* usq. *surdos fecit audire et mutos loqui.*

1118 – 1120: Domenica II dopo il natale di san Lorenzo

A → Queste le letture bibliche: 2 Cor 3,4-7 (*Littera occidit, Spiritus autem vivificat*) e Lc 10,23-37 (*Vade, et tu fac similiter*). – Servire il Signore in modo lodevole e degno – «digne et laudabiliter» – implica adesione alle sue «promissiones». Per questo l'offerta sacrificale mentre intende rendere onore al nome di Dio, implora perdono e aiuto – «expiationem et munimen» -.

D → **1120** Il MR 2002, p. 231, valorizza il testo come *post communionem* nella *feria tertia* dell'*hebdomada III Quadragesimae* (due semplici varianti di stile nel n. 1326 dove è ripetuto il testo).

E → Π 188; Λ 211; Σ 213; Δ 251. - Ebdomada II post sci Laurenti - scd. Lc 10,23-37: *Dixit Iesus discipulis suis: beati oculi qui uident quae uos uidetis* usq. *uade et tu fac similiter.*

1121 – 1123: Domenica III dopo il natale di san Lorenzo

A → Queste le letture bibliche: Gal 3,16-22 (*Conclusit Scriptura omnia sub peccato ut promissio ex fide Iesu Christi daretur credentibus*) e Lc 17,11-19 (*Occurrerunt ei decem viri leprosi*). – Il desiderio di crescere nella fede, nella speranza e nella carità è la richiesta dell'assemblea, sintetizzata soprattutto nel coronare il desiderio di amare il comandamento del Signore per poterlo conseguire. «Munus et oblatio» sono sottoposti allo sguardo divino per conseguire «indulgentiam» e quanto richiesto; e tutto questo per crescere nella redenzione eterna.

D → **1121** Il MR 2002, p. 480, valorizza il testo come *collecta* per la *dominica XXX "per annum"*.

E → Π 191; Λ 214; Σ 216; Δ 255. - Ebdomada III post sci Laurenti - scd. Lc 17,11-19: *Dum iret Iesus in Hierusalem transiebat* usq. *uade quia fides tua te saluum fecit.*

1124 – 1126: Domenica IV dopo il natale di san Lorenzo

A → Queste le letture bibliche: Gal 5,16-24 (*Spiritu ambulate, et de-*

sideria carnis non perficietis) e Mt 6,24-33 (*Quaerite primum regnum Dei et iustitiam eius, et haec omnia adicientur vobis*). – La consapevolezza della fragilità dell'«humana mortalitas» orienta l'assemblea ad implorare l'aiuto divino per essere libera da ogni male e rimanere orientata «ad salutaria». Per questo l'«hostia salutaris» è offerta per la «purgatio delictorum» e come «propitiatio» della bontà divina, per portare a compimento il «perpetuae salvationis effectum».

C → **1124** Si noti il chiasmo *abstrahatur a noxiis et ad salutaria dirigatur*, nel quale *noxiis* è neutro sostantivato ed è adoperato come sinonimo di *peccatum*. Da notare che il cretico *noxius*, come clausola, anticipa, con il suo effetto fonico l'epitrito secondo *dirigatur*.

D → **1124** Il MR 2002, p. 221, riprende il testo come *collecta* per la *feria tertia* dell'*hebdomada II Quadragesimae*. ≈ **1125** Il testo è ripreso dal MR 2002, p. 231, come *super oblata* per la *feria tertia* dell'*hebdomada III Quadragesimae*; unica variante rispetto all'originale: scompare l'«et... et...» che tuttavia non modifica il senso generale.

E → Π 195; Λ 219; Σ 221; Δ 262. - Ebdomada IIII post sci Laurenti - scd. Mt 6,24-33: *Nemo potest duobus dominis seruire* usq. *primum quaerite regnum Dei et iustitiam eius et haec omnia adicientur uobis.*

1127 – 1129: Domenica V dopo il natale di san Lorenzo

A → Queste le letture bibliche: Gal 5,25 – 6,1-10 (*Dum tempus habemus operemur bonum*) e Lc 7,11-16 (*Adolescens tibi dico surge*). – «Mundet et muniat»: due richieste che ritornano frequentemente nella preghiera dell'assemblea, consapevole di non poter considerarsi salva senza l'aiuto del «munus» divino. Per questo implora di essere custodita e difesa dai sacramenti «contra diabolicos incursus»; a questo tende la «doni caelestis operatio» perché agisca nel pensiero del fedele e ne prevenga ad un tempo gli effetti.

D → **1127** Il MR 2002, p. 230, valorizza la *collecta* nella *feria secunda* dell'*hebdomada III Quadragesimae*. ≈ **1129** Il MR 2002, p. 474, valorizza la *post communionem* per la *dominica XXIV "per annum"* tralasciando l'originale «iugiter».

E → Π 199; Λ 224; Σ 226; Δ 266. - Ebdomada V post sci Laurenti - scd. Lc 7,11-16: *Ibat Iesus in ciuitatem quae uocatur* usq. *quia Deus uisitauit plebem suam.*

1130 – 1132: Domenica I dopo [la festa dei] santi Angeli

A → Queste le letture: Eph 3,13-21 (*Flecto genua mea ad Patrem Domini nostri Iesu Chrsti ex quo omnis paternitas in caelo et in terra nominatur*) e Lc 14,1-11 (*Omnis qui se exaltat humiliabitur, e qui se humiliat exaltabitur*). – La ripetizione del termine «voluntas» nella *collecta* manifesta il chiaro intento dell'assemblea di disporre la propria volontà davanti al Signore. A questo vogliono tendere gli effetti del «sacrificium», dei «caelestia sacramenta», in modo che il fedele partecipi di questa realtà salvifica per ottenerne l'aiuto nel presente e nel futuro.

D → **1132** Il MR 2002, p. 245, valorizza il testo come *post communionem* nella *feria tertia* dell'*hebdomada IV Quadragesimae*, con l'unica aggiunta dell'appellativo «benignus».

E → Π 203; Λ 228; Σ 230; Δ 271 - Π Λ Σ Ebdomada I post sci Cypriani - Δ Ebdomada VI post sci Laurenti - scd. Lc 14,1-11: *Cum intraret Iesus in domum cuiusdam* usq. *et qui se humiliat exaltabitur.*

1133 – 1135: Domenica II dopo [la festa dei] santi Angeli

A → Queste le letture: Eph 4,1-6 (*Unum corpus et unus Spiritus*) e Mt 22,35-46 (*Quod est mandatum magnum in Lege?*). – Evitare «diabolica contagia» è la premessa per seguire «pura mente» solo il Signore. Per questo nell'offerta sacrificale si implora la liberazione da tutti i mali «et praeteritis... et futuris», e dalla partecipazione ai sacramenti il conseguimento del perdono dei peccati e i rimedi eterni.

E → Π 207 - Ebdomada II die dominico ad scos Cosmam et Damianum ante natale eorum - scd. Mt 22,23 - 23,12: *Accesserunt ad Iesum sadducaei* usq. *qui se humiliat exaltabitur.*

1136 – 1138: Domenica III dopo [la festa dei] santi Angeli

A → Queste le letture bibliche: 1 Cor 1,4-8 (*In omnibus divites facti estis in illo in omni verbo et in omni scientia*) e Mt 9,1-8 (*Surge, tolle lectum tuum et vade in domum tuam*). – La consapevolezza di non poter far nulla di gradito senza la «miserationis operatio» del Signore orienta l'assemblea a conoscere più in profondità la sua verità per potervi aderire attraverso la partecipazione ai «veneranda commercia» quali si atuano nel «sacrificium»; e nutriti dal «sacro munere» essere resi degni di tale «participatio».

D → **1136** Il MR 2002, p. 253, valorizza il testo come *collecta* per il *sabbato* dell'*hebdomada IV Quadragesimae*.

E → Π 212; Λ 237; Σ 240; Δ 281. - Π Λ Σ Ebdomada III post sci Cypriani - Δ Ebdomada I post sci Angeli - scd. Mt 9,1-8: *Ascendens Iesus in nauiculam transfretauit* usq. *glorificauerunt Deum qui dedit potestatem talem hominibus.*

1139 – 1141: Domenica IV dopo [la festa dei] santi Angeli

A → Queste le letture bibliche: Eph 4,23-28 (*Renovamini spiritu mentis vestrae*) e Mt 22,2-14 (*Multi sunt vocati, pauci vero electi*). – Tenere lontano «universa adversantia» e ogni forma di «perversitas» è la condizione per poter seguire la via del Signore «mente et corpore pariter expediti». In questa linea l'assemblea presenta i «munera» perché siano trasformati in doni di salvezza, come attuazione di quella «medicinalis operatio» che può garantire l'adesione completa al progetto divino.

C → **1139** Si noti l'arricchimento semantico operato dal latino cristiano sul lessema *expeditus*, tratto dal linguaggio militare. Anche il *christianus* è un *miles*, che per camminare veloce verso la vera patria, deve essere *mente et corpore expeditus*, cioè puro nell'anima e nel corpo.

D → **1141** Cf n. 1105.

E → Δ 281. - Ebdomada III post sci Angeli - scd. Mt 22,2-14: *Loquebatur Iesus cum discipulis suis in parabolis* usq. *pauci uero electi*.

1142 – 1144: Domenica V dopo [la festa dei] santi Angeli

A → Queste le letture bibliche: Eph 5,15-21 (*Caute ambuletis, non quasi insipientes sed ut sapientes*) e Io 4,46-53 (*Vade, filius tuus vivit*). – «Indulgentia et pax»: due doni che l'assemblea implora per la propria purificazione e per poter servire il Signore «secura mente». La «caelestis medicina» quale scaturisce dalla partecipazione ai «mysteria» può guarire dai «vitia cordis» dei fedeli, renderli degni dei «sacris muneribus» e obbedienti ai divini precetti.

E → Π 104; Λ 119; Σ 115; Δ 127. - Feria VI (In mense aprili) - scd. Io 4,46-53: *Erat quidam regulus cuius filius infirmabatur* usq. *credidit ipse et domus eius tota*.

1145 – 1147: Domenica VI dopo [la festa dei] santi Angeli

A → Queste le letture bibliche: Eph 6,10-17 (*Induite vos armaturam Dei*) e Mt 18,23-35 (*Sic et Pater meus caelestis faciet vobis si non remiseritis unusquisque fratri suo de cordibus vestris*). – La situazione delle molteplici «adversitates» che l'assembela attraversa è motivo per implorare un comportamento devoto «in bonis actibus». L'offerta sacrificale se da una parte realizza la «placatio divina» dall'altra se ne implorano gli effetti salutari a condizione che l'«immortalitatis alimonia» sia trasformata in scelte di vita.

C → **1147** Si noti nella proposizione finale l'omoteleuto *ore… mente*. Con i due lessemi, dei quali l'uno evidenzia la parte materiale e quella spirituale l'altra: l'*alimonia spiritualis*, infatti, passa attraverso l'*os*, la bocca, per nutrire l'anima, la *mens*.

D → **1145** Il testo è ripreso dal MR 2002, p. 617, come *oratio super populum* (n. 11). ≈ **1146** Il MR 2002, p. 216, valorizza il testo – presente anche nel n. 1364 - come *super oblata* nella *feria sexta* dell'*hebdomada I Quadragesimae*.

E → Π 218; Λ 244; Σ 247; Δ 294 - Π Λ Σ = Ebdomada IIII post sci Cypriani - Δ = Ebdomada IIII post sci Angeli - scd. Mt 18,23-35: *Simile est regnum caelorum homini regi qui uoluit rationem* usq. *si non dimiseritis unusquisque fratri suo de cordibus uestris*.

1148 – 1150: Domenica VII dopo [la festa dei] santi Angeli

A → Letture bibliche: Philp 1,6-11 (*Caritas vestra magis ac magis abundet*) e Mt 22,15-21 (*Reddite quae sunt Caesaris Caesari et quae sunt Dei Deo*). – Tra i molteplici appellativi con cui l'assemblea professa la propria fede in Dio c'è anche «refugium et virtus, auctor pietatis»: da qui si muove la richiesta in cui i due avverbi (*fideliter* – *efficaciter*) esprimono la rinnovata fede dell'assemblea nell'azione divina. La partecipazione all'«oblatio salutaris», ai «sacri dona mysterii» è motivo per implorare – quale «infirmitatis auxilium» - il perdono di ogni colpa e la difesa da ogni avversità.

C →· Nell'eucologia **1148** notevole è il richiamo sull'omoteleuto costituito da due avverbi *fideliter... efficaciter*, dei quali si è già parlato, perché nel *Sacramentario* ricorrono più volte.

D →· **1148** Nel MR 2002, p. 1259, il testo è valorizzato come *oratio sacerdotis* a conclusione della *formula generalis I* degli *specimina formularum pro oratione universali.* ≈ **1150** Cf n. 590.

E →· Π 222; Λ 248; Σ 251; Δ 297. - Π Λ Σ = Ebdomada V post sci Cipriani - Δ = Ebdomada V post sci Angeli - scd. Mt 22,15-21: *Abeuntes pharisaei consilium inierunt* usq. *quae sunt Dei Deo.*

1151 – 1153: Domenica VIII dopo [la festa dei] santi Angeli

A →· Queste le letture bibliche: Col 1,9-14 (*Ambuletis digne Deo per omnia placentes*) e Mt 24,15-35 (*Caelum et terra transibunt, verba autem mea non transient*). – Il risveglio della volontà dei fedeli è motivo per far tesoro del «divini operis fructum» in vista di «remedia maiora» conseguenza del dono di Dio. «Oblationes et preces» sono innalzate per la conversione dei cuori, per la eliminazione di tutto ciò che «in nostra mente vitiosum est», per essere curati «medicationis dono», frutto della partecipazione ai «sacramenta quae sumpsimus», e passare quindi «in caelestibus desideriis».

D →· **1151** Cf n. 21.

1154 – 1156: Messa quotidiana

D →· **1154** Cf n. 254.

1157 – 1159: Allo stesso modo un'altra messa

D →· **1158** Cf n. 293.

MESSE VOTIVE, COMUNI, PER VARIE SITUAZIONI E NECESSITÀ

I formulari che seguono hanno una linea tematica molto variegata; ogni elemento va considerato a sé e talvolta in relazione con altri formulari o solo con formule sullo stesso tema. Anche l'esame teologico-liturgico risulta piuttosto frammentato; lo sguardo tematico, pertanto, va osservato nel contesto del singolo formulario, tenendo presente che anche la sua configurazione può essere stata realizzata senza una precisa linea teologica di rapporto tematico fra le orazioni organizzate sotto il titolo trasmesso dal *Sacramentario*.

1160 – 1162: Nel natale di un solo apostolo

1163 – 1165: Nella vigilia di un solo confessore

1166 – 1168: Nella vigilia di un solo martire

1169 – 1171: Nella vigilia di più martiri

1172 – 1174: Nella vigilia delle vergini

C → Le eucologie, che vanno dal **1160** al **1174** non presentano particolarità lessematiche o sintagmatiche degne di rilievo, perché sono tutte composte secondo uno schema e un linguaggio già sperimentati. Anche se hanno una decorosa dignità stilistica e ritmica risentono di un'accurata revisione e rielaborazione, soprattutto nelle clausole, per conferire loro maggior solennità e lasciare un segno nell'animo e nella memoria dei fedeli, presenti alle varie celebrazioni. ≈ Secondo la logica dei contenuti testuali il titolo più appropriato del formulario sarebbe "Vigilia di una vergine martire".

1175 – 1178: Messa nell'anniversario della dedicazione di una chiesa

A → Il giorno anniversario della dedicazione di una chiesa si pone a livello di solennità; l'importanza traspare anche dalle tematiche che sia in questo come in altri formulari per la stessa circostanza sono evidenziate. L'appuntamento annuale che i fedeli giunti ancora «incolumes» celebrano è motivo per implorare che chiunque entra nell'edificio sacro – «quidquid in tuo nomine petituri» - possa rallegrarsi per aver ottenuto «cuncta beneficia», per l'intercessione «sactorum tuorum precibus»; e l'esperienza della celebrazione vissuta «plena atque perfecta corporis et animae devotione» meriti ai fedeli radunati – «ecclesia tua in templo... tibi collecta» - di giungere «ad aeterna praemia, ad caelestia promissa».

C → Le eucologie di questo gruppo risentono di un'attenta cura posta soprattutto nelle clausole alla fine dell'orazione. L'estensore, però, sottolinea bene, a differenza delle lingue romanze, nelle quali col termine *chiesa* si intende tanto la comunità dei battezzati quanto l'edificio di culto, la differenza tra le due realtà. Nel latino cristiano, invece, con il lessema *ecclesia* si intendono, in un primo tempo, i fedeli e con *templum* si denota l'edificio, nel quale i fedeli si raccolgono per i dovuti atti del culto. In un secondo tempo con *ecclesia* si intende anche l'edificio sacro, come si noterà in seguito. Nel ricordare l'anniversario della dedicazione dell'edificio si usa *huius... templi... consecrationis reparas diem*; per indicare i fedeli ivi raccolti dice: *quicumque intra templi huius... ambitu continemur*. ≈ In **1178** l'*ecclesia* è la *sponsa* di Dio. Il lessema *sponsa* assume una dimensione e un arricchimento semantici nuovi: non significa più fidanzata o promessa sposa, ma sposa, ossia moglie, precipitato - con questo specifico significato - nelle lingue romanze. Questa, mediante la *devotio* per la sua *fides*, è dispensatrice di *pietas*. Sotto l'aspetto linguistico e grammaticale di particolare interesse è il sintagma *omnis haec plebs*, dove ci si aspetterebbe *tota haec plebs*. La scelta di *omnis* è offerta dalla constatazione che durante i vari momenti liturgici non c'è *tota gens*, ma della totalità nel *templum* c'è solo *pars* e di questa *pars omnis gens*, cioè *omnis homo*, raccoglie i meriti inerenti alla partecipazione al *mysterium divinum*. *Omnis* è posto in rilievo dalla posizione che occupa nell'inciso. Da quanto accennato si evince anche il valore semantico di *gens* che, in questo particolare contesto, assume il significato di uomo, persona. L'*omnis gens* forma l'*ecclesia* in *templo… collecta*. Si noti, infine, l'anafora di *te* e la *climax* ascendente *te timeat, te diligat, te sequatur*. La clausola «pervenire mereatur», formata da un epitrito quarto e un peone terzo, con la sequenza di tre sillabe brevi schiude il fedele verso il fine cui tende.

D → **1175** Il MR 2002, p. 891, valorizza la prima parte del testo come *collecta in anniversario dedicationis ecclesiae: I. In ipsa ecclesia dedicata*; il testo tralascia l'inciso «et sacris semper mysteriis repraesentas incolumes» per proseguire fino all'«ut» e continuare così: «… ut fiat hic tibi semper purum servitium et nobis plena redemptio». Così risolve la traduzione del MR 2020, p. 695: «Ascolta, o Padre, le preghiere del tuo popolo che ricorda con gioia il giorno della dedicazione di questo santo tempio, perché la comunità che qui si raduna possa offrirti un servizio puro e irreprensibile e ottenga pienamente i frutti della redenzione». ≈ **1178** Il MR 2002, p. 895, riprende il testo come *collecta* alternativa per il *commune dedicationis ecclesiae: II. Extra ipsam ecclesiam dedicatam*, ma con questo adattamento: «… da, ut *plebs* nomini tuo *inserviens* te timeat, te diligat, te sequatur et ad caelestia promissa, te ducente, *perveniat*». Questo il testo di MR 2020, p. 698: «O Dio, che hai voluto chiamare tua sposa la Chiesa, fa' che il popolo consacrato al servizio del tuo nome ti adori, ti ami, ti segua e, sotto la tua guida, giunga ai beni promessi».

1179 – 1183: Messa propria del vescovo nel giorno della sua ordinazione

A → Nell'anniversario della propria ordinazione il vescovo, nell'implorare Dio «mundi creator et rector», riconosce l'abbondanza dell'«ineffabilis gratiae» che lo ha condotto a «caelestibus mysteriis servire» e insieme domanda di continuare a svolgere il proprio ministero come pure gli altri ministeri ecclesiali, e di poter guidare il popolo di Dio. E nell'annuale ricordo del «sacerdotalis exordium» il vescovo, consapevole di svolgere senza merito questo ministero, domanda l'intervento dei «divina suffragia» perché tutti «repleantur consolationibus».

D → **1179** Il MR 2002, p. 1090, riprende il testo come *collecta pro*

seipso sacerdote ("praesertim... cura animarum gerente": *Missae ad diversa*, 7A) con alcune precisazioni: «gratiae *tuae* largitate... praeesse *voluisti*, tribue *me* tibi...»; e tralasciando l'inciso «et ecclesiasticis... ministeriis» conclude: «... te in omnibus *gubernante, dirigere* concede». Questo il testo completo del MR 2020, p. 862: «O Dio, che mi hai posto alla guida della tua famiglia non per i miei meriti, ma soltanto per la tua ineffabile grazia, donami di adempiere con fedeltà il ministero sacerdotale e di guidare degnamente il popolo a me affidato, che tu sempre reggi e governi».

1184 - 1187: Allo stesso modo la messa per un altro sacerdote

A → Al di là del titolo, la *collecta* contiene il termine *episcopus* mentre l'embolismo del Canone Romano fa riferimento al *famulus* (= *sacerdos*) e all'*episcopus*. - A Dio riconosciuto come colui che stabilisce «numeros et mensuras temporum» – un'espressione che rinvia alla Veglia pasquale quando nella benedizione del Cero il celebrante annuncia: «Ipsius sunt tempora et saecula» – l'assemblea domanda di volgere lo sguardo «ad humilitatis servitutem» perché abbondanza di pace e di grazia caratterizzino il tempo presente. Obiettivo dell'«oblatio» è per ottenere un «subsidium sempiternum» che sorregga ogni «fragilitas». Più sviluppato è il contenuto dell'embolismo del Canone Romano dove si sottolinea l'offerta sacrificale «ob devotionem mentis» del celebrante, con l'auspicio che siano custoditi in lui i doni ricevuti «et annorum spatia», e che nel guidare la Chiesa sappia valorizzare così bene le realtà temporali per ottenere quelle eterne, meritando così, nella partecipazione al «tanti mysterii munus», non una «condemnatio» ma una «medicina».

C → Il *sacerdos*, come si evince dall'eucologia **1184** è un *humilis servus*, per cui dice: «ad humilitatis nostrae propitius respice servitutem». ≈ Nell'eucologia **1185** viene ancora ribadito il nesso tra *servitus* e *oblatio*, che diviene un *munus* offerto a Dio. ≈ Nell'eucologia **1186** oltre alla contrapposizione di *temporalia* con *aeterna*, c'è da osservare che a *utor* segue l'accusativo *temporalia*, là dove il latino del ceto più colto avrebbe detto *utatur temporalibus*. ≈ Nell'eucologia **1187** accanto a lessemi derivati dal linguaggio giuridico, *indultum* e *condemnatio*, pone non a caso *medicina*, rimedio efficace per curare i danni provocati dal peccato. *Indultum* nel *Sacramentario* è un *hapax* e consiste nell'estinzione della pena meritata in seguito a un crimine; *condemnatio*, invece, è la condanna, che il giudice infligge. A questi termini l'estensore oppone la *medicina*, data dalla recezione del *sacramentum*.

1188 - 1190: Per la messa propria di un sacerdote

A → Il formulario è caratterizzato da una tematica fortemente penitenziale. La consapevolezza del proprio limite spinge il presbitero che riconosce il proprio errore – «graviter deliquisse» – ad implorare «manum misericordiae» nella presentazione dell'«oblatio». Eloquenti gli appellativi di Dio nei tre testi eucologici: «Pater omnipotens, Creator omnium rerum, Deus misericordiae, Deus pietatis, Deus indulgentiae, Salvator omnium, pius, propitius, miseratus». Da questa professione di fede scaturisce la richiesta di perdono – «veniam delictorum» - dopo il percorso della penitenza e delle lacrime, in modo che al sopraggiungere dell'«extrema dies finisque vitae» sia accolto dall'«angelus sanctitatis».

1191 – 1194: Per la messa in monastero

A → È il formulario usato in occasione della benedizione di un abate benedettino. Per lui i fedeli implorano lo «spiritum gratiae salutaris» e la rugiada della benedizione divina perché tutti possano piacere a Dio «in veritate». A questo tende l'offerta sacrificale, ripresa e attualizzata nella molteplice richiesta presente nell'embolismo del Canone Romano (protezione, ascolto, vita serena, costanza nella fede trinitaria e cattolica). E la partecipazione al «caelesti munere» è occasione per implorare quel perpetuo soccorso che garantisca il conseguimento della «sempiterna redemptione».

1195 – 1199: Messa [in occasione di] mortalità

A → Anche nelle situazioni di «flagella» si implora perdono e conversione, si domanda «paterna pietas» per temere soprattutto i «tuae maiestatis flagella» ed essere liberati «a totius perditionis incursu». A questo tende anche l'embolismo prefaziale in cui i fedeli riconoscono il beneficio dei santi, la loro «intercessio veneranda», per essere difesi «ab omni iniquitate».

1200 – 1205: Allo stesso modo [in occasione della] moria degli animali

A → Il lavoro umano è supportato dalla collaborazione degli animali che offrono pure il cibo per l'«humana conditio». Per questo si implora la divina clemenza perché abbia fine la desolazione, siano allontanati «cunctos errores», come pure «saevientium morborum perniciem». A questo tendono i «sacrificiis oblatis» perché il fedele «corpore salvatus ac mente» sperimenti sempre i «beneficia propitiationis». L'embolismo prefaziale è come una riflessione sapienziale: i mali presenti orientino ai beni futuri; la consolazione dei beni temporali renda più certi quelli futuri; nella buona o nella cattiva sorte si lodi il Signore.

C → Le eucologie di questo gruppo non presentano particolarità né stilistiche né ritmiche, e la scelta lessicale non differisce da quelle fin qui esaminate. ≈ Da notare nell'eucologia **1205** il termine *devios*, un *hapax* che denota coloro che sono usciti fuori della retta via, in contrapposizione con *correctos* che, con forte senso mediale, indica coloro che si sono ravveduti.

1206 - 1209: Messa in tempo di guerra

1210 - 1214: Messa in tempo di carestia

A → In tempo di carestia, di fame e pestilenza, si prega perché cessino i flagelli, e si implora l'abbondanza della pietà divina perché i fedeli siano riconosciuti degni dell'anticipo dei benefici divini, e non venga mai meno «corporibus subsidium… et mentibus». L'aiuto materiale è implorato da coloro che sono nutriti dalla partecipazione ai misteri eterni. L'ampio embolismo prefaziale, pur nella complessità del modo con cui sono espressi i concetti, rispecchia la consapevolezza del fedele che sperimenta il «recte sentire» quando non confida nelle proprie forze ma nell'implorazione della «pietas et iustitia»; e come il Signore non abbandona mai «iniustos et malos», a maggior ragione non lascia mancare il suo aiuto a coloro che «tuos esse tribuisti».

C → Le eucologie di questo gruppo, nonostante siano state elaborate con una certa cura, tradiscono la loro origine e la presenza di un'improvvisazione appena velata. ≈ Si noti tuttavia nell'eucologia **1211** la contrapposizione di *te indignante talia flagella producere* con *te miserante cessare*. ≈ Nell'eucologia **1212** l'orante chiede che l'*alimentum munerum non desit corporibus et mentibus*, cioè l'uomo, come sinolo di anima e di corpo.

D → **1212** Il MR 2002, p. 461, valorizza il testo come *super oblata* per la *dominica XI "per annum"*. ≈ **1214** Il MR 2002, p. 1127, valorizza il testo come *post communionem* per il formulario *pro humano labore sanctificando: B. Aliae orationes* tra le messe *pro circumstantiis publicis*; unica variante la sostituzione di «informare» con «*recreare* mysteriis».

1215 - 1219: Messa per chi si mette in cammino

1220 - 1222: Messa per un infermo

D → **1220** Il MR 2002, p. 1146, riprende il testo trasformando solo al plurale la richiesta «pro famulis tuis infirmis», e valorizzandolo come *collecta* alternativa nel formulario tra le messe *ad diversa: 45. Pro infirmis*.

1223 - 1225: Messa per le elemosine

A → Il gesto dell'elemosina dopo il Battesimo costituisce la seconda modalità di espiazione del proprio peccato. Nel ringraziare per questa opportunità, i fedeli – resi «pietate devotos» – domandano di poter ottenere «pro parvis magna, pro terrenis caelestia, pro temporalibus sempiterna»: è una sintesi eloquente. E la partecipazione al «consortium sacramenti» sia di aiuto e non di peso per la coscienza. L'attenzione rivolta ai poveri, infine, mentre è necessaria nel presente, è sempre ben accetta a Dio (cf anche i nn. 364-367).

1226 – 1230: Messa per chiedere la pioggia

A → Cf altri testi, nn. 1020-1022.

C → Il revisore di questo gruppo di eucologie ha cercato di mettere a frutto le conoscenze grammaticali e stilistiche per conseguire particolari ed efficaci effetti fonici e semantici. Particolare è *fiducialius*, un *hapax* in opposizione a *sufficienter*. È frutto di un'elaborazione linguistica feconda e mirante a chiedere alla mente del fedele particolare attenzione. ≈ Nell'eucologia **1227** si chiede a Dio il *subsidium aquarum caelestium* per le creature rinvigorite dalla *condicio terrena*.

1231 – 1235: Messa per chiedere la serenità

A → Cf anche i testi nn. 1023-1024.

1236 – 1240: Messa della santa Trinità

A → Il MR 1474, pp. 252-254, contempla i testi eucologici insieme a queste letture: 2 Cor 13,11.13 (*Gratia Domini et gratia Dei sit cum omnibus vobis*) e Io 15,26 – 16,4 (*Cum venerit Paraclitus… ille testimonium perhibebit de me*). Lo stesso *Missale* contiene anche una sequenza sotto il titolo *oratio* con l'*incipit*: «Trinitas unitas deitas…» (p. 253). – Conoscere l'«aeternae Trinitatis gloriam» nella professione di fede e adorarne l'unità «in potentia maiestatis» è motivo per implorare la «fidei firmitas». Con questa fede l'assemblea – «famulos tuae maiestatis subiectos» - implora che l'offerta sacrificale possa trasformarla «in munus aeternum», e la partecipazione – «susceptio» - al sacramento «proficiat ad salutem corporis et animae», e ad un'autentica e vitale «confessio sanctae Trinitatis». Su tutta questa realtà si apre l'ultima domanda: «benedic et protege», perché i fedeli, lontani da ogni pericolo, possano allietarsi nella lode divina. L'embolismo prefaziale, infine, innalza la lode all'unità e trinità di Dio, sottolineando «in personis proprietas, in essentia unitas, in maiestate aequalitas».

C → La composizione di questo gruppo di eucologie è frutto di un'accurata riflessione teologica. L'estensore ha felicemente coniugato il linguaggio proprio dei dogmi con perizia e padronanza, distribuendo in modo congruo i singoli incisi con idonee cadenze ritmiche.

D → **1237** Il MR 2002, p. 485, valorizza il testo come *super oblata* nella solennità della Ss.ma Trinità, sostituendo l'«huius oblationis hostiam» con «haec munera nostrae servitutis». Questo il testo di MR 2020, p. 300: «… i doni del nostro servizio sacerdotale…». ≈ **1238** Il testo del prefazio, presente anche nella formula n. 1483, si trova nel MR 2002, p. 487-488, nel formulario della Ss. Trinità, con il titolo: *De Mysterio Sanctissimae Trinitatis.* ≈ **1239** Il MR 2002, p. 1158, valorizza il testo nella *post communionem* accentuando la professione nella Trinità con l'aggiunta: «… et sempiternae sanctae Trinitatis eiusdemque individuae Unitatis confessio». Pertanto ecco il testo del MR 2020, p. 922: «… la comunione al tuo sacramento e la professione della nostra fede in te, unico Dio in tre persone, siano per noi pegno di salvezza dell'anima e del corpo». E → Π 121; Λ 138; Σ 134; Δ 153. - Cf 1082-1084: *Domenica dopo l'Ascensione del Signore*.

* * * Nella numerazione delle formule è stata tralasciata la segnalazione delle due letture: Rom 11, 33-36 (*O altitudo divitiarum sapientiae et scientiae Dei*) [= 1241] e Io 15,26 – 16,4a (*Spiritum veritatis, qui a Patre procedit*) [= 1242].

1243 – 1247: Messa per [ottenere il dono della] sapienza

A → Accanto alla creazione dell'uomo ad opera della coeterna sapienza, l'assemblea ricorda l'opera della redenzione – «ostendisti creaturae Creatorem» - finalizzata ad amare Dio «tota mente» e rivolgersi a lui «toto corde». Ed è l'azione della stessa sapienza divina che è implorata per la santificazione dell'«oblationis munus» perché «laus et salus» siano le due realtà che permettono di acquisire il dono della vera sapienza, quel «lumen sapientiae» che - essenziale per conoscere e amare - solo può permettere di accogliere nei cuori «*aghiae sophiae* habitationem». Da notare l'uso della terminologia greca, eco della lingua in cui presumibilmente si celebrava la liturgia nei primi secoli a Roma (cf n. 414a)! L'embolismo pefaziale loda la maestà divina per la possibilità offerta di conoscere la «coaeterna sapientia» perché «tuam confitentes maiestatem» l'assemblea possa raggiungere la vita eterna.

C → La composizione di queste eucologie evidenzia una cura particolare nella scelta delle parole e nella loro disposizione secondo precise rispondenze ritmiche e, soprattutto, semantiche. Il periodo è ampio e armonioso e le singole parti sono strettamente unite sotto l'aspetto sia grammaticale che semeiologico. ≈ In **1243** si noti *condidisti* al posto del tràdito *creavisti* o *creasti*, in rispondenza con *reformasti*. All'epitrito secondo del primo contrappone, secondo le norme della prosa ritmica, un epitrito primo, che viene preparato da una dipodia trocaica *perditumque*, seguito da un tribraco e un cretico *misericorditer*. Nella proposizione finale utilizza la *climax* costituita dalla rispondenza *mente amemus* e *corde curramus*. La clausola «corde curramus» è data da un cretico e uno spondeo. ≈ Anche nell'eucologia **1244** c'è una studiata e mirabile consequenzialità tra *te possit placere ad laudem* con *nobis proficere ad salutem*. La clausola «ad salutem» è costituita da un epitrito secondo. ≈ Nell'eucologia **1246** si noti la perfetta rispondenza tra *veraciter cognoscamus* con *fideliter diligamus*. La clausola «fideliter diligamus» è formata da una dipodia giambica e un epitrito secondo. ≈ Nell'eucologia **1247**, come è stato già notato, l'estensore ricorre alla terminologia greca, ἄγια σοφία, per designare Cristo.

Ma prima bisogna notare la figura etimologica *creturae creatorem*, preceduta da *condidisti*, che richiama la prima eucologia.

* * * Nella numerazione delle formule sono state tralasciate le indicazioni delle quattro antifone con cui si apre il testo seguente: *Ingresso*: «Fac mecum, Domine»; *Graduale*: «Propitius esto, Domine»; *Offertorio*: «Miserere mihi, Domine»; *Comunione*: «In salutari tuo anima mea» [= 1248-1250].

1251 – 1254: Messa per chiedere la grazia dello Spirito Santo
    A → La «gratia Spiritus Sancti» è implorata dai fedeli per essere liberati dalla «malarum temptatione cogitationum» e «ab omnibus… tempationibus»; obiettivo è «pro salute» perché il «cor famuli» possa «perfecte diligere et digne laudare» l'«omnipotens mitissime Deus». Una *gratia* implorata dunque per il conseguimento di una *salus* integrale - del corpo e dello spirito, sintetizzati nel termine *cor* - e tesi ad essere «sancti Spiritus dignum… habitaculum».

1255 – 1258: Messa quotidiana [in onore] di santa Maria
    A → Per una panoramica teologico-liturgica l'esame del presente formulario va accostato al successivo. È implorata - in un contesto di *veneratio* - l'*intercessio* di santa Maria: *a)* per essere «a praesenti liberari tristitia, et futura perfrui laetitia» (n. 1255); *b)* per conseguire «perpetuam atque praesentem prosperitatem» (n. 1256); *c)* per poter ottenere «praesenti… prosperitate et futura» (n. 1258); *d)* per poter sempre imitare «piae conversationis… exemplo» della Madonna e dei santi (n. 1261); *e)* per sperimentare l'incoraggiamento di «sanctae Mariae semper virginis subsidiis attolli» (n. 1264); *f)* per poter realizzare, nel contesto di una comune solennità, il desiderio: «dum pariter cotidie festa celebramus, eorum pariter cotidie ab omnibus adversis protegamur auxilio» (n. 1264).
    * * * Nella numerazione delle formule è stata tralasciata la indicazione delle due letture: Prv 31,25-29 (*Tu supergressa es universas*) [= 1259] e Lc 11,27-28 (*Beatus venter qui te portavit*) [= 1260].

1261 – 1264: Messa quotidiana per tutti i Santi oppure di santa Maria
    A → Linee di teologia liturgica attorno alla solennità di tutti i Santi possono essere elaborate a partire dai testi eucologici compresi tra il n. 1255 e il 1279. - La solennità di tutti i Santi, nel ricordo della Vergine Maria, degli apostoli e dei martiri, è occasione per invocare dal «Domine Deus» la forza di seguire gli esempi che provengono dalla condotta di vita - «pia conversatio» - di coloro che ogni giorno sono onorati - «cotidiano veneramur officio» -; e per il loro onore l'assemblea offre «munera devotionis» nella consapevolezza di poterne beneficiare «te miserante» con una partecipazione reale «ore» e una comprensione piena «corde». È questa la garanzia per ottenere quella «gloriosa protectio» perché

i fedeli che quotidianamente onorano le schiere beate possano essere quotidianamente protette dal loro aiuto «ab omnibus adversis».

C →› 1261 Notevole è la proposizione finale con riferimento all'*officium* che, con le dovute modifiche dettate dalla diversa circostanza, si riscontra anche nel testo n. 684. ≈ **1263** Nella seconda parte si riscontra una disposizione bimembre formata da sostantivo seguita dal verbo, con clausola formata da un trocheo seguito da un anapesto o, se si vuole, dal *cursus* piano.

1265 – 1269: Vigilia di tutti i Santi – 31 ottobre

A →› Il MR 1474 indica queste letture: Apc 5,6-12 (*Dignus es Domine accipere librum et solvere signacula eius*) e Lc 6,17-23 (*Merces vestra multa est in caelis*). – Il dono della «gratia» da parte del «Domine Deus noster» è implorato perché possa essere fonte di gioia nella professione di santità di coloro che sono onorati «gloriosa sollemnia». Per questo l'assemblea riempie l'altare di doni perché nell'onorare «optata celebritate» in anticipo - «sollemnia praevenire» - l'intercessione dei Santi - «eorum precibus adiuvemur» - non venga meno la «salus» e la loro protezione. Nel ricordare quindi il digiuno dedicato alla santità di Dio, l'assemblea innalza la propria lode per celebrare la solennità di tutti i Santi.

1270 – 1274: 1° novembre – natale di tutti i Santi

A →› Il MR 1474 indica questi testi: Apc 7,2-12 (*Salus Deo nostro qui sedet super thronum et Agno*) e Mt 5,1-12 (*Gaudete et exsultate quoniam merces vestra copiosa est in caelis*). – Celebrare in un'unica festa i «merita» di tutti i Santi («multiplicati intercessores») per l'assemblea è motivo per implorare una «desideratam abundantiam» della misericordia divina. Per questo sono presentati i «munera… devotionis» perché siano di onore per i Giusti e di salvezza per i fedeli. In questa ottica emerge anche la figura letteraria del «veneratione laetari – supplicatione muniri» che declina il rapporto intimo che intercorre tra la lode e la supplica; come pure la dialetttica orante che intercorre tra il «temporali gratulamur officio» e il «perpetuo laetemur aspectu». Il prefazio, infine, si muove nel contesto dell'«exsultatio», del «gaudium», per auspicare che di fronte alla difficoltà dell'imitazione delle virtù dei Santi i fedeli possano almeno conseguire l'effetto della propria «debita veneratio».

C →› 1273 L'eucologia è costituita da una clausola bimembre data dal sostantivo seguito dal verbo e in clausola mostra una tripodia trocaica seguita da un molosso o, se si preferisce, dal *cursus* piano.
D →› 1270 Il MR 2002, p. 855, valorizza il testo come *collecta* per la solennità *omnium Sanctorum*, con l'aggiunta del teologicamente discutibile «tuorum» al «Sanctorum».

1275 – 1279: Messa per la venerazione dei Santi in qualsiasi chiesa in cui sono venerate le loro reliquie

A → La venerazione delle reliquie presenti in una determinata «ecclesia» offrono ai fedeli l'opportunità di implorare il patrocinio dei Santi cui appartengono finché è commemorata la loro presenza, e permetta di rallegrarsi «tranquilla pace» nella lode divina, ed essere così liberati «ab omni adversitate» e di poter godere un giorno con loro «in aeterna laetitia». Per questo i fedeli implorano lo sguardo divino sui «munera oblata» perché siano fonte di salvezza per le preghiere di coloro le cui «sacratissimae reliquiae» sono raccolte «in hac basilica», di coloro «quorum hic sacra gaudemus praesentia», di coloro infine «quorum hic veneramur patrocinia».

C → Si noti che nelle eucologie **1275** e **1276** il lessema *ecclesia* assume il significato di edificio sacro, nel quale si svolgono i riti e sostituisce e col tempo si impone sul più comune e frequente *templum*. ≈ **1277** *basilica…* - ≈ **1279** *domus tua…* - Nell'insieme del formulario abbiamo pertanto quattro termini per indicare il luogo di preghiera: *ecclesia, templum, basilica* e *domus*.

1280 – 1284: Messa per chiedere la protezione degli Angeli

A → I cinque testi del formulario implorano da Dio la protezione degli angeli, lodando anzitutto nel prefazio il progetto divino per l'«angelica substantia» che abita nei cieli, e implorando di ottenere sulla terra il «pignus» per i ministri che stanno «in conspectu tuo», pur consapevoli di celebrare «fragili officio». Sulla base del rapporto tra gli angeli in cielo e i ministri davanti all'altare, i fedeli implorano il «subsidium miserationis», il soccorso dell'«angelico suffragio» e dell'«archangelorum auxilio», la «perpetua pietas» divina, in modo da potersi rallegrare per una costante «pia veneratione».

1285 – 1289: Messa della santa Croce

A → Attorno al termine *crux* si muove una terminologia che evidenzia lo strumento di salvezza: *vivifica, sancta, salutifera crux, vitale lignum* fino ad «ara crucis». L'assemblea in occasione della *inventio* contempla il vessillo della Croce santificata dal «pretioso sanguine», mentre ne implora la protezione. Nell'offerta della «oblatio» si implora la purificazione da ogni male perché è su quell'«ara crucis» che sono stati portati tutti i peccati del mondo, ed è dalla Croce che l'assemblea chiede di essere protetta «ab omnibus adversis». Il prefazio, infine, muovendosi attorno al termine *lignum* evidenzia il rapporto tipologico tra il *lignum* da cui era scaturita la morte per opera del Maligno e il *lignum* della Croce da cui è scaturita la vita per opera del sacrificio del Cristo.

C → Nell'eucologia **1285** particolare rilievo assume il lessema *vexillum*, di estrazione militare, che, assunto dal cristianesimo, acquista un'estensione semantica nuova: non è più l'insegna militare ma il simbolo della salvezza, della *crucis vivificae*. Si noti il poliptoto abilmente inserito nel chiasmo *qui eiusdem sanctae crucis gaudemus honore - tua quoque ubique protectione gaudere*. ≈ Un altro poliptoto si trova inserito nell'eucologia **1286** *offensis… offensa*.

D → **1287** Il testo prefaziale è presente anche nel MR 2002, p. 828-829 per la festa *In exaltatione sanctae Crucis*, sotto il titolo: *De victoria Crucis gloriosae*. L'*editio typica tertia* offre una variante di stile quando recita: «… et, qui *in ligno* vincebat, *in ligno* quoque vinceretur…» riprendendo e sviluppando così la simmetria con «in ligno crucis» posto all'inizio dell'embolismo, e superando in tal modo il duplice «per» del *Sacramentario*.

1290 – 1294: Messa durante un Concilio

A → Uno sguardo teologico-liturgico sui cinque testi permette di cogliere la richiesta dello «spiritum veritatis et pacis», il «lumen sapientiae», in modo da comprendere e da discutere ciò che è più giusto davanti agli occhi di Dio («in oculis tuis veraciter intelligere – fiducialiter loqui»). È in questa logica che è possibile conoscere «toto corde» e insieme poter seguire «tota virtute – tota mente» ciò che viene appreso e condiviso. Per questo si implora la «gratia miserationis» perché la partecipazione ai santi misteri – «sancta quae sumpsimus» - rafforzi la volontà e renda tutti e dovunque «veritatis praedicatores». E nella *super populum* ancora una richiesta perché il *Dominus Deus* doni al *rector* del popolo di Dio «longeva prosperitas», e ai fedeli lo «spiritum caritatis» e la protezione «ab omni adversitate».

C → **1290** Si noti l'estensione semantica di *virtute*, che in questo particolare contesto assume il significato di *auxilium*, aiuto, oppure di *gratia*, grazia. ≈ In **1291** si ponga attenzione sulla rispondenza bimembre *veraciter intellegant - fiducialiter loquantur*, che costituisce, con la pentapodia giambica catalettica, anche la clausola. ≈ In **1294** evidente è il poliptoto *tuis - tuae*.

D → **1291** – Il MR 2002, p. 1121, valorizza il testo come *super oblata* per il formulario della messa *20. In conventu spirituali vel pastorali*, tralasciando «et gratiam… inpende», e operando questo adattamento: «… tuorum munera *famulorum*, ut, quae sunt in oculis tuis *salutaria atque* recta, *et* veraciter intellegant, et fiducialiter eloquantur». Così il MR 2020, p. 885: «… perché conosciamo nella verità e proclamiamo con franchezza ciò che è giusto e santo ai tuoi occhi».

1295 – 1299: Nel natale di qualsiasi Santo confessore o martire

A → I «merita gloriosa» del *confessor* sono ricordati per implorare la sua «pia intercessio» in ordine alla protezione dei fedeli «ab omnibus adversis» - espressione generica che ritorna frequentemente nell'eucologia -, e alla purificazione «ab omnibus peccatis». La partecipazione ai «divina mysteria» è motivo per rivolgersi all'«aeternae consolationis pater» e per implorare «veniam peccatorum» come condizione per essere rinfrancati dai «caelestis gratiae donis», e per ottenere «pacem et salutem» in modo da aderire «tota dilectione» ai precetti divini e attuarli «tota voluntate». Il prefazio, infine, recupera il «terrena despicere et amare caelestia» – espressione che ritorna di tanto in tanto nell'eucologia – quale programma di vita del *confessor* e come premessa per poter conseguire per la sua intercessione protezione e sostegno.

C → **1295** Anche in questa eucologia il lessema *eccelsia* designa l'edificio sacro. ≈ In **1298** si noti la rispondenza *veniam mereamur peccatorum – caelestis gratiae donis reficiamur.*

1300 - 1304: Preghiera per la messa nel natale di san Ruperto confessore

A → Nei cinque testi eucologici si ricorda anzitutto la risposta dei fedeli che con la predicazione del santo sono giunti «ad agnitionem tui sancti nominis» e «ad tuae pietatis notitiam». Su questo atteggiamento di lode s'innesta la richiesta di poter sperimentare il suo patrocinio anche nella presentazione delle offerte sacrificali dalla cui partecipazione i fedeli implorano di poter conseguire gli «aeterna remedia» ed essere custoditi «a cunctis adversitatibus». Il prefazio corona questo orizzonte evidenziando l'atteggiamento di fede dell'assemblea che loda la clemenza divina per il patrocinio di san Ruperto e per averlo accolto come «aeternae salutis ministrum».

B → Il Mart 2004, p. 208, n. 1, il giorno 27 marzo ricorda san Ruperto († 27 marzo 718, giorno di Pasqua!) vescovo di Salisbugo dove costruì una chiesa e un monastero «divulgando da lì la fede cristiana».

1305 - 1308: Messa per [ottenere il dono della] carità

A → La *invocatio* relativa con cui si apre la prima *collecta* si ispira quasi *ad litteram* all'espressione paolina: *Diligentibus Deum omnia cooperantur in bonum* (Rom 8,28). Su questa certezza si muove la richiesta dell'assemblea che invoca un «inviolabilem caritatis affectum» e lo «spiritum tuae caritatis» perché i desideri concepiti per ispirazione divina non subiscano alcuna tentazione. Nella *invocatio* relativa della seconda *collecta* i fedeli riconoscono di essere rinnovati «ad imaginem tuam» attraverso «sacramentis et praeceptis». Su questa certezza implorano di poter camminare nelle vie del Signore perché attraverso le offerte sacrificali il «caritatis donum» – «quo cunctum innovas mundum» - possa essere sperato e conseguito per divenire «pietate concordes» dal momento che «uno caelesti pane satiasti».

D → **1306** Il testo è ripreso nel MR 2002, p. 1107, come *super oblata* nella messa *15. Pro concordia fovenda*, con l'unica sostituzione del «facias» in «tribuas». ≈ **1308** Cf n. 220.

1309 – 1312: Messa per gli amici che sono in vita
A → È la «salus mentis et corporis» il dono che viene implorato come «donum caritatis» in favore degli amici «per gratiam sancti Spiritus», perché la loro risposta all'amore di Dio sia realizzata «tota virtute» e portata a compimento «tota dilectione». Per questo si implora la «supernae benedictionis gratiam» per conseguire, un giorno, la «gloriam aeternae beatitudinis». Nella partecipazione ai «salutaria sacramenta» si domanda per essi «prosperitatem et pacem». Nel prefazio, infine, si invoca ancora la liberazione «a terrenis cupiditatibus» perché – «tuae caritatis spiritu repleti» – possano essere resi degni della beatitudine celeste.
D → **1309** Nel MR 2002, p. 1142, è ripreso come *collecta* nel formulario tra le messe *ad diversa: 41. Pro familiaribus et amicis*; unica variante, il «*de* quibus» trasformato in «*pro* quibus».

1313 – 1315: Messa per un amico in vita
A → Per un orizzonte teologico-liturgico il presente formulario può essere esaminato in sintonia con il successivo. – Per l'amico che confida nella misericordia divina si implora la protezione del «caelesti auxilio», dell'«adsidua protectio» perché non si separi mai dal Signore. Il segno sacrificale è offerto per sé e per l'amico, per conseguire il perdono «omnium delictorum» e qualora si senta appesantito «a reatu conscientiae» possa gloriarsi dell'abbondanza del «caelestis remedium».
D → **1315** Il MR 2002, p. 249, valorizza il testo come *post communionem* per la *feria quinta* dell'*hebdomada IV Quadragesimae*, adattandolo per ben altro contesto, in particolare, come segue: «… et famulos tuos… liberos… constringuntur… glorientur». Il MR 2020, p. 105, così traduce: «… concedi ai tuoi figli, oppressi dalla coscienza del peccato, di essere liberi da ogni colpa, perché gioiscano in eterno della tua salvezza».

1316 – 1319: Messa propria per se stesso o per un amico
A → Essere sorretti «in viam salutis aeternae» è la domanda essenziale perché la persona per cui si prega – «famulus» è il termine presente nei quattro testi - si muova «libera mente» tra il desiderio – «cupiat» – e il compimento – «perficiat» – del proprio progetto di vita. Dovendo muoversi «inter adversa et prospera» il *famulus* è sorretto dai «sacramenta salutis» accolti e vissuti anche come protezione «ab omni adversitate», e al riparo «a malis omnibus».
C → **1316** Nella seconda parte si evidenzia l'opposizione di *cupiat*,

tribraco, e *perficiat*, coriambo, che costituisce anche la clausola finale o, se si preferisce, il *cursus velox*.

1320 – 1322: Messa in occasione di una tempesta
A → Più volte sono presenti formulari per implorare la protezione divina di fronte a situazioni provocate dalla natura; essi vanno tenuti presenti qualora si approfondiscano le linee di teologia liturgica che si muovono attorno a questo orizzonte tematico. – La sperimentata liberazione da pericoli – «pro concessis beneficiis gratias referentes» - è motivo per invocare il perdono dei peccati in modo da poter godere di «beneficia maiora» - «consolationibus laetemur» - ed essere in sintonia con i precetti divini valorizzando in tal modo il «donum tuae pietatis».
C → **1320** Si badi alla rispondenza *nos eminentibus periculis exuisti - a peccatis quoque absolvas*, nonché la proposizione finale introdotta da *ut* là dove ci si aspetterebbe *quo* per la presenza del comparativo *maiora*. La clausola «parere mandatis» è costituita da un palimbacchio seguito da un molosso. ≈ Nell'eucologia **1321** si noti come viene espressa la sequenza dei beni passati e di quelli futuri: *pro concessis - pro concedendis*. Il gerundivo anticipa l'esito romanzo. La clausola «suppliciter deprecantes» è data da un coriambo accompagnato da un epitrito secondo. ≈ In **1322** si noti la struttura bimembre *castigando sanas - ignoscendo conservas*. La clausola «semper utamur» è costituita da un cretico seguito da un trocheo.
D → **1322** Il MR 2002, p. 1138, valorizza il testo trasformandolo però in *collecta* per la messa *pro circumstantiis publicis: 36. Ad postulandam aeris serenitatem*, come segue: «ut optata *aeris serenitate* laetemur, et pietatis tuae donis *ad gloriam nominis tui salutemque nostram semper* utamur». Il MR 2020, p. 901, sotto il titolo *Per chiedere il bel tempo* così traduce: «... fa' che possiamo rallegrarci per la serenità del cielo e servirci sempre dei doni della tua bontà a gloria del tuo nome e per la nostra salvezza».

1323 – 1326: Messa per la pace
A → L'assemblea riconosce che lo scorrere del tempo dipende dal «conditor mundi»; ed è proprio per il tempo "presente" che implora «tranquillitatem pacis». La fiducia del fedele si fonda sui «sancta desideria et iusta opera» che hanno la loro sorgente solo in Dio; e da lui implorano «perpetuam pacem» e una «protectione tranquilla», in modo da essere liberati «ab hostium insidiis». In tal modo la «participatio sancta» ai divini misteri diventa motivo di espiazione e di fortezza.
D → **1326** Cf n. 1120.

1327 – 1330: Preghiere e messa per i peccati
A → Dal 1327 al 1349 ci troviamo di fronte a numerosi testi che toccano la stessa tematica dell'esperienza del peccato e di implo-

razione della misericordia divina. Porre in evidenza le richieste dei fedeli permette di cogliere il senso del peccato e insieme le diverse singolarità delle domande, tutte orientate ad un rapporto stretto e sincero con la propria coscienza e con Dio. L'approfondimento teologico-liturgico dovrà essere completato con l'esame di numerosi altri testi presenti nel *Sacramentario*, e con l'aiuto della *Concordantia*. – In sintesi, queste le richieste dei fedeli: *a)* la liberazione dal male «pro tui nominis gloria»; *b)* la «salus mentis et corporis» per superare ogni negatività; *c)* la purificazione «a peccatorum maculis»; *d)* una «sicura redemptio» a partire da ciò che si compie «pia devotione».
D –➤ **1328** Cf n. 249.

1331 – 1334: Allo stesso modo un'altra messa
A –➤ In sintesi le richieste dei fedeli: *a)* dall'esperienza della misericordia – «percepta misericordia» – scaturisce il desiderio di servire il Signore «libera mente»; *b)* meritare di essere salvati «te protegente, ab imminentibus peccatorum nostrorum periculis»; *c)* ottenere che giunga a compimento ciò che è stato ricevuto senza merito; *d)* non soccombere di fronte agli «humanis periculis» dal momento che è stata concessa e realizzata la «divina participatio» ai santi misteri.
D –➤ **1333** Cf n. 742. ≈ **1334** Il MR 2002, p. 484, valorizza il testo come *post communionem* per la messa nell'*hebdomada XXXIV "per annum"* rendendo al presente «tribuisti» con «tribuis» e modificando la parte finale della *petitio* in questa forma: «… a te numquam separari permittas», concetto quest'ultimo che ritorna altre tre volte nel MR 2002, pp. 601, 911 e 966. Il MR 2020, p. 298, così traduce: «… ci dai la gioia di partecipare ai divini misteri, non permettere che ci separiamo mai da te, fonte di ogni bene».

1335 – 1338: Allo stesso modo un'altra messa
A –➤ In sintesi le richieste dei fedeli: *a)* poter «respirare» di fronte al peso delle continue «tribulationes»; *b)* non essere oppressi dalle «adversitates» dal momento che sono stati redenti dal «pretioso Filii… sanguine»; *c)* beneficiare della «mystica oblatio» che sola può ridare fiducia nella «perpetua salvatione»; *d)* infine comprendere in pienezza ciò che ora si compie nel mistero – «specie gerimus» -. Per quest'ultima espressione il MR 2020, p. 291, risolve semplicemente così: «La partecipazione ai doni del cielo, o Signore, ci ottenga gli aiuti necessari alla vita presente nella speranza dei beni eterni», dove il «perficiant… quod continent» perde la sua forza espressiva, unitamente al movimento espresso dal rapporto tra «spe gerimus» e «veritate capiamus».
D –➤ **1338** Cf n. 758.

1339 – 1342: Allo stesso modo un'altra messa

A → L'assemblea riconosce di sperimentare gli effetti negativi dei propri eccessi, per questo implora: *a)* di essere consolata dalla «protectio tuae pietatis»; *b)* di conseguire il perdono, consapevole di essere incorsa nella colpa; *c)* di essere liberata «a propriis reatibus» e protetta «ab omnibus adversis»; *d)* di valorizzare la partecipazione alla «spiritalis alimonia» per «terrena despicere et amare caelestia».

C → **1340** Si noti l'equilibrata disposizione dei membri che costituiscono la proposizione finale, in cui i gerundi strumentali conferiscono nella loro concretezza ciò che realmente il fedele spera: *contemnendo culpam incurrimus - confitendo veniam consequamur*. Quest'ultimo membro costituisce anche la clausola, data da un anapesto e un epitrito secondo.

D → **1342** Cf n. 821.

1343 – 1349: Allo stesso modo un'altra messa

A → Più completo il presente formulario, costituito da ben sette testi eucologici; dal loro insieme emergono queste attese da parte dei fedeli: *a)* essere liberati dal male visto come conseguenza della giustizia divina («iuste inrogas»); *b)* ottenere il perdono che si concretizza in «indulgentia et pax»; *c)* saper orientare il cuore che talora vacilla («nutantia corda»); *d)* essere liberati «ab omnibus peccatis» e difesi «a cunctis inimicis»; *e)* godere della «remissio omnium delictorum»; *f)* evitare ogni peccato («peccata vitemus»); *g)* saper piangere in modo degno «mala quae fecimus» per meritare «tuae consolationis gratiam».

D → **1345** Cf n. 237.

1350 – 1353: Messa per la salute dei vivi

A → Il tema della salute fisica è oggetto di questo formulario in cui l'assemblea con immagine antropomorfica implora la «dexteram caelesitis auxilii», il «clemens vultus» per poter conseguire «quae digne postulant»; in particolare quell'«incolumitas» che permette di non rendere vani né i «vota» né ogni «postulatio», e poter così conseguire «efficaciter» ciò che è domandato «fideliter». L'embolismo della Preghiera eucaristica evidenzia la «devotio mentis» degli offerenti che implorano «aeterna protectio» per rallegrarsi sempre «in tua religione» e perseverare «instanter» nella «Trinitatis confessio» della fede cattolica. Per questo si implora la virtù della «constantia» per perseverare «in tua fide et sinceritate» ed essere rafforzati «in caritate divina».

C → I testi rispecchiano una struttura formale piuttosto uniforme. L'estensore distingue bene nell'eucologia **1350** e **1354** i *famuli* dalle *famulae*, adoperando per queste ultime al dativo plurale l'uscita in *-abus*, per cui si ha *famulis - famulabus*.

1354 – 1356: Messa durante una tribolazione

A →→ Attorno al tema della *tribulatio* si dipanano molti testi, dal n. 1354 fino al n. 1367. In questo primo formulario l'assemblea implora: *a)* la liberazione dal peccato e dalla pena; *b)* di ricevere ciò che piace al Signore; *c)* la liberazione dagli affetti alle realtà terrene; *d)* di proseguire nella tensione verso «superni plenitudinem sacramenti» cui l'assemblea ha partecipato.

1357 – 1359: Allo stesso modo un'altra messa

A →→ Consapevole di meritare una pena a motivo delle costanti infedeltà («incessabiliter delinquentibus») l'assemblea implora: *a)* che si trasformi «ad correctionis auxilium» ciò che meriterebbe «ad perpetuum exitium»; *b)* che possa sperimentare la serenità nell'affrontare le avversità; *c)* che la partecipazione all'eucaristia – definita «medicina… quae mortalitatis nostrae venit curare languores» – permetta di curare i «vitia cordis humani».

C →→ **1357** Nell'eucologia notevole è l'anafora sia di *parce*, in apertura, sia di *auxilium*, in chiusura con clausola coriambica o, se si vuole, con *cursus velox*. ≈ **1359** Si noti il verbo *venit* seguito dall'infinito finale. Notevole è la disposizione delle parole nel sintagma relativo in cui il genitivo è separato dal termine reggente mediante l'efficace inserimento di *venit curare*, proposizione finale con l'infinito.

1360 – 1362: Allo stesso modo un'altra messa

A →→ L'assemblea riconosce che per l'«humana fragilitas» si sente incline al peccato – «ad labendum… prona ad offensam» -; per questo, confidando in Dio, riconosciuto come «humilium consolator et fidelium fortitudo», implora fortezza interiore e disponibilità «ad veniam». «Expediat ed expurget»: due domande per una purificazione che elimini il male nella persona e nella comunità («occultis… manifestis»), con il sostegno che proviene dalla partecipazione al «munus caeleste»: è dal «mysteriis perfrui» che scaturisce la forza per affrontare ogni avversità.

C →→ Solo nell'eucologia **1360** si ha una buona elaborazione sotto l'aspetto stilistico e ritmico mediante un accorto uso della disposizione bimembre: *humilium consolator - fidelium fortitudo*. Nell'opposizione successiva la fragilità dell'uomo *per se proclivis est ad labendum - per te muniatur ad standum*; e la medesima *per se prona est ad offensam - per te semper reparetur ad veniam*.

D →→ **1362** – Il MR 2002, p. 145, valorizza il testo come *post communionem* per la messa del 20 dicembre, trasformando la richiesta finale come segue: «… in vera facias pace gaudere».

1363 – 1367: Allo stesso modo un'altra messa

A →→ L'implorazione dell'assemblea è per le persone afflitte e tormentate (per due volte ritorna nel formulario il termine *tribulatio* insieme ad *adflictio*); per esse implora il forte intervento divino

– «potenti pietate» – per conseguire nuovamente la *salus* (qui nel senso di salute fisica). Da qui la richiesta che si espandano nella persona gli effetti della «sacra participatio» per conseguire una «perpetua protectio». Il prefazio, infine, sottolinea ancora un aspetto dell'atteggiamento di Dio che se punisce gli erranti li risolleva anche «clementer»; Egli tiene lontano «a malis operibus» orientando verso le buone opere perché il suo obiettivo non è la condanna ma il premio.

D → **1364** Cf n. 1146. ≈ **1367** Cf n. 908.

1368 – 1372: Messa nel natale degli Evangelisti

A → Celebrare la «beata sollemnitas» degli Evangelisti è per l'assemblea motivo per riconoscere la «gloria sempiterna» loro riconosciuta da Dio stesso che opera sempre con la sua «ineffabilis providentia», e riconoscerne l'aiuto in favore dei fedeli. Per questo essi si accostano all'altare «cum hostiis laudis» per implorare «indulgentiam et favorem», per partecipare e vivere «sacramentis et gaudiis» in modo da essere sorretti «eorum precibus», e così allietarsi della loro «veneratio» e sentirsi sorretti dalla loro «supplicatio». Il prefazio, infine, ricorda che tutto è radicato nella formazione e nella protezione dell'«evangelistorum doctrinam».

D → **1368** L'originaria *collecta* mantiene la sua funzione nel MR 2002, p. 835, per la memoria dei santi martiri Cosma e Damiano (26 settembre); la «beata sollemnitas per quam illis» è trasformata ovviamente in «veneranda memoria quia et illis…», per cui abbiamo questo testo nel MR 2020, p. 639: «… tu che hai dato loro la corona della gloria, nella tua provvidenza concedi a noi il conforto della loro protezione».

1373 – 1378: Messa contro i detrattori

A → I sei testi del presente formulario evidenziano un altro aspetto negativo dell'animo e dell'agire umano; per questo l'assemblea implora di evitare la compiacenza nei confronti di «mentium reprobarum», di respingere ogni forma di «pravitas» per evitare ingiuste lacerazioni e superare «captiosis adulationibus» amando invece la verità. Si domanda ancora l'azione divina contro i «conspirantes», contro coloro che mettono in dubbio il sostegno divino perché non prevalga sulla verità né l'«iniquitas» né la «falsitas». Per questo si tratta di correggere i propri «excessus», di reprimere ogni ostinazione nel male per rasserenare coloro che riconoscono il proprio «delictum». Dall'offerta sacrificale ci si attende dunque il perdono «ab omnibus vitiis» come pure la difesa «a cunctis inimicis», e messe da parte tutte le «lacerationes» provocate dai malvagi, si possa conseguire «quae recta sunt». Il prefazio, infine, implora l'allontanamento dalla Chiesa di tutto quello che è «noxium»; il conseguimento di ciò che è «salutare» in modo da agire sempre con ragionevole umiltà – «humilitatem rationabilem» –; e di non sbagliare mai per merito della divina «gubernatione».

1379 – 1383: Messa per la compunzione del cuore

A → *Cor, voluntas, secretum, cogitatio, intentio, mens*: termini con cui i testi eucologici contestualizzano la richiesta dell'assemblea che invoca la purificazione delle «cogitationes cordis», della «purificatio mentis» e delle «cordis maculas», e la liberazione «ab omnibus temptationibus», per aprirsi solo al «diligere et laudare» l'«omnipotens Deus» ed essere una «digna habitatio» dello Spirito Santo. A questo scopo è offerto il «sacrificium salutis» perché si rafforzi la certezza che: *a)* solo Dio «inspicit cogitationum secreta»; *b)* solo davanti a lui «omnis nostra mentis intentio patescit intuitu»; *c)* gli «archana cubilia» dei fedeli possono essere purificati «Spiritus tui rore», e così agire di conseguenza.

1384 – 1388: Messa nel monastero – per la propria famiglia

A → Nel testo del *Sacramentario* per la numerazione delle formule (nn. 1389-1390) è stata tralasciata la segnalazione delle letture per la messa nel monastero; si tratta di Rom 8,26-27 (*Spiritus adiuvat infirmitatem nostram*) e Io 14,12b-16 (*Si quid petieritis me in nomine meo, hoc faciam*). – I cinque testi eucologici implorano l'aiuto per una famiglia – «quae sacris tibi liminibus devota consistit» – perché sia protetta «ab hostium insidiis» e «a cunctis adversitatibus». L'«oblatio devotionis» dei fedeli, unitamente alla «virtus sacramenti» e alla «divina protectio» sono implorate come «subsidium contra omnes adversitates», perché si risolvano in «copiosa beneficia» per la vita presente e come «gratiam aeternae benedictionis». Nel prefazio i fedeli inneggiano alla bontà di Dio riconosciuto e lodato come «fons misericordiae», come «spes et consolatio lugentium», come «vita et salus clamantium»; da qui le richieste espresse con l'«exaudi, protege et custodi» per meritare di elevare «continuas gratias».

MESSE PER I DEFUNTI

La sezione delle messe *pro defunctis* racchiude diverse tipologie. I nn. 1391-1434 presentano un'ampia serie di testi eucologici da cui traspare la grande fiducia della Chiesa nella misericordia divina e il desiderio dei fedeli di meritare la vita eterna. Il commento teologico-liturgico dei formulari che seguono si concentra principalmente sulle *petitiones* degli oranti; da qui si comprende l'orizzonte di fede che permea ogni singola celebrazione, e che potrebbe essere completato anche dall'esame della *invocatio* relativa che denota l'agire di Dio in favore del suo popolo. – Da questa raccolta lungo la storia sono stati ripresi vari testi per essere valorizzati anche nel MR 2002, come indicato a suo luogo.

1391 – 1394: Messa nei cimiteri

A → L'assemblea – radunata nel cimitero - si concentra su queste richieste che possono essere ottenute solo «per haec salutis humanae subsidia» in favore dei defunti: *a)* il perdono dei peccati per gioire «sine fine»; *b)* l'accoglienza della vittima sacrificale «pro omnium catholicorum dormientium»; *c)* la liberazione dalla «horrenda mors» per meritare «vitam aeternam»; *d)* l'offerta dell'«oblatio» in favore di «omnium fidelium catholicorum orthodoxorum in hac basilica in Christo requiescentium» o che si trovano attorno; *e)* l'essere annoverati nel numero dei redenti «sorte perpetua»; *f)* e conseguire infine «refrigerii sedem, quietis beatitudinem, luminis claritatem».

C → Le eucologie di questo gruppo sono tutte di discreta fattura compositiva e stilistica: nella **1392** l'estensore ha adoperato non a caso *animabus* invece di *animis*, che avrebbe dato certamente adito a interpretazioni poco consone allo spirito della preghiera. Tra *anima* e *animus* corre una grande differenza semantica: la prima, *anima*, è nell'uomo la componente vitale e spirituale, creata da Dio, perciò immortale; l'*animus*, invece, costituisce la parte attiva, mediante la quale l'uomo esprime l'operatività attesa come elemento soggettivo del proprio comportamento, del proprio proposito, della propria intenzione. Trattando della parte spirituale e immortale, l'estensore giustamente al dativo plurale adopera *animabus*. Lo stesso dicasi per l'eucologia **1423**.

1395 – 1399: Messa per un defunto appena battezzato

A → Lo specifico titolo del formulario orienta la comprensione delle richieste dei fedeli per colui che è stato «regenerationis fonte purgatum» e per il quale si domanda: *a)* la misericordia per chi è stato appena battezzato perché solo ai «renatis per aquam et Spiritum» è possibile l'entrata nel regno dei cieli; *b)* la pienezza delle gioie eterne a colui che dopo il battesimo ha realizzato il «caelestem et incontaminatum transitum»; *c)* con la purificazione dalla «regenerationis unda» possa godere della grazia dal momento che non ha nulla da temere per la colpa; *d)* la cooptazione nel «sanctorum consortio» e nel «beatorum numero spirituum»; *e)* per giungere infine «ad caelestis regni beatitudinem».

1400 – 1404: Preghiera per la messa per i defunti che hanno desiderato la penitenza e non l'hanno ottenuta

A → È nell'orizzonte della peculiare situazione per l'impedimento dell'*officium-ministerium linguae* indicata nel titolo del formulario che sono da leggere le richieste dell'assemblea: *a)* il perdono «ab omnibus peccatis» a motivo della desiderata penitenza; *b)* l'accettazione dell'«oblatio sacrificii» per ottenere «peccatorum veniam quam quaesivit»; *c)* l'indulgenza eterna che non mancò di essere presente «in eius mente».

1405 - 1407: Messa per un vescovo defunto

A → Queste le richieste dell'assemblea in suffragio dell'*archiepiscopus*: *a)* possa rallegrarsi «in caelis» nella comunione di coloro che ha servito «in terris»; *b)* conseguire il perdono «ab omnibus vitiis humanae conditionis» dal momento che ha preso su di sé «totius mundi peccatum»; *c)* sia sempre protetto dall'aiuto divino.

D → **1405** Il testo è notevolmente rielaborato nel MR 2002, p. 1220, dove è usato come *collecta* nelle *orationes pro defunctis: B. Pro alio episcopo*, con queste varianti: «… famulum tuum *N. episcopum (vel cardinalem) pontificali* fecisti *dignitate vigere*, praesta, quaesumus, ut eorum *quoque* perpetuo *aggregetur* consortio». Questo il testo nel MR 2020, p. 979: «… hai chiamato il tuo servo… nell'ordine episcopale tra i successori degli apostoli, concedi a lui di partecipare anche della loro eterna comunione».

1408 - 1412: Messa per un abate o un sacerdote defunto

A → I cinque testi pongono in evidenza queste attese e auspici dell'assemblea che dopo aver riconosciuto che Dio lo ha prediletto («sanctificasti») «vocatione misericordiae» e gli ha concesso un sereno trapasso («consummatione felici») così prega perché: *a)* non venga meno il suo esempio; *b)* meriti il «fructum beatitudinis»; *c)* ciò che ha insegnato e compiuto sia a lui di giovamento; *d)* meriti di esultare con tutti nei cieli; *e)* la sua anima risulti luminosa «in tuo conspectu»; *f)* sia iscritto nel numero «sanctorum tuorum tibi placentium»; *g)* raggiunga l'«aeternum consortium» in cui ha creduto e sperato.

D → **1412** Il MR 2002, p. 1219, valorizza il testo come *post communionem* tra le *orationes pro defunctis: 2A. Pro Episcopo dioecesano*; oltre alla necessaria sostituzione di «sacerdotis» con «episcopi», rispetto all'originale la finale è così modificata per rispondere meglio alla missione del vescovo: «… ut Christi, in quo speravit et quem praedicavit, aeternum capiat, his sacrificiis, consortium». Così il testo di MR 2020, p. 978: «… concedi al tuo servo, il vescovo N., al quale hai affidato la cura della tua famiglia, di entrare con gli abbondanti frutti delle sue fatiche apostoliche».

1413 - 1416: Messa per un solo defunto

A → Queste le attese dell'assemblea per l'anima del defunto, nella consapevolezza che nessuno invoca «sine spe misericordiae»: *a)* sia aggregato al numero dei santi; *b)* l'essere rimasto nella luce della «fide catholica» possa meritargli la giusta «retributio»; *c)* sia accolta «ab angelis lucis».

1417 - 1419: Messa in suffragio di più defunti

A → Le attese oranti dell'assemblea si rivolgono al «misericors Deus», al «veniae largitor et humanae salutis amator» perché i defunti, uniti nel «piae dilectionis officium», possano essere iscritti «in libro vitae»; liberi dal peccato, possano far parte del «consortium lucis perpetuae» e giungere così «ad caelestem habitationem».

C → **1417** Nella prima parte si nota la disposizione bimembre *veniae largitor* e *salutis amator*, con un efficace omoteleuto, e la proposizione finale costituita dall'infinito introdotto da *iubeas*.

1420 – 1425: Messa per i defunti

A → I sei testi eucologici evidenziano queste attese da parte dell'assemblea orante che implora Dio *vita, spes* e *salus* perché i defunti possano: *a)* giungere «ad aeternae beatitudinis requiem»; *b)* conseguire «perpetuam beatitudinis misericordiam»; *c)* godere della «beatae resurrectionis requiem»; *d)* essere resi partecipi dell'«aeternae beatitudinis»; *e)* beneficiare della partecipazione ai sacramenti perché giovino «ad indulgentiam»; *f)* vivere lieti «in perpetua cum sanctis tuis luce».

C → Nell'eucologia **1425** si noti la *climax* ascendente coordinata per asindeto *vita viventium, spes morientium, salus omnium*. Si noti ancora la figura etimologica *vita viventium*. La clausola «luce laetentur» è costituita da un trocheo e un molosso.

1426 – 1429: Messa per i fedeli defunti

A → Oltre a quanto già evidenziato nel n. 1417 che corrisponde all'attuale 1426, si noti la richiesta di «cunctorum remissio peccatorum» a coloro che hanno ricevuto il dono della «tui nominis confessio». Il testo della *post communionem*, n. 1428, corrisponde al n. 1418 che però ha la funzione di *secreta*.

1430 – 1434: Nel giorno della deposizione o nel III, nel VII e nel XXX

A → Nell'«officium commemorationis» si implora: *a)* il dono dell'indulgenza e della purificazione; *b)* l'ammissione al «consortium sanctorum atque electorum»; *c)* un atteggiamento divino «placatus ac benignus»; *d)* un sereno «transitum ad vitam»; *e)* infine, la collocazione del corpo «in sinibus Abrahae Isaac et Iacob» perché possa risorgere «cum dies resurrectionis venerit».

C → Nell'eucologia **1430** ricorre un interessante lessema *mundiale*, proprio del latino cristiano, che in questo particolare contesto, unito a *vitium*, assume il significato di peccato contratto durante la vita sulla terra (cf Blaise, *Le vocabulaire*, n. 405 con rinvio al *Missale Gothicum* 117). Mediante un significativo arricchimento semantico, oggi denota un evento che ha interessato o interessa il mondo intero.

PREFAZI

Il commento del contenuto dell'embolismo dei vari prefazi va contestualizzato nell'insieme del formulario cui appartengono (tenendo conto che alcuni embolismi non hanno uno specifico formulario di riferimento); e mentre qui si accenna ai temi essenziali, per il relativo formulario – quando è possibile – viene offerto un rimando a questo testo, importante per comprendere meglio il nucleo della celebrazione. È in questa ottica che talvolta non si offrono linee di specifica lettura teologica in quanto risulta sufficiente accostare il testo nel contesto dei formulari cui può essere riferito, e di cui si dà l'indicazione.

Per l'elenco alfabetico secondo l'*incipit* dell'embolismo cf Appendice II.

L'embolismo prefaziale va sempre collocato entro una cornice strutturale costituita dal protocollo – nel *Sacramentario* è indicato in genere solo con VD – e dall'escatocollo. Pur di minore importanza, le due parti racchiudono l'embolismo che iniziando spesso con il *Qui* rinvia all'azione del Padre o del Figlio Gesù Cristo. Nella presente opera, come già realizzato in occasione della *Concordantia*, si riporta solo l'embolismo.

1435: Incominciano i prefazi - per l'Avvento del Signore
    A → In ordine al completamento dell'orizzonte teologico-liturgico del tempo di Avvento i primi tre testi prefaziali (nn. 1435-1437) vanno accostati alla luce dei testi eucologici (nn. 816-851, eccetto quanto sotto indicato). - Il presente embolismo si concentra sull'«Unigeniti mirabile sacramentum» invocandone la manifestazione «in universitate nationum» promessa «per Verbi evangelium», così che la Chiesa consegua la «plenitudo adoptionis» nel contesto della «testificatio veritatis».

1436: Feria IV
    A → Cf il formulario di riferimento: nn. 832-834.

1437: Prefazio per la feria VI
    A → Da notare anzitutto il termine *contestatio* equivalente a *praefatio*, originario della liturgia gallicana (cf Missale Gallicanum Vetus, *passim*, che usa anche il termine *immolatio*) per indicare un testo di lode secondo l'etimologia di *praefari* che nella latinità classica indica parole d'introduzione, preambolo; mentre la liturgia mozarabica usa il termine *illatio* (che in Arnobio indica offerta, sacrificio; il termine passa a indicare il testo che prelude al sacrificio). - Il presente testo prefaziale non ha un particolare formulario di riferimento; il suo contenuto merita una specifica lettura che aiuta a comprendere il mistero dell'Avvento. – Si tratta di pennellate teologiche che passano attraverso questi passaggi nel quadro della storia della salvezza: *a)* quell'immagine di Dio – «a

similitudinem tui» – alla cui somiglianza l'uomo era stato creato (cf Gn 1,26-27) non poteva essere perduta – «dissimilis» – a causa della morte; per questo è stato predisposto il «munus venialis indulgentiae»; *b)* da dove scaturì la morte a causa del peccato, di là la «pietas divinà» doveva far rinascere la vita; *c)* quanto preannunziato dai profeti si compie in Maria con l'annuncio dell'angelo Gabriele; *d)* per opera dello Spirito il Verbo prende dimora («in utero... mansit») nel seno di colei che ha creduto («puellae credentis»); *e)* la Vergine contempla il proprio corpo intatto mentre «tumebat sinus»; *f)* infine, una «virginitas inviolata» che permane tale anche nel parto.

1438: Nel vespro alla vigilia di Natale

A → Nel contesto della solennità del Natale il prefazio attuale e successivo vanno accostati ai temi dei testi eucologici presenti nei nn. 87-115. - Abele, Abramo, Melchisedek: figure prefigurative che trovano il pieno compimento nel «verus agnus» e nell'«aeternus pontifex» il Cristo. Abele ha indicato il senso dell'offerta sacrificale – «hostiam laudis» – nell'«agnus legalis» (cf Gn 4); Abramo ha "celebrato" con quel segno (cf Gn 22); Melchisedek lo ha manifestato negli elementi del pane e del vino (cf Gn 14); Cristo ha portato a pienezza e realtà tutta la prefigurazione con l'offerta sacrificale di sé.

1439: In mattinata I [messa]

A → Uguale e coeterno al Padre e allo Spirito Santo, il Figlio si è degnato «hodie» di nascere «virginali puerperio», per essere una nuova e definitiva luce per il mondo, ed essere soggetto alla nostra natura – pur essendo rimasto sempre nella natura divina uguale al Padre e allo Spirito - ma per la nostra redenzione.

1440: Nel natale del beato Stefano

A → Cf la lettura teologico-liturgica dei testi eucologici nn. 116-120. - Da notare gli esempi che vengono ricordati della vita del martire: la fede, il coraggio della lotta caratterizzata da «sacra militia», un amore caritatevole, il servizio di predicatore, i venerandi momenti di costanza. Tutto questo ha meritato al martire di essere il primo testimone onorato dopo la festa della nascita del Cristo.

1441: Nel natale del beato Giovanni apostolo ed evangelista

A → Cf la lettura teologico-liturgica dei testi eucologici nn. 121-126. - Nel prefazio i temi motivo della lode si sviluppano ampiamente, ricordando: *a)* la memoria dei «venerandae adsumptionis (!) natalicia» dell'apostolo; *b)* l'abbandono del proprio padre terreno per accogliere la chiamata di Gesù; *c)* la conquista della posizione più alta «in regno caelorum» dopo aver abbandonato i propri legami familiari; *d)* il rapporto di amore così intenso da essere posto da Gesù, già crocifisso, come «vicarium suae matri virgini»; *e)* la «provata virginitas» del discepolo che ha meritato di essere accanto alla Vergine Madre; *f)* e ancora: «in caenae mysticae sacrosancto convivio» ha meritato di posare il capo sul petto del Salvatore; *g)* da questo «vitae fons aeternus» sono scaturite profonde e mistiche rivelazioni, tanto da proclamare: "In principio era il Verbo, e il Verbo era presso Dio, e il Verbo era Dio" (Io 1,1).

1442: Nel natale dei bambini [innocenti]
A → Cf la lettura teologico-liturgica dei testi eucologici nn. 127-132.

1443: Nell'ottava del Signore
A → Cf la lettura teologico-liturgica dei testi eucologici nn. 137-139.

1444: Nel natale di sant'Antonio
A → Di sant'Antonio abate il *Sacramentario* non riporta ancora i testi eucologici; è presente solo il prefazio. - Il Mart 1584, n. 135, tesse un ampio elogio del «multorum monachorum pater», le cui gesta furono esaltate da sant'Atanasio. Più ampio l'elogio del Mart 2004, p. 103, n. 1, che ricorda il sostegno dato ai confessori della fede durante la persecuzione di Diocleziano e l'aiuto offerto a sant'Atanasio nella lotta contro gli ariani. – Il prefazio nel ricordare i meriti del santo confessore evidenzia i doni spirituali da lui ricevuti e sapientemente valorizzati a servizio della Chiesa; per questo è implorato come «idoneus interventor».

1445: Nel natale di san Sebastiano
A → Cf la lettura teologico-liturgica dei testi eucologici nn. 169-171.

1446: Nel natale della beata Agnese
A → Cf la lettura teologico-liturgica dei testi eucologici nn. 172-175.

1447: Nel giorno della Purificazione di santa Maria
A → Cf la lettura teologico-liturgica dei testi eucologici nn. 182-187.

1448: Nel natale di sant'Agata
A → Cf la lettura teologico-liturgica dei testi eucologici nn. 188-192.

1449: Nel natale di san Valentino
A → Cf la lettura teologico-liturgica dei testi eucologici nn. 193-195.

1450: Prefazio per la concezione di santa Maria
A → Cf la lettura teologico-liturgica dei testi eucologici nn. 196-199.

1451: Nella [domenica di] Settuagesima
A → Cf la lettura teologico-liturgica dei testi eucologici nn. 200-202.

1452: Nella [domenica di] Sessagesima
A → Cf la lettura teologico-liturgica dei testi eucologici nn. 203-205.

1453: Nella [domenica di] Quinquagesima
A → Cf la lettura teologico-liturgica dei testi eucologici nn. 206-208.

1454: Nella [domenica di] Quaresima
A → Cf la lettura teologico-liturgica dei testi eucologici nn. 222-226.

1455: Feria IV
A → Cf la lettura teologico-liturgica dei testi eucologici nn. 235-239.

1456: Feria VI
A → Cf la lettura teologico-liturgica dei testi eucologici nn. 244-247.

1457: Sabato nelle XII lezioni
A → Cf la lettura teologico-liturgica dei testi eucologici nn. 248-257.
D → Il testo prefaziale si trova nel MR 2002, p. 527, come *praefatio IV de Quadragesima "De fructibus ieiunii"*.

1458: Nella II domenica
A → Cf la lettura teologico-liturgica dei testi eucologici nn. 258-260.

1459: Terza domenica
A → Cf la lettura teologico-liturgica dei testi eucologici nn. 285-287.

1460: Quarta domenica
A → Cf la lettura teologico-liturgica dei testi eucologici nn. 312-315.

1461: Domenica quinta
A → Cf la lettura teologico-liturgica dei testi eucologici nn. 341-343.

1462: Domenica sesta
A → Cf la lettura teologico-liturgica dei testi eucologici nn. 368-370.

1463-1464: Feria IV
A → Si tratta di due embolismi prefaziali per il mercoledì santo. Cf la lettura teologico-liturgica dei testi eucologici nn. 379-383.

1465: Feria V
A → Cf la lettura teologico-liturgica dei testi eucologici nn. 384-390.

1466: Feria III *in albis*
A → Cf la lettura teologico-liturgica dei testi eucologici nn. 452-457.

1467: Feria IV
A → Cf la lettura teologico-liturgica dei testi eucologici nn. 458-463.

1468: Feria V
A → Cf la lettura teologico-liturgica dei testi eucologici nn. 464-469.

1469: Feria VI
A → Cf la lettura teologico-liturgica dei testi eucologici nn. 470-475.

1470: Sabato
A → Cf la lettura teologico-liturgica dei testi eucologici nn. 476-480.

1471: Domenica seconda dopo quella *in albis*
A → Cf la lettura teologico-liturgica dei testi eucologici nn. 1073-1075.

1472: Domenica III
A → Cf la lettura teologico-liturgica dei testi eucologici nn. 1076-1078.

1473: Domenica IV
A → Cf la lettura teologico-liturgica dei testi eucologici nn. 1079-1081.

1474: Durante la Litania maggiore
A → Cf la lettura teologico-liturgica dei testi eucologici nn. 512-521.

1475: Domenica V
A → Il *Sacramentario* non ha un formulario proprio per questa domenica. – Il prefazio evidenzia anzitutto l'atteggiamento con cui l'assemblea si rivolge «pronis mentibus» alla «clementia» divina. Sorretti dalle parole del Maestro che ha promesso di essere presente «usque in finem saeculi» (cf Mt 28,20), i fedeli implorano sia la «praesentia corporalis mysterii» quale si attua nella celebrazione dei sacramenti e in particolare dell'Eucaristia, sia quei «maiestatis beneficia» che provengono solo da lui.

1476: Nel natale degli apostoli Filippo e Giacomo
A → Cf la lettura teologico-liturgica dei testi eucologici nn. 525-527.

1477: Domenica VI
A → Il *Sacramentario* non ha un formulario proprio per questa domenica. – Il prefazio evidenzia cinque elementi che intrecciano i temi della lode e della supplica: *a)* l'annuale celebrazione è occasione per moltiplicare le preghiere, i «vota» dei fedeli; *b)* la partecipazione al «divini cultus» è motivo e garanzia per conseguire «plenam gratiam»; *c)* i beni materiali possano essere occasione per un sapiente «profectum animarum»; *d)* poter giungere «ad incommutabile bonum» attraverso la quotidiana esperienza della fragilità dei «mutabilia dona»; *e)* i momenti di ordinaria «laetitia» possano garantire i «gaudia sempiterna».

1478: Domenica dopo l'Ascensione del Signore
A → Cf la lettura teologico-liturgica dei testi eucologici nn. 1082-1084.

1479: Nel natale di san Pancrazio
A → Cf la lettura teologico-liturgica dei testi eucologici nn. 537-539.

1480: Sabato [nella vigilia] di Pentecoste
A → Cf la lettura teologico-liturgica dei testi eucologici nn. 553-571.

1481: Feria IV
A → Cf la lettura teologico-liturgica dei testi eucologici nn. 584-587.

1482: Feria VI
A → Cf la lettura teologico-liturgica dei testi eucologici nn. 588-590.

1483: Sabato per le XII lezioni
A → Cf la lettura teologico-liturgica dei testi eucologici nn. 591-598. - Cf il testo anche nel n. 1238, nel contesto della *missa de Sancta Trinitate.*

1484: Nel natale dei santi martiri Gervasio e Protasio
A → Cf la lettura teologico-liturgica dei testi eucologici nn. 611-613.

1485-1486: Nel natale di san Giovanni Battista
A → Cf la lettura teologico-liturgica dei testi eucologici nn. 614-624 dove sono raccolti numerosi testi per la vigilia e per la festa.

1487: Nella festività dei santi Giovanni e Paolo
A → Cf la lettura teologico-liturgica dei testi eucologici nn. 629-631.

1488: Nell'ottava degli apostoli Pietro e Paolo
A → Cf la lettura teologico-liturgica dei testi eucologici nn. 650-652.

1489: Nel natale di san Sisto
A → Cf la lettura teologico-liturgica dei testi eucologici nn. 671-675.

1490: Nella vigilia di san Lorenzo
A → Cf la lettura teologico-liturgica dei testi eucologici nn. 682-684.

1491: Nel natale di san Lorenzo
A → Cf la lettura teologico-liturgica dei testi eucologici nn. 682-687.

1492: Nel natale dei martiri Cornelio e Cipriano
A → Cf la lettura teologico-liturgica dei testi eucologici nn. 725-727.

1493: Nel natale dei martiri Cosma e Damiano
A → Cf la lettura teologico-liturgica dei testi eucologici nn. 762-764.

1494: Nel natale degli Arcangeli
A → Cf la lettura teologico-liturgica dei testi eucologici nn. 765-767.

1495: Nel natale di san Luca Evangelista
A-B → Per la memoria dell'evangelista Luca – il Mart 1584, n. 2281, lo ricorda il 18 ottobre, mentre più ampio e preciso il Mart 2004 - il *Sacramentario* ha solo il testo prefaziale. È in atteggiamento di «pronis mentibus» che l'assemblea si rivolge a Dio Padre implorando clemenza per la propria «mens et sensus» per tenersi lontana «a noxiis excessibus» e poter così conseguire e mantenere e sviluppare quello «studium veritatis» che solo può permettere il conseguimento di quanto invocato.

1496: Nel natale di san Martino
A → Cf la lettura teologico-liturgica dei testi eucologici nn. 787-789.

1497: Nel natale di santa Cecilia
A → Cf la lettura teologico-liturgica dei testi eucologici nn. 790-792.

1498: Nel natale di san Clemente
A → Cf la lettura teologico-liturgica dei testi eucologici nn. 793-795.

1499 - 1501: Nelle feste dei martiri
A → Accanto alla lettura teologico-liturgica dei testi eucologici nn. 869-872 (per un solo martire nn. 873-876) si pongono gli embolismi dei tre prefazi da valorizzare *in festium martyrum*. In sintesi questi i temi: ≈ nel n. **1499**: *a)* la solennità dei martiri è fonte di salvezza mentre riempie i fedeli di «temporalibus gaudiis et aeternis»; *b)* i meriti delle loro virtù hanno la forza di allontanare ogni «adversa»; *c)* con i loro «spiritalibus hortamentis» orientano verso quel premio che scaturisce dalla risposta alla «superna vocatio». ≈ nel n. **1500**: *d)* come rose e gigli i martiri sono fioriti nel prato della Chiesa; *e)* sono stati bagnati con il rosso del sangue di Cristo – «roseo colore» - e rivestiti «liliorum splendore» (stupenda immagine letteraria e specchio della realtà di fede). ≈ nel n. **1501**: *f)* confidando nella «virtus» divina i santi hanno vinto il mondo; *g)* per la loro intercessione possano garantire ai fedeli la liberazione «a mundanis erroribus».

1502 - 1505: Nella festività dei confessori
A → Accanto alla lettura teologico-liturgica dei testi eucologici nn. 877-880 (per un solo confessore nn. 881-884) si pongono gli embolismi dei quattro prefazi da valorizzare *in festivitate confessorum*. In sintesi questi i temi: ≈ nel n. **1502**: *a)* nella venerazione l'assemblea riceve la «propitiatio» di Dio Padre; *b)* la speranza del perdono è affidata alla intercessione di coloro «qui tibi placuere». ≈ nel n. **1503**: *c)* l'attesa della misericordia da parte di Dio è riposta nella fiducia della supplica; *d)* tutto è riposto nell'«interventu» del santo. ≈ nel n. **1504**: *e)* l'offerta del sacrificio è affidata alla «confessio» del santo. ≈ nel n. **1505**: *f)* sorretti dal patrocinio del santo i fedeli invocano la «gloria» divina per poter continuare a lodare il Signore «debita servitute».

Appendice I

TESTI EUCOLOGICI

Il numero preceduto da → rinvia alla pagina del MR 2002 (evidenziata in neretto). L'*ecc.* rimanda ad altre pagine dello stesso MR; la *Concordantia* dello stesso MR 2002 permette di raggiungere tutti i testi come pure quelli simili nei quali sono stati compiuti sobri o notevoli adattamenti. L'elenco indicizza 1134 testi.

A cunctis iniquitatibus nostris exue nos domine et in tua fac pace gaudere 942

A cunctis nos domine reatibus et periculis propitiatus absolve quos tanti mysterii tribuis esse 287

Ab omni nos quaesumus domine vetustate purgatos sacramenti tui veneranda perceptio 460 → **382**

Ab omnibus nos quaesumus domine peccatis propitiatus absolve ut percepta venia 895

Absolve domine animam famuli tui ab omni vinculo delictorum ut in resurrectionis gloria 1049 → **1205**

Absolve domine quaesumus nostrorum vincula peccatorum et quicquid pro eis meremur 230; 951

Absolve domine quaesumus tuorum delicta populorum et a peccatorum nostrorum nexibus 741

Accepta sit in conspectu tuo domine nostra devotio et eius nobis fiat supplicatione salutaris 523; 660; 680

Accepta sit in conspectu tuo domine nostrae devotionis oblatio et eius nobis fiat 170

Accepta tibi sint domine quaesumus nostra ieiunia quae et expiando nos tua gratia dignos 830 → **267**

Accepta tibi sint domine quaesumus nostri dona ieiunii quae et expiando nos tuae gratiae 274; 749

Accepta tibi sit domine quaesumus hodiernae festivitatis oblatio ut tua gratia largiente 91

Accepta tibi sit domine sacr[at]ae plebis oblatio pro tuorum honore sanctorum quorum se meritis 708; 769; 823

Accipe munera quaesumus domine quae in beatae martyris tuae solemnitate deferimus quia 886

Accipe quaesumus domine munera dignanter oblata et beatae Anastasiae suffragantibus 97

Accipe quaesumus domine munera dignanter oblata et beati Laurentii suffragantibus meritis 689

Accipe quaesumus domine munus oblatum et dignanter operare ut quod mysteriis agimus 586

Actiones nostras quaesumus domine et aspirando praeveni et adiuvando prosequere 254; 1154 → **201**

Ad altaria domine veneranda cum hostiis laudis accedimus fac quaesumus ut 1369

Ad gloriam domine tui nominis annua festa repetentes sacerdotalis exordii hostiam tibi laudis 1181

Ad preces nostras quaesumus domine propitiatus intende ut levitae tui sacris altaribus 991

Ad te nos domine clamantes exaudi et aëris serenitatem nobis tribue supplicantibus ut qui 1232

Adesto domine deus noster ut per haec quae fideliter sumpsimus et purgemur a vitiis et 1078

Adesto domine fidelibus tuis et quibus supplicandi tribuis miseratus affectum concede 54

Adesto domine fidelibus tuis et quos caelestibus reficis sacramentis a cunctis defende 366

Adesto domine fidelibus tuis nec ullis eos mentis et corporis patiaris subiacere periculis 876

Adesto domine martyrum deprecatione sanctorum et quos pati pro tuo nomine tribuisti fac 774

Adesto domine muneribus Innocentum martyrum tuorum festivitate sacrandis et praesta ut 128

Adesto domine populis tuis in tua protectione fidentibus et tuae se dexterae suppliciter 36

Adesto domine populo tuo ut beati Nicomedis martyris tui merita praeclara venerantes ad 732

Adesto domine populo tuo ut quae sumpsit fideliter et mente sibi et corpore beatae Mariae 198; 721

Adesto domine precibus nostris et die noctuque nos protege ut quibuslibet alternationibus 930

Adesto domine precibus nostris quas in sancti confessoris tui illius commemoratione 1163

Adesto domine precibus populi tui adesto muneribus ut quae sacris sunt oblata mysteriis 693

Adesto domine quaesumus populo tuo et quem mysteriis caelestibus inbuisti ab hostium 580

Adesto domine quaesumus pro anima famuli tui illius cuius in depositione sua officium 1430

Adesto domine supplicationibus nostris et hanc oblationem quam tibi offerimus ob diem 1432

Adesto domine supplicationibus nostris et intercessione beati Laurentii martyris tui 682

Adesto domine supplicationibus nostris et iter famuli tui illius interno discretionis 1215

Adesto domine supplicationibus nostris et populi sacra mysteria contingentes nullis periculis 1209

Adesto domine supplicationibus nostris et sperantes in tua misericordia intercedente beato 516

Adesto domine supplicationibus nostris quas in sanctorum tuorum commemoratione 726

Adesto domine supplicationibus nostris ut qui ex iniquitate nostra reos nos esse 799

Adesto domine supplicationibus nostris ut sicut humani generis salvatorem consedere tecum 548

Adesto domine supplicibus tuis et spem suam in tua misericordia collocantes tuere propitius 25 → **263**

Adesto nobis domine deus noster et quos sanctae crucis laetare fecisti inventione eius 1288

Adesto nobis domine deus noster et quos tuis mysteriis recreasti perpetuis defende 343

Adesto nobis misericors deus et tua circa nos propitiatus dona custodi 941

Adesto quaesumus domine familiae tuae et dignanter inpende ut quibus fidei gratiam 475

Adesto quaesumus domine supplicationibus nostris et in tua misericordia confidentes ab 50; 226

Adesto quaesumus domine supplicationibus nostris ut esse te largiente mereamur et inter 251

Adesto quaesumus domine supplicationibus nostris ut qui ex iniquitate nostra reos nos esse 176

Adesto quaesumus omnipotens deus honorum dator ordinum distributor officiorum 980a

Adesto supplicationibus nostris omnipotens deus et quibus fiduciam sperandae pietatis 5; 264; 355

Adesto supplicationibus nostris omnipotens deus et quod humilitatis nostrae gerendum est 969

Adflictionem familiae tuae quaesumus domine intende placatus ut indulta venia peccatorum 894

Adiuva nos deus salutaris noster et ad beneficia recolenda quibus nos instaurare dignatus es 374

Adiuva nos domine quaesumus eorum deprecatione sanctorum qui filium tuum humana 132

Adiuva nos domine tuorum deprecatione sanctorum ut quorum festa gerimus sentiamus 877

Adiuvet ecclesiam tuam tibi domine supplicando beatus Andreas apostolus et pius interventor 813

Adiuvet familiam tuam quaesumus tibi domine supplicantem venerandus apostolus tuus et 868

Adiuvet nos quaesumus domine beatae Mariae semper virginis intercessio veneranda et 719 → **902**

Adsit domine propitiatio tua populo supplicanti ut quod te inspirante fideliter expetit tua celeri 35 → **1268**

Adsit ecclesiae tuae domine sanctorum martyrum desiderata iocunditas eamque maiestati 872

Adsit nobis domine quaesumus virtus spiritus sancti quae et corda nostra clementer 581

Aeternam ac iustissimam pietatem tuam deprecor domine sancte pater omnipotens aeterne 414

Altare tuum domine deus muneribus cumulamus oblatis da quaesumus ut ad salutem 1266

Altari tuo domine superposita munera spiritus sanctus benignus adsumat qui hodie beatae 197 → **141**

Annuae festivitatis cultum deo nostro fratres dilectissimi summa nostrarum precibus 1177

Annue misericors deus ut hostias placationis et laudis sincero tibi deferamus obsequio 353

Annue misericors deus ut qui divina praecepta violando a paradisi felicitate decidimus 564

Annue nobis domine ut anima famuli tui N. remissionem quam semper optavit mereatur 1050

Annue nobis domine ut animae famuli et sacerdotis tui N. haec prosit oblatio quam immolando 1043

Annue nobis domine ut animae famuli tui N. haec prosit oblatio quam immolando totius mundi 1048

Ascendant ad te domine preces nostrae et ab ecclesia tua cunctam repelle nequitiam 234; 952

Aufer a nobis domine quaesumus iniquitates nostras ut ad sancta sanctorum puris mereamur 852

Aufer a nobis domine spiritum superbiae cui resistis ut sacrificia nostra tibi sint semper 987

Aufer a nobis quaesumus nostras domine pravitates ut non indignationem tuam sed 959

Augeatur in nobis domine quaesumus tuae virtutis operatio ut divinis vegetati sacramentis 86; 1057 → **481**

Aurem tuam quaesumus domine precibus nostris accommoda et mentis nostrae tenebras 825

Aures tuae pietatis quaesumus domine precibus nostris inclina ut qui peccatorum nostrorum 923

Auxiliare domine populo tuo ut sacrae

devotionis proficiens incrementis et tuo semper 39

Auxiliare domine quaerentibus misericordiam tuam et da veniam confidentibus parce 906

Auxilientur nobis domine sumpta mysteria et intercedente beata Agatha martyre tua 190

Auxilientur nobis domine sumpta mysteria et intercedente beato Stephano martyre tuo 118

Auxilium tuum domine nomini tuo subdita poscunt corda fidelium ut quia sine te nihil possunt 888

Auxilium tuum nobis domine quaesumus placatus inpende et intercedente beato Timotheo 707

Auxilium tuum nobis domine quaesumus placatus inpende et intercedentibus sanctis tuis 1276

Averte domine quaesumus a fidelibus tuis cunctos miseratos errores et saevientium 1205

Averte quaesumus domine iram tuam propitiatus a nobis et facinora nostra quibus 243; 921

Beati apostoli tui domine quaesumus intercessione nos adiuva pro cuius solemnitate 867 → **792**

Beati apostoli tui domine solemnia recensemus ut eius auxilio beneficia capiamus pro quo 866

Beati archangeli tui Michaelis intercessione suffulti supplices te domine deprecamur ut quos 767

Beati evangelistae Iohannis domine precibus adiuvemur ut quod possibilitas nostra non 125

Beati Iohannis baptistae nos domine praeclara comitetur oratio et quem venturum esse 616

Beati Iohannis evangelistae quaesumus domine supplicatione placatus et veniam nobis tribue 124

Beati Pancratii martyris tui domine intercessione placatus praesta quaesumus ut quae 539

Beati Proti nos domine et Hiacinthi foveat pretiosa confessio et pia iugiter intercessione 722

Beati Rodperti confessoris tui atque pontificis domine precibus confidentes quaesumus 1303

Beati Tiburtii nos domine foveant continuata praesidia quia non desinis propitius intueri quos 692

Beatus apostolus tuus domine quaesumus te pro nobis iugiter imploret ut nostris reatibus 865

Benedic domine et hos fructus novos uvae quos tu domine rore caeli et inundantia pluviarum 674

Benedic omnipotens deus hanc creaturam salis tua benedictione caelesti in nomine domini 412

Benedictio tua domine larga descendat quae et munera nostra deprecantibus sanctis tuis tibi 779

Benedictionem domine nobis conferat salutarem sacra semper oblatio ut quod agit mysterio 1071 →> **472**

Benedictionem tuam [quaesumus] domine populus fidelis accipiat qua corpore salvatus ac mente 40; 1204

Caelestem nobis praebeant haec mysteria quaesumus domine medicinam et vitia nostri 1143

Caelesti lumine quaesumus domine semper et ubique nos praeveni ut mysterium cuius nos 505 →> **177**

Caelestibus domine pasti deliciis quaesumus ut semper eadem per quem veraciter vivimus 1069 →> **456**

Caelestibus refecti sacramentis et gaudiis supplices te domine deprecamur ut quorum 780

Caelestis doni benedictione percepta supplices te deus omnipotens deprecamur ut hoc 216; 354 →> **201**

Celeri nobis quaesumus domine pietate succurre ut devotio supplicantium ad gratiarum 949

Clamantes ad te deus dignanter exaudi ut nos de profundo iniquitatis eripias et ad gaudia 953

Clamantium ad te quaesumus domine preces dignanter exaudi ut sicut Ninevitis in adflictione 904

Concede misericors deus ut sicut nos tribuis solemne tibi deferre ieiunium sic nobis 356

Concede nobis domine deus ut haec hostia salutaris et nostrorum fiat purgatio delictorum et 345

Concede nobis domine praesidia militiae christianae sanctis inchoare ieiuniis ut contra 209 →> **197**

Concede nobis domine quaesumus ut

celebraturi sancta mysteria non solum abstinentiam 357 →> **258**

Concede nobis domine quaesumus ut haec hostia salutaris et nostrorum fiat purgatio 1125 →> **231**

Concede nobis domine quaesumus ut sacramenta quae sumpsimus quicquid in nostra mente 1153

Concede nobis haec quaesumus domine frequentare mysteria quia quotiens huius hostiae 1110

Concede nobis omnipotens deus ut salutare tuum nova caelorum luce mirabili quod ad 103

Concede nobis quaesumus domine veniam delictorum et eos qui nos inpugnare moliuntur 954

Concede nos famulos tuos quaesumus domine deus perpetua mentis et corporis sanitate 1255

Concede quaesumus domine populo tuo veniam peccatorum ut quod meritis non praesumit 59

Concede quaesumus domine semper nos per haec mysteria paschalia gratulari ut continua 477 →> **385**, ecc.

Concede quaesumus domine ut oculis tuae maiestatis munus oblatum et gratiam nobis 141; 369 →> **483**

Concede quaesumus omnipotens deus ad beatae Mariae semper virginis gaudia aeterna 701

Concede quaesumus omnipotens deus ad eorum nos gaudia aeterna pertingere de quorum 540

Concede quaesumus omnipotens deus spiritum nos sanctum votis promereri sedulis 1383

Concede quaesumus omnipotens deus ut ad meliorem vitam sanctorum tuorum exempla nos 157

Concede quaesumus omnipotens deus ut anima famuli tui illius abbatis atque sacerdotis per 1410

Concede quaesumus omnipotens deus ut famulum tuum N. quem ad regimen animarum 995

Concede quaesumus omnipotens deus ut festa paschalia quae venerando colimus etiam 450

Concede quaesumus omnipotens deus ut huius sacrificii munus oblatum 62; 241; 309; 1062 →> **249**

Concede quaesumus omnipotens deus

ut ieiuniorum nobis sancta devotio et purificationem 300

Concede quaesumus omnipotens deus ut magnae festivitatis ventura solemnia prospero 849

Concede quaesumus omnipotens deus ut oculis tuae maiestatis munus oblatum et gratiam 757

Concede quaesumus omnipotens deus ut paschalis perceptio sacramenti continua in nostris 454 → **387**

Concede quaesumus omnipotens deus ut qui beati Iohannis Baptistae solemnia colimus eius 617

Concede quaesumus omnipotens deus ut qui ex merito nostrae actionis affligimur tuae 312

Concede quaesumus omnipotens deus ut qui festa paschalia agimus caelestibus desideriis 427

Concede quaesumus omnipotens deus ut qui festa paschalia venerando peregimus per haec 476

Concede quaesumus omnipotens deus ut qui hodierna die unigenitum tuum redemptorem 543 → **425**

Concede quaesumus omnipotens deus ut qui paschalis festivitatis solemnia colimus in tua 455

Concede quaesumus omnipotens deus ut qui peccatorum nostrorum pondere praemimur 449

Concede quaesumus omnipotens deus ut qui protectionis tuae gratiam quaerimus liberati a 299; 363

Concede quaesumus omnipotens deus ut qui resurrectionis dominicae solemnia colimus 445

Concede quaesumus omnipotens deus ut quia sub peccati iugo ex vetusta servitute 836 → **143**

Concede quaesumus omnipotens deus ut quos sub peccati iugo vetusta servitus tenet 112

Concede quaesumus omnipotens deus ut sancta dei genetrix sanctique tui apostoli martyres 1275

Concede quaesumus omnipotens deus ut veterem cum suis actibus hominem deponentes in 495 → **397**

Concede quaesumus omnipotens deus ut viam tuam devota mente currentes subripientium 46

Conscientias nostras quaesumus domine

visitando purifica ut veniente filio tuo domino 847

Conserva domine quaesumus tuorum corda fidelium et gratiae tuae virtute corrobora ut et in 47

Conserva populum tuum deus et tui nominis fac devotum ut divinis subiectus officiis et 1067

Conserva quaesumus domine deus longeva prosperitate populo tuo rectorem quem dedisti et 1294

Conserva quaesumus domine familiam tuam et benedictionum tuarum propitius ubertate 43

Conserva quaesumus domine populum tuum et ab omnibus quas meremur adversitatibus 893

Conserva quaesumus domine populum tuum et quem salutaribus praesidiis non desinis 34

Conspirantes domine contra tuae plenitudinis firmamentum dexterae tuae virtute prosterne ut 1374

Converte nos deus salutaris noster et ut nobis ieiunium quadragesimale proficiat mentes 227 → **208**

Copiosa protectionis tuae beneficia quaesumus domine deus familia tua consequatur ut quae 1388

Cordibus nostris domine benignus infunde ut peccata nostra castigatione voluntaria 360

Cordibus nostris quaesumus domine gratiam tuam benignus infunde ut sicut ab escis 288

Corporis sacri et pretiosi sanguinis repleti libamine quaesumus domine deus noster 655; 667; 795; 1330

Corporis sacri et pretiosi sanguinis repleti libamine quaesumus domine deus noster ut gratiae 985; 990

Cunctas domine semper a nobis iniquitates repelle ut ad viam salutis aeternae secura mente 936

Cunctis nos domine reatibus et periculis propitiatus absolve quos tanti mysterii tribuis esse 1156

Custodi domine quaesumus ecclesiam tuam propitiatione perpetua et quia sine te labitur 1124 → **221**

Da aeternae consolationis pater per huius sancti confessoris tui preces populo tuo pacem et 1299

Da domine famulo tuo illi sperata suffragia obtinere ut qui tuos pauperes vel tuas ecclesias 1033

Da domine quaesumus populo tuo diabolica vitare contagia et te solum dominum pura mente 1133

Da famulis et famulabus tuis quaesumus domine in tua fide et sinceritate constantiam ut 1353

Da misericors deus ut haec nobis sacra oblatio et a propriis reatibus indesinenter expediat et 1341

Da misericors deus ut haec nobis salutaris oblatio et propriis reatibus indesinenter expediat 1149

Da misericors deus ut haec nos salutaris oblatio et propriis reatibus indesinenter expediat et 788

Da nobis domine quaesumus perseverantem in tua voluntate famulatum ut in diebus nostris 16; 351

Da nobis domine quaesumus pluviam salutarem et aridam terrae faciem fluentis caelestibus 1021; 1230

Da nobis domine quaesumus unigeniti filii tui recensita nativitate respirare cuius caelesti 89

Da nobis domine quaesumus ut et mundi cursus pacifico nobis ordine dirigatur et ecclesia 55; 1094

Da nobis domine ut sicut publicani precibus et confessione placatus es ita et huic famulo tuo 1032

Da nobis misericors deus ut sancta tua quae sumpsimus nos in tua voluntate confirment et 1293

Da nobis misericors deus ut sancta tua quibus incessanter explemur sinceris tractemus 314

Da nobis omnipotens deus ut beati illius martyris tui quam praevenimus veneranda 1166

Da nobis omnipotens deus ut beati Ippoliti martyris tui veneranda solemnitas et devotionem 695

Da nobis omnipotens quaesumus deus vitiorum nostrorum flammas extinguere qui beato 688

Da nobis quaesumus domine deus noster beati apostoli tui Andreae intercessionibus 812 → **779**

Da nobis quaesumus domine deus noster ut qui nativitatem domini nostri Iesu Christi nos 94

Da nobis quaesumus domine digne cele-

brare mysterium quod in nostri salvatoris infantia 154

Da nobis quaesumus domine observantiam ieiuniorum devote peragere ut cum abstinentia 364

Da nobis quaesumus domine per gratiam spiritus sancti tui paracliti novam spiritalis 565

Da nobis quaesumus domine piae supplicationis effectum et pestilentiam famemque 1211

Da nobis quaesumus omnipotens deus aeternae promissionis gaudia quaerere et quaesita 225

Da nobis quaesumus omnipotens deus ut ieiunando tua gratia satiemur et abstinendo cunctis 752

Da nobis quaesumus omnipotens deus ut sicut adoranda filii tui natalicia praevenimus sic 88

Da populo tuo quaesumus domine spiritum veritatis et pacis ut et te tota mente cognoscat et 48

Da quaesumus domine deus noster ut sicut beati Laurentii martyris tui commemoratione 684

Da quaesumus domine deus noster ut sicut tuorum commemoratione sanctorum temporali 786

Da quaesumus domine fidelibus populis omnium sanctorum semper veneratione laetari et 1273

Da quaesumus domine fidelibus populis sanctorum tuorum evangelistarum semper 1372

Da quaesumus domine fidelibus populis sanctorum tuorum semper veneratione laetari et 770

Da quaesumus domine fidelibus tuis ieiuniis paschalibus convenienter aptari ut suscepta 214

Da quaesumus domine nostris effectum ieiuniis salutarem ut castigatio carnis adsumpta ad 281

Da quaesumus domine populo tuo inviolabilem fidei firmitatem ut qui unigenitum tuum 115; 184 → **178**

Da quaesumus domine populo tuo salutem mentis et corporis ut bonis operibus 20; 280; 347 → **224**

Da quaesumus domine ut tanti mysterii munus indultum non condemnatio sed sit medicina 1187

Da quaesumus ecclesiae tuae misericors

deus ut spiritu sancto congregata secura tibi 588

Da quaesumus omnipotens deus intra sanctae ecclesiae uterum constitutos eo nos spiritu ab 626

Da quaesumus omnipotens deus sic nos tuam gratiam promereri ut nostros corrigamus 1375

Da quaesumus omnipotens deus ut beati Silvestri confessoris tui atque pontificis veneranda 133

Da quaesumus omnipotens deus ut ecclesia tua et suorum firmitate membrorum et nova 468

Da quaesumus omnipotens deus ut haec famula tua quae pro spe retributionis promissi 1018

Da quaesumus omnipotens deus ut quae divina sunt iugiter exsequentes donis mereamur 350 → **260**

Da quaesumus omnipotens deus ut qui beatae Anastasiae martyris tuae solemnia colimus 95

Da quaesumus omnipotens deus ut qui beatae Priscae martyris tuae natalicia colimus et 163

Da quaesumus omnipotens deus ut qui beati Urbani martyris tui atque pontificis solemnia 550

Da quaesumus omnipotens deus ut qui beatorum martyrum Gordiani atque Epimachi 534

Da quaesumus omnipotens deus ut qui in tot adversis ex nostra infirmitate deficimus 371

Da quaesumus omnipotens deus ut qui infirmitatis nostrae conscii de tua virtute confidimus 51; 336

Da quaesumus omnipotens deus ut qui nova incarnati verbi tui luce perfundimur hoc in 96

Da quaesumus omnipotens deus ut sacro nos purificante ieiunio sinceris mentibus ad sancta 277 → **224**

Da salutem domine quaesumus populo tuo mentis et corporis et perpetuis consolationibus 28

Da veniam domine quaesumus per sancta mysteria quae sumpsimus animae famuli tui illius 1407

Defende quaesumus beato illo intercedente domine deus istam ab omni adversitate familiam 1384

Delicta fragilitatis nostrae domine qua-

esumus miseratus absolve et aquarum subsidia praebe 1227

Delicta nostra domine quibus adversa nobis dominantur absterge et tua nos ubique 950

Depelle domine conscriptum peccati lege cyrographum quod in nobis paschali mysterio 496 → **393**

Deprecationem nostram quaesumus domine benignus exaudi et quibus supplicandi praestas 319; 599

Deprecationem nostram quaesumus, omnipotens deus benignus exaudi et quibus 920

Descendat quaesumus domine deus noster spiritus sanctus tuus super hoc altare qui et 854 → **1067**

Deus a quo bona cuncta procedunt largire supplicibus ut cogitemus te inspirante quae recta 1079

Deus a quo et Iudas proditor reatus sui poenam et confessionis suae latro praemium sumpsit 384

Deus a quo sancta desideria et iusta sunt opera da famulis tuis illam quam dare mundus non 1324

Deus a quo speratur humani corporis omne quod bonum est tribue per haec sancta quae 1404

Deus caeli terraeque dominator auxilium nobis tuae defensionis benignus inpende 938

Deus conditor mundi sub cuius arbitrio omnium saeculorum ordo decurrit adesto propitius 1323

Deus cui omne cor patet et omnis voluntas loquitur et nullum latet secretum purifica per 1379

Deus cui proprium est misereri et preces exaudire supplicantium propitiare animabus 1420

Deus cui proprium est misereri semper et parcere suscipe deprecationem nostram et quos 900

Deus cuius antiqua miracula etiam nostris saeculis coruscare sentimus dum quod uni populo 421

Deus cuius caritatis ardore beatus Laurentius edaces incendii flammas contempto persecutore 691

Deus cuius dextera beatum Petrum ambulantem in fluctibus ne mergeretur erexit et 650

Deus cuius filius in alta caelorum potenter ascendens captivitatem nostram sua duxit virtute 549

Deus cuius hodierna die praeconium Innocentes martyres non loquendo sed moriendo 127

Deus cuius miseratione animae fidelium requiescunt famulis tuis illis et illis vel omnibus hic in 1391

Deus cuius misericordiae non est numerus suscipe pro anima famuli tui preces nostras et 1042

Deus cuius misericordiae non est numerus suscipe propitius preces humilitatis nostrae et 1427

Deus cuius omnis potestas et dignitas da famulo tuo N. prosperum suae dignitatis effectum in 994

Deus cuius providentia in sui dispositione non fallitur te supplices exoramus ut noxia cuncta 1103

Deus cuius spiritu creatura omnis incrementi adulta congaudet exaudi preces nostras super 1001

Deus cuius unigenitus in substantia nostrae carnis apparuit praesta quaesumus ut per eum 152

Deus et reparator innocentiae et amator dirige ad te tuorum corda servorum ut de infidelitatis 490

Deus fidelium lumen animarum adesto supplicationibus nostris et da omnibus fidelibus in 1394

Deus fidelium remunerator animarum praesta ut per sancta quae sumpsimus et beati 883

Deus honorum omnium deus omnium dignitatum quae gloriae tuae sacratis famulantur 971

Deus humilium consolator et fidelium fortitudo propitius esto supplicationibus nostris ut 1360

Deus in cuius manu corda sunt regum inclina ad preces humilitatis nostrae aures 1005

Deus in quo vivimus movemur et sumus pluviam nobis tribue congruentem et praesentibus 1226

Deus in te sperantium fortitudo adesto propitius invocationibus nostris et quia sine te nihil 1085

Deus incommutabilis virtus et lumen aeternum respice propitius ad totius ecclesiae mirabile 560

Deus infirmitatis humanae singulare

praesidium auxilii tui super infirmum famulum tuum illum 1222

Deus inluminator omnium gentium da populis tuis perpetua pace gaudere et illud lumen 151

Deus innocentiae restitutor et amator dirige ad te tuorum corda servorum ut spiritus tui 10; 272

Deus misericordiae deus pietatis deus indulgentiae indulge quaeso et miserere mei 1189

Deus mundi creator et rector ad humilitatis meae preces placatus adtende et me famulum 1180

Deus omnipotens pater domini nostri Iesu Christi qui te regeneravit ex aqua et Spiritu sancto 431; 1037

Deus per quem nobis et redemptio venit et praestatur adoptio respice in opera misericordiae 474

Deus qui ad aeternam vitam Christi resurrectione nos reparas erige nos ad consedentem in 489 → **429**

Deus qui ad aeternam vitam in Christi resurrectione nos reparas impie pietatis tuae ineffabile 497 → **429**

Deus qui ad animarum medellam ieiunii devotione castigari corpora praecepisti concede nobis 593

Deus qui ad caeleste regnum non nisi renatis per aquam et spiritum pandis introitum multiplica 1395

Deus qui ad salutem humani generis maxima quaeque sacramenta in aquarum substantia 1040

Deus qui apostolis tuis sanctum dedisti spiritum concede plebi tuae piae petitionis effectum ut 578

Deus qui apostolo tuo Petro conlatis clavibus regni caelestis ligandi atque solvendi pontificium 641

Deus qui beatum Hermen martyrem tuum virtute constantiae in passione roborasti ex eius 710

Deus qui beatum Petrum apostolum a vinculis absolutum inlaesum abire fecisti nostrorum 665

Deus qui beatum Sebastianum martyrem tuum virtutem constantiae in passione roborasti ex 169

Deus qui caritatis dona per gratiam sancti spiritus tuorum cordibus fidelium infudisti da 1309 → **1142**

Deus qui conspicis familiam tuam omni

humana virtute destitui paschali interveniente 457

Deus qui conspicis omni nos virtute destitui interius exteriusque custodi ut et ab omnibus 3; 258

Deus qui conspicis quia ex nostra pravitate affligimur concede propitius ut ex tua visitatione 835

Deus qui conspicis quia ex nulla nostra actione confidimus concede propitius ut contra 203

Deus qui conspicis quia ex nulla nostra virtute subsistimus concede propitius ut 671; 787

Deus qui conspicis quia nos undique mala nostra contristant per praecursorem gaudii corda 625

Deus qui conspicis quia nos undique mala nostra perturbant praesta quaesumus ut beati 531

Deus qui conteris bella et inpugnatores in te sperantium potentia tuae defensionis expugnas 1206

Deus qui credentes in te fonte baptismatis innovasti hanc renatis in Christo concede 487 →＊ 402

Deus qui credentes in te populos gratiae tuae largitate multiplicas respice propitius ad 491 →＊ 385

Deus qui culpa offenderis poenitentia placaris adflictorum gemitus respice et mala quae iuste 1343

Deus qui culpa offenderis poenitentia placaris preces populi tui supplicantis propitius respice 911

Deus qui culpas delinquentium districte feriendo percutis fletus quoque lugentium non 513

Deus qui culpas nostras piis verberibus percutis ut nos a nostris iniquitatibus emundes da 514

Deus qui diem discernis a nocte actus nostros a tenebrarum distingue caligine ut semper 928

Deus qui dierum nostrorum numeros mensurasque temporum maiestatis tuae potestate 1184

Deus qui digne tibi servientium nos imitare desideras famulatum da nobis caritatis tuae 986

Deus qui diligentibus te bona invisibilia praeparasti infunde cordibus nostris tui amoris 1097 →＊ 470

Deus qui diligentibus te facis cuncta pro-

desse da cordibus nostris inviolabilem caritatis 1305

Deus qui diversitatem gentium in confessione tui nominis adunasti da ut renatis fonte 464 →＊ 383

Deus qui ecclesiam tuam annua quadragesimae observatione purificas praesta familiae tuae 222

Deus qui ecclesiam tuam apostoli tui Petri fide et nomine consecrasti quique beatum illi 636

Deus qui ecclesiam tuam novo semper foetu multiplicas concede famulis tuis ut sacramentum 452 →＊ 380

Deus qui ecclesiam tuam semper gentium vocatione multiplicas concede propitius ut quos 425 →＊ 359

Deus qui ecclesiam tuam sponsam vocare dignatus es ut quae haberet gratiam per fidei 1178 →＊ 895

Deus qui errantes ut in viam possint redire iustitiae veritatis tuae lumen ostendis da cunctis 1073 →＊ 465

Deus qui es humani generis conditor et redemptor da quaesumus ut reparationis nostrae 498

Deus qui es omnium sanctorum tuorum splendor mirabilis quique hunc diem beatorum 861

Deus qui es sanctorum tuorum splendor mirabilis quique hunc diem beati Andreae martyrio 814

Deus qui et iustis praemia meritorum et peccatoribus per ieiunium veniam praebes miserere 324

Deus qui ex omni coaptatione sanctorum aeternum tibi cordis habitaculum praeparas da 857

Deus qui famulo tuo Ezechiae ter quinos annos ad vitam addidisti ita et famulum tuum illum 1030

Deus qui famulum tuum illum sacerdotem atque abbatem et sanctificasti vocatione 1408

Deus qui fidelium mentes unius efficis voluntatis da populis tuis id amare quod praecipis 1076 →＊ 471

Deus qui hanc sacratissimam noctem gloria dominicae resurrectionis inlustras conserva 433 →＊ 360

Deus qui hanc sacratissimam noctem veri luminis fecisti inlustratione clarescere da 90 →＊ 155

Deus qui hodierna die corda fidelium

sancti spiritus inlustratione docuisti da nobis in eodem 572

Deus qui hodierna die per unigenitum tuum aeternitatis nobis aditum devicta morte reserasti 439 → **377**

Deus qui hodierna die unigenitum tuum gentibus stella duce revelasti concede propitius ut qui 146 → **175**

Deus qui hodiernam diem apostolorum tuorum Petri et Pauli martyrio consecrasti da ecclesiae 637

Deus qui humanae fragilitati necessaria providisti misericors adminicula iumentorum 1201

Deus qui humanae substantiae dignitatem et mirabiliter condidisti et mirabilius reformasti da 113 → **160**

Deus qui humani generis utramque substantiam et praesentium munerum alimento vegitas 1212 → **461**

Deus qui in Abrahae famuli tui opere humano generi oboedientiae exempla praebuisti concede 554

Deus qui in deserti regione multitudinem populi tua virtute satiasti in huius quoque saeculi 315

Deus qui in filii tui humilitate iacentem mundum erexisti fidelibus tuis perpetuam laetitiam 1070 → **464**

Deus qui ineffabilibus mundum renovas sacramentis praesta quaesumus ut ecclesia tua 333; 1157 → **243**

Deus qui inter apostolicos sacerdotes famulum tuum N. ecclesiae archiepiscopum censeri 1405 → **1220**

Deus qui inter cetera potentiae tuae miracula etiam in fragili sexu victoriam martyrii 188; 713; 885

Deus qui invisibili potentia sacramentorum tuorum mirabiliter operaris effectum et licet nos 430a

Deus qui invisibiliter omnia contines et tamen pro salute generis humani signa tuae potentiae 855

Deus qui iuste irasceris et clementer ignoscis afflicti populi lacrimas respice et iram tuae 892

Deus qui iustificas impium et non vis mortem peccatorum maiestatem tuam suppliciter 1313

Deus qui laboribus hominum etiam de mutis animalibus solacia subrogasti supplices te 1026; 1200

Deus qui legalium differentiam hostia-

rum unius sacrificii perfectione sanxisti accipe 1104 → **466**

Deus qui licet sis magnus in magnis mirabilia tamen gloriosius operaris in minimis da nobis 130

Deus qui licet sis magnus in magnis mirabilia tamen gloriosius operaris in minimis concede 981

Deus qui mirabiliter creasti hominem et mirabilius redemisti da nobis quaesumus contra 419 → **357**

Deus qui miro ordine angelorum ministeria hominumque dispensas concede propitius ut 765 → **837**

Deus qui misisti filium tuum et ostendisti creaturae creatorem respice propitius super nos 1247

Deus qui multiplicas ecclesiam tuam in sobole renascentium fac eam gaudere propitius de 480

Deus qui multitudinem gentium beati Pauli apostoli praedicatione docuisti da nobis 647

Deus qui nobis ad celebrandum paschale sacramentum liberiores animos 467

Deus qui nobis per prophetarum ora praecepisti temporalia relinquere atque ad aeterna 556

Deus qui nobis per singulos annos huius sancti templi tui consecrationis reparas diem et 1175 → **891**

Deus qui non mortem sed poenitentiam desideras peccatorum populum tuum quaesumus ad 1027; 1195

Deus qui non propriis suffragantibus meritis sed sola ineffabilis gratiae largitate me familiae 1179 → **1090**

Deus qui nos ad anniversarium diem huius ecclesiae tribuisti venire concede quaesumus ut 1176

Deus qui nos ad celebrandam praesentem festivitatem utriusque testamenti paginis instruis da 558

Deus qui nos ad celebrandum paschale sacramentum utriusque testamenti paginis instruis da 423 → **360**

Deus qui nos ad imaginem tuam sacramentis renovas et praeceptis perfice gressus nostros in 1306 → **1107**

Deus qui nos annua apostolorum tuorum Philippi et Iacobi solemnitate laetificas praesta 525

Deus qui nos annua beatae Agathae martyris tuae solemnitate laetificas da ut quam 192

Deus qui nos annua beatae Agnae martyris tuae solemnitate laetificas da quaesumus ut quam 179

Deus qui nos annua beatae Caeciliae martyris tuae solemnitate laetificas da ut quam 790

Deus qui nos annua beati Clementis martyris tui atque pontificis solemnItate laetificas concede 793

Deus qui nos annua beati Cyriaci martyris tui solemnitate laetificas concede propitius ut cuius 679

Deus qui nos annua beati Iohannis baptistae solemnia frequentare concedis praesta 627

Deus qui nos annua beatorum Marcellini et Petri martyrum tuorum solemnitate laetificas 605

Deus qui nos annua sanctorum tuorum Protasii et Gervasii solemnitate laetificas concede 611

Deus qui nos beatae Mariae semper virginis et beatorum apostolorum martyrum confessorum 1261

Deus qui nos beati Eusebii confessoris tui annua solemnitate laetificas concede propitius ut 698

Deus qui nos beati Georgii martyris tui meritis et intercessione laetificas concede propitius ut 509

Deus qui nos beati Iohannis baptistae concedis natalicio perfrui eius nos tribue meritis 623

Deus qui nos beati martyris tui Caesarii annua solemnitate laetificas concede propitius ut 775

Deus qui nos beati Nicomedis martyris tui meritis et intercessione laetificas concede propitius 602

Deus qui nos beati Saturnini martyris tui concedis natalicia perfrui eius nos tribue meritis 802

Deus qui nos beati Stephani martyris tui atque pontificis annua solemnitate laetificas concede 668

Deus qui nos beati Theodori martyris tui confessione gloriosa circumdas et protegis praesta 781

Deus qui nos concedis sanctorum martyrum tuorum Felicissimi et Agapiti natalicia colere da 676

Deus qui nos conspicis ex nostra infirmitate deficere ad amorem tuum nos misericorditer per 771 ⇥ **953**

Deus qui nos conspicis in tot perturbationibus non posse subsistere adflictorum gemitum 899

Deus qui nos devota beati Rodperti confessoris tui atque pontificis instantia ad agnitionem tui 1300

Deus qui nos exultantibus animis pascha tuum celebrare tribuisti fac nos quaesumus et 485

Deus qui nos fecisti hodierna die paschalia festa celebrare fac nos quaesumus in caelesti 502

Deus qui nos in tantis periculis constitutos pro humana scis fragilitate non posse 249; 1061; 1328 ⇥ **1152**

Deus qui nos per huius sacrificii veneranda commercia unius summae divinitatis participes 1077; 1137

Deus qui nos per paschalia festa laetificas concede propitius ut ea quae devote agimus te 462

Deus qui nos redemptionis nostrae annua expectatione laetificas praesta ut unigenitum tuum 87 ⇥ **153**

Deus qui nos resurrectionis dominicae annua solemnitate laetificas concede propitius ut per 458 ⇥ **382**

Deus qui nos sanctorum tuorum Processi et Martiniani confessionibus gloriosis circumdas et 653 ⇥ **764**

Deus qui nos unigeniti tui clementer incarnatione laetificas da nobis patrocinia tuorum 120

Deus qui omne meritum vocatorum donis tuae bonitatis anticipas propitiare animae famuli tui 1396

Deus qui omnes in Christo renatos genus regium et sacerdotale fecisti da nobis et velle et 486 ⇥ **267**

Deus qui omnipotentiam tuam parcendo et miserando manifestas multiplica super nos gratiam 1112 ⇥ **476**

Deus qui peccantium animas non vis perire sed culpas contine quam meremur iram et quam 909

Deus qui per beatae virginis partum sine humana concupiscentia procreatum in filii tui membra 110

Deus qui per coaeternam tibi sapientiam hominem cum non esset condidisti perditumque 1243

Deus qui per gloriosa bella certaminis inmortalitatis triumphos martyribus

Dies nostros quaesumus domine placatus intende pariterque nos et a peccatis absolve 18

Dirigat corda nostra domine quaesumus tuae miserationis operatio quia tibi sine te placere 1136 → **253**

Divina libantes mysteria quae pro huius sancti confessoris tui illius veneratione tuae obtulimus 1298

Divina libantes mysteria quaesumus domine ut eorum nos ubique intercessio protegat 1278

Divina libantes mysteria quaesumus domine ut haec salutaria sacramenta illis proficiant ad 1312

Divina libantes sacramenta concede quaesumus omnipotens deus ut haec eadem nobis 1424

Divini muneris largitate satiati quaesumus domine deus noster ut intercedente beato Timotheo 709

Divini muneris largitate satiati quaesumus domine deus noster ut intercedente beata Sabina 715

Domine deus noster multiplica super nos gratiam tuam et quorum praevenimus gloriosa 1265

Domine deus noster qui in ministerio aquarum salutis nostrae nobis sacramenta sanxisti 1231

Domine deus pater omnipotens famulos tuae maiestati subiectos per unicum filium tuum in 1240

Domine deus qui in ministerio aquarum salutis tuae nobis sacramenta sanxisti exaudi 1023

Domine sancte pater omnipotens aeterne deus honorum auctor et distributor omnium 977a

Domum tuam quaesumus domine clementer ingredere et in tuorum tibi corda fidelium 853

Ecclesiae tuae domine voces placatus admitte ut destructis adversantibus universis secura 11

Ecclesiae tuae quaesumus domine dona propitius intuere quibus non iam aurum thus et 147 → **175**

Ecclesiae tuae quaesumus domine preces et hostias apostolica commendet oratio ut quod 648

Ecclesiam tuam domine benignus inlustra ut beati Iohannis evangelistae in-

luminata doctrinis 121

Ecclesiam tuam domine miseratio continuata mundet et muniat et quia sine te non potest 1127 → **230**

Ecclesiam tuam domine perpetua miseratione prosequere ut salubribus expiata ieiuniis et 273

Efficiatur haec hostia domine quaesumus solemnibus grata ieiuniis et ut tibi fiat acceptior 330

Emitte domine spiritum sanctum tuum paraclitum de caelis in hanc pinguedinem olei quam de 390

Erudi quaesumus domine plebem tuam et quae extrinsecus annua tribuis devotione venerari 182

Erudi quaesumus domine populum tuum spiritalibus instrumentis et quorum praestas 1269

Esto domine plebi tuae sanctificator et custos ut apostolicis munita praesidiis et 646

Esto domine propitius plebi tuae et quam tibi facis esse devotam benigno refove miseratus 244

Esto nobis propitius deus ut tua nos misericordia subsequatur 947

Exaudi domine deus clementer in hac domo tua preces servorum tuorum quatenus illorum 1279

Exaudi domine gemitum populi supplicantis et qui de meritorum qualitate diffidimus non 889

Exaudi domine gemitum populi tui ne plus apud te valeat offensio delinquentium quam 916

Exaudi domine populum tuum cum sancti apostoli tui Andreae patrocinio supplicantem ut tuo 815

Exaudi domine populum tuum tota tibi mente subiectum ut corpore et mente protectus quod 901

Exaudi domine preces nostras et sanctorum tuorum quorum festa solemniter celebramus 740

Exaudi domine preces nostras et super hanc famulam tuam illam spiritum tuae benedictionis 1002

Exaudi domine preces nostras et super hunc famulum tuum spiritum tuae benedictionis 979

Exaudi domine preces nostras et ut digna sint munera quae oculis tuae maiestatis offerimus 186

Exaudi domine preces nostras quas in sancti confessoris tui solemnitate deferimus et qui tibi 881

Exaudi domine preces nostras ut redemptionis nostrae sacrosancta commercia et vitae nobis 466 → **383**, ecc.

Exaudi domine quaesumus preces nostras et interveniente beato Marco confessore tuo atque 768

Exaudi nos deus salutaris noster et apostolorum tuorum nos tuere praesidiis quorum donasti 644

Exaudi nos deus salutaris noster et dies nostros in tua pace dispone ut a cunctis 56

Exaudi nos deus salutaris noster et ecclesiam tuam inter mundi turbidines fluctuantem 964

Exaudi nos deus salutaris noster et intercedente beato martyre tuo illo populum tuum 1029

Exaudi nos deus salutaris noster ut sicut de beatae Luciae festivitate gaudemus ita piae 822

Exaudi nos domine et iter famuli tui illius inter vitae huius pericula tuo semper regatur auxilio 1019

Exaudi nos misericors deus et mentibus nostris gratiae tuae lumen ostende 247; 931

Exaudi nos omnipotens et misericors deus et continentiae salutaris propitius nobis dona 292

Exaudi nos omnipotens et misericors deus ut quod nostro ministratur officio tua benediction 1011

Exaudi nos quaesumus domine deus noster et super hunc famulum tuum benedictionem 976

Exaudi quaesumus domine supplicum preces et confitentium tibi parce peccatis ut 891; 1344

Excita domine corda nostra ad praeparandas unigeniti tui vias ut per eius adventum purificatis 819 → **132**

Excita domine in ecclesia tua spiritum cui beatus Laurentius levita servivit ut eodem nos 685

Excita domine potentiam tuam et veni et magna nobis virtute succurre ut per auxilium gratiae 843 → **125**

Excita domine potentiam tuam et veni et quod ecclesiae tuae promisisti usque in finem 846

Excita domine quaesumus potentiam tuam et veni ut ab imminentibus peccatorum nostrorum 816 → **126**

Excita domine quaesumus tuorum fidelium voluntates ut divini operis fructum propensius 21; 1151 → **484**

Excita domine tuorum corda fidelium ut sacris intenta doctrinis et intellegant quod sequantur 27

Excita quaesumus domine potentiam tuam et veni ut qui in tua pietate confidunt ab omni 832

Exorcizo te creatura aquae in nomine dei et domini nostri 1035

Exorcizo te creatura aquae in nomine dei patris omnipotentis et in nomine Iesu Christi filii eius 1039

Fac nos domine deus noster tuis oboedire mandatis quia tunc nobis prospera cuncta 968

Fac nos domine deus sanctae Mariae semper virginis subsidiis attolli et gloriosa beatorum 1264

Fac nos domine quaesumus ad sancta mysteria purificatis mentibus accedere ut tibi semper 301

Fac nos domine quaesumus mala nostra toto corde respuere ut bona tua capere valeamus 946

Fac nos domine quaesumus prompta voluntate subiectos et ad supplicandum tibi nostras 1130

Fac nos quaesumus domine accepto pignore salutis aeternae sic tendere congruenter ut ad 279

Fac nos quaesumus domine his muneribus offerendis convenienter aptari quibus ipsius 211

Fac omnipotens deus ut qui paschalibus remediis innovati similitudinem terreni parentis 501

Familiae tuae domine quaesumus esto protector et misericordiam tuam concede poscenti 19

Familiam tuam domine dextera tua perpetuo circumdet auxilio ut ab omni pravitate defensa 42

Familiam tuam domine propitiatus intuere et apostolicis defende praesidiis ut eorum precibus 643

Familiam tuam domine quaesumus continuata pietate custodi ut a cunctis adversitatibus te 1145 → **617**

Familiam tuam quaesumus domine cae-

nes pro salute famuli tui illius quatenus animam illius 1252

His nobis domine mysteriis conferatur quo terrena desideria mitigantes discamus amare 1074 → **210**

His sacrificiis domine concede placatus ut delictis non gravemur externis qui propriis oramus 282

His sacrificiis quaesumus omnipotens deus purgata anima famuli tui N. ad indulgentiam et 1045

Hostia domine quaesumus quam sanctorum tuorum natalicia recensentes offerimus et 164

Hostia haec quaesumus domine quam sanctorum tuorum natalicia recensentes offerimus 507; 606; 663

Hostias domine famulorum tuorum placatus intende et quas in honore nominis tui devote 1192

Hostias domine laudis tuis altaribus adhibemus quas tibi patrocinio credimus 1301

Hostias domine quas nomini tuo sacrandas offerimus apostolica prosequatur oratio per quam 638

Hostias domine quas tibi offerimus propitius respice et per haec sancta commercia vincula 270

Hostias domine quas tibi offerimus propitius suscipe et intercedente beata Agna martyre tua 174

Hostias domine quas tibi offerimus propitius suscipe et intercedente beato Laurentio martyre 683

Hostias domine tuae plebis intende et quas in honore sanctorum tuorum devota mente 717

Hostias nostras domine tibi dicatas placatus adsume et ad perpetuum nobis tribue provenire 1086

Hostias quaesumus domine placatus adsume quas et pro renatorum expiatione peccati 472

Hostias quaesumus domine propitius intende quas sacris altaribus exhibemus ut nobis 1119

Hostias tibi domine beatae Sabinae martyris tuae dicatas meritis benignus adsume et ad 714

Hostias tibi domine beati Caesarii martyris tui dicatas meritis benignus adsume et ad 776

Hostias tibi domine beati Fabiani marty-

ris tui dicatas meritis benignus adsume et ad 167

Hostias tibi domine beati Felicis confessoris tui dicatas meritis benignus adsume et ad 158

Hostias tibi domine beatorum martyrum Gordiani atque Epimachi dicatas meritis benignus 535

Hostias tibi domine deferimus immolandas quae temporali consolatione nos laetificent ut 349

Hostias tibi domine humili supplicatione pro animabus famulorum famularumque tuarum 1421

Hostias tibi domine laudis exolvo suppliciter implorans ut quod inmerito contulisti 983

Hostias tibi domine laudis offerimus suppliciter deprecantes ut easdem angelico pro nobis 766; 1281

Hostias tibi domine placationis offerimus ut et delicta nostra miseratus absolvas 237; 1065; 1345 → **260**

Hostias tibi domine pro commemoratione sancti confessoris tui offerimus suppliciter 882 → **913**

Hostias tibi domine pro sanctorum tuorum commemoratione supplices deferimus humiliter 878

Hostias tibi domine sanctorum martyrum tuorum Iohannis et Pauli dicatas meritis benignus 630

Huius nos domine perceptio sacramenti mundet a crimine et ad caelestia regna perducat 306; 322

Huius nos domine quaesumus participatio sacramenti et propriis reatibus indesinenter 335

Huius nos domine sacramenti semper novitas natalis instauret cuius nativitas singularis 102

Huius quaesumus domine virtute mysterii et a nostris mundemur occultis et ab hostium 1325

Ieiunia nostra quaesumus domine benigno favore prosequere ut sicut ab alimentis in corpore 304

Illo nos igne quaesumus domine spiritus sanctus inflammet quem dominus misit in terram et 592

Imploramus domine clementiam tuam ut haec divina subsidia a vitiis expiatos ad festa ventura 827

Inchoata ieiunia quaesumus domine be-

litatis humanae et qui iuste verberas peccatores parce 922

Mentem familiae tuae quaesumus domine intercedente beato Laurentio martyre tuo et munere 512

Mentes nostras et corpora possideat domine quaesumus doni caelestis operatio ut non 1129 →→ **474**

Mentes nostras quaesumus domine lumine tuae claritatis inlustra ut videre possimus quae 239 →→ **209**

Mentes nostras quaesumus domine lumine tuae visitationis inlustra ut esse te largiente 850

Mentes nostras quaesumus domine paraclitus qui a te procedit inluminet et inducat in omnem 584 →→ **986**

Mentes nostras quaesumus domine spiritus sanctus divinis reparet sacramentis quia ipse est 583

Mentibus nostris domine spiritum sanctum benignus infunde cuius et sapientia conditi 591

Miserere domine populo tuo et continuis tribulationibus laborantem propitius respirare 323; 1335

Miserere iam quaesumus domine populo tuo et continuis tribulationibus laborantem celery 905

Miserere quaesumus domine deus famulis tuis pro quibus hoc sacrificium laudis tuae 1310

Misericordiae tuae remediis quaesumus domine fragilitas nostra subsistat ut quae sua 744

Moveat pietatem tuam quaesumus domine subiectae tibi plebis affectus et misericordiam 919

Multiplica domine in hac area frumenti tua dona repleta et sicut fidelibus tuis tricesimum atque 1025

Multiplica quaesumus domine fidem populi tui et cuius per te sumpsit initium per te 469

Munda nos domine sacrificii praesentis effectu et perfice miseratus in nobis ut eius mereamur 1131

Munera domine oblata sanctifica et intercedente beato Clemente martyre tuo per haec nos a 794

Munera domine oblata sanctifica et intercedente beato Georgio martyre tuo nos per haec a 510

Munera domine oblata sanctifica et in-

tercedente beato Iohanne baptista nos per haec a 615; 618

Munera domine oblata sanctifica et intercedente beato Nicomede martyre tuo nos per haec a 603

Munera domine oblata sanctifica nosque a peccatorum nostrorum maculis emunda 228

Munera domine oblata sanctifica ut tui nobis unigeniti corpus et sanguis fiat 600

Munera domine quae pro apostolorum tuorum Philippi et Iacobi solemnitate deferimus 526

Munera domine quaesumus oblata sanctifica et corda nostra sancti spiritus inlustratione 567; 573

Munera domine tibi dicata sanctifica et intercedente beato Saturnino martyre tuo per eadem 803

Munera domine tibi dicata sanctifica et intercedentibus beato Marco et Marcelliano per eadem 609

Munera nos quaesumus domine oblata purificent et te nobis iugiter faciant esse placatum 334

Munera nostra quaesumus domine nativitatis hodiernae mysteriis apta proveniant ut sicut 98 →→ **158**

Munera nostrae devotionis quaesumus domine propitius respice et ad salutem nostram 720

Munera quaesumus domine tibi dicata sanctifica et intercedente beato Pancratio martyre tuo 538

Munera tibi domine dicata sanctifica et intercedente beato Stephano martyre tuo atque 669

Munera tibi domine nostrae devotionis offerimus quae et pro cunctorum tibi grata sint honore 1271

Munera tibi domine nostrae devotionis offerimus quae et pro tuorum tibi grata sint honore 677; 1262

Munera tua nos domine a delectationibus terrenis expediant et caelestibus semper instruant 1063

Munera tuae misericors deus maiestati oblata benigno quaesumus suscipe intuitu ut eorum 1277

Muneribus nostris domine sanctae illius martyris tuae festa praecedimus ut quae conscientiae 1173

Muneribus nostris quaesumus domine

precibusque susceptis et caelestibus 138; 177; 201; 532; 785; 833

Munus populi tui domine quaesumus apostolica intercessione sanctifica nosque a 633; 1329

Munus quod tibi domine nostrae servitutis offerimus tu salutare nobis perfice sacramentum 289

Mysteria nos domine sancta purificent et suo munere tueantur 1096

Mystica nobis domine prosit oblatio quae nos et a reatibus nostris expediat et perpetua 772; 1337

Ne despicias omnipotens deus populum tuum in adflictione clamantem sed propter gloriam 915; 1363

Nec te latet satanas inminere tibi poenas inminere tibi tormenta diem iudicii diem supplicii 415

Nostra tibi quaesumus domine sint accepta ieiunia quae nos et expiando gratia tua dignos 348

Nostris domine quaesumus propitiare temporibus ut tuo munere dirigatur et ecclesiae tuae 12

Oblata domine munera nova unigeniti tui nativitate sanctifica nosque a peccatorum nostrorum 104

Oblata domine munera sanctifica nosque a peccatorum nostrorum maculis emunda 63; 1056

Oblatio domine tuis aspectibus immolanda quaesumus ut et nos ab omnibus vitiis potenter 1376

Oblatio nos domine tuo nomini dicanda purificet et de die in diem ad caelestis vitae transferat 1089 → **864**

Oblationibus quaesumus domine placare susceptis et ad te nostras etiam rebelles conpelle 338; 1095

Oblatis domine placare muneribus et oportunum tribue nobis pluviae sufficientis auxilium 1228

Oblatis quaesumus domine placare muneribus et a cunctis nos defende periculis 232

Oblatis quaesumus domine placare muneribus et intercedente beato Valentino martyre tuo a 194

Oblatis quaesumus domine placare muneribus et intercedente beato Chrysogono martyre tuo 800

Oblatis quaesumus domine placare muneribus et intercedentibus sanctis tuis a cunctis nos 612

Oblatum tibi domine sacrificium vivificet nos semper et muniat 64; 204; 317; 666; 1053

Oculi nostri ad te domine semper intendant ut auxilium tuum et misericordiam sentiamus 961

Offerimus domine laudes et munera pro concessis beneficiis gratias referentes et pro 1321

Offerimus tibi domine preces et munera quae ut tuo sint digna conspectui apostolorum 651

Omnipotens deus christiani nominis inimicos virtute quaesumus tuae conprime maiestatis ut 1010

Omnipotens deus famulos tuos dextera potentiae tuae a cunctis protege periculis et beata 1258

Omnipotens deus misericordiam tuam in nobis placatus inpende ut qui contemnendo culpam 917; 1340

Omnipotens et misericors deus a bellorum nos quaesumus turbine fac quietos quia bona 1008

Omnipotens et misericors deus de cuius munere venit ut tibi a fidelibus tuis digne et 1118

Omnipotens et misericors deus famulos tuos placatus intende qui recolentes divina mandata 1225

Omnipotens et misericors deus in cuius humana conditio potestate consistit animam famuli tui 1401

Omnipotens et misericors deus qui beatum Iohannem baptistam tua providentia destinasti ut 628

Omnipotens et misericors deus universa nobis adversantia propitiatus exclude ut mente et 1139

Omnipotens mitissime deus respice propitius preces nostras et libera cor famuli tui illius de 1251

Omnipotens sempiterne deus adesto magnae pietatis tuae mysteriis adesto sacramentis et ad 429 → **363**

Omnipotens sempiterne deus altare nomini tuo dicatum caelestis virtutis benedictione 858

Omnipotens sempiterne deus collocare dignare corpus et animam famuli tui illius cuius diem 1434

Omnipotens sempiterne deus cui numquam sine spe misericordiae sup-

facis solemnitate 1274

Omnipotens sempiterne deus qui paschale sacramentum in reconciliationis humanae foedere 471 → **384**

Omnipotens sempiterne deus qui paschale sacramentum quinquaginta dierum voluisti mysterio 562 → **443**

Omnipotens sempiterne deus qui per continentiam salutarem et corporibus mederis et 751

Omnipotens sempiterne deus qui primitias martyrum in beati levitae Stephani sanguine 116

Omnipotens sempiterne deus qui regenerare dignatus es hos famulos et famulas tuas ex aqua 432

Omnipotens sempiterne deus qui salvas omnes et neminem vis perire aperi fontem 1022

Omnipotens sempiterne deus qui salvas omnes et neminem vis perire respice ad 407

Omnipotens sempiterne deus respice propitius ad devotionem populi renascentis qui sicut 428

Omnipotens sempiterne deus respice propitius super hunc famulum tuum illum quem ad 1000

Omnipotens sempiterne deus respicere dignare super hunc famulum tuum quem ad rudimenta 413

Omnipotens sempiterne deus salus aeterna credentium exaudi nos pro infirmo famulo tuo pro 1220 → **1146**

Omnipotens sempiterne deus universa nobis adversa propitiatus exclude ut mente et corpore 30

Parce domine parce peccatis nostris et quamvis incessabiliter delinquentibus continua poena 1357

Parce domine parce populo tuo ut dignis flagellationibus castigatus in tua miseratione 217; 912

Parce domine quaesumus parce populo tuo et nullis iam patiaris adversitatibus fatigari quos 515

Parce domine quaesumus populo tuo et nullis iam patiaris adversitatibus fatigari quos 1336

Pasce nos domine tuorum gaudiis ubique sanctorum quia et nostrae salutis augmenta sunt 879

Pateant aures misericordiae tuae domine precibus supplicantium et ut petenti-

bus desiderata 328; 1109 → **226**

Peccata nostra domine quaesumus memor humanae conditionis absolve et quicquid eorum 962

Per haec veniat quaesumus domine sacramenta nostrae redemptionis effectus qui nos et ab 293; 1158 → **225**

Per hoc quaesumus domine sacrificium quod tuae obtulimus pietati ab omnibus cor famuli tui 1254

Per huius domine operationem mysterii et vitia nostra purgentur et iusta desideria 142; 246; 370; 664

Percepta nobis domine praebeant sacramenta subsidium ut et tibi grata sint nostra ieiunia et 212 → **200**

Perceptis domine sacramentis beatis apostolis intervenientibus deprecamur ut quae pro 649

Perceptis domine sacramentis suppliciter exoramus ut intercedente beato Andrea apostolo 808

Perceptis domine sacramentis suppliciter exoramus ut intercedente beato illo apostolo tuo 1162

Percipiat quaesumus domine populus tuus misericordiam quam deposcit et quam precatur 58

Perfice quaesumus domine benignus in nobis observantiae sanctae subsidium ut quae te 265

Perficiant in nobis domine quaesumus tua sacramenta quod continent ut quae nunc specie 758; 1338 → **480**

Perpetuum nobis domine tuae miserationis praesta subsidium quibus et angelica praestitisti 1280

Pignus vitae aeterne capientes humiliter te domine imploramus ut apostolicis fulti patrociniis 863

Placare quaesumus domine humilitatis nostrae precibus et hostiis et ubi nulla suppetunt 820 → **123**, ecc.

Plebem tuam quaesumus domine perpetua pietate custodi ut secura semper et necessariis 1283

Plebs tua domine capiat sacrae benedictionis augmentum ut copiosis beneficiorum tuorum 1234

Plebs tua domine laetetur tuorum semper honore sanctorum ut eorum percipiat intercessione 884

Populi tui deus institutor et rector peccata quibus inpugnatur expelle ut semper tibi placates 332 → **232**

Populum tuum domine propitius respice et quos ab escis carnalibus praecipis
abstinere a 269

Populum tuum domine quaesumus pio
favore prosequere et a cunctis adversitatibus beato 1304

Populum tuum quaesumus domine propitius respice atque ab eo flagella tuae
iracundiae 248

Populum tuum quaesumus omnipotens
deus ab ira tua ad te confugientem paterna recipe 1028; 1196

Porrige dexteram tuam quaesumus domine plebi tuam misericordiam postulanti per quam et 45

Porrige nobis deus dexteram tuam et auxilium nobis supernae virtutis inpende
963

Praebeant nobis domine divinum tua
sancta fervorem quo eorum pariter et
actu delectemur et 373; 598

Praebeant nobis domine quaesumus divinum tua sancta fervorem quo eorum
pariter et actu 275

Praesentibus sacrificiis domine ieiunia
nostra sanctifica ut quod observantia
nostra profitetur 256

Praesta domine fidelibus tuis ut ieiuniorum veneranda solemnia et congrua
pietate suscipiant 210

Praesta domine precibus nostris cum
exultatione profectum ut quorum diem
passionis annua 738

Praesta domine quaesumus famulis tuis
renuntiantibus saecularibus pompis
gratiae tuae vias 996

Praesta domine quaesumus ut per haec
sancta quae sumpsimus dissimulatis
lacerationibus 1378

Praesta domine quaesumus ut terrenis
affectibus expiati ad superni plenitudinem sacramenti 1356

Praesta nobis aeterne salvator ut percipientes hoc munere veniam peccatorum et deinceps 1348

Praesta nobis domine quaesumus intercedente beato Theodoro martyre tuo ut
quae ore 783

Praesta nobis domine quaesumus intercedentibus omnium sanctorum tuorum meritis ut quae 1263

Praesta nobis domine quaesumus intercedentibus sanctis tuis Felicissimo et

Agapito ut quae 678

Praesta nobis misericors deus ut digne
tuis servire semper altaribus mereamur et eorum 361 → **265**

Praesta nobis omnipotens deus ut vivificationis tuae gratiam consequentes in
tuo semper 1072

Praesta nobis omnipotens et misericors
deus ut in resurrectione domini nostri
Iesu Christi 494 → **419**

Praesta nobis quaesumus domine ut salutaribus ieiuniis eruditi a noxiis quoque vitiis 296

Praesta nobis quaesumus omnipotens
deus ut nostrae humilitatis oblatio et
pro tuorum grata 874 → **953**

Praesta nobis quaesumus omnipotens
et misericors deus ut quae visibilibus
mysteriis 547

Praesta populo tuo domine quaesumus
consolationis auxilium ut diuturnis calamitatibus 897

Praesta quaesumus domine deus noster
ut caritatis dono quo cunctum innovas
mundum per 1307

Praesta quaesumus domine deus noster
ut cuius nobis festivitate votiva sunt
sacramenta 675

Praesta quaesumus domine deus noster
ut quae solemni celebramus officio purificatae 150; 504

Praesta quaesumus domine deus noster
ut quorum festivitate votiva sunt sacramenta eorum 789

Praesta quaesumus domine deus noster
ut sicut in tuo conspectu mors est pretiosa 736

Praesta quaesumus domine familiae
supplicanti ut dum a cibis corporalibus
se abstinent a 745

Praesta quaesumus domine mentibus
nostris cum exultatione profectum et
beatae Agnae 173

Praesta quaesumus domine sic nos ab
epulis abstinere carnalibus ut a vitiis
inruentibus 754

Praesta quaesumus domine ut anima famuli tui N. quam in hoc saeculo commorantem sacris 1041 → **1220**

Praesta quaesumus domine ut beati
illius suffragiis in nobis tua munera
tuearis pro cuius 1167

Praesta quaesumus domine ut mentium
reprobarum non curemus obsequium

sed eadem 1373

Praesta quaesumus domine ut quod salvatoris domini nostri Iesu Christi recensita solemnitate 139

Praesta quaesumus domine ut sacramenti tui participatione vegetati sancti quoque martyris 1168

Praesta quaesumus domine ut salutaribus ieiuniis eruditi a noxiis etiam vitiis abstinentes 329

Praesta quaesumus misericors deus ut animae pro quibus hoc sacrificium laudis tuae 1418; 1428

Praesta quaesumus misericors deus ut tibi placita mente serviamus 939

Praesta quaesumus omnipotens deus sic nos ab epulis carnalibus abstinere ut a vitiis 595

Praesta quaesumus omnipotens deus ut ad te toto corde clamantes intercedente beato Petro 517

Praesta quaesumus omnipotens deus ut animam famuli tui illius ab angelis lucis susceptam 1416

Praesta quaesumus omnipotens deus ut animam famuli tui N. in congregatione iustorum 1046

Praesta quaesumus omnipotens deus ut beatae Felicitatis martyris tuae solemnia 796

Praesta quaesumus omnipotens deus ut beatus Stephanus levita magnificus sicut ante alios 119

Praesta quaesumus omnipotens deus ut claritatis tuae super nos splendor effulgeat et lux 566 → **443**

Praesta quaesumus omnipotens deus ut de perceptis muneribus gratias exhibentes beneficia 135

Praesta quaesumus omnipotens deus ut familia tua per viam salutis incedat et beati Iohannis 614 → **771**

Praesta quaesumus omnipotens deus ut familia tua quae se affligendo carne ab alimentis 261

Praesta quaesumus omnipotens deus ut filii tui ventura solemnitas et praesentis nobis vitae 838 → **138**

Praesta quaesumus omnipotens deus ut huic famulo tuo illo qui ad deponendam comam 999

Praesta quaesumus omnipotens deus ut huius paschalis festivitatis mirabile sacramentum et 461

Praesta quaesumus omnipotens deus ut ieiuniorum placatus sacrificiis indulgentiae tuae nos 365

Praesta quaesumus omnipotens deus ut inter innumeros vitae praesentis errores tuo semper 44

Praesta quaesumus omnipotens deus ut intercedente beato Vitale martyre tuo et a cunctis 522

Praesta quaesumus omnipotens deus ut liberis tibi mentibus serviamus 933

Praesta quaesumus omnipotens deus ut natus hodie salvator mundi sicut divinae nobis 107

Praesta quaesumus omnipotens deus ut nostrae gaudeamus provectionis augmento et 993

Praesta quaesumus omnipotens deus ut nullis nos permittas perturbationibus concuti quos 632 → **729**

Praesta quaesumus omnipotens deus ut observationes sacras annua devotione recolentes et 316; 748

Praesta quaesumus omnipotens deus ut per haec paschalia festa quae colimus devoti 456

Praesta quaesumus omnipotens deus ut qui beati Mennae martyris tui natalicia colimus 784

Praesta quaesumus omnipotens deus ut qui beati Pancratii martyris tui natalicia colimus a 537

Praesta quaesumus omnipotens deus ut qui beati Valentini martyris tui natalicia colimus a 193

Praesta quaesumus omnipotens deus ut qui caelestia alimenta percepimus intercedente 619

Praesta quaesumus omnipotens deus ut qui gloriosos martyres Claudium Nicostratum 778

Praesta quaesumus omnipotens deus ut qui gloriosos martyres fortes in sua confessione 656

Praesta quaesumus omnipotens deus ut qui gratiam dominicae resurrectionis agnovimus ipsi 447

Praesta quaesumus omnipotens deus ut qui in adflictione nostra de tua pietate confidimus 518

Praesta quaesumus omnipotens deus ut qui in tua protectione confidimus cuncta nobis 307

Praesta quaesumus omnipotens deus ut

qui iram tuae indignationis agnovimus misericordiae 907

Praesta quaesumus omnipotens deus ut qui nostris excessibus incessanter adfligimur per 379

Praesta quaesumus omnipotens deus ut qui nostris excessibus incessanter affligimur tuae 1339

Praesta quaesumus omnipotens deus ut qui offensa nostra per flagella cognoscimus tuae 914

Praesta quaesumus omnipotens deus ut qui paschalia festa peregimus haec te largiente 481

Praesta quaesumus omnipotens deus ut qui resurrectionis dominicae solemnia colimus 446

Praesta quaesumus omnipotens deus ut qui sanctorum Marci et Marcelliani natalicia colimus 608

Praesta quaesumus omnipotens deus ut qui sanctorum tuorum Alexandri Eventii et Theoduli 528

Praesta quaesumus omnipotens deus ut qui sanctorum tuorum Cosmae et Damiani natalicia 762

Praesta quaesumus omnipotens deus ut qui sanctorum tuorum Tiburtii Valeriani et Maximi 506

Praesta quaesumus omnipotens deus ut qui se affligendo carne ab alimentis abstinent 308

Praesta quaesumus omnipotens deus ut quos ieiunia votiva castigant ipsa quoque devotio 325

Praesta quaesumus omnipotens deus ut redemptionis nostrae ventura solemnitas et 828

Praesta quaesumus omnipotens deus ut salutaribus ieiuniis eruditi ab omnibus etiam vitiis 594

Praesta quaesumus omnipotens deus ut salvatoris mundi stella duce manifestata nativitas 155 → **186**

Praesta quaesumus omnipotens deus ut semper rationabilia meditantes quae tibi sunt placita 38

Praesta quaesumus omnipotens et misericors deus ut quae ore contingimus pura mente 290

Praesta quaesumus omnipotens et misericors deus ut spiritus sanctus adveniens templum 585

Praetende domine fidelibus tuis dexte-

ram caelestis auxilii ut et te toto corde perquirant 14; 311 → **239**

Praetende domine misericordia tua famulis et famulabus tuis illis dexteram caelestis auxilii ut 1350

Praetende nobis domine misericordiam tuam ut quae votis expetimus conversatione tibi 60; 521

Praeveniat nos quaesumus domine gratia tua semper et subsequatur et has oblationes quas 1233

Praeveniat nos quaesumus domine misericordia tua et voces nostras clementiae tuae 948

Preces nostras quaesumus domine clementer exaudi atque a peccatorum vinculis absolutos 206

Preces nostras quaesumus domine clementer exaudi et contra cuncta nobis adversantia 235

Preces nostras quaesumus domine clementer exaudi et inter huius vitae adversitates atque 1216

Preces populi tui domine quaesumus clementer exaudi ut qui iuste pro peccatis nostris 252

Preces populi tui quaesumus domine clementer exaudi ut beati Marcelli martyris tui atque 160

Preces populi tui quaesumus domine clementer exaudi ut qui de adventu unigeniti filii tui 851 → **146**

Preces populi tui quaesumus domine clementer exaudi ut qui in sola spe gratiae caelestis 53

Preces populi tui quaesumus domine clementer exaudi ut qui iuste pro peccatis nostris 200; 839; 1327

Precibus nostris quaesumus domine aurem tuae pietatis accommoda et orationes supplicum 896 → **1261**

Pro animabus famulorum famularumque tuarum illorum et illarum et omnium catholicorum 1392

Pro nostrae servitutis augmento sacrificium tibi domine laudis offerimus ut quod inmeritis 742; 1333 → **991**, ecc.

Pro sanctorum Proti et Hiacinthi munera tibi domine commemoratione quae debemus 723

Proficiat domine quaesumus plebs tibi dicata piae devotionis effectu ut sacris actionibus 22

Proficiat nobis ad salutem corporis et

animae domine deus huius sacramenti susceptio et 1239 → **1158**

Proficiat quaesumus domine ad indulgentiam animabus pro quibus tuam obsecramus 1419; 1429

Proficiat quaesumus haec oblatio domine quam tuae supplices offerimus maiestati ad 1317

Prope esto domine omnibus expectantibus te in veritate ut in adventu filii tui domini nostril 848

Propitiare domine animae famuli tui illius ut quem in fine istius vitae regenerationis fonte 1399

Propitiare domine iniquitatibus nostris et exorabilis tuis esto supplicibus ut concessa venia 9

Propitiare domine populo tuo propitiare muneribus et hac oblatione placatus et indulgentiam 1122

Propitiare domine quaesumus supplicationibus nostris et interveniente pro nobis sancto illo 1164

Propitiare domine supplicationibus nostris et animarum nostrarum medere languoribus ut 8

Propitiare domine supplicationibus nostris et animarum nostrarum medere languoribus ut 268

Propitiare domine supplicationibus nostris et hanc oblationem famulorum famularumque 1351

Propitiare domine supplicationibus nostris et hanc oblationem quam tibi offerimus pro famulo 1218

Propitiare domine supplicationibus nostris et has oblationes famulorum famularumque 1098 → **474**

Propitiare domine supplicationibus nostris et has populi tui oblationes benignus adsume ut 1101

Propitiare domine supplicationibus nostris et inclinato super hunc famulum tuum cornu 970

Propitiare domine supplicationibus nostris et institutis tuis quibus propagationem humani 1015

Propitiare domine supplicationibus nostris pro anima famuli tui illius pro qua tibi offerimus 1397

Propitiare quaesumus domine animae famuli tui illius pro qua tibi hostias placationis 1414

Propitiare quaesumus domine nobis famulis tuis per huius sancti confessoris tui illius qui in 1295

Propitius domine quaesumus haec dona sanctifica et hostiae spiritalis oblatione suscepta 579

Propitius esto domine supplicationibus nostris et populi tui oblationibus precibusque 1152

Prosit quaesumus domine animae famuli tui illius sacerdotis misericordiae tuae implorata 1412 → **1219**

Protector in te sperantium deus familiam tuam propitius respice et per beatos apostolos tuos 864

Protector in te sperantium deus salva populum tuum et a peccatis liber et ab hoste securus in 33

Protector in te sperantium deus sine quo nihil est validum nihil sanctum multiplica super nos 1091 → **467**

Protector noster aspice deus ut qui malorum nostrorum pondere premimur percepta 250; 1331

Protegat domine quaesumus populum tuum et participatio caelestis indulta convivii et 764

Protegat domine quaesumus tua dextera populum supplicantem ut praesentem vitam sub tua 23

Protege domine famulos tuos subsidiis pacis et beatae Mariae patrociniis confidentes a 199

Protege domine populum tuum et apostolorum patrocinio confidentem perpetua defensione 652

Protege domine populum tuum et apostolorum tuorum patrocinio confidentem perpetua 645

Purifica domine quaesumus mentes nostras et renova caelestibus sacramentis ut 1132 → **245**

Purifica nos misericors deus ut ecclesiae tuae preces quae tibi gratae sunt pia munera 381

Purifica quaesumus domine tuorum corda fidelium ut a terrena cupiditate mundati et 32; 303; 903

Purificent nos domine sacramenta quae sumpsimus et intercedente beato Nicomede martyre 734

Purificent nos quaesumus domine sacramenta quae sumpsimus et famulum tuum illum ab 1315 → **249**

Purificent semper et muniant nos tua sacramenta deus et ad perpetuae ducant salvationis 1126

Purificet nos domine quaesumus et divini perceptio sacramenti et gloriosa sanctorum tuorum 871; 1171

Purificet nos domine quaesumus muneris praesentis oblatio et dignos sacra participatione 582

Purificet nos indulgentia tua deus et ab omni semper iniquitate custodiat 940

Quaesumus domine deus noster diei molestias noctis quiete sustenta ut necessaria 929

Quaesumus domine deus noster ut quos divinis reparare non desinis sacramentis tuis non 1114

Quaesumus domine deus noster ut sacrosancta mysteria quae pro reparationis nostrae 187; 483; 842 → **214**

Quaesumus domine nostris placare muneribus quoniam tu eadem tribuis ut placeris 1355

Quaesumus domine salutaribus repleti mysteriis ut cuius solemnia celebramus eius 159; 165

Quaesumus domine salutaribus repleti mysteriis ut quorum solemnia celebramus eorum 527

Quaesumus domine salutaribus repleti mysteriis ut quorum solemnia celebramus orationibus 727

Quaesumus domine ut famulo tuo illi cuius septimum obitus sui diem commemoramus 1431

Quaesumus omnipotens deus afflicti populi lacrimas respice et iram tuae indignationis averte 910

Quaesumus omnipotens deus clementiam tuam ut inundantiam cohibeas imbrium et 1024; 1235

Quaesumus omnipotens deus familiam tuam propitius respice ut te largiente regatur in 341

Quaesumus omnipotens deus instituta providentiae tuae pio amore comitare ut quos legitima 1017

Quaesumus omnipotens deus ne nos tua misericordia derelinquat quae et errores nostros 29

Quaesumus omnipotens deus ut beatus Andreas apostolus tuum nobis imploret auxilium ut a 805

Quaesumus omnipotens deus ut beatus ille apostolus tuus pro nobis imploret

auxilium ut a 1160

Quaesumus omnipotens deus ut de perceptis muneribus gratias exhibentes beneficia potiora 750

Quaesumus omnipotens deus ut et reatum nostrum munera sacrata purificent et recte vivendi 773

Quaesumus omnipotens deus ut hoc in loco quem nomini tuo indigni dicavimus cunctis 860

Quaesumus omnipotens deus ut humanis non sinas subiacere periculis quos divina tribuis 743

Quaesumus omnipotens deus ut illius salutaris capiamus effectum cuius per haec 233; 658; 761; 1066

Quaesumus omnipotens deus ut inter eius membra numeremur cuius corpori communicamus 310

Quaesumus omnipotens deus ut nos geminata laetitia hodiernae festivitatis excipiat quae de 629

Quaesumus omnipotens deus ut qui caelestia alimenta percepimus intercedente beato 178

Quaesumus omnipotens deus ut qui caelestia alimenta percepimus intercedentibus sanctis 536

Quaesumus omnipotens deus ut qui caelestia alimenta percepimus intercedente beato 777

Quaesumus omnipotens deus ut qui caelestia alimenta percepimus per haec contra omnia 83

Quaesumus omnipotens deus ut qui caelestia alimenta percepimus per haec contra omnia 208

Quaesumus omnipotens deus ut qui nostris fatigamur offensis et merito nostrae iniquitatis 898

Quaesumus omnipotens deus ut quos divina tribuisti participatione gaudere humanis non 1334 → **484**

Quaesumus omnipotens deus vota humilium respice atque ad defensionem nostram 253; 285

Quos caelesti domine dono satiasti praesta quaesumus ut a nostris mundemur occultis et 1099

Quos munere domine caelesti reficis divino tuere praesidio ut tuis mysteriis perfruentes nullis 1362 → **145**

Quos tantis domine largiris uti mysteriis quaesumus ut effectibus nos eorum veraciter aptare 1060

Redemptionis nostrae munere vegetati quaesumus domine ut hoc perpetuae salutis auxilium 478 → **454**

Redemptor noster aspice deus et tibi nos iugiter servire concede 937

Refecti cibo potuque caelesti deus noster te supplices deprecamur ut in cuius haec 123

Refecti cibo potuque caelesti deus noster te supplices exoramus ut in cuius haec 175; 700

Refecti domine pane caelesti ad vitam quaesumus nutriamur aeternam 84; 533

Refecti participatione muneris sacri quaesumus domine deus noster ut cuius 168; 524; 530; 552; 681

Refecti vitalibus alimentis quaesumus domine deus noster ut quod tempore nostrae 393

Refectio potuque caelesti quaesumus omnipotens deus ut ab hostium defendas formidine 730

Repleantur consolationibus tuis domine quaesumus tuorum corda fidelium pariterque etiam 1183

Repleti cibo spiritalis alimoniae supplices te domine deprecamur ut huius participatione 821; 1342 → **123**, ecc.

Repleti domine benedictione caelesti quaesumus clementiam tuam ut intercedente beato 712

Repleti domine benedictione caelesti suppliciter imploramus ut quod fragili celebramus 1284

Repleti domine muneribus sacris da quaesumus ut in gratiarum semper actione maneamus 1084

Repleti domine muneribus sacris quaesumus ut intercedentibus sanctis tuis in gratiarum 718

Repleti sumus domine muneribus tuis tribue quaesumus ut eorum et mundemur affectu et 1102 → **968**

Respice domine familiam tuam et praesta ut apud te mens nostra tuo desiderio fulgeat quae 231 → **210**

Respice domine famulum tuum illum in infirmitate sui corporis laborantem et animam refove 1031

Respice domine munera populi tui sanctorum festivitate votiva et tuae testificatio veritatis 696

Respice domine munera quae in sanctorum apostolorum tuorum commemoratione deferimus 862

Respice domine munera supplicantis ecclesiae et saluti credentium perpetua sanctificatione 1092

Respice domine propitius ad munera quae sacramus ut et tibi grata sint et nobis salutaria 305

Respice domine propitius plebem tuam et toto tibi corde subiectam praesidiis invictae pietatis 24; 276

Respice domine quaesumus nostram propitius servitutem ut quod offerimus sit tibi munus 1116 → **460**

Respice domine quaesumus populum tuum et quem aeternis dignatus es renovare mysteriis 473

Respice domine quaesumus super hanc familiam tuam pro qua dominus noster Iesus 383

Respice nos misericors deus et mentibus clementer humanis nascente Christo summae 108

Respice nos misericors deus et nomini tuo perfice veraciter obsequentes 956

Respice nos omnipotens et misericors deus et ab omnibus tribulationibus propitiatus absolve 966

Respice propitius domine ad debitam tibi populi servitutem ut inter humanae fragilitatis 37

Respice propitius super hanc famulam tuam quae maritali iungenda est consortio tua se 1016b → **1026**

Respice quaesumus domine nostram propitius servitutem et haec oblatio nostra sit tibi 1185

Respiciat quaesumus clementia tua domine Iesu munera servorum tuorum et gratiam tuae 1291 → **1121**

Sacrae nobis quaesumus domine observationis ieiunia et piae conversationis augmentum et 320

Sacramenta quae sumpsimus domine deus noster et spiritalibus nos repleant alimentis et 327; 1159

Sacramenta quae sumpsimus domine quaesumus et spiritalibus nos excipiant alimentis et 1075

Sacramenti tui domine divina libatio penetrabilia nostri cordis infundat et sui participes 283 → **225**

Sacramenti tui domine veneranda perceptio et mystico nos mundet effectu et perpetua virtute 302

Sacramenti tui quaesumus domine participatio salutaris et purificationem nobis praebeat et 346

Sacramentis domine et gaudiis optata celebritate expletis quaesumus ut eorum precibus 1268; 1371

Sacramentorum tuorum domine communio sumpta nos salvet et in tuae veritatis luce 697 → **469**

Sacrandum tibi domine munus offerimus quo beati Andreae solemnia recolentes 806

Sacrandum tibi domine munus offerimus quo beati illius apostoli solemnia recolentes 1161

Sacrificia domine paschalibus gaudiis immolamus quibus ecclesia mirabiliter et nascitur et 459 → **377**

Sacrificia domine tibi cum ecclesiae precibus immolanda quaesumus corda nostra purificent 1358

Sacrificia domine tuis oblata conspectibus ignis ille divinus adsumat qui discipulorum Christi 589 → **1171**

Sacrificia nos domine inmaculata purificent et mentibus nostris supernae gratiae dent 1083

Sacrificia nos quaesumus domine propensius ista restaurent quae medicinalibus sunt 376

Sacrificiis domine placatus oblatis opem tuam nostris temporibus clementer inpende 1202

Sacrificiis praesentibus domine placatus intende ut et devotioni nostrae proficiant et saluti 844

Sacrificiis praesentibus domine quaesumus intende placatus et intercedentibus sanctis tuis 657

Sacrificiis praesentibus domine quaesumus intende placatus ut et devotioni 215; 259; 313; 672; 760; 841

Sacrificium domine observantiae paschalis offerimus praesta quaesumus ut tibi et mentes 219 → **203**

Sacrificium domine quod immolamus intende placatus ut ab omni nos exuat bellorum 1009; 1208

Sacrificium domine quod pro sanctis martyribus illis praevenit nostra devotio eorum merita 1170

Sacrificium nostrum tibi domine quaesumus beati Andreae precatio sancta conciliet ut cuius 810

Sacrificium nostrum tibi domine quaesumus beati Laurentii precatio sancta conciliet ut cuius 686

Sacrificium quadragesimalis initii solemniter immolamus te domine deprecantes ut cum 223 → **199**

Sacrificium salutis nostrae tibi offerentes concede nobis domine deus purificatis mentibus 1382

Sacrificium tibi domine laudis offerimus in tuorum commemoratione sanctorum da 711

Sacris domine mysteriis expiati et veniam consequamur et gratiam 294

Sacro munere satiati supplices te domine deprecamur ut quod debitae servitutis 171; 508; 607; 690

Salutaris tui domine munera satiati supplices deprecamur ut cuius laetamur gustu renovemur 831

Salutaris tui domine munera satiati supplices exoramus ut cuius laetamur gustu renovemur 229; 610

Salva nos omnipotens deus et lucem nobis concede perpetuam 927

Sancta tua nos domine quaesumus et vivificando renovent et renovando vivificent 331 → **243**

Sancta tua nos domine sumpta vivificent et misericordiae sempiternae praeparent expiatos 1093

Sanctae martyris tuae illius supplicationibus tribue nos fovere ut cuius venerabilem 1172

Sancti martyris tui domine quaesumus veneranda festivitas salutaris auxilii nobis praestet 873

Sancti nominis tui domine timorem pariter et amorem fac nos habere perpetuum quia tua 1088

Sancti spiritus domine corda nostra mundet infusio et sui roris intima 571; 577 → **1169**

Sancti tui domine ubique nos laetificent ut dum eorum merita recolimus patrocinium 880

Sancti tui nos quaesumus domine ubique laetificent ut dum eorum merita recolimus 136

Sanctifica quaesumus domine deus per tui sancti nominis invocationem huius oblationis 1237 → **485**

Sanctifica quaesumus domine nostra ieiunia et cunctarum nobis propitius indulgentiam 344

Sanctificationem tuam nobis domine his mysteriis placatus operare quae nos et a terrenis 266 → **221**

Sanctificationibus tuis omnipotens deus et vitia nostra curentur et remedia nobis aeterna 257; 1135

Sanctificationibus tuis omnipotens deus et vitia nostra curentur et remedia nobis sempiterna 377

Sanctificato hoc ieiunio deus tuorum corda fidelium miserator inlustra et quibus devotionis 352

Sanctificet nos domine qua pasti sumus mensa caelestis et a cunctis erroribus expiatos 298 → **233**

Sanctificet nos domine quaesumus tui perceptio sacramenti et intercessione sanctorum tibi 804

Sanctificet nos domine quaesumus tui perceptio sacramenti et intercessio beatae martyris 1174

Sanctificet nos quaesumus domine tui perceptio sacramenti et intercessio beatae martyris 737

Sanctificetur quaesumus domine deus huius nostrae oblationis munus tua cooperante 1244

Sanctorum tuorum nobis domine pia non desit oratio quae et munera nostra conciliet et tuam 134; 763

Satiasti domine familiam tuam muneribus sacris eius quaesumus domine semper 162

Satiasti domine familiam tuam muneribus sacris eius quaesumus semper interventione nos 101; 824

Satiasti domine familiam tuam muneribus sacris eius quaesumus semper interventione nos 706

Satiasti domine familiam tuam muneribus sacris eius semper intercessione nos refove cuius 792

Satisfaciat tibi domine quaesumus pro anima famuli tui illius sacrificii praesentis oblatio et 1402

Sempiternae pietatis tuae abundantiam domine supplices imploramus ut nos beneficia quae 1210

Sentiamus domine quaesumus tui perceptione sacramenti subsidium mentis et corporis ut in 1117 → **208**

Sit domine quaesumus beatus Iohannes evangelista nostrae fragilitatis adiutor ut pro nobis 126

Sit nobis domine reparatio mentis et corporis caeleste mysterium ut cuius exsequimur 195; 1108

Spiritum in nobis domine tuae caritatis infunde ut quos uno caelesti pane satiasti tua facias 220; 1308 → **452**

Spiritum nobis domine tuae caritatis infunde ut quos sacramentis paschalibus satiasti tua 438; 444 → **375**

Spiritum nobis domine tuae caritatis infunde ut quos uno caelesti pane satiasti intercedente 661

Subiectum tibi populum quaesumus domine propitiatio caelestis amplificet et tuis semper 902 → **617**

Subveniat nobis domine misericordia tua ut ab imminentibus peccatorum nostrorum periculis 291; 1332

Subveniat nobis domine quaesumus sacrificii praesentis operatio quia nos et ab erroribus 1197

Subveniat nobis quaesumus domine misericordia tua ut ab imminentibus peccatorum 6

Succurre quaesumus domine populo supplicanti et opem tuam tribue benignus infirmis ut 359; 890 → **618**

Sumat ecclesia tua deus beati Iohannis baptistae generatione laetitiam per quem suae 622

Sumentes domine caelestia sacramenta quaesumus clementiam tuam ut quod temporaliter 587

Sumentes domine perpetuae sacramenta salutis tuam deprecantes clementiam ut per ea 1318

Sumentes dona caelestia domine suppliciter deprecamur ut quae sedula servitute donante te 747

Sumpsimus domine celebritatis annuae votiva sacramenta praesta quaesumus ut et 181

Sumpsimus domine divina mysteria beati Andreae festivitate laetantes quae sicut tuis sanctis 811

Sumpsimus domine pignus redemptionis aeternae sit nobis domine quaesumus 694 → **937**

Sumpsimus domine sacri dona mysterii humiliter deprecantes ut quae in tui commemoratione 590; 1150 → **394**

Sumpsimus domine sanctorum tuorum solemnia celebrantes caelestia sacramenta praesta 631 → **933**

Sumpta domine caelestis sacramenti mysteria quaesumus ad prosperitatem itineris famuli tui 1219

Sumpti sacrificii domine perpetua nos tuitio non relinquat et noxia semper a nobis cuncta 362 → **266**

Sumptis domine caelestibus sacramentis ad redemptionis aeternae quaesumus proficiat 1123

Sumptis domine sacramentis ad redemptionis aeternae quaesumus proficiamus augmentum 271

Sumptis domine sacramentis quaesumus intercedente beato martyre tuo N. ad redemptionis 875

Sumptis domine salutaribus sacramentis ad redemptionis aeternae quaesumus proficiamus 318

Sumptis domine salutis nostrae subsidiis da quaesumus eius nos patrociniis ubique protegi 1257

Sumptis muneribus domine quaesumus ut cum frequentatione mysterii crescat nostrae salutis 845; 1090

Sumptis redemptionis nostrae muneribus praesta quaesumus misericors deus eorum 1387

Super has quaesumus domine hostias benedictio copiosa descendat quae et 180; 529; 541

Super hunc quoque famulum tuum quaesumus domine placatus intende quem tuis sacrariis 980b

Supplices te domine rogamus ut his sacrificiis peccata nostra mundentur quia tunc veram 326

Supplices te rogamus omnipotens deus iube haec perferri per manus angeli tui in sublime 75

Supplices te rogamus omnipotens deus ut intervenientibus sanctis tuis et tua in nobis dona 798

Supplices te rogamus omnipotens deus ut quos donis caelestibus satiasti intercedente beato 687

Supplices te rogamus omnipotens deus ut quos [tuis] reficis sacramentis tibi etiam 205; 260; 542; 703; 1054 → **451**

Supplices te rogamus omnipotens deus ut quos tuis reficis sacramentis intercedente beato 511; 604

Suppliciter te deus pater omnipotens qui es creator omnium rerum deprecor ut dum me 1188

Suscipe clementissime pater hostiam placationis et laudis quam ego peccator et indignus 1314

Suscipe domine fidelium preces cum oblationibus hostiarum ut intercedente beato Theodoro 782

Suscipe domine fidelium preces cum oblationibus hostiarum ut per haec piae devotionis 453; 1080 → **436** e **478**

Suscipe domine munera pro tuorum commemoratione sanctorum ut quia illos passio 117

Suscipe domine munera propitius oblata quae maiestati tuae beati Nicomedis martyris 733

Suscipe domine munera quae in eius tibi solemnitate deferimus cuius nos confidimus 705

Suscipe domine munera quae pro filii tui gloriosa ascensione deferimus et concede propitius 544

Suscipe domine preces et hostias ecclesiae tuae pro salute famuli tui illius supplicantis et in 1006

Suscipe domine preces et munera quae ut tuo sint digna conspectui sanctorum tuorum 654

Suscipe domine preces nostras et clamantium ad te pia corda propitius intende 935

Suscipe domine propitiatus hostias quibus et te placari voluisti et nobis salutem potenti 1146; 1364 → **216**

Suscipe domine quaesumus nostris oblata serviitis et tua propitius dona sanctifica 245

Suscipe domine quaesumus preces populi tui cum oblationibus hostiarum ut paschalibus 434; 440

Suscipe munera domine quae in beatae Agathae martyris tuae solemnitate deferimus cuius 189

Suscipe munera domine quae in eius tibi solemnitate deferimus cuius nos confidimus 122

Suscipe munera domine quaesumus exultantis ecclesiae et cui causam tanti gaudii 482

Suscipe munera quaesumus domine quae tibi de tua largitate deferimus ut haec sacrosancta 1107

Suscipe quaesumus clementer omnipotens deus nostrae oblationem devotionis et per 1385

Suscipe quaesumus domine hostias famuli tui et levitae tui N. quibus mente tuo nomini 992

Suscipe quaesumus domine munera dignanter oblata et beati Marcelli suffragantibus meritis 161

Suscipe quaesumus domine munera populorum tuorum propitius ut confessione tui nominis 465 ⇢ **380**

Suscipe quaesumus domine preces populi tui cum oblationibus hostiarum et tua mysteria 297 ⇢ **233**

Suscipe quaesumus domine pro sacra conubii lege munus oblatum et cuius largitor es operis 1012 ⇢ **1024**

Suscipiamus domine misericordiam tuam in medio templi tui ut reparationis nostrae ventura 818 ⇢ **143**

Suscipiat clementia tua domine quaesumus de manibus nostris munus oblatum et per huius 1296

Suscipientes domine sacra mysteria suppliciter deprecamur ut quorum exsequimur cultum 242

Tantis domine repleti muneribus praesta quaesumus ut et salutaria dona capiamus et a tua 1087 ⇢ **464**

Terram tuam domine quam videmus nostris iniquitatibus tabescentem caelestibus aquis 1020

Tibi domine sacrificia dicata reddantur quae sic ad honorem nominis tui deferenda tribuisti ut 1113 ⇢ **261**

Tribue nobis domine caelestis mensae virtutis societatem et desiderare quae recta sunt et 1081

Tribue quaesumus omnipotens deus ut illuc tendat christianae devotionis affectus quo tecum 463

Tribulationem nostram quaesumus domine propitius respice et iram tuae indignationis quam 908; 1367 ⇢ **1152**

Tu famulis tuis quaesumus domine bonos mores placatus institue tu in eis quod tibi placitum 998

Tua domine muneribus altaria cumulamus illius nativitatem honore debito celebrantes qui 621 ⇢ **772**

Tua domine propitiatione et beatae Mariae semper virginis intercessione ad perpetuam atque 1256

Tua nos domine medicinalis operatio et a nostris adversitatibus clementer expediat et ad ea 1105 ⇢ **460**

Tua nos domine medicinalis operatio et a nostris perversitatibus semper expediat et tuis faciat 1141

Tua nos domine protectione defende et ab omni semper iniquitate custodi 295

Tua nos domine quaesumus gratia benedicat et ad vitam perducat aeternam 944

Tua nos domine quaesumus gratia semper et praeveniat et sequatur ac bonis operibus 955

Tua nos domine sacramenta custodiant et contra diabolicos tueantur incursus 1128

Tua nos domine veritas semper inluminet et ab omni pravitate defendat 926

Tua nos misericordia deus et ab omni subreptione vetustatis expurget et capaces sanctae 378

Tua nos quaesumus domine sancta purificent et operatione sua nos tibi reddant acceptos 339

Tueatur quaesumus domine dextera tua populum tuum deprecantem et purificatum dignanter 367 ⇢ **230**

Tuere domine populum tuum et ab omnibus peccatis clementer emunda et ut nulla nobis 221 ⇢ **213**

Tuere domine populum tuum et salutaribus praesidiis semper adiutum beneficiis attolle 31

Tuere nos domine quaesumus tua sancta sumentes et ab omni propitius iniquitate defende 1199

Tuere nos domine quaesumus tua sancta sumentes et ab omnibus propitius absolve 1229

Tuere nos superne moderator et fragilitatem nostram tuis defende praesidiis 957

Tuere quaesumus domine familiam tuam ut salutis aeternae remedia quae te aspirante 753

Tui domine quaesumus perceptione sacramenti et a nostris mundemur occultis et ab hostium 238; 801

Tui nobis domine communio sacramenti et purificationem conferat et tribuat unitatem 1111 ⇢ **230**

Tui nos domine quaesumus sacramenti libatio sancta restauret et a vetustate purgatos in 224; 834 → **216**

Ut a nostris excessibus domine temperemur tua nos praecepta concede iugiter
operari 958

Ut accepta tibi sint domine nostra ieiunia
praesta nobis quaesumus huius munere 597

Ut cunctis nos domine foveas adiumentis tuis apta propitius disciplinis 960

Ut nobis domine tua sacrificia dent salutem beatus confessor tuus ille quaesumus precator 1165

Ut nos domine tribuis solemne tibi deferre ieiunium sic nobis quaesumus
indulgentiae 755

Ut percepta nos domine tua sancta purificent beati Proti et Hiacinthi quaesumus imploret 724

Ut sacris domine reddamur digni muneribus fac nos tuis quaesumus oboedire
mandatis 267; 1144

Ut tibi grata sint domine munera populi
tui supplicantis ab omni quaesumus
eum contagione 144 → **234**

Ut tuam domine misericordiam consequamur fac nos tibi toto corde esse devotos 934

Vegetet nos domine semper et innovet
tuae mensae libatio quae fragilitatem
nostram gubernet 358

Vide domine infirmitates nostras et celeri nobis pietate succurre 945

Vincula domine quaesumus humanae
pravitatis abrumpe ut ad confitendum
nomen tuum 943

Vitia cordis humani haec domine quaesumus medicina conpescat quae mortalitatis nostrae 1359

Vivificet nos domine quaesumus participatio tui sancta mysterii et pariter nobis expiationem 1120; 1326 → **231**

Vivificet nos domine sacrae participationis infusio et perpetua protectione
defendat 1366

Vota nostra quaesumus domine pio favore prosequere ut dum dona tua in
tribulatione 520

Vota populi tui domine propitiatus intende et quorum nos tribuis solemnia
celebrare fac 739; 797

Vota quaesumus domine supplicantis
populi caelesti pietate prosequere ut et
quae agenda 143 → **451**

Votiva domine dona percepimus quae
sanctorum nobis precibus et praesentis
quaesumus 129

Votiva quaesumus domine supplicantis
populi caelesti pietate prosequere ut et
quae agenda 1052

Vox clamantis ecclesiae ad aures domine
quaesumus tuae pietatis ascendat ut
percepta venia 7

Vox nostra te domine semper deprecetur
et ad aures tuae pietatis ascendat 932

Appendice II

EMBOLISMI PREFAZIALI

Per i 105 prefazi si riporta solo l'*incipit* dell'embolismo. La interpretazione del *Qui* – se si rivolge al Padre o al Figlio – è determinata ovviamente dal protocollo prefaziale; qui si indica solo la parte centrale (cf inoltre *Commento* al n. 65). Il numero preceduto dall' = rinvia alla pagina del MR 2002.

Beati apostoli tui et evangelistae Iohannis venerandae adsumptionis natalicia recensentes 1441

Beati etenim martyres quorum hodie festa recolimus germanitatis egregiae veraciter 1487

Beati Laurentii natalicia repetentes cui fidem confessionemque non abstulit ignis ingestus 1491

Beati Stephani levitae simul et martyris natalicia recolentes. Qui fidei qui sacrae militiae qui 1440

Beatorum martyrum natalicia recensentes. Qui in ecclesiae tuae sanctae prato sicut rosae et lilia 1500

Clementiam tuam pronis mentibus implorantes ut unigenitus tuus qui se usque in finem 1475

Clementiam tuam pronis mentibus obsecrantes ut famulos tuos quos sanctae dilectionis nobis 1311

Clementiam tuam pronis mentibus obsecrantes ut mentes nostras sensusque disponas quia 1495

Clementiam tuam suppliciter obsecrantes ut cum exultantibus sanctis tuis in caelestis regni 1272

Clementiam tuam votis implorantes ut pectora servorum tuorum lumine tuae sapientiae 1292

Cui possibile est in fragilitate nostra paschale sacramentum mirabiliter operari ut carnali 1468

Cui proprium est ac singulare quod bonus es et nulla umquam a te es et nulla umquam 1435

Cuius adorandae dignationis adventum licet diu antea prophetis nuntiatum Iohannem testatum 1485

Cuius gratia mirabili beata virgo Caecilia dispecto mundi coniugio ad consortia superna 1497

Diemque natalicium beati pontificis et confessoris Rodperti omni devotione venerari suppliciter 1302

Digne enim beatus baptista Iohannes cuius hodie solemnia recensemus inter natos mulierum 1486

Donari nobis suppliciter exorantes ut sicut sancti tui mundum in tua virtute vicerunt ita nos 1484; 1501

Et suppliciter exorare sic nos bonis tuis instruis sempiternis ut et temporalibus consoleris 1474

Gloriam tuam domine profusis precibus exorare ut sancti illius patrocinio nos adiuvante 1505

Gratanter namque beatorum martyrum passiones celebramus quorum solemnitas salutaris et 1499

Humiliter tuam deprecantes clementiam ut gratiam sancti spiritus animae famuli tui illius 1253

Implorantes clementiam tuam ut qui te auctore subsistimus te dispensante dirigamur 1460

In die festivitatis hodiernae qua beatus Xystus pariter et sacerdos et martyr devotum tibi 1489

In exultatione praecipue solemnitatis hodiernae in qua coaeternus tibi filius tuus unigenitus in 1447

In exultatione praecipue solemnitatis hodiernae qua beatorum pontificum et martyrum tuorum 1492

Maiestatem tuam devotis mentibus implorantes ut sicut ex te habemus esse quod sumus sic 1453

Maiestatem tuam iugiter exorantes ut Iesus Christus filius tuus dominus noster sua nos gratia 1459

Maiestatem tuam propensius implorantes ut quanto magis dies salutiferae
festivitatis accredit 1461

Maiestatem tuam propensius obsecrantes ut nos salutari conpendio bonos
dignanter efficias 1482

Maiestatem tuam suppliciter implorantes ut mentibus nostris medicinalis
observantiae munus 1455

Omnipotentiam tuam iugiter implorantes ut quibus annua celebritatis huius
vota multiplicas 1477

Per quem maiestatem tuam laudant
angeli adorant dominationes tremunt
potestates 65

Per quem maiestatem tuam suppliciter
exoramus ut ab ecclesia tua 1377

Per quem te supplices deprecamur ut
altare hoc sanctis usibus praeparatum
caelesti 859

Pia devotione tuam laudantes clementiam. Qui huic sancto confessori tuo
talem contulisti 1297

Pietatem tuam votis omnibus expetentes ut humanarum rerum prosperitate
percepta terrenis 1494

Post illos enim laetitiae dies quos in honorem domini a mortuis resurgentis et
in caelos 1481

Pretiosis enim mortibus parvulorum
quos propter nostri salvatoris infantiam bestiali saevitia 1442

Pro cuius nomine poenarum mortisque
contemptum in utroque sexu fidelium
cunctis aetatibus 1448

Quamvis enim illius sublimis angelicae
substantiae sit habitatio semper in caelis tuorum tamen 1282

Qui aeternitate sacerdotii sui omnes tibi
servientes sanctificat 1452

Qui ascendens super omnes caelos sedensque ad dexteram 568; 574; 1480

Qui continuatis quadraginta diebus et
noctibus hoc ieiunium 1454

Qui corporali ieiunio vitia conprimis
mentem elevas virtutem largiris et
praemia 1457 = **527**

Qui cum Unigenito Filio tuo et Spiritu
Sancto unus es Deus unus es Dominus
non in unius 1238; 1483 = **487**

Qui dissimulatis peccatis humanae fragilitatis nobis indignis 988

Qui ecclesiam tuam in apostolicis tribui-

sti consistere fundamentis 807

Qui ecclesiam tuam in apostolorum Petri et Pauli praedicatione constantem
nulla sinis fallacia 1488

Qui ecclesiam tuam in tuis fidelibus
ubique pollentem apostolicis facis constare doctrinis ut 1476

Qui ecclesiam tuam sempiterna pietate
non deserens per evangelistarum tuorum doctrinam 1370

Qui es totius fons misericordiae spes et
consolatio lugentium vita et salus ad
te clamantium 1386

Qui fidelibus tuis non solum carnalem
sed etiam victum spiritalem benignus
inpendis ut non in 1456

Qui foedera nuptiarum blando concordiae iugo et insolubili pacis vinculo
nexuisti ut ad 1013 = **1024**

Qui glorificaris in tuorum confessione
sanctorum. Et non solum excellentioribus praemiis 1496

Qui humanos miseratus errores per virginem nasci dignatus 1470

Qui ideo malis praesentibus nos flagellas ut ad bona futura perducas ideo
bonis temporalibus 1203

Qui in illa praesentis diei caena singulariter praecipua 1465

Qui in principio inter cetera bonitatis et
pietatis tuae munera 391

Qui inspicis cogitationum secreta et
omnis nostrae mentis intentio providentiae tuae patescit 1381

Qui licet aequalis patri et spiritali sit
potentia coaeternus 1439

Qui mirabili tuae dispensatione pietatis
factus ex muliere 1443

Qui ne imago quae ad similitudinem tui
facta fuerat vivens dissimilis haberetur
ex morte 1437

Qui nobis in Christo unigenito filio tuo
domino nostro spem beatae resurrectionis concedisti 1422

Qui non solum peccata dimittis sed
ipsos etiam iustificas peccatores et reis
non tantum 1458

Qui nos adsiduis beatorum martyrum
passionibus consolaris et eorum sanguinem 1493

Qui nos de donis bonorum temporalium ad perceptionem provehis aeternorum et haec tribuens 1463

Qui post resurrectionem suam omnibus

discipulis suis manifestus apparuit et ipsis cernentibus 545 = **536**

Qui propter redemptionem nostram implendam se perfidi 1464

Qui propterea iure punis errantes et clementer refoves castigatos ut nos et a malis operibus 1365

Qui salubre meditantes ieiunium necessaria curatione tractamus et per observantiae 1436

Qui salutem humani generis in ligno crucis constituisti ut unde mors oriebatur inde vita 1287 = **829**

Qui sanctorum apud te gloriam permanentem fidelium facis devotione clarescere praesta 1198

Qui secundum iuramenti tui incommutabilem veritatem 1478

Qui seipsum pro nobis protulit immolandum ne brutorum 1462

Qui sempiterno consilio non desinis regere quod creasti nosque delinquere manifestum est 1213

Qui sic tribuis ecclesiam tuam sanctorum commemoratione proficere ut eam semper illorum et 1449

Qui tui nominis agnitionem et tuae potentiae gloriam nobis in coaeterna tibi sapientia revelare 1245

Qui ut de hoste generis humani maior victoria duceretur 99

Quia cum nostra laude non egeas grata tibi tamen est tuorum devotio famulorum. Nec te 1451 = **560** (!)

Quia dum beati illius merita gloriosa veneramur auxilium nobis tuae propitiationis adquirimus 1502

Quia nostri salvatoris hodie lux vera processit 100

Quia per incarnati verbi mysterium 92; 105 = **520**

Quia per mirabile mysterium et inenarabile sacramentum hodie unigenitum tuum virgo sacra 1450

Quia primum tuae pietatis indicium est si tibi nos facias toto corde subiectos. Tu spiritum nobis 1473

Quia refulsit in aeternum dies resurrectionis et gloriae Iesu Christi domini nostri qui sacerdos 1466

Quia vetustate destructa renovantur universa deiecta et vitae nobis in Christo reparatur 1469 = **533**

Quoniam a te constantiam fides a te vir-

tutem sumit infirmitas et quicquid in persecutionibus 1479

Quoniam fiducialiter tibi laudis hostias immolamus quas sancti illius martyris confessione 1504

Quoniam martyris beati Sebastiani pro confessione nominis tui venerabilis sanguis effusus 1445

Quoniam supplicationibus nostris misericordiam tuam confidimus adfuturam quam beati illius 1503

Quos caelesti domine alimento satiasti apostolicis intercessionibus ab omni adversitate 635; 640

Quos caelesti recreas munere perpetuo domine comitare praesidio et quos fovere non 1194

Recensemus enim diem beatae Agnae martyrio consecratum. Quae terrenae generositatis 1446

Redemptionis nostrae festa recolere quibus humana substantia vinculis praevaricationis exuta 1472

Reverentiae tuae dedicato ieiunio gratulantes quia veneranda omnium sanctorum tuorum 1267

Sancti Antonii confessoris tui merita repetentes quod certi qui donis tuis hic exstetit gloriosus 1444

Suppliciter implorantes ut nos ab omnibus peccatis clementer eripias et a 1346

Te domine suppliciter exorare ut gregem tuum pastor 634; 639

Te quidem omni tempore sed in hac potissimum nocte gloriosius praedicare 435, 441 = **530**

Tuae laudis hostiam iugiter immolantes. Cuius figuram Abel iustus instituit agnus quoque 1438

Tuamque clementiam continua devotione precari ut mentes nostras in bonis operibus semper 1467

Ut quia in manu tua dies nostri vitaque consistit sicut 984

Ut solemnitate recursa qui salutis nostrae sumus principia venerati pascha perpetuum et filii 1471

Veneranda Clementis sacerdotis et martyris solemnia recolentes qui fieri meruit beati apostoli 1498

Venientem natalem beati Laurentii debita servitute praevenientes. Qui levita simul martyrque 1490

Appendice III

«STATIONES» DELLA CHIESA DI ROMA

Anastasia 95-102; 231-234; 581-583
Apollinare 356-359
Apostoli 244-247; 464-469; 588-590; 748-750; 832-834
Balbina 265-268
Cecilia 269-272
Ciriaco 348-351
Clemente 261-264
Cosma e Damiano 300-303; 774 (verificare)
Crisogono 344-347
Croce in Gerusalemme 312-315
Eusebio 333-336
Giorgio 214-217
Giovanni e Paolo 218-221
Giovanni in Laterano 222-226; 368-370; 476-480
Lorenzo fuori le Mura 200-202; 240-243; 285-287; 337-340; 458-463
Lorenzo in Damaso 320-323
Lorenzo in Lucina 304-307; 512-517
Marcello (al Corso, in via Lata) 352-355
Marcellino e Pietro 281-284

Marco 288-291
Maria *ad Martyres* 137-139; 470-475
Maria in Trastevere 273-276
Maria Maggiore 90-94; 182-184; 235-239; 379-383; 584-587; 744-747; 828-831
Paolo 127-132; 203-205; 324-328; 452-457
Pietro 103-107; 206-208; 248-257; 341-343; 364-367; 448-451; 572-577; 650-652; 741-743; 751-758; 825-827; 835-842
Pietro in Vincoli 227-230; 578-580
Prassede 371-374
Prisca 375-378
Pudenziana 292-295
Quattro Coronati 316-319
Sabina 210-213
Silvestro 329-332
Sisto 296-299
Stefano 360-363
Susanna 308-311
Vitale 277-280

Appendice IV

MARTIRI E SANTI

I numeri tra [...] rinviano al titolo del formulario (spesso con riferimento alla «statio»); gli altri numeri rinviano alla formula o alla rubrica. Sono indicizzati anche i nomi dell'Antico Testamento.

Abdon [118], 662.
Abele 74, 1104, 1438.
Abramo 74, 421, 553, 554, 1434, 1438.
Adriano [20].
Agapito [121], [129], 676, 678, 704.
Agata [21], 76, 189, 190, 191, 192, 1448.
Agnese [17], [19], 76, 172, 173, 174, 179, 180, 1446.
Alessandro 76, [88], 528.
Anastasia [3], [27], [32], 76, 95, 97, [98].
Andrea 69, 81, 126, [156], [157], 447, 451, 457, 463, 469, 805, 806, 807, 808, 809, 810, 811, 812, 813, 814, 815.
Antonio 1444.
Apollinare [62].
Aronne 391a, 971a.
Audatto [133].

Balbina [39].
Barnaba 76.
Bartolomeo 69.
Beatrice [117].
Benedetto 1191.

Callisto [147].
Castorio 778.
Cecilia [40], 76, [153], 790, 791, 1497.
Cesario [148], 775, 776, 777.
Cipriano 69, [136], 1492.
Ciriaco [60], [122], 679.
Claudio 778.
Clemente [38], 69, [154], 793, 794, 1498.
Cleto 69.
Cornelio 69, [136], 1492.
Cosma [48], 69, [144], [148], 484, 762, 1493.

Crisogono [59], 69, [155], 799, 800.
Damiano [48], 69, [144], [148], 484, 762, 1493.
Davide 391a, 391b.

Eleazaro 977a.
Elia 1485.
Epimaco [90], 534, 535, 536.
Ermete [131], 710, 712.
Erode 1442.
Eufemia [138], 735, 737.
Eusebio [56], [127], 698.
Evenzio [88], 528.
Ezechia 1030.

Fabiano [16], 166, 167.
Faustino [117].
Felice [13], [117], [133], 158, 659, 661.
Felicissimo [121], 676, 678.
Felicita 76, [154], 796.
Filippo 69, [87], 525, 526, 1476.

Gabriele 1437.
Geminiano [138].
Geremia 559.
Gervasio [107], 611, 1484.
Giacinto [135], 722, 723, 724.
Giacomo 69, [87], 525, 526, 1476.
Giobbe 1034, 1434.
Giorgio [28], [84], 509, 510, 511.
Giovanni Battista [108], [109], 391b, 430c, 614, 615, 616, 617, 618, 619, 620, 621, 622, 623, 624, 626, 627, 628, 1485, 1486.
Giovanni e Paolo [29], [110], 629, 630, 1487.
Giovanni evangelista [6], [30], [65], 69, 76, [80], [89], 121, 124, 125, 126, 445, 531, 1441.
Gordiano [90], 534, 535, 536.
Gregorio (Magno) 1.

INDICE GENERALE

* * *

[QUARESIMA]

[PASQUA]

[PENTECOSTE]

[AVVENTO]

[FORMULARI COMUNI]

[VARIE]

[DOMENICHE *PER ANNUM*]

[MESSE COMUNI E PER VARIE CIRCOSTANZE]

[PREFAZI PER SINGOLE CIRCOSTANZE]

Commento ai contenuti del Sacramentario

Appendici

«VERITATEM INQUIRERE»

Series Prima (Lateran University Press - Città del Vaticano)

1. G. BAROFFIO – M. SODI – A. SUSKI, *Sacramentari e Messali pretridentini di provenienza italiana. Guida ai manoscritti*, 2016, pp. 443, ISBN 978-88-465-1072-3, € 32,00.

2. M. SODI – A. TONIOLO, *"Descendit Christus, descendit et Spiritus". L'iniziazione alla vita cristiana in Ambrogio da Milano. Spiegazione del Credo – i Sacramenti – i Misteri. Explanatio Symboli – De Sacramentis – De Mysteriis. Textus et Concordantia*, 2016, pp. 373, ISBN 978-88-465-1073-0, € 30,00.

3. M. SODI – R. RONZANI (edd.), *La predicazione dei Padri della Chiesa. Una tradizione sempre attuale*, 2017, pp. 272, ISBN 978-88-465-1175-1, € 27,00.

4. C. CALVANO, *"Sapientia Latina". Un metodo per conoscere il patrimonio linguistico romano-cristiano*, 2018, pp. 420, ISBN 978-88-465-1179-9, € 28,00.

5. A. SUSKI – M. SODI – A. TONIOLO, *Sacramentari gregoriani. Guida ai manoscritti e concordanza verbale*, 2018, pp. 847, ISBN 978-88-465-1177-5, € 35,00.

Series Nova (Edizioni Santa Croce - Roma – Toruń)

Con il 2021 la Collana prosegue il proprio servizio come espressione di due istituzioni universitarie: la *Pontificia Università della Santa Croce* (Roma), e l'*Università N. Copernico di Toruń* (Polonia). Il sottotitolo "Liturgiae Fontes et Studia" denota – in continuità con il progetto originario – l'ambito entro cui si colloca lo specifico apporto alla scienza liturgica, in sintonia con varie altre collane complementari presenti nel panorama editoriale mondiale. La conoscenza delle fonti liturgiche e l'incremento degli studi nell'ambito del culto permettono di proseguire sulla linea culturale che si è sviluppata nei secoli precedenti e si è ampliata soprattutto tra la fine del secondo e gli inizi del terzo millennio.

6. E. DAL COVOLO, *"Semi del Verbo" nella storia. Percorsi biblici e patristici dal primo al quinto secolo*, 2021, pp. 175, ISBN 978-88-8333-943-1, € 20,00.

7. M. SODI – O.A. BOLOGNA – R. PRESENTI – A. TONIOLO (edd.), *Sacramentario Gregoriano. Testo latino-italiano e commento*, 2021, pp. 492, ISBN 978-88-8333-973-8, € 33,00.

Altre opere in preparazione.

PER LA CONOSCENZA DELLE FONTI LITURGICHE

Si tengano presenti le opere pubblicate nelle seguenti collane:

- «*Analecta Hymnica Medii Ævi*» (dal 1886).
- «*Archivio Ambrosiano*» (dal 1949).
- «*Bibliotheca Ephemerides Liturgicae – Subsidia*» (dal 1974).
- «*Corpus Antiphonalium Officii*» (6 volumi, 1963-1979)
- «*Corpus Christianorum*» (dal 1954).
- «*Corpus Troporum*» (dal 1972).
- «*Fontes scrutari*» (dal 2016).
- «*Henry Bradshaw Society*» (dal 1891).
- «*Hymni Latini Medii Ævi*» (3 volumi, 1853-1955).
- «*Instrumenta Liturgica Quarreriensia*» (dal 1992)
- «*Instrumenta Liturgica Quarreriensia - Supplementa*» (dal 1993).
- «*Liturgiewissenschaftliche Quellen und Forschungen*» (dal 1925).
- «*Monumenta Hispaniae Sacra – Series Litúrgica*» (dal 1946).
- «*Monumenta Italiae Liturgica*» (dal 1992).
- «*Monumenta Liturgica Concilii Tridentini*»
  (6 volumi, con nuove edizioni 1997-2012).
- «*Monumenta Liturgica Ecclesiae Tridentinae saeculo XIII antiquiora*»
  (3 volumi, 1983-1988).
- «*Monumenta Liturgica Piana*»
  (5 volumi, con nuove edizioni 2007-2010).
- «*Monumenta Monodica Medii Ævi*» (dal 1956).
- «*Monumenta Studia Instrumenta Liturgica*» (dal 2000).
- «*Repertorium hymnologicum novum*» (dal 1983).
- «*Repertorium hymnologicum*» (6 volumi, 1892-1921).
- «*Rerum Ecclesiasticarum Documenta*»
  (Series maior - Fontes, dal 1954).
- «*Sources Chrétiennes*» (dal 1941).
- «*Spicilegii Friburgensis Subsidia*» (dal 1965).
- «*Spicilegium Friburgense*» (dal 1957)
- «*Studi e Testi*» (dal 1900).

- «*Texte und Arbeiten*» (dal 1917).
- «*Thesaurus hymnologicus*» (4 volumi, 1841-1856).
- «*Veritatem inquirere*»
  (Series Prima 2016-2018; Series Nova dal 2021).

Inoltre:

Nella collana «Veterum et Coaevorum Sapientia»
(= VCS), Editrice LAS, Roma:

- M. Sodi – G. Baroffio – A. Toniolo, *Sacramentarium Gregorianum. Concordantia* = VCS 7, 2012, pp. 609, ISBN 978-88-213-0846-8, € 39,00.
- M. Sodi – G. Baroffio – A. Toniolo, *Sacramentarium Veronense. Concordantia* = VCS 10, 2013, pp. 667, ISBN 978-88-213-0883-3, € 46,00.
- M. Sodi – G. Baroffio – A. Toniolo, *Sacramentarium Gelasianum. Concordantia* = VCS 11, 2014, pp. 793, ISBN 978-88-213-1160-4, € 54,00.

Nella collana «Fontes Scrutari», Editrice Adam Marszalek, Toruń:

1. A. Suski, *Sakramentarze. Przewodnik po rękopisach*, 2016, pp. 1023, ISBN 978-83-8019-477-9 (s.p.).
2. A. Suski, *Rękopiśmienne Mszały Przedtrydenckie. Katalog sumaryczny*, 2017, pp. 811, ISBN 978-83-8019-792-3 (s.p.).
3. W. Turek, Święty Innocenty I, papież. *List do Decencjusza, biskupa Gubbio. Tekst łaciński praz tłumaczenie polskie, przypisy i wprowadzenie*, 2017, pp. 115, ISBN 978-83-231-3916-4 (s.p.).
4. A. Suski – A. Toniolo – M. Sodi, *Pontificali pretridentini (secc. IX-XVI). Guida ai manoscritti e concordanza verbale*, 2019, pp. 732, ISBN 978-83-231-4201-0 (s.p.).
5. A. Suski, *Libri Ordinarii. Przewodnik po rękopisach*, 2019, pp. 565, ISBN 978-83-62941-96-4 e 978-83-8180-097-6 (s.p.).

Stampato nel mese di luglio 2021
dalla Tipografia Rossi
di Sinalunga (Siena)

www.tipografiarossi.com